UTB 8261

Eine Arbeitsgemeinschaft der Verlage

Beltz Verlag Weinheim und Basel
Böhlau Verlag Köln · Weimar · Wien
Wilhelm Fink Verlag München
A. Francke Verlag Tübingen und Basel
Paul Haupt Verlag Bern · Stuttgart · Wien
Verlag Leske + Budrich Opladen
Lucius & Lucius Verlagsgesellschaft Stuttgart
Mohr Siebeck Tübingen
C. F. Müller Verlag Heidelberg
Ernst Reinhardt Verlag München und Basel
Ferdinand Schöningh Verlag Paderborn · München · Wien · Zürich
Eugen Ulmer Verlag Stuttgart
UVK Verlagsgesellschaft Konstanz
Vandenhoeck & Ruprecht Göttingen
WUV Facultas · Wien

Manuel Castells · Das Informationszeitalter 3

Das Informationszeitalter
Wirtschaft · Gesellschaft · Kultur

Teil 1: Der Aufstieg der Netzwerkgesellschaft
Teil 2: Die Macht der Identität
Teil 3: Jahrtausendwende

Manuel Castells

Jahrtausendwende

Teil 3 der Trilogie
Das Informationszeitalter

Übersetzt von Reinhart Kößler

Leske + Budrich Opladen 2003

Unveränderte Studienausgabe der ersten Auflage von 2002.

Redaktion: Barbara Budrich
Typografische Gestaltung: Beate Glaubitz
Umschlag: disegno, Wuppertal

Gedruckt auf säurefreiem und alterungsbeständigem Papier.

Die Deutsche Bibliothek – CIP-Einheitsaufnahme
Ein Titeldatensatz für die Publikation ist bei
Der Deutschen Bibliothek erhältlich

ISBN 3-8100-3900-4

UTB-ISBN 3-8252-8261-9

Druck: DruckPartner Rübelmann, Hemsbach
Printed in Germany

Inhalt

Abbildungsverzeichnis

Schaubilder

Tabellenverzeichnis

Vorbemerkung

Dieser Band beschließt zwölf Forschungsjahre, in denen ich daran gearbeitet habe, eine empirisch fundierte, kulturübergreifende soziologische Theorie des Informationszeitalters vorzulegen. Am Ende dieser Reise, die mein Leben deutlich gezeichnet, in gewissem Sinne gar ausgelaugt hat, möchte ich einigen Leuten und Institutionen gegenüber, deren Beitrag zur Vollendung dieses dreibändigen Buches entscheidend war, meine Dankbarkeit ausdrücken.

Meine tiefster Dank gilt meiner Frau Emma Kiselyova, deren Liebe und Unterstützung mich mit Leben und der Energie erfüllt hat, die ich brauchte, um das Buch zu schreiben; ihre ergiebige Forschungsarbeit war für einige Kapitel insbesondere für Kapitel 1 wesentlich. Dieses Kapitel über den Zusammenbruch der Sowjetunion wurde von uns beiden recherchiert, sowohl in Russland wie auch in Kalifornien. Ich hätte es nicht geschrieben, ohne ihr persönliches Wissen vom Leben in der Sowjetunion, ohne ihre Analyse russischsprachiger Quellen und ihre Berichtigung der vielen Fehler, die ich in den diversen Entwürfen immer wieder gemacht habe. Außerdem ist sie die wichtigste Rechercheurin der Grundlagen für das Kapitel 3 über die globale kriminelle Ökonomie.

Das Kapitel 4 über die asiatische Pazifikregion basiert auf dem Input und den Kommentaren dreier meiner Kollegen, die über die Jahre hinweg immer wieder Quellen von Ideen und Informationen über die asiatischen Gesellschaften waren: Professor You-tien Hsing von der University of British Columbia, Professor Shujiro Yazawa von der Tokyoter Hitotsubashi Universität und Professor Chu-joe Hsia von der Taiwan National University. Kapitel 2 über soziale Exklusion basiert auf der hervorragenden Forschungsassistenz meines Mitarbeiters Chris Benner, einem Promovenden in Berkeley zwischen 1995 und 1997.

Viele Menschen haben über die Genannten hinaus großzügig Informationen und Ideen zu den Recherchen des Bandes beigesteuert. Dafür danke ich insbesondere Ida Susser, Tatjana Zaslavskaja, Ovsey Škaratan, Svetlana Nataluško, Valery Kuleshov, Alexander Granberg, Joo-Chul Kim, Carlos Alonso Zaldivar, Stephen Cohen, Martin Carnoy, Roberto Laserna, Jordi Borja, Vicente Navarro und Alain Touraine.

Weiterhin möchte ich jenen Kollegen danken, die Entwürfe dieses Bandes kommentiert und geholfen haben, einige der Fehler auszuräumen: Ida Susser, Tatjana Zaslavskaja, Gregory Grossman, George Breslauer, Shujiro Yazawa, You-tien Hsing, Chu-joe Hsia, Roberto Laserna, Carlos Alonso Zaldivar und Stephen Cohen.

Über die Jahre haben viele Forschungsinstitutionen meine Arbeit wesentlich unterstützt. Ich danke den jeweiligen Leitern und den Kollegen in diesen Institutionen, die mich viel von dem gelehrt haben, was ich über die Gesellschaften in aller Welt weiß. An vorderster Stelle der Institutionen steht meine intellektuelle Heimat seit 1979: die University of California in Berkeley, insbesondere die akademischen Bereiche, in denen ich während dieser Jahre gearbeitet habe: das Department of City and Regional Planning, Department of Sociology, Center for Western European Studies, Institute of Urban and Regional Development und der Berkeley Roundtable on the International Economy. Weitere Institutionen, die meine Arbeit in den Themenbereichen dieses Bandes gefördert haben sind: Instituto de Sociología de Nuevas Tecnologias und Programa de Estudios Rusos, Universidad Autónoma de Madrid; die Russische Gesellschaft für Soziologie; Center for Advanced Sociological Study, Institute of Youth, Moskau; Institute of Economics and Industrial Engineering, Sowjetische (dann Russische) Akademie der Wissenschaften, Novosibirsk; University of California, Pacific Rim Research Program; Fakultät für Sozialwissenschaften, Hitotsubashi University, Tokyo; National University of Singapore; University of Hong Kong, Center for Urban Studies; Taiwan National University; Korean Institute for Human Settlements; Institute of Technology and International Economy, The State Council, Beijing; Centro de Estudios de la Realidad Económica y Social, Cochabamba, Bolivien; International Institute of Labour Studies of the International Labour Office, Genf.

Ich möchte John Davey besonders erwähnen, früher Verlagsleiter bei Blackwell Publishers. Über 20 Jahre lang hat er meine Fähigkeit zum Schreiben und meine Kommunikationsfähigkeit geleitet und mich in Sachen Veröffentlichungen umfassend beraten. Seine Kommentare zum Schlusskapitel dieses Bandes waren ein entscheidender Beitrag. Meine geschriebenen Werke können niemals von meinem intellektuellen Austausch mit John Davey getrennt werden.

Außerdem möchte ich einige Menschen erwähnen, die für meine intellektuelle Entwicklung während der vergangenen 30 Jahre sehr wichtig gewesen sind. Ihre Arbeit und ihre Gedanken sind auf vielerlei Arten – aber natürlich auf meine ureigenste Verantwortung – in den Seiten dieses Buches präsent. Als da wären: Alain Touraine, Nicos Poulantzas, Fernando Henrique Cardoso, Emilio de Ipola, Jordi Borja, Martin Carnoy, Stephen Cohen, Peter Hall, Vicente Navarro, Anne Marie Guillemard, Shujiro Yazawa und Anthony Giddens. Ich hatte das große Glück, mich gemeinsam mit einer ganz außergewöhnlichen Generation von Intellektuellen entwickeln zu dürfen, mit denen ich über ein globales Netzwerk verbunden sein konnte. All diese Intellektuellen hatten und haben sich der Aufgabe verschrieben, die Welt zu verstehen und zu ändern, ohne dabei die notwendige Distanz zwischen Theorie und Praxis aufzugeben.

Schließlich möchte mich bei meinen Chirurgen bedanken, Dr. Peter Carroll und Dr. James Wolton, und bei meinem Arzt Dr. James Davis, alle vom University of California in San Francisco Medical Center, deren Sorgfalt, Pflege und Professionalität mir die Zeit und die Energie gegeben haben, dieses Buch zu vollenden.

Mai 1997 Berkeley, California

Der Autor und der Verlag danken folgenden Personen und Institutionen für Abdruckgenehmigungen:

Tab. 1.1, 1.2, 1.3 und Abb. 1.1 und 1.2: Mark Harrison, *Europe-Asia Studies* 45, 1993 (Carfax Publishing Company, reproduziert mit Erlaubnis von Taylor and Francis, Abingdon, Oxon 1993);

Tab. 1.4: *The Soviet Economy: Problems and Prospects,* zusammengestellt und ausgearbeitet von Padmai Desai (Blackwell Publishers, Oxford 1987);

Tab. 1.6: D.J.B. Shaw, *Post-Soviet Geography,* 34, 1993 (© V.H. Winston and Son Inc., 1993);

Tab. 2.2: Peter Gottschalk und Timothy M. Smeeding, "Empirical evidence on income inequality in industrialized countries", Luxembourg Income Study Arbeitspapier, Nr. 154, 1997; ausgearbeitet von Lawrence Mishel, Jared Bernstein und John Schmitt, *The State of Working America 1998/99.* Nachgedruckt mit Erlaubnis von M.E. Sharpe, Inc. Publisher, Armonk, NY 10504;

Tab. 2.10: Congressional Budget Office Daten analysiert vom Center on Budget and Policy Priorities;

Abb. 2.3: *The Economist* (7. September 1996);

Abb. 2.5: nachgedruckt mit Erlaubnis des US Bureau of the Census;

Abb. 2.6a, 2.6b, 2.7 und 2.8: Lawrence Mishel, Jared Bernstein und John Schmitt, *The State of Working America 1998/99.* Nachgedruckt mit Erlaubnis von M.E. Sharpe, Inc. Publisher, Armonk, NY 10504;

Abb. 3.1: International Centre for Migration Policy Development; nach *The Economist* (16. Oktober 1999);

Abb. 4.1: *The Economist* (27. Juni 1997);

Schaubild 3.1: *The Economist* (28. August 1999);

Auszug aus: „Zu viele Namen“ aus: Pablo Neruda (1985) *Das lyrische Werk Band 2,* München: Luchterhand Literaturverlag.

Es wurde alles unternommen, Abdruckgenehmigungen für alle Materialien vor Erscheinen dieses Buches zu bekommen. Sobald der Verlag unterrichtet wird, wird er gern jegliche Fehler korrigieren bzw. nachbessern, wo dies zuvor nicht möglich war.

Eine Zeit der Veränderung

Die Jahrtausendwende wird als eine Zeit der Veränderung betrachtet. Aber das ist nicht unbedingt der Fall: Am Ende des ersten Jahrtausends ist insgesamt wenig geschehen. Beim zweiten mussten diejenigen, die so etwas wie einen schicksalhaften Blitzschlag erwartet hatten, sich mit den Emotionen zufrieden geben, die durch die Voraussage des globalen Computer-Zusammenbruchs wegen des Datumswechsels ausgelöst wurden – zu dem es aber überhaupt nicht gekommen ist. Außerdem feierten zwar die meisten Leute den Jahrtausendwechsel am 31. Dezember 1999, aber streng chronologisch endete das Jahrtausend erst am 31. Dezember 2000. Und außerdem war es ein Jahrtausendwechsel nur nach dem Gregorianischen Kalender der Christenheit, einer Minderheitenreligion, die im Multikulturalismus des 21. Jahrhunderts unweigerlich ihre Vorherrschaft verlieren wird.

Und doch ist dies in der Tat eine Zeit des Wandels, gleichgültig, wie wir ihn zeitlich bestimmen. Während des letzten Viertels des 20. Jahrhunderts hat eine technologische Revolution, in deren Zentrum die Information stand, die Art und Weise transformiert, wie wir denken, produzieren, Handel treiben, verwalten, kommunizieren, leben, sterben, Krieg führen und uns lieben. Auf dem gesamten Planeten ist eine dynamische, globale Wirtschaft entstanden, die auf der ganzen Welt wertvolle Menschen und Tätigkeiten miteinander verknüpft, während Menschen und Territorien, die aus der Perspektive der herrschenden Interessen als irrelevant gelten, aus den Netzwerken der Macht und des Reichtums abgeschaltet wurden. Eine Kultur der realen Virtualität ist entstanden, in deren Mittelpunkt sich ein zunehmend interaktives audiovisuelles Universum befindet; sie hat überall die geistige Vorstellungswelt und die Kommunikation durchdrungen und die Vielfalt der Kulturen in einen elektronischen Hypertext integriert. Raum und Zeit, die materiellen Grundlagen der menschlichen Erfahrung, sind in dem Maße transformiert worden, wie der Raum der Ströme den Raum der Orte beherrscht und die zeitlose Zeit die Uhrenzeit des Industriezeitalters überlagert. Ausdrucksformen sozialen Widerstandes gegen die Logik der Informationalisierung und Globalisierung bauen sich aus primären Identitäten auf und schaffen defensive Gemeinschaften im Namen Gottes, im Namen der Ethnizität oder der Familie. Zugleich werden so wichtige, grundlegende gesellschaftliche Institutionen wie Patriarchalismus und Nationalstaat unter dem gemeinsamen Druck der Globalisierung von Reichtum und Information sowie der Lokalisierung von Identität und Legitimität in Frage gestellt.

Diese Prozesse strukturellen Wandels, die ich in den beiden vorausgegangenen Bänden dieses Buches analysiert habe, führen zu fundamentalen Transformationen der makropolitischen und makrosozialen Zusammenhänge, die soziales Handeln und menschliche Erfahrung auf der ganzen Welt formen und bestimmen. Dieser Band erkundet einige dieser Makro-Transformationen und versucht, sie als Resultat des Zusammenspiels zwischen den Prozessen zu erklären, die das Informationszeitalter kennzeichnen: Informationalisierung, Vernetzung, Identitätsaufbau, die Krise des Patriarchalismus und die Krise des Nationalstaates. Ich erhebe nicht den Anspruch, in diesem Band alle wichtigen Dimensionen historischen Wandels zu berücksichtigen, glaube aber, dass die Tendenzen, die in den folgenden Kapiteln dokumentiert und analysiert werden, durchaus eine neue historische Landschaft ausmachen, deren Dynamik mit hoher Wahrscheinlichkeit bleibende Auswirkungen auf unser Leben und das Leben unserer Kinder haben wird.

Es ist kein Zufall, dass der Band mit einer Analyse des Zusammenbruchs des Sowjetkommunismus beginnt. Die Russische Revolution von 1917 und die internationale kommunistische Bewegung, deren Ausgangspunkt sie war, waren die beherrschende politische und ideologische Erscheinung des 20. Jahrhunderts. Der Kommunismus und die Sowjetunion sowie die gegensätzlichen Reaktionen, die sie auf der ganzen Welt ausgelöst haben, haben das ganze Jahrhundert hindurch Gesellschaften und Menschen auf Dauer geprägt. Und doch sind dieses gewaltige Reich und seine machtvolle Mythologie innerhalb nur weniger Jahre auseinandergefallen, einer der außerordentlichsten Fälle unverhofften historischen Wandels. Ich behaupte, dass diesem Prozess, der das Ende einer historischen Epoche markiert, die Unfähigkeit des Etatismus zugrunde liegt, den Übergang zum Informationszeitalter zu vollziehen. Kapitel 1 versucht, die empirische Grundlage für diese Aussage zu liefern.

Das Ende des Sowjetkommunismus und die eilige Anpassung des chinesischen Kommunismus an den globalen Kapitalismus haben letztlich eine neue Sorte eines schlankeren und fieseren Kapitalismus mit weltweiter Verbreitung allein zurückgelassen. Die Neustrukturierung des Kapitalismus von den 1970er bis zu den 1990er Jahren zeigte die Flexibilität der Regeln, nach denen er funktioniert, und seine Fähigkeit, die Vernetzungslogik des Informationszeitalters effizient zu nutzen, um Produktivkräfte und Wirtschaftswachstum in einem dramatischen Sprung nach vorn schnellen zu lassen. Diese Neustrukturierung hat aber auch seine Exklusionslogik deutlich gemacht, denn Millionen von Menschen und große Gebiete auf dem Planeten in der entwickelten ebenso wie in der Entwicklungswelt sind vom Nutzen des Informationalismus ausgeschlossen. Kapitel 2 dokumentiert diese Trends und setzt sie in Beziehung zum unkontrollierten Charakter der globalen kapitalistischen Netzwerke. Ferner ist an den Rändern des globalen Kapitalismus ein neuer kollektiver Akteur aufgetreten, der in den kommenden Jahren möglicherweise die Regeln der wirtschaftlichen und politischen Institutionen verändern wird: das globale Verbrechen. In der Tat machen sich kriminelle Aktivitäten die Weltunordnung zunutze, die der Auflösung des Sowjet-Imperiums gefolgt ist; sie manipulieren Bevölkerungen und Territorien, die aus der formellen Ökonomie ausgeschlossen sind, und nutzen das Instrumentarium der globalen Vernetzung; so breiten sie sich auf der ganzen Welt aus und verbinden sich miteinander. So lassen sie eine globale kriminelle Wirtschaft entstehen, die Finanzmärkte, Handel, Unternehmen und politische Systeme aller Gesellschaften durchdringt. Diese perverse Koppelung ist ein wichtiges Merkmal des informationellen globalen Kapitalismus. Ein Merkmal, dessen Bedeutung regelmäßig in den Medien zur Kenntnis genommen, aber nicht in Gesellschaftsanalysen integriert wird. Ich möchte versuchen, diesen theoretischen Mangel in Kapitel 3 dieses Bandes zu korrigieren.

Zugleich ist es zu einer außerordentlichen Expansion des kapitalistischen Wachstums gekommen, wodurch vor allem in der asiatischen Pazifikregion Hunderte von Millionen in den Entwicklungsprozess einbezogen worden sind (Kap. 4). Der Prozess, durch den im Gefolge der Entwicklung Japans dynamische Regionen Chinas, Indiens und Ost- und Südostasiens in eine interdependente globale Wirtschaft einbezogen worden sind, verändert die Geschichte und schafft ein multikulturelles Fundament wirtschaftlicher Interdependenz: Damit kündigt sich das Ende der westlichen Vorherrschaft an, die von Anfang an das industrielle Zeitalter geprägt hatte. Aber die Unbeständigkeit des neuen globalen Kapitalismus wurde gleichfalls durch den dramatischen Wechsel im Schicksal der asiatischen Pazifikregion deutlich, die 1997-1998 von einer Finanzkrise erschüttert wurde. Die in Kapitel 4 vorgelegte Analyse stellt das Wechselspiel zwischen Entwicklung und Krise in Asien als Ausdruck der zunehmenden Spannung zwischen Globalisierung und Staat dar.

Angesichts des Wirbelwindes der Globalisierung und des Umsturzes der kulturellen und geopolitischen Grundlagen der uns vertrauten Welt, sind europäische Länder – wenn auch nicht ohne Probleme – im Prozess der europäischen Einigung mit dem Ziel zusammengekommen, um die Jahrtausendwende symbolisch ihre Währungen und damit ihre Volkswirtschaften zusammenzuschließen (Kap. 5). Jedoch sind die kulturellen und politischen Dimensionen, die für den Prozess der europäischen Einigung von entscheidender Bedeutung sind, noch ungeklärt. Daher wird das Schicksal Europas genauso wie das anderer Regionen der Welt am Ende davon abhängen, wie die historischen Rätsel gelöst werden, die sich im Übergang zum Informationalismus und im Wechsel vom Nationalstaat zu einem neuen Zusammenspiel zwischen Nationen und Staat in der Form des Netzwerkstaates stellten.

Nach dem Überblick über diese makrosozialen und -politischen Transformationen, die einige der großen Debatten unserer Zeit bestimmen, will ich auf eher analytischer Ebene schließen. Dabei geht es nicht einfach nur um die

Themen, die in diesem Band dargestellt werden, sondern um die Verbindungen zwischen diesen Themen und den gesellschaftlichen Prozessen, die in den vorangegangenen Bänden analysiert wurden. Den geneigten Leserinnen und Lesern bietet die Schlussbetrachtung dieses Bandes einige Materialien für die Konstruktion einer Sozialtheorie des Informationszeitalters mit „offenem Ausgang“. Nachdem ich unsere Welt erkundet habe, versuche ich also, sie zu verstehen.

1 Die Krise des industriellen Etatismus und der Zusammenbruch der Sowjetunion*

Wenn die Sowjetunion 50 Mio. Tonnen Roheisen produziert, 60 Mio. Tonnen Stahl, 500 Mio. Tonnen Kohle und 60 Mio. Tonnen Öl, dann werden wir vor jeglichem Ungemach gefeit sein.
Stalin, Rede im Februar 1946[1]

Der Widerspruch zwischen der Entwicklung der Produktivkräfte und den wachsenden Bedürfnissen der Gesellschaft einerseits sowie den zunehmend obsoleten Produktionsverhältnissen des alten wirtschaftlichen Leitungssystems andererseits, der während der 1950er Jahre offenkundig wurde, verschärfte sich mit jedem Jahr. Die konservative Struktur der Volkswirtschaft und die Tendenzen zum extensiven Investieren verwandelten sich zusammen mit dem rückständigen System der Wirtschaftsleitung allmählich in eine Bremse und in ein Hindernis für die wirtschaftliche und gesellschaftliche Entwicklung des Landes.
Abel Aganbegjan, The Economic Challenge of Perestroika, S. 49

---

* Dieses Kapitel basiert auf gemeinsamer Forschung mit Emma Kiselyova, mit der zusammen es auch ausgearbeitet und geschrieben wurde. Es beruht vor allem auf zwei Arten von Informationen. Die erste ist die Feldforschung, die ich zwischen 1989 und 1996 in Moskau, Zelenograd, Leningrad, Novosibirsk, Tjumen, Chabarovsk und auf Sachalin im Rahmen von Forschungsprogrammen der Programa de Estudios Rusos, Universidad Autonoma de Madrid und des Pacific Rim Program der University of California in Kooperation mit folgenden Institutionen durchgeführt habe: Russische Soziologische Gesellschaft; Institut für Wirtschaft und industrielle Ingenieurwissenschaften des Sibirischen Zweiges der Russischen Akademie der Wissenschaften und Zentrum für Fortgeschrittene Soziologische Studien am Jugendinstitut in Moskau. Vier große Forschungsprojekte habe ich jeweils gemeinsam mit O.I. Škaratan, V.I. Kulešov, S. Nataluško bzw. mit E. Kiselyova und A. Granberg geleitet. Einzelverweise auf jedes Forschungsprojekt werden in den Fußnoten zu jedem Thema gegeben. Ich danke all meinen russischen Kolleginnen und Kollegen für ihre entscheidenden Beiträge für mein Verständnis der Sowjetunion, aber ich entlaste sie ganz gewiss von jeglicher Verantwortung für meine Fehler und meine persönliche Interpretation unserer Ergebnisse. Die zweite Art von Informationen, auf denen dieses Kapitel aufbaut, bezieht sich auf Dokumente, bibliografische und statistische Quellen, die in erster Linie von Emma Kiselyova gesammelt und analysiert worden sind. Ich möchte mich außerdem für die gründlichen und detaillierten Bemerkungen bedanken, die Tatjana Zaslavskaja, Gregory Grossman und George Breslauer zum Entwurf dieses Kapitels gemacht haben.

1 Zit. nach Menšikov (1990: 72)

Die Weltwirtschaft ist ein einheitlicher Organismus, außerhalb dessen sich kein einziger Staat normal entwickeln kann. … Das setzt die Ausarbeitung eines völlig neuen Mechanismus für das Funktionieren der Weltwirtschaft auf die Tagesordnung, einer neuen Struktur der internationalen Arbeitsteilung. Zugleich deckt das Wachstum der Weltwirtschaft die Widersprüche und Schranken auf, die der Industrialisierung traditionellen Typs anhaften.
Michail Gorbatschow, Rede vor den Vereinten Nationen, 1988[2]

Wir werden eines Tages einsehen, dass wir in Wirklichkeit das einzige Land der Welt sind, das versucht, das 21. Jahrhundert mit der überholten Ideologie des 19. Jahrhunderts zu beginnen.
Boris Jelzin, Memoiren, 1990, S. 245[3]

Der plötzliche Zusammenbruch der Sowjetunion und damit auch das Ende der internationalen kommunistischen Bewegung geben ein historisches Rätsel auf: Warum sahen die sowjetischen Führer in den 1980er Jahren die Dringlichkeit, sich auf einen Neustrukturierungsprozess einzulassen, der so radikal war, dass er am Ende zur Auflösung des sowjetischen Staates führte? Schließlich war die Sowjetunion nicht nur eine militärische Supermacht, sondern auch die drittgrößte industrialisierte Volkswirtschaft der Welt, der weltgrößte Produzent von Erdöl, Erdgas und seltenen Erden und als einziges Land Selbstversorger bei Energiequellen und Rohstoffen. Es stimmt, dass Symptome ernstlicher wirtschaftlicher Konstruktionsfehler seit den 1960er Jahren diagnostiziert worden waren, die Wachstumsrate war seit 1971 zurückgegangen, bis sie 1980 zum Stillstand kam. Aber auch westliche Volkswirtschaften haben während der letzten beiden Jahrzehnte zu verschiedenen Zeitpunkten eine Tendenz der Verlangsamung des Produktivitätswachstums oder auch negatives Wirtschaftswachstum erlebt, ohne dass es zu katastrophenhaften Folgen gekommen wäre. Die sowjetische Technologie hinkte offenbar in einigen kritischen Bereichen hinterher, aber insgesamt hat die sowjetische Wissenschaft ihre herausragenden Standards in wesentlichen Bereichen gehalten: Mathematik, Physik, Chemie, nur die Biologie hatte etwas Probleme, sich von den Narreteien Lysenkos zu erholen. Die Erweiterung dieser Fähigkeit zur Verbesserung der technologischen Standards schien nicht ausgeschlossen, wie der Vorsprung des sowjetischen Weltraumprogramms gegenüber den kläglichen Leistungen der NASA während der 1980er Jahre zu belegen scheint. Die Landwirtschaft befand sich nach wie vor in einer Dauerkrise, und die Knappheit an Konsumgütern war eher die Regel, aber die Exporte von Energie und Rohstoffen sorgten wenigstens bis 1986 für ein Pol-

2 Gorbatschow (1989: 185). [Russische Namen und Begriffe werden nach der im deutschen wissenschaftlichen Gebrauch üblichen Umschrift wiedergegeben. Lediglich die Namen bekannter Personen des Zeitgeschehens und allgemein geläufige Ortsnamen werden in der vertrauteren nichtwissenschaftlichen Fassung benutzt; bei Publikationen in westlichen Sprachen erscheinen die Autorennamen wie dort angegeben; d.Ü.]

3 Nach der englischen Übersetzung von Kiselyova und M.C.

ster an harter Währung, um diese Probleme durch Importe auszugleichen. Daher waren die Lebensbedingungen der Sowjetbürger Mitte der 1980er Jahre besser, nicht schlechter als ein Jahrzehnt zuvor.

Ferner wurde die Sowjetmacht weder international noch zu Hause ernsthaft in Frage gestellt. Die Welt war in eine Ära relativer Stabilität innerhalb der zwischen den Supermächten anerkannten Einflusssphären eingetreten. Der Krieg in Afghanistan forderte seinen Tribut an menschlichem Leid, politischem Ansehen und militärischem Stolz, aber nicht mehr als der Schaden, der Frankreich durch den Algerienkrieg oder den Vereinigten Staaten durch den Vietnamkrieg zugefügt worden war. Das politische Dissidententum war auf kleine intellektuelle Zirkel beschränkt, die ebenso angesehen wie isoliert waren; auf Juden, die emigrieren wollten, und auf den Küchentratsch, eine tief verwurzelte russische Tradition. Obwohl es ein paar Unruhen und Streiks wegen Nahrungsmittelknappheit und Preissteigerungen gab, gab es keine wirklich nennenswerten sozialen Bewegungen. Die Unterdrückung von Nationalitäten und ethnischen Minderheiten stieß auf Ressentiments und in den baltischen Republiken auf offene anti-russische Feindschaft, aber derartige Gefühle kamen selten in kollektiven Aktionen oder in parapolitischen, auf bestimmten Einschätzungen und Haltungen beruhenden Bewegungen zum Ausdruck.

Die Menschen waren mit dem System unzufrieden und kleideten ihren Rückzug in unterschiedliche Formen: Zynismus, kleine Diebstähle am Arbeitsplatz, Absentismus, Selbstmord und weit verbreiteten Alkoholismus. Aber der stalinistische Terror war längst verdrängt, politische Repression war begrenzt und in hohem Maß selektiv, und die ideologische Indoktrination war inzwischen eher ein bürokratisches Ritual denn flammende Inquisition. Als es der langen Breschnew-Herrschaft einmal gelungen war, in der Sowjetunion Normalität und Langeweile zu etablieren, hatten die Menschen gelernt, mit dem System zurecht zu kommen, ihr Leben soweit wie möglich von den Korridoren der Staatsmacht entfernt zu leben und das Beste daraus zu machen. Obwohl die Strukturkrise des Sowjetsystems in den Kesseln der Geschichte brodelte, scheint dies wenigen der historischen Akteure klar gewesen zu sein. Die zweite Russische Revolution, die das Sowjetreich demontierte und damit eines der wagemutigsten und kostspieligsten Experimente der Menschheit beendete, könnte die einzige große historische Veränderung sein, die ohne das Eingreifen sozialer Bewegungen und/oder einen großen Krieg zustande gekommen ist. Der von Stalin geschaffene Staat scheint seine Feinde eingeschüchtert und es vermocht zu haben, das rebellische Potenzial der Gesellschaft auf lange Zeit abzuschneiden.

Der Schleier des historischen Geheimnisses ist noch dichter, wenn wir den Reformprozess unter Gorbatschow betrachten. Wie und warum ist dieser Prozess außer Kontrolle geraten? Schließlich war im Gegensatz zu dem allzu vereinfachenden Bild, das die westliche Presse vermittelte, die Sowjetunion und vor ihr Russland „von einer *perestrojka* zur anderen“ gegangen, wie Van Regemorter seine aufschlussreiche historische Analyse des Reformprozesses in Russland betitelt.[4] Von der Neuen Ökonomischen Politik der 1920er Jahre bis zu Kosygins Reformen der wirtschaftlichen Leitung Ende der 1960er Jahre und dazwischen durch Stalins dramatische Neustrukturierung während der 1930er Jahre und den Revisionismus Chruschtschows während der 1950er Jahre hindurch war die Sowjetunion in gewaltigen Sprüngen vorangekommen und wieder zurückgefallen. Der Wechsel zwischen Kontinuität und Reform wurde so zu einem Systemmerkmal. Das war einfach die spezifische Art und Weise, wie das sowjetische System sich auf das Problem des sozialen Wandels einstellte – ein Grunderfordernis für jedes politische System, das von Dauer sein soll. Mit der wichtigen Ausnahme von Stalins rücksichtsloser Fähigkeit, die Spielregeln beständig zu seinen Gunsten abzuändern, war der Parteiapparat jedoch immer in der Lage, die Reformen innerhalb der Grenzen des Systems zu halten. Wenn nötig, schritt man zu politischen Säuberungen und zum Austausch von Führungsequipen. Wie konnte eine so kampferprobte, gewitzte Partei, die in endlosen Schlachten um sorgfältig kontrollierte Reformen gestählt war, Ende der 1980er Jahre die politische Kontrolle so weit einbüßen, dass sie zu einem verzweifelten, hastigen Putsch greifen musste, der schließlich zu ihrem abrupten Ende führte?

Meine Hypothese besagt, dass der historische Charakter der Krise, die zu Gorbatschows Reformen führte, sich von den vorangegangenen Krisen unterschied. Damit präge sich dieser Unterschied in den Reformprozess selbst ein; er machte ihn riskanter und am Ende unkontrollierbar. Ich behaupte, dass die rasch um sich greifende Krise, die seit Mitte der 1970er Jahre die Grundlagen der sowjetischen Wirtschaft und Gesellschaft erschütterte, Ausdruck der strukturellen Unfähigkeit des Etatismus und der sowjetischen Spielart des Industrialismus war, den Übergang zur Informationsgesellschaft sicher zu stellen.

Unter Etatismus verstehe ich ein Gesellschaftssystem, in dessen Zentrum die Aneignung des in der Gesellschaft produzierten wirtschaftlichen Überschusses durch die Inhaber der Macht in den staatlichen Apparaten steht. Er steht damit im Gegensatz zum Kapitalismus, wo der Überschuss von jenen angeeignet wird, die die Kontrolle über die Wirtschaftsorganisationen innehaben (s. Bd. I, Prolog). Während der Kapitalismus auf Profitmaximierung orientiert ist, ist der Etatismus auf Maximierung von Macht ausgerichtet; also auf die Steigerung der militärischen und ideologischen Fähigkeit des Staatsapparates, seine Ziele einer größeren Anzahl von Untertanen und tieferen Schichten ihres Bewusstseins aufzuzwingen. Unter Industrialismus verstehe ich eine Entwicklungsweise, in der die wesentlichen Quellen der Produktivität in der quantitativen Steigerung der Produktionsfaktoren (Arbeit, Kapital und Naturressourcen) zusammen mit der Nutzung neuer Energiequellen bestehen. Unter Informationalismus verstehe ich eine Entwicklungsweise, in der die wesentliche Quelle der Produktivität in der qualitativen Fähigkeit besteht, die Kombination der Produktionsfakto-

4 Van Regemorter (1990).

ren auf der Grundlage von Wissen und Information zu optimieren. Die Entstehung des Informationalismus ist untrennbar mit einer neuen Sozialstruktur verbunden, der Netzwerkgesellschaft (s. Bd. I, Kap. 1). Das letzte Viertel des 20. Jahrhunderts war durch den Übergang vom Industrialismus zum Informationalismus und von der Industriegesellschaft zur Netzwerkgesellschaft bestimmt. Das galt sowohl für den Kapitalismus wie für den Etatismus und erfolgte in einem Prozess, der die informationstechnologische Revolution begleitete. In der Sowjetunion erforderte dieser Übergang Maßnahmen, die die fest verankerten Privilegien der Staatsbürokratie und der Partei*nomenklatura* untergruben. Aus der Einsicht in die entscheidende Bedeutung des Übergangs des Systems auf ein höheres Niveau der Produktivkräfte heraus riskierten es die Reformer unter Führung von Gorbatschow, sich an die Gesellschaft zu wenden, um den Widerstand der *nomenklatura* gegen den Wandel zu überwinden. *Glasnost'* (Offenheit) löste *uskorenie* ([wirtschaftliche] Beschleunigung) im Vordergrund der *perestrojka* (Neustrukturierung) ab. Und die Geschichte hat gezeigt, dass die russische Gesellschaft, wenn sie erst einmal auf offenes politisches Terrain gelangt – gerade weil sie so lange unterdrückt worden ist – sich der Anpassung an vorgefertigte staatliche politische Vorgaben verweigert, ein eigenständiges politisches Leben annimmt, unberechenbar und unkontrollierbar wird. Das ist es, was Gorbatschow in der Tradition Stolypins einmal mehr zu seinem eigenen Schaden lernen musste.

Ferner hat die Eröffnung politischer Ausdrucksmöglichkeiten für die gesamte sowjetische Gesellschaft den angestauten Druck der nationalen Identitäten entfesselt – verdreht, unterdrückt und manipuliert wie sie unter dem Stalinismus waren. Die Suche nach Quellen für eine Identität, die sich von der verblassenden kommunistischen Ideologie unterschied, führte zur Zersplitterung der noch brüchigen sowjetischen Identität und unterminierte den sowjetischen Staat entscheidend. Der Nationalismus einschließlich des russischen Nationalismus wurde zur akutesten Ausdrucksform von Konflikten zwischen Gesellschaft und Staat. Dies war der unmittelbare politische Faktor, der zur Auflösung der Sowjetunion führte.

An der Wurzel der Krise, die zur *perestrojka* führte und den Nationalismus auslöste, lag die Unfähigkeit des sowjetischen Etatismus, den Übergang zu dem neuen informationellen Paradigma parallel zu dem Prozess zu sichern, der auf der übrigen Welt stattfand. Das ist schwerlich eine originelle Hypothese. Es ist vielmehr die Anwendung der alten Marxschen Idee, dass bestimmte Sozialsysteme die Entwicklung der Produktivkräfte behindern können, die hier zugegebenermaßen mit einer ironischen historischen Wendung vorgetragen wird. Ich hoffe, dass der Mehrwert der Analyse, die auf den folgenden Seiten der Aufmerksamkeit der Leserinnen und Leser anempfohlen wird, in ihrer Spezifizierung liegt. Warum war der Etatismus strukturell unfähig, die notwendige Neustrukturierung durchzuführen und sich so dem Informationalismus anzupassen? Es ist sicher nicht der Fehler des Staates an sich. Der japanische Staat und jenseits der Küsten Japans der Entwicklungsstaat, dessen Ursprünge und Leistungen an anderer Stelle analysiert werden (s. Kap. 4), waren entscheidende Instrumente, um technologische Innovation und globale Wettbewerbsfähigkeit zu fördern und zugleich ziemlich traditionelle Länder in fortgeschrittene Informationsgesellschaften zu transformieren. Nun muss betont werden, dass Etatismus nicht gleichbedeutend ist mit Staatsinterventionismus. Etatismus ist ein spezifisches Sozialsystem, das auf die Maximierung von Macht ausgerichtet ist, wobei Kapitalakkumulation und gesellschaftliche Legitimität diesem übergreifenden Ziel untergeordnet sind. Der Sowjetkommunismus war – wie alle kommunistischen Systeme – so aufgebaut, dass die totale Kontrolle der Partei über den Staat sowie die Kontrolle des Staates über die Gesellschaft gesichert wurde. Das geschah über die doppelten Hebel einer zentral geplanten Wirtschaft und der marxistisch-leninistischen Ideologie, die von einem strikt kontrollierten Kulturapparat durchgesetzt wurde. Es war dieses spezifische System und nicht der Staat im Allgemeinen, das sich als unfähig erwies, durch die stürmischen Gewässer des historischen Übergangs zwischen Industrialismus und Informationalismus hindurchzusteuern. Das Warum, Wie, Wenn und Aber sind Gegenstand dieses Kapitels.

Das Modell extensiven Wirtschaftswachstums und die Grenzen des Hyperindustrialismus

Wir haben uns in den letzten Jahren so sehr an abwertende Darstellungen der sowjetischen Wirtschaft gewöhnt, dass oft übersehen wird, dass das sowjetische BIP über einen langen Zeitraum hinweg und vor allem in den 1950er Jahren und bis Ende der 1960er Jahre schneller gewachsen ist als im größten Teil der Welt, freilich um den Preis erschreckender Kosten für Menschen und Umwelt.[5] Sicher schätzten die amtlichen sowjetischen Statistiken die Wachstumsrate vor allem in den 1930er Jahren viel zu hoch. Die wichtigen statistischen Arbeiten von G.I. Chanin,[6] die erst während der 1990er Jahre wirklich anerkannt worden sind, scheinen darauf hinzuweisen, dass das Volkseinkommen der Sowjetunion zwischen

5 S. u.a. Nove (1969/1982); Bergson (1978); Goldman (1983); Thalheim (1986); Palazuelos (1990). Zur Debatte über die statistische Genauigkeit bei der Analyse der sowjetischen Wirtschaft s. Central Intelligence Agency (1990b).

6 Chanin (1991a). Chanin war lange Jahre Forscher am Institut für Wirtschaft und Ingenieurwissenschaften des Sibirischen Zweiges der Russischen Akademie der Wissenschaften. Zusätzlich zu dem zitierten Titel, der insgesamt seiner Doktorarbeit entspricht, sind zahlreiche seiner Arbeiten in der Wirtschaftszeitschrift des genannten Instituts, ÈKO erschienen; s. beispielsweise die Ausgaben 1989/4, 1989/10, 1990/1, 1991/2. Eine systematische Analyse der entscheidenden Beiträge Chanins zur Wirtschaftsstatistik der Sowjetunion in englischer Sprache enthält Harrison (1993: 141-167).

1928 und 1987 nicht um das 89,5-Fache gewachsen ist, wie uns die sowjetischen Statistiken glauben machen wollen, sondern 6,9fach. Dennoch betrug auch nach Chanins Darstellung (die wir an der unteren Grenze des Schätzbereichs einordnen sollten: s. Tab. 1.1-1.3 und Abb. 1.1 und 1.2) die durchschnittliche jährliche Wachstumsrate des sowjetischen Nationaleinkommens während der Zeit von 1928-1940 3,2%, 1950-1960 7,2%, 1960-1965 4,4%, 1965-1970 4,1% und 1970-1975 3,2%. Nach 1975 setzte sich eine Quasi-Stagnation fest, und das Wachstum wurde 1980-1982 sowie nach 1987 negativ. Insgesamt aber war das Wirtschaftswachstum der Sowjetunion während des größten Zeitraums ihres Bestehens höher als das des Westens, und ihr Industrialisierungstempo war eines der höchsten der Welt.

Tabelle 1.1 Wachstum des sowjetischen Volkseinkommens, 1928-1987: unterschiedliche Schätzungen (Veränderungen für die angegebenen Zeiträume, Prozentzahlen pro Jahr)

Zeitraum	CU[a]	CIA	Chanin
1928-40	13,9	6,1	3,2[b]
1940-50	4,8	2,0	1,6[c]
1928-50	10,1	4,2	2,5
1950-60	10,2	5,2	7,2
1960-65	6,5	4,8	4,4
1965-70	7,7	4,9	4,1
1970-75	5,7	3,0	3,2
1975-80	4,2	1,9	1,0
1980-85	3,5	1,8	0,6
1985-87	3,0	2,7	2,0
1950-87	6,6	3,8	3,8
1928-87	7,9	3,9	3,3

a CU: Zentrale Statistikverwaltung (der UdSSR)

b 1928-41

c 1941-50

Quellen: aus folgenden Quellen zusammengestellt von Harrison (1993: 146): CU; Chanin: materielles Netto-Produkt, berechnet nach Chanin (1991b: 85); CIA: BIP berechnet nach CIA (1990a: Tab. A-1)

Tabelle 1.2 Produktion und Inflation in der Sowjetunion, 1928-1990 (Veränderungen für die angegebenen Zeiträume, Prozentzahlen pro Jahr)

	Reales Produktionswachstum			Inflation der Großhandelspreise	
	Industrie	Bau	Volkseinkommen	wirkliche	versteckte
CU[a]					
1928-40	17,0	–	13,9	8,8	–
1940-50	–	–	4,8	2,6	–
1950-60	11,7	12,3[b]	10,2	-0,5	–
1960-65	8,6	7,7	6,5	0,6	–
1965-70	8,5	7,0	7,7	1,9	–
1970-75	7,4	7,0	5,7	0,0	–
1975-80	4,4	–	4,2	-0,20	–
1980-85	–	–	3,5	–	–
1985-87	–	–	3,0	–	–
1928-87	–	–	7,9	–	–
Chanin					
1928-41	10,9	–	3,2	18,5	8,9
1941-50	–	–	1,6	5,9	3,2
1950-60	8,5	8,4[b]	7,2	1,2	1,8
1960-65	7,0	5,1	4,4	2,2	1,6
1965-70	4,5	3,2	4,1	4,6	2,6
1970-75	4,5	3,7	3,2	2,3	2,3
1975-80	3,0	–	1,0	2,7	2,9
1980-85	–	–	0,6	–	–
1985-87	–	–	2,0	–	–
1928-87	–	–	3,3	–	–
1980-82	–	–	-2,0	–	–
1982-88	–	–	1,8	–	–
1988-90[c]	–	–	-4,6	–	–

a CU: Zentrale Statistikverwaltung (der UdSSR)

b 1955-60

c vorläufig

Quellen: aus den folgenden Quellen zusammengestellt von Harrison (1993: 147) – CU; 1928-1987: „Volkseinkommen" berechnet nach Chanin (1991b: 85); andere Spalten berechnet nach Chanin (1991a: 146, Industrie; 167, Bau; 206, 212, Großhandelspreise); 1980-1990: berechnet nach Chanin (1991b: 29).

Tabelle 1.3 Sowjetische Produktionsfaktoren und Produktivität, 1928-1990 (Veränderungen für die angegebenen Zeiträume, Prozentzahlen pro Jahr)

	Fixer Bestand	Kapitalproduktivität	Ausstoß pro Arbeitskraft	Intensität des Materialeinsatzes
CU[a]				
1928-40	8,7	4,8	11,9	-0,3
1940-50	1,0	3,1	4,1	-0,2
1950-60	9,4	0,8	8,0	-0,5
1960-65	9,7	-3,0	6,0	-0,2
1965-70	8,2	-0,4	6,8	-0,4
1970-75	8,7	-2,7	4,6	0,6
1975-80	7,4	-2,7	3,4	0,0
1980-85	6,5	-3,0	3,0	0,0
1985-87	4,9	-2,0	3,0	0,4
1928-87	7,2	0,5	6,7	-0,2
Chanin				
1928-41	5,3	-0,2	1,3	1,7[b]
1941-50	2,4	-0,8	1,3	1,1
1950-60	5,4	1,6	5,0	-0,5
1960-65	5,9	-1,4	4,1	0,4
1965-70	5,1	-1,0	3,0	0,4
1970-75	3,9	-0,6	1,9	1,0
1975-80	1,9	-1,0	0,2	1,0
1980-85	0,6	0,0	0,0	1,0
1985-87	0,0	2,0	2,0	-0,5
1928-87	3,9	-0,6	2,2	0,8
1980-82	1,5	-3,6	-2,5	2,5
1982-88	1,9	-0,2	1,4	0,7
1988-90c	-0,5	-4,1	-4,1	3,4

a CU: Zentrale Statistikverwaltung (der UdSSR)
b 1,7-2%
c vorläufig

Quellen: aus den folgenden Quellen zusammengestellt von Harrison (1993: 147) – CU; 1928-1987: „Volkseinkommen" berechnet nach Chanin (1991b: 85); 1980-1990: berechnet nach Chanin (1991b: 29)

Darüber hinaus muss die Leistung eines Systems nach dessen eigenen Zielsetzungen bewertet werden. Aus dieser Perspektive war die Sowjetunion über ein halbes Jahrhundert außerordentlich erfolgreich. Wenn wir die -zig Millionen Menschen (60 Mio.?) vernachlässigen (können wir das wirklich?), die infolge von Revolution, Krieg, Hunger, Zwangsarbeit, Deportation und Hinrichtungen gestorben sind; die Zerstörung von nationalen Kulturen, Geschichte und Traditionen (in Russland und in den anderen Republiken gleichermaßen); die systematische Verletzung von Menschenrechten und politischer Freiheit; die massive Zerstörung einer ehemals ziemlich unberührten Umwelt; die Militarisierung der Volkswirtschaft und die Indoktrination der Gesellschaft; wenn wir für einen analytischen Augenblick den historischen Prozess mit bolschewistischen Augen betrachten, so ist nur Erstaunen über die heroischen Ausmaße des kommunistischen Dramas möglich. 1917 waren die Bolschewiki eine Handvoll von Berufsrevolutionären, die eine Minderheitsfraktion innerhalb der sozialistischen Bewegung darstellten, die ihrerseits nur einen Teil der breiteren demokratischen Bewegung ausmachten, welche die Februarrevolution von 1917 fast ausschließlich in den großen Städten eines Landes durchführte, dessen Bevölkerung zu 84% ländlich war.[7] Und doch waren sie in der Lage, nicht nur durch den Coup im Oktober die Macht zu erobern, sondern auch noch den furchtbaren Revolutionskrieg gegen die Reste der zaristischen Armee, die Weißen Garden, und ausländische Expeditionskorps zu gewinnen. Im Verlauf dieses Prozesses liquidierten sie auch die anarchistische Bauernarmee von Machno und die revolutionären Matrosen in Kronstadt. Zudem begannen die Bolschewiki dann trotz ihrer schmalen sozialen Basis in einem spärlichen städtischen Industrieproletariat, dem sich kaum ein paar Dutzend Intellektuelle angeschlossen hatten, in Rekordzeit und trotz internationaler Isolation eine industrialisierte Volkswirtschaft aufzubauen, die innerhalb von nur zwei Jahrzehnten weit genug entwickelt war, um das militärische Gerät zu liefern, das nötig war, um die Kriegsmaschine der Nazis zu zerschlagen. In unerbittlicher Entschlossenheit, den Kapitalismus zu überholen, gepaart mit einer in gewisser Weise verständlichen defensiven Paranoia, gelang es der Sowjetunion, die im Großen und Ganzen ein armes Land war, schnell zur Nuklearmacht zu werden, ein strategisches militärisches Gleichgewicht mit den Vereinigten Staaten aufrechtzuerhalten und bis 1957 im Wettlauf um den Weltraum in Führung zu gehen, was die westlichen Regierungen schockierte und in Staunen versetzte, wo sie doch ihren eigenen Mythos geglaubt hatten, der Kommunismus sei unfähig, eine fortgeschrittene industrielle Volkswirtschaft aufzubauen.

Diese nicht zu leugnenden Erfolge hatten ihren Preis: Die Volkswirtschaft wurde für immer deformiert.[8] Der Logik der Sowjetwirtschaft lagen eine Reihe aufeinander aufbauender Prioritäten zugrunde.[9] Der Landwirtschaft mussten ihre Produkte abgepresst werden, um die Industrie zu subventionieren und die Städte zu versorgen. Außerdem wurden ihre Arbeitskräfte abgezogen, um Industriearbeiter zu beschaffen.[10] Konsumgüter, Wohnungen und Dienstleistungen mussten zurückstehen; Kapitalgüter und Rohstoffgewinnung hatten Priorität, damit der Sozialismus in allen unverzichtbaren Produktionslinien schnell autark gemacht werden konnte. Die Schwerindustrie selbst wurde in den Dienst der militärischen Industrieproduktion gestellt, weil die Militärmacht das letzte Ziel des Regimes und den Eckstein des Etatismus ausmachte. Die leninistisch-stalinistische Logik, die schiere Gewalt als die *raison d'être* des Staates – letztlich aller

7 S. u.a. Trockij (1967); Conquest (1968, 1986); Cohen (1974); Antonov-Ovseenko (1981); Pipes (1991).

8 Aganbegjan (1989).

9 Menšikov (1990).

10 Johnson und McConnell Brooks (1986, 1990).

Staaten – ansah, durchdrang die gesamte institutionelle Organisation der Sowjetwirtschaft von oben bis unten und fand während der gesamten Geschichte der Sowjetunion ihr Echo in unterschiedlichen ideologischen Formen.

Abbildung 1.1 Sowjetisches Volkseinkommen, 1928-1987: unterschiedliche Schätzungen

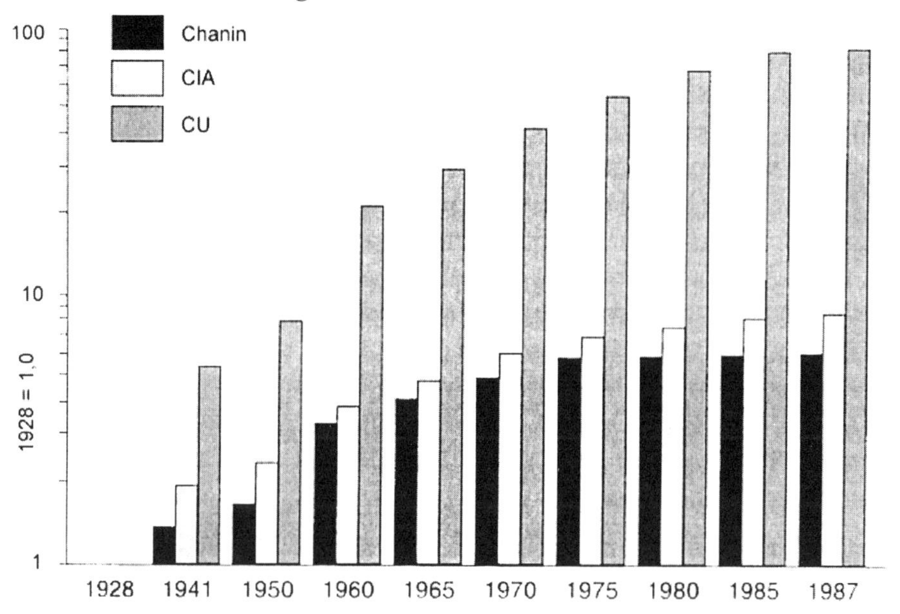

Quelle: zusammengestellt aus den Zahlen von Tab. 1 durch Harrison (1993: 145)

Um diese Prioritäten unter den strengsten Bedingungen durchzusetzen, um „die Politik an die Kommandostellen der Wirtschaft zu bringen“, wie der kommunistische Slogan lautet, wurde eine zentral geplante Wirtschaft geschaffen, die erste ihrer Art in der Weltgeschichte, wenn wir ein paar zentral geplante vorindustrielle Wirtschaften ausnehmen. Offenkundig sind in einer solchen Wirtschaft die Preise einfach ein Mittel der Buchhaltung und können keinerlei Beziehung zwischen Angebot und Nachfrage anzeigen.[11] Die gesamte Volkswirtschaft wird daher durch vertikale Verwaltungsentscheidungen am Laufen gehalten, die zwischen den Planungsinstitutionen und den exekutiven Ministerien und zwischen den Ministerien und den Produktionseinheiten erfolgen.[12] Verbindungen der Produktionseinheiten untereinander sind nicht wirklich horizontal, weil sie zuvor durch die entsprechenden zuständigen Verwaltungen eingerichtet worden sind. Im Kernbereich dieser zentralen Planung bestimmten zwei Institutionen die Sowjetwirtschaft. Die erste war Gosplan oder die Staatliche Planungsbehör-

11 Zum theoretischen Verständnis der Logik der zentral geplanten Wirtschaft s. die klassische Arbeit von Janos Kornai (1986, 1990).

12 Nove (1977); Thalheim (1986); Desai (1989).

de, der die Ziele für die gesamte Volkswirtschaft in Fünfjahres-Perioden festlegte, dann Durchführungsmaßnahmen für jedes Produkt, für jede Produktionseinheit und für das ganze Land Jahr um Jahr berechnete, um jeder Einheit in Industrie, Bauwesen, Landwirtschaft und selbst Dienstleistungen Kennziffern für Ausstoß und Lieferung zu setzen. Neben anderen „Details" wurden alljährlich die Preise für etwa 200.000 Produkte zentral festgelegt. Kein Wunder, dass die sowjetische lineare Programmierung zu den ausgefeiltesten der Welt gehörte.[13]

Abbildung 1.2 Sowjetisches Volkseinkommen: Rolle der Produktionsfaktoren für das Wachstum des Ausstoßes

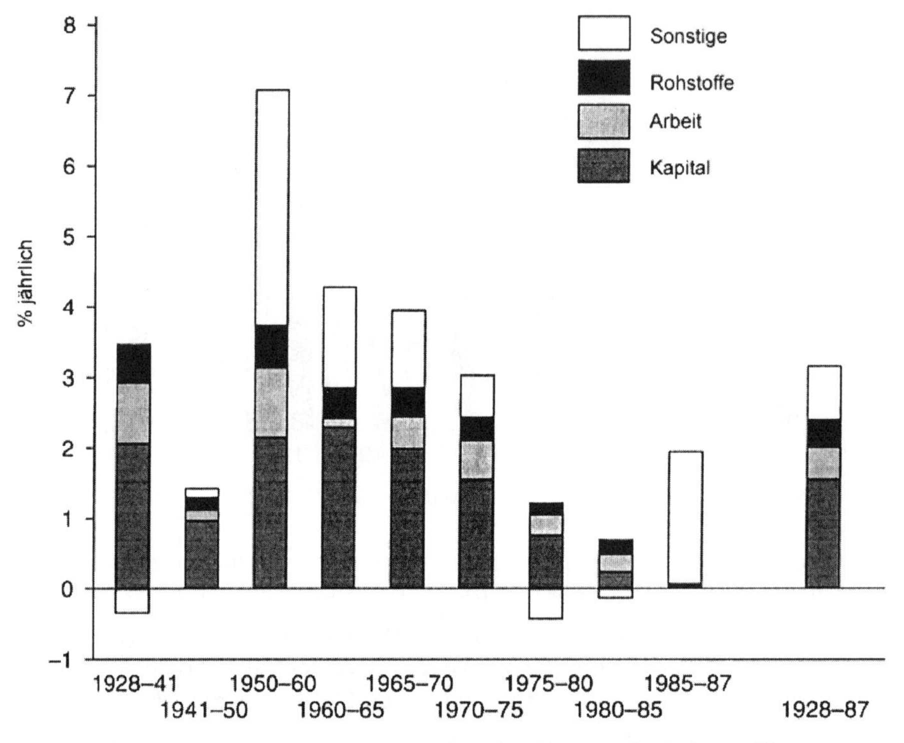

Quelle: von Harrison (1993: 149) zusammengestellt nach Zahlen von Chanin (1991a,b)

Die zweite große Wirtschaftsinstitution, die weniger bekannt, aber meiner Meinung nach bedeutsamer war, war Gossnab (Staatliche Behörde für die Versorgung mit Materialien und Ausrüstungen), dessen Aufgabe es war, alle Vorräte für jede Transaktion im gesamten Land zu kontrollieren, von der Stecknadel bis zum Elefanten. Während sich Gosplan um die Stimmigkeit seiner mathematischen Modelle kümmerte, befand sich Gossnab mit seinen allgegenwärtigen Antennen in der wirklichen Welt, wo Lieferungen genehmigt, Güter- und Materialströme tatsächlich kontrolliert wurden. Gossnab verwaltete also den Mangel,

13 Cave (1980).

ein Grundcharakteristikum des Sowjetsystems. Gosbank oder die Zentralbank spielte niemals eine bedeutende wirtschaftliche Rolle, weil Kredit und Geldzirkulation sich automatisch aus den Entscheidungen von Gosplan ergaben, die vom Staat nach den Direktiven der Zentralkomitees der Partei interpretiert und durchgeführt wurden.[14]

Um die schnelle Industrialisierung zu verwirklichen und die Planziele zu erfüllen, griff der Sowjetstaat auf die vollständige Mobilisierung der menschlichen und natürlichen Ressourcen in einem riesigen, rohstoffreichen Land zurück, das ein Sechstel der Erdoberfläche ausmachte.[15] Das Modell extensiven Wirtschaftswachstums war für die Sowjetunion nicht nur während der Phase ursprünglicher Akkumulation in den 1930er Jahren[16] charakteristisch, sondern auch in der Nach-Stalin-Periode.[17] So stieg nach Aganbegjan

> während einer typischen Fünfjahrperiode der Nachkriegszeit im Verlauf dieser fünf Jahre gewöhnlich der Grundaufwand an Mitteln und Kapitalinvestitionen um das Anderthalbfache, die Extraktion von Brenn- und Rohstoffen um 25-30%, und es wurden weitere 10 bis 11 Mio. Arbeitskräfte in die Volkswirtschaft einbezogen, von denen ein großer Teil in neue Produktionszweige einrückte. Das war für die gesamte Periode von 1956 bis 1975 charakteristisch. Die letzte Fünfjahrperiode, in der es zu einer starken Zunahme des Ressourceneinsatzes kam, war 1971-1975. In dieser Planperiode zeigte der Gesamtindex für die Zunahme aller in der Produktion eingesetzten Ressourcen eine Zunahme von 21%.[18]

Demnach war das sowjetische Modell des Wirtschaftswachstums typisch für eine frühindustrielle Volkswirtschaft. Seine Wachstumsquote war eine Funktion des Umfanges an Kapitalinvestitionen und Arbeitseinsatz, wobei technische Veränderungen eine untergeordnete Rolle spielten, was potenziell zu sinkenden Erträgen führt, wenn der Ressourcenzustrom zurückgeht (s. Tab. 1.4 und Abb. 1.3). In ökonometrischer Hinsicht war dies ein Wachstumsmodell, das durch eine konstante Elastizitätsproduktionsfunktion ausgezeichnet war mit konstanten, von den Stückgrößen abhängigen Erträgen.[19] Sein Schicksal war von der Fähigkeit abhängig, entweder immer weitere Ressourcen zu absorbieren, oder aber seine Produktivität durch technologischen Fortschritt und/oder den Einsatz komparativer Vorteile im internationalen Handel zu steigern.

Die sowjetische Wirtschaft entwickelte sich jedoch autark und auf lange Zeit umgeben von einer feindseligen Umwelt, die eine Belagerungsmentalität hervorbrachte.[20] Der Handel wurde auf die wichtigsten Güter beschränkt und unterlag beim Import wie beim Export immer der Priorität von Sicherheitsüberlegungen.

---

14 Menšikov (1990).

15 Jasny (1961); Nove (1977); Ellman und Kontorovich (1992).

16 Wheatcroft u.a. (1990).

17 Palzuelos (1990).

18 Aganbegjan (1988: 7).

19 Weitzman (1970: 63), zit. bei Desai (1987: 63).

20 Holzman (1976); Desai (1987: 163-172; 251-273); Aganbegjan (1988: 141-156); Menšikov (1990: 222-264).

Die Beschaffung zusätzlicher Ressourcen durch kriegerische Abenteuer war für die Sowjetunion nie eine wirkliche Option, selbst nachdem der Vertrag von Jalta ihr die Besetzung Osteuropas zugebilligt hatte. Ihre Vasallenstaaten – von Ostdeutschland bis Cuba und Vietnam – wurden eher als Bauern im politischen Schachspiel betrachtet denn als wirtschaftliche Kolonien, und einige wie etwa Cuba waren für den sowjetischen Staatshaushalt sogar sehr kostspielig.[21] Interessanterweise erstreckte sich diese Priorität politischer gegenüber ökonomischer Kriterien auch auf die Beziehungen zwischen Russland und den nicht-russischen Sowjetrepubliken. Die Sowjetunion ist ein einzigartiger Fall nationaler Vorherrschaft, wo Investitionen und Ressourcen regional nach dem Prinzip der umgekehrten Diskriminierung verteilt wurden: Russland gab weit mehr Ressourcen an die anderen Republiken, als es im Gegenzug erhielt.[22] Angesichts des traditionellen sowjetischen Misstrauens gegenüber Einwanderung aus dem Ausland und im Glauben an ein unbegrenztes Ressourcenpotenzial in den asiatischen und nördlichen Regionen des Landes lag der *wirtschaftliche* Schwerpunkt nicht darin, die Reichweite des Imperiums geografisch auszudehnen, sondern in der umfassenderen Mobilisierung der natürlichen wie der menschlichen Ressourcen der Sowjetunion (Arbeit von Frauen außer Haus, Versuche, die Menschen zu härterem Arbeiten zu bringen).

Die Nachteile dieses Modells eines extensiven Wirtschaftswachstums folgten unmittelbar aus den Merkmalen, die seinen historischen Erfolg im Hinblick auf die politisch definierten Ziele garantiert hatten. Das Opfern der Landwirtschaft und die brutale Politik der Zwangskollektivierung beeinträchtigten die Produktivität des platten Landes dauerhaft nicht nur beim Anbau, sondern auch bei der Ernte, der Lagerung und der Verteilung.[23] Sehr häufig blieb die Ernte auf den Feldern liegen und verrottete, oder sie verdarb in Lagerhäusern oder auf dem langen Weg zu weit entfernten Silos, die so weit wie möglich von den Bauerndörfern entfernt gebaut worden waren, um Plünderungen seitens einer aufgebrachten, mit Misstrauen behandelten Landbevölkerung zu verhindern. Winzige private Grundstücke erbrachten systematisch weit höhere Erträge, aber sie waren zu klein und unterlagen zu häufig Kontrollen und Missbrauch, als dass sie die Ausfälle einer ansonsten ruinierten Landwirtschaft hätten ausgleichen können. Als sich die Sowjetunion aus einem Notstandsstaat zu einer Gesellschaft entwickelte, die versuchte, ihre Bürger zu ernähren, wurden die landwirtschaftlichen Defizite zu einer schweren Bürde für den Staatshaushalt und die sowjetischen Importe, weil sie allmählich Ressourcen von den industriellen Investitionen abzogen.[24]

21 Marrese und Vanous (1983); eine Kritik (die ich für fragwürdig halte) an dieser Analyse formuliert Desai (1987: 153-162).

22 S. neben anderen Quellen Korowkin (1994).

23 Volin (1970); Johnson und McConnell Brooks (1983); Scherer und Jakobson (1993).

24 Goldman (1983, 1987).

Tabelle 1.4 Wachstumsraten des BIP, der Erwerbsbevölkerung und des Kapitalstocks in der Sowjetunion sowie Verhältnisse von Investitionen zum BIP und Ausstoß zu Kapital

Jahr	Wachstumsrate BIP (%)	Erwerbsbevölkerung (verfolgbare Mannstunden) (%)	Kapitalstock (%)	Brutto-investitionsrate zum BIP (%)	Verhältnis von Ausstoß zu Kapital (Durchschnitt)
1951	3,1	-0,1	7,7		0,82
1952	5,9	0,5	7,5		0,81
1953	5,2	2,1	8,6		0,78
1954	4,8	5,1	10,5		0,74
1955	8,6	1,6	10,6		0,73
1956	8,4	1,9	10,3		0,72
1957	3,8	0,6	9,9		0,68
1958	7,6	2,0	10,0		0,66
1959	5,8	-1,0	9,7		0,64
1960	4,0	-0,3	9,2	17,8	0,61
1961	5,6	-0,7	8,9	18,1	0,59
1962	3,8	1,4	8,8	17,9	0,56
1963	-1,1	0,7	8,8	19,3	0,51
1964	11,0	2,9	8,6	19,1	0,52
1965	6,2	3,5	8,2	18,9	0,51
1966	5,1	2,5	7,7	19,2	0,50
1967	4,6	2,0	7,2	19,9	0,49
1968	6,0	1,9	7,1	20,2	0,48
1969	2,9	1,7	7,2	20,3	0,46
1970	7,7	2,0	7,8	21,0	0,46
1971	3,9	2,1	8,1	21,7	0,45
1972	1,9	1,8	8,2	22,9	0,42
1973	7,3	1,5	8,0	22,3	0,42
1974	3,9	2,0	7,8	23,0	0,40
1975	1,7	1,2	7,6	24,6	0,38
1976	4,8	0,8	7,2	24,5	0,37
1977	3,2	1,5	7,0	24,6	0,36
1978	3,4	1,5	6,9	25,2	0,35
1979	0,8	1,1	6,7	25,2	0,33
1980	1,4	1,1	6,5	25,4	0,31

BIP und Investitionen (für die es ab 1960 Informationen gibt) sind in Rubeln von 1970, während die Daten für den Kapitalstock in Rubeln von 1973 vorliegen. Die Verhältniszahlen für Ausstoß und Kapital sind Durchschnittswerte, die sich aus der Division der Werte für den absoluten Ausstoß durch das Kapital in einem bestimmten Jahr ergeben. Letzteres ist der Durchschnitt für den Kapitalstock jeweils zu Beginn zweier aufeinanderfolgender Jahre.

Quelle: zusammengestellt und bearbeitet von Desai (1987: 17).

Abbildung 1.3 Wachstumsraten des sowjetischen BIP, 1951-1980. Es wurde der Durchschnitt der jährlichen Wachstumsrate für jeweils drei Jahre gebildet und zur Jahresmitte jeder Einzelperiode eingezeichnet.

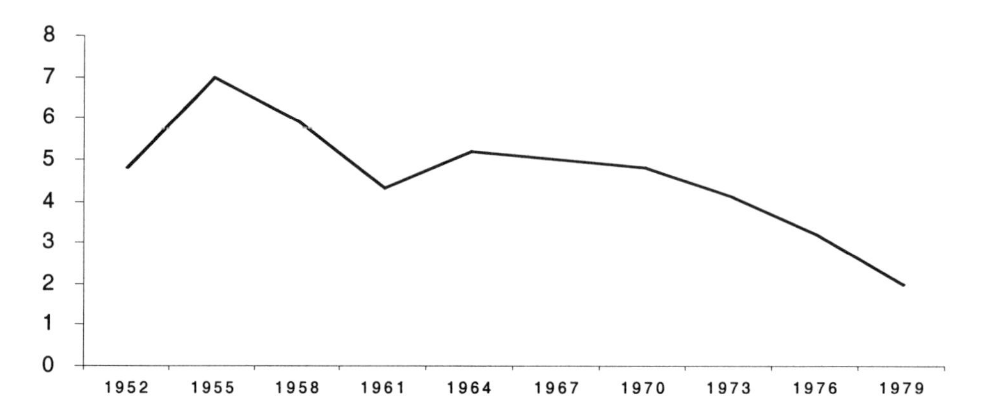

Quelle: erarbeitet aus Tabelle 1.4, Spalte 2

Die zentral geplante Wirtschaft war äußerst verschwenderisch und doch effektiv bei der Mobilisierung von Ressourcen für Ziele, denen Priorität zugemessen wurde. Sie war auch die Quelle uferloser Unbeweglichkeit und von nicht enden wollenden Ungleichgewichten, die zur Verminderung der Produktivität führten, als die Wirtschaft komplexer, technologisch weiter fortgeschritten und organisatorisch differenzierter wurde. Als die Bevölkerung die Möglichkeit bekam, Konsumwünsche über das Überlebensniveau hinaus zum Ausdruck zu bringen, als der technologische Wandel die Transformation fest etablierter Arbeitsvorgänge erzwang und als die schiere Größe der Volkswirtschaft, die in riesigem geografischen Maßstab funktional interdependent war, sich den Programmierkünsten der Gosplaner entzog, wurde die Kommandowirtschaft allmählich von systemischen Dysfunktionen bei der praktischen Plandurchführung heimgesucht. Vertikale, schwerfällige Bürokratien waren in einem Zeitalter der Flexibilität gelandet, sie waren immer weiter von der Wirklichkeit entfernt und bewegten sich entlang der Pfade ihrer eigenen Interpretation der vom Plan vorgegebenen Aufgaben.

In einer Periode grundlegenden technologischen Wandels stand dieses System trotz der gewaltigen Ressourcen, die die Sowjetunion für Wissenschaft sowie Forschung und Entwicklung (F&E) aufwendete, und obwohl sie einen höheren Anteil von Wissenschaftlern und Ingenieuren an der Bevölkerung hatte als jedes andere große Land der Welt, auch der Innovation im Wege.[25] Da Innovation immer mit Risiken und Unwägbarkeiten verbunden ist, wurden die Produktionseinheiten auf allen Ebenen systematisch davon abgehalten, sich auf sol-

25 Aganbegjan (1988).

che riskante Unternehmungen einzulassen. Zudem stellte das Buchhaltungssystem der Planwirtschaft ein grundlegendes Hindernis für produktivitätssteigernde Innovationen in der Technologie ebenso wie im Management dar. Wir möchten das erklären. Die Leistung jeder Einheit wurde als in Rubeln ausgedrückter Rohwert gemessen. Der Wert des Ausstoßes (*valovaja produkcija, val*) enthielt die Werte aller Eingangsprodukte. Der Vergleich des *val* zwischen den Jahren bestimmte das Niveau der Planerfüllung und letztlich auch die Prämien für Manager und Arbeitende. Es bestand daher kein Interesse, den Wert der Eingansprodukte für ein bestimmtes Erzeugnis etwa durch bessere Technologie oder besseres Management zu senken, solange das *val*-System nicht in der Lage war, derartige Verbesserungen in einen höheren hinzugefügten Wert zu übersetzen.[26] Ferner machte es die vertikale Organisation der Produktion, zu der auch die wissenschaftliche Produktion zählte, äußerst schwierig, synergetische Verbindungen zwischen Produktion und Forschung zu schaffen. Die Akademie der Wissenschaften blieb insgesamt von der Industrie isoliert, und jedes Ministerium hatte sein eigenes wissenschaftliches Unterstützungssystem, das oft von denen anderer Ministerien getrennt war und selten mit ihnen kooperierte. Bruchstückhafte technologische Augenblickslösungen waren in der Sowjetwirtschaft gerade zu dem Zeitpunkt die Regel, als sich am Beginn des Informationszeitalters in den fortgeschrittenen kapitalistischen Volkswirtschaften eine nicht vorhergesehene technologische Innovation Bahn brach.[27]

Ähnlich sollten die Prioritäten, die jeder Branche und jedem Sektor der Wirtschaft vorgegeben wurden, der Verwirklichung der Ziele der Kommunistischen Partei dienen, unter denen nicht das geringste darin bestand, innerhalb von weniger als drei Jahrzehnten den Status einer Supermacht zu erreichen. Aber die systemischen Prioritäten führten zu systemischen Ungleichgewichten zwischen den Sektoren, der chronisch unzulänglichen Anpassung zwischen Angebot und Nachfrage bei den meisten Gütern und Prozessen. Da die Preise, die ja durch administrative Entscheidungen festgelegt waren, diese Ungleichgewichte nicht ausdrücken konnten, führte die Lücke zu Knappheit. Die Knappheit an allem und jedem wurde ein Strukturmerkmal der Sowjetwirtschaft.[28] Und mit der Knappheit kam auch die Entwicklung von Methoden, mit der Knappheit zurechtzukommen, von den Konsumenten bis zum Laden, von den Herstellern zu den Lieferanten und von einem Manager zum anderen. Was als pragmatische Methode zur Umgehung von Engpässen begann, als Netzwerk gegenseitiger Gefälligkeiten, wurde am Ende zu einem riesigen System informellen wirtschaftlichen Austausches, das in steigendem Maß auf der Grundlage illegaler Zahlungen in Geld oder in Gütern organisiert war. Weil die Loyalität

---

26 Goldman (1987).
27 Golland (1991).
28 Zur Analyse der systemischen Schaffung von Knappheit in der Kommandowirtschaft s. Kornai (1980).

gegenüber und der Schutz vor Aufsicht führenden Bürokraten eine notwendige Voraussetzung dafür war, dass das System in solch einem riesenhaften Ausmaß außerhalb der Regeln funktionieren konnte, wurden Partei und Staat von einer gigantischen Schattenwirtschaft unterwandert, einer grundlegenden Dimension des Sowjetsystems, die von Gregory Grossman, einem führenden Experten zur Sowjetwirtschaft, gründlich erforscht worden ist.[29] Es ist manchmal geltend gemacht worden, eine solche Schattenwirtschaft habe die Starrheit des Systems abgemildert und einen Quasi-Marktmechanismus geschaffen, der es der realen Wirtschaft ermöglichte, zu funktionieren. In Wirklichkeit wurden Engpässe, sobald Manager und Bürokraten einmal den Nutzen der von Knappheit geplagten Wirtschaft entdeckt hatten, beständig dadurch hervorgerufen, dass man die starren Regeln des Planes anwendete und so die Notwendigkeit schuf, das System weicher zu gestalten – was seinen Preis kostete. Die Schattenwirtschaft, die während der 1970er Jahre mit Billigung der Parteinomenklatur bedeutend gewachsen ist, hat die sowjetische Sozialstruktur tiefgreifend verändert. Sie hat eine Planwirtschaft desorganisiert und teurer gemacht, der es definitionsgemäß nicht mehr erlaubt wurde, zu planen, weil das vorherrschenden Interesse der *gatekeeper* im gesamten Verwaltungsapparat darin bestand, lieber Gelder aus der Schattenwirtschaft zu beziehen als Prämien für die Erfüllung ihrer Planziele.[30]

Die internationale Isolation der Sowjetunion war systemfunktional, weil sie die Durchführung des Plans (die in einer offenen Wirtschaft unrealistisch ist) erlaubte und weil sie die Produktion gegen externem Konkurrenzdruck abschottete. Aber aus genau demselben Grund wurden die sowjetische Industrie und Landwirtschaft gerade zu dem historischen Zeitpunkt der Herausbildung eines interdependenten, globalen Systems unfähig, innerhalb der Weltwirtschaft zu konkurrieren. Als die Sowjetunion gezwungen war, Güter zu importieren, sei es hochmodernen Maschinen, Konsumgüter oder Futtergetreide für das Vieh, entdeckte sie die schädlichen Grenzen ihrer geringen Fähigkeit zum Export von Fertiggütern im Austausch dafür. Sie griff auf massive Exporte von Erdöl, Erdgas, Rohstoffen und Edelmetallen zurück, die in den 1980er Jahren 90% der sowjetischen Exporte in die kapitalistische Welt ausmachten, wobei Öl und Gas allein zwei Drittel dieser Exporte stellten.[31] Diese Außenhandelsstruktur ist typisch für unterentwickelte Volkswirtschaften und anfällig für den säkularen Verfall der Preise ihrer Waren gegenüber Preisen für Fertiggüter; sie ist darüber hinaus übermäßig anfällig für die Schwankungen des Ölpreises auf den Weltmärkten.[32] Diese Abhängigkeit vom Export von Naturressourcen zog Energieressourcen und Rohstoffe von den Investitionen in die sowjetische Wirtschaft ab und untergrub so weiter das Modell extensiven Wirtschaftswachstums.

---

29 Grossman (1977).
30 Grossman (1989).
31 Menšikov (1990).
32 Veen (1984).

So wurde denn auch die Importkapazität der Volkswirtschaft schwer geschädigt, als 1986 der Ölpreis fiel, was die Knappheit an Konsumgütern und agrarischen Rohstoffen noch steigerte.[33]

Doch vielleicht die verheerendste Schwäche der sowjetischen Wirtschaft war genau das, was die Stärke des sowjetischen Staates ausmachte: ein überdehnter militärisch-industrieller Komplex und ein unhaltbarer Verteidigungshaushalt. Während der 1980er Jahre konnten die sowjetischen Verteidigungsausgaben mit etwa 15% des BIP bewertet werden, mehr als das Doppelte des entsprechenden Anteils in den USA auf dem Höhepunkt der Steigerung der Verteidigungsausgaben unter Reagan. Manche Schätzungen kamen auf ein noch höheres Niveau, etwa 20-25% des BIP.[34] Etwa 40% der Industrieproduktion standen mit der Verteidigung in Zusammenhang, und die Produktion von Betrieben, die am militärisch-industriellen Komplex beteiligt waren, erreichte ungefähr 70% der gesamten Industrieproduktion. Aber der Schaden, den eine solch gigantische Rüstungsindustrie für die zivile Wirtschaft bedeutete, ging tiefer.[35] In ihren Betrieben wurden die besten Talente von Wissenschaftlern, Ingenieuren und Facharbeitern konzentriert, und sie wurden auch mit den besten Maschinen versorgt und hatten privilegierten Zugang zu technologischen Ressourcen. Sie hatten ihre eigenen Forschungszentren, die technologisch am weitesten fortgeschrittenen im Land, und sie genossen Priorität bei der Zuteilung von Importquoten. Auf diese Weise absorbierten sie das Beste am sowjetischen industriellen, menschlichen und technologischen Potenzial. Und waren diese Ressourcen einmal dem Rüstungssektor zugeteilt, wurden sie kaum je in die zivile Produktion und Anwendung zurückgegeben. Es kam selten zur Übertragung technologischer Neuerungen in andere Bereiche (*spin-offs*), und der Anteil von zivilen Gütern an der Gesamtproduktion der Rüstungsunternehmen betrug gewöhnlich weniger als 10%. Selbst dabei wurden die meisten Fernsehgeräte und andere elektronische Konsumartikel von Rüstungsunternehmen als Nebenprodukte ihrer Tätigkeit hergestellt. Es erübrigt sich zu erwähnen, dass das Interesse an der Zufriedenheit der Verbraucher minimal war, da diese Unternehmen ja organisch vom Verteidigungsministerium abhängig waren. Der militärisch-industrielle Komplex fungierte in der sowjetischen Wirtschaft als schwarzes Loch, das den größten Teil der schöpferischen Energie der Gesellschaft absorbierte und sie im Abgrund unsichtbarer Trägheit verschwinden ließ. Schließlich ist die Militarisierung der Wirtschaft ein logisches Kennzeichen eines Systems, das der Macht des Staates um der Staatsmacht willen absoluten Vorrang zuschreibt. Die Tatsache, dass ein verarmtes, ganz überwiegend ländliches und kaum entwickeltes Land, wie es die Sowjetunion zu Beginn des 20. Jahrhunderts gewesen ist, in lediglich drei Jahrzehnten zu einer der größten Militär-

---

33 Aganbegjan (1988).
34 Steinberg (1991).
35 Rowen und Wolf (1990); Cooper (1991).

mächte der Geschichte werden konnte, musste notwendig ihren Tribut von der sowjetischen zivilen Wirtschaft und vom Alltagsleben ihrer Bürgerinnen und Bürger einfordern.

Der sowjetischen Führung waren die Widersprüche und Engpässe nicht entgangen, die sich innerhalb der Planwirtschaft entwickelten. Und wie oben bereits erwähnt, wurde die sowjetische Geschichte ja von periodischen Anstrengungen zu Reform und Umstrukturierung beherrscht.[36] Chruschtschow versuchte, den Menschen die Errungenschaften des Sozialismus näher zu bringen, indem er die landwirtschaftliche Produktion verbesserte und den Konsumgütern, den Wohnungen und den Sozialleistungen, vor allem den Renten, mehr Aufmerksamkeit schenkte.[37] Ferner hatte er eine neue Form von Wirtschaft im Auge, die in der Lage wäre, die vollständige Entwicklung der Produktivkräfte zu entfesseln. Wissenschaft und Technologie würden in den Dienst der wirtschaftlichen Entwicklung gestellt, und die Naturressourcen Sibiriens, des Fernen Ostens und der zentralasiatischen Republiken würden nutzbar gemacht werden. Auf der Welle des Enthusiasmus, der durch den erfolgreichen Start der ersten Sputnik ausgelöst worden war, sagte der 21. Parteitag auf der Grundlage einer Extrapolation von Wachstumsindikatoren voraus, die UdSSR werde innerhalb von 20 Jahren den wirtschaftlichen Gleichstand mit den Vereinigten Staaten erreichen. Dementsprechend verlagerte sich die Gesamtstrategie zur Überwindung des Kapitalismus von der Unvermeidlichkeit militärischer Konfrontation zur ausdrücklichen Politik friedlicher Koexistenz und friedlichen Wettbewerbs. Chruschtschow glaubte tatsächlich daran, dass der Demonstrationseffekt der Errungenschaften des Sozialismus letztlich die Kommunistischen Parteien und ihre Verbündeten auch im Rest der Welt an die Macht bringen würde.[38] Er wusste, dass bevor sich die internationale kommunistische Bewegung auf eine solch großartige – von den chinesischen Kommunisten bestrittene – Perspektive würde einlassen können, Veränderungen in der Bürokratie des Sowjetstaates notwendig waren. Nachdem die Vertreter der harten Linie durch die Enthüllung der Gräuel Stalins auf dem 20. Parteitag in die Defensive gedrängt worden waren, eliminierte Chruschtschow die Ministerien im Wirtschaftsbereich, begrenzte die Macht von Gosplan und verlagerte Verantwortlichkeiten auf die regionalen Volkswirtschaftsräte (*sovnarchozy*). Die Bürokratie reagierte in vorhersehbarer Weise und rekonstruierte die informellen Netzwerke, um von oben nach unten die knappen Ressourcen zu kontrollieren und zu verwalten. Die darauf folgende Desorganisation des Planungssystems führte zum Abfall der Produktion und zu einer deutlichen Verlangsamung des Wachstums in der Landwirtschaft, dem Herzstück der Chruschtschowschen Reformen. Noch bevor Chruschtschow auf die Sabotage seiner Politik, die sicherlich unter einem

---

36 Van Regemorter (1990).
37 Gustafson (1981); Gerner und Hedlund (1989).
38 Taibo (1993b).

übermäßigen Voluntarismus litt, reagieren konnte, inszenierte der Parteiapparat einen internen Coup, der Chruschtschows Amtszeit 1964 beendete. Unmittelbar danach wurden die Kompetenzen von Gosplan wiederhergestellt, und es wurden neue Branchenministerien geschaffen, über die die Planungsbehörden ihre Direktiven durchsetzen konnten.

Die ökonomischen Reformen kamen nicht vollständig zum Erliegen, wurden aber von der Ebene der staatlichen Verwaltung auf die Ebene des Betriebes umorientiert. Die Reformen Kosygins 1965,[39] die von den Ökonomen Liberman und Neminov inspiriert waren, gaben der Unternehmensleitung mehr Entscheidungsspielraum und experimentierten mit einem Preissystem zur Bezahlung der Ressourcen für die Produktion. Größere Aufmerksamkeit wurde auch den Konsumgütern geschenkt, deren Produktion 1966-1970 erstmals schneller anstieg als die der Kapitalgüter. Es wurden Anreize für die Landwirtschaft geschaffen, was in der Zeit von 1966-1971 zu einem bedeutenden Produktionsanstieg führte. Aber angesichts der Logik der Planwirtschaft konnten diese Reformen nicht von Dauer sein. Unternehmen, die ihre neu gewonnene Freiheit nutzten, um ihre Produktivität zu verbessern, sahen sich im folgenden Jahr mit höheren Produktionsziffern konfrontiert. Unternehmensmanager und Arbeiter (wie in dem Unternehmen, das 1967 zum Rollenmodell der Reformen wurde, dem chemischen Kombinat Ščekino in Tula) fühlten sich betrogen, weil sie in Wirklichkeit durch eine Intensivierung des Arbeitstempos bestraft wurden, während Firmen, die ein stetiges, gewohnheitsmäßiges Produktionsniveau beibehalten hatten, in ihrer bürokratischen Routine belassen wurden. Anfang der 1970er Jahre hatte Kosygin seine Macht verloren, und das Innovationspotenzial der halbherzigen Reformen schwand dahin.

Die ersten zehn Jahre der Breschnew-Periode (1964-1975)[40] erlebten jedoch ein maßvolles Wirtschaftswachstum von durchschnittlich mehr als 4% jährlich, gepaart mit politischer Stabilität und einer stetigen Verbesserung der Lebensbedingungen der Bevölkerung. Der Begriff „Stagnation" (*zastoj*) der gewöhnlich auf die Breschnew-Jahre angewendet wird, wird diesem ersten Teil der Periode nicht gerecht.[41] Die relative Stagnation festigte sich erst ab 1975, und das Niveau des Nullwachstums wurde 1980 erreicht. Die Ursachen dieser Stagnation scheinen strukturell gewesen zu sein, und sie waren die unmittelbaren Faktoren, die zu Gorbatschows *perestrojka* geführt haben.

Padma Desai hat empirische Belege und eine ökonometrische Interpretation der Verlangsamung des sowjetischen Wirtschaftswachstums vorgelegt (s. Abb. 1.3). Deren hauptsächliche Ursachen scheinen in der abfallenden Rate technologischen Wandels und in den sinkenden Erträgen des extensiven Akkumulati-

39 Kontorovich (1988).

40 Goldman (1983); Veen (1984); Mitchell (1990).

41 Van Regemorter (1990).

onsmodells zu liegen.[42] Auch Abel Aganbegjan führt die Verlangsamung des Wirtschaftswachstums auf die Erschöpfung des Industrialisierungsmodells zurück, das auf dem extensiven Einsatz von Kapital, Arbeit und Naturressourcen beruht hatte.[43] Die technologische Rückständigkeit führte zum Rückgang der Erträge der Öl- und Gasfelder, der Kohlebergwerke und der Gewinnung von Eisen und seltenen Erden. Die Kosten für die Prospektierung neuer Ressourcen erhöhten sich mit zunehmender Entfernung und natürlichen Barrieren drastisch, die sich aus den unwirtlichen Bedingungen in den nördlichen und östlichen Teilen des sowjetischen Territoriums ergaben. Das Angebot an Arbeitskraft in der Sowjetwirtschaft schwand dahin, weil die Geburtenrate infolge höherer Bildung und wirtschaftlicher Entwicklung mit der Zeit zurückging und die Einbeziehung der Frauen in die Erwerbstätigkeit nahezu vollständig vollzogen war. Damit verschwand eine der tragenden Säulen des extensiven Akkumulationsmodells, beständige quantitative Zuwächse an Arbeitskraft. Der Kapitaleinsatz wurde durch abnehmende Erträge aus Investitionen in dieselbe Produktionsfunktion ebenfalls eingeschränkt, wie dies für ein früheres Stadium der Industrialisierung charakteristisch ist. Um dieselbe Menge unter den neuen wirtschaftlichen Bedingungen zu produzieren, musste mehr Kapital eingesetzt werden, wie der drastische Abfall des Verhältnisses zwischen Ausstoß und Kapital zeigt (s. Tab. 1.4).

Die Verlangsamung hing auch mit der immanenten Dynamik und der bürokratischen Logik des Akkumulationsmodells zusammen. Stanislav Menšikov entwickelte am Wirtschaftswissenschaftlichen Institut der Akademie der Wissenschaften in Novosibirsk gemeinsam mit einem Team junger Ökonomen ein intersektorales Modell der Sowjetwirtschaft. In seinen eigenen Worten:

> Die ökonomische Analyse zeigte, dass unsere Entscheidungsfindungen im Bereich von Investition, Produktion und Distribution in Wirklichkeit nicht darauf ausgerichtet war, das Wohlbefinden der Bevölkerung zu erhöhen, den technologischen Fortschritt zu fördern und die Wachstumsraten ausreichend hoch zu halten, um das wirtschaftliche Gleichgewicht zu bewahren. Vielmehr wurden die Entscheidungen unter dem Gesichtspunkt getroffen, die Macht von Ministerien in ihrem Kampf um die Aufteilung der übermäßig zentralisierten Rohstoffe, Finanzen, Arbeitskräfte, natürlichen und intellektuellen Ressourcen zu maximieren. Unsere ökonomisch-mathematische Analyse zeigte, dass dem System eine unerbittliche Trägheit innewohnte, so dass es zwangsläufig immer ineffizienter wurde.[44]

Diese Ineffizienz trat besonders krass zutage, als die Konsumforderungen einer immer besser ausgebildeten und inzwischen auch selbstbewussten Bevölkerung begannen, Druck auf die Regierung auszuüben, nicht in der Form sozialer Bewegungen, die das System herausgefordert hätten, sondern als loyaler Ausdruck

---

42 Desai (1987).

43 Aganbegjan (1988).

44 Menšikov (1990: 8).

des Wunsches von Bürgerinnen und Bürgern nach einer allmählichen Verwirklichung des versprochenen Wohlstandes.[45]

Zwei große Strukturprobleme schienen aber in den 1980er Jahren die Reformfähigkeit des Systems zu behindern. Einerseits brachte die Erschöpfung des extensiven Wirtschaftswachstumsmodells die Notwendigkeit mit sich, zu einer neuen Produktionsgleichung überzugehen, in der der technologische Wandel eine größere Rolle spielen konnte, um die Vorteile der einsetzenden technologischen Revolution zur substanziellen Produktivitätssteigerung der gesamten Volkswirtschaft zu nutzen. Das machte es erforderlich, einen Teil des Überschusses für den sozialen Konsum bereit zu stellen, ohne die Möglichkeiten aufs Spiel zu setzen, die Militärtechnik auf dem neuesten Stand zu halten. Andererseits mussten die exzessive Bürokratisierung der Wirtschaftsleitung und die chaotischen Konsequenzen des mit ihr einhergehenden Wachstums der Schattenwirtschaft durch eine gründliche Reorganisation der Planungsinstitutionen und weiter dadurch korrigiert werden, dass man die parallelen Kreisläufe der Aneignung und Verteilung von Gütern und Dienstleistungen unter Kontrolle brachte. In beiderlei Hinsicht – technologische Modernisierung und administrative Regeneration – waren die zu überwindenden Hindernisse gewaltig.

Die Frage der Technologie

Trotz der Mängel der zentralen Planung hat die Sowjetunion eine mächtige industrielle Volkswirtschaft aufgebaut. Als Chruschtschow 1961 gegenüber der Welt die Kampfansage formulierte, in den 1980er Jahren werde die UdSSR mehr Industriegüter produzieren als die Vereinigten Staaten, belächelten selbst im Nachbeben des Sputnikschocks die meisten westlichen Beobachter diese Erklärung. Doch die Ironie liegt darin, dass zumindest der amtlichen Statistik nach die Sowjetunion trotz wirtschaftlicher Verlangsamung und gesellschaftlicher Unordnung in den 1980er Jahren tatsächlich in einer Reihe von Sektoren der Schwerindustrie mehr produzierte als die USA: Sie produzierte 80% mehr Stahl, 78% mehr Zement, 42% mehr Öl, 55% mehr Dünger, zweimal so viel Roheisen und fünfmal so viele Traktoren.[46] Das Problem war nur, dass das Produktionssystem der Welt sich mittlerweile stark auf Elektronik und spezielle Chemikalien verlagert hatte und sich weiter auf die biotechnologische Revolution zu bewegte, alles Bereiche, in denen die sowjetische Wirtschaft und Technologie erheblich hinterherhinkten.[47] Allen Berichten und Indikatoren zufolge hat die Sowjetunion die Revolution in der Informationstechnologie verpasst, die sich Mitte der 1970er Jahre weltweit abzeichnete. In einer Studie, die ich 1991-1993 zu-

45 Lewin (1988).
46 Walker (1986: 53).
47 Amman und Cooper (1986).

sammen mit Svetlana Nataluško über die führenden Unternehmen im Mikroelektronik- und Telekommunikationsbereich in Zelenograd, dem 25 km von Moskau gelegenen sowjetischen Silicon Valley, durchgeführt habe,[48] wurde die unermessliche technologische Lücke zwischen der sowjetischen und der westlichen Technologie deutlich, trotz des allgemein hohen Niveaus des wissenschaftlichen und technischen Personals, das wir interviewten. So waren die russischen Unternehmen selbst zu einem solch späten Zeitpunkt nicht in der Lage, sub-mikronische Chips zu konstruieren, und ihre *clean rooms*[49] waren so „schmutzig", dass sie die fortgeschrittensten Chips, die sie konstruieren konnten, noch nicht einmal herzustellen vermochten. Und wirklich wurde uns als wichtigster Grund für ihre technologische Unterentwicklung der Mangel an entsprechender Ausrüstung für die Halbleiterproduktion genannt. Eine ähnliche Geschichte lässt sich über die Computerindustrie erzählen. Nach den Beobachtungen einer weiteren Studie, die ich 1990 in den Forschungsinstituten der Sibirischen Abteilung der Akademie der Wissenschaften in Novosibirsk durchgeführt habe, schien sie ungefähr 20 Jahre hinter der amerikanischen oder japanischen Computerbranche zurück zu sein.[50] Die PC-Revolution ist vollständig an der sowjetischen Technologie vorbeigegangen, wie übrigens auch an IBM. Aber anders als IBM hat die Sowjetunion mehr als ein Jahrzehnt gebraucht, um damit anzufangen, einen eigenen Klon zu entwickeln und zu bauen, der dem Apple One verdächtig ähnelte.[51] Am anderen Ende des Spektrums lag bei den Hochleistungscomputern, die ja eigentlich die Stärke eines etatistischen Technologiesystems hätten ausmachen sollen, die aggregierte Spitzenleistung der sowjetischen Maschinen 1991 – das Jahr mit der höchsten derartigen Produktion in der UdSSR – um mehr als zwei Größenordnungen unter der von Cray Research allein.[52] Und was die entscheidendste technologische Infrastruktur angeht, so hat die Evaluierung des sowjetischen Telekommunikationssystems durch Diane Doucette 1992 ebenfalls dessen Rückständigkeit im Verhältnis zu jeder großen Industrienation gezeigt.[53] Selbst in den Schlüsseltechnologien mit militärischem Anwendungsbereich war die Sowjetunion Ende der 1980er Jahre deutlich hinter die USA zurückgefallen. In einem Vergleich der Rüstungstechnologie der USA, der NATO, Japans und der UdSSR, der 1989 vom US-Verteidigungsministerium durchgeführt wurde, war die Sowjetunion in 15 der 25 evaluierten Technologien das am wenigsten fortgeschrittene Land und hatte in keinem Techno-

48 Castells und Nataluško (1993).

49 Keim- und staubfreie Räume etwa zur Chip-Herstellung, d.Ü.

50 Castells (1991); eine gekürzte Fassung dieser Analyse enthält Castells und Hall (1994: Kap. 4).

51 Agamirzian (1991).

52 Wolcott und Goodman (1993); s. auch Wolcott (1993).

53 Doucette (1995).

logiebereich Gleichstand mit den USA.[54] Die Evaluierung der Rüstungstechnologie durch Malleret und Delaporte scheint diese Tatsache ebenfalls zu bestätigen.[55]

Auch hier gibt es keinen ins Auge springenden, unmittelbaren Grund für eine solche Rückständigkeit. Die Sowjetunion hatte nicht allein eine starke wissenschaftliche Grundlage und eine Technologie, die fortgeschritten genug war, um die USA im Wettlauf um den Weltraum Ende der 1950er Jahre zu überholen,[56] sondern die offizielle Doktrin machte die „wissenschaftlich-technische Revolution" (WTR) zum Herzstück der sowjetischen Strategie, um den Westen zu überholen und den Kommunismus auf einer technologischen Grundlage aufzubauen, die durch die sozialistischen Produktionsverhältnisse angetrieben werden sollte.[57] Und diese ausdrückliche Priorität war kein purer ideologischer Diskurs. Die Bedeutung, die der WTR zugeschrieben wurde, wurde bekräftigt durch massive Investitionen in Wissenschaft, in F&E und in die Ausbildung von technischem Personal. Die Folge war, dass die UdSSR in den 1980er Jahren im Verhältnis zur Gesamtbevölkerung mehr Wissenschaftler und Ingenieure hatte als jedes andere große Land der Welt.[58]

Damit bleiben wir erneut auf die Vorstellung zurückverwiesen, dass „das System", nicht die Menschen, nicht der Mangel an Ressourcen, die für wissenschaftliche und technologische Entwicklung bereit gestellt wurden, seine eigenen Grundlage unterminiert und die technologische Verlangsamung genau in dem kritischen Augenblick eines großen Paradigmenwechsels im Rest der Welt provoziert hat. Tatsächlich gibt es bis Anfang der 1960er Jahre keine Belege für einen wesentlichen Rückstand der Sowjetunion in den wesentlichen technologischen Bereichen, mit der wichtigen Ausnahme der biologischen Wissenschaften, die durch den Lysenkoismus kaputt gemacht worden waren.[59] Sobald es aber in der technologischen Evolution zu Diskontinuitäten kam, wie dies im Westen seit Beginn der 1970er Jahre geschah, konnte die wissenschaftliche Forschung den technologischen Fortschritt nicht mehr unterstützen, und Anstrengungen, durch den Nachbau westlicher Beispiele zu lernen, führten die Sowjetunion in einen aussichtslosen Wettlauf gegen die Beschleunigung der technologischen Innovation in Amerika und Japan.[60] „Etwas" ist während der 1970er Jahre geschehen, das zur technologischen Verlangsamung in der UdSSR geführt hat. Aber dieses „Etwas" ist nicht in der Sowjetunion geschehen, sondern in

---

54 US Department of Defense (1989); zusammengestellt und zitiert von Alvarez Gonzalez (1993).

55 Malleret und Delaporte (1991).

56 *US News and World Report* (1988).

57 Afanasiev (1972); Drjachlov u.a. (1972). Eine englische Zusammenfassung dieser Themen geben Bljachman und Škaratan (1977).

58 S. Fortescue (1986); Smith (1992: 283-309).

59 Thomas und Kruse-Vaucienne (1977); Fortescue (1986).

60 Goldman (1987).

den fortgeschrittenen kapitalistischen Ländern. Die Charakteristika der neuen technologischen Revolution, die auf den Informationstechnologien und der schnellen Ausbreitung dieser Technologien auf eine breite Palette von Anwendungsmöglichkeiten beruhte, machten es für das sowjetische System extrem schwierig, sich diese für die eigenen Zwecke anzueignen und anzupassen. Es war nicht die Krise der Stagnationsperiode unter Breschnjew, die die technologische Entwicklung behinderte. Es war vielmehr die Unfähigkeit des sowjetischen Systems, die viel berufene „wissenschaftlich-technische Revolution" tatsächlich zu integrieren, die zu seiner wirtschaftlichen Stagnation beitrug. Wir wollen die Ursachen dieser Unfähigkeit genau betrachten.

Der erste Grund bestand in der Absorption von wirtschaftlichen Ressourcen, Wissenschaft und Technologie, modernster Maschinen und intellektuellen Fähigkeiten durch den militärisch-industriellen Komplex. Dieses riesige Universum, auf dessen Konto Anfang der 1980er Jahre etwa zwei Drittel der Industrieproduktion gingen und das zusammen mit den Streitkräften zwischen 15 und 20% des sowjetischen BIP erhielt,[61] war ein kostspieliger Lagerplatz für Wissenschaft und Technologie: Es erhielt die besten Talente und die beste Ausrüstung, die zu haben waren, und gab der zivilen Wirtschaft nur mittelmäßige elektrische Geräte und Gegenstände der Konsumelektronik zurück.[62] Nur wenige der hochmodernen Technologien, die im militärisch-industriellen Komplex entdeckt, eingesetzt oder angewendet wurden, wurden in die Gesellschaft hinein verbreitet – hauptsächlich aus Sicherheitsüberlegungen, aber auch, um Information zu kontrollieren, die die Rüstungsunternehmen praktisch zu Oligopolen von fortgeschrittenem industriellen Know-how machte. Ferner war und ist es die Logik von Rüstungsunternehmen im Osten wie im Westen insgesamt, ihrem einzigen Kunden zu Gefallen zu sein, dem Verteidigungsministerium.[63] Daher wurden Technologien entwickelt oder angepasst, um den äußerst eng spezifizierten Anforderungen an militärisches Gerät zu genügen, was auch die beträchtlichen Schwierigkeiten eines jeden Konversionsprojektes in Russland ebenso wie in den USA erklärt. Wer benötigt auf dem vom industriellen Konsum geprägten Markt einen Chip, der entworfen wurde, um einem Nuklearangriff standzuhalten? Was die amerikanischen Industrien im Bereich der Verteidigungselektronik davor bewahrt hat, schnell irrelevant zu werden, war ihre relative Offenheit gegenüber dem Wettbewerb anderer amerikanischer Unternehmen und auch von japanischen Elektronikproduzenten.[64] Aber die sowjetischen Unternehmen lebten in einer geschlossenen Wirtschaft, ohne Anreiz zu

61 Sapir (1987); Audigier (1989); Alexander (1990: 7620); Steinberg (1991).

62 Alvarez Gonzalez (1993).

63 Feldforschung von Manuel Castells, Svetlana Natalučko und Mitarbeitern in Elektronikfirmen in Zelenograd (1991-1993). S. Castells und Natalučko (1993). Zu den Problemen der technologischen *spin-offs* aus der Verteidigungsindustrie in westlichen Volkswirtschaften s. Kaldor (1981).

64 Sandholtz u.a. (1992).

exportieren und ohne ein anderes Ziel, als den Vorgaben eines Verteidigungsministeriums zu folgen, das nicht immer auf der Höhe der Zeit war; sie folgten daher einer technologischen Entwicklungslinie, die sich immer weiter von den Bedürfnissen der Gesellschaft und von den Innovationsprozessen im Rest der Welt entfernte.[65]

Die Logik, die der technologischen Leistung durch militärische Anforderungen aufgezwungen wurde, war weitgehend verantwortlich für das Ende der sowjetischen Computerindustrie, die zwischen der Mitte der 1940er und Mitte der 1960er Jahre nicht weit hinter ihren westlichen Gegenstücken zurückgestanden hatte und ein Schlüsselelement in den Fortschritten gewesen war, die das frühe sowjetische Weltraumprogramm zu verzeichnen gehabt hatte.[66] Die Entwicklung von Computern begann in den 1940er Jahren an der Akademie der Wissenschaften in Kiev unter Leitung von Professor S.A. Lebedev.[67] Der erste Prototyp, der MESM, wurde 1950 gebaut, nur vier Jahre nach dem ersten amerikanischen Computer, dem UNIAC. Aus diesen Prototypen entwickelte sich Ende der 1950er und in den 1960er Jahren eine ganze Familie von Großrechnern: der M-20, BASM-3M, BASM-4, M-220 und M-222. Diese Entwicklungslinie erreichte 1968 ihren Höhepunkt mit dem Bau einer sehr starken Maschine, dem BESM-6, der 800.000 Operationen pro Sekunde ausführen konnte und für die folgenden zwei Jahrzehnte zum Arbeitszentrum für die sowjetische Computerbranche wurde. Dies war jedoch der letzte große Durchbruch einer einheimischen sowjetischen Computerindustrie. 1965 beschloss die sowjetische Regierung unter dem Druck der Militärs, das IBM-Modell 360 zum Herzstück des Vereinigten Computersystems des Rates für gegenseitige Wirtschaftshilfe (der sowjetisch beherrschten osteuropäischen internationalen Organisation) zu machen. Von diesem Zeitpunkt an wurden IBM und digitale Rechner, später ein paar japanische Rechner in der Sowjetunion zur Norm. Anstatt ihre eigene Entwicklungs- und Produktlinie zu entwickeln, befassten sich die sowjetischen elektronischen F&E-Zentren und Fabriken, die alle dem Verteidigungsministerium unterstanden, mit dem Schmuggeln von Computern aus dem Westen und widmeten sich dem Nachbau von Computern, um jedes Modell zu reproduzieren und es dabei den Vorgaben der sowjetischen Militärs anzupassen. Der KGB erhielt als vordringliche Aufgabe, fortgeschrittenes westliches Know-how und Maschinen, vor allem aus dem Elektronikbereich zu beschaffen – egal mit welchen Mitteln.[68] Der offene und verdeckte Technologietransfer aus dem Westen sowohl in Design wie in Ausrüstungen wurde zur Hauptquelle für die informationstechnologische Revolution in der Sowjetunion. Das führte zwangsläufig

65 Cooper (1991).
66 Feldforschung von Manuel Castells in Novosibirsk (1990) und in Zelenograd (1992-1993); s. auch Hutching (1976); Amman und Cooper (1986).
67 Agamirzian (1991).
68 Andrew und Gordievsky (1990: 521ff).

zur Verlangsamung, weil der zeitliche Abstand zwischen dem Augenblick, zu dem ein neuer Computer auf den Markt kam (bzw. für die KGB-Agenten zugänglich wurde) und dem Zeitpunkt, zu dem die sowjetischen Fabriken in der Lage waren, ihn herzustellen, immer größer wurde. Die Lücke zum jeweils aktuellen Stand des Wissens und Könnens erweiterte sich erst recht mit der Beschleunigung des technologischen Wettlaufs Ende der 1970er Jahre. Da das selbe Verfahren für alle elektronischen Komponenten und für die Software angewendet wurde, wirkte die Verlangsamung in jedem einzelnen Segment der Industrie auf die anderen ein, womit sich der technologische Rückstand vervielfachte. Was Anfang der 1960er Jahre eine nahezu ausgeglichene Situation in der Entwicklung von Computern gewesen war, wurde in den 1990er Jahren zu einem Unterschied von 20 Jahren in der Fähigkeit zur Entwicklung und Produktion.[69]

Zu einer ähnlichen Entwicklung kam es bei der Software. Die sowjetischen Maschinen der 1960er Jahre arbeiteten mit der selbst entwickelten Sprache ALGOL, die den Weg zur Systemintegration geebnet hätte, der damaligen Frontlinie in der Computerentwicklung. In den 1970er Jahren entwickelten die sowjetischen Wissenschaftler aber, um mit den amerikanischen Computern arbeiten zu können, ihre eigene Version von FORTRAN, die durch die Entwicklungen im Software-Bereich im Westen schnell obsolet gemacht wurde. Schließlich griffen sie darauf zurück, ohne rechtliche Genehmigung jegliche Software zu kopieren, die in Amerika auf den Markt kam, und führten so denselben Verlangsamungsmechanismus auf einem Gebiet ein, auf dem die russischen Mathematiker weltweit zu Pionieren an der vordersten Front der Wissenschaft hätten werden können.

Warum aber? Warum entschlossen sich das sowjetische Militär und der KGB paradoxerweise, technologisch von den USA abhängig zu werden? Die Forscher, die ich am Institut für Informatik-Systeme der Akademie der Wissenschaften in Novosibirsk interviewt habe, führten ein überzeugendes, aus ihrer eigenen Erfahrung abgeleitetes Argument an. Die Entwicklung der sowjetischen Computerwissenschaften in Isolation vom Rest der Welt war auf einem weitgehend unerkundeten Gebiet zu unsicher, um die besorgte militärische und politische Führungsgruppe zufrieden zu stellen. Was würde mit der auf Computerkapazitäten gegründeten Sowjetmacht geschehen, wenn ihren Forschern eine entscheidende neue Entwicklung entgehen sollte, wenn die technologische Entwicklungsbahn, auf die sie festgelegt waren, auf gefährliche Weise und auf unerprobtem Kurs vom Westen abweichen sollte? Würde es dann nicht zu spät sein,

69 Bewertung des Direktors des Instituts für Informatik-Systeme, Russische Akademie der Wissenschaften, Sibirische Abteilung. Diese Bewertung wurde während meiner Feldforschung von sechs Ingenieuren und Managern in den Instituten für Telekommunikation und Elektronik in Zelenograd bestätigt; s. Castells und Nataluško (1993); Castells und Hall (1994: Kap. 4).

den Kurs zu ändern, wenn die USA eines Tages erkennen sollten, dass die Sowjetunion tatsächlich nicht die notwendige Computerkapazität besaß, um sich wirkungsvoll zu verteidigen? Daher optierte die sowjetische Führung (wahrscheinlich eine vom KGB beeinflusste Entscheidung auf hoher Ebene) für ein konservatives, sicheres Vorgehen: Lasst uns dieselben Maschinen haben wie „die", auch wenn es uns etwas zusätzliche Zeit kostet, „deren" Computer zu reproduzieren. Wenn es darum ging, Armageddon zu aktivieren, würde eine Lücke von ein paar Jahren bei elektronischen Schaltkreisen nicht wirklich bedeutsam sein, solange alles funktionierte. So führten die vorrangig militärischen Interessen des Sowjetstaates zu dem Paradox, dass die Sowjetunion auf dem entscheidenden Gebiet der Informationstechnologie technologisch von den USA abhängig wurde.

Die japanischen Elektronikunternehmen kopierten allerdings während ihrer Anfangsstadien ebenfalls die amerikanische Technologie, und dennoch holten sie innerhalb von ein oder zwei Jahrzehnten, in mehreren Schlüsselbereichen auf, während die Sowjetunion die entgegengesetzte Erfahrung machte. Wie kam das? Der Hauptgrund scheint zu sein, dass die Japaner (und später andere asiatische Länder) mit den Firmen in Konkurrenz treten mussten, von denen sie die Technologie ausborgten, so dass sie Schritt halten mussten, während der Rhythmus der technologischen Entwicklung in den sowjetischen Unternehmen vom militärischen Beschaffungsverfahren diktiert wurde sowie durch eine Kommandowirtschaft, die Quantität über Qualität setzte. Das Fehlen internationaler oder einheimischer Konkurrenz nahm jeglichen Druck von den sowjetischen Firmen, Innovationen schneller durchzuführen, als dies aus der Sicht der Planer des Verteidigungsministeriums nötig war.[70] Als die militärisch orientierte Beschleunigung des „Krieg der Sterne"-Programms die so sehr gefürchtete technologische Lücke zwischen der Sowjetunion und den USA an den Tag brachte, war die alarmierte Reaktion des sowjetischen Oberkommandos, wie sie am offensten vom Stabschef Marschall Ogarkov zum Ausdruck gebracht wurde, einer der Faktoren, der trotz des politischen Sturzes von Ogarkov selbst die *perestrojka* auslöste.[71]

Die Sowjetunion hatte jedoch außerhalb des militärischen Sektors genügend wissenschaftliche, industrielle und technologische Ressourcen, um ihre technologische Leistungsfähigkeit trotz des Ausbleibens militärischer *spin-offs* zu verbessern. Aber eine weitere Schicht etatistischer Logik hat diese Entwicklung verhindert. Die Funktionsweise der Kommandowirtschaft war, wie oben erwähnt, auf der Planerfüllung aufgebaut, nicht auf der Verbesserung von Produkten oder Prozessen. Anstrengungen zur Innovation enthalten immer ein Risiko, sowohl was das Ergebnis angeht, als auch die Fähigkeit, den notwendigen Nachschub sicher zu stellen, um sich auf neuen Produktionsfeldern zu engagie-

70 Goldman (1987).
71 Walker (1970).

ren. Im System der industriellen Produktion gab es keinen eingebauten Anreiz für eine solche Zielsetzung. Vielmehr war die Möglichkeit des Scheiterns in jede Initiative eingeschrieben, die Risiken enthielt. Technologische Innovation bot keine Belohnungen, konnte aber zu Sanktionen führen.[72] Eine allzu simple bürokratische Logik leitete die technologische Entscheidungsfindung an, wie dies auf allen Gebieten der Wirtschaftsleitung der Fall war. Eine entlarvende Anekdote kann diese Überlegung illustrieren.[73] Die meisten *chip-leads* aus den USA haben einen Abstand von 1/10 *inch*. Das sowjetische Elektronikministerium, das die Kopie der amerikanischen Chips unter sich hatte, ordnete metrische Abstände an, aber 1/10 *inch* entspricht einem krummen metrischen Wert: etwa 0,254 mm. Um die Sache zu vereinfachen, entschloss man sich zu einem Weg, der von der sowjetischen Bürokratie häufig beschritten wurde: Es wurde abgerundet, und so entstand ein „metrischer *inch*" – 0,25 mm Abstand. Deshalb sehen die sowjetischen Klone wie ihre amerikanischen Gegenstücke aus, aber sie passen nicht in die westlichen Stecker. Der Fehler wurde entdeckt, aber zu spät. So konnten auch 1991 die sowjetischen Ausrüstungen zum Zusammenbau von Halbleitern nicht zur Produktion von Chips mit westlichen Größen benutzt werden, was für die sowjetische Mikroelektronik mögliche Exporte ausschloss.

Ferner waren wissenschaftliche Forschung und industrielle Produktion institutionell voneinander getrennt. Die mächtige und gut ausgestattete Akademie der Wissenschaften war eine strikt forschungsorientierte Institution mit ihren eigenen Programmen und Kriterien, abgekoppelt von den Bedürfnissen und Problemen der Industriebetriebe.[74] Da sie nicht auf die Beiträge der Akademie zurückgreifen konnten, nutzten die Unternehmen die Forschungszentren ihrer eigenen Ministerien. Da jeglicher Austausch zwischen diesen Zentren formelle Kontakte zwischen den Ministerien im Zusammenhang mit dem Plan erfordert hätte, fehlte den Zentren für angewandte Forschung ebenfalls die Kommunikation untereinander. Diese strikt vertikale Abschottung, die durch die institutionelle Logik der Kommandowirtschaft erzwungen wurde, verbot geradezu einen Prozess des „learning by doing", der bei der Förderung der technologischen Innovation im Westen von entscheidender Bedeutung war. Der Mangel an Interaktion zwischen Grundlagenforschung, angewandter Forschung und industrieller Produktion führte zu einer extremen Starrheit im Produktionssystem, zum Fehlen von Experimenten mit wissenschaftlichen Entdeckungen und zu einer engen Anwendung spezifischer Technologien für begrenzte Zwecke genau in dem Augenblick, als die Fortschritte in den Informationstechnologien abhängig waren von der beständigen Interaktion zwischen unterschiedlichen technologi-

72 Berliner (1986); Aganbegjan (1989).

73 Bericht von Fred Langa, Chefredakteur der Zeitschrift *BYTE*; s. die Ausgabe vom April 1991, S. 128.

74 Kassel und Campbell (1980).

schen Gebieten auf der Grundlage ihrer Kommunikation über Computernetzwerke.

Die sowjetischen Führer waren wenigstens von 1955 an zunehmend besorgt über den Mangel an produktiver Interaktion zwischen Wissenschaft und Industrie, als eine von Bulganin einberufene Konferenz das Problem behandelte. Während der 1960er Jahre setzten Chruschtschow und Breschnjew auf Wissenschaft und Technologie, um den Kapitalismus zu überholen. Ende der 1960er Jahre wurden im Rahmen vorsichtiger Wirtschaftsreformen „Wissenschafts-Produktionsassoziationen" eingeführt, die horizontale Verbindungen zwischen Unternehmen und Forschungszentren herstellten.[75] Die Ergebnisse waren wiederum paradox. Einerseits erreichten die Assoziationen eine gewisse Autonomie und steigerten die Interaktion zwischen ihren industriellen und wissenschaftlichen Bestandteilen. Andererseits wurden sie entsprechend ihrer Produktionssteigerung im Vergleich zu anderen Assoziationen prämiert. So entwickelten sie die Tendenz, auf sich selbst bezogen zu sein und Verbindungen mit anderen Produktionsassoziationen und auch mit dem übrigen Wissenschafts- und Technologiesystem abzuschneiden, weil sie allein ihrem zuständigen Ministerium verantwortlich waren. Außerdem waren die Ministerien wenig daran interessiert, außerhalb der von ihnen kontrollierten Bereiche zu operieren, und die Akademie der Wissenschaften leistete Widerstand gegen jeden Versuch, ihre bürokratische Unabhängigkeit zu beschneiden, wobei sie geschickt die Furcht vor dem Rückfall in die exzessive Unterwerfung während der stalinistischen Ära ausnutzte. Obwohl Gorbatschow später versuchte, dieses Konzept wieder aufleben zu lassen, funktionierten horizontale Verbindungen zwischen wissenschaftlicher Forschung und industriellen Unternehmen in der Planwirtschaft niemals wirklich. Damit war die effektive Anwendung technologischer Entdeckungen ausgeschlossen, wenn dies die Nutzung anderer Kanäle als die vertikal übermittelten Anweisungen der Ministerien bedeutet hätte.

Ein beispielhafter Fall, der die grundlegende Unfähigkeit der zentral geplanten Wirtschaft dokumentiert, mit Prozessen schneller technologischer Innovation zurecht zu kommen, ist das Experiment der Wissenschaftsstadt Akademgorodok in der Nähe von Novosibirsk.[76] 1957 wollte Chruschtschow nach seiner Rückkehr aus den Vereinigten Staaten das amerikanische Campus-Modell nachahmen, überzeugt, dass unter den richtigen Bedingungen die sowjetische Wissenschaft ihr westliches Gegenstück übertreffen könnte. Auf den Rat des führenden Mathematikers Lavrentiev begann er mit dem Bau einer Wissenschaftsstadt im sibirischen Birkenwald, am Ufer eines künstlichen Ob-Sees und in der Nachbarschaft von Novosibirsk, dem industriellen und politischen Zentrum Sibiriens, aber bewusst davon abgetrennt. Einigen der besten, jungen und dynamischen wissenschaftlichen Talente der Sowjetunion wurden Anreize geboten, sich hier, fern von der

---

75 Kazancev (1991).
76 Castells und Hall (1994: 41-56).

akademischen Bürokratie Moskaus und Leningrads und etwas freier von direkter ideologischer Kontrolle niederzulassen. Während der 1960er Jahre erlebte Akademgorodok eine Blüte als wichtiges wissenschaftliches Zentrum in Physik, Mathematik, Informatik, fortgeschrittenen Werkstoffen und Wirtschaftswissenschaften sowie anderen Disziplinen. Auf seinem Höhepunkt in den 1980er Jahren bot Akademgorodok zwanzig Instituten der Akademie der Wissenschaften sowie einer kleinen Eliteuniversität, der Staatsuniversität Novosibirsk, eine Heimat. Insgesamt gab es dort fast 10.000 Forscher und Professoren, 4.500 Studierende und Tausende an Hilfs- und technischem Personal. Diese wissenschaftlichen Institutionen arbeiteten an der vordersten Front ihrer Disziplinen. In Wirtschaftswissenschaften und in Soziologie lieferte Akademgorodok sogar einige der ersten intellektuellen Führungspersönlichkeiten der *perestrojka*, etwa Abel Aganbegjan und Tatjana Zaslavskaja. Aber ungeachtet des hohen wissenschaftlichen Standards, den die sibirische Wissenschaftsstadt erreicht hatte, ist es niemals zu einer Verbindung zur Industrie gekommen. Und dies trotz der Nachbarschaft zum industriellen Zentrum Sibiriens, wo große Rüstungswerke ihren Sitz hatten – auch Elektronik und Luftfahrt. Die Trennung zwischen den beiden Systemen ging so weit, dass die Akademie der Wissenschaften in Akademgorodok ihre eigenen industriellen Werkstätten baute, um Maschinen für wissenschaftliche Experimente herzustellen, während die Elektronikunternehmen in Novosibirsk weiter mit ihren in Moskau stationierten Forschungszentren zusammen arbeiteten. Der Grund lag nach Aussagen der Forscher, die ich 1990-1992 interviewt habe, darin, dass die Industrieunternehmen kein Interesse am jeweils neusten Stand entsprechender Technologie hatten: Ihre Produktionspläne entsprachen der Technologie, die bei ihnen bereits installiert war, und jede Veränderung im Produktionssystem hätte bedeutet, dass sie die ihnen zugewiesenen Produktionsquoten nicht hätten erfüllen können. Deshalb konnte es nur auf Initiative der zuständigen Gosplan-Einheit zu technologischen Veränderungen kommen, in deren Zuständigkeit es lag, die Einführung der neuen Maschinen anzuordnen und zugleich die neue Produktionsquote festzulegen. Aber die Berechnungen von Gosplan konnten sich nicht auf potenzielle Maschinen beziehen, die aus avanciertester Forschung in den wissenschaftlichen Instituten hervorgehen würde. Vielmehr bezog sich Gosplan auf die Technologie, die auf dem internationalen Markt fertig angeboten wurde, weil die weiter fortgeschrittene Technologie, die auf geheimem Weg durch den KGB beschafft wurde, für den Rüstungssektor reserviert war. Dies war eines der kühnsten Experimente der Chruschtschow-Ära. Wissenschaft und Industrie sollten miteinander verbunden werden und so das Herzstück eines neuen Entwicklungsprozesses bilden. Dieses Projekt schlug am Ende unter dem Gewicht des sowjetischen Etatismus fehl, von dem es kein Entkommen gab.

Als sich die technologische Innovation im Westen während der 1970er und Anfang der 1980er Jahre beschleunigte, griff die Sowjetunion daher für ihre führenden industriellen Sektoren zunehmend auf den Import von Maschinen und auf Technologietransfer zurück und nutzte dabei den Geldsegen aus den sibirischen Öl- und Gasexporten. Es gab auch erhebliche Verschwendung. Marshall Goldman hat eine Reihe von westlichen Unternehmensleitern interviewt, die Anfang der 1980er Jahre Technologieexporte in die Sowjetunion durchgeführt haben.[77] Ihren Berichten zufolge wurden importierte Ausrüstungen nur schlecht genutzt, mit etwa zwei Dritteln der westlichen Effizienz für dieselben Maschinen; das Außenhandelsministerium versuchte, seine knappen Devisen zu sparen, während die großen Unternehmen ein handfestes Interesse daran hatten, sich Reserven an neuesten Ausrüstungen und großen Mengen an Ersatzteilen anzulegen, wann immer sie die Genehmigung für Importe erhielten; das Misstrauen zwischen den Ministerien machte es unmöglich, ihre Importpolitik zu harmonisieren, was zu Inkompatibilitäten bei den Ausrüstungen führte; und lange Amortisierungszeiten für jede Sorte von Ausrüstung, die von einer bestimmten Fabrik importiert worden war, führten dazu, dass die Anlagen technologisch veralteten. Es kam weiter zu einer schmerzlichen Koexistenz von Maschinenparks und Verfahren aus äußerst unterschiedlichen technologischen Zeitaltern. Außerdem wurde schnell klar, dass es unmöglich war, die Technologie eines volkswirtschaftlichen Segmentes zu modernisieren, ohne das gesamte System zu überholen. Gerade weil die Planwirtschaft ihre Einheiten so stark miteinander verflochten hatte, war es unmöglich, den technologischen Rückstand in einigen besonders kritischen Sektoren (etwa Elektronik) zu beheben, ohne dass jedes Element des Systems in die Lage versetzt wurde, mit den übrigen Schnittstellen zu bilden. Der Kreis schließt sich, weil die Logik, knappe ausländische Technologieressourcen für ein geschrumpftes, unverzichtbares Segment des Systems zu nutzen, die Priorität wieder verstärkte, die auf dem militärisch-industriellen Sektor lag und zudem eine scharfe Trennlinie fest etablierte, die zwischen zwei zunehmend inkompatiblen technologischen Systemen verlief, der Kriegsmaschine und der Überlebenswirtschaft.

Nicht zuletzt waren die ideologische Repression und die politischen Folgen der Informationskontrolle entscheidende Hindernisse für die Innovation und die Diffusion der neuen Technologien, deren Schwerpunkt ja gerade auf der Informationsverarbeitung lag.[78] Sicher gehörten während der 1960er Jahre die Exzesse des Stalinismus der Vergangenheit an und sollten durch die großartigen Perspektiven der „wissenschaftlich-technischen Revolution“ als materielle Grundlage des Sozialismus ersetzt werden. Lysenko wurde kurz nach dem Sturz Chruschtschows entlassen, freilich erst, nachdem er 20 Jahre lang intellektuellen Terror ausgeübt hatte; „Kybernetik“ galt nun nicht mehr als bürgerliche Wissenschaft; mathematische Modelle wurden in die Wirtschaftswissenschaft eingeführt; die Systemanalyse wurde in marxistisch-leninistischen Kreisen wohlwollend kommentiert; und das Wichtigste war die kräftige materielle Unterstützung und erhebliche bürokratische Autonomie, die nun der Akademie der Wissen-

77 Goldman (1987: 118ff).
78 Smaryl (1984).

schaften zuteil wurde, damit sie sich selbst um ihre Angelegenheiten kümmern konnte, wozu auch die Ausübung eigener ideologischer Kontrolle gehörte. Und dennoch litten sowjetische Wissenschaft und Technologie weiter unter Bürokratie, ideologischer Kontrolle und politischer Repression.[79] Der Zugang zur internationalen wissenschaftlichen Kommunikation blieb sehr eng begrenzt und war nur einer ausgewählten Gruppe von Wissenschaftlern gestattet, die strikt überwacht wurden. Dadurch wurde die gegenseitige wissenschaftliche Befruchtung weiterhin behindert. Forschungsinformationen wurden gefiltert, und die Verbreitung von Ergebnissen wurde kontrolliert und eingeschränkt. Wissenschaftsbürokraten zwangen kritischen Geistern und Innovatoren häufig ihre Ansichten auf und fanden dabei Unterstützung in der politischen Hierarchie. Die Präsenz des KGB in den großen wissenschaftlichen Zentren blieb bis zum Ende des Sowjetregimes allgegenwärtig. Die Reproduktion von Information und die freie Kommunikation unter Forschern sowie zwischen Forschern und der Außenwelt blieben für lange Zeit schwierig, was ein gewaltiges Hindernis für wissenschaftliche Phantasie und technologische Diffusion ausmachte. Lenin hatte nach der Revolution mit genialem Instinkt die Papierversorgung als grundlegendes Mittel zur Kontrolle von Information kontrollieren lassen; in seiner Nachfolge standen in der Sowjetunion Druck, Kopieren, Informationsverarbeitung und Kommunikationsmaschinen weiterhin unter strenger Kontrolle. Schreibmaschinen waren seltene, sorgfältig überwachte Geräte. Der Zugang zu Fotokopierern erforderte immer eine Sicherheitsüberprüfung, zwei bevollmächtigte Unterschriften bei einem russischen Text und drei bevollmächtigte Unterschriften bei einem nicht-russischen Text. Ferngespräche und Telex wurde innerhalb einer jeden Organisation durch besondere Verfahren kontrolliert. Und die bloße Vorstellung eines „*Personal*computers“ war für die Sowjetbürokratie einschließlich der Wissenschaftsbürokratie objektiv subversiv. Die Verbreitung der Informationstechnologie, sowohl von Maschinen als auch von Know-how, konnte in einer Gesellschaft kaum stattfinden, in der die Kontrolle über die Information für die Legitimität des Staates und für die Kontrolle über die Bevölkerung von entscheidender Bedeutung war. Je mehr die Informationstechnologien die Außenwelt für die Vorstellungskraft der Sowjetbürgerinnen und -bürger zugänglich machten, desto mehr wurde es objektiv zerstörerisch, diese Technologien einer Bevölkerung zur Verfügung zu stellen, die insgesamt unterwürfige Angst gegen passive Routine auf der Grundlage eines Mangels an Information und an alternativen Weltsichten eingetauscht hatte. Daher machte es sein eigentliches Wesen aus, dass der sowjetische Etatismus sich die Verbreitung der Informationstechnologien in das soziale System hinein versagte. Und ohne diese Verbreitung konnten sich die Informationstechnologien nicht über die spezifische, funktionale Aufgabe hinaus entwickelt, die ihnen vom Staat zugeteilt worden war. Damit war der Prozess spontaner Innovation durch

79 Fortescue (1986).

Gebrauch und durch vernetzte Interaktion unmöglich, der das informationstechnologische Paradigma kennzeichnet.

Demnach liegt im Kern der technologischen Krise der Sowjetunion die Grundlogik des etatistischen Systems: überwältigende Priorität für die militärische Macht; politisch-ideologische Kontrolle über die Information durch den Staat; Prinzipien der zentral geplanten Wirtschaft; Isolation vom Rest der Welt; und Unfähigkeit, einige Segmente von Wirtschaft und Gesellschaft technologisch zu modernisieren, ohne das gesamte System zu modifizieren, in dem diese Elemente miteinander interagieren.

Die Konsequenzen dieser technologischen Rückständigkeit gerade in dem Augenblick, als die fortgeschrittenen kapitalistischen Länder eine grundlegende technologische Transformation durchmachten, hatten für die Sowjetunion eine gewaltige Bedeutung und wurden schließlich zu einem der wesentlichen Faktoren, die zu ihrem Ende beigetragen haben. Die Wirtschaft konnte nicht von einem extensiven zu einem intensiven Entwicklungsmodell wechseln, was ihren Niedergang beschleunigte. Die zunehmende technologische Lücke machte es der Sowjetunion unmöglich, innerhalb der Weltwirtschaft zu konkurrieren, was die Tür zum Nutzen aus dem internationalen Handel über die Rolle als Energie- und Rohstofflieferant hinaus verschloss. Die hoch gebildete Bevölkerung des Landes fand sich gefangen in einem technologischen System, das immer weiter von vergleichbaren Industriegesellschaften entfernt war. Die Anwendung von Computern in einem bürokratischen System und in einer Kommandowirtschaft erhöhte die Starrheit der Kontrollen.[80] Das bestätigt die Hypothese, nach der die technologische Rationalisierung gesellschaftlicher Irrationalität die Unordnung erhöht. Letztlich litt auch die Militärmaschine selbst an einem zunehmenden technologischen Rückstand gegenüber den konkurrierenden Kriegern[81] und trug so dazu bei, die Krise des sowjetischen Staates zu vertiefen.

Die Umkehr der Identität und die Krise des sowjetischen Föderalismus

Viele unserer nationalen Probleme sind durch den widersprüchlichen Charakter der beiden Prinzipien verursacht, die zu Ecksteinen der Russischen Föderation gemacht worden sind: das national-territoriale Prinzip und das administrativ-territoriale Prinzip.

Boris Jelzin, *Rossijskaja gazeta*, 25. Februar 1994

Die Reformen Gorbatschows hatten zu Beginn ausdrücklich wirtschaftliche Neustrukturierung und technologische Modernisierung zum Ziel. Doch dies waren nicht die einzigen Fehler im sowjetischen System. Die Fundamente des

80 Cave (1980).

81 Walker (1986); Praaning und Perry (1989); Rowen und Wolf (1990); Taibo (1993a).

multinationalen, multiethnischen, vielschichtigen sowjetischen Bundesstaates waren auf dem Treibsand umgeschaffener Geschichte und kaum auszuhaltender politischer Repression aufgebaut.[82] Nach massenhaften Deportationen ganzer ethnischer Gruppen nach Sibirien und Zentralasien unter Stalin[83] wurde ein scharf bewehrtes Verbot gegen den autonomen Ausdruck von Nationalismus unter mehr als hundert Nationalitäten und ethnischen Gruppen erlassen, die die Sowjetunion bevölkerten.[84] Wenn es auch isolierte nationalistische Demonstrationen (etwa Armenien April 1965; Georgien April 1978) gab, die manchmal gewaltsam zerschlagen wurden (etwa Tbilisi März 1956), so wurden doch die meisten Ausdrucksformen des Nationalismus lange Zeit unterdrückt und nur von dissidenten Intellektuellen in den wenigen Augenblicken relativer Toleranz unter Chruschtschow und Ende der 1970er Jahre aufgegriffen.[85] Es war jedoch der Druck des Nationalismus, der von den politischen Eliten der Republiken in ihrem eigenen Interesse eingesetzt wurde, der letztlich das Reformexperiment Gorbatschows zum Scheitern verurteilt und zur Auflösung der Sowjetunion geführt hat. In dieser Gesellschaft hatten alle Ideologien, die sich strikt auf Politik beschränkten und sich nicht auf historisch-kulturelle Identität beriefen, unter dem Gegenschlag des Zynismus und der Ungläubigkeit zu leiden, die eine Konsequenz aus sieben Jahrzehnten der Indoktrinierung mit den Themen der kommunistischen Utopie waren. Daher lieferte hier der Nationalismus, auch der russische Nationalismus die ideologische Grundlage für gesellschaftliche Mobilisierung.[86] Zwar war die Unfähigkeit des sowjetischen Etatismus, sich an die technologischen und ökonomischen Bedingungen einer Informationsgesellschaft anzupassen, die folgenreichste Ursache für die Krise des Sowjetsystems, aber es war das Wiederauftreten nationaler Identität, ob historisch verwurzelt oder politisch erfunden, die den sowjetischen Staat zunächst herausgefordert und schließlich zerstört hat. Waren wirtschaftliche und technologische Probleme Anlass der Andropov-Gorbatschow-Reformen der 1980er Jahre, so war das explosive Problem des aufständischen Nationalismus und der föderalen Beziehungen innerhalb der Sowjetunion der politische Hauptfaktor, der erklärt, warum die sowjetische Führung die Kontrolle über den Reformprozess verloren hat.

Die Gründe für diese nicht einzudämmende Welle des Nationalismus in der Sowjetunion während der *perestrojka*-Jahre sind in der Geschichte des Sowjetkommunismus zu finden. Es ist in der Tat eine komplexe Geschichte, die über das vereinfachende Bild bloßer Repression nationaler oder ethnischer Kulturen durch den Sowjetstaat hinaus geht. So meint einer der führenden Historiker der

82 Carrère d'Encausse (1978).
83 Nekrich (1978).
84 Motyl (1987); Lane (1990).
85 Simon (1991).
86 Carrère d'Encausse (1991); Khazanov (1995).

nicht-russischen Nationalitäten in der Sowjetunion, der Professor für armenische Geschichte Ronald Grigor Suny:

> In der machtvollen nationalistischen Rhetorik geht jedes Gefühl für das Ausmaß verloren, in dem die langen und schwierigen Jahre der kommunistischen Herrschaft in Wirklichkeit die „Schaffung von Nationen" aus der vorrevolutionären Periode fortsetzten. Während die gegenwärtige Generation der Selbstzerstörung der Sowjetunion zuschaut, wird die Ironie übersehen, die darin liegt, dass die UdSSR nicht nur das Opfer der negativen Auswirkungen gewesen ist, die ihr Bestehen auf die nicht-russischen Völker ausgeübt hat, sondern auch ihres eigenen „progressiven" Beitrages zum Prozess des *nation building* ... Die zutiefst widersprüchliche Politik des Sowjetstaates pflegte die kulturelle Einzigartigkeit abgegrenzter Völker. Sie steigerte damit die ethnische Solidarität und das nationale Bewusstsein in den nicht-russischen Republiken, selbst wenn sie sich der vollständigen Ausformulierung einer nationalen Tagesordnung verschloss, weil sie Konformität mit einer von oben aufgezwungenen politischen Ordnung einforderte.[87]

Wir wollen versuchen, die Logik dieser folgenreichen politischen Paradoxie zu rekonstruieren.[88]

Die Sowjetunion wurde im Dezember 1922 gegründet, und ihre multinationale, föderale Staatsstruktur war in der Verfassung von 1924 verankert.[89] Anfangs umfasste sie: die Russische Sozialistische Föderative Sowjetrepublik (RSFSR), die ihrerseits neben Russland eine Reihe nicht-russischer autonomer Republiken einschloss; die Ukrainische Sozialistische Sowjetrepublik, die Weißrussische Sozialistische Sowjetrepublik und die Transkaukasische Sozialistische Föderative Sowjetrepublik, ein potenziell explosives künstliches Gebilde, das seit Jahrhunderten verfeindete Völker zusammenbrachte, wie Georgier, Aseris, Armenier und eine Anzahl kleinerer ethnischer Gruppen, darunter Inguschen, Osseten, Abchasen und Mescheten. Die Mitgliedschaft in der Union stand allen gegenwärtigen und künftigen sowjetischen und sozialistischen Republiken der Welt offen. Im Herbst 1924 wurden zwei weitere Republiken eingegliedert: Usbekistan (das aus der erzwungenen territorialen Integration der usbekischen Bevölkerung in Turkestan, Buchara und Choresmien entstand) und Turkmenien. 1936 wurden drei neue Unionsrepubliken unter den Namen Tadschikistan, Kirgisien und Kasachstan gebildet. Ebenfalls 1936 wurde Transkaukasien in drei Republiken aufgeteilt, Georgien, Armenien und Aserbaidschan, wobei innerhalb jeder der drei Republiken große ethnische Enklaven blieben, die schließlich zu nationalistischen Zeitbomben wurden. 1940 vervollständigte die erzwungene Absorption Estlands, Lettlands, Litauens und Moldaviens (von Rumänien abgetrennt) die innere Struktur der Sowjetunion in Unionsrepubliken. Im Verlauf ihrer territorialen Expansion wurden Karelien und Tuva als autonome Republi-

87 Suny (1993: 101, 130).

88 Zu einer theoretischen Analyse der Beziehung zwischen Nationalismus und Mobilisierung durch leninistische Eliten s. Jowitt (1971, bes. Teil I), der seine Analyse in einer komparativen Perspektive begründet.

89 Pipes (1954).

ken innerhalb der RSFSR ebenso annektiert wie neue Territorien in der westlichen Ukraine und im westlichen Weißrussland, die in der Zeit von 1939-1944 Polen weggenommen wurden, sowie Kaliningrad, das 1945 Deutschland genommen wurde.[90]

Die Bildung des föderalen Staates der Sowjetunion war das Ergebnis eines Kompromisses nach intensiven politischen und ideologischen Debatten während der Revolutionszeit.[91] Ursprünglich hatte die bolschewistische Position die Bedeutung der Nationalität als wesentliches Kriterium für den Aufbau des neuen Staates abgelehnt, weil der auf einer Klassengrundlage beruhende proletarische Internationalismus die nationalen Unterschiede zwischen den werktätigen und ausgebeuteten Massen überlagern sollte, die, wie sich im Ersten Weltkrieg gezeigt hatte, durch den bürgerlichen Imperialismus in interethnische Konfrontationen hinein manipuliert worden waren. Im Januar 1918 überzeugte die Dringlichkeit, militärische Bündnispartner in dem Bürgerkrieg zu finden, der auf den bolschewistischen Oktober-Coup folgte, Lenin jedoch von der Bedeutung der Unterstützung durch nationalistische Kräfte außerhalb Russlands, vor allem in der Ukraine. Der Dritte Allrussische Sowjetkongress verabschiedete im Januar 1918 die „Deklaration über die Rechte des werktätigen und ausgebeuteten Volkes", in der die Umwandlung des früheren Russischen Reiches in einen „freien Bund freier Nationen als Föderation nationaler Sowjetrepubliken" skizziert wurde.[92] Dieser „inneren Föderalisierung" Russlands fügten die Bolschewiki im April 1918 das Projekt der „äußeren Föderalisierung" hinzu und riefen ausdrücklich die Völker Polens, der Ukraine, der Krim, Transkaukasiens, Turkestans, Kirgisiens „und andere" auf, der Union beizutreten. Bei der entscheidenden Debatte ging es jedoch um das Prinzip, nach dem ethnische und nationale Identität im neuen Sowjetstaat würden anerkannt werden. Lenin und Stalin wandten sich gegen die Ansichten der Bundisten und anderer Sozialisten, die forderten, die nationalen Kulturen innerhalb der gesamten staatlichen Struktur anzuerkennen, wodurch die Sowjetunion in ihren Institutionen wahrhaft multikulturell geworden wäre. *Sie setzten dieser Ansicht das Prinzip der Territorialität als Grundlage der nationalen Existenz entgegen.*[93] Ferner sollten ethnische und nationale Rechte in der Form von Unionsrepubliken, Autonomen Republiken und Autonomen Gebieten (*oblast'*) institutionalisiert werden. Das Ergebnis war die vollständige Einkapselung der nationalen Frage in die vielschichtige Struktur des Sowjetstaates; Identitäten wurden nur insoweit anerkannt, als sie den Institutionen der Regierungs- und Verwaltungsstruktur unterworfen werden konnten. Dies wurde als Ausdruck des demokratischen Zentralismus bei der Versöhnung des unitarischen Projektes des Sowjetstaates mit der Anerkennung der Unter-

---

90 Singh (1982); Hill (1985); Kozlov (1988).

91 Carrère d'Encausse (1987).

92 Lenin (1980: 422).

93 Suny (1993: 110ff).

schiedlichkeit seiner territorialen Subjekte betrachtet.[94] So wurde die Sowjetunion nach dem Prinzip einer doppelten Identität aufgebaut: ethnische und nationale Identitäten (einschließlich der russischen) und sowjetische Identität als Fundament der neuen Kultur einer neuen Gesellschaft.

Jenseits der Ideologie war das Territorialprinzip des sowjetischen Föderalismus die Anwendung einer kühnen geopolitischen Strategie, die darauf abzielte, den Kommunismus auf der ganzen Welt zu verbreiten. A.M. Salmin hat ein interessantes Modell vorgeschlagen, um die dem sowjetischen Föderalismus zugrunde liegende leninistisch-stalinistische Strategie zu interpretieren.[95] Die Sowjetunion war aus seiner Sicht ein zentralisiertes, aber flexibles institutionelles System, dessen Struktur offen und anpassungsfähig bleiben sollte, um neue Mitglieder aufzunehmen, die zu dem System beitragen würden, wenn die Sache des Sozialismus unaufhaltsam in der Welt vorankäme. Deshalb legte die Verfassung von 1924 das Recht der Republiken fest, nicht nur der Union beizutreten, sondern sie auch zu verlassen, wodurch diese Entscheidungen souverän und umkehrbar wurden. Die Geschichte hat gezeigt, wie schwierig die Anwendung eines solchen Sezessionsrechtes in der Praxis des Sowjetstaates wurde. Es war jedoch dieses Prinzip, das aus den frühen revolutionären Debatten ererbt und in den Verfassungen von 1936 und 1977 reproduziert worden war, das die rechtlich-institutionelle Basis für die separatistischen Bewegungen der Gorbatschow-Ära abgab, womit die revolutionäre Ideologie beim Wort genommen und die eigentümliche Konstruktion des sowjetischen Föderalismus umgekehrt und letztlich demontiert wurde.[96]

In dem von Salmin vorgeschlagenen geopolitischen Modell, das mit den historischen Belegen über die Ursprünge des Sowjetstaates übereinzustimmen scheint,[97] wurden fünf konzentrische Ringe vorgesehen, sowohl als Sicherheitsräume wie auch als Wellen der Expansion des Sowjetstaates als des Bannerträgers des Weltkommunismus. Der erste Ring war Russland und seine Satelliten-Republiken, die in der RSFSR organisiert waren. Diese wurde als der Kern der Sowjetmacht betrachtet, bis zu dem Punkt, dass sie paradoxerweise die einzige Republik der UdSSR war, die keine eigene Kommunistische Parteiorganisation hatte, die einzige ohne einen Präsidenten des Obersten Sowjet der Republik und diejenige mit den am wenigsten entwickelten staatlichen Institutionen auf Republikebene. Mit anderen Worten war die RSFSR der für die KPdSU reservierte Machtbereich. Bezeichnenderweise hatte die RSFSR keine Landesgrenzen zur potenziell aggressiven kapitalistischen Welt. Um dieses Herz der Sowjet-

94 Rezun (1992).

95 Salmin (1992).

96 Zur Beziehung zwischen dem national-territorialen Prinzip des Sowjetföderalismus und dem Prozess der Auflösung der Sowjetunion s. die aufschlussreiche Analyse von Granberg (1993b). Erinnerungen an die Ereignisse enthält Smith (1992).

97 Suny (1993: 110ff).

macht herum bildeten die Unionsrepubliken einen zweiten, schützenden Ring, formal mit den gleichen Rechten ausgestattet wie die RSFSR. Da mehrere Autonome Republiken innerhalb der RSFSR (etwa Tschetschenien) ebenso nichtrussisch waren wie einige Unionsrepubliken, scheint es, als sei das eigentliche Kriterium für die Einbeziehung in die eine oder die andere Formation genau die Tatsache gewesen, dass die Unionsrepubliken Grenzen hatten, die sie in direkten Kontakt mit der Außenwelt brachten und so in Sicherheitsangelegenheiten als territoriales Vorfeld agierten. Der dritte Ring wurde durch die „Volksdemokratien" gebildet, die außerhalb der Sowjetunion lagen, sich aber militärisch und territorial unter sowjetischer Kontrolle befanden. Ursprünglich hatte dies auf Choresmien und Buchara zugetroffen, die später auf Usbekistan und Turkmenien aufgeteilt wurden, sowie auf die Mongolei und Tannu-Tuva. Während der 1940er Jahre spielten die Volksdemokratien in Osteuropa ebenfalls eine solche Rolle. Der vierte Ring bestand aus den Vasallenstaaten prosowjetischer Orientierung (am Ende wurde diese Kategorie von Ländern wie Cuba, Vietnam und Nordkorea gebildet); China wurde nie wirklich als Teil einer solchen Kategorie betrachtet, trotz des Triumphes des Kommunismus: Es wurde sogar bald als geopolitische Bedrohung angesehen. Schließlich wurde ein fünfter Ring durch die internationale kommunistische Bewegung und ihre Verbündeten auf der ganzen Welt gebildet, als Embryonen der Expansion des Sowjetstaates auf den gesamten Planeten, wenn die historischen Bedingungen den unausweichlichen Untergang des Kapitalismus herbeiführen würden.[98]

Die beständige Spannung zwischen dem ahistorischen, klassenbasierten Universalismus der kommunistischen Utopie und dem geopolitischen Interesse zur Unterstützung der ethnischen und nationalen Identitäten als potenzielle territoriale Bündnispartner determinierte die Schizophrenie der sowjetischen Politik in der nationalen Frage.

Einerseits wurden die nationalen Kulturen und Sprachen in den Unionsrepubliken, den autonomen Republiken und den ethnisch definierten Territorien gefördert und in einigen Fällen rekonstruiert. Die Politik der Nativisierung (*korenizacija*) wurde von Lenin und Stalin bis in die 1930er Jahre hinein unterstützt. Dabei wurde der Gebrauch von eingeborenen Sprachen und Sitten gefördert, positive Diskriminierung („affirmative action") durchgeführt, eine Rekrutierungs- und Beförderungspolitik im Staats- und Parteiapparat der Republiken, die die Minderheiten begünstigte und die Entwicklung einheimischer politischer und kultureller Eliten in den Institutionen der Republiken förderte.[99] Auch wenn diese Bestrebungen den Gegenschlag der anti-nationalistischen Repression während der Jahre der Kollektivierung erlitten, wurden sie unter Chruschtschow und Breschnjew wiederbelebt und führten zur Konsolidierung starker nationaler und ethnischer Eliten in den Republiken. Chruschtschow, selbst Ukrainer, ging mit der nicht-russischen Schlagseite des sowjetischen Föderalis-

98 Conquest (1967); Singh (1982); Mace (1983); Carrère d'Encausse (1987); Suny (1993).
99 Suny (1993: Kap. 3).

mus sogar so weit, 1954 plötzlich die Übergabe der Krim, eines historisch russischen Territoriums, an die Ukraine zu beschließen, angeblich nach einer schwer durchzechten Nacht am Vorabend des ukrainischen Nationalfeiertages. Ferner verbanden sich in den zentralasiatischen und kaukasischen Republiken während der Breschnjew-Periode traditionelle ethnische Patronage-Netzwerke mit der Parteizugehörigkeit zu einem dichten System, das die *nomenklatura*, den Klientelismus und die Schattenwirtschaft in einer hierarchischen Kette persönlicher Loyalitäten miteinander verknüpfte, die bis ins Zentralkomitee in Moskau hineinreichte. Hélène Carrère d'Encausse nennt dieses System „Mafiokratie".[100] So provozierte im Dezember 1986, als Gorbatschow versuchte, in dem korrupten Parteiapparat Kasachstans aufzuräumen, die Entlassung eines langjährigen Protegés von Breschnjew – Breschnjew selbst hatte seine Karriere als Parteichef von Kasachstan begonnen –, des Kasachen Dinmuchammed Kunaev, und seine Ersetzung durch einen Russen als Parteisekretär in Alma Ata massive Unruhen zur Verteidigung ethnischer kasachischer Rechte.[101]

Tabelle 1.5 Bilanz des Austauschs von Ressourcen und Produkten zwischen den Republiken, 1987

Republik	Ausstoßbilanz (Mrd. Rubel) Direkt	Ausstoßbilanz (Mrd. Rubel) Gesamt	Gesamtbilanz fixer Bestand (Mrd. Rubel)	Gesamtbilanz Arbeitsressourcen (Mio. Personenjahre)
Russland	3,65	-4,53	15,70	-0,78
Ukraine und Moldawien	2,19	10,30	8,61	0,87
Belorussland	3,14	7,89	1,33	0,42
Kasachstan	-5,43	-15,01	-17,50	-0,87
Zentralasien	-5,80	-13,41	20,04	-0,89
Transkaukasien	3,20	7,78	2,48	0,57
Baltische Republiken	-0,96	-0,39	-3,22	-0,05
Gesamt	0,00	-7,37	-12,63	-0,74

Quelle: Granberg (1993a)

Das größte Paradox dieser Nationalitätenpolitik bestand darin, dass die russische Kultur und russische nationale Traditionen durch den Sowjetstaat unterdrückt wurden.[102] Russische Traditionen, religiöse Symbole und russische Menschen wurden verfolgt oder ignoriert, je nach den Bedürfnissen der kommunistischen Politik zu einem bestimmten Zeitpunkt. Die Umverteilung wirtschaftlicher Ressourcen erfolgte in umgekehrtem Sinne gegenüber dem, was ein „russischer Imperialismus" diktiert hätte: Russland war der Netto-Verlierer des Aus-

100 Carrère d'Encausse (1991: Kap. 2).

101 Wright (1989: 40-45, 71-74); Carrère d'Encausse (1991).

102 Suny (1993); Galina Starovojtova, Vortrag am Center for Slavic and Eastern European Studies, University of California at Berkeley, 23. Februar 1994, Notizen von Emma Kiselyova.

tausches zwischen den Republiken,[103] und diese Situation hat sich in der postkommunistischen Ära fortgesetzt (s. Tab. 1.5).Wenn wir dies auf Salmins geopolitische Theorie des Sowjetstaates beziehen, so funktionierte das System in einer Weise, als sei der Erhalt der kommunistischen Macht in Russland von der Fähigkeit der Partei abhängig, andere Nationen in das System hineinzulocken, nicht nur, indem sie repressiv unterdrückt wurden, sondern auch dadurch, dass sie durch Zugeständnisse bei Ressourcen und Rechten kooptiert wurden, die über das hinausgingen, was russische Bürgerinnen und Bürger erhielten, und dass so ihre Loyalität erkauft wurde. Das schließt natürlich ethnische Diskriminierung in wichtigen staatlichen Institutionen nicht aus, etwa in der Armee und im KGB, deren Kommandeure in ihrer überwältigenden Mehrheit Russen waren; oder die Politik der Russifizierung in der Sprache, in den Medien, in Kultur und Wissenschaft.[104] Insgesamt aber wurde der russische Nationalismus im Allgemeinen im gleichen Maß unterdrückt (außer während des Krieges, als der Angriff der Nazi-Truppen Stalin dazu brachte, Aleksandr Nevskij wieder auferstehen zu lassen), wie die kulturelle Identität der nicht-russischen unterworfenen Nationen. Die Folge davon war, dass, als die Kontrollen während Gorbatschows *glasnost'* gelockert wurden und der Nationalismus offen auftreten konnte, der russische Nationalismus nicht nur derjenige war, der die größte Unterstützung der Massen erhielt, sondern auch derjenige, der im Bündnis mit den nationalistischen Bewegungen in den baltischen Republiken tatsächlich die entscheidende Rolle bei der Demontage der Sowjetunion spielte. Dagegen bildeten die muslimischen Republiken Zentralasiens trotz ihrer starken ethnisch-nationalen Besonderheit das letzte Bollwerk des Sowjetkommunismus und bekehrten sich erst am Ende des gesamten Prozesses zum Streben nach Unabhängigkeit. Das lag daran, dass die politischen Eliten dieser Republiken sich unter der unmittelbaren Patronage Moskaus befanden und dass ihre Ressourcen in hohem Maße abhängig waren von dem politisch motivierten Umverteilungsprozess innerhalb des Sowjetstaates.[105]

Andererseits wurden autonome Ausdrucksformen von Nationalismus vor allem während der 1930er Jahre scharf unterdrückt, als Stalin beschloss, das Rückgrat jeglichen potenziellen Widerstandes gegen sein Programm forcierter Industrialisierung und militärischer Aufrüstung zu brechen, koste es, was es wolle. Der führende ukrainische Nationalkommunist Mykola Skrypnyk beging 1933 Selbstmord, nachdem ihm klar geworden war, dass der Traum nationaler Emanzipation innerhalb der Sowjetunion eine weitere Illusion in der langen Reihe der unerfüllten Versprechungen der bolschewistischen Revolution gewe-

103 S. neben anderen Werken von Alexander Granberg Granberg und Spehl (1989) und Granberg (1993a).

104 Rezun (1992).

105 Carrère d'Encausse (1991).

sen war.[106] Die baltischen Republiken und Moldavien wurden 1940 zynisch auf der Grundlage des Ribbentrop-Molotov-Paktes von 1939 annektiert, und nationale Ausdrucksformen wurden in diesen Gebieten bis in die 1980er Jahre hinein energisch eingeschränkt.[107] Ferner wurden ethnische und nationale Gruppen, deren Loyalität man nicht vertraute, Opfer massiver Deportation aus ihren ursprünglichen Territorien, und ihre autonomen Republiken wurden aufgelöst: Das geschah mit den Krimtataren, den Wolgadeutschen, den Mescheten, den Tschetschenen, Inguschen, Balkaren, Karatschaiern und Kalmyken.[108] Auch Millionen von Ukrainern, Esten, Letten und Litauern, die der Kollaboration mit dem Feind während des Zweiten Weltkrieges verdächtigt wurden, erlitten dasselbe Schicksal. Der Antisemitismus war ein dauerhaftes Merkmal des Sowjetstaates und durchdrang jeden einzelnen Mechanismus politischen und beruflichen Fortkommens.[109] Zudem führte die Politik der Industrialisierung und Besiedelung der östlichen Regionen zu der vom Sowjetstaat herbeigeführten Emigration von Millionen von Russen in andere Republiken, wo sie zu einer beträchtlichen Minderheit oder sogar zur größten ethnischen Gruppe (wie in Kasachstan) wurden, obwohl sie im Staat noch immer durch die Eliten der Titularnation jeder einzelnen Republik vertreten wurden (s. Tab. 1.6). Am Ende der Sowjetunion lebten etwa 60 Mio. Bürgerinnen und Bürger außerhalb ihres Heimatlandes.[110] Diese weitgehend künstliche föderale Konstruktion war mehr ein System zur Kooptation der lokalen und regionalen Eliten als der Anerkennung nationaler Rechte. Die wirkliche Macht lag immer in den Händen der KPdSU, und die Partei war auf dem gesamten sowjetischen Territorium hierarchisch organisiert, wobei die Direktiven aus Moskau direkt in die Parteiorganisationen jeder Republik, autonomen Republik oder *oblast'* geleitet wurden.[111] Ferner entstand durch die Mischung unterschiedlicher nationaler Bevölkerungen in solcher Größenordnung durchaus eine neue sowjetische Identität, die nicht einfach aus Ideologie bestand, sondern aus Familienbindungen, Freundschaften und Beziehungen am Arbeitsplatz.

Demnach erkannte der Sowjetstaat nationale Identitäten mit der merkwürdigen Ausnahme der russischen Identität an, aber er definierte gleichzeitig Identität innerhalb von Institutionen, die auf der Grundlage der Territorialität organisiert waren, wobei die nationalen Bevölkerungen aber über die ganze Sowjetunion hinweg gemischt lebten. Zugleich praktizierte er ethnische Diskriminierung und verbot autonome Ausdrucksformen von Nationalismus außerhalb der Sphäre kommunistischer Macht. Diese widersprüchliche Politik schuf eine

106 Mace (1983).
107 Simon (1991).
108 Nekrich (1978).
109 Pinkus (1988).
110 Suny (1993).
111 Gerner und Hedlund (1989).

höchst instabile politische Konstruktion, die nur so lange Bestand hatte, wie die systemische Repression mit der Hilfe der nationalen kommunistischen politischen Eliten durchgesetzt werden konnte, die manifeste Interessen am sowjetföderalen Staat hatten. Indem aber Identität in die nationale bzw. ethnische Selbstdefinition als der einzig zulässigen alternativen Ausdrucksform gegenüber der herrschenden sozialistischen Ideologie geleitet wurde, schuf die Dynamik des Sowjetstaates die Bedingungen dafür, dass seine Herrschaft schließlich herausgefordert wurde. Die politische Mobilisierung der auf nationaler Grundlage definierten Republiken einschließlich Russlands gegen den Überbau eines a-nationalen Bundesstaates war der Hebel, der dann auch wirklich den Zusammenbruch der Sowjetunion bewirkte.

Tabelle 1.6 Ethnische Zusammensetzung der Autonomen Republiken Russlands, 1989

Republik	Fläche (Tsd. km²)	Prozent der dort lebenden Bevölkerung Titulargruppe	Russen
Baschkirische	144	21,9	39,3
Burjat-Mongolische	351	24,0	70,0
Tschetscheno-Inguschetische	19	70,7	23,1
Tschuwaschische	18	67,8	26,7
Daghestan	50	27,5 (Awaren)	9,2
Kabardino-Balkarische	13	57,6	31,9
Kalmykische	76	45,4	37,7
Karelische	172	10,0	73,6
Komi	416	23,3	57,7
Mari	23	43,3	47,5
Mordwinische	26	32,5	60,8
Nord-Ossetische	8	53,0	29,9
Tatarische	68	48,5	43,3
Tannu-Tuva	171	64,3	32,0
Udmurtische	42	30,9	58,9
Jakutische	3103	33,4	50,3

Quelle: Shaw (1993: 532)

Die Schaffung eines neuen, sowjetischen Volkes (*soveckij narod*) als einer Einheit, die sich kulturell von jeder historischen Nationalität unterschied, war noch zu brüchig, um dem Angriff der Zivilgesellschaften auf den Sowjetstaat standzuhalten. Paradoxerweise war diese Zerbrechlichkeit weitgehend darauf zurückzuführen, dass die Kommunisten so entschieden die Rechte der nationalen Kulturen und Institutionen betonten, wie sie im Rahmen des Sowjetstaates definiert waren. Und dahinter standen unmittelbar die geopolitischen Interessen der KPdSU als der Avantgarde der kommunistischen Bewegung mit dem Ziel, die Weltmacht zu erringen. Da den Menschen die Selbstdefinition auf der Grundlage ihrer primären, nationalen oder ethnischen Identität zugestanden wurde, vereinfachte die durch das Scheitern des Marxismus-Leninismus entstandene ideologische Leerstelle die Bezugspunkte der kulturellen Debatte zu dem Gegensatz zwischen unterschwelligem Zynismus und wiederentdecktem Nationalismus. Während die nationalistische Bruchstelle unter der eisernen Hand der uneingeschränkten kommunistischen Autorität nur geringfügige Erschütterungen hervorbrachte, zerstörten ihre Schockwellen die Grundlagen des Sowjetstaates, sobald der Druck durch die politischen Zwänge des Neustrukturierungsprozesses nachgelassen hatte.

Die letzte *perestrojka*[112]

Im April 1983, etwa sechs Monate nach Breschnjews Tod, führte ein geschlossenes, von der Soziologie-Abteilung des Instituts für Wirtschaft und industrielle Ingenieurwissenschaften der Sowjetischen Akademie der Wissenschaften in Novosibirsk organisiertes Seminar 120 Teilnehmerinnen und Teilnehmer aus 17 Städten zusammen, um über einen wagemutigen Bericht zu diskutieren, der sich gegen „das substanzielle Hinterherhinken der Produktionsverhältnisse in der sowjetischen Gesellschaft gegenüber der Entwicklung der Produktivkräfte" wandte.[113] Der „Novosibirsk-Bericht" sollte ausschließlich für den vertraulichen

---

112 Dieser Abschnitt sowie der folgende beruhen hauptsächlich auf Feldforschung, Interviews und persönlicher Beobachtung von mir und meinen russischen Mitarbeiterinnen und Mitarbeitern in Russland, wie oben erwähnt in der Zeit von 1989-1996. Unter den relevanten interviewten Persönlichkeiten befanden sich: A. Aganbegjan, T. Zaslavskaja, N. Šatalin, G. Jazov, B. Orlov, N. Chandruev, J. Afanasev, G. Burbulis, J. Gaidar, A. Šochin, A. Golovkov und mehrere hochrangige Beamte des sowjetischen Ministerrates (1990, 1991) und der Regierung der Russischen Föderation (1991, 1992). Eine erste Synthese dieser Beobachtungen findet sich in Castells (1992). Informationen über die politische Struktur der Sowjetunion und den politischen Prozess zwischen 1990 und 1993 auf der Grundlage von russischen Quellen und Interviews mit politisch Handelnden sind in Castells, Shkaratan und Kolomietz (1993) enthalten. (Es gibt eine russische Ausgabe desselben Berichtes: Russische Soziologische Gesellschaft, Moskau.) Spezifische bibliografische Verweise werden nur dort gegeben, wo sie sich auf ein Argument oder ein Ereignis beziehen, die im Text erwähnt werden. Ich habe es nicht für nötig erachtet, genaue Nachweise für Berichte aus der russischen Presse zu Ereignissen und Tatsachen zu geben, die inzwischen zum öffentlichen Wissensbestand gehören. Es gibt auf Englisch eine Reihe ausgezeichneter Darstellungen des Prozesses der Reformen und politischen Konflikte während des letzten Jahrzehnts der Sowjetunion von Journalisten. Zwei der besten sind Kaiser (1991) und das Buch des Pulitzer-Preisträgers David Remnick (1993).

113 *Survey* (1984). Die wahre Geschichte des Novosibirsk-Berichtes unterscheidet sich von dem, was in den Medien berichtet und in wissenschaftlichen Kreisen akzeptiert worden ist. Die als solche allgemein anerkannte Autorin des Berichtes, die Soziologin T. Zaslavskaja schrieb an Emma Kiselyova und mich, um ihre Darstellung der Entstehung und Verwendung des Novosibirsk-Berichtes zu vermitteln. Ausgangspunkt war nicht, wie berichtet, eine Sitzung der Wirtschaftssektion des Zentralkomitees der KPdSU. Noch hat das Zentralkomitee selbst den Bericht je behandelt. Der Bericht wurde zur Diskussion bei einem wissenschaftlichen Treffen im Institut für Wirtschaft und industrielle Ingenieurwissenschaften in Novosibirsk geschrieben. Seine Verbreitung war verboten, und er erhielt einen Stempel

Gebrauch bestimmt sein, wurde aber auf mysteriöse Weise der *Washington Post* zugespielt, die ihn im August 1983 veröffentlichte. Die Auswirkungen eines solchen Berichtes *im Ausland* veranlassten Gorbatschow, der noch immer nicht vollständig an der Macht war, ihn zu lesen und ihn informell in den höheren Parteikreisen zu diskutieren. Der Bericht war unter Leitung der Soziologin Tatjana Zaslavskaja am Novosibirsker Institut geschrieben worden. Der Direktor des Institutes war damals Abel Aganbegjan, einer der führenden sowjetischen Wirtschaftswissenschaftler. Zwei Jahre später wurde Aganbegjan zum obersten Wirtschaftsberater des neu ernannten Generalsekretärs Michail Gorbatschow. Tatjana Zaslavskaja wurde als Leiterin des ersten ernstzunehmenden Meinungsforschungsinstituts in Moskau häufig von Gorbatschow konsultiert, bis ihre Daten 1988 einen Popularitätsabfall für Gorbatschow zu zeigen begannen.
Es wird allgemein angenommen, dass die in dem Dokument aus Novosibirsk vorgelegten Thesen unmittelbar Gorbatschows Bericht an den 27. Parteitag der KPdSU am 23. Februar 1986 inspiriert haben. In seinem Bericht stellte der Generalsekretär das Vorherrschen „administrativer Methoden" in der Leitung einer komplexen Wirtschaft in Frage und leitete so das ein, was die ehrgeizigste *perestrojka* der russischen Geschichte zu sein schien.

Gorbatschows *perestrojka* ging zurück auf die Bemühungen Andropovs, das Schiff der Kommunistischen Partei aus den stagnierenden Gewässern der letzten Breschnjew-Jahre heraus zu bugsieren.[114] Andropov, der seit 1967 KGB-Chef gewesen war, verfügte über genügend Informationen, um zu wissen, dass sich die Schattenwirtschaft in einem Ausmaß über das gesamte System ausgebreitet hatte, dass sie die Kommandowirtschaft desorganisierte und der Korruption Eingang auf den höchsten Ebenen des Staates verschafft hatte, nämlich in Breschnjews Familie. Die Arbeitsdisziplin war zusammengebrochen, die

---

als „Dokument zum eingeschränkten Gebrauch", wobei jedes Exemplar für den ausschließlichen Gebrauch der Konferenzteilnehmer nummeriert wurde. Während des Treffens in Novosibirsk verschwanden zwei Exemplare. Der KGB versuchte sofort, diese Exemplare wieder zurückzubekommen, suchte sie im ganzen Institut und konfiszierte von den an dem Treffen Beteiligten alle Exemplare sowie auch das ursprüngliche Manuskript des Berichtes. Tatjana Zaslavskaja durfte kein einziges Exemplar ihres eigenen Berichtes behalten und bekam erst 1989 eines als persönliches Geschenk von der BBC in London. Zaslavskaja zufolge las Gorbatschow den Bericht erst nach seiner Veröffentlichung im Westen im August 1983. Es erscheint plausibel, dass er einige der Ideen bei der Ausarbeitung seiner eigenen Reformstrategie benutzte, die er bereits im Oktober 1984 bei einem Treffen des Zentralkomitees über die Wirtschaftsleitung vortrug. Verschiedene Beobachter führen einige der Schlüsselelemente von Gorbatschows entscheidendem Bericht an den 27. Parteitag im Februar 1986 auf Themen zurück, die von Zaslavskaja in dem Novosibirsker Dokument entwickelt worden waren. Zaslavskaja selbst ist jedoch sehr viel skeptischer, was ihren intellektuellen Einfluss auf Gorbatschow und die sowjetische Führung angeht.

114 Für eine dokumentierte Analyse des Übergangs der sowjetischen Führung von Breschnjew auf Gorbatschow s. Breslauer (1990).

ideologische Indoktrinierung traf auf weit verbreiteten Zynismus, das politische Dissidententum nahm zu, und der Krieg in Afghanistan enthüllte, wie sehr die Technologie der sowjetischen Streitkräfte in der konventionellen, auf Elektronik beruhenden Kriegführung zurückgefallen war. Andropov gelang es, sich die Unterstützung der jüngeren sowjetischen Führungsgeneration zu sichern, die in der poststalinistischen Gesellschaft aufgewachsen und bereit war, das Land zu modernisieren, es zur Welt hin zu öffnen und der Belagerungsmentalität ein Ende zu setzen, die in der alten Garde des Politbüros noch immer herrschte.

So hatte sich der Systemwiderspruch, der in den vorangegangenen Abschnitten dieser Studie analysiert wurde, bis zu einem kritischen Punkt gesteigert, an dem es potenziell auch zum Zusammenbruch kommen konnte. Doch die vorsichtige sowjetische Führung war nicht willens, ein Risiko einzugehen. Wie so oft in der Geschichte haben Strukturangelegenheiten keine Auswirkungen auf historische Prozesse, bis sie sich mit den persönlichen Interessen sozial und politisch Handelnder verbinden. Nun konnten sich diese neuen Akteure nur deshalb innerhalb der KPdSU um Andropov herum organisieren, weil Breschnjews designierter Nachfolger Andrej Kirilenko durch Arteriosklerose an der Amtsübernahme gehindert war. Trotz seiner kurzen Amtszeit – 15 Monate zwischen seiner Wahl zum Generalsekretär und seinem Tod – und seiner schlechten Gesundheit während dieser Monate spielte Andropov eine entscheidende Rolle, indem er den Weg für Gorbatschows Reformen ebnete: Er ernannte ihn zu seinem Stellvertreter, säuberte die Partei und schuf ein Netzwerk von Reformwilligen, das Gorbatschow später nutzen konnte.[115] Diese Reformer waren kaum Liberale. Führende Mitglieder der Gruppe waren Egor Ligačev, der Ideologe, der dann den Widerstand gegen Gorbatschow während der *perestrojka* anführte und Nikolaj Ryžkov, der später als Gorbatschows Premierminister die Kommandowirtschaft gegen die liberalen Vorschläge Šatalins, Javlinskijs und anderer den für den Markt plädierender Ökonomen verteidigte. Andropovs ursprüngliche Blaupausen für die Reform konzentrierten sich darauf, durch eine starke, saubere Regierung Ordnung, Ehrlichkeit und Disziplin in der Partei und am Arbeitsplatz wiederherzustellen. Und als Gorbatschow schließlich im März 1985 gewählt wurde, nachdem die alte Garde mit der kurzlebigen Ernennung Černenkos letzten Widerstand geleistet hatte, entsprach seine erste Version der *perestrojka* in Vielem den Themen Andropovs. Die beiden ausdrücklichen Hauptziele seiner Politik waren: technologische Modernisierung, angefangen bei der Werkzeugmaschinenindustrie und die Wiederherstellung der Arbeitsdisziplin durch einen Appell an das Verantwortungsgefühl der Werktätigen und den Beginn einer entschiedenen Anti-Alkoholkampagne.

Es zeigte sich schnell, dass eine Korrektur der Fehlleistungen des Sowjetsystems, wie sie im Novosibirsk-Bericht beschrieben worden waren, eine sehr

115 Ein ausgezeichneter Bericht über die Machtkämpfe im Politbüro der KPdSU nach dem Tod von Breschnjew findet sich in Walker (1986: 24ff); s. auch Mitchell (1990).

gründliche Überholung der Institutionen und der Innen- sowie der Außenpolitik erforderte.[116] Es war das historische Verdienst Gorbatschows, diese Notwendigkeit vollständig eingesehen und es gewagt zu haben, die Herausforderung anzunehmen, in voller Überzeugung, dass die Festigkeit der Kommunistischen Partei, an deren Grundprinzipien er nie aufhörte zu glauben, den Schmerz der Neustrukturierung werde aushalten können, so dass am Ende des Prozesses eine neue, gesunde Sowjetunion stehen würde. Auf dem 27. Parteitag der KPdSU 1986 stellte er eine Reihe politischer Strategien vor, die in die Geschichte eingehen werden als Gorbatschows *perestrojka.*[117]

Die letzte kommunistische *perestrojka* war wie ihre Vorgängerinnen in der sowjetischen und in der russischen Geschichte ein von oben nach unten verlaufender Prozess, ohne jegliche Beteiligung der Zivilgesellschaft an ihrer Konzeption und an den frühen Stadien ihrer Durchführung. Sie war keine Reaktion auf Druck von unten oder von außerhalb des Systems. Ihr Ziel bestand darin, interne Fehlleistungen aus dem Inneren des Systems selbst heraus zu beheben und dabei seine Grundprinzipien unangetastet zu lassen: das Machtmonopol der Kommunistischen Partei, die Kommandowirtschaft und den Status des Einheitsstaates als Supermacht.

Im strengsten Verständnis umschloss Gorbatschows *perestrojka* eine Anzahl politischer Strategien, über die Gorbatschow persönlich entschieden hatte und deren Ziel es war, den Sowjetkommunismus neu zu strukturieren. Sie währte vom Februar 1986 (27. Parteitag) bis September-November 1990, als Gorbatschow den „500 Tage"-Plan zum Übergang zur Marktwirtschaft ablehnte und sich dem Druck des Zentralkomitees der KPdSU beugte, indem er eine konservative Regierung berief, die die Reformen praktisch zum Stillstand brachte und am Ende den Coup vom August 1991 gegen Gorbatschow selbst in Szene setzte.

Die *perestrojka* hatte vier unterschiedliche, jedoch miteinander in Beziehung stehende Dimensionen: (a) Abrüstung, Lockerung des sowjetischen Imperiums in Osteuropa und Ende des Kalten Krieges; (b) Wirtschaftsreformen; (c) allmähliche Liberalisierung der öffentlichen Meinung, der Medien und kulturellen Ausdrucksmöglichkeiten (sogenannte *glasnost'*); und (d) kontrollierte Demokratisierung und Dezentralisierung des politischen Systems. Bezeichnenderweise standen nationalistische Forderungen innerhalb des sowjetischen Systems nicht auf der Tagesordnung, bis der Konflikt um Nagorno-Karabach, die Mobilisierung der baltischen Republiken und das Massaker in Tbilisi 1989 Gorbatschow dazu zwangen, sich mit den damit zusammenhängenden Problemen zu befassen.

Das Ende des Kalten Krieges wird Gorbatschows grundlegender Beitrag zur Geschichte der Menschheit bleiben. Ohne seine persönliche Entscheidung,

116 S. Aslund (1989).
117 S. die von Aganbegjan herausgegebene Artikelserie (1988-1990).

den Westen beim Wort zu nehmen und den Widerstand der sowjetischen Falken im Sicherheitsestablishment zu überwinden, wären der Prozess der Abrüstung und der teilweise Abbau der sowjetischen und amerikanischen Atomarsenale kaum so weit gegangen, wie es geschehen ist, von Beschränkungen und Verzögerungen im weiteren Verlauf einmal abgesehen. Außerdem war Gorbatschows Initiative entscheidend für den Zerfall der kommunistischen Regime in Osteuropa, weil er sogar – hinter den Kulissen – den Einsatz sowjetischer Truppen androhte, um die Absicht der Stasi zu vereiteln, auf die Demonstranten in Leipzig zu schießen. Die Aufgabe der Kontrolle über Osteuropa war Gorbatschows meisterlicher Zug, der Abrüstung und wahrhaft friedliche Koexistenz mit dem Westen möglich machte. Beide Prozesse waren unverzichtbar, um die Probleme der sowjetischen Wirtschaft anzugehen und sie an die Weltwirtschaft anzuschließen, worin Gorbatschows Zielsetzung letztlich bestand. Nur wenn die Last der gigantischen militärischen Anstrengung von den Schultern des Sowjetstaates genommen würde, könnten menschliche und wirtschaftliche Ressourcen auf die technologische Modernisierung, auf die Produktion von Konsumgütern und auf die Verbesserung des Lebensstandards der Bevölkerung umorientiert und so neue Legitimitätsquellen für das sowjetische System erschlossen werden.

Doch die Wirtschaftsreformen erwiesen sich als schwierig, selbst unter Berücksichtigung des Versprechens einer späteren Abrüstung.[118] Es zeigte sich, dass die Konversion von Rüstungsunternehmen so mühselig verlief, dass sie auch nach mehreren Jahren eines post-kommunistischen Regimes in Russland noch immer nicht vollständig erreicht ist. 1986 fielen die Weltölpreise, und dies trug zu Produktivitätsrückstand und Absinken der Produktion auf den sibirischen Öl- und Gasfeldern bei. Das Devisenpolster, das die Sowjetunion über ein Jahrzehnt hinweg vor größeren wirtschaftlichen Engpässen bewahrt hatte, begann zu schwinden. Damit verschärfte sich die Schwierigkeit des Übergangs. Das dramatische Atomunglück in Tschernobyl im April 1986 zeigte, dass die technologischen Fehlleistungen des sowjetischen Industrialismus ein gefährliches Ausmaß erreicht hatten, unterstützte aber die Liberalisierung sogar, weil es Gorbatschow zusätzliche Argumente lieferte, um die staatliche Bürokratie umzukrempeln. Doch die massivsten Hindernisse für die Wirtschaftsreform kamen vom sowjetischen Staat und sogar aus den Reihen von Gorbatschows Reformern selbst. Zwar war man sich einig über die allmähliche Bewegung hin zur Einführung von halbwegs marktorientierten Mechanismen in einigen Bereichen (hauptsächlich Wohnungen und Dienstleistungen), aber weder Gorbatschow noch seine Berater hatten wirklich im Auge, Privateigentum an Land und Produktionsmitteln zu akzeptieren, die Preise in der gesamten Volkswirtschaft zu liberalisieren, den Kredit von der Kontrolle durch Gosbank zu befreien oder

118 S. Aganbegjan (1989).

den Kernbereich der Planwirtschaft zu demontieren. Hätten sie versucht, diese Reformen durchzuführen, wie im „500 Tage-Plan" vorgesehen, der im Sommer 1990 von Šatalin und Jawlinskij ausgearbeitet wurde, so hätten sie sich dem geballten Widerstand des sowjetischen Staatsapparates und der kommunistischen Parteiführung gegenüber gesehen. Genau dies geschah, als sie im Sommer 1990 eine solche Möglichkeit andeuteten. An der Wurzel der Schwierigkeiten, die der *perestrojka* innewohnten, lag Gorbatschows persönlicher und politischer Widerspruch: Er wollte die Kommunistische Partei benutzen, um das System zu reformieren und bewegte sich dabei in eine Richtung, die letztlich die Macht der Kommunistischen Partei selbst untergraben würde. Die „Hüh-und-Hott"-Politik, die sich aus einer solch halbherzigen Reform ableitete, desorganisierte buchstäblich die sowjetische Wirtschaft und provozierte massive Engpässe und Inflation. Die Inflation befeuerte die Spekulation und das illegale Horten von Gütern und bot ein Feld für die noch weiter gehende Ausbreitung der Schattenwirtschaft auf alle Tätigkeitsbereiche. Die Schattenwirtschaft emanzipierte sich aus ihrer subsidiären Rolle als profitabler Parasit der Kommandowirtschaft und übernahm ganze Sektoren des Handels und der Distribution von Gütern und Dienstleistungen. Deshalb wurde die ehemalige Schattenwirtschaft für eine lange Zeit und mehr noch nach dem Ende des Kommunismus mit ihrer Kohorte krimineller Mafias und korrupter Beamter zur vorherrschenden organisatorischen Form profitmachender Wirtschaftsaktivität in der Sowjetunion und in ihren Nachfolgegesellschaften.[119] Die Übernahme der dynamischsten Wirtschaftssektoren durch die Schattenwirtschaft desorganisierte die einstmals geplante Wirtschaft noch weiter und ließ die sowjetische Wirtschaft 1990 in Chaos und Hyperinflation abstürzen.

Gorbatschow war kein visionärer Idealist, sondern ein pragmatischer Führer, ein altgedienter, geschickter Politiker, der sich in seinem Heimatgebiet Stavropol' mit den endemischen Problemen der sowjetischen Landwirtschaft auseinandergesetzt hatte. Er war selbstbewusst, was seine Fähigkeit anging, seine politischen Gegner auszumanövrieren, zu überzeugen, zu kooptieren, auszukaufen und wenn nötig zu unterdrücken, ganz wie die Umstände in seinen politischen Plan passten. Seine *perestrojka* wurde sowohl radikalisiert als auch paralysiert, weil er ehrlichen Glaubens war, er könne das System perfektionieren, ohne die sozialen Interessen grundlegend gegen sich aufzubringen, die den Sowjetkommunismus stützten. In diesem Sinne war er gleichzeitig soziologisch naiv und politisch arrogant. Hätte er der soziologischen Analyse, wie sie implizit in Zaslavskajas Dokument enthalten war, mehr Aufmerksamkeit geschenkt, so hätte er eine klarere Vorstellung von den gesellschaftlichen Gruppen gehabt, auf die er sich hätte stützen können, und von denjenigen, die sich letztlich jedem ernsthaften Versuch entgegenstellen würden, das System auf eine andere Logik zu gründen, ob dies nun Demokratie sei oder Marktwirtschaft. Letztlich be-

119 S. beispielsweise Handelman (1995).

stimmt die Struktur der Gesellschaft weitgehend das Schicksal politischer Projekte. Deshalb ist es wichtig, sich an dieser Stelle unserer Überlegungen daran zu erinnern, wie die gesellschaftliche Grundstruktur aussah, auf der das Machtsystem in der sowjetischen etatistischen Gesellschaft beruhte. Vier wichtige Interessengruppen repräsentierten das Wesen der sowjetischen gesellschaftlichen Macht.[120]

1. Die kommunistischen Ideologen, die abhängig waren von der Verteidigung der marxistisch-leninistischen Werte und ihrer beherrschenden Prägung gesellschaftlicher Gewohnheiten und Institutionen. Dies waren doktrinäre Führer der Kommunistischen Partei, während der *perestrojka*-Jahre angeführt von Ligačev. Aber es gehörten auch wichtige Machthaber in den Kultur- und Medienapparaten der Sowjetunion dazu, aus Presse, Fernsehen und Radio, bis hin zur Akademie der Wissenschaften, und auch offiziell anerkannte Künstler und Schriftsteller.
2. Die Machtelite des Staatsapparates war an der Aufrechterhaltung ihres Machtmonopols im Sowjetstaat interessiert, einer Quelle außerordentlicher Privilegien, die so weit gingen, dass sie eher eine Kaste denn eine Klasse darstellte. Diese Machtelite gliederte sich ihrerseits in mindestens vier große Kategorien, die natürlich die komplexe Struktur des Sowjetstaates nicht ausschöpfen:
   (a) Der politische Kernapparat der KPdSU, der die Grundlage der *nomenklatura* ausmachte, die tatsächliche herrschende Klasse der Sowjetunion. Bekanntlich hat der Begriff *nomenklatura* eine genaue Bedeutung: Dies war die Liste aller Positionen in Staat und Partei, für die die ausdrückliche, namentliche Zustimmung des zuständigen Parteikomitees für jede zu ernennende Person erforderlich war; im strengsten und wichtigsten Sinn erforderte die Spitze der *nomenklatura* – buchstäblich Tausende von Positionen – die ausdrückliche Zustimmung des Zentralkomitees der KPdSU. Das war der grundlegende Mechanismus, durch den die Kommunistische Partei sieben Jahrzehnte lang den Sowjetstaat kontrollierte.
   (b) Die zweite, davon zu unterscheidende Elitegruppe im Staatsapparat wurde von den Gosplan-Beamten gebildet, die allein die gesamte sowjetische Wirtschaft leiteten und den entsprechenden Ministerien und Verwaltungseinheiten Direktiven gaben. Die Exekutiven von Gossnab und in gewissem Ausmaß von Gosbank sind gleichfalls dieser Kategorie zuzuordnen.
   (c) Eine dritte Gruppe bildeten die Kommandeure der Streitkräfte. Obwohl sie immer der Autorität der Partei unterstanden – zumal nach ihrer De-

120 S. Lane (1990); Castells u.a. (1993). Für eine aufschlussreiche theoretische Analyse zum Verständnis der Sozialstruktur in sozialistischen Gesellschaften s. Verdery (1991): Wir haben uns auch auf Arbeiten von Ivan Szelenyi gestützt. S. etwa Szelenyi (1982).

zimierung durch Stalin in den 1930er Jahren –, stellten sie in dem Maße eine zunehmend autonome Gruppe dar, wie die Armee an Komplexität zunahm und stärker von Technologie und Spionage abhängig wurde. Sie übten immer stärker ihre Vetomacht aus, und wie die Verschwörer von 1991 zu spät einsehen mussten, konnte man sich während des letzten Jahrzehnts der Sowjetunion ohne ernsthafte Absprachen nicht auf sie verlassen.[121]

(d) Nicht zuletzt spielten der KGB und die Spezialtruppen des Innenministeriums weiterhin eine wichtige und relativ autonome Rolle im sowjetischen Staat und versuchten, die Interessen des Staates jenseits der veränderlichen politischen Rivalitäten innerhalb der Partei zu verkörpern. Man sollte berücksichtigen, dass der gegenwärtige KGB nach Stalins Tod im März 1954 geschaffen wurde, nachdem das Bündnis der Parteiführung und der Streitkräfte einen Putschversuch Berijas und des MVD (der früheren politischen Polizei) niedergeschlagen hatte, mit dem die Armee wegen der Erinnerungen an den Terror der 1930er Jahre immer verfeindet gewesen war. Daher war der KGB der 1980er trotz offenkundiger Kontinuitäten nicht der unmittelbare Erbe von Dzeržinskij und Berija, sondern eine stärker professionalisierte Truppe, die noch immer abhängig von der KPdSU war, sich aber mehr auf die Macht und Stabilität des Sowjetstaates konzentrierte als auf die ideologische Reinheit seines kommunistischen Aufbaus.[122] Das erklärt die paradoxe Unterstützung des KGB für die letzte Runde von Reformen von Andropov zu Gorbatschow und seinen Widerstand gegen den Coup von 1991 trotz der aktiven Beteiligung des KGB-Chefs Krjučkov.

3. Eine Gruppe an den Wurzeln der Sowjetmacht wurde von den Industriemanagern der staatlichen Großbetriebe vor allem in zwei wichtigen Sektoren gebildet: dem militärisch-industriellen Komplex[123] und der Öl- und Gasindustrie.[124] Diese Gruppe war zwar professionell kompetent und an technologischer Modernisierung interessiert, wandte sich jedoch grundsätzlich gegen eine Bewegung auf den Markt zu, gegen die Entmilitarisierung der Wirtschaft und gegen die Lockerung der Außenhandelskontrollen. Wegen ihrer wirtschaftlichen, sozialen und politischen Macht in den Unternehmen und in Schlüsselstädten und -regionen im gesamten Land war die Mobilisierung dieser Machtelite gegen die Reformen entscheidend dafür, dass Gor-

121 Zu den sowjetischen Streitkräften s. Taibo (1993a).
122 Andrew und Gordievsky (1990).
123 S. Castells und Natalusko (1993).
124 S. Kuleshov und Castells (1993) (Der ursprüngliche Forschungsbericht ist auf Russisch und kann im Institut für Wirtschaft und industrielle Ingenieurwissenschaften, Russische Akademie der Wissenschaften, Sibirische Abteilung, Novosibirsk 1993 eingesehen werden). S. auch Kiselyova u.a. (1996).

batschows Anstrengungen im Zentralkomitee der KPdSU blockiert wurden, das 1990 unter die Kontrolle dieser Gruppe geraten war.[125]

4. Schließlich war eine weitere äußerst wichtige Interessengruppe über die gesamte Struktur des Sowjetstaates hinweg organisiert. Dies war das Netzwerk, das sich zwischen der *nomenklatura* und den „Bossen“ der Schattenwirtschaft gebildet hatte. In Wirklichkeit unterschied sich diese Gruppe von den oben genannten nicht, wenn man die beteiligten Personen betrachtet. Ihre strukturelle Position im sowjetischen Machtsystem war jedoch anders: Ihre Machtquelle bestand in ihrer Verbindung zur Schattenwirtschaft. Diese Gruppe war gegen die Demontage der Planwirtschaft, weil sie nur innerhalb der Risse und Sprünge dieser Wirtschaft gedeihen konnte. Als jedoch die Planwirtschaft einmal desorganisiert war, nutzte die aufs Engste mit der kommunistischen *nomenklatura* verflochtene Schattenwirtschaft die Situation und verwandelte die gesamte Volkswirtschaft in einen gigantischen Spekulationsmechanismus. Weil es der Schattenwirtschaft in Zeiten wirtschaftlichen Chaos besonders gut geht, transformierten die quasi-kriminellen Führer der Schattenwirtschaft diese später in einen wilden Proto-Kapitalismus, und sie waren während der *perestrojka* und sind noch immer während ihres Nachspiels ein wesentlicher Faktor der Destabilisierung.[126]

Das war in komprimierter Form die Reihe von Interessengruppen, denen sich Gorbatschow bei seinem Versuch gegenübersah, den Kommunismus zu reformieren, ohne die durch das System entstandenen Privilegien zu beseitigen. Er verbuchte einen leichten Sieg gegen die Ideologen. Erreichen Systeme einmal ihren Krisenpunkt, können Mechanismen zur Legitimation der Werte des Systems auf demselben Weg verschwinden, wie sie entstanden sind – so lange neue Formen kultureller Dominanz entstehen und dann in die materiellen Interessen der herrschenden Eliten eingebettet werden. Ligačev und die Nina Andrejevas der Sowjetunion wurden die perfekten Zielscheiben, an denen man den Fortschritt der Reformen ablesen konnte. Die Armee war als Machtfaktor ernster zu nehmen, weil es für das Militär noch nie leicht war, einen Machtverlust hinzunehmen, zumal dann, wenn dies mit dem Schock einhergeht, einsehen zu müssen, dass ganze Einheiten nicht ins Vaterland repatriiert werden können, weil sie

---

125 Die Gruppe, die im Herbst 1990 das Zentralkomitee der KPdSU kontrollierte, die die Reformen blockierte und deren Initiativen den Weg für die Vorbereitung des Putsches ebneten, wurde angeführt von Lukjanov, Vorsitzender des Obersten Sowjet der UdSSR; Guidaspov, Leningrader Parteisekretär; Masljukov, Veličko und Laverov, Führern von Unternehmen der Rüstungsindustrie; und Baklanov, Sekretär der Militärkommission des Zentralkomitees. Von Baklanov wurde angenommen, er habe bei der Vorbereitung des Putsches eine entscheidende Rolle gespielt, und er war eines der Mitglieder des „Notstandskomitees“, das am 19. August 1991 die Macht ergriff (Informationen aus Interviews mit russischen politischen Beobachtern).

126 S. Handelman (1995).

keine Wohnungen und keine Grundversorgung vorfinden würden. Gorbatschow sicherte sich ihr Einverständnis zur Abrüstung jedoch, indem er auf ihre Einsicht in die Notwendigkeit der Neugruppierung und des Wechsels der Ausrüstungen aufbaute, die sich nach dem Verlust des Rüstungswettlaufs bei konventionellen Waffen ergab. Marschall Ogarkov, der Chef des Generalstabes, wurde im September 1984 entlassen, ein Jahr, nachdem er öffentlich auf die Notwendigkeit höherer Militärbudgets bestanden hatte, um die Technologie der sowjetischen Militärausrüstungen auf den neuesten Stand zu bringen, deren Unterlegenheit in dem Luftmassaker syrischer Jets durch die israelische Luftwaffe über dem Bekaa-Tal 1982 deutlich geworden war. Seine Botschaft war jedoch angekommen, und Gorbatschow erhöhte das Militärbudget sogar mitten in den größten wirtschaftlichen Schwierigkeiten. Gorbatschows militärische Pläne unterschieden sich nicht allzu sehr von denjenigen der amerikanischen Regierung: Ihr Ziel war, mit der Zeit die Kosten zu reduzieren, indem die nutzlose Überkapazität an Nuklearwaffen abgebaut und zugleich die professionelle und technologische Qualität der sowjetischen Streitkräfte auf das Niveau einer Supermacht gehoben wurde, die nicht auf den nuklearen Holocaust abzielte. Diese Strategie wurde denn auch sowohl von den Streitkräften als auch vom KGB unterstützt, die also nicht grundsätzlich gegen die Reformen waren, vorausgesetzt, dass zwei Grenzlinien nicht überschritten würden: die territoriale Integrität des Sowjetstaates und die Kontrolle des militärisch-industriellen Komplexes durch das Verteidigungsministerium. Während daher Gorbatschow von der Unterstützung seitens der Armee und der Sicherheitskräfte überzeugt zu sein schien, fügten diese beiden nicht verhandelbaren Bedingungen Gorbatschows Reformen entscheidenden Schaden zu, weil sie in Wirklichkeit bedeuteten, dass Nationalismus – unabhängig von Gorbatschows persönlichen Ansichten – unterdrückt werden musste, und dass der Kernbereich der Industrie nicht unter Marktbedingungen arbeiten durfte.

Zwischen 1987 und 1990 leisteten die Partei-Nomenklatur, die oberste staatliche Bürokratie, der militärisch-industrielle Komplex, die Ölgeneräle und die Bosse der Schattenwirtschaft den Gorbatschowschen Reformen effektiven Widerstand. Sie gaben auf dem ideologischen Schlachtfeld nach, verbarrikadierten sich aber in den Strukturen der Partei und der Staatsbürokratie. Gorbatschows Dekrete wurden nach und nach zu Papiertigern, wie dies in der Geschichte der russischen *perestrojkas* so oft der Fall gewesen war.

Doch Gorbatschow war ein Kämpfer. Er entschloss sich, nicht Chruschtschow in seiner historischen Niederlage zu folgen und zählte auf die Unterstützung der jungen Generation kommunistischer Führungskräfte, die sich gegen die sowjetische Gerontokratie wandten, auf die Sympathie des Westens, auf den ungeordneten Zustand der Staatsbürokratie und auf die Neutralität von Armee und Sicherheitskräften gegenüber internen politischen Auseinandersetzungen. Um daher den Widerstand der Interessengruppen zu überwinden, die zu einem politischen Hindernis für die *perestrojka* geworden waren, und noch immer im Glauben an die Zukunft des Sozialismus und einer reformierten Kommunistischen Partei als seines Instrumentes appellierte er an die Zivilgesellschaft, sich zur Unterstützung seiner Reformen zu mobilisieren: *uskorenie* führte zur *perestrojka*, und die *perestrojka* wurde abhängig von *glasnost'*, womit sich der Weg zur Demokratisierung eröffnete.[127] Damit löste er unabsichtlich einen Prozess aus, der am Ende die Kommunistische Partei, den Sowjetstaat und seine eigene Machtposition der Vernichtung preisgab. Während jedoch für die Mehrheit des Sowjetvolkes Gorbatschow der letzte kommunistische Staatschef war und für die kommunistische Minderheit der Verräter, der Lenins Erbe ruiniert hat, wird Gorbatschow für die Geschichte der Held bleiben, der die Welt verändert hat, indem er das sowjetische Imperium zerstörte –wenn auch entgegen seinem Wissen und seiner Absicht.

Nationalismus, Demokratie und die Auflösung des Sowjetstaates

Die Liberalisierung der Politik und der Massenmedien, die von Gorbatschow beschlossen wurde, um die Zivilgesellschaft zur Unterstützung seiner Reformen zu bewegen, führte zu einer breiten gesellschaftlichen Mobilisierung mit einer Vielzahl von Themen. Die Wiedergewinnung des historischen Gedächtnisses, die durch eine immer selbstbewusster auftretende sowjetische Presse und durch das Fernsehen angeregt wurde, brachte Ideologien und Werte aus einer plötzlich befreiten Gesellschaft auf die offene Bühne der öffentlichen Meinung, die in ihrer Ausdrucksweise häufig wirr waren, denen aber die Zurückweisung aller möglichen amtlichen Wahrheiten gemeinsam war. Zwischen 1987 und 1991 verurteilten in einem sozialen Wirbelsturm zunehmender Intensität Intellektuelle das System, Arbeiter streikten für ihre Forderungen und Rechte, Ökologen deckten Umweltkatastrophen auf, Menschenrechtsgruppen machten ihren Protest bekannt, die *Memorial*-Bewegung rekonstruierte die Schrecken des Stalinismus, und die Wählerinnen und Wähler nutzten jede Gelegenheit bei Parlaments- und Kommunalwahlen, um die offiziellen Kandidaten und Kandidatinnen der Kommunistischen Partei abzulehnen und entzogen so der etablierten Machtstruktur ihre Legitimitätsgrundlage.

Die machtvollste Mobilisierung und die unmittelbare Herausforderung des Sowjetstaates kam jedoch von den nationalistischen Bewegungen.[128] Im Februar 1988 führte das von Aseris an Armeniern verübte Massaker in Sumgait zur Wiederbelebung des latenten Konfliktes in der armenischen Enklave Nagorno-Karabach in Aserbaidschan; der Konflikt verschlimmerte sich bis zum offenen Krieg

127 S. den ausgezeichneten journalistischen Bericht über den Einfluss der Medien bei der Desintegration der Sowjetunion bei Shane (1994).

128 Carrère d'Encausse (1991).

und erzwang die Intervention der sowjetischen Armee und die unmittelbare Verwaltung des Territoriums durch Moskau. Interethnische Spannungen im Kaukasus brachen offen hervor, nachdem sie jahrzehntelang gewaltsam zurückgedrängt und künstlich integriert worden waren. 1989 wurden Hunderte von Menschen im Ferghana-Tal in Usbekistan bei Unruhen zwischen Usbeken und Mescheten getötet. Am 9. April 1989 wurde eine friedliche Massendemonstration georgischer Nationalisten in Tbilisi mit Giftgas unterdrückt, wobei 23 Menschen starben; dadurch wurde eine Untersuchung von Moskau aus veranlasst. Ebenfalls Anfang 1989 begann die Moldauische Nationale Front ihren Kampf für die Unabhängigkeit der Republik und langfristig für ihre Wiedereingliederung nach Rumänien.

Die mächtigste und kompromissloseste nationalistische Mobilisierung ging jedoch von den baltischen Republiken aus. Im August 1988 führte die Veröffentlichung des Geheimvertrages zwischen Stalin und Hitler von 1939 über die Annexion der baltischen Republiken zu massiven Demonstrationen in den drei Republiken und in jeder zur Bildung einer Volksfront. Dann beschloss das estnische Parlament, seine Zeitzone zu verändern und von der Moskauer Zeit zur finnischen Zeit zu wechseln. Litauen begann, eigene Pässe auszugeben. Im August 1989 bildeten zum Gedenken an den 50. Jahrestag des Ribbentrop-Molotov-Paktes zwei Millionen Menschen eine Menschenkette, die sich durch das Territorium der drei Republiken erstreckte. Im Frühjahr 1989 erklärten die Obersten Sowjets der drei Republiken ihre Unabhängigkeit und ihr Recht, in Moskau verabschiedete Gesetze abzulehnen, was eine offene Konfrontation mit der sowjetischen Führung auslöste, die mit einem Embargo auf Lieferungen nach Litauen reagierte.

Bezeichnenderweise rebellierten die muslimischen Republiken Zentralasiens und des Kaukasus nicht gegen den Sowjetstaat, obwohl der Islamismus vor allem unter den intellektuellen Eliten im Vormarsch war. Die Konflikte im Kaukasus und in Zentralasien nahmen vorwiegend die Form interethnischer Konfrontationen und Bürgerkriege innerhalb (wie in Georgien) oder zwischen Republiken (etwa Aserbaidschan gegen Armenien) an.

Der Nationalismus war nicht nur Ausdruck kollektiver ethnischer Identität. Er war in der gesamten Sowjetunion und besonders in Russland die vorherrschende Form der demokratischen Bewegung. Die „demokratische Bewegung", die den Prozess politischer Mobilisierung in den wichtigsten städtischen Zentren der Sowjetunion anführte, war zu keinem Zeitpunkt eine organisierte Front, noch war das „Demokratische Russland", die von Jurij Afanasev und anderen Intellektuellen organisierte Massenbewegung, eine Partei. Es gab Dutzende von Proto-Parteien jedweder politischer Tendenzen, doch richtete sich die Bewegung im Großen und Ganzen entschieden gegen Parteien überhaupt, entsprechend der Erfahrung mit hochgradig durchstrukturierten Organisationen. Das Misstrauen gegenüber formalisierten Ideologien und Parteipolitik veranlasste die soziopolitischen Bewegungen vor allem in Russland, aber auch in der Ukraine, in Armenien und den baltischen Republiken, sich locker um zwei

Symbole der Identität herum zu strukturieren: einerseits die Negation des Sowjetkommunismus in welcher Form auch immer, ob neustrukturiert oder nicht; andererseits die Betonung der kollektiven Primäridentität, deren breitester Ausdruck die nationale Identität war, der einzige historische Gedächtnisinhalt, auf den sich die Menschen nach dem Vakuum beziehen konnten, das der Marxismus-Leninismus und sein späteres Ende geschaffen hatten. In Russland fand dieser erneuerte Nationalismus als Reaktion auf den anti-russischen Nationalismus der anderen Republiken einen besonders starken Widerhall unter den Menschen. Auf diese Weise verstärkten sich wie häufig in der Geschichte verschiedene Nationalismen gegenseitig. Das ist der Grund, warum Jelzin gegen alle Wahrscheinlichkeit zum einzigen russischen politischen Führer wurde, der massive Unterstützung und Vertrauen im Volk genoss, trotz aller Anstrengungen Gorbatschows und der KPdSU, sein Image und seinen Ruf zu zerstören (und wahrscheinlich gerade deswegen). Gennadij Burbulis, Jelzins wichtigster politischer Berater in der Zeit von 1988-1992, versuchte in einem unserer Gespräche 1991, die tiefsitzenden Gründe für Jelzins Wirkung auf das russische Volk zu erklären. Es lohnt sich, ihn wörtlich zu zitieren:

> Was die westlichen Beobachter nicht verstehen, ist, dass nach 70 Jahren stalinistischen Terrors und der Unterdrückung allen unabhängigen Denkens die russische Gesellschaft zutiefst irrational ist. Und alle Gesellschaften, die in die Irrationalität hinabgedrückt worden sind, mobilisieren sich in erster Linie durch Mythen. Dieser Mythos heißt im gegenwärtigen Russland Jelzin. Das ist der Grund, warum er die einzige wirkliche Kraft in der demokratischen Bewegung ist.[129]

Tatsächlich riefen auf der entscheidenden Demonstration am 28. März 1991 in Moskau, als die demokratische Opposition sich definitiv gegen Gorbatschow stellte, die Straßen trotz seines Verbots in Beschlag nahm und der Anwesenheit von Militärtruppen die Stirn bot, Tausende von Demonstrierenden nur zwei Slogans: „Rossija!" und „Jelzin! Jelzin!". Die Inanspruchnahme der vergessenen Vergangenheit und die Negation der Gegenwart, wie sie durch den Mann symbolisiert wurde, der „Nein!" sagen und doch überleben konnte, waren die einzigen Prinzipien, die die neu geborene Zivilgesellschaft eindeutig gemeinsam hatte.

Die Verbindung zwischen der demokratischen Bewegung, der nationalistischen Mobilisierung und dem Prozess der Demontage der Sowjetmacht war paradoxerweise durch die Struktur des föderalen Sowjetstaates vorherbestimmt. Weil alle Macht beim Zentralkomitee der KPdSU und in den zentralen Institutionen des Sowjetstaates (Kongress der Volksdeputierten, Oberster Sowjet der UdSSR, Ministerrat und Präsidentschaft der UdSSR) konzentriert war, nahm der Prozess der Demokratisierung unter Gorbatschow die Form der Genehmigung konkurrierender Kandidaturen (aber keiner freien politischen Assoziation) für die Sowjets der Städte, Regionen und Republiken an, während der Kongress

---

129 Interview mit Gennadij Burbulis, 2. April 1991.

der Volksdeputierten der UdSSR und der Oberste Sowjet der UdSSR unter schärferer Kontrolle gehalten wurden. Zwischen 1989 und 1991 ging die Mehrheit der Sitze in den lokalen Sowjets der großen Städte und in den Parlamenten der Republiken an Kandidaten und Kandidatinnen, die gegen die amtlichen kommunistischen Kandidaturen angetreten waren.

Die hierarchische Struktur des Sowjetstaates schien den Schaden zu begrenzen, den die Mechanismen politischer Kontrolle erlitten. Aber die Strategie, die von den politischen Strategen der demokratischen Bewegung und besonders denjenigen, die mit Jelzin zusammenarbeiteten, bewusst entworfen worden war, bestand darin, ihre Macht in den repräsentativen Institutionen der Republiken zu konsolidieren, diese Institutionen dann als Hebel der Opposition gegen den sowjetischen Zentralstaat einzusetzen und dabei so viel Macht wie möglich für die Republiken zu beanspruchen. Was also wie eine autonomistische oder separatistische Bewegung aussah, war auch eine Bewegung, aus der Disziplin des Sowjetstaates auszubrechen und letztlich, von der Kontrolle der Kommunistischen Partei befreit zu werden. Diese Strategie erklärt, warum die entscheidende politische Schlacht 1990-1991 in Russland sich darauf konzentrierte, die Macht und die Autonomie der Russischen Föderation zu erhöhen, der einzigen Republik, die keinen Präsidenten ihres Republik-Parlamentes besaß. So glaubte Gorbatschow zwar, er habe den Sieg errungen, als er die Mehrheit bei dem Referendum am 15. März 1991 über einen neuen Unionsvertrag errungen hatte, aber in Wirklichkeit waren die Ergebnisse dieses Referendums der Anfang vom Ende der Sowjetunion. Jelzins Anhängern gelang es, auf den Stimmzettel eine Frage zu platzieren, die die Volkswahl zur Präsidentschaft der Russischen Föderation mit einem genauen Wahltermin forderte, 12. Juni. Die Zustimmung hierzu durch die Wählerschaft, die damit automatisch eine solche Wahl forderte, war weit wichtiger als die Zustimmung zu den vagen Vorschlägen Gorbatschows für einen neuen föderalen Staat. Als Jelzin der erste demokratisch gewählte russische Staatschef wurde, entstand ein grundlegender Riss zwischen den repräsentativen politischen Strukturen Russlands und der anderen Republiken einerseits und dem zunehmend isolierten Überbau des föderalen Sowjetstaates andererseits. Hier angekommen, hätte nur massive und entschiedene Repression den Prozess wieder unter Kontrolle bringen können.

Aber die sowjetische Kommunistische Partei befand sich nicht in einem Zustand, in dem sie eine Repressionskampagne hätte beginnen können. Sie war durch die Manöver Gorbatschows und durch das Eindringen der Werte und Projekte einer wiederbelebten Gesellschaft in ihre Ränge gespalten, irritiert, desorganisiert worden. Unter dem Druck der Kritik aus allen Richtungen verlor die politische *nomenklatura* ihr Selbstvertrauen.[130] So war die Wahl Jelzins zum

130 Auf den Verlust des Selbstvertrauens der Partei-Nomenklatur als eines wesentlichen Faktors, der eine frühzeitige Reaktion gegen Gorbatschows Reformen verhinderte, hat mich George Breslauer hingewiesen.

Vorsitzenden des russischen Parlaments im März 1991 nur möglich, weil eine wichtige Fraktion der neu geschaffenen Russischen Kommunistischen Partei unter Führung von Ruckoj sich dem Lager der Demokraten anschloss und sich gegen die nationalistisch-kommunistische Führung von Polozkov wendete, des Führers der Mehrheit der Russischen Kommunistischen Partei, der offen in Opposition zu Gorbatschow stand. Tatsächlich hatte die einflussreichste Gruppe im Zentralkomitee der KPdSU, die sich locker um Anatolij Lukjanov, den Vorsitzenden des Obersten Sowjet der UdSSR (und Jura-Studienkollege Gorbatschows), gesammelt hatte, im Herbst 1990 beschlossen, weiteren Reformen entgegenzutreten. Die damals ernannte Regierung Pavlov hatte das Ziel, die Kommandowirtschaft wiederherzustellen. Polizeimaßnahmen wurden durchgeführt, um wieder Ordnung in den Städten zu schaffen und den in den baltischen Republiken einsetzenden Nationalismus zu bändigen. Aber der brutale Angriff auf eine Fernsehstation in Vilnius durch die Spezialtruppen des Innenministeriums im Januar 1991 veranlasste Gorbatschow, zur Zurückhaltung aufzufordern und die Repression zu stoppen. Im Juli 1991 war Gorbatschow bereit, einen neuen Unionsvertrag ohne sechs der 15 Republiken (die baltischen Republiken, Moldavien, Georgien und Armenien) in Kraft zu setzen und als einzige Möglichkeit zur Rettung der Sowjetunion den Republiken weitreichende Machtbefugnisse zu gewähren. In seiner Rede vor dem Zentralkomitee am 25. Juli 1991 umriss er außerdem ein ideologisches Programm zur Aufgabe des Leninismus und zur Überführung der Partei zum demokratischen Sozialismus. Er errang einen leichten Sieg. Die wirklichen Kräfte des Zentralkomitees und die Mehrheit der sowjetischen Regierung waren bereits mit der Vorbereitung des Putsches gegen ihren Generalsekretär und Präsidenten beschäftigt, nachdem es ihnen nicht gelungen war, den Prozess durch die Standardprozeduren zu kontrollieren. Diese waren wirkungslos, weil die meisten Republiken und insbesondere Russland sich von der Kontrolle des sowjetischen Zentralstaates befreit hatten.

Die Umstände des Putsches vom August 1991, des Ereignisses, das unmittelbar zur Auflösung der Sowjetunion führte, sind nicht völlig aufgeklärt, und es ist zweifelhaft, ob dies auf lange Sicht geschehen wird, bedenkt man das Gewirr politischer Interessen, in das der Handlungsverlauf eingesponnen ist. Oberflächlich gesehen erscheint es überraschend, dass ein Putsch, der vom Zentralkomitee der KPdSU unter voller Beteiligung des KGB-Chefs, des Innenministers, des Verteidigungsministers, des Vizepräsidenten der UdSSR und des größten Teils der sowjetischen Regierung organisiert worden war, fehlschlagen konnte. Und tatsächlich hätte der Putsch von 1991 trotz all der Analysen, die hier zur Unausweichlichkeit der Krise der Sowjetunion vorgetragen wurden, Erfolg haben können, wenn Jelzin und ein paar Tausend seiner Anhänger ihm nicht entgegengetreten wären und ganz offen ihr Leben riskiert hätten, wobei sie auf die Präsenz der Medien als ihrer symbolischen Verteidigung rechneten, und wenn ferner nicht in ganz Russland und in einigen Sowjetrepubliken Menschen aus allen sozialen Sektoren nicht an ihrem Arbeitsplatz zusammengekommen wären und ihre Unterstützung für Jelzin bekundet hätten, indem sie Tausende von Telegrammen nach Moskau schickten, um ihre Position kundzutun. Nach sieben Jahrzehnten der Repression waren die Menschen noch immer da, verwirrt, aber bereit, wenn nötig zu kämpfen, um ihre neu gefundene Freiheit zu verteidigen. Ein möglicher kurzfristiger Erfolg des Putsches hätte nicht notwendigerweise die Chance bedeutet, die Krise der Sowjetunion zum Stillstand zu bringen, bedenkt man den Prozess der Verrottung des gesamten Systems. Aber die Krise hätte einen anderen Ausgang genommen, und die Geschichte wäre anders verlaufen. Was den Fehlschlag des Putsches besiegelte, waren zwei grundlegende Faktoren: die Haltung des KGB und die der Armee; und eine falsche Vorstellung der kommunistischen Führung von ihrem eigenen Land, die sich aus der zunehmenden Isolation auf dem Gipfel des Sowjetstaates ergab. Schlüsseleinheiten der Sicherheitskräfte verweigerten die Zusammenarbeit: Die Alpha-Einheit, die Elite des KGB, weigerte sich, dem Befehl zum Angriff auf das Weiße Haus zu gehorchen und erhielt die Unterstützung entscheidender KGB-Kommandeure; die Fallschirmjäger unter dem Kommando von General Pavel Gračev erklärten ihre Loyalität gegenüber Gorbatschow und Jelzin; und schließlich drohte der Luftwaffenkommandant General Šapošnikov dem Verteidigungsminister damit, den Kreml zu bombardieren. Die Kapitulation kam wenige Stunden nach diesem Ultimatum. Diese Entscheidungen waren Ausfluss der Tatsache, dass die Armee und der KGB während der *perestrojka*-Zeit transformiert worden waren. Sie waren nicht so sehr aktive Befürworter der Demokratie, als dass sie unmittelbar mit der Evolution der Gesellschaft insgesamt in Berührung gekommen waren, so dass jede entschiedene, gegen die etablierte Kommandokette gerichtete Aktion die Truppe spalten und den Weg zum Bürgerkrieg freimachen konnte. Kein verantwortlicher Kommandant würde einen Bürgerkrieg innerhalb einer Armee riskieren, die mit einem gigantischen und zudem nuklearen Arsenal ausgestattet war. Und auch die Organisatoren des Putsches selbst waren nicht bereit, einen Bürgerkrieg zu beginnen. Sie waren davon überzeugt, dass eine Demonstration ihrer Stärke und die rechtlich abgesicherte Ablösung Gorbatschows nach dem historischen Beispiel Chruschtschows genügen würden, um das Land unter Kontrolle zu bringen. Sie unterschätzten die Entschlossenheit Jelzins, und sie hatten weder die neue Rolle der Medien verstanden, noch das Ausmaß, in dem sich die Medien außerhalb kommunistischer Kontrolle befanden. Sie planten den Putsch und führten ihn aus, als befänden sie sich in der Sowjetunion der 1960er Jahre, der Zeit, als sie vermutlich zum letzten Mal ohne Leibwächter auf der Straße gewesen waren. Als sie das neue Land entdeckten, das im letzten Vierteljahrhundert emporgewachsen war, war es zu spät. Ihr Fall wurde zum Fall des Partei-Staates. Die Demontage des kommunistischen Staates und mehr noch, das Auseinanderbrechen der Sowjetunion, waren aber keine historischen Notwendigkeiten. Sie erforderten während der folgenden Monate bewusstes Handeln, das von einer kleinen Gruppe entschiedener Revolutionäre in reinster leninistischer Tradition vollzogen wurde. Jelzins Strategen gingen unter Führung von Burbulis, dem unbestrittenen Machiavelli des neuen demokratischen Russlands, mit ihrem Plan zur Abtrennung der gesellschaftlich verwurzelten Institutionen der Republiken von dem mittlerweile isolierten Überbau des sowjetischen Bundesstaates bis zum Äußersten. Während Gorbatschow verzweifelt versuchte, die Auflösung der kommunistischen Partei zu überleben und die Sowjetinstitutionen zu reformieren, überredete Jelzin die kommunistischen Führer der Ukraine und Weißrusslands, die sich schnell zum Nationalismus und zum Streben nach Unabhängigkeit bekehrt hatten, gemeinsam aus der Sowjetunion auszutreten. Sie schlossen am 9. Dezember 1991 in Beloveżskaja Pušča das Abkommen, den Sowjetstaat aufzulösen und eine lockere Gemeinschaft Unabhängiger Staaten als Mechanismus zu gründen, um das Erbe der erloschenen Sowjetunion auf die jetzt souverän gewordenen Republiken zu verteilen. Dies signalisierte das Ende eines der kühnsten und schädlichsten sozialen Experimente der Menschheitsgeschichte. Aber die Leichtigkeit, mit der Jelzin und seine Helfer den Demontageprozess innerhalb von nur vier Monaten durchführten, enthüllte die absolute Verwesung eines überdimensionierten Staatsapparates, der die Verwurzelung in seiner eigenen Gesellschaft verloren hatte.

Narben der Geschichte, Lektionen der Theorie und was für die Gesellschaft bleibt

Das sowjetische Experiment hat dieses 20. Jahrhundert entscheidend geprägt, in dem es um Entwicklung und Konsequenzen dieses Experiments für die ganze Welt ging. Es warf einen gigantischen Schatten nicht nur auf die Geopolitik der Staaten, sondern auch auf die imaginären Konstruktionen gesellschaftlicher Transformation. Trotz der Schrecken des Stalinismus erblickten die politische Linke und soziale Bewegungen auf der ganzen Welt lange Zeit im Sowjetkommunismus zumindest einen Grund zur Hoffnung und sehr oft auch eine Quelle der Inspiration und der Unterstützung, die durch den verzerrenden Schleier der kapitalistischen Propaganda wahrgenommen wurde. Wenige Intellektuelle aus den Generationen, die in der ersten Hälfte des Jahrhunderts geboren wurden, entgingen der Faszination der Debatte über Marxismus, Kommunismus und den Aufbau der Sowjetunion. Eine Vielzahl führender Sozialwissenschaftler im Westen haben ihre Theorien für, gegen oder mit Bezug auf die sowjetische Erfahrung entworfen. Tatsächlich waren einige der prominentesten intellektuellen Kritiker des Sowjetkommunismus während ihrer Studienjahre durch den Trotzkismus beeinflusst, eine ultrabolschewistische Ideologie. Dass all diese Anstrengung, all dies menschliche Leid und Leidenschaft, all diese Ideen, all diese Träume in einer solch kurzen Zeitspanne verschwinden und die Leere der Debatte offen legen konnten, ist ein staunenswerter Ausdruck unserer kollektiven Fähigkeit, politische Phantasien aufzubauen, die so mächtig sind, dass sie am Ende die Geschichte verändern, wenn auch im entgegengesetzten Sinn zur Absicht der historischen Projekte. Das ist vielleicht der schmerzlichste Fehlschlag der kommunistischen Utopie: die Entführung und Verzerrung der revolutionären Träume und Hoffnungen so vieler Menschen in Russland und auf der ganzen Welt, die Verwandlung von Befreiung in Unterdrückung, die Umkehr des Projektes einer klassenlosen Gesellschaft in einen Staat der Kastenherrschaft und der Umschlag von der Solidarität zwischen ausgebeuteten Arbeitern und Arbeiterinnen zur Komplizenschaft zwischen den Apparatschiks der *nomenklatura* auf ihrem Weg, zu Bandenführern in der weltweiten Schattenwirtschaft zu werden. Zieht man Bilanz, so hat das sowjetische Experiment trotz einiger positiver Elemente in der Sozialpolitik der Nach-Stalin-Ära den Völkern der Sowjetunion und der ganzen Welt erhebliche Leiden gebracht. Russland hätte sich auf andere Weise industrialisieren und modernisieren können, nicht schmerzlos, aber ohne den menschlichen Holocaust, zu dem es in der Stalin-Periode gekommen ist. Relative soziale Gleichheit, Vollbeschäftigung und ein Wohlfahrtsstaat wurden von sozialdemokratischen Regimes im benachbarten, damals armen Skandinavien erreicht, ohne dass man auf solch extreme Maßnahmen zurückgegriffen hätte. Die Nazi-Maschine wurde nicht von Stalin besiegt (der in Wirklichkeit unmittelbar vor dem Krieg die Rote Armee dezimiert und geschwächt hatte, um ihr seine persönliche Kontrolle aufzuzwingen), sondern von dem säkularen russischen Willen, sich ausländischen Eindringlingen entgegenzustellen. Die Vorherrschaft der Komintern über einen großen Teil der revolutionären und sozialistischen Bewegungen der Welt absorbierte Energien, brachte politische Projekte zum Stillstand und führte ganze Nationen in die Sackgasse. Die Teilung Europas und der Welt in militärische Blöcke band einen wesentlichen Teil der technologischen Fortschritte und des Wirtschaftswachstums der Jahre nach dem Zweiten Weltkrieg in einem sinnlosen Rüstungswettlauf. Sicherlich trägt das amerikanische (und in geringerem Maß das europäische) Establishment der Zeit des Kalten Krieges ein gleiches Maß an Verantwortung dafür, sich auf diese Konfrontation eingelassen, Atomwaffen entwickelt, eingesetzt und eine bipolare Symmetrie zum Zwecke der Weltherrschaft aufgebaut zu haben.[131] Ohne die Festigkeit, Stärke und bedrohliche Fassade der Sowjetmacht

131 Die Geschichte des Kalten Krieges ist voller Ereignisse und Anekdoten, die zeigen, wie die beiden Militärblöcke beständig ihre eigene Defensivparanoia über ein vernünftiges Maß hinaus gepflegt haben. Eine allzu schnell vergessene Illustration dieser Mentalität ist das 1995 aufgedeckte Mysterium der sowjetischen U-Boote in schwedischen Gewässern. Wie sich manche erinnern werden, behaupteten die schwedischen Seestreitkräfte mehr als zwei Jahrzehnte lang, unterstützt durch das westliche Bündnis, die maritimen Grenzen des Landes seien wiederholt durch sowjetische U-Boote verletzt worden, und sie griffen zum regelmäßigen Abwurf explosiver Wasserbomben, was über das Fernsehen in alle Welt gesendet wurde. Erst 1995 bestätigte Schweden „eine peinliche Tatsache: dass seine Streit-

hätten die westlichen Gesellschaften und die dortige öffentliche Meinung jedoch kaum die Ausweitung ihrer staatlichen Verteidigungsbudgets und die Fortsetzung unverhohlen kolonialer Unternehmungen hingenommen, wie sich auch nach dem Ende des Kalten Krieges gezeigt hat. Ferner hat sich erwiesen, dass der Aufbau einer Supermacht ohne Grundlage in einer produktiven Wirtschaft und einer offenen Gesellschaft auf lange Sicht nicht durchzuhalten war. So wurden Russland und die anderen Sowjetrepubliken ohne großen sichtbaren Nutzen für die Menschen, abgesehen von der Arbeitsplatzsicherheit und einer gewissen Verbesserung der Lebensbedingungen in der Zeit von 1960-1980, ruiniert: Jene Periode wird jetzt von vielen in Russland angesichts der verzweifelten Situation idealisiert, in der sich große Bevölkerungsteile heute während des wilden Übergangs zu einem wilden Kapitalismus befinden.

Die verheerendste historische Ironie war aber das Possenspiel, das der kommunistische Staat mit den Werten menschlicher Solidarität getrieben hat, in denen drei Generationen von Sowjetbürgerinnen und -bürgern erzogen worden sind. Während die meisten Menschen ehrlich daran glaubten, man müsse Schwierigkeiten miteinander teilen und einander helfen, um eine bessere Gesellschaft aufzubauen, entdeckten sie allmählich und wurde ihnen plötzlich klar, dass ihr Vertrauen von einer Kaste zynischer Bürokraten systematisch missbraucht worden war. Nachdem die Wahrheit einmal ans Licht gekommen ist, ist anzunehmen, dass die moralischen Schäden, die dem Volk der Sowjetunion zugefügt worden sind, sich noch lange Zeit zeigen werden: das Gefühl eines verlorenen Lebens; menschliche Werte, die den Anstrengungen zugrunde lagen, sind abgewertet worden. Zynismus und Gewalt sind in der ganzen Gesellschaft allgegenwärtig geworden, nachdem die Hoffnungen, die die Demokratie nach dem sowjetischen Zusammenbruch beflügelt hatte, schnell dahingeschwunden sind. Die aufeinander folgenden Fehlschläge des sowjetischen Experiments, der *perestrojka* und der demokratischen Politik in den 1990er Jahren haben den Ländern Russlands und der früheren Sowjetrepubliken Ruin und Verzweiflung gebracht.

Die Lektion für die Intellektuellen aus dem kommunistischen Experiment betrifft die Distanz, die zwischen theoretischen Blaupausen und der historischen Entwicklung politischer Projekte gewahrt bleiben muss. Offen gesagt, führen alle Utopien zum Terror, wenn ein ernstlicher Versuch gemacht wird, sie durchzuführen. Theorien und die von ihnen nicht abzulösenden ideologischen Erzählungen können nützliche Werkzeuge zum Verständnis und damit zur Anleitung kollektiven Handelns sein und sind es auch gewesen. Aber nur als Werkzeuge, die immer durch die Erfahrung korrigiert und angepasst werden müssen.

---

kräfte Zwergwale gejagt hatten, und keine russischen U-Boote. ... Neue hydrophonische Instrumente, die 1992 in der schwedischen Marine eingeführt worden waren, haben gezeigt, dass die Zwergwale Geräuschfolgen von sich geben können, die ähnlich sind wie die von U-Booten" (*New York Times*, 12. Februar 1995, S. 8). Zum Schicksal der Zwergwale gibt es in dem Bericht keinen Hinweis.

Niemals als Schemata, die in ihrer eleganten Konsequenz in der unvollkommenen und doch so wundervollen Welt aus menschlichem Fleisch und Blut reproduziert werden. Denn solche Versuche sind bestenfalls zynische Rationalisierungen der Interessen von Einzelpersonen oder von Gruppen. Schlimmstenfalls werden sie von den Gläubigen wahrhaft geglaubt und ins Werk gesetzt, und dann werden theoretische Konstruktionen zur Quelle politischen Fundamentalismus, der immer eine Unterströmung von Diktatur und Terror ist. Ich plädiere nicht für eine glatte politische Landschaft, die frei wäre von Werten und Leidenschaften. Träume und Projekte sind der Stoff, aus dem gesellschaftliche Veränderung entsteht. Ein rein rationales, selbstsüchtiges Subjekt des „Trittbrettfahrer"-Typs würde immer zu Hause bleiben und die Arbeit der historischen Veränderung von „den Anderen" erledigen lassen. Das einzige Problem mit einer solchen Haltung (der besten „wirtschaftlich rationalen Entscheidung"[132]) besteht darin, dass sie kollektives Handeln der Anderen unterstellt. Mit anderen Worten ist dies eine Form des historischen Parasitentums. Zum Glück sind wenige Gesellschaften in der Geschichte von Parasiten aufgebaut werden, genau deshalb, weil sie zu eigennützig sind, um sich zu engagieren. Gesellschaften werden von sozialen Akteuren geformt, die sich für Interessen, Ideen und Werte in einem offenen, konfliktreichen Prozess mobilisieren, und das wird auch immer so bleiben. Soziale und politische Veränderung ist das, was letztlich Schicksal und Struktur von Gesellschaften bestimmt. Was die sowjetische Erfahrung daher zeigt, ist nicht die Notwendigkeit eines nicht-politischen, wertfreien Prozesses sozialer Transformation, sondern die notwendige Distanz und Spannung zwischen theoretischer Analyse, Systemen gesellschaftlicher Repräsentation und tatsächlicher politischer Praxis. Relativ erfolgreiche politische Praxis wurstelt sich immer durch die Begrenzungen der Geschichte hindurch und versucht nicht, in wilden Sprüngen voranzukommen, sondern durch Anpassung an die Konturen der sozialen Evolution, und sie akzeptiert dabei den zeitlupenartigen Prozess der Transformation menschlichen Verhaltens. Wenn die materiellen Bedingungen und das subjektive Bewusstsein in der Gesellschaft insgesamt bis zu einem Punkt transformiert werden, an dem die Institutionen diesen Bedingungen nicht mehr entsprechen, dann ist eine Revolution – friedlich oder nicht oder dazwischen – Teil des normalen Prozesses historischer Evolution, wie dies der Fall Südafrikas zeigt. Wenn die Avantgarden, die fast immer intellektuelle Avantgarden sind, sich die Beschleunigung des historischen Tempos über das hinaus zum Ziel setzen, was die Gesellschaften wirklich aushalten können, um so ihre Machtwünsche zu befriedigen und ihrer theoretischen Doktrin gerecht zu werden, dann können sie zwar siegen und die Gesellschaft umformen, aber nur unter der Bedingung, dass sie Seelen erdrosseln und Körper foltern. Überlebende Intellektuelle können dann in der Behaglichkeit ihrer Bibliotheken über die Exzesse ihres verzerrten revolutionären Traumes re-

132 Im Original „economic rational choice"; d.Ü.

flektieren. Vor allem aber gilt es, als politische Hauptlektion aus der sowjetischen Erfahrung zu lernen, dass Revolutionen (oder Reformen) zu wichtig sind und zu viele Menschenleben kosten, als dass man sie Träumen oder eben auch Theorien überlassen dürfte. Es ist Sache der Menschen, jegliche Werkzeuge zu benutzen, die sie bekommen können, auch theoretische und organisatorische Werkzeuge, um den kollektiven Pfad ihres individuellen Lebens zu finden und ihm zu folgen. Das künstliche Paradies theoretisch inspirierter Politik sollte mit dem Sowjetstaat auf immer begraben sein. Denn die wichtigste Lektion aus dem Zusammenbruch des Kommunismus ist die Einsicht, dass es keinen Sinn der Geschichte jenseits der Geschichte gibt, die unsere Sinne erfassen können.

Es gibt auch wichtige Lektionen, die die Sozialtheorie im Allgemeinen und die Theorie der Informationsgesellschaft im Besonderen zu lernen haben. Der Prozess gesellschaftlicher Veränderung wird geformt von der historischen Matrix der Gesellschaft, in der er stattfindet. So wurden die Quellen, aus denen der Etatismus seine Dynamik bezog, zugleich zu seinen strukturellen Schranken und zu Auslösern widersprüchlicher Prozesse innerhalb des Systems. Wenn der Staat Gesellschaft und Wirtschaft mit Beschlag belegt, so ermöglicht dies die vollständige Mobilisierung der menschlichen und materiellen Ressourcen für die Zielsetzungen von Macht und Ideologie. Diese Anstrengung läuft aber wirtschaftlich auf Verschwendung hinaus, weil sie keine eingebauten Schranken für den Einsatz und die Zuweisung knapper Ressourcen kennt. Und sie lässt sich gesellschaftlich nur so lange durchhalten, wie die Zivilgesellschaft entweder durch schieren Zwang unterdrückt oder auf die passive Rolle beschränkt ist, Arbeit und öffentliche Dienste auf dem niedrigst möglichen Niveau beizutragen. Der Staat selbst wird durch seine Unfähigkeit geschwächt, seine Untertanen zu mobilisieren, die ihre Kooperation verweigern – sei es durch Widerstand oder durch Rückzug.

Der sowjetische Etatismus sah sich im historischen Kontext des Übergangs zum Informationalismus einer besonders schwierigen Aufgabe gegenüber, seine Beziehung zu Wirtschaft und Gesellschaft zu regeln und zu gestalten. Zu den der Kommandowirtschaft innewohnenden Verschwendungstendenzen und zu den Beschränkungen, die der Gesellschaft durch die strukturelle Priorität aufgezwungen waren, die der militärischen Macht zuerkannt worden war, trat der Druck hinzu, sich an die spezifischen Anforderungen des Informationalismus anzupassen. Paradoxerweise war ein System, das unter dem Banner der Produktivkraftentwicklung aufgebaut worden war, nicht in der Lage, die wichtigste technologische Revolution der Menschheitsgeschichte zu meistern. Denn die Charakteristika des Informationalismus, die symbiotische Interaktion zwischen sozial bestimmter Informationsverarbeitung und materieller Produktion, waren jetzt mit dem vom Staat beanspruchten Informationsmonopol und mit der Einschließung der Technologie innerhalb der Grenzen der Kriegführung nicht mehr vereinbar. Auf der Ebene der Organisationen wurde die strukturelle Logik der vertikalen Bürokratien ganz ähnlich wie im Westen durch die informationelle Tendenz zu flexiblen Netzwerken obsolet gemacht. Aber anders als im Westen bildete die vertikale Kommandokette ein Herzstück des Systems, was die Transformation der Großkombinate in neue Formen vernetzter Wirtschaftsorganisationen viel schwieriger machte. Außerdem entdeckten die sowjetischen Manager und Bürokraten durchaus Flexibilität und Vernetzung als organisatorische Form. Aber sie wendeten sie zur Entwicklung der Schattenwirtschaft an und untergruben so die Kontrollfähigkeit der Kommandowirtschaft von innen. Damit vergrößerte sich die Distanz zwischen der institutionellen Organisation des Sowjetsystems und den funktionalen Erfordernissen der realen Ökonomie.

Außerdem ist die Informationsgesellschaft nicht der Überbau eines neuen technologischen Paradigmas. Sie beruht auf dem historischen Spannungsverhältnis zwischen der materiellen Macht abstrakter Informationsverarbeitung und der Suche der Gesellschaft nach sinnvoller kultureller Identität. In beiderlei Hinsicht scheint der Etatismus unfähig zu sein, die neue Geschichte zu begreifen. Nicht nur erstickt er die Fähigkeit zu technologischer Innovation, sondern er eignet auch historisch verwurzelte Identitäten an und definiert sie um, um sie in den zentral wichtigen Prozess der Schaffung von Macht aufzulösen. Letzten Endes wird der Etatismus machtlos in einer Welt, in der die Fähigkeit der Gesellschaft, Information beständig zu erneuern, und Technologie, die Information verkörpert, zu den grundlegenden Quellen wirtschaftlicher und militärischer Macht werden. Und der Etatismus wird auch durch seine Unfähigkeit, Legitimität auf der Grundlage von Identität hervorzubringen, geschwächt und letztlich zerstört. Die Abstraktion der Staatsmacht auf der Grundlage einer schnell verblassenden ideologischen Konstruktion kann im Test der Zeit nicht gegen die doppelte Herausforderung historischer Traditionen und individueller Wünsche bestehen.

Trotz dieser Widersprüche ist der sowjetische Etatismus jedoch nicht unter der Wucht sozialer Bewegungen zusammengebrochen, die aus diesen Widersprüchen entstanden wären. Ein wichtiger Beitrag des sowjetischen Experiments zu einer allgemeinen Theorie des sozialen Wandels besteht darin, dass soziale Systeme unter bestimmten Bedingungen als Folge selbstgestellter Fallen verschwinden können, ohne dass sie ernstlich durch bewusst mobilisierte soziale Akteure beschädigt worden wären. Solche Bedingungen scheinen das historische Werk des Staates bei der Zerstörung der Grundlagen der Zivilgesellschaft zu sein. Das bedeutet nicht, das Mosaik der Gesellschaften, das die Sowjetunion ausmachte, sei nicht zum politischen Aufstand, zur sozialen Revolte oder sogar zu revolutionärer Mobilisierung in der Lage gewesen. Die nationalistischen Mobilisierungen in den baltischen Republiken oder die demokratischen Massendemonstrationen des Frühjahrs 1991 in Moskau und Leningrad zeigten ja gerade die Existenz eines aktiven, politisch bewussten Segments der städtischen Bevölkerung, das einen Anlauf nahm, um den sowjetischen Staat zu überwinden. Es gab jedoch nicht nur kaum politische Organisation, sondern wichtiger noch, es gab keine konsistente, positive soziale Bewegung, die alternative Sichtweisen über Politik und Gesellschaft vorgebracht hätte. In ihren besten Ausdrucksformen war die russische demokratische Bewegung gegen Ende der Sowjetunion eine Bewegung für Redefreiheit, die hauptsächlich durch die Wiedergewinnung der Fähigkeit der Gesellschaft charakterisiert war, sich zu erklären und die Dinge auszusprechen. In den Ausprägungen ihrer Hauptströmung war die russische demokratische Bewegung eine kollektive Leugnung der Erfahrung, die die Gesellschaft durchlebt hatte, und neben der wirren Rekonstruktion einer historischen nationalen Identität traten keine weiteren Werte hervor. Als sich der offenkundige Feind – der Sowjetkommunismus – auflöste, als die materiellen Schwierigkeiten des Übergangs zur Erosion des Alltagslebens führten und als die graue Wirklichkeit der mageren Erbschaft, die sie in sieben Jahrzehnten alltäglichen Kampfes erworben hatten, sich in den Köpfen der Ex-Sowjetmenschen deutlich abzeichnete, verbreitete das Fehlen eines kollektiven Projektes, das über die Tatsache hinausging, „ex" zu sein, politische Verwirrung, nährte wilden Wettbewerb und rief in der gesamten Gesellschaft eine Jagd nach dem individuellen Überleben hervor.

Die Konsequenzen einer großen Veränderung, die aus der Auflösung eines Systems und nicht aus der Konstruktion eines alternativen Projektes resultiert, sind in der schmerzlichen Erbschaft zu spüren, die der sowjetische Etatismus und die Fehlleistungen der *perestrojka*-Politik Russland und den Ex-Sowjetgesellschaften hinterlassen haben. Die Wirtschaft ist zum unerträglichen Schmerz der Menschen durch die Spekulationsmanöver zugunsten der *nomenklatura* zerstört; durch die unverantwortlichen Ratschläge über abstrakte, auf den freien Markt fixierte Strategien durch den Internationalen Währungsfonds, einige westliche Berater und politisch unerfahrene russische Ökonomen, die sich plötzlich auf hohen Kommandoposten wiederfanden; und durch die Lähmung des demokratischen Staates als Ergebnis der Hofquerelen zwischen politischen Fraktionen, die von persönlichem Ehrgeiz beherrscht sind. Die kriminelle Wirtschaft ist bis zu Ausmaßen herangewachsen, die in einem großen Industrieland zuvor unbekannt gewesen waren, hat Anschluss an die kriminelle Weltwirtschaft gefunden und ist heute ein grundlegender Faktor, mit dem sowohl in Russland wie auf der internationalen Bühne zu rechnen ist. Die kurzsichtige Politik der Vereinigten Staaten, die in Wirklichkeit darauf abzielte, den Russischen Bären auf weltpolitischer Ebene endgültig zu erledigen, löste nationalistische Reaktionen aus, die drohten, den Rüstungswettlauf und die internationalen Spannungen neu zu beleben. Nationalistischer Druck in der Armee, politische Manöver in Jelzins Kreml und kriminelle Interessen in Machtpositionen führten zu dem katastrophalen Kriegsabenteuer in Tschetschenien. Die Demokraten an der Macht verloren die Orientierung zwischen ihrem neu erworbenen Glauben an die Macht des Marktes und ihren machiavellistischen Strategien, die auf die Hinterzimmer des Moskauer politischen Establishment zugeschnitten waren, aber wenig Kenntnis hatten von den Grundtatsachen der Lage einer traumatisierten Bevölkerung, die über das riesige Territorium eines zunehmend weniger zusammenhängenden Landes verteilt ist.

Die dauerhafteste Hinterlassenschaft des sowjetischen Etatismus wird die Zerstörung der Zivilgesellschaft nach Jahrzehnten der systematischen Leugnung ihrer Existenz sein. Zurückgeworfen auf Netzwerke primärer Identität und individuellen Überlebens, werden die Menschen Russlands und der ex-sowjetischen Gesellschaften sich durch die Rekonstruktion ihrer kollektiven Identität lavieren müssen, inmitten einer Welt, in der die Ströme von Macht und Geld versuchen, die entstehenden wirtschaftlichen und gesellschaftlichen Institutionen zu zermahlen, bevor sie noch zustande gekommen sind, um sie in ihren globalen Netzwerken zu verschlucken. Nirgends ist der fortgesetzte Kampf zwischen globalen wirtschaftlichen Strömen und kultureller Identität wichtiger als in der Wüstenei, die der Zusammenbruch des sowjetischen Etatismus an der historischen Scheidelinie des Übergangs zur Informationsgesellschaft geschaffen hat.

2 Die Entstehung der Vierten Welt: Informationeller Kapitalismus, Armut und soziale Exklusion

Die Entstehung des Informationalismus an der Jahrtausendwende ist mit zunehmender Ungleichheit und sozialer Exklusion auf der ganzen Welt verflochten. In diesem Kapitel versuche ich, den Gründen und Ausformungen dieser Erscheinungen auf die Spur zu kommen und dabei ein paar Schnappschüsse von den neuen Gesichtern menschlichen Leidens zu präsentieren. Der Prozess der kapitalistischen Neustrukturierung mit seiner gehärteten Logik wirtschaftlicher Konkurrenzfähigkeit hat damit viel zu tun. Aber die neuen technologischen und organisatorischen Bedingungen des Informationszeitalters, wie sie in diesem Buch analysiert werden, geben dem alten Muster eine neue Wendung, nach dem die Profitmacherei Vorrang gegenüber der Seelenerforschung genießt.

Die Belege für die tatsächliche Not von Menschen auf der ganzen Welt sind jedoch widersprüchlich, und daraus ergibt sich eine ideologisch aufgeladene Debatte. Schließlich ist das letzte Viertel des 20. Jahrhunderts Zeuge geworden, wie -zig Millionen Chinesen, Koreaner, Inder, Malaysier, Thai, Indonesier, Chilenen, Brasilianer, Mexikaner, Argentinier und geringere Zahlen in anderen Ländern Zugang zu Entwicklung, Industrialisierung und Konsum bekamen – selbst wenn man die Schicksalsschläge berücksichtigt, die einige Millionen als Folge der Finanzkrise in Asien 1997-1998 und ihren Nachbeben in anderen Teilen der Welt erlitten haben. Die große Masse der Bevölkerung in Westeuropa erfreut sich noch immer des höchsten Lebensstandards auf der Welt und in der Weltgeschichte. Und in den Vereinigten Staaten haben die Reallöhne für männliche Arbeitskräfte zwar bis 1996 mit Ausnahme der obersten Gruppe von College-Absolventen über zwei Jahrzehnte lang stagniert oder sind zurückgegangen, aber die massenhafte Einbeziehung von Frauen in die bezahlte Arbeit hat zusammen mit der relativen Schließung der Lohnlücke zu den Männern insgesamt dazu geführt, dass ein annehmbarer Lebensstandard beibehalten werden konnte – unter der Bedingung ausreichender Stetigkeit, um den Haushalt mit zwei Einkommen aufrecht zu erhalten, und ferner der Bereitschaft, sich mit verlängerten Arbeitszeiten abzufinden. Gesundheits-, Bildungs- und Einkommensstatistiken auf der ganzen Welt zeigen gegenüber historischen Standards im Durchschnitt erhebliche Verbesserungen.[1] Für die Bevölkerung insgesamt haben während der letzten zehn Jahre tatsächlich nur die ehemalige Sowjetunion nach dem Zusammenbruch des Etatismus und das subsaharanische Afrika nach seiner Marginalisierung gegenüber dem Kapitalismus eine Verschlechterung der Lebensverhältnisse und in einigen Ländern auch eine Verschlechterung der Indikatoren für Lebenserwartung, Sterblichkeit und Geburtenraten erfahren (obwohl der größte Teil Lateinamerikas in den 1980er Jahren Rückschläge erlitten hat). Aber, wie Stephen Gould vor Jahren einen wunderbaren Aufsatz betitelte: „Der Mittelwert ist nicht die Botschaft".[2] Selbst wenn wir auf eine vollständige Auseinandersetzung über die Bedeutung der Lebensqualität einschließlich der Umweltfolgen der letzten Runde der Industrialisierung verzichten, vermittelt die offenbar doch gemischte Bilanz der Entwicklung beim Anbruch des Informationszeitalters ideologisch manipulierte Irritation bei Fehlen analytischer Klarheit.

Aus diesem Grund müssen wir bei der Beurteilung der sozialen Dynamik des Informationalismus zwischen verschiedenen Prozessen der sozialen Differenzierung unterscheiden: Einerseits beziehen sich *Ungleichheit, Polarisierung, Armut* und *Elend* durchweg auf den Bereich der Distributions- und Konsumtionsverhältnisse oder der differenziellen Aneignung von Reichtum, der durch kollektive Anstrengung geschaffen worden ist. Andererseits sind *Individualisierung der Arbeit, Überausbeutung von Arbeitskräften, soziale Exklusion* und *perverse Integration* charakteristisch für vier spezifische Prozesse, die sich auf die Produktionsverhältnisse auswirken.[3]

Ungleichheit bezieht sich auf die differenzielle Aneignung von Reichtum (Einkommen und Vermögen) durch unterschiedliche Individuen und gesellschaftliche Gruppen im Verhältnis zueinander. *Polarisierung* ist ein spezifischer Prozess der Ungleichheit, zu dem es kommt, wenn sowohl die Spitze wie auch das untere Ende der Einkommens- oder Reichtumsskala schneller zunehmen als die Mitte, wodurch die Mitte schrumpft und sich die sozialen Unterschiede zwischen den beiden extremen Bevölkerungssegmenten verschärfen. *Armut* ist eine institutionell definierte Norm, die ein Niveau der Ausstattung mit Ressourcen bezeichnet, unterhalb dessen es nicht möglich ist, den Lebensstandard zu erreichen, der in einer bestimmten Gesellschaft zu einer bestimmten Zeit als Minimalnorm angesehen wird (gewöhnlich ein Einkommensniveau bezogen auf eine bestimmte Anzahl von Haushaltsmitgliedern, das durch Regierungen oder autorisierte Institutionen festgelegt wird). *Elend*, ein Begriff den ich vorschlagen möchte, bezieht sich auf das, was in der Sozialstatistik als „extreme Armut" bezeichnet wird, also das unterste Niveau der Verteilung von Einkommen und Vermögen, oder was manche Experten als „Deprivation" bezeichnen, wodurch

1 UNDP (1996).

2 Gould (1985).

3 Rodgers u.a. (1995); Mingione (1996) setzen sich kenntnisreich und in komparativer Perspektive mit der Analyse von Armut und sozialer Exklusion auseinander.

ein breiteres Spektrum sozialer und wirtschaftlicher Benachteiligung berücksichtigt wird. In den Vereinigten Staaten werden diejenigen Haushalte als extrem arm bezeichnet, deren Einkommen unterhalb von 50% des Einkommensniveaus liegt, das die Armutsgrenze definiert. Es ist offenkundig, dass alle diese Definitionen – mit ihren gewaltigen Folgen bei der Kategorisierung von Bevölkerungsteilen und der Definition von Sozialpolitik und Ressourcenzuteilung – statistisch relativ und kulturell bestimmt und außerdem politisch manipuliert sind. Sie erlauben uns jedoch zumindest, exakt zu wissen, worüber wir sprechen, wenn wir die soziale Differenzierung im informationellen Kapitalismus beschreiben und analysieren.

Die zweite Gruppe von Prozessen und ihre Kategorisierung beziehen sich auf die Analyse der Produktionsverhältnisse. So beziehen sich Beobachter, die sich gegen „prekäre" Arbeitsverhältnisse wenden, gewöhnlich auf die Individualisierung der Arbeit und auf die dadurch bewirkte Instabilität der Beschäftigungsmuster. Oder anders bezeichnet der Diskurs über soziale Exklusion die zu beobachtende Tendenz, bestimmte Kategorien der Bevölkerung dauerhaft vom Arbeitsmarkt auszuschließen. Diese Prozesse haben grundlegende Auswirkungen für Ungleichheit, Polarisierung, Armut und Elend. Aber die beiden Ebenen müssen analytisch und empirisch auseinandergehalten werden, um ihre kausalen Beziehungen feststellen zu können und so den Weg für ein Verständnis der Dynamik der sozialen Differenzierung, Ausbeutung und Ausschließung in der Netzwerkgesellschaft zu ebnen.

Unter *Individualisierung der Arbeit* verstehe ich den Prozess, durch den der Arbeitsbeitrag zur Produktion spezifisch für jede individuelle Arbeitskraft und für jeden einzelnen ihrer Beiträge bestimmt wird, entweder in der Form der Selbstständigkeit oder als individuell eingegangenes, weitgehend unreguliertes Lohnarbeitsverhältnis. Ich habe die Ausbreitung dieser Form des Arbeitsarrangements empirisch in Band I, Kapitel 4 dargestellt. Ich erinnere hier einfach zusätzlich daran, dass die Individualisierung der Arbeit die bei weitem überwiegende Praxis in der städtischen informellen Wirtschaft ist, die in den meisten Entwicklungsländern und auch auf bestimmten Arbeitsmärkten der fortgeschrittenen Volkswirtschaften zur vorherrschenden Form der Beschäftigung geworden ist.[4]

Ich benutze den Terminus *Über-Ausbeutung*[5], um Arbeitsarrangements zu bezeichnen, die es dem Kapital erlauben, Bezahlung bzw. Ressourcenallokation

4 Portes u.a. (1989).

5 Ich benutze die Bezeichnung „Über-Ausbeutung", um sie vom Begriff der Ausbeutung in der Marxschen Tradition zu unterscheiden, der nach strikter marxistischer Ökonomie auf jegliche Lohnarbeit anwendbar wäre. Weil diese Kategorisierung bedeuten würde, die Arbeitswerttheorie zu akzeptieren, was eine Frage des Glaubens und nicht der Forschung ist, ziehe ich es vor, die ganze Debatte zu umgehen. Zugleich vermeide ich aber weitere Verwirrung, die eintreten könnte, wenn ich von „Ausbeutung" spräche, wie ich es im Hinblick auf Fälle systematischer Diskriminierung wie die, auf die ich mich in meiner Kategorisierung beziehe, eigentlich gern täte.

systematisch zurückzuhalten oder bestimmten Typen von Arbeitskräften härtere Arbeitsbedingungen aufzuzwingen, die unterhalb der Norm oder Regelung auf einem bestimmten Arbeitsmarkt zu einer bestimmten Zeit und an einem bestimmten Ort liegen. Dabei geht es um Diskriminierung von Immigranten, Minderheiten, Frauen, jungen Leuten, Kindern und andere Kategorien diskriminierter Arbeitskräfte, die durch Regulationsbehörden toleriert oder sanktioniert werden. In diesem Zusammenhang ist ein besonders bedeutsamer Trend das Wiederaufleben der Kinderarbeit auf der ganzen Welt, unter Bedingungen extremer Ausbeutung, Hilflosigkeit und Missbrauch. Dadurch wird das historische Muster des sozialen Schutzes für Kinder umgekehrt, das im späten Industriekapitalismus und auch im industriellen Etatismus und in traditionellen Agrargesellschaften bestanden hat.[6]

Soziale Exklusion ist ein Begriff, der von den sozialpolitischen Denkfabriken der Europäischen Kommission vorgeschlagen wurde und vom Internationalen Arbeitsamt (ILO) der Vereinten Nationen übernommen worden ist.[7] Nach der Observatory on National Policies to Combat Social Exclusion der Europäischen Kommission bezieht sich dieser Begriff auf „die sozialen Anrechte der Bürgerinnen und Bürger ... auf einen gewissen minimalen Lebensstandard und auf Teilhabe an den wesentlichen gesellschaftlichen und beruflichen Chancen der Gesellschaft."[8] Ich will versuchen, präziser zu sein und definiere *soziale Exklusion als den Prozess, durch den bestimmten Individuen und Gruppen systematisch der Zugang zu Positionen verstellt wird, die sie zu einem autonomen Auskommen innerhalb der gesellschaftlichen Standards befähigen würden, die in einem bestimmten Kontext durch Institutionen und Werte abgesteckt werden.*[9] Unter normalen Bedingungen ist im informationellen Kapitalismus *eine solche Position gewöhnlich mit der Möglichkeit des Zugangs zu relativ regelmäßiger, bezahlter Arbeit für mindestens ein Mitglied eines stabilen Haushaltes verbunden.* Soziale Exklusion ist dann der Prozess, der die Person als Arbeitskraft im Kontext des Kapitalismus entrechtet. In Ländern mit einem gut entwickelten Wohlfahrtsstaat kann soziale Inklusion auch großzügige Ausgleichszahlungen im Fall von Langzeitarbeitslosigkeit oder Arbeitsunfähigkeit bedeuten, obwohl dies immer mehr zur Ausnahme wird. Ich würde unter die sozial Ausgeschlossenen die Masse der Menschen

---

6 ILO (1996).

7 Rodgers u.a. (1995).

8 Room (1992: 14).

9 Unter „Autonomie" verstehe ich in diesem Zusammenhang die durchschnittliche Bandbreite von individueller Autonomie und sozialer Heteronomie, wie sie von der Gesellschaft konstruiert wird. Es ist klar, dass ein Arbeiter oder ein Selbständiger nicht autonom gegenüber dem Arbeitgeber oder dem Kundennetzwerk ist. Ich verweise auf die sozialen Verhältnisse, die die gesellschaftliche Norm repräsentieren, und die im Gegensatz zu der Unfähigkeit von Menschen stehen, ihr eigenes Leben selbst unter den Einschränkungen der Sozialstruktur zu organisieren, weil ihnen der Zugang zu den Ressourcen fehlt, die die Sozialstruktur als notwendig voraussetzt, um ihre begrenzte Autonomie zu schaffen. Diese Sicht der gesellschaftlich eingeschränkten Autonomie liegt der begrifflichen Fassung von Inklusion/Exklusion als differenzielle Ausdrucksform der sozialen Rechte der Menschen zugrunde.

zählen, die unter institutionell abstrafenden Bedingungen langfristig von Sozialhilfe leben, wie dies in den Vereinigten Staaten der Fall ist. Sicherlich gibt es im englischen Adel oder unter den Ölscheichs noch immer ein paar Individuen, die unabhängig und reich genug sind, dass es ihnen gleichgültig sein kann, wenn sie zur Nicht-Arbeit degradiert werden: Ich betrachte sie nicht als sozial ausgeschlossen.

Soziale Exklusion ist ein Prozess und kein Zustand. Daher verändern sich ihre Grenzen, und wer exkludiert und inkludiert ist, kann sich im Zeitverlauf ändern, je nach Ausbildung, demografischen Charakteristika, sozialen Vorurteilen, Wirtschaftspraktiken und öffentlicher Politik. Weiter ist das Fehlen regelmäßiger Arbeit als Einkommensquelle zwar letztlich der Schlüsselmechanismus, der zu sozialer Exklusion führt; aber wie und warum Einzelne und Gruppen in die strukturelle Schwierigkeit oder Unmöglichkeit geraten, für sich selbst zu sorgen, ist die Konsequenz aus einem breiten Spektrum von Wegen in die Not. Es kann sein, dass Krankheit in einer Gesellschaft zuschlägt, die für einen großen Teil ihrer Mitglieder ohne Absicherung von Gesundheitsrisiken ist (etwa die Vereinigten Staaten). Oder aber Drogenabhängigkeit und Alkoholismus zerstören die Menschlichkeit einer Person. Oder die Gefängniskultur und das Stigma, Ex-Sträfling zu sein, verschließen bei der Rückkehr in die Freiheit die Wege aus dem Verbrechen. Oder die Verletzungen durch eine Geisteskrankheit oder einen Nervenzusammenbruch stellen jemanden vor die Alternative psychiatrischer Unterdrückung oder unverantwortlicher De-Institutionalisierung, paralysieren die Seele und löschen den Willen aus. Oder es geht auf simplere Weise: Funktionaler Analphabetismus, illegaler Status, Unfähigkeit die Miete zu zahlen, was zur Obdachlosigkeit führt, oder einfach Pech mit dem Boss oder einem Polizisten lösen eine Kette von Ereignissen aus, die einen Menschen (und sehr oft die ganze Familie) in die Außenbereiche der Gesellschaft abdriften lässt, die von den Wracks gescheiterter menschlicher Existenzen bewohnt wird.

Weiter betrifft der Prozess der sozialen Exklusion in der Netzwerkgesellschaft sowohl Menschen als auch Territorien. Daher werden unter bestimmten Bedingungen ganze Länder, Regionen, Städte und Stadtviertel ausgeschlossen, und diese Exklusion betrifft den größten Teil oder die gesamte dort wohnende Bevölkerung. Wie ich anhand der Untersuchung der neuen Merkmale der innerstädtischen Ghettos amerikanischer Städte versuchen möchte zu zeigen, liegt hier ein Unterschied zum traditionellen Prozess der räumlichen Segregation. Nach der neuen, dominanten Logik des Raumes der Ströme (Bd. I, Kap. 6) werden Gebiete, die aus der Perspektive des informationellen Kapitalismus wertlos und für die etablierten Mächte nicht von großem politischem Interesse sind, von den Strömen von Reichtum und Information umgangen und letztlich der notwendigsten technologischen Infrastruktur beraubt, die es uns in der Welt von heute ermöglicht, zu kommunizieren, Neuerungen zu entwickeln, zu produzieren, zu konsumieren und selbst schlicht zu leben. Dieser Prozess führt zu einer extrem ungleichmäßigen Geografie sozialer und territorialer Exklusion und Inklusion, der große Segmente von Menschen hilflos macht, während er mittels der Informationstechnologie trans-territoriale Verbindungen zwischen was und wem auch immer schafft, was und wer im Rahmen der globalen Netzwerke, in denen Reichtum, Information und Macht akkumuliert werden, Wert bietet.

Der Prozess der sozialen Exklusion und die Unzulänglichkeit lindernder politischer Maßnahmen zur sozialen Integration führen auf einen vierten Schlüsselprozess, der einige spezifische Formen der Produktionsverhältnisse im informationellen Kapitalismus charakterisiert: Ich nenne ihn *perverse Integration*. Er bezieht sich auf den Arbeitsprozess in der kriminellen Ökonomie. Unter krimineller Ökonomie verstehe ich die einkommenschaffenden Aktivitäten, die in einem bestimmten institutionellen Zusammenhang normativ als Verbrechen bezeichnet und entsprechend verfolgt werden. In dieser Etikettierung liegt kein Werturteil – nicht, weil ich Drogenschmuggel etwa für entschuldbar hielte, sondern weil ich eine Anzahl institutionell respektierlicher Tätigkeiten, die gewaltigen Schaden für das Leben von Menschen mit sich bringen, für ebenso wenig entschuldbar halte. Was eine bestimmte Gesellschaft jedoch für kriminell hält, das ist kriminell, und es hat substanzielle Konsequenzen für alle, die sich mit solchen Aktivitäten befassen. Wie ich in Kapitel 3 zeige, ist für den informationellen Kapitalismus die Herausbildung einer globalen kriminellen Ökonomie und ihre zunehmende Verflechtung mit der formellen Ökonomie und den politischen Institutionen charakteristisch. Segmente der sozial exkludierten Bevölkerung bilden gemeinsam mit Individuen, die weit profitablere, wenn auch riskante Formen des Gelderwerbs wählen, eine immer stärker bevölkerte Unterwelt, die dabei ist, in den meisten Teilen unseres Planeten zu einem wesentlichen Merkmal der sozialen Dynamik zu werden.

Es bestehen systemische Beziehungen zwischen dem informationellen Kapitalismus, der kapitalistischen Neustrukturierung, den Tendenzen in den Produktionsverhältnissen und neuen Tendenzen in den Distributionsverhältnissen. Oder kurz gesagt, zwischen der Dynamik der Netzwerkgesellschaft, Ungleichheit und sozialer Exklusion. Ich will versuchen, ein paar Hypothesen zum Charakter und zur Form dieser Beziehungen zu formulieren. Anstatt aber eine formale theoretische Matrix vorzulegen, werde ich das Zusammenspiel zwischen diesen Prozessen und ihren gesellschaftlichen Ergebnissen betrachten. Dabei konzentriere ich mich auf drei empirische Gegenstandsbereiche, aus denen ich versuche, einige analytische Schlussfolgerungen zu destillieren. Ich beziehe mich auf den Prozess der sozialen Exklusion nahezu eines gesamten Kontinentes, des subsaharanischen Afrika, und des größten Teils seiner Bevölkerung von 500 Mio. Menschen. Ich werde von der Ausbreitung und Vertiefung städtischer Armut in dem Land berichten, das stolz auf die führende Volkswirtschaft und die am weitesten fortgeschrittene Technologie der Welt verweist, die Vereinigten Staaten. Und ich werde den Prozess der globalen Entwicklung und Unterentwicklung aus einer anderen Perspektive betrachten, der Perspektive der Kinder. Zuvor aber möchte ich kurz einen Überblick über die Lage der Welt im Hinblick auf Ungleichheit, Armut und soziale Exklusion geben.

Auf dem Weg zu einer polarisierten Welt? Ein allgemeiner Überblick

„Die Unterschiede in der Produktion pro Kopf zwischen verschiedenen Ländern sind vielleicht das wichtigste Kennzeichen der modernen Wirtschaftsgeschichte überhaupt. Das Verhältnis zwischen dem Pro-Kopf-Einkommen des reichsten gegenüber dem des ärmsten Landes hat [zwischen 1870 und 1989] um den Faktor 6 zugenommen, und die Standardabweichung des BIP pro Kopf ist um 60 bis 100% angestiegen“, schreibt Pritchett in der Zusammenfassung seiner ökonometrischen Studie für die Weltbank.[10] In einem großen Teil der Welt hat diese geografische Ungleichheit bei der Schaffung und Aneignung von Reichtum während der letzten beiden Jahrzehnte zugenommen, während der Unterschied zwischen den OECD-Ländern und dem Rest der Welt, der die überwältigende Mehrheit der Bevölkerung ausmacht, noch immer abgrundtief ist. Auf der Grundlage der von Maddison erarbeiteten historischen Wirtschaftsstatistik[11] habe ich zusammen mit Benner Tabelle 2.1 erarbeitet, deren Ergebnisse grafisch in Abbildung 2.1 dargestellt sind. Sie zeigen für die Zeit zwischen 1950, 1973 und 1992 für eine Gruppe ausgewählter Länder den Index der Entwicklung des BIP pro Kopf in der Rangfolge ihres relativen Indexwertes gegenüber den Vereinigten Staaten. Japan hat es während der letzten vier Jahrzehnte geschafft, nahezu gleichzuziehen, während Westeuropa seine relative Position verbessert hat, aber noch immer erheblich hinter den USA zurückliegt. In der Periode 1973-1992 ist die Stichprobe der lateinamerikanischen, afrikanischen und osteuropäischen Länder, die Maddison untersucht hat, noch weiter zurückgefallen. Dagegen haben die zehn asiatischen Länder, zu denen auch die Wirtschaftswunder Südkorea, China und Taiwan gehören, ihre relative Position zwar bedeutend verbessert, doch waren sie absolut gesehen 1992 noch immer ärmer als irgend eine andere Weltregion mit Ausnahme Afrikas: Sie standen insgesamt für nur 18% des weltweiten Reichtums, wobei dies allerdings weitgehend auf die große Bevölkerung Chinas zurückzuführen ist.

10 Pritchett (1995: 2-3).
11 Maddison (1995).

Tabelle 2.1 BIP pro Kopf in 55 Ländern

Land	BIP pro Kopf (in US$ von 1990)			Index des BIP pro Kopf (USA = 100)			Veränderung im Index des BIP pro Kopf (numerisch)		Veränderung im Index des BIP pro Kopf (%)	
	1950	1973	1992	1950	1973	1992	1950-73	1973-92	1950-73	1973-92
USA	9.573	16.607	21.558	100	100	100	0	0	0	0
Japan	1.873	11.017	19.425	20	66	90	47	24	239	36
16 westeuropäische Länder										
Belgien	5.346	11.905	17.165	56	72	80	16	8	28	11
Dänemark	6.683	13.416	18.293	70	81	85	11	4	16	5
Deutschland	4.281	13.152	19.351	45	79	90	34	11	77	13
Finnland	4.131	10.768	14.646	43	65	68	22	3	50	5
Frankreich	5.221	12.940	17.959	55	78	83	23	5	43	7
Griechenland	1.951	7.779	10.314	20	47	48	26	1	130	2
Irland	3.518	7.023	11.711	37	42	54	6	12	15	28
Italien	3.425	10.409	16.229	36	63	75	27	13	75	20
Niederlande	5.850	12.763	16.898	61	77	78	16	2	26	2
Norwegen	4.969	10.229	17.543	52	62	81	10	20	19	32
Österreich	3.731	11.308	17.160	39	68	80	29	12	75	17
Portugal	2.132	7.568	11.130	22	46	52	23	6	105	13
Schweden	6.738	13.494	16.927	70	81	79	11	-3	15	-3
Schweiz	8.939	17.953	21.036	93	108	98	15	-11	16	-10
Spanien	2.397	8.739	12.498	25	53	58	28	5	110	10
Vereinigtes Königreich	6.847	11.992	15.738	72	72	73	1	1	1	1
Durchschnitt	4.760	11.340	15.912	50	68	74	19	6	37	8
3 westliche Ableger										
Australien	7.218	12.485	16.237	75	75	75	0	0	0	0
Kanada	7.047	13.644	18.159	74	82	84	9	2	12	3
Neuseeland	8.495	12.575	13.947	89	76	65	-13	-11	-15	-15
Durchschnitt	7.587	12.901	16.114	79	78	75	-2	-3	-2	-4
7 osteuropäische Länder										
Bulgarien	1.651	5.284	4.054	17	32	19	15	-13	84	-41
Jugoslawien	1.546	4.237	3.887	16	26	18	9	-7	58	-29
Polen	2.447	5.334	4.726	26	32	22	7	-10	26	-32
Rumänien	1.182	3.477	2.565	12	21	12	9	-9	70	-43
Tschechoslowakei	3.501	7.036	6.845	37	42	32	6	-11	16	-25
Ungarn	2.480	5.596	5.638	26	34	26	8	-8	30	-22
UdSSR	2.834	6.058	4.671	30	36	22	7	-15	23	-41
Durchschnitt	2.234	5.289	4.627	23	32	21	9	-10	36	-33
7 lateinamerikanische Länder										
Argentinien	4.987	7.970	7.616	52	48	35	-4	-13	-8	- 26
Brasilien	1.673	3.913	4.637	17	24	22	6	-2	35	-9
Chile	3.827	5.028	7.238	40	30	34	-10	3	-24	11
Kolumbien	2.089	3.539	5.025	22	21	23	-1	2	-2	9
Mexiko	2.085	4.189	5.112	22	25	24	3	-2	16	-6
Peru	2.263	3.953	2.854	24	24	13	0	-11	1	-44
Venezuela	7.424	10.717	9.163	78	65	43	-13	-22	-17	-34
Durchschnitt	3.478	5.616	5.949	36	34	28	-3	-6	-7	-18

Land	BIP pro Kopf (in US$ von 1990)			Index des BIP pro Kopf (USA=100)			Veränderung im Index des BIP pro Kopf (numerisch)		Veränderung im Index des BIP pro Kopf (%)	
	1950	1973	1992	1950	1973	1992	1950-73	1973-92	1950-73	1973-92
10 asiatische Länder										
Bangladesch	551	478	720	6	3	3	-3	0	-50	16
Burma	393	589	748	4	4	3	-1	0	-14	-2
China	614	1.186	3.098	6	7	14	1	7	11	101
Indien	597	853	1.348	6	5	6	-1	1	-18	22
Indonesien	874	1.538	2.749	9	9	13	0	3	1	38
Pakistan	650	981	1.642	7	6	8	-1	2	-13	29
Philippinen	1.293	1.956	2.213	14	12	10	-2	-2	-13	-13
Südkorea	876	2.840	10.010	9	17	46	8	29	87	172
Taiwan	922	3.669	11.590	10	22	54	12	32	129	143
Thailand	848	1.750	4.694	9	11	22	2	11	19	107
Durchschnitt	762	1.584	3.881	8	10	18	2	8	20	89
10 afrikanische Länder										
Ägypten	517	947	1.927	5	6	9	0	3	6	57
Äthiopien	277	412	300	3	2	1	0	-1	-14	-44
Elfenbeinküste	859	1.727	1.134	9	10	5	1	-5	16	-49
Ghana	1.193	1.260	1.007	12	8	5	-5	-3	-39	-38
Kenya	609	947	1.055	6	6	5	-1	-1	-10	-14
Marokko	1.611	1.651	2.327	17	10	11	-7	1	-41	9
Nigeria	547	1.120	1.152	6	7	5	1	-1	18	-21
Südafrika	2.251	3.844	3.451	24	23	16	0	-7	-2	-31
Tanzania	427	655	601	4	4	3	-1	-1	-12	-29
Zaire[1]	636	757	353	7	5	2	-2	-3	-31	-64
Durchschnitt	893	1.332	1.331	9	8	6	-1	-2	-14	-23

1 seit 1997 Demokratische Republik Kongo (d.Ü.)

Quelle: Maddison (1995), berechnet nach Tab. 1-3

Wenn jedoch die Verteilung des Reichtums zwischen den Ländern auch weiterhin unterschiedlich bleibt, so haben sich doch insgesamt die Lebensverhältnisse der Weltbevölkerung gemessen am Human Development Index der Vereinten Nationen während der letzten drei Jahrzehnte stetig verbessert. Das ist in erster Linie auf bessere Bildungsmöglichkeiten und bessere Gesundheitsstandards zurückzuführen, was einen drastischen Anstieg der Lebenserwartung bedeutet, die in den Entwicklungsländern von 46 Jahren in den 1960er Jahren auf 62 Jahre 1993 und auf 64,4 Jahre 1997 angestiegen ist. Diese Veränderung betrifft in besonderem Maße Frauen.[12]

12 UNDP (1996: 18f).

Abbildung 2.1 Index für das BIP pro Kopf in 55 Ländern (USA = 100)

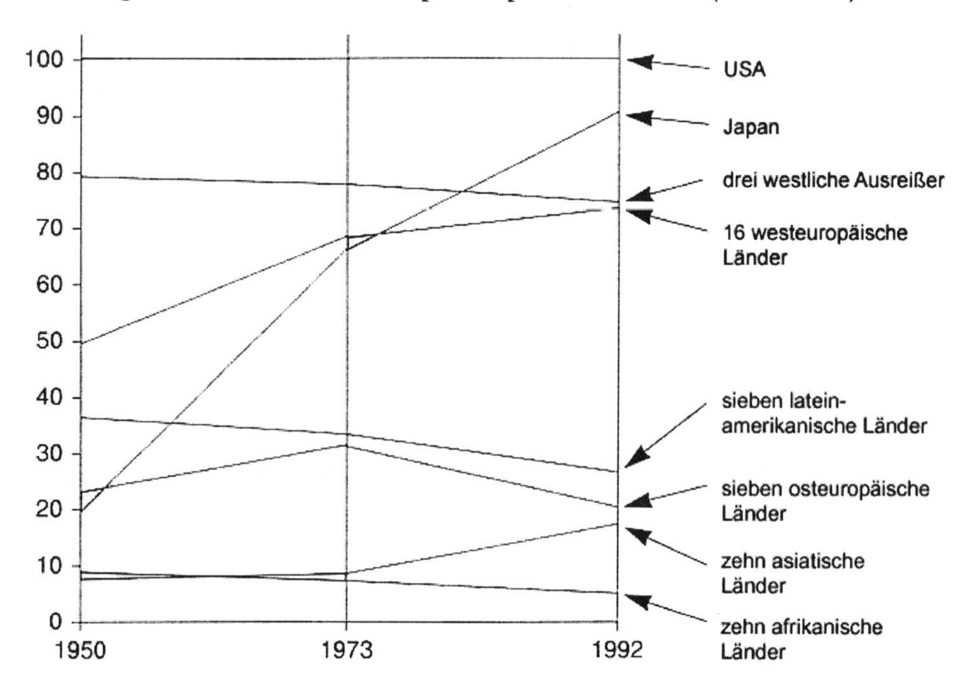

Quelle: erarbeitet nach Tab. 2.1

Die Entwicklung der Einkommensungleichheit zeigt ein anderes Profil, je nachdem, ob wir eine globale Perspektive einnehmen, oder ob wir diese Entwicklung in spezifischen Ländern vergleichend betrachten. Global ist es über die letzten drei Jahrzehnte hinweg bei der Verteilung des Reichtums zu zunehmender Ungleichheit und Polarisierung gekommen. Nach den Human Development Reports des UNDP stammten 1993 nur 5 Billionen US$ der 23 Billionen US$ des globalen BIP aus den Entwicklungsländern, obwohl sie 80% der Weltbevölkerung stellten. Der Anteil der ärmsten 20% der Weltbevölkerung am globalen Einkommen ist über die letzten 30 Jahre von 2,3% auf 1,4% zurückgegangen. Dagegen ist der Anteil der reichsten 20% von 70% auf 85% gestiegen. Das Verhältnis des Einkommens der reichsten 20% der Menschen auf der Welt gegenüber den ärmsten 20% ist gestiegen – von 30 : 1 1960 auf 74 : 1 1997. 1994 überstieg das Vermögen der 358 Dollar-Milliardäre auf der Welt das zusammengenommene Jahreseinkommen von Ländern mit 45% der Weltbevölkerung. Die Konzentration des Reichtums an der Spitze der Skala hat sich während der zweiten Hälfte der 1990er Jahre beschleunigt: Das Nettovermögen der 200 reichsten Personen der Welt stieg zwischen 1994 und 1998 von 440 Milliarden US$ auf über 1 Billion US$. So überstieg das Vermögen der drei reichsten Menschen auf der Welt das zusammengenommene BIP der 48 am wenigsten entwickelten Länder mit einer Bevölkerung von 600 Mio. Menschen.[13] Die Kluft zwischen dem Pro-Kopf-Einkommen in der industriellen Welt und der Entwicklungswelt hat sich von 5.700 US$ 1960 auf 15.000 US$ 1993 verdreifacht.[14] „Zwischen 1960 und 1991 ist das Einkommen aller mit Ausnahme des reichsten Quintils [der Weltbevölkerung] gefallen, so dass 1991 über 85% der Weltbevölkerung nur 15% des Welteinkommens erhielten – ein weiterer Beleg dafür, dass sich die Welt noch stärker polarisiert hat.“[15]

Andererseits gibt es erhebliche Unterschiede in der Entwicklung der *Ungleichheit innerhalb der Länder* in den einzelnen Weltregionen. Während der letzten beiden Jahrzehnte hat die Einkommensungleichheit in den USA,[16] im Vereinigten Königreich,[17] in Brasilien, Argentinien, Venezuela, Bolivien, Peru, Thailand und Russland[18] zugenommen; und in den 1980er Jahren auch in Japan,[19] Kanada, Schweden, Australien, Deutschland[20] und Mexiko,[21] um nur einige wichtige Beispiele zu nennen. Aber die Einkommensungleichheit hat in der Periode 1960-1990 in Indien, Malaysia, Hongkong, Singapur, Taiwan und Südkorea *abgenommen*.[22] Wenn wir ferner das Niveau der Einkommensungleichheit in großen Weltregionen für die 1990er und die 1970er Jahre mittels des Gini-Koeffizienten miteinander vergleichen, so lag es nach den von Deininger und Squire analysierten Daten in Osteuropa sehr viel höher, etwas höher in Lateinamerika und niedriger in allen anderen Regionen, soweit man für die Analyse ein hohes Aggregationsniveau wählt.[23] Der Gini-Koeffizient betrug für Lateinamerika während der gesamten 1990er Jahre 0,58, was das höchste Niveau der Ungleichheit unter den großen Weltregionen bedeutete.[24]

13 UNDP (1999: 37).
14 UNDP (1996: 2f).
15 UNDP (1996: 13).
16 Fischer u.a. (1996).
17 Townsend (1993).
18 UNDP (1996).
19 Bauern und Mason (1992).
20 Green u.a. (1992).
21 Skezely (1995).
22 UNDP (1996).
23 Deininger und Squire (1996: 584).
24 UNDP (1999: 39).

Tabelle 2.2 Veränderung der Einkommensungleichheit in OECD-Ländern nach 1979

Land	Jährliche Veränderung des Gini-Koeffizienten[1] Zeitraum	Relativ (%)	Absolut (Veränderung der Punktzahl)
Vereinigtes Königreich	1979-95	1,80	0,22
Schweden	1979-94	1,68	0,38
Dänemark	1981-90	1,20	-
Australien	1981-89	1,16	0,34
Niederlande	1979-94	1,07	0,25
Japan	1979-93	0,84	0,25
Vereinigte Staaten	1979-95	0,79	0,35
Deutschland[2]	1979-95	0,50	0,13
Frankreich	1979-89	0,40	0,12
Norwegen	1979-92	0,22	0,05
Kanada	1979-95	-0,02	0,00
Finnland	1979-94	-0,10	-0,02
Italien	1980-91	-0,64	-0,58

1 Als relative Veränderung des Gini-Koeffizienten, wobei Zunahme größere Ungleichheit bedeutet
2 Westdeutschland

Quelle: Gottschalk und Smeeding (1997), bearbeitet von Michael u.a. (1999: 374)

Tabelle 2.2 zeigt jedoch, dass es zwar einen gewissen Variationsspielraum bei den Trends in den verschiedenen Ländern gibt, dass die vorherrschende Tendenz für die meisten OECD-Länder zwischen Ende der 1970er und Mitte der 1990er Jahre gemessen in der jährlichen Veränderung des Gini-Koeffizienten aber in die Richtung zunehmender Ungleichheit weist. Das Vereinigte Königreich ist das Land, in dem die Ungleichheit am schnellsten angestiegen ist. Besonders auffällig ist aber, dass die anderen beiden Länder mit schnell zunehmender Ungleichheit Schweden und Dänemark sind, die bis vor kurzem egalitäre Gesellschaften waren. Wir können zu dieser Kategorie schnell zunehmender Ungleichheit in Gesellschaften mit niedrigem Ungleichheitsniveau noch Japan hinzunehmen. Dann legt diese Beobachtung die Hypothese nahe, dass es in der Netzwerkgesellschaft eine strukturelle Tendenz zum Anstieg der Ungleichheit gibt. Doch ist andererseits Finnland, eine sehr weit fortgeschrittene Netzwerkgesellschaft, dem Trend seiner skandinavischen Nachbarn nicht gefolgt, und Italien hat die Ungleichheit deutlich reduziert. Würden spanische und portugiesische Daten in der Tabelle mit berücksichtigt, so würden sie ein Bild stabiler, gemäßigter Ungleichheit zeigen. Die Übergangswirtschaften in Osteuropa und der GUS erlebten während der 1990er Jahre die schnellste Zunahme an Ungleichheit, die es je gegeben hat. Ende des 20. Jahrhunderts betrug das Einkommen der reicheren 20% in Russland elfmal soviel wie das der ärmeren 20%.[25]

25 UNDP (1996: 36).

Wenn die Entwicklung der Ungleichheit innerhalb der Länder auch unterschiedlich verläuft, so scheint doch die Zunahme der Armut und vor allem der extremen Armut ein globales Phänomen zu sein – freilich mit einigen wichtigen Ausnahmen, vor allem China. So übersetzt sich die Beschleunigung der ungleichmäßigen Entwicklung und die simultan vor sich gehende Inklusion und Exklusion von Menschen in den Wachstumsprozess, die ich als Merkmal des informationellen Kapitalismus betrachte, in Polarisierung und Ausweitung des Elends auf immer mehr Menschen. So stellt das UNDP fest:

> Seit 1980 ist es in etwa 15 Ländern zu einer dramatischen Steigerung des Wirtschaftswachstums gekommen, was für viele ihrer 1,5 Mrd. Menschen, also für über ein Viertel der Weltbevölkerung, schnelle Einkommenszuwächse brachte. Über einen Großteil dieser Periode hinweg waren aber 100 Länder von wirtschaftlichem Niedergang oder Stagnation betroffen, was zu Einkommensverlusten für 1,6 Mrd. Menschen geführt hat, gleichfalls über ein Viertel der Weltbevölkerung. In 70 dieser Länder liegen die Durchschnittseinkommen unter dem Niveau von 1980 – und in 43 Ländern unter dem von 1970. [Ferner] ist das globale BIP 1970-1985 um 40% gestiegen, jedoch die Zahl der Armen ist um 17% angewachsen. Während 1965-1980 das Pro-Kopf-Einkommen von 200 Mio. Menschen gesunken ist, waren davon 1980-1993 eine Milliarde Menschen betroffen.[26]

Wenn man die extreme Armutsgrenze mit einem Konsum im Gegenwert von 1 US$ pro Tag definiert, lebten Mitte der 1990er Jahre 1,3 Mrd. Menschen in Elend, was 33% der Bevölkerung der Entwicklungswelt entsprach. Von diesen Armen lebten 550 Mio. in Südasien, 215 Mio. im subsaharanischen Afrika und 150 Mio. in Lateinamerika.[27] Ebenfalls unter Zugrundelegung der Armutsgrenze von 1 US$ pro Tag schätzte die ILO, dass der Prozentsatz der Bevölkerung unterhalb dieser Linie im subsaharanischen Afrika von 53,5% 1985 auf 54,4% 1990 angestiegen ist; in Lateinamerika von 23% auf 27,8%; und dass er in Südasien von 61,1% auf 59% zurückgegangen ist, sowie in Ost/Südostasien (ohne China) von 15,7% auf 14,7%. Nach dem UNDP stieg zwischen 1987 und 1993 die Zahl der Menschen mit Einkommen unter 1 US$ pro Tag um 100 Mio. auf 1,3 Mrd. Wenn wir das Einkommensniveau von weniger als 2 US$ berücksichtigen, kommt eine weitere Milliarde Menschen hinzu. Demnach lebte an der Jahrtausendwende über ein Drittel der Menschheit auf Subsistenzniveau oder darunter. Neben der Einkommensarmut sind andere Dimensionen der Armut noch erschreckender: Mitte der 1990er Jahre gab es etwa 840 Mio. Analphabeten, über 1,2 Mrd. hatten keinen Zugang zu sauberem Wasser, 800 Mio. keinen Zugang zu medizinischer Versorgung und über 800 Mio. litten Hunger. Nahezu ein Drittel der Menschen in den am wenigsten entwickelten Ländern (*least developed countries*) – vor allem im subsaharanischen Afrika – hatten eine Lebenserwartung von weniger als 40 Jahren. Frauen und Kinder leiden unter der Armut am meisten: 160 Mio. Kinder unter fünf Jahren sind fehl- oder mangelernährt, und die Müttersterblichkeit betrug ungefähr 500 Frauen auf 100.000 Lebendge-

26 UNDP (1996: 1f).
27 UNDP (1996: 27).

burten.[28] Die Armut konzentrierte sich in erster Linie auf die ländlichen Gebiete: 1990 betrug der Anteil der Armen an der Landbevölkerung in Brasilien 66%, in Peru 72%, in Mexiko 43%, in Indien 49% und auf den Philippinen 54%.[29] Für Russland und die GUS-Länder rechnete ein Weltbank-Bericht im April 1999 mit 147 Mio. Menschen unter der Armutsgrenze von 4 US$ pro Tag. Die entsprechende Zahl hatte 1989 14 Mio. betragen.

Andererseits haben einige Länder, und besonders China und Chile, ihr Armutsniveau während der 1990er Jahre erheblich reduziert. In China war dies auf das hohe Wirtschaftswachstum zusammen mit der Land-Stadt-Migration zurückzuführen. Im Fall Chiles war es das Ergebnis bewusster politischer Strategien der ersten demokratischen chilenischen Regierung, nachdem Pinochets „Wirtschaftswunder" etwa 43% der chilenischen Bevölkerung unter die Armutsgrenze gedrückt hatte.[30] Demnach ist unbeschadet struktureller Trends Armut auch eine Funktion staatlicher Politik. Das Problem besteht darin, dass die meisten Regierungen während der 1980er und 1990er Jahre der technisch-ökonomischen Neustrukturierung den Vorrang gegenüber der Sozialpolitik gegeben haben. Deshalb ist die Armut während der 1980er und Anfang der 1990er Jahre auch in den am stärksten entwickelten Ländern angestiegen. Die Zahl der Familien unterhalb der Armutsgrenze hat im Vereinigten Königreich um 60% und in den Niederlanden um 40% zugenommen. Insgesamt lebten Mitte der 1990er Jahre in den industrialisierten Ländern 100 Mio. Menschen unterhalb des Armutsniveaus, und davon waren fünf Millionen obdachlos.[31]

Zur strukturellen Dauerhaftigkeit der Armut in allen Regionen der Welt kommt noch die plötzliche Verursachung von Armut durch Wirtschaftskrisen hinzu, die mit den Schwankungen der globalen Finanzmärkte in Verbindung stehen. So stieß die Asienkrise 1997-1998 in Indonesien zusätzlich 40 Mio. Menschen in die Armut und brachte in Korea 5,5 sowie in Thailand 6,7 Mio. unter die Armutsgrenze. Es ist zwar möglich, dass sich die Märkte und der Export relativ schnell erholen, und das ist nach etwa zwei Jahren in den meisten der von der Krise von 1997-1998 betroffenen Volkswirtschaften auch der Fall; doch sind Beschäftigung, Einkommen und Sozialleistungen für eine weit längere Periode betroffen. Eine Analyse von mehr als 300 Wirtschaftskrisen in mehr als 80 Ländern seit 1973 hat gezeigt, dass die Produktion nach durchschnittlich etwa einem Jahr das Niveau vor der Krise wieder erreicht hatte. Aber der Reallohnzuwachs brauchte etwa vier Jahre, um sich zu erholen und die Beschäftigungszunahme fünf Jahre. Die Einkommensverteilung verschlechterte sich durchschnittlich für drei Jahre und verbesserte sich bis zum fünften Jahr auf

28 ILO (1995: Tab. 13).
29 ILO (1994).
30 UNDP – Chile (1998).
31 UNDP (1997: 24; 1999: 37).

den Stand vor der Krise.[32] Und diese Zahlen sind davon abhängig, dass es während dieser Zeit von drei bis fünf Jahren nicht zu einer weiteren Krise kommt.

Demnach ist insgesamt der Aufstieg des informationellen Kapitalismus tatsächlich durch simultane wirtschaftliche Entwicklung und Unterentwicklung gekennzeichnet, durch soziale Inklusion und Exklusion, und dieser Prozess kommt im Großen und Ganzen in komparativen Statistiken zum Ausdruck. Es gibt die Polarisierung der Verteilung von Reichtum auf globaler Ebene, die unterschiedliche Entwicklung der Einkommensungleichheit innerhalb einzelner Länder, wenn auch mit einem vorherrschenden Trend zur Steigerung der Ungleichheit, und die erhebliche Zunahme von Armut und Elend auf der Welt insgesamt und in den meisten – aber nicht in allen – Ländern, in den entwickelten wie in den sich entwickelnden. Die Muster der sozialen Exklusion und die Faktoren, die sie erklären, erfordern jedoch eine qualitative Analyse der Prozesse, durch die sie hervorgerufen werden.

Die Ent-Menschlichung Afrikas[33]

Die Entstehung des informationellen/globalen Kapitalismus während des letzten Viertels des 20. Jahrhunderts ist mit dem Kollaps der Volkswirtschaften Afrikas zusammengefallen, mit der Desintegration vieler seiner Staaten und dem Zusammenbruch der meisten seiner Gesellschaften. Infolgedessen sind an dieser Jahrtausendwende Hungersnöte, Epidemien, Gewalt, Bürgerkriege, Massaker, ein Massen-Exodus sowie soziales und politisches Chaos herausragende Merkmale des Landes, das einst der Nährboden für die Geburt von Lucy gewesen ist, vielleicht die gemeinsame Großmutter der Menschheit. Ich behaupte, dass diesem Zusammentreffen eine strukturelle, gesellschaftliche Kausalität zugrunde liegt. Und ich werde auf den folgenden Seiten versuchen, das komplexe Zusammenspiel zwischen Wirtschaft, Technologie, Gesellschaft und Politik

32 UNDP (1999: 40).

33 Die folgende Analyse bezieht sich ausschließlich auf das subsaharanische Afrika mit Ausnahme von Südafrika und Botswana, weil dies Sonderfälle sind. Im gesamten Kapitel bezeichne ich mit Afrika diese sozioökonomische Einheit, wie sie durch die internationalen Institutionen definiert ist, aber abzüglich Botswana und Südafrika. Südafrika behandle ich am Schluss dieses Abschnittes, wenn ich seine mögliche Rolle bei der Gesamtentwicklung der Region analysiere. Ich spare Botswana aus, weil es stark auf die Förderung und den Export von Diamanten spezialisiert ist (nach Russland der weltweit zweitgrößte Exporteur) und auch wegen seiner engen Verflechtung mit der Wirtschaft Südafrikas, die einen Vergleich mit den Verhältnissen in der übrigen Region entwertet. Ich möchte aber darauf hinweisen, dass Botswana nach einem Wirtschaftswachstum von durchschnittlich erstaunlichen real 13% des BIP pro Jahr seit der Unabhängigkeit 1966 in den 1990er Jahren auch ernsten Problemen der Arbeitslosigkeit und Armut gegenüberstand. Interessierte Leserinnen und Leser sollten Hope (1996) zu Rate ziehen.

aufzuzeigen, das zu dem Prozess geführt hat, der den Menschen Afrikas ihre Menschlichkeit verweigert, aber auch uns allen in unserem inneren Ich.

Marginalisierung und selektive Integration des subsaharanischen Afrika in die informationelle-globale Wirtschaft

Das subsaharanische Afrika hat während der letzten beiden Jahrzehnte des 20. Jahrhunderts, als in einem Großteil der Welt eine dynamische, globale Ökonomie geschaffen wurde, einen erheblichen Niedergang seiner relativen Stellung bei Handel, Investitionen, Produktion und Konsumtion gegenüber allen anderen Teilen der Welt erlebt, und sein BIP pro Kopf ist während der Periode von 1980-1995 gesunken (Tab. 2.3). Anfang der 1990er Jahre betrug der Exporterlös seiner 45 Länder mit etwa 500 Mio. Menschen zusammengenommen gerade 36 US$ Mrd. zu laufenden Preisen, ein Abfall gegenüber den 50 Mrd. US$ von 1980. Diese Zahl beträgt weniger als die Hälfte des Exportes von Hongkong in derselben Zeit. In historischer Perspektive stiegen die Exporte Afrikas von 1870 bis 1970 während seiner Einbeziehung in die kapitalistische Wirtschaft unter kolonialer Herrschaft rapide an, und ihr Anteil am Export der Entwicklungsländer nahm zu. 1950 erbrachte Afrika über 3% der Weltexporte; 1990 etwa 1,1%.[34] 1980 gingen 3,1% der weltweiten Exporte nach Afrika; 1995 nur 1,5%. Die weltweiten Importe aus Afrika sanken von 3,7% 1980 auf 1,4% 1995.[35]

Tabelle 2.3 BIP pro Kopf von Volkswirtschaften in Entwicklungsländern, 1980-1996

	jährl. Wachstumsraten des BIP pro Kopf (%)				BIP pro Kopf (US$ von 1988)			
	1981-90	1991-95	1995[a]	1996[b]	1980	1990	1995[a]	1996[b]
Entwicklungsländer	1,0	2,9	3,3	4,0	770	858	988	1.028
Lateinamerika	-0,9	0,8	-0,9	0,75	2.148	2.008	2.092	2.106
Afrika	-0,9	-1,3	0,0	1,5	721	700	657	667
Westasien	-5,3	-0,6	0,4	0,25	5.736	3.424	3.328	3.335
Südost-Asien	3,9	4,0	5,0	6,0	460	674	817	865
China	7,5	10,2	9,1	8,0	202	411	664	716
Am wenigsten entwickelte Länder (LLDC)	-0,5	-0,9	0,4	1,75	261	249	238	243

a vorläufige Schätzung
b Vorausschätzung
Quelle: UN/DESIPA

Ferner blieben die afrikanischen Exporte auf Rohstoffe beschränkt (92% aller Exporte) und vor allem auf landwirtschaftliche Exportgüter (etwa 76% der Ex-

34 Svedberg (1993).
35 UN (1996: 318f).

porterlöse 1989-1990). Es besteht auch eine zunehmende Konzentration dieser landwirtschaftlichen Exporte auf wenige Anbauprodukte wie Kaffee und Kakao, die 1989-1990 40% der Exporterlöse erbrachten. Der Anteil von Fertigwaren am Gesamtexport fiel von 7,8% 1965 auf 5,9% 1985, während er in Westasien von 3% auf 8,2%, in Süd/Südostasien von 28,3% auf 58,5% und in Lateinamerika von 5,2% auf 18,6% gestiegen ist.[36] Weil die Rohstoffpreise seit Mitte der 1970er Jahre unter Druck geraten sind, macht die Verschlechterung der Austauschrelationen für Afrika ein Wachstum auf der Grundlage der Außenorientierung seiner Volkswirtschaften schwierig. Vielmehr hat nach Simon u.a. die von IWF und Weltbank angeregte Anpassungspolitik zur Verbesserung der Exportleistung in Wirklichkeit die Abhängigkeit von Primärgütern wie Baumwolle und Kupfer erhöht und so die Anstrengungen mancher Länder unterminiert, ihre Volkswirtschaften zu diversifizieren, um sie für den langfristigen Verfall der Rohstoffpreise gegenüber den Gütern und Dienstleistungen mit höherem Mehrwert weniger anfällig zu machen.[37] Insgesamt haben sich die Austauschverhältnisse für die meisten afrikanischen Länder zwischen 1985 und 1994 erheblich verschlechtert (s. Tab. 2.4-2.7).

Tabelle 2.4 Wert der Exporte aus der Welt, aus weniger entwickelten Ländern (LDC) und dem subsaharanischen Afrika, 1950-1990

Region	1950	1960	1970	1980	1990
			Mrd. US$ (laufende Preise)		
Welt	60,7	129,1	315,1	2.002,0	3.415,3
LDC	18,9	28,3	57,9	573,3	738,0
SSA	2,0	3,8	8,0	49,4	36,8
			Anteil der LDC (%)		
Welt-Export	31,1	21,9	18,4	28,6	21,6
			Anteil von SSA (%)		
Welt-Export	3,3	2,9	2,5	2,5	1,1
Export der LDC	10,6	13,4	13,8	8,6	5,0

LDC: weniger entwickelte Länder; SSA: subsaharanisches Afrika

Quelle: UNCTAD 1979, 1989 und 1991, Tab. 1.1, bearb. von Simon u.a. (1995)

36 Riddell (1993: 222f).
37 Simon u.a. (1995).

Tabelle 2.5 Exportstruktur (Prozentanteile), 1990

Region	Brennstoffe, Mineralien und Metalle	andere Primärgüter	Maschinen und Transportausrüstungen	andere Industrieprodukte	Textil und Bekleidung
Subsaharanisches Afrika	63	29	1	7	1
Ostasien und Pazifik	13	18	22	47	19
Südasien	6	24	5	65	33
Europa	9	16	27	47	16
Naher Osten und Nordafrika	75	12	1	15	4
Lateinamerika und Karibik	38	29	11	21	3
Länder mit niedrigem und mittlerem Einkommen	31	20	15	35	12
Länder mit niedrigem Einkommen	27	20	9	45	21

Die Prozentzahlen beziehen sich auf den Export der jeweiligen Region; die Daten sind nach dem Umfang der Handelsströme gewichtet; das gesamte SSA fiel in die Kategorie der Länder mit niedrigem Einkommen, außer: (a) unteres mittleres Einkommen: Zimbabwe, Senegal, Elfenbeinküste, Kongo (Brazzaville), Botswana, Angola, Namibia; (b) oberes mittleres Einkommen: Südafrika, Gabun. Zu den Ländern mit niedrigem Einkommen gehören auch Indien und China.

Quelle: *World Bank* (1992) *World Development Report 1992*, bearb. von Simon u.a. (1995)

Tabelle 2.6 Prozentanteil des subsaharanischen Afrika am Weltexport in wichtigen Produktkategorien

Produktkategorie	Anteil der Produktkategorie am Welt-Export 1970	1988	Anteil des subsaharanischen Afrika am Weltexport 1970	1988	Anteil der Produktkategorie am Export von SSA 1970	1988
Rohöl (SITC 331)	5,3	6,0	6,5	6,9	14,0	34,5
Nicht-Ölprodukte (SITC 0-9 ohne 331)	94,7	94,0	2,2	0,8	86,0	65,5
Primärgüter[a] ohne Öl	25,9	16,3	7,0	3,7	73,8	50,4
Landwirtschaftliche Güter	7,0	2,8	6,3	3,6	12,3	8,2
Mineralien und Erze	7,5	3,8	9,7	4,2	30,0	14,6
18 IPC-Güter[b]	9,1	4,3	16,1	10,0	59,1	35,6

a Standard International Trade Classification (SITC) 0, 1, 2-(233, 244, 266, 267), 4, 68 und Position 522.56.

b Die Integrated Programme Commodities (IPC) der UNCTAD (von denen angenommen wird, sie seien für die Entwicklungsländer am wichtigsten): Bananen, Baumwolle und Baumwollgarn, Gummi, Hartfasern und ihre Produkte, Jute und Juteerzeugnisse, Kaffee, pflanzliche Öle und Ölsaaten, Rindfleisch, Tee, Tropenholz, Zucker, Bauxit, Eisenerz, Kupfer, Mangan, Phosphate und Zinn.

SSA: Subsaharanisches Afrika

Quellen: Entwickelt aus Daten von UNCTAD 1984, 1986, 1988 und 1989: versch. Tab.; UNCTAD 1980: Tab. 1.1 und 1.2; bearb. von Simon u.a. (1995)

Tabelle 2.7 Austauschverhältnisse (Terms of Trade) für ausgewählte afrikanische Länder, 1985-1994

Land	Austauschverhältnisse (1987 = 100) 1985	1994
Äthiopien	119	74
Burkina Faso	103	103
Burundi	133	52
Elfenbeinküste	109	81
Gambia	137	111
Kamerun	113	79
Kenya	124	80
Kongo (Brazzaville)	150	93
Madagaskar	124	82
Malawi	99	87
Moçambique	113	124
Mali	100	103
Niger	91	101
Nigeria	167	86
Rwanda	136	75
Senegal	107	107
Sierra Leone	109	89
Tanzania	126	83
Togo	139	90
Tschad	99	103
Uganda	149	58
Zimbabwe	100	84

Quelle: IBRD (1996), Tab. 3, S. 192

Andererseits waren die schwachen Binnenmärkte nicht in der Lage, die Industrialisierungsstrategie durch Importsubstitution abzustützen, noch nicht einmal die landwirtschaftliche Produktion für den Binnenmarkt. Zwischen 1965 und 1989 ist der Anteil des gesamten industriellen Mehrwerts am BIP nicht über 11% hinausgegangen, verglichen mit einem Anstieg von 20 auf 30% für die Entwicklungsländer insgesamt.[38] Die landwirtschaftliche Produktion ist der dreiprozentigen jährlichen Zuwachsrate der Bevölkerung hinterhergehinkt. So sind die Nahrungsmittelimporte seit Anfang der 1980er Jahre um 10% jährlich gewachsen.[39] Tabelle 2.8 zeigt, dass die Wirtschaft Afrikas in den Bereichen Landwirtschaft, Industrie und Dienstleistungen seit 1973 beständig langsamer gewachsen ist als die irgend einer anderen Weltregion. Besonders bemerkenswert ist der Kollaps der Industrie während der 1980er Jahre, nach einem kräftigen Wachstum in den 1960er und mäßigem Anstieg in den 1970er Jahren. Es scheint, als sei Afrikas Industrialisierung zu einem Zeitpunkt in die Krise geraten, als der größte Teil der Welt einschließlich anderer Entwicklungsländer durch technologische Erneuerung und exportorientierte Industrialisierung geprägt war.

38 Ridell (1993: 22f).
39 Simon u.a. (1995: 22).

Tabelle 2.8 Sektorale Wachstumsraten (durchschnittliche jährliche Veränderung des Mehrwertes), 1965-1989

Ländergruppe	Landwirtschaft 1965-73	Landwirtschaft 1973-80	Landwirtschaft 1980-89	Industrie 1965-73	Industrie 1973-80	Industrie 1980-89	Dienstleistungen 1965-73	Dienstleistungen 1973-80	Dienstleistungen 1980-89
Länder mit niedrigem Einkommen	2,9	1,8	4,3	10,7	7,0	8,7	6,3	5,3	6,1
Länder mit mittlerem Einkommen	3,2	3,0	*2,7*	8,0	4,0	*3,2*	7,6	6,3	*3,1*
Hoch verschuldete Länder mit mittlerem Einkommen	3,1	3,6	*2,7*	6,8	5,4	*1,0*	7,2	5,4	*1,7*
Subsaharanisches Afrika	2,2	-0,3	*1,8*	13,9	4,2	-0,2	4,1	3,1	*1,5*
Ostasien	3,2	2,5	5,3	12,7	9,2	10,3	10,5	7,3	*7,9*
Südasien	3,1	2,2	2,7	3,9	5,6	7,2	4,0	5,3	*6,1*
Lateinamerika und Karibik	3,0	3,7	*2,5*	6,8	5,1	*1,1*	7,3	5,4	*1,7*

Kursiv gesetzte Zahlen in den Spalten für 1980-1989 beziehen sich auf weniger als das gesamte Jahrzehnt

Quelle: World Bank (1990) *World Development Report 1990*, S. 162; bearb. von Simon u.a. (1995)

Unter diesen Bedingungen sind die meisten afrikanischen Volkswirtschaften für ihr Überleben in Abhängigkeit von internationaler Hilfe und Auslandsanleihen geraten. Hilfe, hauptsächlich von Regierungsseite, aber auch von humanitären Gebern ist zu einem wesentlichen Merkmal der politischen Ökonomie Afrikas geworden. 1990 erhielt Afrika 30% der Summe aller Hilfeleistungen auf der Welt. 1994 machte die internationale Hilfe in Afrika 12,4% des BIP aus, verglichen mit 1,1% für die Länder mit niedrigem und mittlerem Einkommen insgesamt.[40] In einigen Ländern macht sie sogar einen substanziellen Anteil des BIP aus, etwa 65,7% in Moçambique, 45,9% in Somalia.[41]

Während der 1980er Jahre gab es einen massiven Zustrom an Auslandsanleihen, um die afrikanischen Volkswirtschaften vor dem Zusammenbruch zu bewahren. Meist kamen sie von Regierungen und internationalen Institutionen oder wurden von ihnen garantiert. Auf diese Weise wurde Afrika zu der am stärksten verschuldeten Region der Welt. Die gesamte Außenschuld ist bezogen auf das BIP von 30,6% 1980 auf 78,7% 1994 gestiegen,[42] und bezogen auf den Wert des Exportes kletterte sie von 97% 1980 auf 324% 1990.[43]

Nun wird allgemein angenommen, dass ein solcher Schuldenberg nicht zurückgezahlt werden kann. Staatliche Kreditgeber und internationale Institutionen haben daher diese finanzielle Abhängigkeit dazu genutzt, den afrikanischen Ländern eine Anpassungspolitik aufzuzwingen und auf diese Art die politische Unterordnung der afrikanischen Staaten gegen teilweisen Schuldennachlass oder gegen Neuverhandlungen des Schuldendienstes eingetauscht. Ich werde auf die

40 IBRD (1996).
41 Simon u.a. (1995).
42 IBRD (1996).
43 Simon u.a. (1995: 25).

tatsächlichen Folgen dieser Anpassungspolitik im spezifischen Zusammenhang der politischen Ökonomie Afrikas zurückkommen.

Die Auslandsdirektinvestitionen laufen an Afrika zu einem Zeitpunkt vorbei, wo sie auf der ganzen Welt in erheblichem Maß zunehmen. Collier bemerkt, dass

> während die privaten Investitionen in Entwicklungsländern im Verlauf des letzten Jahrzehnts auf die enorme Summe von rund 200 Mrd. US$ pro Jahr angestiegen sind, ist der Anteil, der nach Afrika geht, auf eine vernachlässigenswerte Größe geschrumpft: Derzeit wird geschätzt, dass weniger als 1% dieses Stromes in das subsaharanische Afrika geht. Selbst dieses Niveau geht noch zurück: Der absolute Betrag war 1992 real geringer als der Zustrom 1985, auf dem Tiefpunkt der Wirtschaftskrise in einem großen Teil des Kontinents.[44]

Simon u.a. stellen ebenfalls fest, dass die Auslandsdirektinvestitionen (ADI) in Afrika während der 1980er und Anfang der 1990er Jahre absolut wie relativ ständig gesunken sind und 1992 lediglich ca. 6% der gesamten Auslandsdirektinvestitionen in den Entwicklungsländern ausmachten. Hatte Afrika 1970 4% der weltweiten Netto-ADI des Vereinigten Königreiches aufgenommen, so ist sein Anteil 1986 auf 0,5% zurückgegangen.[45]

Die Gründe für diese Marginalisierung Afrikas in der globalen Wirtschaft sind Gegenstand hitziger Debatten unter Experten ebenso wie in politischen Führungskreisen. Paul Collier hat gestützt auf seine Befragung von 150 führenden Geschäftsleuten in Ostafrika eine multikausale Interpretation vorgelegt.[46] Sie lässt sich in drei Hauptpunkten resümieren: unzuverlässige institutionelle Rahmenbedingungen; fehlende Infrastruktur für Produktion und Kommunikation und fehlendes Humankapital; fehlerhafte Wirtschaftspolitik, die Exporte und Investitionen bestraft, um lokale Geschäftsleute mit Verbindungen zur staatlichen Bürokratie zu begünstigen. Insgesamt sind Investitionen in Afrika ein äußerst riskantes Unternehmen und schrecken noch die wagemutigsten Kapitalisten ab. Die meisten afrikanischen Länder sind nicht in der Lage, in der neuen globalen Ökonomie zu konkurrieren und bieten kleine Binnenmärkte, die keine Grundlage für endogene Kapitalakkumulation darstellen.

Afrika ist jedoch nicht durchgängig an den Rand der globalen Netzwerke gedrängt. Wertvolle Rohstoffe wie Erdöl, Gold, Diamanten und Metalle werden weiterhin exportiert; dies bewirkt ein deutliches Wirtschaftswachstum in Botswana und sorgt in anderen Ländern wie in Nigeria für erhebliches Einkommen. Das Problem liegt in der Verwendung des Einkommens aus diesen Ressourcen und ebenso der Mittel, die die Regierungen als internationale Hilfe erhalten.[47] Die kleine, aber wohlhabende bürokratische Klasse weist in vielen Ländern ein

44 Collier (1995: 542).
45 Simon u.a. (1995: 28).
46 Collier (1995).
47 Yansane (1996).

hohes Niveau beim Konsum kostspieliger Importgüter, einschließlich westlicher Nahrungsmittel und internationaler Modeartikel auf.[48] Kapitalströme aus afrikanischen Ländern auf persönliche Konten und in profitträchtige internationale Investitionen auf der ganzen Welt, allein zum Nutzen weniger reicher Einzelpersonen, sind der Beleg für eine erhebliche private Kapitalakkumulation, die aber nicht wieder in dem Land reinvestiert wird, in dem dieser Reichtum geschaffen wurde.[49] Es gibt also eine selektive Integration kleiner Segmente von afrikanischem Kapital, Wohlstandsmärkten und profitablen Exporten in die globalen Netzwerke von Kapital, Gütern und Dienstleistungen, während der größte Teil der Wirtschaft und die überwältigende Mehrheit der Bevölkerung zwischen bloßer Subsistenz und gewaltsamer Ausplünderung ihrem Schicksal überlassen werden.[50]

Ferner können die afrikanischen Unternehmen zwar kaum in der globalen Ökonomie konkurrieren, aber die bestehenden Verknüpfungen mit dieser Ökonomie sind tief in die traditionellen Sektoren Afrikas eingedrungen. So sind die Subsistenzlandwirtschaft und die Nahrungsmittelproduktion für den lokalen Markt in den meisten Ländern in eine Krise geraten, weil in einem verzweifelten Versuch, auf den internationalen Märkten zu verkaufen, auf eine exportorientierte Landwirtschaft und spezialisierte Marktprodukte umgestellt worden ist.[51] Was also global marginal sein mag, ist in Afrika dennoch zentral und trägt in Wirklichkeit dazu bei, die traditionellen Wirtschaftsformen zu desorganisieren.[52] In diesem Sinne steht Afrika nicht außerhalb der globalen Ökonomie. Vielmehr hat es den inneren Zusammenhang gerade durch seine fragmentarische Einbeziehung in die globale Ökonomie verloren, durch Verknüpfungen ebenso wie durch den begrenzten Umfang von Warenexporten, die spekulative Aneignung wertvoller Ressourcen, Finanztransfers ins Ausland und den parasitenhaften Konsum von Importgütern.

Die Konsequenz dieses Prozesses der Desinvestition in ganz Afrika, genau zu dem historischen Zeitpunkt, zu dem die informationstechnologische Revolution anderswo die Infrastruktur von Produktion, Management und Kommunikation umgekrempelt hat, war die Abkoppelung afrikanischer Unternehmen und afrikanischer Arbeitskraft von der Funktionsweise der neuen Wirtschaftsform, die nun den größten Teil der Welt prägt, während die afrikanischen Eliten Anschluss an die globalen Netzwerke von Reichtum, Macht, Information und Kommunikation fanden.

---

48 Ekholm-Friedman (1993).
49 Jackson und Rosberg (1994); Collier (1995).
50 Blomstrom und Lundhal (1993); Simon u.a. (1995).
51 Jamal (1995).
52 Callaghy und Ravenhill (1993).

Afrikas technologische Apartheid am Anbruch des Informationszeitalters

Die Informationstechnologie und die Fähigkeit, sie zu nutzen und anzupassen, sind in unserer Zeit die entscheidenden Faktoren, um Reichtum, Macht und Wissen hervorzubringen und Zugang dazu zu erhalten (s. Bd. I, Kap. 2, 3). Afrika ist – mit der wesentlichen Ausnahme Südafrikas – gegenwärtig von der Informationsrevolution ausgeschlossen, wenn wir ein paar Knotenpunkte der Finanzen und des internationalen Managements ausnehmen, die unmittelbar und unter Umgehung der afrikanischen Volkswirtschaften und Gesellschaften an die globalen Netzwerke angeschlossen sind.

Nicht nur ist Afrika die bei weitem am wenigsten computerisierte Region der Welt, es verfügt nicht einmal über die minimale Infrastruktur, die nötig ist, um Computer zu nutzen. Daher sind viele Unternehmungen unsinnig, Länder und Organisationen mit elektronischen Geräten auszustatten.[53] Vielmehr braucht Afrika erst eine zuverlässige Stromversorgung, bevor es die Elektronik übernehmen kann: Zwischen 1971 und 1993 stieg die kommerzielle Energienutzung von lediglich 251 KWh pro Kopf auf 288 KWh pro Kopf, während sich der Verbrauch in den Entwicklungsländern insgesamt von 255 KWh auf 536 KWh pro Kopf mehr als verdoppelt hat. Dem steht in den Industrieländern 1991 ein Verbrauch von 4.589 KWh pro Kopf gegenüber.[54] Außerdem liegt der entscheidende Aspekt des Computereinsatzes im Informationszeitalter in seiner Fähigkeit zur Vernetzung, die von der Telekommunikations-Infrastruktur und von der Intensität des Anschlusses an die Netzwerke (Konnektivität) abhängig ist. Die Telekommunikationsanlagen Afrikas sind verglichen mit dem Weltstandard dürftig. Es gibt in Manhattan oder Tokyo mehr Telefonleitungen als im ganzen subsaharanischen Afrika. 1991 gab es in Afrika eine Telefonleitung auf 100 Einwohner, gegenüber 2,3 in allen Entwicklungsländern zusammen und 37,2 in den Industrieländern. 1994 besaß Afrika nur etwa 2% der Telefonleitungen der Welt.[55] Einige der Hindernisse zur Entwicklung der Telekommunikation gehen von den Staatsbürokratien aus und lassen sich auf deren Politik zurück führen, das Monopol für ihre nationalen Telefongesellschaften zu bewahren, was dazu führt, dass sich die Modernisierung verlangsamt. Für den Anschluss eines beliebigen Telefonapparates ist die Genehmigung des nationalen Betreibers erforderlich. Der Import von Ausrüstungen für Telekommunikation ist teuer und unsicher, weil sie beim Zoll häufig „verloren" gehen.[56] Die Organisation der Afrikanischen Einheit hat die Panafrikanische Telekommunikations-Union geschaffen, um die Telekommunikationspolitik in Afrika zu ko-

---

53 Odedra u.a. (1993); Jensen (1995); Heeks (1996).
54 UNDP (1996: 183).
55 Hall (1995); Jensen (1995); UNDP (1996: 167).
56 Adam (1996).

ordinieren; aber die auf Insistieren Mobutus gefällte Entscheidung, das Büro in Zaire[57] anzusiedeln, hat ihrer Effektivität Grenzen gesetzt, weil Zaire eines der schlechtesten Telekommunikationsnetzwerke überhaupt hat. Der Anschluss ans Internet ist sehr begrenzt, weil die internationalen Bandbreiten unzureichend sind und Verbindungen zwischen den afrikanischen Ländern fehlen. 1995 hatte die Hälfte der afrikanischen Länder keinen Anschluss ans Internet, und Afrika bleibt im Großen und Ganzen die abgeschaltete Weltregion (s. Abb. 2.2). Es ist jedoch bedeutsam, dass 1996 22 afrikanische Hauptstädte Anschluss ans Internet hatten, aber in nur einem Land (Senegal) war es möglich, außerhalb der Hauptstadt ins Netz zu kommen.[58] Während also einige Leitungszentren an das Internet angeschlossen werden, bleiben ihre Länder abgeschaltet.

Abbildung 2.2 Internationale Konnektivität

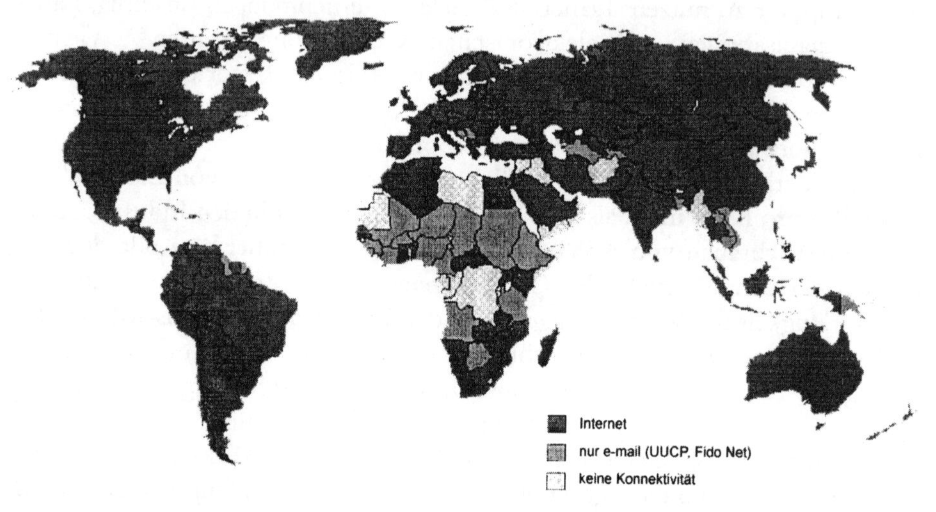

Quelle: Copyright © 1995 Larry Landweber and the Internet Society

Ist die physische Infrastruktur im Rückstand, so sind die menschlichen Fertigkeiten, die Informationstechnologie anzuwenden, völlig unzureichend. Ein genauer Kenner der Informationstechnologie Afrikas, Mayuri Odedra, schreibt, dass

> dem subsaharanischen Afrika Computer-Fähigkeiten auf allen Gebieten fehlen, bei Systemanalyse, Programmierung, Wartung und Beratung sowie auf allen operationalen Niveaus, von der einfachen Anwendung bis zum Management. Den meisten Ländern fehlen die nötigen Bildungs- und Trainingseinrichtungen, um Menschen zu helfen, die entsprechenden

57 Seit 1997 Demokratische Republik Kongo; d.Ü.
58 Jensen (1995).

> Fertigkeiten zu erwerben. Nur eine Handvoll Länder wie Nigeria, Malawi und Zimbabwe haben Universitäten, an denen Abschlüsse in Informatik angeboten werden. Die Ausbildungsprogramme, die es in anderen Ländern gibt, führen im Wesentlichen zu Zeugnissen und Zertifikaten. Wegen der schlechten Ausbildung und der unzureichenden Routine des Personals sehen sich die Nutzer-Organisationen gezwungen, Ausländer anzustellen, denen wiederum das Wissen über die lokalen Organisationen fehlt, und die deshalb unzureichende Systeme entwickeln.[59]

Beim größten Teil der Computer-Arbeit geht es um routinemäßige Datenverarbeitung, wobei computergestützte Entscheidungsfindung nur eine geringfügige Rolle spielt. Der öffentliche Sektor, die übermächtige Kraft in den afrikanischen Volkswirtschaften, verfährt nach dem Prinzip einer „blinden Computerisierung", die durch die Ideologie der Modernisierung und/oder durch finanzielle Anreize ausländischer Computerfirmen angeregt wird, ohne dass die installierten Computerkapazitäten auch wirklich zur Verarbeitung wichtiger Daten genutzt würden. Die Bestimmungen erzwingen häufig die zentralisierte Beschaffung von Computerausrüstungen durch den öffentlichen Sektor und legen Abgaben für Privatunternehmen fest, um unabhängige Exporte unattraktiv zu machen. Die begrenzte Computerisierung Afrikas ist für die Bürokraten zu einer weiteren Geldquelle geworden und steht in keinem Zusammenhang mit den Bedürfnissen der Wirtschaft oder des öffentlichen Dienstes.[60] Während der 1980er Jahre stammte die Hälfte der nach Afrika eingeführten Computer aus Mitteln der Entwicklungshilfe. Meist waren sie technologisch überholt, so dass Experten der Meinung sind, Afrika sei zur Müllhalde für Massen-Ausrüstungen geworden, die durch die schnell voranschreitende technologische Revolution obsolet geworden sind. Der private Computermarkt wird von Multis beherrscht, die im Allgemeinen dafür sorgen, dass sie auch die Wartung selbst übernehmen. Die meisten Systeme werden fertig gekauft, so dass lokal zwar ein gewisses Wissen über die Bedienung der Systeme entsteht, nicht aber über Programmierung und Reparatur. Die wenigen einheimischen Softwarefirmen sind nur zu kleineren Programmierarbeiten in der Lage.[61]

Technologische Abhängigkeit und technologische Unterentwicklung machen es in einer Zeit beschleunigten technologischen Wandels in der übrigen Welt für Afrika buchstäblich unmöglich, international zu konkurrieren, sei es in der Industrie oder im Bereich moderner Dienstleistungen. Andere Tätigkeiten, die ebenfalls von effizienter Informationsverarbeitung abhängen, wie etwa die vielversprechende Tourismusbranche, gelangen unter die Kontrolle internationaler Veranstalter und Reiseagenturen, die mittels ihrer Kontrolle über die marktrelevante Information sich den Löwenanteil am Anteil des von den Löwen motivierten Tourismus sichern. Sogar die landwirtschaftlichen und mineralischen Exporte, die die große Masse von Afrikas Export ausmachen, sind im-

59 Odedra u.a. (1993: 1f).
60 Bates (1988: 352).
61 Woherem (1994); Heeks (1996).

mer stärker vom Informationsmanagement im Rahmen internationaler Geschäftsbeziehungen sowie von elektronischer Ausrüstung und dem Einsatz chemisch/biotechnologischer Produkte für die fortgeschrittene landwirtschaftliche Produktion abhängig. Wegen der Unfähigkeit der afrikanischen Länder, hochmoderne technologische Ausrüstungen zu produzieren oder selbst anzuwenden, wird ihre Handelsbilanz unhaltbar schlecht, weil der Wert der technologieintensiven Güter und Dienstleistungen gegenüber dem Wert von Rohstoffen und Agrarprodukten immer weiter steigt. Damit werden die Möglichkeiten für Importe eingeschränkt, die zur Unterhaltung der Warenproduktionssysteme dieser Länder notwendig sind. Daraus folgt eine Abwärtsspirale bei der Wettbewerbsfähigkeit, und Afrika wird innerhalb der informationellen/globalen Ökonomie mit jedem Sprung nach vorne, den der technologische Wandel vollzieht, immer weiter marginalisiert. Die „Ent-Informierung" Afrikas zu Beginn des Informationszeitalters könnte die dauerhafteste Wunde sein, die diesem Kontinent durch neue Formen der Abhängigkeit zugefügt wurde, zusätzlich verschärft durch die Politik des Räuberstaates.

Der Räuberstaat

Eine wachsende Zahl von Afrikawissenschaftlern scheint sich über die destruktive Rolle afrikanischer Nationalstaaten für ihre Volkswirtschaften und Gesellschaften einig zu sein. Frimpong-Asah, ehemaliger Gouverneur der Zentralbank von Ghana, meint, das Entwicklungshindernis bestehe nicht in Kapitalknappheit. Worauf es ankomme, sei die institutionelle Fähigkeit, Ersparnisse zu mobilisieren, und die sei in Afrika seit Mitte der 1970er Jahre untergraben worden, weil der „Vampir-Staat" Kapital missbraucht habe, ein Staat, der von den politischen Eliten vollständig für den eigenen persönlichen Profit angeeignet worden sei.[62] Aus anderer Perspektive meint Basil Davidson, einer der renommiertesten Afrikawissenschaftler, dass „die gesellschaftliche Krise Afrikas sich aus vielen Verwerfungen und Konflikten herleitet, dass aber die Wurzel des Problems woanders liegt ... In erster Linie ist dies eine Institutionenkrise. Eine Krise welcher Institutionen? Wir müssen uns hier mit dem Nationalismus auseinandersetzen, der die Nationalstaaten des nach der Kolonialzeit gerade unabhängig gewordenen Afrika hervorgebracht hat: mit dem Nationalismus, der zur Nationalstaats-Fixierung geworden ist."[63] Fatton sieht die Ursachen in der „räuberischen Herrschaftsform", die die meisten afrikanischen Staaten kennzeichnet, in einem Individualisierungsprozess innerhalb der herrschenden Klassen: „Ihre Mitglieder werden immer mehr zu Söldnern, deren privilegierte Machtposition auf Gedeih und Verderb den sprunghaften Entschlüssen eines unübertrefflichen Führers

62 Frimpong-Ansah (1991).
63 Davidson (1992: 10).

ausgeliefert ist."[64] Das scheint sowohl auf blutige, diktatorische Herrschaft wie die von Mobutu in Zaire oder des „Kaisers" Bokassa in der Zentralafrikanischen Republik zuzutreffen, wie auch auf wohlwollende Pseudodemokratien wie das Regime von Houphouet-Boigny in der Elfenbeinküste. Wie Colin Leys schreibt: „Nur wenige Theoretiker aus allen diesen Richtungen [Marxisten, Dependenztheoretiker] rechneten damit, dass die postkolonialen Staaten aller ideologischer Schattierungen so korrupt, raubgierig, unzulänglich und instabil sein würden, wie es fast alle waren."[65]

Jean-François Bayart versteht die Not Afrikas als das Ergebnis einer langfristigen historischen Entwicklungslinie, die von der „Politik des Bauches" beherrscht wurde; sie wurde von den Eliten mit keiner anderen Strategie praktiziert, als sich den Reichtum ihrer Länder und der internationalen Beziehungen ihrer Länder anzueignen.[66] Er schlägt eine Typologie der Mechanismen für die private Aneignung von Ressourcen unter Ausnutzung staatlicher Machtpositionen vor:

- Zugang zu Ressourcen der „Außenorientierung" (internationale Verbindungen), einschließlich diplomatischer und militärischer Ressourcen, aber auch von kulturellen Ressourcen und westlichem Know-how.
- Arbeitsstellen im öffentlichen Sektor, die ein regelmäßiges Gehalt bieten, was unabhängig von seiner Höhe von entscheidendem Nutzen ist.
- Positionen, die Raub ermöglichen, wo durch Macht Güter, Geld und Arbeitskraft angeeignet werden: „Wenigstens auf dem Land handeln die meisten administrativen und politischen Kader so."[67]
- Präbenden, die ohne Rückgriff auf Gewalt oder Gewaltandrohung dadurch erzielt werden, dass man für unterschiedliche Formen von Bestechung und Geschenken von Seiten verschiedener Interessenvertreter empfänglich ist. So entsteht eine ausgedehnte „informelle staatliche Wirtschaft". Die meisten technischen oder administrativen Entscheidungen haben für die Interessierten einen Preis. Bayart führt den Fall eines Regionalkommissars in der reichen Shaba-Provinz in Zaire an, der 1974 ein Monatsgehalt von 2.000 US$ hatte, das durch Präbenden in Höhe von monatlich 100.000 US$ ergänzt wurde.[68]
- Verbindungen zum auswärtigen Handel und zu Auslandsinvestitionen sind entscheidende Quellen privater Akkumulation, weil Zölle und protektionistische Bestimmungen die Gelegenheit bieten, sie im Austausch gegen eine Zuwendung an die Kette von Bürokraten zu umgehen, deren Aufgabe es eigentlich ist, sie durchzusetzen.

64 Fatton (1992: 20).
65 Leys (1994: 41).
66 Bayart (1989).
67 Bayart (1989: 106).
68 Bayart (1989: 108).

- Internationale Entwicklungshilfe, auch Nahrungsmittelhilfe, wird durch private, interessenbestimmte Kanäle geleitet und erreicht die Bedürftigen oder das angezielte Entwicklungsprojekt – wenn überhaupt – nur unter der Bedingung, dass ein beträchtlicher Anteil an die Regierungsstellen und ihr Personal abgeführt wird, die mit der Verteilung und Durchführung befasst sind.
- Staatsbeamte und politische Eliten insgesamt nutzen einen Teil dieses Reichtums, um Grundeigentum zu erwerben und in ihrem Land in Landwirtschaft und Transport zu investieren. Dabei sind sie ständig auf der Suche nach profitablen, kurzfristigen Investitionsmöglichkeiten und helfen einander bei der Kontrolle über eine jegliche Profitquelle, die in ihrem Land auftaucht. Ein großer Teil dieses privaten Reichtums wird aber auf ausländischen Bankkonten deponiert, und das macht in jedem einzelnen Land einen signifikanten Anteil der Kapitalakkumulation aus. Wie Houphouet-Boigny, der Vater (oder Pate?) der Elfenbeinküste es ausgedrückt hat: „Welcher ernstzunehmende Mensch würde nicht einen Teil seiner Habe in die Schweiz bringen?“[69] Mobutus Privatvermögen wurde 1984 auf 4 Mrd. US$ geschätzt, die ebenfalls auf ausländischen Banken lagen oder im Ausland investiert waren und in etwa der Auslandsschuld von Zaire entsprachen.[70] 1993, als Zaire sich in Auflösung befand, wurde das Auslandsvermögen Mobutus auf mittlerweile etwa 10 Mrd. US$ geschätzt.[71]

Lewis führt auf der Grundlage seiner Analyse Nigerias die interessante Unterscheidung zwischen *Präbendalismus* und *Raub* ein.[72] Der „Präbendalismus“ unterscheidet sich nicht grundlegend von politischer Patronage und systemischer staatlicher Korruption, wie sie in den meisten Staaten der Welt üblich sind. Er argumentiert überzeugend, dass die Politik des Raubes in Nigeria erst Ende der 1980er/Anfang der 1990er Jahre unter dem Babandiga-Regime zur Vorherrschaft gekommen sei und sich ein Modell der „Zairisierung“ der vom Militär beherrschten Staatsoligarchie ausgebreitet habe. Lewis dehnt seine Analyse zwar nicht über Nigeria hinaus aus, doch erscheint es auf der Grundlage von Informationen über andere Länder[73] plausibel, dass dieser Übergang zur Raubherrschaft erst in einem späteren Stadium der Krise Afrikas eingetreten ist, wobei sich der genaue Zeitpunkt von Land zu Land unterscheidet. Das steht im Gegensatz zu der historischen Rekonstruktion von Bayart, mit der die Kontinuität der Ausplünderung Afrikas durch seine eigenen Eliten seit der vorkolonialen Periode behauptet wird. Anders als beim Präbendalismus sind für die Raubherrschaft die Machtkonzentration an der Spitze und die Personalisierung von Netzwerken kennzeichnend, durch die Macht delegiert wird. Dieser wird durch

69 zit. nach Bayart (1989: 136).
70 Sandbrook (1985: 91).
71 Kempster (1993).
72 Lewis (1996).
73 Fatton (1992); Nzongola-Ntalaja (1993); Leys (1994); Kaiser (1996); *The Economist* (1996a).

rücksichtslose Unterdrückung Geltung verschafft. Wirtschaftliche Anreize für Regierungspersonal sowie verallgemeinerte Korruption und Bestechlichkeit werden im Staatsapparat zur Lebensform. Diese Verhaltensweise führt zur Erosion der politischen Institutionen, soweit sie stabile Systeme waren; sie werden durch engmaschige Zirkel ersetzt, die durch persönliche und ethnische Loyalität definiert sind: Der gesamte Staat wird informalisiert, während Macht und Machtnetzwerke personalisiert werden. Es lässt sich zwar darüber streiten, ob Raub schon in vorkolonialer Zeit oder in der Frühzeit des afrikanischen Nationalismus nach der Unabhängigkeit die Regel war (Bayart neigt der ersten Ansicht zu, wird aber u.a. von Davidson, Leys, Lewis und Fatton kritisiert). Worauf es aber zum Verständnis der augenblicklichen Prozesse sozialer Exklusion ankommt, ist der Umstand, dass an der Jahrtausendwende offenbar das Raubmodell und nicht einfach nur der Präbendalismus für die meisten afrikanischen Staaten mit Ausnahme Südafrikas und vielleicht weniger weiterer Fälle bestimmend ist.

Aus der Ausübung der Raubherrschaft ergeben sich drei wesentliche Konsequenzen, die die meisten afrikanischen Staaten kennzeichnen. Erstens werden jegliche Ressourcen, die aus internationalen oder einheimischen Quellen in diese staatsdominierten Wirtschaften gelangen, nach einer Logik personalisierter Akkumulation behandelt, die weitgehend von der Volkswirtschaft des jeweiligen Landes abgekoppelt ist. Was unter dem Gesichtspunkt der wirtschaftlichen Entwicklung und der politischen Stabilität des Landes wenig sinnvoll erscheint, kann aus der Perspektive seiner Herrscher überaus vernünftig sein. Zweitens ist Zugang zur Staatsmacht gleichbedeutend mit Zugang zu Reichtum und zu den künftigen Quellen von Reichtum. Daraus folgt ein Muster gewaltsamer Konflikte und brüchiger Bündnisse, in dem unterschiedliche politische Cliquen miteinander um die Chancen zur Plünderung konkurrieren. Das Endergebnis sind die Destabilisierung der staatlichen Institutionen und die entscheidende Rolle, die in den meisten afrikanischen Staaten das Militär spielt. Drittens entsteht politische Unterstützung über klientelistische Netzwerke, die Machthaber mit Segmenten der Bevölkerung verbinden. Weil sich der bei weitem größte Teil des Reichtums, den es im Lande gibt, in den Händen der politisch-militärischen Elite und der Staatsbürokraten befindet, müssen sich die Menschen nach der Kette der Patronage richten, um bei der Verteilung von Jobs, Dienstleistungen und kleinen Gefälligkeiten berücksichtigt zu werden, die auf allen staatlichen Ebenen stattfindet; von international orientierten Institutionen bis hin zum Wohlwollen lokaler Regierungsinstanzen. In einem derartigen Patronagesystem stellen die verschiedenen Eliten, die auf den unterschiedlichen staatlichen Ebenen letztlich mit der Spitze der Staatsmacht verbunden sind, komplexe strategische Berechnungen an: Wie sie ihre Unterstützung maximieren und ihre Klientel konsolidieren und zugleich den Umfang der Ressourcen minimieren können, die sie benötigen, um sich diese Unterstützung zu sichern. Eine Mischung von Kriterien, zu denen Ethnizität, Territorialität und wirtschaftlicher Nutzen gehören, trägt dazu bei, Netzwerke mit variabler Geometrie zu bilden, die in den meisten Teilen Afrikas die wirkliche Politik ausmachen.

Detaillierte empirische Analysen liegen jenseits des Rahmens dieses Kapitels. Ich will aber die Dynamik der afrikanischen Räuberstaaten durch einen kurzen Blick auf die beiden größten Länder illustrieren, Zaire (seit 1997 Kongo) und Nigeria.

Zaire: Die persönliche Aneignung des Staates

Zaire ist zumindest bis 1997 (und vielleicht auch unter seinem neuen Namen Kongo über dieses Datum hinaus) der Inbegriff räuberischer Politik und zugleich ein warnendes Beispiel für die Konsequenzen sozialer und politischer Desintegration sowie menschlicher Katastrophen (Epidemien, Ausplünderung, Massaker, Bürgerkriege) als Folgen dieser Politik.[74] Im Zentrum des zairischen Staates stand die persönliche Diktatur des Feldwebels Mobutu, die im Zusammenhang mit der Politik des Kalten Krieges von Frankreich, Belgien und den Vereinigten Staaten unterstützt wurde. Norman Kempster, Redakteur der *Los Angeles Times*, fasste 1993 die Entwicklung Mobutus wie folgt zusammen:

> Mobutu ist ein ehemaliger Feldwebel der belgischen Kolonialarmee, der 1965 mit Unterstützung der USA und des Westens die Macht ergriff und so einen chaotischen Machtkampf zwischen pro- und antikommunistischen Gruppierungen beendete. Er hat drei Jahrzehnte lang sein riesiges Land, das zweitgrößte im subsaharanischen Afrika, dem CIA und anderen westlichen Diensten zur Verfügung gestellt, die es als Sprungbrett für ihre Aktivitäten auf dem gesamten Kontinent benutzten. Im Austausch dafür erfreute er sich freier Hand im eigenen Land und zwackte für sich selbst Milliarden von Dollars aus dem Mineralreichtum Zaires ab, während die meisten Zairer arm geblieben sind.[75]

Mobutu stützte sich auf ein sehr einfaches System der Machtausübung. Er kontrollierte die einzige funktionierende Einheit der Armee, die Präsidentengarde, und teilte die Positionen in Politik, Verwaltung und Armee unter unterschiedlichen ethnischen Gruppen auf. Er begünstigte sie alle und stachelte zugleich ihre gewaltsamen Konflikte an.[76] Er konzentrierte sich darauf, die Bergwerksunternehmen zu kontrollieren, vor allem Kobalt, Industriediamanten und Kupfer, und nutzte dabei in Zusammenarbeit mit ausländischen Investoren betriebene Staatsunternehmen zu seinem eigenen Nutzen. Die „Zairisierung" der ausländischen Unternehmen brachte ferner alle wertvollen Vermögenstitel im Land in die Hände der Bürokratie und des Militärs. Er zog Investitionen aus den sozialen Dienstleistungen und aus der Infrastruktur ab und konzentrierte sich darauf, wenige profitträchtige Geschäfte zu betreiben und die Gewinne ins Ausland zu exportieren. Er ermunterte die gesamte Armee und die Angehörigen aller staat-

---

74 Sandbrook (1985); Bayart (1989); Davidson (1992); Noble (1992); Kempster (1993); Press (1993); Leys (1994); French (1995); Weiss (1995); McKinley (1996).

75 Kempster (1993: 7)

76 Press (1993).

lichen Institutionen, es genau so zu machen. So berichtet Bayart, wie die zairische Luftwaffe zum illegalen Lufttransport überging, dann zum Schmuggel und schließlich zum Verkauf von Ersatzteilen ihrer eigenen Flugzeuge, bis alle unbrauchbar geworden waren.[77] Das ermöglichte es Mobutu, von seinen westlichen Alliierten weitere Flugzeugausrüstungen zu fordern. Die mangelhafte Kontrolle über staatliche Instanzen auf lokaler und Provinzebene führte faktisch zur Desintegration des zairischen Staates, und die meisten Orte einschließlich Kinshasa entglitten der Kontrolle der Zentralregierung. Armeemeutereien, gefolgt von unterschiedslosen Plünderungen wie im September 1991 führten zum Exodus ansässiger Ausländer und schließlich dazu, dass Mobutu sich in seiner Geburtsstadt Gbadolite in der Äquatorialprovinz verschanzte, wo er von seiner Privatarmee abgeschirmt wurde, obwohl er sich viel in seinen diversen Luxusvillen in der Schweiz, in Frankreich, Spanien und Portugal aufhielt. Die sich selbst überlassenen Provinzregierungen folgten in vielen Fällen dem Beispiel des Führers und nutzten ihre Macht, ihre Untertanen zu misshandeln und zu bestehlen, wobei sie mit der schwächsten ethnischen Gruppe anfingen. Am Ende erwies sich die Raffgier einiger Provinzregierungen als tödlich für das gesamte Unternehmen. 1996 beschloss die Regierung von Kivu in Ostzaire, das Land der Banyamulenge zu enteignen, einer Tutsi-Minderheit, die in diesem Gebiet seit Jahrhunderten gelebt hatte, und der nun befohlen wurde, die Region zu verlassen. Die darauf folgende Rebellion der Banyamulenge und anderer ethnischer Gruppen unter Führung des Revolutionsveteranen Laurent Kabila führte in wenigen Monaten zur vernichtenden Niederlage der Schlägertrupps, die sich als zairische Armee ausgaben und entlarvte den zairischen Staat als Fiktion, so dass Mobutus Regime 1997 beendet wurde.[78] Es dauerte nur wenige Monate, bis der neue Kongo in eine weitere Runde des Bürgerkriegs und interethnischer Kämpfe verfiel, als sich Kabila gegen seine früheren Bundesgenossen wandte und verschiedene afrikanische Staaten in den Krieg eingriffen, um die von ihnen vorgeschobenen Kräfte im Kampf um die Reichtümer des Kongo zu unterstützen. Die Folgen dieser drei Jahrzehnte andauernden Ausplünderung eines der reichsten Länder Afrikas durch seine eigenen Herrscher und ihre Kumpane, zudem mit der offenen Komplizenschaft der Westmächte, sind für Zaire/Kongo ebenso wie für Afrika und die Welt einschneidend und langfristig. Für Zaire/Kongo: weil seine gesamte Kommunikations-, Transport- und Produktionsinfrastruktur zusammengebrochen ist, während die Menschen von Zaire/ Kongo massive Mangelernährung erleiden mussten, in Analphabetismus und Elend gehalten wurden und zudem noch ein Großteil ihrer Subsistenzlandwirtschaft verloren. Für Afrika: weil die Auflösung jeglichen Zusammenhanges in einer seiner größten Volkswirtschaften direkt im Herzen des Kontinents Ansätze zu effektiver regionaler Zusammenarbeit blockiert hat. Zudem hat das „Mo-

77 Bayart (1989: 235ff).
78 McKinley (1996); *The Economist* (1996c); French (1997).

dell Zaire" eine magnetische Anziehungskraft auf weitere Eliten des Kontinents ausgeübt. Es wurde von Mobutu persönlich propagiert, der als privilegierter Partner des Westens eine wichtige Rolle in der Organisation der Afrikanischen Einheit und auf der politischen Bühne Afrikas spielte. Für die Welt: weil Zaire/ Kongo zu einer der wichtigsten Quellen der „Epidemien des Verfalls" geworden ist, zu denen das Ebola-Virus gehört, dessen Katastrophenpotenzial durchaus Folgen für die Lebensumstände des 21. Jahrhunderts haben kann. Ferner hat der indirekte Beitrag des Westens – vor allem der Frankreichs – zur privaten Übernahme Zaires durch eine militärisch-bürokratische Clique künftigen politischen Ansätzen zur internationalen Kooperation in den Augen einiger der besten Afrikaner viel von ihrer Glaubwürdigkeit genommen. Die Desintegration des zairischen Staates in der Form, wie sie die Erbschaft Mobutus ausmacht, markiert die Grenzen der Raubherrschaft und unterstreicht ihren historischen Zusammenhang mit der Politik des Kalten Krieges und postkolonialen Herrschaftsmustern. Doch hat die Erfahrung nach Mobutu gezeigt, dass dieses Modell zwar aus der Konfrontation der Supermächte in Afrika entstanden ist, seinen historischen Ursprung aber überdauert hat. Die Erfahrung Nigerias scheint sogar darauf hinzudeuten, dass der Räuberstaat tiefere strukturelle und historische Wurzeln hat, die sowohl mit der kolonialen Vergangenheit Afrikas wie auch mit dem entstehenden Muster seiner selektiven Verbindungen zur globalen Ökonomie zu tun haben.

Nigeria: Öl, Ethnizität und militärisches Raubsystem

Das Schicksal Nigerias, dessen Bevölkerung etwa ein Fünftel der Gesamtbevölkerung des subsaharanischen Afrika ausmacht, wird wahrscheinlich die Zukunft Afrikas wesentlich bestimmen. Wenn dies zutrifft, dann sind die Aussichten düster. Die nigerianische Volkswirtschaft dreht sich um den Staat und die staatliche Kontrolle der Erdölrevenuen, die 95% des nigerianischen Exportes ausmachen und 80% der Staatseinnahmen erbringen. Politik und Struktur des Staates sind durch die zentrale Stellung des Militärs bestimmt, das über 26 der 35 Jahre Unabhängigkeit hinweg die Regierung kontrolliert hat, wobei wenn nötig Wahlen annulliert und der Wille des Militärs durchgesetzt wurden, wie 1993 bei dem Putsch unter Führung von General Sani Abacha.[79] Die Aneignung des Ölreichtums, der durch ein Konsortium der Nigerian National Petroleum Corporation mit multinationalen Konzernen ausgebeutet wird, ist die Quelle von ethnischen, territorialen und Parteienkonflikten, die seit dem Bürgerkrieg von 1966-1970 den nigerianischen Staat destabilisiert haben. In den politischen Auseinandersetzungen stehen sich Gruppierungen gegenüber, die entlang dreier Achsen gegliedert sind: Norden (kontrolliert die Armee) gegen Süden (produ-

---

79 *The Economist* (1993); Forrest (1993); Agbese (1996); Herbst (1996); Ikporukpo (1996); Lewis (1996).

ziert Öl); Rivalitäten zwischen den drei großen ethnischen Gruppen: den Haussa-Fulani (kontrollieren in der Regel den Generalstab der Streitkräfte), den Yoruba und den Igbo; und der Gegensatz zwischen diesen ethnischen Hauptgruppen und den 374 ethnischen Minderheitengruppen, die zusammen genommen die Bevölkerungsmehrheit ausmachen, aber von der Staatsmacht ausgeschlossen sind. Von den 30 Staaten der nigerianischen Föderation produzieren allein die vier im Niger-Delta (Rivers, Delta, Edo und Akwa-Ibom) so gut wie das gesamte Erdöl. Sie sind die Heimat ethnischer Minderheitengruppen, vor allem der Ogoni, die im Großen und Ganzen von den Reichtümern ihres Landes ausgeschlossen sind. Der Widerstand der Ogoni und die darauf folgende brutale Repression durch das Militärregime wurden 1995 dramatisch unterstrichen, als Saro-Wiwa und mehrere andere Ogoni-Führer vom Abacha-Regime hingerichtet wurden, um der sozialen Unruhen in der erdölproduzierenden Region Herr zu werden und die Proteste der Ogoni gegen die Umweltzerstörung in ihrem Land durch die bei der Prospektion und Förderung des Erdöls eingesetzten Methoden zu unterdrücken. Das löste einen internationalen Proteststurm aus.

Der nigerianische Staat ist eine willkürliche koloniale Konstruktion und stand an seinem Beginn der großen Mehrheit seiner Angehörigen fremd gegenüber. Daher setzten seine Führer ihre Kontrolle über Ressourcen ein, um sich die notwendige Unterstützung zur Erhaltung ihrer Macht zu besorgen. Wie Herbst schreibt:

> Der Klientelismus, wie er in Nigeria praktiziert wird, sollte nicht nur als Diebstahl gesehen werden, den Einzelpersonen an der Staatskasse begehen ... Vielmehr wird die Verteilung der Staatsposten durch eine Reihe politischer Normen legitimiert, nach denen die Aneignung solcher Ämter nicht einfach ein Akt individueller Gier oder des Ehrgeizes einzelner ist, sondern zugleich auch der Befriedigung kurzfristiger Ziele einer Untergruppe der Bevölkerung dient.[80]

Wer zu dieser Untergruppe gehört und wie groß sie ist, wird durch die Dynamik der nigerianischen Politik und den Zugang zu Ressourcen bestimmt, die sich indirekt oder direkt in der Hand des Staates befinden. Diese Patronagebeziehungen haben sich vor allem während der 1970er Jahre und während des „Mini-Ölbooms" 1990/91 mit steigenden Ölrevenuen beträchtlich ausgeweitet. Um die Gefahr ethnischer Opposition von Seiten ausgeschlossener Gruppen zu vermindern, erhöhte die unter militärischer Kontrolle stehende Bundesregierung die Anzahl der Bundesstaaten erst von zwölf auf 19 und dann auf 30, um so den ethnienübergreifenden staatlichen Klientelismus zu fördern und die Ausmaße der staatlichen Bürokratien zu vervielfachen, was Jobs, Sinekuren und Kanäle bedeutete, die Zugang zu staatlichen Ressourcen und rententrächtigen Positionen ermöglichten. Unter dem Druck der internationalen Finanzinstitutionen sowie ausländischer Unternehmen und Regierungen gab es allerdings Versuche,

80 Herbst (1996: 157).

die nigerianische Wirtschaft zu stabilisieren und ihre produktiven Sektoren auf die Erfordernisse des globalen Handels und internationaler Investitionen abzustimmen. Die bemerkenswerteste Anstrengung fiel in die erste Hälfte des Regimes von General Babandiga (1985-1993), das die Wirtschaft teilweise deregulierte, das Monopol der Vermarktungsbehörden auf landwirtschaftliche Exporte abschaffte und für einen kurzen Zeitraum die Geldmenge und die Staatsschuld begrenzte. Dabei blieben die Privilegien der herrschenden nördlichen Militärelite unangetastet, die Reform ging also auf Kosten der südlichen Staaten und ethnischen Minoritäten. 1990 hätte ein Putschversuch junger Offiziere, die sich auf Unterstützung aus südlichen Regionen beriefen, beinahe Erfolg gehabt. Das Regime entschloss sich nach der blutigen Unterdrückung des Aufstandsversuchs dazu, seine Macht zu konsolidieren, indem der Reichtum auf ein größeres Spektrum der herrschenden Klassen Nigerias aufgeteilt werden sollte. Um aber den Kuchen unter eine größere Zahl aufzuteilen, ohne dass der Spaß daran geringer wurde, musste der Kuchen größer werden, d.h., es musste mehr Reichtum aus den öffentlichen Einkünften gezogen werden. Die Folge war nach der Analyse von Lewis Ende der 1980er und Anfang der 1990er Jahre der Wechsel vom „Präbendalismus" zur „Raubherrschaft" und die Ausweitung des Bereichs der einkommensschaffenden Maßnahmen unter Ausnutzung staatlicher Kontrolle auf ein ganzes Spektrum unerlaubter Geschäfte, zu denen auch internationaler Rauschgifthandel, Geldwäsche und Schmuggelnetzwerke gehörten.[81] Das Anpassungsprogramm wurde von internationalen Institutionen gefördert und finanziert; Lewis fasst seine Verwendung für die privaten Zwecke der nigerianischen Machthaber wie folgt zusammen:

> Insgesamt führte die Regierung das Anpassungsprogramm durch, indem sie im Inneren für ein politisches Umfeld sorgte und dies mit Ausgleichsmaßnahmen und Zwang verband. Für die Eliten schuf der Staat privilegierte Zugänge zu aufstrebenden Märkten und illegalen Aktivitäten, und er manipulierte seine Politik in Schlüsselbereichen so, dass sich willkommene Renten ergaben ... Angesichts wachsenden politischen Widerstandes, drohender persönlicher Gefährdung und des zufälligen Auftauchens neuer Revenuen ging der Präsident [Babandiga] zu einer immer rücksichtsloseren Wirtschaftspolitik über. Das bedeutete die massive Zweckentfremdung öffentlicher Mittel, das Aufgeben grundlegender fiskalischer und monetärer Kontrollen und die Ausweitung der illegalen Wirtschaft.[82]

Als die individuelle Unsicherheit überhand nahm und die wirtschaftlichen und sozialen Institutionen zusammenbrachen, kamen legale Auslandsinvestitionen und Handel zum Erliegen. Das Regime suchte nach einem politischen Ausweg durch die Mobilisierung des Wahlvolkes im Wettstreit mehrerer Mitglieder der Wirtschaftselite bei der Wahl von 1993. Dann annullierte Babandiga die Wahl, der soziale Protest nahm zu und steigerte sich zum Generalstreik, von dem der Erdöltransport betroffen war; die regionalen Streitigkeiten drohten in eine neue

81 Lewis (1996: 97ff).
82 Lewis (1996: 91).

Runde staatlicher Desintegration zu eskalieren. Da intervenierte die Armee erneut und etablierte ein neues Militärregime unter General Abacha. Der neue Diktator koppelte die Geldströme Nigerias von der internationalen Wirtschaft ab, indem er die Naira abwertete, negative Zinsraten dekretierte und den Protektionismus verstärkte. Das schuf eine neuerliche Grundlage für private Akkumulation für diejenigen, die sich in Kontrollpositionen befanden, und löste zugleich eine Kapitalflucht aus, unterminierte legale Exporte und begünstigte den Schmuggel. Dem Land blieb

> das Erbe einer schwachen Zentralregierung, spalterischer ethnischer Konkurrenz und zentralisierter Revenuen, was die Wirtschaft entschieden politisiert hat ... Die politische Ökonomie Nigerias verkörperte zunehmend die Charakteristika autokratischer Regime wie Mobutu Sese Sekos Zaire, Haiti unter Jean-Claude Duvalier oder das Nicaragua der Somoza-Dynastie. Bald war ein Übergang von der dezentralisierten klientelistischen Herrschaft oder vom Präbendalismus hin zu einer nur noch habsüchtigen Diktatur oder einem Raubsystem zu erkennen.[83]

Und das nigerianische Volk war 1995 nicht trotz, sondern wegen des Ölbooms und dessen politischen Folgen ärmer als zum Zeitpunkt der Unabhängigkeit: Sein Pro-Kopf-Einkommen war zwischen 1973 (Zeitpunkt des Ölpreisanstiegs) und 1987 (Zeitpunkt des wirtschaftlichen Anpassungsprogramms) um 22% zurück gegangen.[84]

So sind die meisten Nationalstaaten in Afrika weitgehend zu Räubern an ihren eigenen Gesellschaften geworden und stellen ernsthafte Hindernisse nicht nur für Entwicklung dar, sondern auch für Überleben und ziviles Leben. Wegen der außerordentlichen Gewinne, die sich aus der Kontrolle des Staates ziehen lassen, haben sich verschiedene Gruppierungen, die Verbrecherbanden ähnlicher sind als politischen Parteien und sozialen Gruppen, in grauenhafte Bürgerkriege verstrickt, deren Ausgangspunkt manchmal ethnische, territoriale und religiöse Gegensätze sind. Eine Folge war die Vertreibung von Millionen von Menschen auf dem gesamten Kontinent, die Zerstörung der landwirtschaftlichen Subsistenzproduktion und die Entwurzelung menschlicher Siedlungen, der Zusammenbruch der gesellschaftlichen Ordnung und in einer Reihe von Fällen (u.a. Zaire, Liberia, Sierra Leone, Somalia) das faktische Verschwinden des Nationalstaates.

Wie ist das gekommen? Warum sind die Nationalstaaten in Afrika zu Räuberstaaten geworden? Gibt es eine historische Kontinuität, die der Gesellschaftsstruktur gerade dieses Kontinentes vor, während und nach der Kolonialzeit eigen ist, wie Bayart meint? Oder ist es im Gegenteil das Ergebnis der nicht verheilten Wunden des Kolonialismus und das perverse Erbe der politischen Institutionen, die dem Kontinent von der Berliner Afrikakonferenz aufgezwungen wurden, wie es Davidson betont? Ist es – wie in den Medien häufig darge-

83 Lewis (1996: 102f).
84 Herbst (1996: 159).

stellt – Resultat eines ethnischen Puzzles, mit dem uralte inter-ethnische Kämpfe reproduziert werden, dass der Staat für afrikanische Gesellschaften etwas Aufgesetztes ist? Warum ist der Staat in Afrika räuberisch geworden, während er in der asiatischen Pazifikregion als Entwicklungsagentur auftrat? Sind die Prozesse der Staatsbildung wirklich von den Formen der Einbeziehung Afrikas (oder seiner mangelnden Einbeziehung) in die neue globale Ökonomie unabhängig, wie viele Kritiker der Dependenztheorie behaupten? Dies sind grundlegende Fragen, die eine sorgfältige, wenn auch vorläufige Antwort erfordern.

Ethnische Identität, wirtschaftliche Globalisierung und Staatsbildung in Afrika

Die Not Afrikas wird häufig und vor allem in den Medien auf interethnische Feindschaften zurückgeführt. Tatsächlich ist es in den 1990er Jahren auf dem gesamten Kontinent zu einer Explosion ethnischer Konflikte gekommen, die in manchen Fällen zu Massakern und versuchtem Völkermord geführt haben. Ethnizität spielt eine große Rolle, in Afrika wie überall sonst. Die Beziehungen zwischen Ethnizität, Gesellschaft, Staat und Wirtschaft sind aber viel zu komplex, als dass man sie auf „Stammes"-Konflikte reduzieren könnte. Genau dieses komplexe Gewebe von Beziehungen und seiner Transformationen während der letzten beiden Jahrzehnte liegen dem Räuberstaat zugrunde.

Wenn Ethnizität wichtig ist, so sind die ethnischen Unterschiede, die heute im Vordergrund der politischen Bühne Afrikas stehen, politisch konstruiert und nicht kulturell verwurzelt. Aus gegensätzlichen theoretischen Perspektiven kommen so unterschiedliche Afrikawissenschaftler wie etwa Bayart, Davidson, Lemarchand und Adekanye zu ähnlichen Schlussfolgerungen.[85] Wie Bayart schreibt:

> Die meisten Situationen, in denen die Strukturierung der politischen Arena sich in Begriffen der Ethnizität auszudrücken scheint, bringen Identitäten ins Spiel, die vor einem Jahrhundert nicht existiert oder die sich wenigstens noch nicht so klar herauskristallisiert hatten ... Die Kolonisatoren konzeptionalisierten unbestimmte menschliche Landschaften, die sie sich als spezifische Identitäten unterworfen hatten und die sie sich aufgrund des Modells eines preisgünstigen Nationalstaates vorstellten. Mit ihren Ursprüngen in Jakobinismus und Präfektur vertrat die französische Verwaltung einen entschieden territorialen Staatsbegriff, während die britische indirekte Herrschaft (*indirect rule*) stärker kulturalistisch war. Abgesehen von solchen Nuancen wurde das Kolonialregime auf der Grundlage solcher Vorstellungen organisiert und strebte danach, die Wirklichkeit entsprechend zu ordnen. Dazu setzte es Zwang in Form einer autoritären Politik der Sesshaftmachung ein, der Kontrolle der Wanderungsbewegungen, durch die mehr oder minder künstliche Festlegung ethnischer Details durch Geburtsurkunden und Personalausweise. *Aber die gegenwärtige Kraft des ethnischen Bewusst-*

85 Bayart (1989; Davidson (1992, 1994); Lemarchand (1994a, b); Adekanye (1995).

seins stammt viel mehr aus seiner Aneignung durch die Autochthonen, womit es die Zuteilung staatlicher Ressourcen bestimmt.[86]

Davidson verankert diese ethnische Klassifizierung unterworfener Territorien in der durch ideologische Vorurteile bestimmten politisch-bürokratischen Logik der Kolonialverwaltung:

> Die Europäer hatten angenommen, Afrikaner lebten in „Stämmen" – ein Wort ohne genaue Bedeutung – und diese „Stammesloyalitäten" seien die einzigen und ursprünglichen Grundlagen afrikanischer Politik. Die Kolonialherrschaft hatte mit dieser Grundannahme operiert und die Afrikaner selbst dann in Stämme aufgeteilt, selbst wenn diese „Stämme" erfunden werden mussten. Aber der Schein trog. Was sich rapide entwickelte, war nicht tribalistische Politik, sondern etwas Anderes und in stärkerem Maße Spaltendes. Es war klientelistische Politik. Der Tribalismus hatte unterstellt, jeder Stamm erkenne ein gemeinsames Interesse an, das von gemeinsamen Sprechern oder Sprecherinnen vertreten werde, und daraus ergab sich die Möglichkeit der „Einheit des Stammes", die durch die Übereinkunft der „Stammesvertreter" hergestellt wurde. Aber der Klientelismus – der „Ansatz von Tammany Hall" – führte fast unmittelbar zu einem wilden Kampf um die Erträge der politischen Macht.[87]

Diese Neudefinition ethnischer Identität durch die Kolonialmächte spiegelte die Struktur des Kolonialstaates auf eine Weise, die langfristige Folgen für die unabhängigen Nationalstaaten haben sollte. Zu allererst wurden auf der Berliner Afrikakonferenz 1884-1885 die Staaten willkürlich nach den Grenzen der Eroberung und anhand unsicheren Kartenmaterials der Kolonialgeografen sowie durch diplomatische Manöver zusammengestellt.[88] Dann folgte die Funktionsweise des Kolonialstaates, die sich während der Zeit nach der Unabhängigkeit weitgehend reproduzierte, der Unterscheidung von Ebenen eines „zwieschlächtigen Staates", wie dies Mahmood Mamdani in seiner glänzenden Analyse der Staatsbildung begrifflich entwickelt hat.[89] Einerseits gab es die durch Rassenzugehörigkeit bestimmte Einheit des legalen Staates unter Kontrolle von Europäern; dem stand andererseits die gewohnheitsrechtliche Gewalt eingeborener Machtstrukturen als ethnisch/tribale Einheit gegenüber. Die Einheit der Ersteren und die Fragmentierung der Letzteren bildeten unter der Kolonialverwaltung grundlegende Kontrollmechanismen, wobei gewöhnlich knappe Ressourcen an Personal und Ausstattung eingesetzt wurden, um den Nettogewinn des Unternehmens zu maximieren (Deutschland hatte beispielsweise 1914 in Rwanda nur fünf Zivilbeamte und 24 Militärs). Wer Mitglied welcher Einheit war, wurde administrativ in dem Bemühen um Vereinfachung festgelegt, das in der Zuweisung von Identitäten auf Personalausweisen Ausdruck fand, wobei manchmal Kriterien der physischen Erscheinung nach den summarischen Klassifizierungen von physischen Anthropologen zugrunde gelegt wurden. War aber

86 Bayart (1989: 76f); nach dem französischen Original unter Berücksichtigung der Fassung von M.C.; Hv.: M.C.

87 Davidson (1992: 206f).

88 Davidson (1992); Lindqvist (1996).

89 Mamdani (1996).

die Struktur der Stammeshäuptlinge erst einmal etabliert, wurde der gewohnheitsrechtliche Staat zu einer grundlegenden Quelle der Kontrolle über Land und Arbeitskraft. Damit wurde die Zugehörigkeit zu einem bestimmten Stamm zum einzig anerkannten Kanal, um sich Zugang zu Ressourcen zu verschaffen, und der einzig anerkannte Vermittlungsweg gegenüber dem legalen/modernen Staat, der das Bindeglied zu den gewaltigen Ressourcen der Außenwelt darstellte, zum internationalen System von Reichtum und Macht. Nach der Unabhängigkeit okkupierten die nationalistischen Eliten Afrikas einfach die bestehenden Strukturen des legalen/modernen Staates, der damit seines rassisch definierten Charakters entkleidet wurde. Der fragmentierte, ethnisierte gewohnheitsrechtliche Staat blieb aber erhalten. In Fällen, in denen es zu Schwierigkeiten bei der Verteilung von Ressourcen kam, weil die Knappheit im Land ebenso zunahm wie die Raubgier der Eliten, wurde eine Entscheidung zugunsten der ethnisierten Gruppierungen getroffen, die am stärksten im legalen Staat vertreten waren und/oder derjenigen, die aufgrund ihrer größeren Zahl oder ihrer Kontrolle über das Militär an die Macht kamen. Ethnizität wurde zum wichtigsten Weg, um Zugang zur staatlichen Kontrolle über die Ressourcen zu erlangen. Aber es waren der Staat und die Eliten, die die ethnische Identität und Loyalität formten und umformten, nicht andersherum. Nach Bayart

> ist in Afrika Ethnizität fast immer in der Politik präsent; zugleich bildet sie nicht ihre Grundstruktur ... Im Kontext des gegenwärtigen Staates scheint ihr Hauptbezugspunkt die Akkumulation zu sein, sowohl in wirtschaftlicher wie in politischer Hinsicht. Der Tribalismus wird zunehmend als eigenständige politische Kraft gesehen, als Kanal, über den sich die Konkurrenz um den Erwerb von Reichtum, Macht und Status abspielt.[90]

Tatsächlich scheint dieser Prozess ethnischer Abgrenzung als Mittel zur Kanalisierung und Beschränkung des Zugangs zu Ressourcen durch die Machtstruktur in vielen Gegenden, vor allem in der Region der Großen Seen, älter zu sein als die Kolonialherrschaft.[91] An diesem Punkt ist es nützlich, die Komplexität der Analyse durch eine kurze empirische Illustration etwas aufzuhellen. Weil dies aus Gründen der Aktualität an dieser Jahrtausendwende nahe liegt, habe ich die gewaltsame Konfrontation zwischen Tutsi und Hutu in Rwanda, Burundi und darüber hinaus im östlichen Zaire und südlichen Uganda dafür ausgewählt. Nun ist dies ein gut bekanntes Thema, über das es eine riesige Literatur gibt;[92] ich konzentriere mich daher ausschließlich auf ein paar Aspekte, die für die weitergehende Analyse der aktuellen Krisen Afrikas von Bedeutung sind.

Zunächst einmal ist der „objektive" Unterschied zwischen Tutsi und Hutu viel weniger klar, als gemeinhin angenommen wird. René Lemarchand, der führende westliche Experte in diesem Bereich, schreibt dazu:

90 Bayart (1989: 81f); s. Anm. 86.
91 Mamdani (1996); Lemarchand (1970).
92 Lemarchand (1970; 1993; 1994a, b); Newbury (1988); Adekanye (1995); Mamdani (1996).

> Wie wiederholt unterstrichen worden ist, sprechen Hutu und Tutsi dieselbe Sprache – Kirundi in Burundi und Kinyarwanda in Rwanda; sie haben dieselben Bräuche und lebten vor dem Beginn der Kolonialherrschaft jahrhundertelang in relativer Harmonie nebeneinander. Im Gegensatz zu dem Bild, das von den Medien verbreitet wird, lassen sich die Formen des Ausschlusses, die während und nach dem Unabhängigkeitsprozess ans Licht getreten sind, nicht auf „tiefsitzende, ererbte Feindschaft" zurückführen. Zwar war das vorkoloniale Rwanda fraglos strikter stratifiziert als Burundi und daher auch anfälliger für Revolutionen der Hutu, aber der Schlüssel zum Verständnis des unterschiedlichen politischen Schicksals beider Staaten liegt in dem ungleichmäßigen Rhythmus ethnischer Mobilisierung, die in den Jahren unmittelbar vor der Unabhängigkeit in Gang gesetzt worden ist. ... In beiden Fällen liegt dem Konflikt zwischen Hutu und Tutsi das Zusammenspiel ethnischer Wirklichkeit mit ihrer subjektiven Rekonstruktion (oder Manipulation) durch politische Unternehmer zugrunde.[93]

Selbst die physischen Unterscheidungen (die hoch gewachsenen, hellhäutigeren Tutsi, die untersetzten, dunkleren Hutu) sind überbetont worden, denn unter anderem ist es häufig zu interethnischen Ehen und Familienbildungen gekommen. So berichtet Mamdani, dass während der Massaker, die 1994 die von den mörderischen, aus Hutu zusammengesetzten Interahamwe-Milizen an Tutsi begangen wurden, die Identität oft aufgrund des Personalausweises überprüft wurde, und dass Tutsi-Ehefrauen von ihren Hutu-Ehemännern, die fürchteten, als Verräter zu gelten, denunziert und in den Tod geschickt wurden.[94] Zudem wird oft vergessen, dass Tausende gemäßigter Hutu zusammen mit Hunderttausenden von Tutsi ermordet wurden, womit die sozialen und politischen Gegensätze unterstrichen werden, die hinter einer kalkulierten Vernichtungsstrategie standen. Ich möchte ganz knapp an den Gesamtverlauf erinnern und dann versuchen, die analytischen Schlussfolgerungen zu ziehen.

In vorkolonialer Zeit stand der in dem Gebiet, aus dem Rwanda und Burundi werden sollten, errichtete Staat unter der Kontrolle einer Aristokratie von Krieger-Pastoralisten, die sich selbst als Tutsi definierten. Bauern (Hutu) (ebenso wie Buschmänner, Batwa) waren im Großen und Ganzen von Staat und Machtpositionen ausgeschlossen – in Rwanda fast vollständig und in geringerem Maß in Burundi. Die Akkumulation von Reichtum – hauptsächlich Vieh – konnte es aber einer Hutu-Familie ermöglichen, in die oberen Bereiche der Gesellschaft aufzurücken (ein Prozess namens Kwihutura) und so zu Tutsi zu werden: so viel zur biologisch-kulturellen Festlegung von Ethnizität! Mamdani schreibt dazu:

> Es ist klar, dass wir es mit einer politischen Unterscheidung zu tun haben, einer, die die Untertanenbevölkerung von der nicht-untertänigen Bevölkerung unterschied, und nicht mit einer sozioökonomischen Unterscheidung zwischen Ausbeutern und Ausgebeuteten oder zwischen Reichen und Armen ... Die Batutsi entwickelten eine politische Identität – sie bildeten eine spezifische, durch Eheregeln und Tabus gekennzeichnete gesellschaftliche Kategorie, wie Mafeje sagt – ein Selbstbewusstsein, mit dem sie sich von der Untertanenbevölke-

93 Lemarchand (1994a: 588).
94 Mamdani (1996).

rung unterschieden. So konnte die bloße Tatsache eines physischen Unterschiedes – häufig die Nase, seltener die Körpergröße – zum Symbol für einen großen politischen Unterschied werden.[95]

Der Kolonialstaat – erst der deutsche, dann der belgische – spitzte diesen politisch/ethnischen Gegensatz erheblich zu und mobilisierte ihn, indem er den Tutsi die vollständige Kontrolle über den gewohnheitsrechtlichen Staat übertrug (selbst in Gebieten, die sich vorher in der Hand der Hutu-Mehrheit befunden hatten) und ihnen Zugang zu Bildung, Ressourcen und Arbeitsplätzen in der Verwaltung verschaffte; so entstand als Anhängsel des belgischen Kolonialstaates ein eingeborener Tutsi-Staat: ein Prozess, der sich nicht so sehr von dem auf Sansibar unterschied, wo die britischen Herrscher ein arabisches Sultanat errichteten, um die eingeborene Bevölkerung zu verwalten. Unter belgischer Herrschaft wurde sogar Kwihutura abgeschafft, und das System wurde zu einer kastenartigen Gesellschaft. Wie zu erwarten, setzten der Unabhängigkeitsprozess und die mit ihm einhergehende politische Bewegung die Sprengkraft frei, die sich durch den Ausschluss der Hutu-Mehrheit (etwa 84% der Bevölkerung) aus allen Bereichen der Macht angesammelt hatte. Die politischen Ergebnisse waren jedoch in Rwanda und Burundi jeweils unterschiedlich. In Rwanda führte 1959 die Hutu-Revolution zu einer Mehrheitsherrschaft der Hutu, zu Pogromen und Massentötungen von Tutsi und trieb eine große Anzahl Tutsi sowohl nach Burundi wie nach Uganda ins Exil. In Burundi schien es, als sei eine konstitutionelle Monarchie um die Gestalt des angesehenen Prinzen Rwagasore in der Lage, die ethnische Koexistenz im Rahmen eines Nationalstaates zu organisieren. Die Ermordung des Prinzen 1961 und der fehlgeschlagene Versuch eines Hutu-Putsches 1965 ermöglichten es jedoch dem von Tutsi beherrschten Militär, die Kontrolle über das Land an sich zu reißen, es zur Republik zu erklären und die politische Marginalisierung der Hutu-Mehrheit zu institutionalisieren. 1972 wurde deren Aufstandsbewegung in einem Blutbad niedergeworfen, als die Tutsi-Armee über 100.000 Hutu niedermetzelte. Auch 1988 bestand die Antwort auf die Massaker an Tausenden von Tutsi durch Hutu-Bauern in der Gegend von Ntega/Marangara in dem Massaker der Tutsi-Armee an -zigtausenden von Hutu-Zivilisten. 1990 führte die Invasion rwandischer Tutsi-Exilanten nach Rwanda aus Uganda (wo sie an dem siegreichen Guerilla-Krieg gegen Milton Obote teilgenommen hatten) zu einem Bürgerkrieg, der, wie allgemein bekannt, die Massaker von 1994 auslöste, als Hutu-Milizen und die Präsidentengarde wüteten, angeblich als Vergeltung für den Tod von Präsident Habyarimana, dessen Flugzeug unter noch immer ungeklärten Umständen von einer Rakete getroffen worden war. An dem versuchten Völkermord an den Tutsi waren nicht nur die rwandische Armee und Miliz beteiligt, sondern auch große Teile der Hutu-Zivilbevölkerung in jedem Stadtviertel und jedem Dorf: Es war ein dezentralisierter Holocaust mit Massenbeteiligung. Daher bedeutete der militäri-

95 Mamdani (1996: 10).

sche Sieg der von Tutsi dominierten Rwandischen Patriotischen Front für Millionen das Exil, und ihr Exodus nach Zaire sowie ihre spätere teilweise Rückkehr nach Rwanda bis Ende 1996 können durchaus zur vollständigen politischen Destabilisierung Zentralafrikas beigetragen haben. Inzwischen ermöglichten in Burundi die Wahlen von 1993 erstmals den Machtantritt eines demokratisch gewählten Hutu-Präsidenten, von Melchior Ndadye. Aber nur drei Monate später wurde er von Tutsi-Offizieren ermordet, was eine erneute Runde gegenseitiger Massaker sowie den Exodus von Hunderttausenden von Hutu und einen Bürgerkrieg auslöste, der im Juli 1996 noch durch einen Tutsi-Militärputsch verschärft wurde. Dies war Anlass zu einem Handelsembargo, das die Nachbarstaaten gegen Burundi verhängten.

Nach Jahrzehnten gegenseitiger politischer Exklusion und wiederholter Massaker, die hauptsächlich ethnisch bestimmt waren, wäre es dumm zu leugnen, dass es eine Tutsi- und eine Hutu-Identität gibt, was eine so große Bedeutung hat, dass eine Mehrheitsherrschaft in einem demokratischen politischen System ausgeschlossen erscheint.[96] Diese Situation scheint den Weg zu weisen für die Etablierung einer rücksichtslosen Tutsi- oder Hutu-Herrschaft, für fortgesetzten Bürgerkrieg oder für die Neufestsetzung der politischen Grenzen. Diese dramatischen Vorgänge zeigen jedoch offenbar, dass die Verschärfung ethnischer Differenzen und die Kristallisierung von Ethnizität zu sozialem Status und politischer Macht aus der historischen Dynamik der gesellschaftlichen Grundlage des Staates stammten, erst des kolonialen, dann des unabhängigen Nationalstaates. Dies zeigt auch die Unfähigkeit ethnisch begründeter politischer Eliten, die aus der Vergangenheit ererbte Definition hinter sich zu lassen, weil sie ihre Ethnizität als Schlachtruf nutzten, um die Staatsmacht zu erobern oder ihr zu widerstehen. So verhinderten sie, dass ein lebensfähiger pluraler, demokratischer Staat entstand; denn Staatsbürgerschaft und Ethnizität sind zwei widersprüchliche Prinzipien demokratischer politischer Legitimität. Ferner markierte die Erinnerung an die Ausrottung, die durch die furchtbare Wiederholung der schlimmsten Alpträume auf beiden Seiten aufgefrischt wurde, gewaltsam die ethnischen Grenzen der Macht. Von da an überholte Ethnizität die Politik, nachdem sie durch die staatliche Politik geformt und gehärtet worden war. Diese komplexe Wechselwirkung zwischen Ethnizität und Staat unter der Dominanz staatlicher Logik müssen wir im Auge haben, wenn wir afrikanische Politik und darüber hinaus die Tragödie Afrikas verstehen wollen.

Wenn jedoch der Staat auch ethnisiert wird, so wird er kaum nationalisiert. In der Tat besteht eines der Schlüsselelemente der Erklärung, warum der Entwicklungsstaat in der asiatischen Pazifikregion ebenso wie – freilich mit weniger Fortune – in Lateinamerika aufgetreten ist, nicht aber in Afrika, in der Schwäche der Nation innerhalb des afrikanischen Nationalstaates. Natürlich hat der Nationalismus auf der afrikanischen Bühne nicht gefehlt: Schließlich waren die

96 Mamdani (1996).

nationalistischen Bewegungen die treibenden Kräfte, die Ende der 1950er und Anfang der 1960er Jahre die Unabhängigkeit erreicht haben, eine energische Sorte nationalistischer Führer (Sekou Touré, Nkrumah, Kenyatta, Lumumba) erschütterte die Welt und beflügelten die Hoffnungen auf eine afrikanische Renaissance. Aber sie erhielten vom Kolonialismus eine schüttere nationale Erbschaft, weil das kulturell/ethnisch/historisch/geografisch/wirtschaftliche Puzzle der politischen Landkarte Afrikas den afrikanischen Nationalismus im Großen und Ganzen auf die gebildete Elite des legal/modernen Staates und die kleine Klasse städtischer Geschäftsleute beschränkte. Viele Afrikawissenschaftler sind sich mit Davidson einig, der schreibt: „Eine Analyse der Probleme Afrikas muss auch eine Untersuchung des Prozesses – weitgehend des Prozesses des Nationalismus – sein, der dazu geführt hat, dass sich die Aufteilung der vielen hundert Völker und Kulturen Afrikas auf ein paar Dutzend Nationalstaaten herauskristallisiert hat, von denen ein jeder gegenüber den anderen seine Souveränität in Anspruch nimmt und die dann alle miteinander in großen Schwierigkeiten stecken.“[97] Das Fehlen einer nationalen Grundlage für diese neuen afrikanischen Nationalstaaten, einer Grundlage, die in anderen Breiten gewöhnlich aus gemeinsamer Geografie, Geschichte und Kultur besteht (s. Bd. II, Kap. 1), stellt einen grundlegenden Unterschied zwischen Afrika und der asiatischen Pazifikregion mit Ausnahme Indonesiens dar, was auf die unterschiedlichen Schicksale ihrer Entwicklungsprozesse verweist (s. Kap. 4). Es stimmt, dass zwei weitere Elemente – verbreitete Alphabetisierung und ein relativ hohes Bildungsniveau in Ostasien sowie geopolitische Unterstützung durch die USA und die Öffnung ihrer Märkte für die asiatisch-pazifischen Länder – ebenso wichtig waren, um im Pazifik eine erfolgreiche, außenorientierte Entwicklungsstrategie zu erleichtern. Aber Afrika hat zumindest in den großen städtischen Zentren sehr schnell für Primärerziehung im großen Maßstab gesorgt, und Frankreich und Großbritannien setzten ihre „Hilfe“ für ihre ehemaligen Kolonien fort, indem sie ihnen den Zugang zu den Märkten ihrer früheren Kolonialmetropolen erlaubten. Der entscheidende Unterschied lag in der Fähigkeit der Länder der asiatischen Pazifikregion, ihre Nationen unter autoritärer Herrschaft und auf der Grundlage einer starken kulturell/nationalen Identität und der Politik des Überlebens auf das Ziel der Entwicklung hin zu mobilisieren (s. Kap. 4). Die schwache gesellschaftliche Grundlage des nationalistischen Projektes untergrub die Stärke der afrikanischen Staaten entscheidend, sowohl gegenüber ihren unterschiedlichen ethnischen Bestandteilen wie gegenüber ausländischen Staaten, die im Rahmen des Kalten Krieges um Einfluss in Afrika wetteiferten.

Afrika ist während der ersten drei Jahrzehnte seiner Unabhängigkeit Gegenstand wiederholter Interventionen durch ausländische Truppen und militärische Berater gewesen, der Westmächte (besonders Frankreich, Belgien, Portugal und das weiße Südafrika, aber auch die USA, das Vereinigte Königreich, Israel und

97 Davidson (1992: 13).

Spanien) wie der Sowjetunion, Cubas und Libyens, so dass Afrika zu einem heiß umkämpften Schlachtfeld wurde. Die Aufteilung von politischen Fraktionen, Staaten und Regionen auf unterschiedliche geopolitische Bündnisse trug zur Destabilisierung und Militarisierung der afrikanischen Staaten bei, zu der unerträglichen Last gigantischer Verteidigungshaushalte. Sie hinterließ ferner das Erbe eines bedrohlichen Arsenals an militärischem Material, zumeist in unzuverlässigen Händen.[98] Die kurze Geschichte der afrikanischen Nationalstaaten, die auf schwankendem historischem Boden gebaut sind, unterminierte Nation und Nationalismus als Legitimitätsgrundlage und als relevante Einheit für Entwicklung.

Der Gleichung zur Erklärung der gegenwärtigen Krise Afrikas ist ein weiteres grundlegendes Element hinzu zu fügen. *Dies ist die Koppelung der ethnischen Politik des [schwachen National-]Staates einerseits und der politischen Ökonomie Afrikas während der letzten drei Jahrzehnte andererseits.* Ohne diesen Zusammenhang zu berücksichtigten, gleitet man allzu leicht zu quasi-rassistischen Aussagen über die angeboren perverse Natur afrikanischer Politik ab. Colin Leys unterstreicht, und ich schließe mich ihm an, dass die Krise Afrikas einschließlich der Rolle des Staates nicht ohne Bezug auf die Wirtschaftsgeschichte zu verstehen ist. Aus einer Reihe von Gründen, die er hypothetisch zusammenfasst und zu denen die niedrige Produktivkraftentwicklung und das Vorherrschen des Systems der Haushaltsproduktion bis zum Ende des Kolonialismus gehören, „hinderten der ursprüngliche Zeitpunkt der Einbeziehung Afrikas in das kapitalistische Weltsystem zusammen mit der extremen Rückständigkeit seiner vorkolonialen Wirtschaft und den Beschränkungen durch die spätere Kolonialpolitik den größten Teil des Kontinentes daran, nach der Unabhängigkeit überhaupt erst den Anfang mit dem entscheidenden Übergang zu einer selbsttragenden Kapitalakkumulation zu machen.“[99] Ich will diese Einsicht kurz in meinem eigenen Bezugsrahmen vertiefen.[100]

Im historischen Verlauf hat Afrika in den 1960er Jahren „einen schlechten Start erwischt“.[101] Während der 1970er Jahre brach im Zusammenhang mit der Krise und Neustrukturierung des Weltkapitalismus sein Entwicklungsmodell zusammen, und am Ende des Jahrzehnts musste es aus dem Griff der internationalen Gläubiger und internationalen Institutionen ausgelöst werden. Während der 1980er Jahre führte die Last der Schulden und der Strukturanpassungsprogramme, die Afrika als Bedingung für internationale Anleihen aufgezwungen wurden, dazu, dass die Volkswirtschaften sich auflösten, die Gesellschaften verarmten und die Staaten sich destabilisierten. Das löste in den 1990er Jahren die Eingliederung einiger winziger Sektoren einiger Länder in den globalen Kapitalismus sowie die chaotische Abkoppelung der meisten Menschen

98 De Waal (1996).

99 Leys (1994: 45).

100 Für relevante Daten s. Sarkar und Singer (1991); Blomstrom und Lundhal (1993); Riddell (1995); Yansane (1996); *The Economist* (1996a).

101 Dumont (1964).

und der meisten Territorien von der globalen Ökonomie aus. Was waren die Gründe für diese aufeinander folgenden Entwicklungen? Während der 1960er Jahre trug die auf landwirtschaftliche Exporte und autarke Industrialisierung ausgerichtete Politik zur Zerstörung der lokalen Bauernwirtschaften und eines Großteils der Subsistenzgrundlagen der Bevölkerung bei. Die Binnenmärkte waren zu klein, um Industrialisierung im großen Stil zu tragen. Der internationale Wirtschaftsaustausch war noch immer von neokolonialen Interessen beherrscht. Ende der 1970er Jahre machten es technologische Rückständigkeit, ineffiziente Managementformen und andauernde neokoloniale Beschränkungen (etwa die Franc-Zone im ehemaligen Französischen Afrika) unmöglich, auf den internationalen Märkten zu konkurrieren, während die Verschlechterung der Austauschverhältnisse Importe genau zu dem Zeitpunkt erschwerte, als der moderne Sektor neue Technologie benötigte und die Bevölkerung importierte Nahrungsmittel brauchte. Verschuldung ohne Kriterien und Kontrolle (ein großer Teil wurde für forcierte Rüstungsprogramme, industrielle „weiße Elefanten" und demonstrativen Konsum verwendet; etwa den Bau von Yamassoukrou, die Traum-Hauptstadt von Houphouet-Boigny in seinem Geburtsdorf) führte im größten Teil Afrikas zum Bankrott. Die vom Internationalen Währungsfonds und der Weltbank empfohlenen/aufgezwungenen Strukturanpassungsprogramme verschlechterten die sozialen Verhältnisse und scheiterten insgesamt dabei, die Volkswirtschaften dynamischer zu machen. Sie konzentrierten sich auf die Verkleinerung des Staatsapparates und die Stimulierung des Exportes von Primärgütern. Diese letztgenannte Zielsetzung ist in der heutigen technologischen und wirtschaftlichen Umgebung allgemein gesprochen eine Fehlspekulation; und im konkreten Fall eine unrealistische Vorstellung, wenn man den andauernden landwirtschaftlichen Protektionismus auf den OECD-Märkten berücksichtigt.[102] Zwar sind tatsächlich in manchen Ländern Inseln wirtschaftlicher Effizienz aufgetaucht, und dazu gehören auch einige große, wettbewerbsfähige afrikanische Unternehmen (etwa Ashanti Goldfields in Ghana); doch wurden insgesamt materielle und menschliche Ressourcen verschleudert, und, wie oben gezeigt, war die afrikanische Wirtschaft in den 1990er Jahren sowohl im Hinblick auf die Produktion wie auf die Konsumtion in erheblich schlechterem Zustand als während der 1960er Jahre.

Die massive Schrumpfung der Ressourcen, die sich aus der wirtschaftlichen Krise und der Anpassungspolitik der 1980er Jahre ergab, hatte einschneidende Folgen für die politische Dynamik der Nationalstaaten, die auf der Fähigkeit der Staatseliten aufbaute, ihre unterschiedlichen Klientelgruppen zu bedienen und doch genug für sich selbst zu behalten. Dieser Schrumpfungsprozess hatte drei Konsequenzen:

102 Adepoju (1993); Adekanye (1995); Simon u.a. (1995).

1. Weil internationale Hilfe und Auslandsanleihen zu einer grundlegenden Einkommensquelle wurden, verlegten sich die Staaten auf die *politische Ökonomie des Bettelns* und entwickelten so ein manifestes Interesse an menschlichen Katastrophen, die internationale Aufmerksamkeit auf sich ziehen und Wohltätigkeitsressourcen schaffen würden. Diese Strategie wurde besonders wichtig, als das Ende des Kalten Krieges die finanziellen und militärischen Transfers ausländischer Mächte an ihre afrikanischen Vasallenstaaten eintrocknen ließ.
2. In dem Maße, wie die Ressourcen aus dem formalen, modernen Wirtschaftssektor spärlicher wurden, begannen sich politische Führer, Armeeoffiziere, Bürokraten und lokale Geschäftsleute gleichermaßen im illegalen Handel großen Stils zu betätigen, wozu auch *joint ventures* mit verschiedenen Partnern aus der globalen kriminellen Ökonomie gehörten (s. Kap. 3).
3. Mit dem Rückgang der verfügbaren Ressourcen und dem Ansteigen der Bedürfnisse der Menschen mussten Wahlentscheidungen zwischen unterschiedlichen Klientelgruppen getroffen werden, gewöhnlich zugunsten der zuverlässigsten ethnischen und regionalen Gruppen (also derjenigen, die der herrschenden Fraktion der Elite am nächsten standen). Manche Fraktionen, die im Bereich der Staatsmacht ins Hintertreffen geraten waren, griffen auf Intrige oder militärische Gewalt zurück, entweder, um ihren Anteil zu erhalten, oder aber einfach, um sich das gesamte System der politischen Kontrolle über die Ressourcen anzueignen. In ihren Machtkämpfen suchten sie Unterstützung bei denjenigen ethnischen oder regionalen Gruppen, die vom Staat von ihrem Anteil an den Ressourcen ausgeschlossen worden waren.

In dem Maße, wie die Fraktionskämpfe zunahmen und sich die nationalen Armeen aufspalteten, verwischte sich die Unterscheidung zwischen Banditentum und gewaltsamer politischer Opposition immer mehr. Weil die ethnischen und regionalen Loyalitäten zu den einzigen identifizierbaren Quellen von Mitgliedschaft und Loyalität wurden, sickerte die Gewalt in die Gesamtbevölkerung ein, so dass Nachbarn, Arbeitskollegen und Landsleute plötzlich zuerst zu Konkurrenten im Kampf ums Überleben wurden, dann zu Feinden und schließlich zu potenziellen Killern oder Opfern. Institutionelle Desintegration, verbreitete Gewalt und Bürgerkrieg führten zu weiterer wirtschaftlicher Desorganisation und lösten massenhafte Bevölkerungsbewegungen auf der Flucht in eine ungewisse Sicherheit aus.

Ferner lernten die Menschen auch die abgewertete Version der politischen Ökonomie des Bettelns, weil ihre Lage als Flüchtlinge ihnen vielleicht, nur vielleicht, das Recht auf ein Überleben unter verschiedenen Flaggen geben könnte – der Vereinten Nationen, einzelner Regierungen oder NGO. Am Ende war Afrika Mitte der 1990er Jahre nicht nur zunehmend von der global/informationellen Ökonomie marginalisiert, sondern in einem großen Teil des Kontinents waren die Nationalstaaten dabei, sich aufzulösen, und die Menschen, entwurzelt und gehetzt wie sie waren, gruppierten sich neu in Kommunen, die unter verschiedenen Etiketten je nach dem Geschmack der Anthropologen, ums Überleben kämpften.

Die Not Afrikas

Der bewusste Versuch der internationalen Finanzinstitutionen, Afrika dadurch aus der Schuldenkrise der 1980er Jahre herauszuführen, dass die Bedingungen für Handel und Investitionen auf dem Kontinent mit den Regeln der neuen globalen Ökonomie homogenisiert wurden, endete nach dem Urteil einer Reihe von Beobachtern und internationalen Organisationen in einem bemerkenswerten Fiasko.[103] Eine Studie über die Auswirkungen der Strukturanpassungen in Afrika, die vom Bevölkerungsfonds der Vereinten Nationen erarbeitet wurde, fasst ihre Ergebnisse wie folgt zusammen:

> Unter den Autoren dieses Bandes herrscht Übereinstimmung, dass es in den untersuchten Ländern keinen deutlichen Zusammenhang zwischen Strukturpolitik und wirtschaftlicher Leistungsfähigkeit gibt. Es gibt deutliche Hinweise, dass die Anpassungspolitik nicht in der Lage sein könnte zu garantieren, dass die afrikanischen Länder selbst auf lange Sicht die Folgen externer Schocks überwinden können, wenn es nicht zu einem günstigeren äußeren Umfeld kommt. In vielen afrikanischen Ländern, die Strukturanpassung durchführen, hat sich der beobachtete Fortschritt auf ein nominelles Wachstum des BIP beschränkt, ohne jegliche strukturelle Transformation der Volkswirtschaft. Ghana [das Prunkstück der Evaluation durch die Weltbank] etwa hat 1984-1988 eine durchschnittliche Wachstumsrate von 5% im Jahr erzielt. Aber die Nutzung der industriellen Kapazität ist mit 35% 1988 auf niedrigem Niveau geblieben. In Nigeria betrug sie 1986-1987 gerade 38%. In den meisten Ländern, die in dieser Studie berücksichtigt worden sind, wurden die kleinen und mittleren Unternehmen durch Maßnahmen zur Liberalisierung von Währungsparitäten und Handel an den Rand gedrängt. Die hohen heimischen Zinsraten, die sich aus der restriktiven Geld- und Kreditpolitik ergaben, schufen ein schädliches Wirtschaftsklima. Es kam zu weitverbreiteter Schließung von Fabriken, in Kamerun wurden vier von zehn Banken geschlossen, während in vielen Ländern die Vermarktungsbehörden für wichtige Warengruppen abgeschafft wurden. Obwohl es in diesen Ländern zu einem bescheidenen Wachstum der Landwirtschaft kam, ist die Nahrungsmittelproduktion zurück gegangen. In Ghana fiel zwischen 1984 und 1988 die Getreideproduktion um 7%, und die von stärkehaltigen Grundnahrungsmitteln um 39%. Anderen Ländern erging es ähnlich. Obwohl die Exporterlöse im Allgemeinen zunahmen, stiegen auch die Importe und intensivierten so die Zahlungsbilanzkrise. ... Eine von den Vereinten Nationen organisierte Konferenz kam zu dem Schluss, dass „die Anpassungsmaßnahmen mit hohen menschlichen Kosten durchgeführt wurden und dabei sind, das Gefüge der afrikanischen Gesellschaft zu zerreißen".[104]

Die sozialen, wirtschaftlichen und politischen Kosten dieses fehlgeschlagenen Versuchs zur Globalisierung der afrikanischen Volkswirtschaften ohne Informationalisierung ihrer Gesellschaften lassen sich an drei argumentativen Hauptlinien und einer übergreifenden Konsequenz aufzeigen: der zunehmenden Verwahrlosung der Mehrheit der Menschen Afrikas.

Erstens hörten die formellen städtischen Arbeitsmärkte auf, Arbeitskräfte zu absorbieren, was zu einem bedeutenden Anstieg von Arbeitslosigkeit und Unterbeschäftigung geführt hat, was sich wiederum in eine höhere Armutsrate

103 Adepoju (1993); Ravenhill (1993); Hutchful (1995); Loxley (1995); Riddell (1995).
104 Adepoju (1993: 3f).

übersetzte. Eine ILO-Studie über die Entwicklung der Arbeitsmärkte in Afrika mit Schwerpunkt auf sechs frankophonen Ländern[105] konstatierte einen statistischen Zusammenhang zwischen Beschäftigungsstatus und Häufigkeit der Armut. Im gesamten subsaharanischen Afrika verdoppelte sich die städtische Arbeitslosenquote zwischen 1975 und 1990; sie stieg von 10 auf 20%. Die Beschäftigung im modernen und besonders im öffentlichen Sektor stagnierte oder ging zurück. In 14 Ländern stieg die bezahlte Beschäftigung 1975-1980 im Jahresdurchschnitt um 3%, aber nur um 1% während der ersten Hälfte der 1980er Jahre. Das war weit unter dem Niveau, das nötig gewesen wäre, um die zusätzlichen Arbeitskräfte zu absorbieren, die aufgrund des Bevölkerungswachstums und der Land-Stadt-Migration hereinströmten. Der informelle Beschäftigungssektor wuchs jährlich um 6,7% und wurde zur Zuflucht für die überschüssigen Arbeitskräfte. Die meisten Arbeitskräfte in den afrikanischen Städten befinden sich jetzt in den Kategorien „irregulär", „marginale Selbstständige" und „nichtgeschützte Lohnarbeitskräfte", was in jedem Fall niedrigeres Einkommen, Mangel an Schutz und hohe Armutsquoten bedeutet. Betrachtet man die Gesamtbevölkerung, so lebten 1985 47% aller Afrikaner und Afrikanerinnen unterhalb der Armutsgrenze, verglichen mit 33% in allen Entwicklungsländern zusammen genommen. Die Zahl der Verelendeten stieg in Afrika zwischen 1975 und 1985 um zwei Drittel, und Afrika war Vorausschätzungen zufolge in den 1990er Jahren die einzige Weltregion, in der ein Anstieg des Armutsniveaus zu erwarten war.[106]

Zweitens ist die afrikanische landwirtschaftliche Produktion pro Kopf und insbesondere die Nahrungsmittelproduktion während des letzten Jahrzehnts deutlich zurückgegangen (s. Abb. 2.3), was die Länder im Falle von Dürre, Krieg oder anderen Katastrophen für Hungersnöte und Epidemien anfällig macht. Die landwirtschaftliche Krise scheint das Resultat des Zusammentreffens einer übermäßigen Konzentration auf exportorientierte Produktion und des schlecht konzipierten Übergangs zu Technologien oder Produktlinien zu sein, die den ökologischen und wirtschaftlichen Verhältnissen eines Landes wenig angepasst sind.[107] So drängten etwa in Westafrika ausländische Firmen aus der Holzwirtschaft darauf, Akazien durch nicht-einheimische Bäume zu ersetzen, nur um das Ganze wenige Jahre darauf rückgängig zu machen, als klar wurde, dass Akazien weniger Wasser und Pflege brauchen und außerdem in der Trockenzeit zur Ernährung von Ziegen und Schafen beitragen. Eine andere Illustration unangepassten technologischen Wandels ist das Projekt norwegischer Experten, mit dem am Turkana-See in Ostafrika Turkana-Viehhirten in Produzenten marktorientierter Fischereiprodukte wie Bunt- und Flussbarsch verwandelt werden sollten. Die Ausrüstungskosten für die Kühlung des Fisches waren jedoch so hoch, dass die Kosten für Produktion/Distribution höher waren als

105 Lachaud (1994).
106 Adepoju (1993).
107 Jamal (1995).

der Fischpreis auf den zugänglichen Märkten. Da sie nicht mehr in der Lage waren, zur Viehzucht zurück zu kehren, wurden 20.000 nomadisierende Turkana von der Nahrungshilfe der Geberorganisationen abhängig.[108] Die Schwierigkeiten beim Zugang zu den internationalen Märkten für ein kleines Spektrum afrikanischer Agrarprodukte und die Transformation der staatlichen Landwirtschaftspolitik während der 1980er Jahre haben den bäuerlichen Betrieb höchst unkalkulierbar werden lassen. Viele Bauern haben daher auf kurzfristige Überlebensstrategien zurückgegriffen, anstatt in die langfristige Umstellung auf exportorientierte kommerzielle Landwirtschaft zu investieren und so ihre künftigen Möglichkeiten, international konkurrenzfähig zu sein, untergraben.[109]

Abbildung 2.3 Nahrungsproduktion pro Person (1961 = 100) (Subsaharanisches Afrika ohne Südafrika)

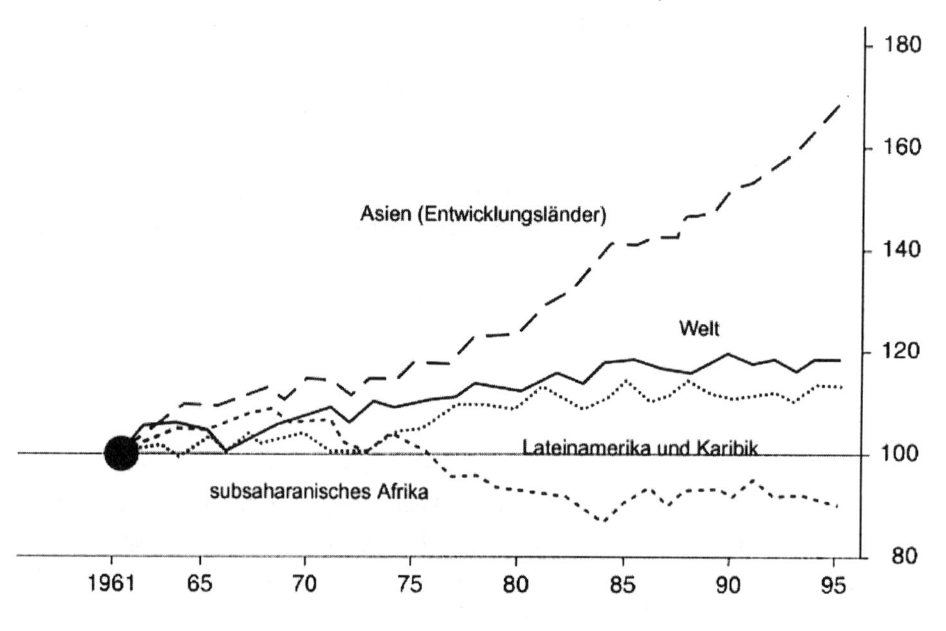

Quelle: zusammengestellt durch *The Economist* (7. September 1996) mit Zahlen der Food and Agricultural Organization (FAO)

Der dritte wichtige Trend in der sozialen und wirtschaftlichen Evolution Afrikas ist die Desorganisierung der Produktion und der Lebenszusammenhänge, die von der Desintegration des Staates ausgeht. Das Muster von Gewalt, Plünderung, Bürgerkrieg, Banditentum und Massakern, die während der 1980er und 1990er Jahre die große Mehrzahl der afrikanischen Länder befallen haben, hat Millionen von Menschen aus ihren Städten und Dörfern verjagt, die Wirtschaft

108 *The Economist* (1996a).
109 Berry (1993: 270f).

von Regionen und Ländern ruiniert und die institutionelle Fähigkeit zur Handhabung von Krisen und zur Rekonstruktion der materiellen Lebensgrundlagen in eine Trümmerlandschaft verwandelt.[110]

Abbildung 2.4 Afrika: AIDS-Fälle pro Million Einwohner, 1990

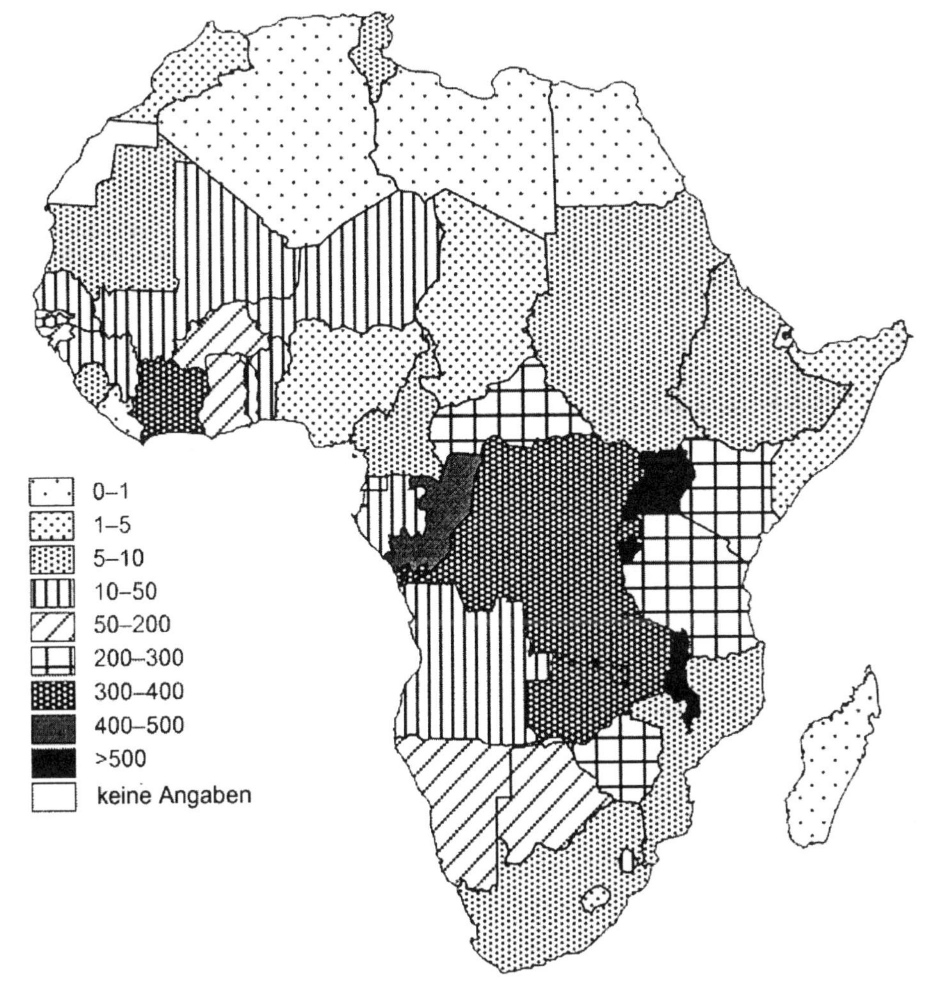

Quelle: WHO Epidemiological Record; WorldAIDS, 1990 und 1991, bearb. von Barnett und Blaikie (1992)

Städtische Armut, die Krise der Landwirtschaft und vor allem der Subsistenzlandwirtschaft, institutioneller Zusammenbruch, verbreitete Gewalt und massive Bevölkerungsbewegungen haben, wie der Human Development Report der Vereinten Nationen für 1996 nachweist, während des letzten Jahrzehnts zusam-

110 Leys (1994); Adekanye (1995); Kaiser (1996).

men genommen zu einer ernsten Verschlechterung der Lebensgrundlagen der Mehrheit der afrikanischen Bevölkerung geführt. Armut, Migration und soziale Desorganisation haben auch dazu beigetragen, dass die Bedingungen für verheerende Epidemien entstanden sind, die einen großen Teil der Afrikanerinnen und Afrikaner zu vernichten und darüber hinaus die Krankheiten in der übrigen Welt zu verbreiten drohen. Es ist zu betonen, dass nicht nur die hygienischen Verhältnisse und die Ernährungsbedingungen, unter denen die meisten Afrikanerinnen und Afrikaner leben, Ursache für Krankheiten und Epidemien sind, sondern der Mangel an ausreichender Gesundheitsversorgung und -erziehung trägt erheblich zur Verbreitung von Krankheiten bei.

Tabelle 2.9 Geschätzte HIV-Seroprävalenz von Erwachsenen (15-49 Jahre) in Städten und ländlichen Gebieten ausgewählter afrikanischer Länder um 1987

Land	HIV-Seroprävalenz (%)		Mit HIV infizierte Bevölkerung (Tsd.)
	Städte	Land	
Uganda	24,1	12,3	894,3
Rwanda	20,1	2,2	81,5
Zambia	17,2	–	205,2
Kongo (Brazzaville)	10,2	–	46,5
Elfenbeinküste	10,0	1,3	183,0
Malawi	9,5	4,2	142,5
Zentralafrikanische Republik	7,8	3,7	54,3
Zaire[1]	7,1	0,5	281,8
Ghana	4,7	–	98,7
Burundi	4,3	–	15,0
Tanzania	3,6	0,7	96,6
Zimbabwe	3,2	0,0	30,9
Kenya	2,7	0,2	44,5
Kamerun	1,1	0,6	33,2
Moçambique	1,0	0,6	43,5
Sudan	0,3	–	6,8
Nigeria	0,1	0,0	8,1
Swaziland	0,0	–	0,0
Alle infizierten Personen in allen afrikanischen Ländern (einschl. der nicht aufgeführten)			2.497,6
Gesamte infizierte afrikanische Bevölkerung (%)			0,9

1 Seit 1997 Demokratische Republik Kongo (d.Ü.).

Quelle: Over (1990) zit. nach Barnett und Blaikie (1992)

Ein dramatisches Beispiel ist die AIDS-Epidemie.[111] Nachdem über die ersten Infektionen mit HIV in Afrika Anfang der 1980er Jahre berichtet worden war, lebten Mitte der 1990er Jahre etwa 60% der schätzungsweise 17 Mio. HIV-positiven

111 Barnett und Blaikie (1992); Hope (1995); Philipson und Posner (1995); Boahene (1996); Kamali u.a. (1996).

Menschen auf der Welt im subsaharanischen Afrika (s. Abb. 2.4).[112] In Ländern wie Uganda, Rwanda und Sambia waren um 1987 zwischen 17 und 24% der städtischen Bevölkerung infiziert (s. Tab. 2.9). Insgesamt ist dieser Anteil in den letzten Jahren in den meisten Ländern mit einigen Ausnahmen (Gabun) bestimmt angestiegen. AIDS gilt jetzt in Uganda als die häufigste und in anderen Ländern als eine der wichtigsten Todesursachen.[113] Weil AIDS in Afrika in 80% der Fälle durch heterosexuelle Kontakte übertragen wird, sind Frauen wegen ihrer sexuellen Unterwerfung unter die Männer und der zunehmenden männlichen Promiskuität in einer Zeit von Migration und Entwurzelung besonders gefährdet. Es wird geschätzt, dass etwa 4,5 Mio. Frauen HIV-positiv sind. Ihre patriarchalische Unterdrückung begrenzt ihren Zugang zu Informationen und Mitteln zur Prävention und mindert auch ihren Zugang zur Behandlung von Infektionen im Zusammenhang mit AIDS. Studien haben gezeigt, dass Frauen mit geringerer Wahrscheinlichkeit ein Krankenhaus aufsuchen, in jüngeren Jahren an HIV/AIDS sterben und eher bei ihren Ehepartnern bleiben, wenn diese als HIV-positiv diagnostiziert werden als umgekehrt.[114] Demnach sind viele Frauen im reproduktionsfähigen Alter HIV-positiv. Für die nächsten zehn bis 25 Jahre wird erwartet, dass die Auswirkungen von AIDS auf die Überlebenschancen von Kindern schwerwiegender sein werden als die Folgen der Krankheit für die Gesamtbevölkerung. Es wird erwartet, dass AIDS bei Kindern im subsaharanischen Afrika eine häufigere Todesursache sein wird als Malaria oder Masern. Kinder- und Kleinkindersterblichkeit, für die während des nächsten Jahrzehnts ein Rückgang um 35-40% erwartet worden war, sollen nach neueren Schätzungen wegen AIDS konstant bleiben oder sogar steigen. Verwaiste Kinder werden zu einem überaus ernsten Problem. Es wurde vorhergesagt, dass bis zum Jahr 2000 schätzungsweise 10 Mio. nicht infizierte Kinder wegen der AIDS-Epidemie einen oder beide Elternteile verlieren würden. Die Großfamiliensysteme brechen unter dem Druck dieser Flut von Waisen zusammen.

Das Ausmaß der AIDS-Epidemie und die Geschwindigkeit ihrer Ausbreitung in Afrika sind durch soziale und wirtschaftliche Verhältnisse verursacht worden. So schreibt ein führender Experte in diesem Bereich, Kempe Ronald Hope: „Ohne Zweifel haben Armut und wirtschaftliche Not in den afrikanischen Ländern erheblich zur schnellen Ausbreitung von HIV und AIDS beigetragen."[115] Der Mangel an ausreichender gesundheitlicher Versorgung, das niedrige Bildungsniveau, unhygienische Lebensbedingungen, beschränkter Zugang zu den grundlegendsten Dienstleistungen, schnelle Urbanisierung, Arbeitslosigkeit und Armut sind Erscheinungen, die miteinander zusammen hängen, und sie

112 Boahene (1996).

113 Aus der Sicht von 2001/02 haben sich die Verhältnisse verschoben: Einer viel beachteten Verbesserung der Lage etwa in Uganda steht die dramatische Zuspitzung im südlichen Afrika gegenüber; d.Ü.

114 Boahene (1996).

115 Hope (1995: 82).

sind alle miteinander Faktoren, die mit der HIV-Infektion verbunden sind. Der Zugang zu gesundheitlicher Versorgung ist in Afrika extrem begrenzt. Die Daten für 1988-1991 zeigen, dass die Einwohnerzahl pro Arzt im subsaharanischen Afrika 18.488 betrug, gegenüber 5.767 in sämtlichen Entwicklungsländern und 344 in den Industrieländern.[116] Armut begrenzt den Zugang zur Information über Vorbeugungsmöglichkeiten ebenso wie den Zugang zu Präventionsmethoden. Agrarkrise, Hungersnot und Krieg haben Migration erzwungen und dazu geführt, dass Familien, Gemeinschaften und soziale Netzwerke auseinander gebrochen sind. Männer, die in städtische Gebiete migriert sind und periodisch in ihre Herkunftsgemeinschaften zurück kehren, sind wichtige Träger von HIV, übertragen das Virus durch Prostitution und verbreiten es über alle Routen des Lastwagenverkehrs. Bei Armen, die sich mit HIV anstecken, bricht AIDS häufig viel schneller aus als bei Menschen mit höherem sozioökonomischem Status.

Die mögliche Ausbreitung der AIDS-Epidemie von Afrika auf andere Weltregionen ist eine ernstere Gefahr, als man gemeinhin annimmt. Südafrika bietet hier einen schlagenden Beleg. Zwar ist es ein Land, das an Gegenden angrenzt, in denen die Epidemie während der 1980er Jahre begann, und seine schwarze Bevölkerung war über lange Zeit hinweg schlechten sozialen und gesundheitlichen Bedingungen ausgesetzt, aber Südafrikas wirtschaftliches und institutionelles Entwicklungsniveau ist viel höher als das des übrigen Afrika. In den 1990er Jahren begann die AIDS-Epidemie jedoch in Südafrika zu wüten und reproduzierte dabei dieselben Muster und die Geschwindigkeit, die man ein Jahrzehnt zuvor in den Nachbarländern erlebt hatte. Für bestimmte Gruppen wie Prostituierte und Wanderarbeiter wird die Infektionsrate im Bereich von 10-30% geschätzt. Für Frauen im gebärfähigen Alter liegen Schätzungen für das ganze Land sogar bei 4,7%, wobei manche Gebiete, wie KwaZulu/Natal noch stärker betroffen sind. Beim augenblicklichen Ausbreitungstempo schätzen Modelle über die künftige Verbreitung von HIV/AIDS, dass bis 2010 27% der südafrikanischen Bevölkerung infiziert sein werden. Optimistischere Modelle, die einen Rückgang der Zahl der Sexualpartner um 40% und eine Steigerung der effektiven Benutzung von Kondomen um 20% annehmen, kommen für denselben Zeitpunkt noch immer auf 8% der Gesamtbevölkerung, die infiziert sein werden.[117]

Wenn die Notlage Afrikas ignoriert oder herunter gespielt wird, wird sie aller Wahrscheinlichkeit nach nicht auf seine geografischen Grenzen beschränkt bleiben. Die Menschheit ebenso wie unser Gefühl für Menschlichkeit werden in Gefahr sein. Globale Apartheid ist eine zynische Illusion des Informationszeitalters.

---

116 UNDP (1996).
117 Campbell und Williams (1996).

Die Hoffnung Afrikas? Die südafrikanische Verbindung

Ist das subsaharanische Afrika wenigstens für die vorhersehbare Zukunft innerhalb der neuen globalen Ökonomie zu sozialer Exklusion verdammt? Dies ist eine grundlegende Frage, die jedoch die Grenzen dieses Kapitels und die Absicht dieses Buches übersteigt, in dem es um Analyse geht und nicht um Politik oder Prognose. Doch erlauben es uns das Ende der Apartheid in Südafrika und die mögliche Verknüpfung zwischen einem demokratischen Südafrika unter schwarzer Mehrheitsherrschaft und afrikanischen Ländern – wenigstens denen des östlichen und südlichen Afrika –, auf strikt empirischer Grundlage die Hypothese einer Einbeziehung Afrikas in den globalen Kapitalismus unter neuen, günstigeren Bedingungen zu untersuchen, die über die Vermittlung Südafrikas entstehen könnten. Wegen der Implikationen für eine Gesamtanalyse der Bedingungen, die in der globalen Wirtschaft soziale Exklusion reproduzieren oder modifizieren, werde ich diese Frage kurz untersuchen, bevor ich jenseits von Afrika fortfahre.

Südafrika unterscheidet sich eindeutig vom übrigen subsaharanischen Afrika. Es hat einen viel höheren Industrialisierungsgrad, eine stärker diversifizierte Wirtschaft und spielt in der globalen Ökonomie eine wichtigere Rolle als der Rest des Kontinents. Es ist weder eine abhängige Niedriglohn-Ökonomie, noch eine höher qualifizierte, wettbewerbsfähige aufstrebende Ökonomie. Vielmehr enthält es Aspekte von beiden, und in mancherlei Hinsicht sind die Prozesse gleichzeitiger Inklusion und Exklusion in Südafrika offenkundiger und krasser als in vielen anderen Ländern. Das politische Umfeld verändert sich während der demokratischen Periode nach den Wahlen,[118] und die Wirtschaft profitiert von der schnellen Wiedereinbeziehung in die globale Ökonomie nach mehreren Jahrzehnten relativer Isolation, die sowohl auf Sanktionen wie auch auf hohe Zollschranken zurück ging, die Ausdruck der Importsubstitutionspolitik Südafrikas waren.

Südafrika erwirtschaftet 44% des gesamten BIP des gesamten subsaharanischen Afrika und 52% seiner Industrieproduktion. Es verbraucht 64% der elektrischen Energie, die im subsaharanischen Afrika konsumiert wird. 1993 betrug das reale Pro-Kopf-Einkommen für das subsaharanische Afrika einschließlich Südafrikas 1.288 US$, während es für Südafrika allein bei 3.127 US$ lag. Es gibt in Südafrika neunmal so viele Telefonleitungen pro Kopf wie im subsaharanischen Afrika.

Die Börse von Johannesburg ist nach Marktkapitalisierung die zehntgrößte der Welt. Das Banken- und Finanzsystem wird jedoch von vier großen Handelsbanken beherrscht und hat in erster Linie die Bedürfnisse der großen Industriebranchen befriedigt. Für Kleinunternehmer standen nur geringe Mittel zur Verfügung. Südafrika hat wenigstens seit der Entdeckung von Diamantenvor-

118 Gemeint sind die ersten Wahlen mit allgemeinem Wahlrecht am 25. April 1994; d.Ü.

kommen im 19. Jahrhundert eine Rolle in der globalen Ökonomie gespielt. Der Bergbau war für die gesamte Entwicklung des Landes während des 20. Jahrhunderts von entscheidender Bedeutung und bildete den Wachstumsmotor für die Kapitalakkumulation. Trotz des jüngst eingetretenen Rückgangs ist der Goldbergbau noch immer das Herzstück des südafrikanischen Minenkomplexes und stellt 70% der Bergbau-Exporte, -Arbeitsplätze sowie 80% des Ertrages.[119] Doch der größte Teil von Südafrikas Goldvorräten ist erschöpft. Während des letzten Jahrhunderts sind über 45.000 to Gold gefördert worden, was mehr als zwei Drittel der ursprünglichen Ressourcengrundlage ausmacht, und die verbleibenden 20.000 to befinden sich in tiefer liegenden, minderwertigen Adern. Andere Bergbau- und Metallverarbeitungsbranchen von strategischer Bedeutung sind Eisen, Stahl, Zink, Zinn, Eisenverbindungen, Mangan, Kupfer, Silber, Aluminium und Platin. Der Bergbau erwirtschaftet noch immer 71% der Exporterlöse, obwohl knapp über die Hälfte des BIP von den Dienstleistungen und der verarbeitenden Industrie beigesteuert wird.[120] Der Bergbau war mehr als jede andere Branche vom Apartheidsystem abhängig, weil sie sich auf kasernierte Wanderarbeit stützte.

Die verarbeitende Industrie wuchs während der 1960er Jahre erheblich, doch trat während der 1970er Jahre eine Verlangsamung ein, und sie stagnierte in den 1980er Jahren vollständig. Die Zunahme des industriellen Ausstoßes betrug während der 1970er Jahre durchschnittlich 5,3% im Jahr.[121] Aber zwischen 1980 und 1985 ging die Industrieproduktion um immerhin 1,2% zurück, und das Wachstum zwischen 1985 und 1991 betrug nur 0,7%, während die Beschäftigung sogar um 1,4% zurückging.[122] Südafrikas Industriesektor ist durch die klassischen Probleme der Importsubstitutionsindustrialisierung geprägt, mit einer hohen Produktionskapazität für Verbrauchsgüter und einem gewissen Anteil von Schwerindustrie im Zusammenhang mit dem Bergbau und den Verarbeitungsbranchen für Mineralien, aber dem Fehlen von Investitionsgütern und vielen Zwischenprodukten. Südafrika ist jedoch an die informationelle/globale Ökonomie angeschlossen. Es besitzt beispielsweise die höchste Zahl von Internet-*Hosts* unter allen Ländern außerhalb der OECD.[123] Das Wachstum seiner technologischen Kompetenz wird jedoch durch ein fragmentiertes institutionelles Umfeld und den Mangel an effektiver staatlicher Unterstützung eingeschränkt. Die Ausgaben der Wirtschaft für F&E sind von 1983/84 bis 1989/90 um etwa 27% gefallen, und man stützt sich in hohem Maß auf den Erwerb von Technologie aus dem Ausland, hauptsächlich über Lizenzierungsabkommen. F&E ist deutlich geringfügiger als in anderen schnell wachsenden Ländern.[124]

119 MERG (1993).
120 *The Economist* (1995).
121 ISP (1995:6).
122 MERG (1993: 239).
123 Network Wizards (1996).
124 Industrial Strategy Project (1995: 239).

1993 gab es jedenfalls „wenig Hinweise darauf, dass der Technologietransfer mit Trainingsprogrammen einhergeht, die sicherstellen, dass die Technologie effektiv angeeignet wird".[125]

Die Gesamtbeschäftigung wies seit Mitte der 1970er Jahre eine rückläufige Tendenz auf, wobei die Beschäftigung in Landwirtschaft, Transport, Bergbau und Industrie zurück gegangen ist. Hätte es in der Zeit von 1986-1990 keinen substanziellen Zuwachs der Beschäftigung im öffentlichen Sektor gegeben, so wäre für diese Periode das Wachstum der Gesamtbeschäftigung negativ gewesen. 1989 bis 1992 ging die Gesamtbeschäftigung in den nicht-landwirtschaftlichen Sektoren um 4,8% zurück, was einem Verlust von etwa 286.000 Arbeitsplätzen entspricht, wobei es nur im öffentlichen Sektor ein positives Wachstum gab. Die Gesamtbeschäftigung im Privatsektor sank während dieser Periode um 7,8%. Der Anteil an der Erwerbsbevölkerung, der in der formellen Ökonomie beschäftigt war, schwankte 1989 zwischen 61% in der Region von Johannesburg/Pretoria und nur 22% in den ärmsten Regionen. Zwar gibt es keine zuverlässigen Zahlen für Arbeitslosigkeit, aber es ist klar, dass eine große und zunehmende Kluft zwischen der Anzahl von Menschen besteht, die eine Beschäftigung brauchen, und der Fähigkeit der formellen Ökonomie, Arbeitsplätze zu schaffen. Der Reallohnzuwachs war für die afrikanischen Arbeitskräfte in der Zeit von 1986-1990 negativ. Die Reallöhne der afrikanischen Arbeiter in der niedrigsten Bildungs- und Berufskategorie fielen in der Zeit von 1975 bis 1985 um 3% jährlich.[126] Die amtliche Arbeitslosenquote wurde vom Central Statistical Service 1994 auf 32,6% geschätzt, aber die – im Vergleich zu anderen afrikanischen Ländern – fehlenden Möglichkeiten zu Verdienst und Subsistenz aus landwirtschaftlicher Produktion und damit der Wegfall eines ländlichen Sicherheitsnetzes verschärft das Problem der Massenarbeitslosigkeit. Die Arbeitslosigkeit ist besonders bei jungen Menschen ein ernstes Problem; 64% der wirtschaftlich aktiven Bevölkerung zwischen 16 und 24 Jahren (etwa eine Million junger Leute) hatten 1995 keinen Arbeitsplatz.

Das Überleben vieler Südafrikaner ist daher von der informellen Wirtschaft abhängig, wenn auch die Schätzungen über ihre Zahl schwanken. Der Central Statistical Service schätzte 1990, dass 2,7 Mio. Menschen, also 24% der Erwerbsbevölkerung in der informellen Wirtschaft tätig waren. Das könnte jedoch auf eine deutliche Untertreibung der informellen Wirtschaftsaktivität hinauslaufen. So erklärten etwa 1990 bei einer Untersuchung im Township Alexandra, einem der großen Townships der Region Johannesburg, 48% der Einwohner, sie seien selbstständig, arbeiteten zu Hause oder arbeiteten woanders im Township.[127] Die informelle Wirtschaft Südafrikas ist in erster Linie eine Ökonomie des puren Überlebens. Etwa 70% aller informellen Unternehmen drehen sich

---

125 MERG (1993: 232).

126 MERG (1993: 149f).

127 Greater Alexandra/Sandton UDP Report (1990), zit. nach Benner (1994).

um den Straßenverkauf, vor allem von Nahrungsmitteln, Kleidern und Andenken.[128] Nur bei schätzungsweise 15-20% geht es um irgend eine Art von Fertigungsunternehmen, und das Subunternehmertum scheint im informellen Sektor Südafrikas weit weniger verbreitet zu sein als anderswo. Der Grund für die geringe Rolle der Fertigung bei den informellen Unternehmen liegt nicht nur in der Apartheidspolitik, die die schwarze Urbanisierung behinderte und Schwarze davon abhielt, Unternehmer zu werden, sondern auch an der Tatsache, dass die Schwarzen systematisch des Zugangs zu Bildung, Fertigkeiten und Erfahrung beraubt wurden, die entscheidend für die Entstehung eines dynamischen Unternehmertums sind. Das gilt besonders für den Erwerb informationeller Fertigkeiten. Die südafrikanische Wirtschaft weist außerdem ein hohes Niveau der Kapitalkonzentration und oligopolistischer Kontrolle auf.[129]

Südafrika hat eine extrem ungleiche Einkommensverteilung, nach manchen Messmethoden die ungleichste Verteilung der Welt. Es hat einen Gini-Koeffizienten von 0,65, verglichen mit 0,61 für Brasilien, 0,50 für Mexiko und 0,48 für Malaysia sowie Koeffizienten von unter 0,41 für die fortgeschrittenen Industrieländer. Die untersten 20% der Einkommen machen lediglich 1,5% des Nationaleinkommens aus, während die reichsten 10% der Haushalte volle 50% des Nationaleinkommens erhalten. Schätzungsweise zwischen 36 und 53% der Südafrikaner leben unterhalb der Armutsgrenze. Die Armut konzentriert sich überwältigend bei den Afrikanern und *Coloureds*: 95% der Armen sind Afrikaner und 65% der Afrikaner sind arm, verglichen mit 33% der *Coloureds*, 2,5% der Asiaten und 0,7% der Weißen.[130]

Rassenunterschiede sind noch immer ein wesentlicher Faktor der Ungleichheit, obwohl die schwarze Mittelklasse angewachsen ist. So ergab die im Oktober 1994 durchgeführte Haushaltsuntersuchung des Central Statistical Service beispielsweise, dass nur 2% der schwarzen Männer im Top-Management beschäftigt waren, verglichen mit 11% der weißen Männer. In diesem Top-Management verdienten 51% der schwarzen Männer über R 2.000 (etwa € 500) im Monat, gegenüber 89% der weißen Männer, die mehr als R 2.000 verdienten. Etwa 51% der schwarzen Männer waren als „einfache Arbeiter" oder als „Handarbeiter und Monteure" angestellt, gegenüber 36% der weißen Männer.[131]

So befinden sich die Wirtschaft und Gesellschaft Südafrikas in schlechterer Verfassung als dies im Vergleich mit ihrem kontinentalen Umfeld den Anschein hat, das aus den ärmsten Ländern der Welt besteht. Wir müssen jedoch auch die wirtschaftlichen Beziehungen Südafrikas mit seinen Nachbarn bedenken. Die um Südafrika herum gelegenen Frontstaaten haben während des Kampfes gegen Apartheid schwer gelitten, als Südafrika einen totalen Krieg führte, um die

128 Riley (1993).

129 Rogerson (1993); Manning (1993); Manning und Mashigo (1994).

130 South African Government (1996a).

131 South African Government (1996b).

Region zu kontrollieren und Nachbarländer abstrafte, weil sie den African National Congress unterstützten. Trotz ihrer Anstrengungen zur Entwicklung alternativer Transportkorridore und zur Diversifizierung ihrer Handelsbeziehungen blieben die meisten Staaten des südlichen Afrika während der gesamten 1980er Jahre von ihren Beziehungen zu Südafrika stark abhängig. Zu Anfang der 1990er Jahre begann sich der Schwerpunkt auf Überlegungen zu verlagern, inwiefern Südafrika zum „Entwicklungsmotor“ für die ganze Region werden könne. Die gesamte Region des südlichen Afrika ist über Südafrika integriert, die meisten Transportwege laufen durch Südafrika und viele der umliegenden Länder sind Teil eines erweiterten Wanderarbeiterreservoirs für die südafrikanische Wirtschaft. So waren etwa 1994 45% der insgesamt 368.463 Bergarbeiter Ausländer. Das ist ein Rückgang gegenüber dem Höhepunkt von 1974, als 77% aller Bergarbeiter Ausländer waren. Die Schätzungen über die Zahl der Menschen ohne gültige Papiere aus Nachbarländern, die in Südafrika leben, schwanken gewaltig. Die südafrikanischen Polizeidienste schätzen diese Zahl auf zwischen 5,5 Mio. und 8 Mio. Menschen. Der Human Sciences Research Council kam mit 5 bis 8 Mio. auf eine ähnliche Größenordnung.[132]

Die Ungleichmäßigkeit in den Beziehungen zwischen Südafrika und seinen Nachbarn ist deutlich. Die elf Länder des südlichen Afrika haben zusammen eine Bevölkerung von 130 Mio. Menschen, aber über 40 Mio. davon leben in Südafrika. Südafrika erbringt allein 80% des BIP der Gesamtregion. Die Südafrikaner sind im Durchschnitt 36mal reicher als die Moçambiquaner. Der südafrikanische Export in die Region ist achtmal so groß wie der Warenverkehr in die umgekehrte Richtung. Es gibt aber Überlegungen zur regionalen Integration als Freihandelsblock. Es werden Anstrengungen unternommen, die durch den Krieg zerstörten Eisenbahnen in Moçambique wieder aufzubauen und die moçambiquanischen Häfen für den Umschlag von Exporten aus Simbabwe, Botswana und Sambia wieder herzurichten. Wenn man aber die unterschiedliche Wirtschaftsstruktur Südafrikas und seiner Nachbarn betrachtet, so erhalten zwei Beobachtungen große Bedeutung: (a) alle Volkswirtschaften einschließlich die Südafrikas sind für ihre Exporterlöse insgesamt vom Güterverkehr abhängig; und (b) gibt es mit Ausnahme von Südafrikas winzigen Satelliten Botswana und Lesotho wenig industrielle Kapazität, die für den großen südafrikanischen Markt eine Exportgrundlage bieten könnte. Vielmehr zeigen die Handelsziffern, dass die südafrikanischen Unternehmen den größten Teil der begrenzten Importmarktkapazität der Nachbarländer besetzt haben.

Strikt ökonomisch gibt es daher kaum Komplementarität zwischen Südafrika und seinem afrikanischen Umfeld. Wenn überhaupt, so wird es Wettbewerb in einigen Schlüsselbranchen wie beim globalen Tourismus geben. Südafrika besitzt nicht die industriellen und technologischen Grundlagen, um für sich allein ein wichtiges Akkumulationszentrum in einer Größenordnung zu sein, die Ent-

132 South African Government (1996a).

wicklung nach sich ziehen würde. Es hat sogar große soziale und wirtschaftliche Probleme, die eine Beschäftigungspolitik erfordern, die sich auf die eigenen Staatsbürger richtet – mit möglicherweise verheerenden Folgen für Migranten aus anderen Ländern, deren Rücküberweisungen für die benachbarten Volkswirtschaften eine lebenswichtige Quelle harter Währung sind. Das wirkliche Problem, dem sich Südafrika gegenüber sieht, besteht darin, nicht selbst von der harten Konkurrenz in der neuen globalen Ökonomie an den Rand gedrängt zu werden, wenn seine Volkswirtschaft erst einmal geöffnet ist. Daher können regionale Kooperationsprogramme zwar die Entwicklung einer Transport- und Technologieinfrastruktur in den Nachbarländern unterstützen; und ein paar externe Effekte, die von Südafrika ins südliche Afrika wirken (beispielsweise Investitionen in Bergbau und Tourismus) werden gewiss die extremen Armutsverhältnisse lindern, wie dies bereits auf Namibia, Botswana und Moçambique zutrifft. Die Vision, das neue Südafrika werde für einen großen Teil des Kontinentes durch seine vielschichtige Einbindung in die globale Wirtschaft zum Entwicklungsmotor (als afrikanische Version des „flying geese"-Konzeptes, das die japanischen Strategen so sehr mögen) erscheint aus der Nähe betrachtet als völlig unrealistisch. Wenn das politische Schicksal Südafrikas auch an seine afrikanische Identität geknüpft ist, so weicht sein Entwicklungspfad doch weiterhin von dem seiner geschundenen Nachbarn ab – wenn nicht das Ende des Goldrausches, zurückfallende technologische Kompetenz und zunehmende soziale und ethnische Spannungen Südafrika auf den Abgrund sozialer Exklusion hin drängen, dem zu entfliehen der African National Congress so mutig gekämpft hat.

Jenseits von Afrika oder zurück nach Afrika? Die Politik und Ökonomie der *self-reliance*

Bei der Rückkehr von ihrem Feldaufenthalt in der Kalahari-Wüste in Namibia berichtet die Anthropologin Ida Susser, das Leben der Farmer und Farmarbeiter gehe weiter, sie überlebten in den Poren des Staates. Ihr kärglicher Unterhalt wird von Tag zu Tag gesichert. Es gibt keine offenkundigen Hinweise auf soziale Desintegration und massenhaften Hunger: Es gibt Armut, aber keine blanke Not.[133] Sie sind vielleicht nicht repräsentativ für die Vielfalt von Subsistenzwirtschaften, die einem beträchtlichen Teil der Afrikanerinnen und Afrikaner auf dem gesamten Kontinent noch immer ein Überleben ermöglichen. Aber wären diese Subsistenzwirtschaften und die traditionellen Gemeinschaften, mit denen sie verbunden sind, in der Lage, Zuflucht vor dem Wirbelsturm der Zerstörung und Desintegration zu bieten, der über Afrika hinweg bläst? In der Tat fordert eine zunehmende Anzahl von Stimmen in der intellektuellen und politi-

133 Susser, persönliche Mitteilung (1996).

schen Welt Afrikas oder unter denen, denen Afrika am Herzen liegt, die Rekonstruktion der afrikanischen Gesellschaften auf der Basis einer unabhängigen Sebstständigkeit, der *self-reliance*.[134] Das würde nicht bedeuten, die Bindung an primitive Wirtschaften und traditionelle Gesellschaften aufrecht zu erhalten, sondern von unten nach oben neu zu bauen und so auf einem anderen Weg Zugang zur Modernität zu finden, wobei die Werte und Zielsetzungen des globalen Kapitalismus von heute grundsätzlich verworfen werden. Für diese Position lassen sich starke Argumente in der technologisch/wirtschaftlichen Marginalisierung Afrikas finden, in der Entstehung des Räuberstaates und im wirtschaftlichen ebenso wie sozialen Fehlschlag der von IWF/Weltbank inspirierten Anpassungsprogramme. Ein alternatives Entwicklungsmodell, eines, das auch sozial und ökologisch nachhaltiger wäre, ist keine Utopie, und es gibt in einer Reihe von Ländern eine Fülle realistischer, technisch solider Vorschläge für Entwicklungsmodelle nach den Kriterien der *self-reliance*, und ferner auch Strategien für eine auf Afrika zentrierte Regionalkooperation. In den meisten Fällen gehen sie von der partiellen Abkoppelung der afrikanischen Volkswirtschaften von den globalen Netzwerken der Kapitalakkumulation aus. Dies berücksichtigt die Folgen der gegenwärtigen, asymmetrischen Verknüpfungen, wie sie in diesem Kapitel dargestellt wurden. Es besteht jedoch ein grundlegendes Hindernis für die Verwirklichung von Strategien der *self-reliance*: die Interessen und Wertvorstellungen der Mehrheit der politischen Eliten Afrikas und ihre Patronagenetzwerke. Ich habe gezeigt, wie und warum das, was für die meisten Afrikaner eine menschliche Tragödie ist, für die Eliten nach wie vor eine Quelle von Reichtum und Privilegien darstellt. Dieses pervertierte politische System ist historisch von den europäischen/amerikanischen Mächten und durch die fragmentarische Einbeziehung Afrikas in die globalen kapitalistischen Netzwerke geschaffen worden und wird weiter von ihnen aufrechterhalten. Es ist genau diese selektive Anbindung von Eliten und wertvollen Ressourcen zusammen mit der sozialen Exklusion der meisten Menschen und der wirtschaftlichen Entwertung der meisten natürlichen Ressourcen, was das Spezifische an der jüngsten Ausdrucksform der afrikanischen Tragödie ausmacht.

Die Abkoppelung Afrikas zu seinen eigenen Bedingungen würde daher eine Revolution in der ältesten, politischen Wortbedeutung erfordern – ein auf absehbare Zeit unwahrscheinliches Ereignis, bedenkt man die ethnische Fragmentierung der Bevölkerung und die verheerende Erfahrung der Menschen mit den meisten ihrer Führer und Retter. Aber wenn wir uns auf die historische Erfahrung beziehen, sind die Warnzeichen überdeutlich, nach denen es keine Unterdrückung gibt, der nicht Widerstand entgegengesetzt werden würde. Für die gesellschaftlichen und politischen Ergebnisse dieses Widerstandes sind Ungewissheit und Experimente die einzig möglichen Lagebeschreibungen, während

134 Davidson (1992, 1994); Aina (1993); Wa Mutharika (1995).

sich der Prozess durch die kollektiven Erfahrungen von Wut, Konflikt, Kampf, Hoffnung, Scheitern und Kompromiss hindurch arbeitet.

Das neue amerikanische Dilemma: Ungleichheit, städtische Armut und soziale Exklusion im Informationszeitalter

Die Vereinigten Staaten zeichnen sich durch die größte und technologisch am weitesten fortgeschrittene Volkswirtschaft der Welt aus. Sie sind die Gesellschaft, die als erste Erfahrungen mit den strukturellen und organisatorischen Transformationen gemacht hat, die für die Netzwerkgesellschaft am Anbruch des Informationszeitalters kennzeichnend sind. Aber sie sind auch die Gesellschaft, die während der letzten beiden Jahrzehnte des 20. Jahrhunderts einen erheblichen Anstieg an sozialer Ungleichheit, Polarisierung, von Armut und Elend gezeigt hat. Sicherlich ist Amerika eine überaus spezifische Gesellschaft mit einem historischen Muster der Rassendiskriminierung, mit einer besonderen urbanen Form – der zentralen oder „inneren" Stadt – und mit einem tiefsitzenden ideologischen und politischen Widerwillen gegen staatliche Regulation und Wohlfahrtsstaat. Dennoch könnte seine Erfahrung mit sozialer Ungleichheit und sozialer Exklusion während des formativen Stadiums der Netzwerkgesellschaft ein zeitgemäßes Zeichen auch für andere Weltgegenden und vor allem für Europa sein. Dafür gibt es vor allem zwei Gründe. Erstens unterstreichen die herrschende Ideologie und Politik in den meisten kapitalistischen Ländern die Deregulierung der Märkte und die Flexibilität des Managements im Rahmen einer Art von „Rekapitalisierung des Kapitalismus", die stark an die Strategie, Politik und Managementpraktiken erinnern, die aus dem Amerika der 1980er und 1990er Jahre bekannt sind.[135] Zweitens ist vielleicht noch entscheidender, dass die zunehmende Integration von Kapital, Märkten und Unternehmen in einer gemeinsamen globalen Ökonomie es äußerst schwierig macht, wenn manche Länder deutlich von dem institutionell/makroökonomischen Umfeld anderer Regionen abweichen – zumal dann, wenn eine dieser „anderen Regionen" so groß und für die globale Ökonomie so zentral ist wie die Vereinigten Staaten. Würden europäische oder japanische Unternehmen, Kapital und Arbeitsmärkte mit anderen Regeln und mit höheren Produktionskosten arbeiten als die Unternehmen aus den Vereinigten Staaten, so müsste eine von zwei Bedingungen erfüllt sein. Ihre Märkte einschließlich ihrer Kapital- und Dienstleistungsmärkte müssten geschützt sein. Oder aber die Produktivität müsste höher sein als in Amerika. Wir wissen aber, dass die Produktivität der amerikanischen Arbeitskräfte zwar beim Produktivitätswachstum während der letzten beiden Jahrzehnte hinterhergehinkt ist, aber dennoch zu den höchsten auf der Welt gehört,

135 Brown und Crompton (1994); Hutton (1996).

etwas hinter Frankreich und Deutschland und gleichauf mit den Niederlanden und Belgien, jedoch deutlich über dem Durchschnitt aller OECD-Länder. Zwar hält Japan noch immer weitgehend an der Marktprotektion fest, aber neue Handelsabkommen und die zunehmende Mobilität des Kapitals ebnen den Weg für eine relative Angleichung der Arbeitsbedingungen in der gesamten OECD. Wenn demnach auch jede Gesellschaft sich mit ihren eigenen Problemen entsprechend ihrer eigenen Sozialstruktur und ihren eigenen politischen Prozessen herumzuschlagen hat, so kann doch das, was in Amerika hinsichtlich Ungleichheit, Armut und sozialer Exklusion passiert, als ein wahrscheinliches strukturelles Ergebnis jener Trends verstanden werden, die in den informationellen Kapitalismus eingebettet sind, wenn die Marktkräfte weiterhin weitgehend unkontrolliert bleiben. In der Tat zeigen vergleichende Studien ähnliche Trends – auf unterschiedlichen Niveaus – bei der Zunahme von Armut und Ungleichheit in Westeuropa und den Vereinigten Staaten, vor allem im Vereinigten Königreich.[136] Während die scharfe Ungleichheit zwischen den obersten und den untersten Gesellschaftsschichten eine universelle Tendenz ist, ist sie in den Vereinigten Staaten besonders krass.

Um für die Auseinandersetzung mit den sozialen Implikationen des informationellen Kapitalismus in den fortgeschrittenen Gesellschaften eine Grundlage zu schaffen, werde ich zunächst einen möglichst knappen Überblick über die Entwicklung von Ungleichheit, Armut und sozialer Exklusion während der letzten beiden Jahrzehnte in Amerika geben. Dabei bewerte ich diese Trends im Rahmen der Kategorien, die ich zu Beginn dieses Kapitels vorgestellt habe.

Das duale Amerika

Während der 1990er Jahre schien es dem amerikanischen Kapitalismus gelungen zu sein, unter den Bedingungen der Neustrukturierung, des Informationalismus und der Globalisierung zu einem höchst profitablen System zu werden.[137] Auf den Höhepunkten der Wirtschaftszyklen stiegen die Profitraten nach Steuern von 4,7% 1973 auf 5,1% 1979, stabilisierten sich während der 1980er Jahre und stiegen 1995 auf 7%. Der Wert der Aktienmärkte erreichte 1999 seinen historischen Höchststand, als der Dow Jones-Index eines Tages die Indexmarke von 11.000 übersprang. Wenn auch die Aktienkurse steigen und fallen, so scheint sich der Dow Jones-Index doch – wenn es nicht zu einem katastrophenartigen Kollaps der Finanzmärkte kommt (was immer möglich ist) – fest auf einem zunehmend steigenden Niveau zu bewegen. Nicht nur das Ka-

136 Funken und Cooper (1995); Hutton (1996).

137 Die wichtigste Datenquelle für diesen Abschnitt über das „duale Amerika" sind die ausgezeichneten Studien von Mishel u.a. (1996, 1999), die eine eigene, aufschlussreiche Bearbeitung verlässlicher Statistiken bieten. Wo nicht anders ausgewiesen, stammen die Daten im Text aus dieser Quelle.

pital wird belohnt, auch den kapitalistischen Managern geht es gut. Gemessen auf der Dollarbasis von 1995 ist der Durchschnittsgesamtverdienst von Vorstandsmitgliedern (*chief executive officers*, CEO) in US-Großunternehmen in den USA von 1.269.000 US$ pro Jahr 1973 auf 3.180.000 US$ im Jahr 1989 und auf 4.367.000 US$ 1995 gestiegen. Das Verhältnis der gesamten Bezüge von CEO zu den gesamten Bezügen der Arbeiter ist von dem 44,8-fachen 1973 auf das 172,5-fache 1995 geklettert. 1999 verdiente das reichste eine Prozent der Haushalte nach Steuern ein Durchschnittseinkommen von 515.600 US$ gegenüber 243.700 US$ 1977.[138]

Abbildung 2.5 Jährliches Wachstum des mittleren Familieneinkommens in den USA, 1947-1997

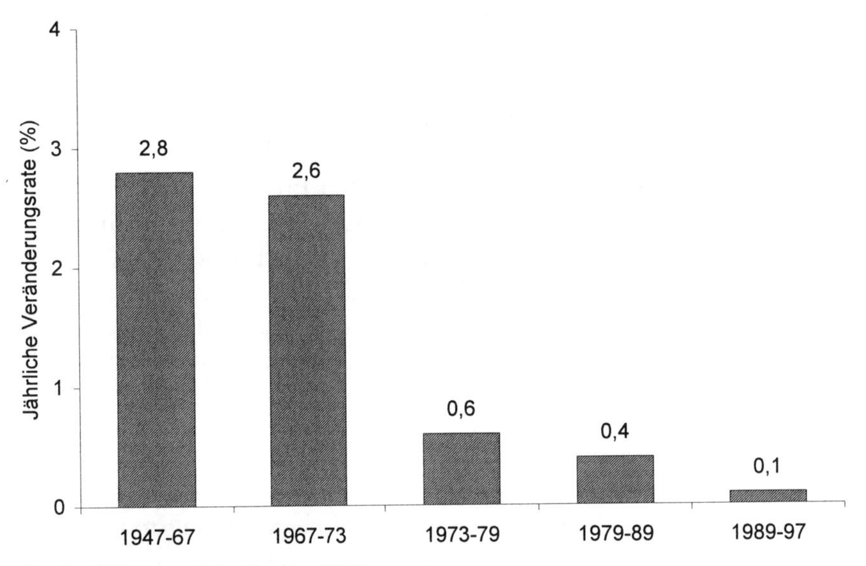

Quelle: US Bureau of the Census, 1998

Zugleich ist das mittlere Familieneinkommen in den 1970er Jahren jährlich um 0,6% gestiegen, um 0,4% in den 1980er und um bloß 0,1% in den 1990er Jahren (s. Abb. 2.5). Das ist vor allem eine Folge des Niedergangs der realen Wochenverdienste von Arbeitskräften in der Produktion und in untergeordneten Tätigkeiten, die von 479,44 US$ 1973 auf 395,37 US$ 1995 gefallen sind. Der Anteil am Nationaleinkommen von etwa 80% der amerikanischen Haushalte oder 217 Mio. ist gefallen, von 56% 1977 auf unter 50% 1999.

138 Bureau of the US Census, 1999.

Abbildung 2.6a Reale Stundenlöhne für Männer nach Lohnperzentil in den USA, 1973-1997

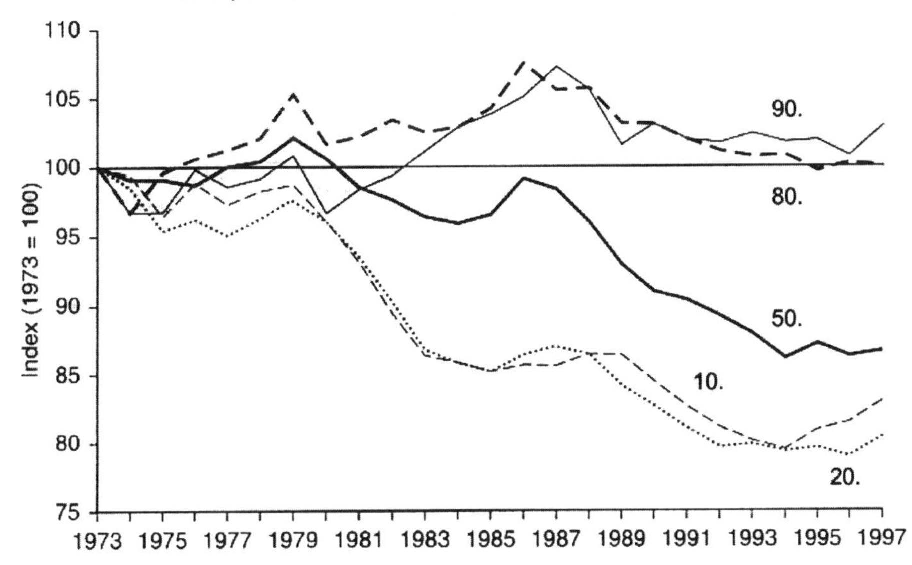

Quelle: Mishel u.a. (1999: 133)

Abbildung 2.6b Reale Stundenlöhne für Frauen nach Lohnperzentil in den USA, 1973-1997

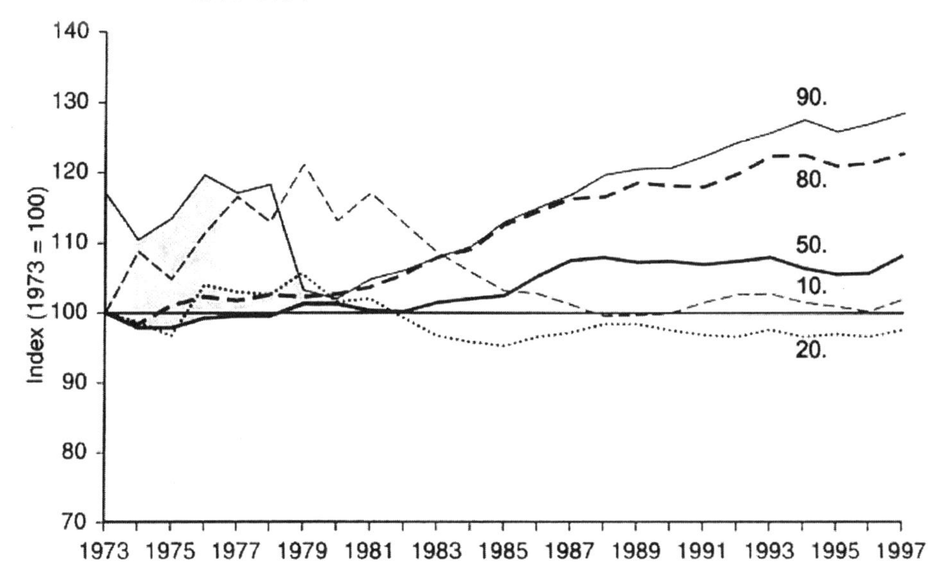

Quelle: Mishel u.a. (1999: 133)

Im Goldenen Kalifornien ist inmitten des Booms der 1990er Jahre der mittlere Stundenlohn für alle Arbeitskräfte zwischen 1993 und 1998 um 1% zurück gegangen, für männliche Arbeitskräfte betrug der Rückgang 5%.[139] In den USA insgesamt konnten die meisten Familien nur zurecht kommen, wenn zwei Mitglieder ihren Beitrag zum Haushaltsbudget leisteten, und so wuchs der mittlere prozentuale Beitrag arbeitender Frauen von um die 26% des Familieneinkommens 1979 auf 32% 1992. Damit ist die Haushaltsstruktur zu einer der Hauptursachen für Einkommensunterschiede zwischen Familien geworden. Der Stundenlohnrückgang bei Männern konzentrierte sich besonders bei den am schlechtesten bezahlten Arbeitern, während die am besten Bezahlten (das oberste Perzentil) die einzige Gruppe war, die keinen Rückgang erfuhr (Abb. 2.6a). Doch selbst die am besten ausgebildete Gruppe der männlichen Arbeiter erlebte während des größten Teils der 1980er und 1990er Jahre im Durchschnitt einen Reallohnrückgang: So sank der Stundenlohn für Männer mit College-Ausbildung und ein bis fünf Jahren Berufserfahrung 1979-1995 um 10,7%. 1996-1999 stiegen die Gehälter männlicher College-Absolventen jedoch etwas, wenn auch je nach Branche sehr ungleichmäßig. Doch im Durchschnitt war der Zuwachs bescheiden. So stiegen in Kalifornien, dem Mekka der *new economy*, die durchschnittlichen Stundenlöhne für männliche College-Absolventen zwischen 1993 und 1998 um lediglich 0,9% und für diejenigen mit einem höheren College-Abschluss um 0,8%. Dagegen sind die Löhne für viele Frauen während dieser Zeit gestiegen, und zwar für die Gruppe mit Berufserfahrung erheblich (Abb. 2.6b). In Kalifornien stiegen die Gehälter für Frauen mit College-Ausbildung zwischen 1993 und 1998 um 6,1%. Aber insgesamt nahm der mittlere Stundenlohn für Frauen in den Vereinigten Staaten 1989-1997 nur um 0,08 US$ zu. Während also der geschlechtsspezifische Unterschied bei den Stundenlöhnen von 66,4% 1989 auf 66,9% 1997 leicht reduziert wurde, war der größte Teil dieser Annäherung auf das Absenken der Löhne für männliche Arbeitnehmer zurückzuführen.

Das relative Absinken der Einkommen hat die oberen, mittleren und unteren Schichten in unterschiedlicher Weise betroffen. Die soziale Ungleichheit ist gemessen am Gini-Koeffizienten von 0,399 1967 auf 0,450 1995 angestiegen. Ferner hat Ungleichheit die Form der Polarisierung angenommen: 1979-1997 steigerten die reichsten Familien ihr durchschnittliches Jahreseinkommen am schnellsten, während die Ärmeren Einkommensverluste hinnehmen mussten (s. Abb. 2.7). Das Ergebnis dieses Prozesses bestand darin, dass 1999 1% der Haushalte mit dem höchsten Einkommen 12,9% des Gesamteinkommens erhielten, nachdem sie ihr Einkommen nach Steuern zwischen 1977 und 1999 um 119,7% gesteigert hatten. Das oberste Fünftel kam auf 50,4% des Gesamteinkommens gegenüber 44,2% 1977. Dagegen erhielt das unterste Fünftel gerade 4,2% des Einkommens, nachdem die entsprechenden Einkommen nach Steuern zwischen 1977 und 1999 um 12% gefallen waren (s. Tab. 2.10).

139 Benner u.a. (1999).

Abbildung 2.7 Durchschnittliche jährliche Veränderung des Familieneinkommens in den USA, 1947-1997

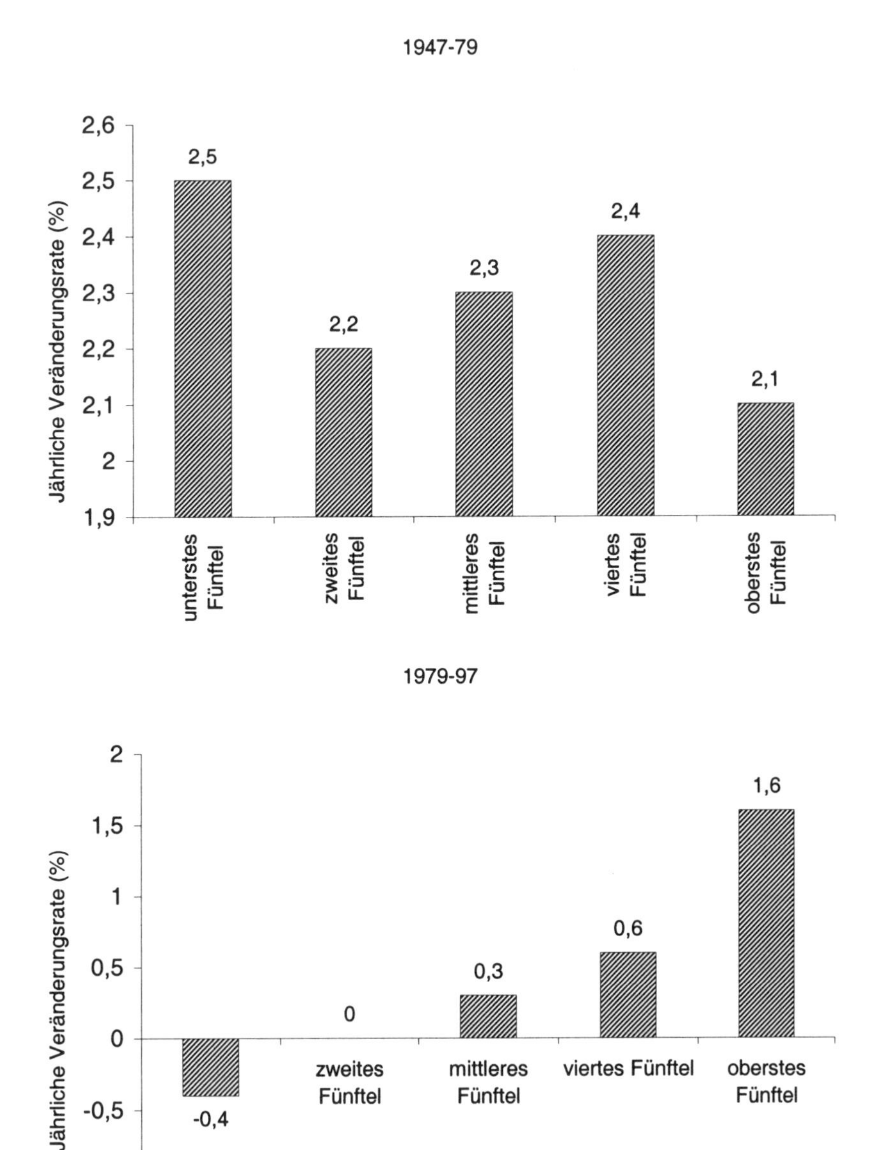

Quelle: US Bureau of the Census (versch. Jahrgänge); Analyse von Mishel u.a. (1999: 52)

Tabelle 2.10 Einkommensungleichheit in den Vereinigten Staaten, 1977-1999

Einkommensgruppe	Anteil am Gesamteinkommen (%)[1]		Durchschnittseinkommen nach Steuern (geschätzt, in US$)		Veränderung (%)
	1977	1999	1977	1999	
Unterstes Fünftel	5,7	4,2	10.000	8.800	-12.0
Unteres mittleres Fünftel	11,5	9,7	22.100	20.000	-9,5
Mittleres Fünftel	16,4	14,7	32.400	31.400	-3,1
Oberes mittleres Fünftel	22,8	21,3	42.600	45.100	+5,9
Oberstes Fünftel	44,2	50,4	74.000	102.300	+38,2
Das eine Prozent mit dem höchsten Einkommen	*7,3*	*12,9*	*234.700*	*515.600*	*+119,7*

1 Die Zahlen addieren sich wegen Rundungen nicht auf 100.

Quelle: Daten des US Congressional Budget Office, analysiert vom Center on Budget and Policy Priorities

Nach den Berechnungen von Wolff[140] gibt es bei der Verteilung des Reichtums (Haushaltsvermögen minus Schulden) und ihrer Entwicklung 1983-1997 eine ähnliche Konzentration und Polarisierung. 1997 entfielen auf das oberste 1% der Haushalte 39,1% des gesamten Reichtums, 1983 waren es noch 33,8%. Andererseits entfielen auf die untersten vier Fünftel der Haushalte nur 15,7% des gesamten Reichtums, gegenüber 18,7% 1983. Die Zunahme der Aktienwerte hat vermutlich die Konzentration des Reichtums 1995-1997 noch verstärkt, weil der Anteil des obersten 1% von 37,6% 1995 auf 39,1% 1997 angestiegen ist. Andererseits hatte das unterste Fünftel der Haushalte 1983 ebenso wie 1997 mehr Schulden als Vermögen. Berechnet man die Veränderungsraten, so steigerte das oberste Fünftel der Haushalte zwischen 1989 und 1997 seinen Reichtum um 1,8%, während der Reichtum der unteren vier Fünftel um 0,8% abgenommen hat.[141] Es gibt also nicht bloß zunehmende Ungleichheit, sondern auch zunehmende Polarisierung.

1997-1999 gab es für die untersten 10% der Lohnempfänger eine gewisse Verbesserung, denn ihre Löhne stiegen um 10%, weit über der Durchschnittszunahme. Wirtschaftskreise beriefen sich darauf zwar als Beleg für das Durchsickern der Segnungen der *new economy*, doch bestand der Hauptgrund in Wirklichkeit in einer Entscheidung der Regierung – der Heraufsetzung des gesetzlichen Mindestlohns 1996. Jedenfalls belief sich diese zehnprozentige Steigerung auf 60 US-Cent die Stunde, womit das Lohnniveau der untersten 10% der Arbeitenden noch immer deutlich unter dem von 1979 lag.

Auch die Armut hat zugenommen. Der Anteil der Menschen, deren Einkommen unter der Armutsgrenze liegt, ist von 11,1% 1973 auf 13,3% 1997 gestiegen; das sind 35 Mio. Amerikanerinnen und Amerikaner, von denen zwei Drittel Weiße sind, mit einem großen Anteil in ländlichen Gebieten. Elend oder extreme Armut hat noch schneller zugenommen. Wenn man unter dieser Kate-

140 Wolff (1994); Mishel u.a. (1999).

141 Mishel u.a. (1999: 262).

gorie die Armen fasst, deren Einkommen weniger als 50% des Armutsniveaus ausmacht (1994 war das ein Jahreseinkommen von 7.571 US$ für eine vierköpfige Familie), so stellten sie 1975 nahezu 30% der Armen und erreichten 1997 den Stand von 41% aller Armen, was etwa 14,6 Mio. Amerikanern entspricht.

Die Gründe für zunehmende Ungleichheit, Polarisierung, Armut und Elend im informationellen Amerika sind Gegenstand hitziger Debatten, und ich habe nicht vor, die Frage in ein paar Absätzen zu entscheiden. Ich kann aber ein paar Hypothesen vortragen, die sich auf die Hauptargumentationslinie dieses Buches beziehen. Um es abzukürzen, denke ich, dass die empirischen Belege eine Interpretation stützen, nach der die Zunahme von Ungleichheit und Armut in Amerika während der 1990er Jahre mit sechs in Wechselwirkung zueinander stehenden Prozessen zusammenhängt: (a) mit der Verlagerung von einer industriellen zu einer informationellen Wirtschaftsform, die mit der strukturellen Transformation der sektoralen Zusammensetzung der Erwerbsbevölkerung einhergeht; (b) mit der hohen Bewertung eines hohen Ausbildungsniveaus im Rahmen der informationellen Ökonomie, zusammen mit zunehmender Ungleichheit beim Zugang zu hochwertiger öffentlicher Bildung; (c) mit den Auswirkungen der Globalisierung von industrieller Produktion, Arbeitskraft und Märkten, was zu De-Industrialisierungsprozessen führt; (d) mit der Individualisierung und Vernetzung der Arbeitsprozesse; (e) mit der zunehmenden Rolle, die Immigranten unter diskriminierenden Bedingungen in der Erwerbsbevölkerung spielen; (f) mit der Einbeziehung von Frauen in die bezahlte Arbeit in der informationellen Wirtschaft, und zwar unter den Bedingungen patriarchalischer Diskriminierung und der ökonomischen Zusatzbelastung durch die Krise der patriarchalischen Familie. Zu diesen strukturellen Prozessen kommen noch die soziopolitischen Faktoren hinzu, die die Herrschaft ungehemmter Marktkräfte absichern und so die Logik der Ungleichheit zusätzlich verstärken.[142]

Auf welche Weise führen diese Mechanismen zu größerer Ungleichheit und Armut? Vor allem gibt es eine zunehmende Diskrepanz zwischen der wirtschaftlichen Dynamik des *new economy*-Sektors und des traditionellen Sektors (s. Bd. I, Kap. 2). Nach Berechnungen von *Business Week* vom September 1999 sind in der Zeit von 1994-1999, als die Blüte der *new economy* einsetzte, die Reallöhne in den Branchen dieser *new economy* um 11% gegenüber 3% in der übrigen Wirtschaft gestiegen.[143] Wenn man ferner die Entwicklung der Reallöhne zwischen 1989 und 1999 berechnet, so ergibt sich für die Branchen der traditionellen Wirtschaftszweige ein Rückgang von 4,5%. Legt man den Index 100 für 1988 zugrunde, so war der Wertindex der Reallöhne für die *new economy* 1999 auf 112 gestiegen, während er in der *old economy* auf 95,5% gefallen ist. Der Schlüssel zur Erklärung dieses Phänomens liegt in der Tatsache, dass nach dieser Definition die *new economy* 1999 19 Mio. Beschäftigte hatte, während die *old economy*

---

142 Brown und Crompton (1994); Navarro (1997).
143 *Business Week* (1999a: 92-100).

noch immer 91 Mio. beschäftigte. Die beiden Makro-Sektoren weisen große Unterschiede im Hinblick auf Produktivität, Gewinne und Beschäftigungszuwachs auf. Weil Firmen der *new economy* Arbeitskräfte benötigen, sind sie bereit, vor allem für hochqualifizierte Arbeitskräfte, die für Innovation und Wettbewerbsfähigkeit von entscheidender Bedeutung sind, hohe Gehälter zu zahlen. Andererseits verfügen die traditionellen Branchen nicht über die Profitmargen oder die Wertsteigerungserwartungen für ihre Aktien, um unabhängig vom Qualifikationsniveau Arbeitskräfte gut zu bezahlen. Vielmehr versuchen sie gewöhnlich, die Löhne zu drücken oder die Kosten durch Reduzierung ihrer Belegschaft zu senken und befinden sich so in der Abwärtsspirale einer Konkurrenz, in der es um Kostensenkung geht anstatt um den Ansporn von Innovation und Produktivität. Weil ein viel größerer Teil der Beschäftigten in der Falle der *old economy* sitzt, konzentriert sich die wertschöpfende Fähigkeit der neuen, informationellen Wirtschaft auf einen relativ kleinen Beschäftigungssektor und eignet sich so in unverhältnismäßigem Maße die Früchte der hohen Produktivität an. Wer in der *new economy* arbeitet, akkumuliert genügend Einkommen, um in Aktien zu investieren und so zusätzlich vom Wirtschaftswachstum zu profitieren. Möglicherweise wird wegen der höheren Zuwachsraten der Beschäftigung in der *new economy* und der Ausbreitung der besten Technologie und der besten Managementmethoden in der gesamten Wirtschaft mit der Zeit ein viel größeres Bevölkerungssegment aus dem Prozess Nutzen ziehen, in dem gegenwärtig Reichtum geschaffen wird. Die Ungleichheit, die sich aus der Diskrepanz ergibt, die im Anfangsstadium zwischen den beiden Sektoren bestanden hat, tendiert jedoch dazu, sich zu reproduzieren; denn niedrigeres Einkommen und niedrigere Bildung bedeuten in einer wissensbasierten Wirtschaft geringere Chancen, zu Wohlstand zu gelangen. Letzten Endes entstehen in den Bevölkerungsteilen, die dem Profil des Informationsarbeiters nicht entsprechen, Nischen der Armut.

Zweitens wird Bildung in der *new economy* zur entscheidenden Ressource zur Aufwertung der eigenen Arbeitskraft. 1979 verdiente der durchschnittliche College-Absolvent 38% mehr als der durchschnittliche *high-school*-Absolvent. 1999 betrug der Unterschied 71%. Ferner ist Bildung nicht dasselbe wie formale Ausbildung. Die wissensbasierte Wirtschaft erfordert allgemeine analytische Fertigkeiten und die Fähigkeit, zu verstehen und Neues zu schaffen – Anforderungen, denen nur verbesserte Bildungsinstitutionen gerecht werden. Gruppen mit niedrigem Einkommen, Immigranten und Minderheiten haben auf dem Sekundarschulniveau wie im College-Bereich deutlich geringere Zugangsmöglichkeiten zu höherer Bildung.[144] Je größer daher die Bedeutung von Bildung für das berufliche Fortkommen, desto höher die Wahrscheinlichkeit zunehmender Ungleichheit, wenn die Bildungspolitik dem nicht entgegenwirkt. Angesichts der Prognosen, dass 2050 etwa 50% der US-Bevölkerung aus Mitgliedern ethnischer

144 Carnoy (1994); Lemann (1999).

Minderheiten bestehen werden, könnte sich eine scharfe sozio-ethnische Trennlinie entwickeln, wenn die gegenwärtigen Tendenzen nicht korrigiert werden.

Drittens hat die Globalisierung als Folge der geografischen Verlagerung (nicht des Verschwindens) industrieller Produktion in andere Weltgegenden zur partiellen De-Industrialisierung Amerikas geführt. Daher gehen durch Globalisierung durchaus traditionelle industrielle Arbeitsplätze verloren – die Art angelernter, anständig bezahlter Jobs, die einmal das Rückgrat des arbeitenden Amerika ausmachten. Das Schlüsselproblem bestand dabei in der Zerstörung der wirtschaftlichen und organisatorischen Basis der organisierten Arbeiterbewegung, wodurch die Gewerkschaften geschwächt und Arbeiter ihres Instrumentes kollektiver Verteidigung beraubt wurden. Schließlich war es auf die starke Präsenz der Gewerkschaften zurückzuführen, dass die industriellen Arbeitsplätze besser bezahlt waren als die von den Qualifikationsanforderungen her gleichwertigen im Dienstleistungsbereich. Der gewerkschaftliche Organisationsgrad lag in den USA 1999 nur noch bei 13,9% der Erwerbstätigen, und ein zunehmender Anteil der gewerkschaftlich organisierten Beschäftigten konzentrierte sich im öffentlichen Sektor. Es gibt reichlich Belege für den positiven Zusammenhang zwischen Gewerkschaftsmitgliedschaft und Lohnhöhe, zumal in Bereichen hoher Organisationsdichte, wie dies im öffentlichen Sektor der Fall ist. Zwischen 1985 und 1999 fiel der Durchschnittslohn für gewerkschaftlich nicht organisierte Beschäftigte um 6%, während er für Gewerkschaftsmitglieder nur um 3% zurück ging.[145]

Der vierte Mechanismus, die Individualisierung der Arbeit und die damit einhergehende Transformation der Unternehmen entsprechend der Form des Netzwerkunternehmens, ist der wichtigste Faktor, der zu Ungleichheit führt (s. Bd. I, Kap. 3 und 4). Der Grund liegt einerseits darin, dass die Beschäftigten als Gruppe in jeweils überaus spezifische Arbeitssituationen gestellt werden – und damit ihrem individuellen Schicksal überlassen bleiben. So gingen in der Schlüsselregion für die Ausbreitung der vernetzten Wirtschaft, Kalifornien, von 1993 bis 1997 bei großen Unternehmen 277.443 Arbeitsplätze verloren, während Firmen mit weniger als 100 Beschäftigten netto über 1,3 Mio. neue Arbeitsplätze schufen, wobei Unternehmen mit weniger als 20 Beschäftigten 65% zu diesem Wachstum beisteuerten. Das war eine mächtige Demonstration von Unternehmergeist, aber die Konsequenzen für die Arbeitenden waren bitter: Beschäftigte in Unternehmen mit Belegschaften von 1.000 und mehr verdienen durchschnittlich 39% mehr als solche, die in kleinen Unternehmen angestellt sind, über 68% haben eine Rentenversicherung, verglichen mit nur 13,2% in Kleinunternehmen, und 78,4% haben eine Krankenversicherung gegenüber 30% der Beschäftigten in kleinen Firmen. Ferner liegt das Verharren am Arbeitsplatz in Großunternehmen doppelt so hoch wie in Firmen mit weniger als 25 Beschäftigten.[146]

145 Benner u.a. (1999).
146 Benner u.a. (1999: 31).

Andererseits führt der individualisierte Aushandlungsprozess zwischen Unternehmern und Beschäftigten zu einer außerordentlichen Vielfalt von Arbeitsarrangements und belohnt Arbeitskräfte in ganz bedeutendem Ausmaß, die über einzigartige Fähigkeiten verfügen, während er andere Beschäftigte leicht ersetzbar werden lässt. Weil außerdem lebenslange Karrieremuster verweigert werden, kann der erfolgreiche Arbeiter von heute der ausrangierte Arbeiter von morgen sein, so dass insgesamt nur diejenigen Beschäftigten, die sich ausreichend lange ständig an der Spitze halten können, in der Lage sind, Vermögen zu akkumulieren. Die Mitgliedschaft in dieser privilegierten Minderheit hat mit hohem Bildungsniveau zu tun. Aber daraus folgt nicht, dass Bildung etwa die Lösung sei, weder für Einzelpersonen noch für soziale Gleichheit. Sie ist eine notwendige, aber keine hinreichende Erfolgsbedingung in der informationellen Wirtschaft. Die vorliegenden Daten zeigen, dass im Durchschnitt auch männliche College-Absolventen während der ersten Hälfte der 1990er Jahre stagnierende Reallöhne hinnehmen mussten, und dass die Gehälter während des Booms der späten 1990er Jahre nur mäßig anstiegen. Die zunehmende Einkommenskluft zwischen Arbeitskräften mit und ohne College-Ausbildung ist vor allem auf den scharfen Abfall der Löhne der weniger gut Ausgebildeten zurück zu führen. Die hoch bezahlten Arbeitskräfte bilden eine andere Gruppe, die von den traditionellen statistischen Kategorien kaum erfasst wird. Es sind diejenigen Arbeitskräfte/Leistungsträger/Unternehmer, die aus welchem Grund auch immer an der Spitze des Geschäftes in ihrem spezifischen Tätigkeitsbereich stehen: Manchmal hat das mehr mit *image-making* zu tun als mit Substanz. Diese Verkörperung des Mehrwertes führt zu einer steigenden Diskrepanz zwischen ein paar hoch bezahlten Unternehmern/Arbeitskräften/Mitarbeitern/Beratern und einer wachsenden Masse von Einzelpersonen, die, weil sie als Einzelpersonen auftreten, gewöhnlich den kleinsten gemeinsamen Nenner dessen akzeptieren müssen, was der Markt ihnen bietet. Diese Diskrepanz führt zu einer krasseren Ungleichheit bei der Verteilung von Einkommen und Vermögen.

Fünftens führt zunehmende Einwanderung unter den Bedingungen struktureller Diskriminierung zunächst einmal dazu, dass die Immigranten niedrigere Löhne bekommen. Während daher die Immigration einen wesentlichen, positiven Beitrag zum gesamten Wirtschaftswachstum leistet, trägt sie auch zur Ungleichheit bei, weil die meisten Einwanderer unterhalb der marktgängigen Sätze bezahlt werden, zumal dann, wenn sie keine Papiere haben. Für Kalifornien ergab 1999 eine Studie des Public Policy Institute of California, dass etwa ein Viertel der Zunahme an Ungleichheit der Immigration zuzuschreiben war. Die Studie zeigte auch, dass während der 1990er Jahre 44% der Zunahme an Ungleichheit auf Immigration und Bildung zurück gingen.[147]

Schließlich leistete die massenhafte Einbeziehung von Frauen in die informationelle Wirtschaft einen entscheidenden Beitrag, damit die Wirtschaft zu viel

---

147 Reed (1999).

niedrigeren Kosten als zuvor effizient funktionieren konnte. Zwar sind die Gehälter gut ausgebildeter (zumal weißer) Frauen in Amerika kräftig angestiegen, sie betragen aber noch immer im Durchschnitt 67% der Gehälter männlicher Arbeitskräfte mit vergleichbarer Qualifikation. So ist insgesamt der Anteil der Löhne und Gehälter am BIP während der letzten beiden Jahrzehnte des 20. Jahrhunderts gesunken. Das bedeutet nicht, die Frauen stellten die Erfolgsgeschichte unter den Beschäftigten der informationellen Wirtschaft dar. Vielmehr hatten die meisten Menschen unter den Folgen der Krise der patriarchalischen Familie (die teilweise mit der zunehmenden wirtschaftlichen Autonomie der Frauen in Beziehung steht) zu leiden, vor allem aber Frauen und allein erziehende Mütter. Die Studien von Eggebeen und Lichter, Lerman und Rodgers zeigten denn auch den engen Zusammenhang auf, der zwischen der sich ändernden Familienstruktur und der zunehmenden Armut von Frauen und ihren Kindern besteht.[148] Lerman schätzt, dass der Trend weg von der Ehe und hin zu Haushalten allein erziehender Eltern für nahezu die Hälfte des Anstieges der Einkommensungleichheit für Kinder und für die gesamte Zunahme der Armutsraten von Kindern zwischen 1971 und 1989 verantwortlich war.[149]

Die Armutsrate von Menschen, die nicht in Familien lebten, stieg 1989-1994 um 2,2% und erreichte 21,5% dieser Gruppe, was 14,5% aller Personen ausmacht. Die Armutsrate der von Frauen geführten Familien stieg in derselben Zeit um 2,2% und erreichte 1994 38,6% aller Familien mit weiblichem Vorstand. Im Ergebnis stieg zwischen 1973 und 1993 die Zahl der weißen Kinder, die in Armut lebten, um 52,6%, die der *Hispanics*-Kinder um 116% und die der schwarzen Kinder um 26,9%.[150] Insgesamt lebten 1997 19,9% aller amerikanischen Kinder in Armut, wobei dieser Anteil bei schwarzen Kindern 37,2% betrug. Die Prozentzahl steigt für Kinder unter sechs Jahren (22% bzw. 40,2%).

Für die sogenannte „neue Armut" ist kennzeichnend, dass sie weitgehend Menschen und Familien betrifft, die einfach nicht in der Lage sind, ihr Leben auf der Grundlage ihres Einkommens zu bestreiten. Wie Abbildung 2.8 zeigt, ist der Anteil der Arbeiterinnen und Arbeiter, deren Löhne unter dem Armutsniveau liegen, zwischen 1973 und 1997 für Männer deutlich gestiegen, während er für Frauen zurückgegangen ist, so dass 1997 28,6% der amerikanischen Arbeiter auf dem Armutsniveau entlohnt wurden, ein Anstieg gegenüber den 23,7% von 1973. Eines der erschreckendsten Gesichter dieser neuen Armut ist Obdachlosigkeit, die während der 1980er Jahre in den amerikanischen Städten in die Höhe geschossen ist und während der 1990er Jahre auf hohem Niveau verharrt hat. Die Schätzungen über die Anzahl der obdachlosen Bevölkerung gehen weit auseinander. Der Bericht der Clinton-Administration von 1994 mit dem Titel „Priority: Home!" schätzte, dass die Anzahl der Obdachlosen während der

148 Eggebeen und Lichter (1991); Lerman (1996); Rodgers (1996).
149 Lerman (1996).
150 Cook und Brown (1994).

zweiten Hälfte der 1980er Jahre irgendwo zwischen 5 und 9 Mio. Menschen gelegen hat und dass etwa 7% der amerikanischen Erwachsenen irgendwann einmal im Leben obdachlos gewesen sind. Diese Schätzung war vermutlich übertrieben, aber das Wesentliche ist, dass ein großer Teil und noch dazu das am schnellsten zunehmende Segment der obdachlosen Bevölkerung aus Familien mit Kindern besteht. Sie bilden in manchen Städten wie in New York sogar die Mehrheit, wo Anfang der 1990er Jahre Familien drei Viertel der Obdachlosen ausmachten.[151] Entscheidend ist, dass wenn Armut einmal die Gestalt von Elend und sozialer Exklusion annimmt – wenn das Leben sich auf der Straße abspielt – Stigmatisierung einsetzt und dass die Zerstörung von Persönlichkeit und sozialen Netzwerken die Bedrängnis vertieft.[152] Auf diese Weise führt das Beziehungsgeflecht zwischen den vorherrschenden Tendenzen des informationellen Kapitalismus, der Ungleichheit und Armut am Ende zum Prozess der sozialen Exklusion, der konzentriert in der Verwahrlosung des Lebens in den innerstädtischen Ghettos Amerikas zum Ausdruck kommt.

Abbildung 2.8 Prozentsatz der Arbeitskräfte in den USA mit Einkünften unterhalb des Armutsniveaus, 1973-1997

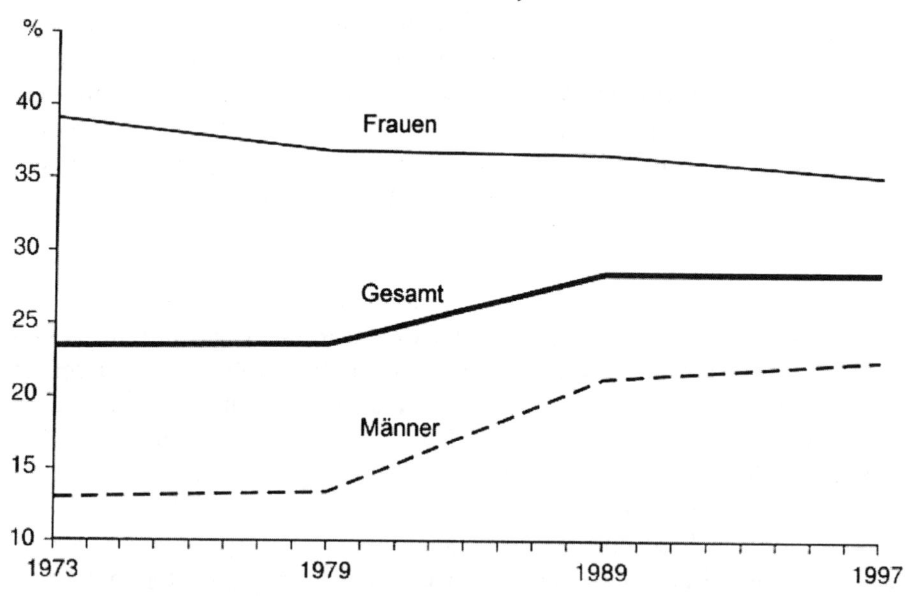

Quelle: Mishel u.a. (1999: 137)

151 Da Costa Nuñez (1996: 3-8).
152 Susser (1996).

Das innerstädtische Ghetto als System sozialer Exklusion

Die Wunden, die das Leben im Ghetto Tag für Tag schlägt, bilden eines der ältesten und schmerzhaftesten sozialen Probleme Amerikas. Jahrzehntelang hat die soziale Krise der Städte, die in den nach Rasse und Klasse segregierten innerstädtischen Gebieten pointiert zum Ausdruck kommt, im Zentrum einer ganzen Batterie öffentlicher politischer Programme sowie angeheizter politischer Debatten gestanden und war daneben die Grundlage für eine ausgezeichnete Forschungstradition der Stadtsoziologie.[153] Und dennoch konzentrieren sich zur Jahrtausendwende in den innerstädtischen Ghettos, vor allem in den schwarzen Ghettos, aber auch in einigen Latino-Ghettos wie East Los Angeles die schlimmsten Ausdrucksformen von Ungleichheit, Diskriminierung, menschlichem Elend und sozialer Krise genau zum Zeitpunkt des Aufstiegs des Informationalismus in Amerika. Man kann sogar sagen, dass sich die Sozial-, Wirtschafts- und Wohnverhältnisse in den meisten innerstädtischen Ghettos während der letzten drei Jahrzehnte erheblich verschlechtert haben, und das trotz (oder wegen?) der nachdrücklichen Anstrengungen in den Bereichen von städtischen Sozialprogrammen und Wohlfahrtspolitik.[154] Ich stelle gemeinsam mit William J. Wilson und anderen Sozialwissenschaftlern[155] die These auf, dass eine systemische Beziehung besteht zwischen einerseits den strukturellen Transformationen, die ich als kennzeichnend für die neue, netzwerkartige Gesellschaft bezeichnet habe, sowie andererseits der zunehmenden Verwahrlosung des Ghettos: der Herausbildung einer informationellen/globalen Ökonomie unter den Bedingungen kapitalistischer Neustrukturierung; der Krise des Nationalstaates, zu deren wichtigsten Anzeichen die Krise des Wohlfahrtsstaates gehört; dem Ende der patriarchalischen Familie, ohne dass sie durch eine alternative Form der Gemeinsamkeit und Sozialisation ersetzt würde; dem Auftreten einer globalen, jedoch dezentralisierten kriminellen Ökonomie, die Gesellschaft und Institutionen auf allen Ebenen durchdringt und gewisse Territorien als Operationsbasen ganz übernimmt; und dem Prozess der politischen Entfremdung und des kommunalen Rückzugs unter den großen Bevölkerungssegmenten, die arm sind und sich entrechtet fühlen. Rassendiskriminierung und räumliche Segregation sind noch immer wichtige Elemente bei der Entstehung/Verstärkung von Ghettos als Systemen sozialer Exklusion. Aber ihre Folgen nehmen unter den Bedingungen des Informationalismus neue Bedeutung an und werden immer verheerender – aus Gründen, die ich in den folgenden Absätzen versuchen will zu erläutern.

Dabei werde ich mich auf die eindrucksvolle, empirisch abgesicherte Analyse stützen, die William J. Wilson in seinem 1996 erschienenen Buch *When*

153 Drake und Cayton (1945).

154 Jones (1992); Massey und Denton (1993); Gans (1995); Van Kempen und Marcuse (1996).

155 Wilson (1987, 1996); Wacquant (1993, 1996); Susser (1996).

Work Disappears – „Wenn die Arbeit verschwindet" – vorgelegt hat. Obwohl ich jedoch seine Interpretation in ihrer Hauptstoßrichtung überzeugend finde, werde ich sie in meiner eigenen Terminologie neu fassen, um sie einerseits mit der Theorie zu verbinden, die ich in diesem Buch darstelle, und um andererseits zu vermeiden, Wilson für mein eigenes Verständnis seiner Ergebnisse verantwortlich zu machen. Ich werde wenn nötig auch andere Quellen heranziehen.

Die Herausbildung ausgedehnter Ghetto-Gebiete in den Innenstädten des metropolitanen Amerika ist das Resultat einer Reihe wohlbekannter Prozesse.[156] Die Mechanisierung der Landwirtschaft im Süden der USA und die Mobilisierung einer industriellen Arbeiterschaft während und nach dem Zweiten Weltkrieg führte zur massenhaften Migration schwarzer Arbeiter, die sich in jenen Vierteln konzentrierten, die durch den Prozess der Suburbanisierung entleert worden waren, der durch die Wohnungsbau- und Verkehrspolitik der US-Bundesregierung angeregt worden war. Massenhafte Vertreibung durch das städtische Erneuerungsprogramm der Bundesregierung, mit dem die Geschäfts- und Kulturzentren in den metropolitanen Kerngebieten erhalten werden sollte, erhöhte die Konzentration von Schwarzen und anderen Minderheiten in den am meisten heruntergekommenen Gegenden noch weiter. Die Ortswahl für öffentliche Wohnungsbauprojekte trug zur Segregation bei. Die Aktivitäten von Wohnungshaien in den Slums und die Aufgabe von Wohngebieten beschleunigten den Prozess, indem alle diejenigen den armen Innenstädten zu entrinnen suchten, die die Möglichkeit dazu hatten. Die Organisation des Schulwesens auf der Grundlage des Wohnortes konzentrierte in einem dezentralisierten System, das die großen Städte von den Vorstädten abtrennte, unterprivilegierte Kinder in einem unterfinanzierten, mit zu wenig Personal ausgestatteten öffentlichen Schulsystem im Stadtzentrum, dessen Verfall sich fortsetzte. Die Perversion der auf Jefferson zurückgehenden Tradition der lokalen Selbstverwaltung führte zu einer fiskalischen Diskrepanz zwischen Bedürfnissen und Ressourcen, wobei die Vorstädte sich größerer Ressourcen erfreuten und die Städte unter größeren Bedürfnissen litten. Das ist das Grundmuster, nach dem sich das klassische Amerikanische Ghetto herausgebildet hat, dessen soziale Ungerechtigkeit die sozialen Revolten und politischen Proteste der 1960er Jahre ausgelöst haben. Die Sozialpolitik, die auf den Druck der Basis reagierte, verringerte die institutionelle Diskriminierung, stattete die afro-amerikanischen politischen Eliten mit etwas Macht aus und unterstützte die Aufwärtsmobilität der am besten ausgebildeten Afro-Amerikaner, von denen die meisten aus den Innenstädten weg zogen. Die Ghettobewohner jedoch erlebten während des folgenden Vierteljahrhunderts eine dramatische Verschlechterung ihrer Lage. Wie kam es dazu?

Wilson verankert seine Interpretation in der Transformation von Arbeit und Beschäftigung unter den Bedingungen der Informationalisierung und Globali-

156 Castells (1977: 379-427).

sierung der Wirtschaft, und ich pflichte ihm bei. Nicht als führten die neuen Technologien zu Arbeitslosigkeit: Ich habe in Band I, Kapitel 4 gezeigt, dass sowohl das empirische Material wie auch analytische Einsichten der vereinfachenden Annahme entgegen stehen, als verdrängten die Maschinen Arbeit und Arbeiter im großen Maßstab. Vielmehr gibt es weltweit durch die massenhafte Einbeziehung von Frauen in die Erwerbstätigkeit und die Verlagerung landwirtschaftlicher Arbeitskräfte in Industrie, Dienstleistungen und die städtische informelle Wirtschaft eine nie da gewesene Ausweitung bezahlter Arbeit. Es ist gerade diese Globalisierung der Fertigung und die Auslagerung von Produktion in Niedrigkosten-Gebiete, die in hohem Maße zur Vernichtung derjenigen Jobs beiträgt, die in Amerika nur teurer durchzuführen sind, die aber nicht qualifiziert genug sind, um einen Standort in einer hoch industrialisierten Umwelt zu erfordern. Die Informationalisierung treibt die Zunahme von Arbeitsplätzen auf den hohen Qualifikationsebenen in Amerika an, während die Globalisierung zur Auslagerung der gering qualifizierten Arbeitsplätze in der Fertigung in den Ländern führt, die gerade den Prozess der Industrialisierung durchmachen.[157] So ist es in Amerika tatsächlich zu einer erheblichen Verminderung der Arbeitsplätze in der Fertigung gekommen, vor allem von niedrig qualifizierten Jobs, genau der Art von Jobs, die die schwarzen Migranten in die städtischen Gebiete geführt und die den stabilen, harten Kern ihrer Beschäftigung gebildet hatten. Viele der neuen Arbeitsplätze in der informationellen Wirtschaft erfordern höhere Bildung und Fertigkeiten im verbalen und Beziehungsbereich, die von den öffentlichen Schulen der Innenstädte selten vermittelt werden. Zudem sind die neuen Fertigungsformen und ein zunehmender Teil der Arbeitsplätze im Dienstleistungsbereich in die Vorstädte abgewandert, was die Zugangsmöglichkeiten für Bewohner der Innenstädte verschlechtert hat. Es besteht so ein wachsendes Missverhältnis zwischen dem Profil vieler neuer Arbeitsplätze und dem Profil der armen Schwarzen, die in den Innenstädten wohnen.[158]

Trotzdem gibt es andere Quellen für niedrig bezahlte Jobs, vor allem bei den sozialen Dienstleistungen und im öffentlichen Sektor. Dank der Politik der positiven Diskriminierung (*affirmative action*) sind dies tatsächlich die wichtigsten Beschäftigungsmöglichkeiten für Frauen aus den Innenstädten, auch für schwarze Frauen.[159] Schlecht ausgebildete schwarze Männer haben jedoch weniger gute Chancen, diese Jobs zu bekommen. Außerdem ist durch den Schrumpfungsprozess der öffentlichen Beschäftigung infolge der Beschneidung der sozialen Dienste während der letzten beiden Jahrzehnte das Angebot an öffentlichen Arbeitsplätzen zurückgegangen, und die Bildungsanforderungen für die Bewerber sind gestiegen.

157 Carnoy u.a. (1997).
158 Kasarda (1990, 1995).
159 Carnoy (1994).

Es gibt auch untergeordnete Tätigkeiten in niedrig qualifizierten Dienstleistungstätigkeiten (etwa Pförtnerdienste, Bedienung, informelle Bauarbeiten, Reparatur und Wartung). Warum schwarze Männer diese Jobs nicht bekommen, geht aus Wilsons Analyse weniger deutlich hervor. Ich denke, hier könnte Rassendiskriminierung eine Rolle spielen. Aber Wilson hat keine Belege, die dies stützen könnten, und betont stattdessen etwa, dass auch schwarze Unternehmer ungern schwarze Männer aus den Innenstädten anstellen. Wilson verweist auf zwei denkbare Faktoren. Einerseits scheint die viel bessere Position mexikanischer Immigranten auf dem Arbeitsmarkt für gering qualifizierte Dienstleistungstätigkeiten auf die Bereitschaft der Mexikaner und anderer Immigrantengruppen zurück zu gehen, niedrige Bezahlung und harte Arbeit unter diskriminierenden Bedingungen anzunehmen, die ihnen wegen ihrer Wehrlosigkeit aufgezwungen werden, was oft mit ihrem nicht dokumentierten Status zusammen hängt. Es scheint also, als führten die Standards an Arbeit und Bezahlung, die viele arme Schwarze als für sich angemessen erachten und die bei der Arbeit in einem Job häufig zu Beschwerden und Unzufriedenheit führen, zu der negativen Wahrnehmung bei möglichen Arbeitgebern, Schwarze aus den Innenstädten seien „widerborstige Arbeiter". Außerdem erfordern die neuen Arbeitsplätze im Dienstleistungsbereich häufig Beziehungskompetenz, die bei armen Schwarzen, zumal bei Männern anscheinend fehlt, was wiederum ihre Beschäftigungschancen untergräbt. Ich halte den in der Gesamtbevölkerung verbreiteten, vor allem gegen Schwarze gerichteten Rassismus für einen wichtigen, wenn nicht gar den einzigen Faktor, um die größeren Schwierigkeiten zu erklären, außerhalb einer mehrheitlich schwarzen Klientel mit einem schwarzen Angestellten zu tun zu haben.[160] Es mag deshalb durchaus richtig sein, dass heruntergekommene Schulen künftige Erwerbstätige nicht auf Beziehungsarbeit und informationelle Tätigkeiten in der neuen Dienstleistungs-Ökonomie vorbereiten; doch könnte dieser neue Nachteil in Wechselwirkung zu einer älteren Quelle der Exklusion stehen, nämlich den Rassenschranken, die die soziale Interaktion verzerren. Ich würde noch hinzufügen, dass die Krise des Familienlebens und die Instabilität von Lebens- und Arbeitsformen im Ghetto in starker Wechselwirkung zu den Schwierigkeiten schwarzer Männer, vor allem junger Männer stehen, sich in die unterschwelligen Vorstellungen von gesellschaftlichen Formen und Arbeitsethik einzupassen, von denen die Einstellungsentscheidungen in vielen Betrieben noch immer geprägt sind. Schließlich führen Armut und die Krise der Familie im Ghetto zur Verarmung der sozialen Netzwerke und verringern so die Chancen, einen Job über persönliche Beziehungen zu finden. Wie Wilson sagt und wie Alejandro Portes und seine Mitarbeiter nachgewiesen haben,[161] steht dies in deutlichem Kontrast zu den Erfahrungen von mexikanischen und lateinamerikanischen Immigranten/Minderheiten, deren stärkere

160 West (1993).
161 Portes (1995); Wilson (1996).

Familienstruktur und breite soziale Netzwerke beträchtliche Unterstützung bei der gegenseitigen Empfehlung für Arbeitsplatz und Informationsbeschaffung bieten.

Als Ergebnis dieser einander gegenseitig verstärkenden Tendenzen verschwinden vor allem für Männer und erst recht für junge Männer in den Ghettogebieten die formellen Arbeitsverhältnisse nahezu vollständig. Wilson unterstreicht, dass es neben den hohen Arbeitslosenquoten in diesen Gebieten vor allem unter jungen Leuten auch eine beträchtliche Anzahl Erwachsener gibt, die ganz aus dem Erwerbsleben herausgefallen sind und noch nicht einmal nach einem Job suchen. Er verweist auf Ergebnisse seiner Studien über Woodlawn und Oakland (zwei Armenviertel in der South Side von Chicago) wo 1990 in einer bestimmten Woche nur 37 bzw. 23% der Erwachsenen arbeiteten.[162] Ferner sind die meisten männlichen Armen auch von den städtischen Wohlfahrtsprogrammen ausgeschlossen.[163]

Daraus folgt nicht, die meisten Erwachsenen wären inaktiv oder hätten keinen Zugang zu Einkommensquellen. Die informelle Ökonomie und vor allem die kriminelle Ökonomie werden in vielen Armenvierteln vorherrschend. Diese Gegenden werden zu Werkstätten solcher Beschäftigungen, und dies übt einen steigenden Einfluss auf die Gewohnheiten und die Kultur von Segmenten ihrer Einwohnerschaft aus. Die explosionsartige Zunahme des Handels mit und des Konsums von Crack in den schwarzen Ghettos während der 1980er Jahre stellte für viele Gemeinschaften einen Wendepunkt dar.[164] Gangs wurden zu wichtigen Formen der Organisation von Jugendlichen und sie begannen, deren Verhaltensmuster zu bestimmen.[165] Schusswaffen sind gleichzeitig Arbeitsmittel, Zeichen der Selbstachtung und Gründe für den Respekt der Gleichgestellten.[166] Die weite Verbreitung von Schusswaffen macht noch mehr Schusswaffen nötig, weil alle verstärkt danach streben, sich selbst verteidigen zu können, besonders seit es die Polizei in einer Reihe von Armenvierteln aufgegeben hat, dem Gesetz ernsthaft Geltung zu verschaffen.[167] Wirtschaftstransaktionen sind in diesen innerstädtischen Gebieten häufig durch die kriminelle Ökonomie als Quelle von Arbeit und Einkommen geprägt, aber auch als nachfrageschaffende Tätigkeit und als operationale Einheit für den Schutz und zugleich die Besteuerung der informellen Wirtschaft. Wirtschaftliche Konkurrenz nimmt häufig Formen der Gewalt an, was das Gemeinschaftsleben nur weiter zerstört und zunehmend dazu führt, dass die Gangs mit den überlebenden sozialen Netzwerken identifiziert werden, freilich mit der wichtigen Ausnahme der in den

---

162 Wilson (1996: 23).
163 Susser (1993).
164 Bourgois und Dunlap (1993); Bourgois (1995).
165 Sanchez Jankowski (1991).
166 Wilson (1996).
167 Susser (1995).

Gemeinschaften verankerten Kirchen. So schreibt Hagedorn am Schluss seiner aufschlussreichen Studie über die Gangs von Milwaukee:

> Die Geschichte der Menschen in Milwaukee ist eine Geschichte des städtischen Amerika von heute. Die männlichen und weiblichen Gang-Mitglieder, die wir untersucht haben, kämpfen darum, produktive und glückliche Erwachsene zu werden, nur um zu erleben, wie ihnen ihre wirtschaftliche Sicherheit von Mächten entrissen wird, über die sie keine Kontrolle haben. Die jungen Frauen halten sich meist an die traditionellen Geschlechterrollen und versuchen, ihre Kinder unter erschwerten Bedingungen groß zu ziehen. Was ihnen die Zukunft bringt, ist ungewiss ... Die leichtsinnigeren Männer reagieren andererseits keineswegs überraschend auf den Verlust ihrer legalen Arbeitsplätze, indem sie in der Drogenwirtschaft auf Schatzsuche gehen. Ihre Reaktion war vorhersehbar, weil ihre Wertvorstellungen und ihr kulturelles Verständnis davon uns allen vertraut sind – sie wollen ihr Stück vom Kuchen. Die Grundvorstellungen des amerikanischen Traums sind an den Straßenecken unserer Stadtzentren wohlauf und intakt.[168]

Die Krise des Ghettos geht über das Problem einer Gegenüberstellung formeller Arbeitslosigkeit und informeller/krimineller Beschäftigung hinaus. Sie betrifft die Muster der Familienbildung im Kontext der Krise des Patriarchalismus, die ich in Band II, Kapitel 4 analysiert habe. Tendenzen zur Zunahme der Zahl Alleinerziehender oder zu unehelichen Geburten sind keineswegs allein mit Armut oder mit der afro-amerikanischen Kultur verbunden. Vielmehr lebten 1993 27% aller Kinder unter 18 Jahren in Amerika mit nur einem Elternteil, 21% der weißen Kinder, 32% der *Hispanic*-Kinder und 57% der schwarzen Kinder. Zwischen 1980 und 1992 stieg die Quote der unehelich geborenen Kinder für Schwarze um 9%, aber für Weiße um schwindelerregende 94%.[169] Dieses unterschiedliche Wachstum ist teilweise auf die traditionell hohe Rate unehelicher Geburten unter den Afro-Amerikanern zurückzuführen. Und die Krise der schwarzen Familie war ja seit langer Zeit ein wesentlicher Streitpunkt unter Soziologen und Sozialpolitikern. Man könnte jedoch argumentieren, dass dies nicht so sehr ein Symptom abweichenden Sozialverhaltens als vielmehr Ausdruck einer Pionieranstrengung der schwarzen Frauen war, ihr eigenes Leben unter Kontrolle zu bringen, ohne um das zögerliche Verantwortungsbewusstsein der Männer betteln zu müssen. Was auch immer die historisch/kulturellen Gründe für die Schwäche der patriarchalischen Familie bei den städtischen Afro-Amerikanern sein mögen, so scheint dieses Muster in historischer Perspektive doch Zeiten vorweg zu nehmen, die auf viele Amerikaner ebenso wie auf viele Menschen auf der ganzen Welt zukommen (s. Bd. II, Kap. 4).

Eine Reihe von Faktoren, die Wilson festgestellt hat, scheinen gemeinsam auf die Zentrierung der Mehrheit der Familien mit Kindern in schwarzen Vierteln auf eine alleinstehende Frau hinaus zu laufen. Erstens ist der Mangel an Beschäftigungsmöglichkeiten für junge schwarze Männer zu nennen, der dazu führt, dass sie ein unsicheres Einkommen haben und so ihre Fähigkeit unter-

---

168 Hagedorn und Macon (1998: 208).

169 Wilson (1996: 87).

gräbt, sich fest zu legen. Ich würde zusätzlich noch darauf hinweisen, dass bei der hohen Wahrscheinlichkeit, mit der Ghetto-Jugendliche ins Gefängnis kommen, verletzt werden oder sogar zu Tode kommen, es in manchen Fällen sogar als verantwortliche Haltung verstanden werden kann, keine Familie zu gründen, deren künftige Versorgung bestenfalls ungewiss ist. Zweitens belegt Wilson auf der Grundlage der ethnographischen Forschungen seines Teams ein außergewöhnliches Maß an Misstrauen und selbst Feindschaft zwischen den jungen Frauen und Männern in den schwarzen Vierteln, die untersucht wurden. Ich möchte zu dieser äußerst wichtigen Beobachtung einschränkend nur bemerken, dass ähnliche Studien bei Weißen der Mittelschichten in großen städtischen Ballungsräumen zu ähnlichen Ergebnissen kommen können. Der Unterschied liegt aber in der konsistenten Einstellung vieler junger afro-amerikanischer Frauen, die sich dafür entscheiden, nicht zu heiraten und Kinder außerhalb der Ehe zu bekommen. Wilson deutet in Übereinstimmung mit der klassischen Studie über das schwarze Ghetto von Drake und Cayton[170] an, dass diese Entscheidung in Zusammenhang damit stehen könnte, dass sich im Gegensatz zu den Mittelschichten mit einer Heirat kaum wirtschaftliche Belohnungen und soziale Mobilität verbinden. Da die Ehe keinen erkennbaren wirtschaftlichen und sozialen Nutzen bringt und angesichts des langfristig gefestigten Misstrauens gegenüber dem Engagement der Männer haben arme junge Frauen wenig Anreiz zu heiraten, wodurch sie zusätzlich zu den eigenen auch noch mit den Problemen der Männer würden fertig werden müssen. Während daher 1993 9% aller amerikanischen Kinder bei einem nie verheirateten Elternteil lebten, lag der Anteil der schwarzen Kinder bei 31%, aber er war bei armen Schwarzen noch höher. Wilsons Ergebnissen zufolge sind in den innerstädtischen Vierteln von Chicago fast 60% der schwarzen Erwachsenen zwischen 18 und 44 Jahren nie verheiratet gewesen und von den schwarzen Eltern, die in Gebieten mit hoher Armutsdichte leben, sind nur 15,6% verheiratet.[171] Warum entschließen sich schwarze Frauen und besonders sehr junge schwarze Frauen noch immer dazu, Kinder zu bekommen? Es scheint in erster Linie eine Angelegenheit der Selbstachtung zu sein, sich Respekt zu verschaffen und im sozialen Umfeld jemand zu sein, daneben auch, jemanden für sich und ein greifbares Ziel im Leben zu haben. Zwar sind die meisten Schwangerschaften im Teenager-Alter das Nebenprodukt von Liebe/Sex ohne viel Überlegung, aber die Entscheidung, das Kind zu behalten, hängt gewöhnlich damit zusammen, sich als erwachsene Frau gegenüber der schwachen Chance zu definieren, unter den Bedingungen des Lebens im Ghetto eine Ausbildung oder einen lohnenden Job zu bekommen.[172] Es scheint wenig Belege für die konservative Behauptung zu geben, die Unterstützung alleinstehender Mütter und ihrer Kinder durch Sozialprogramme sei

---

170 Drake und Cayton (1945).
171 Wilson (1996: 89).
172 Plotnick (1990).

ein Anreiz für ledige Mutterschaft.[173] Wenn Frauen aber einmal vor allem aus persönlichen Gründen eigene Kinder haben, wird es für sie immer schwieriger, aus der Wohlfahrtsfalle herauszukommen.[174] Der Grund liegt darin, dass die Sorte von Jobs, an die sie heran kommen können, so schlecht bezahlt ist, dass sie mit ihrem Lohn nicht für Kinderbetreuung, Transport, Wohnung und Gesundheitsversorgung (die gewöhnlich von den meisten Arbeitgebern nicht gestellt wird) aufkommen können. So schwierig es ist, mit Wohlfahrtsleistungen zu überleben, so erscheint dies daher doch als die bessere Lösung als zu arbeiten, besonders wenn die gesundheitliche Versorgung der Kinder berücksichtigt wird. Die tiefen Einschnitte in die Sozialleistungen für ledige Mütter mit Kindern, die im Januar 1997 verfügt worden sind, werden für arme Frauen und ihre Kinder wahrscheinlich verheerende Auswirkungen haben und sicherstellen, dass es mit der Verschlechterung des sozialen Lebens in den Armenvierteln weiter geht.

Wenn viele junge Männer keinen Job und keine Familie haben und häufig auf die Gelegenheitschancen zurückgeworfen sind, die die kriminelle Ökonomie ihnen bietet, so ist kaum anzunehmen, dass ihre Arbeitsethik und Karrieremuster zu den Erwartungen möglicher Arbeitgeber passen. Damit ist eine materielle Basis gegeben, um die vorurteilsgeladenen Haltungen gegenüber der Rekrutierung schwarzer Männer aus den Innenstädten zu verstärken, womit letztlich ihr Schicksal besiegelt ist. Es gibt daher durchaus einen Zusammenhang zwischen der Arbeitslosigkeit und der Armut schwarzer Männer, aber dieser Zusammenhang ist durch Rassendiskriminierung und ihre Wut über diese Diskriminierung spezifiziert.

Die räumliche Struktur steht in entscheidender Wechselwirkung mit den wirtschaftlichen, sozialen und kulturellen Prozessen, die ich beschrieben habe. Die städtische Segregation wird durch die zunehmende Trennung zwischen der Logik des Raumes der Ströme und der Logik des Raumes der Orte noch verstärkt, die für die Netzwerkgesellschaft kennzeichnend ist (s. Bd. I, Kap. 6). Das Ghetto ist als Ort zunehmend durch seine Armut und Marginalität begrenzt.[175] Hierbei hat die Aufwärtsmobilität eines bedeutenden Teils der schwarzen städtischen Familien eine wichtige Rolle gespielt, die so mit Hilfe politischer Aktivität, Bildung und *affirmative action* sowie durch eigene Anstrengungen in die Mitte der Gesellschaft einrücken konnten. In ihrer übergroßen Mehrheit haben sie die Innenstädte verlassen, um ihre Kinder vor einem System zu bewahren, das soziale Exklusion und Stigmatisierung ständig reproduzierte. Indem sie sich aber selbst individuell gerettet haben, haben sie zugleich den größten Teil des einen Drittels armer Schwarzer (und über 40% schwarzer Kinder) in den zerbröckelnden Strukturen des Ghettos zurückgelassen, die heute das am stärksten

173 Wilson (1996: 94f).

174 Susser und Kreniske (1987).

175 Wacquant (1996).

verelendete Segment der amerikanischen Bevölkerung bilden. Außerdem hat die Entstehung des Raumes der Ströme, der Telekommunikation und Transport nutzt, um wertvolle Orte in einem Muster ohne physische Nähe miteinander zu verbinden, die Neukonfiguration der städtischen Ballungsräume um die selektive Verbindung zwischen strategisch lokalisierten Tätigkeiten möglich gemacht. Dabei werden unerwünschte Gebiete umgangen und sich selbst überlassen. Erst die Entstehung der Vorstädte, des sog. *urban sprawl* – also der um sich greifenden Verstädterung des Umlandes – und die Bildung der peripheren Knoten von „Edge City“ (s. Bd. I, Kap. 6) erlaubten es der metropolitanen Welt, die innerstädtischen Ghettos völlig aus ihrer Funktionsweise und ihrem Sinngefüge auszuschließen und dabei Raum und Gesellschaft entlang der Linien eines urbanen Dualismus und sozialer Exklusion voneinander zu trennen.[176] Die räumliche Einschließung der armen Schwarzen wiederholte ihren zunehmenden Ausschluss vom formellen Arbeitsmarkt, verminderte ihre Bildungschancen, ließ ihre Wohnungen und ihr städtisches Umfeld verfallen, überließ ihre Viertel der Bedrohung durch kriminelle Gangs und delegitimierte wegen ihrer symbolischen Assoziation mit Verbrechen, Gewalt und Drogen ihre politischen Optionen. Die amerikanischen innerstädtischen Ghettos und besonders die schwarzen Ghettos sind zu Teilen der Hölle auf Erden geworden, die gebaut worden ist, um die gefährlichen Klassen der unredlichen Armen zu bestrafen. Und weil ein großer Teil der schwarzen Kinder in diesen Vierteln aufwächst, reproduziert Amerika systemisch seine tiefgreifendste Form sozialer Exklusion, Rassenhass und Gewaltanwendung zwischen Menschen.

Wenn die Unterschicht zur Hölle fährt

Die ultimative Ausdrucksform sozialer Exklusion ist der physische und institutionelle Einschluss eines Gesellschaftssegments im Gefängnis oder unter Aufsicht des Justizsystems, auf Bewährung oder Begnadigung unter Auflagen. Amerika trägt die zweifelhafte Auszeichnung, die Gesellschaft mit dem höchsten Anteil an Gefängnisinsassen der Welt zu sein. Die Quote der Gefangenen hat am schnellsten in der Zeit nach 1980 zugenommen, als es gegenüber früheren Tendenzen zu einer abrupten Zunahme kam (s. Abb. 2.9). Am 1. Januar 1996 gab es nahezu 1,6 Mio. Insassen von Gefängnissen und Zuchthäusern in lokaler, einzel- und bundesstaatlicher Regie und zusätzlich 3,8 Mio. Menschen die auf Bewährung oder während einer Haftunterbrechung in Freiheit waren, was insgesamt 5,4 Millionen oder 2,8% aller Erwachsenen ausmacht, die sich unter der Aufsicht der Strafbehörden befanden. Diese Zahl hat sich seit 1980 nahezu verdreifacht und ist mit einer Jahresrate von 7,4% gestiegen (s. Abb. 2.10). Das Verhältnis der Gefängnisinsassen zur Gesamtbevölkerung betrug 1996 600 Gefängnisinsassen auf 100.000 Einwohner der USA. Diese Quote hat sich inner-

176 Mollenkopf und Castells (1991).

halb von zehn Jahren nahezu verdoppelt. Die Bundesgefängnisse arbeiteten 1996 26% oberhalb ihrer Kapazität, und die Gefängnisse der Einzelstaaten hatten eine Überlast von zwischen 14 und 25%.[177]

Abbildung 2.9 Gefangenenquoten in den USA, 1850-1991

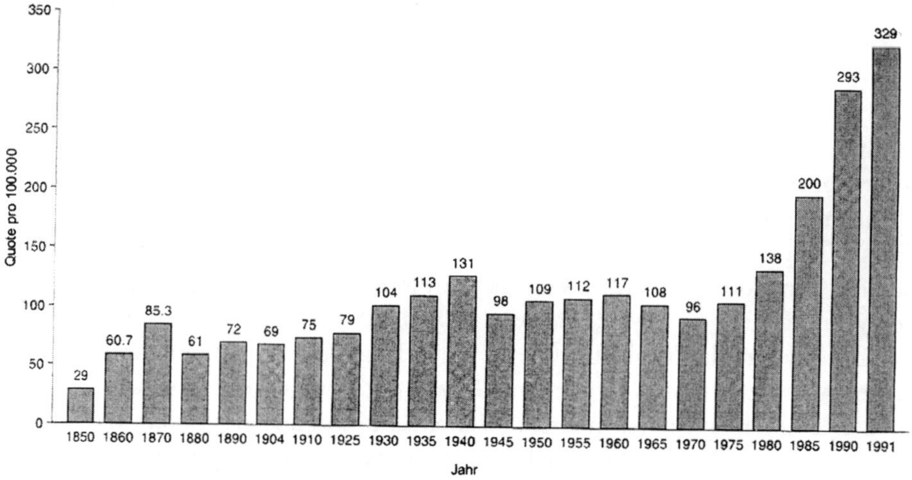

Quelle: Margaret Werner Cahalan, *Historical Corrections Statistics, 1850-1984* (Rockville, MD: Westat, 1986); Bureau of Justice Statistics, *Sourcebook of Criminal Justice Statistics, 1991* (Washington, DC: US Department of Justice, 1992); Bureau of Justice Statistics, *Prisoners in 1991* (Washington, DC: US Department of Justice, 1992); bearb. von Gilliard und Beck (1996)

Die Zusammensetzung dieser Gefängnisbevölkerung hat eine soziale und ethnische Schlagseite: 1991 waren 51% der Gefängnisinsassen Schwarze und 46% Weiße, und der Anteil der Schwarzen ist während der 1990er Jahre weiter gestiegen. Die *Hispanics* stellten 13% der Insassen von Zuchthäusern und 14% der Insassen von lokalen Gefängnissen. Die Schwarzen stellten auch 40% der Insassen in den Todeszellen. Das Verhältnis der Gefangenenquoten von Schwarzen gegenüber Weißen betrug 1990 6,44. Es gibt Belege dafür, dass dies weitgehend auf Diskriminierung in der Rechtsprechung und auf präventive Inhaftierung zurück geht und weniger auf die Häufigkeit oder die Charakteristika von Straftaten.[178] Von den bedingt entlassenen Erwachsenen waren 1995 49% Schwarze und 21% *Hispanics*.[179]

177 Department of Justice (1996); Gilliard und Beck (1996).
178 Tonry (1995).
179 Department of Justice (1996).

Abbildungs 2.10 Anzahl der Insassen von Gefängnissen der Einzelstaaten und des Bundes sowie in örtlichen Gefängnissen in den USA, 1985-1995 (die Zahlen enthalten auch die Gefangenen in Untersuchungshaft, Gefangene, die wegen Überfüllung der anderen in örtlichen Gefängnissen einsitzen, und Gefangene, die anderswo, etwa in Behandlungszentren unter Aufsicht stehen. Die Zählungen für 1994 und 1995 lassen die Personen aus, die außerhalb der Gefängnisse unter Aufsicht standen. Gesamtzahl der Menschen im Gewahrsam nach einzelstaatlicher, Bundes- und lokaler Jurisdiktion pro 100.000 US-Einwohner)

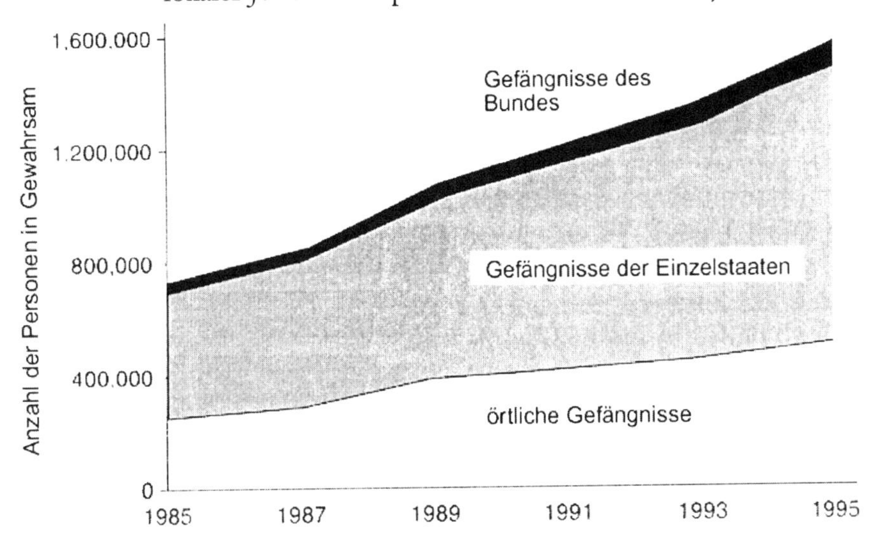

Quelle: Bulletin of the US Bureau of Justice Statistics, August 1996

Schauen wir uns die Entwicklung des Gefängnissystems anhand einer Fallstudie zu Kalifornien an, dem Staat, der sich durch die größte Gefangenenbevölkerung in den Vereinigten Staaten auszeichnet.[180] Die Anzahl der Gefangenen in diesem Staat ist zwischen 1980 und 1991 um das Vierfache angestiegen. Die Gesamtquote der Gefängnisinsassen betrug Mitte der 1990er Jahre 626 pro 100.000 Einwohner, nahezu das Doppelte von Südafrika oder Russland. Die Gefangenenquote für Weiße betrug 215 pro 100.000, für Schwarze dagegen 1.951 pro 100.000. Während der 1990er Jahre befanden sich ungefähr vier von zehn jungen afro-amerikanischen Männern in irgendeiner Form unter der Kontrolle der Strafbehörden. Diese Zahlen sind besonders aussagekräftig, wenn man sie mit denen der Afro-Amerikaner vergleicht, die eine College-Ausbildung absolvieren. Anfang der 1990er Jahre besuchten 27.707 afro-amerikanische Studierende einen vierjährigen Universitätsstudiengang, während 44.792 im Gefängnis saßen. Das California Department of Corrections berichtete 1996, seine

180 Hewitt u.a. (1994); Koetting und Schiraldi (1994); Schiraldi (1994); Connolly u.a. (1996).

Gefängnisse seien zu 194% ihrer Kapazität belegt und schätzte, dass bis 2005 24 neue Strafanstalten gebaut werden müssten, um mit der Gefangenenquote Schritt zu halten. Prognosen rechneten bis 1996 mit einer Belegquote von 256% der Kapazität. Das System war vollständig auf Bestrafung und den unterstellten Abschreckungseffekt ausgerichtet. Rehabilitation als Zielsetzung eines Gefängnisaufenthaltes wurde 1977 aus dem kalifornischen Strafgesetzbuch gestrichen.[181]

Irwin, Austin, Tonry, Welch und Mergenhagen[182] haben neben anderen sorgfältig das Profil der Gefängnisbevölkerung, die Gründe für den Gefängnisaufenthalt und seine sozialen Folgen erforscht. Sie haben festgestellt, dass die Mehrheit der Straftäter nicht gewalttätig sind. So wurden 1990 28% der Menschen, die ins Gefängnis kamen, wegen Verstoßes gegen ihre Bewährungsauflagen eingewiesen, in zwei Drittel der Fälle wegen formaler Verstöße gegen die Auflagen, ohne dass sie ein Verbrechen begangen hätten. Von den 68%, die gerichtlich verurteilt wurden, wurden etwa 70% wegen nicht-gewalttätiger Straftaten bestraft (Einbruch, Drogenbesitz oder -handel, Raub, Verstöße gegen die öffentliche Ordnung). 1993 saßen 26% der Gefängnisinsassen wegen Vergehen gegen das Drogengesetz, gegenüber nur 8% 1980, während der Prozentsatz derjenigen, die wegen Gewaltverbrechen (einschließlich Raub) ins Gefängnis kamen, von 57 auf 45% gefallen war.[183] Irwin und Austin stellten bei ihrer Studie fest, dass die meisten Verbrechen „viel geringfügiger“ waren, „als die geläufigen Vorstellungen, die von denen verbreitet werden, die Kriminalität zur Sensation machen ... In Wirklichkeit lebt in unseren Innenstädten eine zunehmende Anzahl junger Männer, von denen die meisten Nicht-Weiße sind, die in Kleinkriminalität verwickelt werden, weil es für sie keinen anderen Weg zu einem stabilen, zufriedenstellenden konventionellen Leben gibt“.[184] In der Tat haben 64% der Gefängnisinsassen keine formelle *high school*-Ausbildung, und die meisten sind „ungebildete, unqualifizierte (in Kriminalität ebenso wie in anderen Erwerbsformen) und höchst desorganisierte Persönlichkeiten.“[185] Es ist zu einem rapiden Anstieg der Jugendlichen gekommen, mit denen sich das Strafjustizsystem auseinander gesetzt hat: 1991 waren es 600.000, von denen 100.000 in Gefängnissen und Jugendstrafanstalten einsaßen. Frauen machen nur 6% aller Gefangenen aus, aber ihr Anteil ist gegenüber 4% 1980 deutlich gestiegen; 6% von ihnen kommen schwanger ins Gefängnis. Die meisten Gefängnisinsassen sind Eltern: 78% der Frauen und 64% der Männer haben Kinder unter 18 Jahren. Damit machen die Telefongesellschaften anscheinend ein sehr gutes Geschäft, weil die Gefängnisinsassen R-Gespräche führen, um mit ihren Kindern

181 Connolly u.a. (1996).
182 Irwin (1985); Irwin und Austin (1994); Tonry (1995); Welch (1994, 1995); Mergenhagen (1996).
183 Mergenhagen (1996).
184 Irwin und Austin (1994: 59f).
185 Irwin und Austin (1994: 143).

in Kontakt zu bleiben, so dass nach einem Bericht des *Wall Street Journal* ein einziges Gefängnistelefon einen Bruttoumsatz von bis zu 15.000 US$ im Jahr bringen kann. Außerdem sind Gefängnisse gefährliche Orte, die von Drogenkonsum und Gewalt heimgesucht sind und von Gangs beherrscht werden, die manchmal mit den Gefängniswärtern in Beziehung stehen. Gesundheit ist ein ernstes Problem. Ein Drittel der Insassen der Gefängnisse der Einzelstaaten nehmen an Programmen zur Drogenbehandlung teil. Und fast 3% der Insassen dieser Gefängnisse sind HIV-positiv oder leiden unter AIDS. Tuberkulose ist vier Mal so häufig wie bei der Gesamtbevölkerung, und etwa ein Viertel der Gefängnisinsassen haben das eine oder andere klinische psychiatrische Problem.[186]

Die Gefängnisgesellschaft reproduziert und fördert eine Kultur der Kriminalität, so dass diejenigen, die im Gefängnis landen, wesentlich reduzierte Chancen auf soziale Integration haben, sowohl wegen des sozialen Stigmas als auch wegen ihrer seelischen Verletzungen. Irwin und Austin meinen denn auch, dass „Gefängnisse wahrhaftige menschliche Lagerhäuser sind – häufig stark überfüllt, gewalttätig und grausam."[187] Und das zu sehr hohen Kosten für die Steuerzahler: etwa 39.000 US$ pro Jahr und Insasse. Nach einem alten Spruch der Kriminologen: Es kostet mehr, einen jungen Mann ins Gefängnis zu schicken als nach Yale. Der Staat Kalifornien gibt während der 1990er Jahre ebenso viel Geld für seine Gefängnisse wie für sein Erziehungswesen aus (jeweils etwa 9% des Staatsbudgets).

Eine Anzahl von Studien hat die geringe Wirkung von Strafen auf das tatsächliche Vorkommen von Verbrechen nachgewiesen.[188] Der Direktor der Correctional Association of New York, Robert Gangi, meint, dass „der Bau von mehr Gefängnissen, um mit dem Verbrechen fertig zu werden, dasselbe ist wie der Bau von mehr Friedhöfen, um tödliche Krankheiten zu bewältigen".[189] Doch die massive Bestrafung sozial abweichenden Verhaltens hat durchaus einen wesentlichen Effekt, der deutlich über ihren instrumentellen Zweck als Abschreckungsmittel gegen Verbrechen hinausgeht: Sie markiert die Grenzen der sozialen Exklusion so, dass den Ausgeschlossenen die Schuld für ihr Unglück zugeschrieben wird, dass eine mögliche Rebellion delegitimiert und das Problem in einer maßgeschneiderten Hölle eingegrenzt wird. Die Verwandlung eines beträchtlichen Teils der jungen Männer aus der Unterschicht in eine gefährliche Klasse könnte durchaus die krasseste Ausdrucksform für das neue amerikanische Dilemma im Informationszeitalter sein.

186 Mergenhagen (1996).
187 Irwin und Austin (1994: 144).
188 Roberts (1994); Lynch und Paterson (1995).
189 Zit. nach Smolowe (1994: 55).

Globalisierung, Überausbeutung und soziale Exklusion: Die Perspektive der Kinder

Sollte es noch irgendwelche Zweifel daran geben, dass das wichtigste Problem im Zusammenhang mit Arbeit im Informationszeitalter nicht das Ende der Arbeit sondern die Lage der Arbeitenden ist, so werden sie endgültig durch die explosionsartige Ausbreitung schlecht bezahlter Kinderarbeit während des letzten Jahrzehnts ausgeräumt. Nach einem Bericht des Internationalen Arbeitsamtes vom November 1996[190] arbeiteten in den Entwicklungsländern etwa 250 Mio. Kinder zwischen fünf und 14 Jahren gegen Bezahlung, davon 120 Mio. Vollzeit. Diese Schätzungen beruhten auf einer verbesserten Methodologie und zählten erstmals auch Kinder zwischen fünf und zehn Jahren. Damit verdoppelten sich frühere Schätzungen. Etwa 153 Mio. dieser Kinderarbeiter lebten in Asien, 80 Mio. in Afrika und 17,5 Mio. in Lateinamerika. Afrika hatte jedoch mit um 40% der Kinder im Alter von 5-14 Jahren die höchste Kinderarbeitsquote. Eine Studie der ILO von 1995 über Kinderarbeit in Ghana, Indien, Indonesien und Senegal kam zu dem Ergebnis, dass 25% aller Kinder zwischen fünf und 14 Jahren wirtschaftlichen Tätigkeiten nachgegangen waren und dass 33% die Schule nicht besuchten. Die ILO berichtet außerdem ohne Zahlenangaben über eine signifikante Zunahme der Kinderarbeit in Osteuropa und asiatischen Ländern im Übergang zur Marktwirtschaft.[191] Zwar befindet sich die überwältigende Mehrheit der Kinderarbeiter in der Entwicklungswelt, doch weist die Erscheinung auch in den fortgeschrittenen kapitalistischen Ländern ansteigende Tendenz auf, vor allem in den Vereinigten Staaten, wo die Verkaufsstellen für Fast Food aufgrund der Arbeit von Teenagern florieren und andere Geschäftszweige – etwa kommerzieller Süßigkeitenverkauf – knapp danach folgen. 1992 registrierte das US-Arbeitsministerium 19.443 Verstöße gegen die gesetzlichen Bestimmungen über Kinderarbeit, was doppelt so viel war wie 1980. Neben dem Hauptsünder, der Fast Food-Branche, ging es in anderen Fällen um Kinder, die illegal in Bekleidungsfabriken in Manhattan arbeiteten, auf Baustellen in der Bronx oder auf Farmen in Texas, Kalifornien und Florida. Das National Safe Workplace Institute schätzt, dass jedes Jahr 300 Kinder bei der Arbeit umkommen und 70.000 verletzt werden. Dumaine schreibt unter Verweis auf Experten die Zunahme der Kinderarbeit in Amerika der Verschlechterung der Lebensverhältnisse der Arbeiterklasse und der gestiegenen nicht-dokumentierten Einwanderung zu.[192] Lavalette stellte eine ähnliche Zunahme der Kinderarbeit in Großbritannien fest. Er zitiert Studien, nach denen unter Schulkindern im Alter von 13 bis 16 Jahren 80% der Mädchen und 69% der Jungen irgend eine Art von Beschäftigung hatten; in Birmingham ergab eine

190 ILO (1996).
191 ILO (1996: 7f).
192 Dumaine (1993).

Studie unter 1.827 Schülerinnen und Schülern im Alter von zehn bis 16 Jahren, dass 43,7% auf die eine oder andere Weise arbeiteten oder in jüngerer Vergangenheit einen Job gehabt hatten.[193] Er stellt fest, dass „die vorliegenden Studien über die Teilzeitjobs von Kindern in den fortgeschrittenen Ländern zwar zahlenmäßig begrenzt sind, aber alle darauf hin deuten, dass Kinderarbeit eine weit verbreitete Tätigkeit ist, die für wenig Gegenleistung unter schlechten Arbeitsbedingungen geleistet wird".[194] Außerhalb der Reichweite statistischer Untersuchungen sind Kinder in entwickelten wie in Entwicklungsländern an einkommensschaffenden Tätigkeiten beteiligt, die mit der kriminellen Ökonomie, vor allem mit dem Rauschgiftschmuggel, kleinen Diebstählen und organisierter Bettelei zu tun haben.[195] Das immer stärkere Auftreten von Straßenkindern hängt großenteils mit diesen Aktivitäten zusammen. So zeigen Studien über Brasilien, dessen Städte und insbesondere Rio de Janeiro als die erschreckendsten Beispiele ins Rampenlicht geraten sind, wo Tausende von Kindern auf der Straße leben, dass die meisten in Wirklichkeit bei Tagesende in ihr armseliges Zuhause zurückkehren und ihren kärglichen Verdienst der Familie geben. Eine Studie über Straßenkinder in Rio ergab 1989, dass diejenigen, die ohne ihre Familien allein auf der Straße lebten, nur 14,6% der Straßenkinder ausmachten; von ihnen waren 80% drogenabhängig. Weitere 13,6% waren obdachlos, teilten das Leben auf der Straße aber mit ihrer Familie; 21,4% lebten im Heim ihrer Familie und arbeiteten unter Kontrolle der Familie auf der Straße. Die Mehrheit von 50,5% hatte Kontakt zu ihrer Familie, arbeiteten aber unabhängig auf der Straße und schlief auch gelegentlich dort. Doch allen Kategorien waren die Risiken von Gewalt und Tod gemeinsam, oft durch „Vigilante" und Polizisten im Zuge von „Straßenreinigungen".[196] Pedrazzini und Sanchez berichten Ähnliches über die *malandros* (Schlingel) von Caracas.[197]

Der ILO zufolge kommt Kinderarbeit in einer ganzen Reihe von Tätigkeiten vor, von denen viele hochgradig gefährlich sind.[198] Neben dem wohlbekannten Fall der Teppichknüpferei, einer Exportindustrie, die in Indien und Pakistan Kinderarbeit im großen Stil einsetzt, wird von Kinderarbeit bei den indischen Messingwaren berichtet; in Ziegeleien in Pakistan; beim Fischen von Muro-ami (mit Tiefseetauchen) in Südostasien; auf den von Pestiziden verseuchten Plantagen in Sri Lanka; in den von toxischen Dämpfen erfüllten Reparaturwerkstätten und Schreinereien in Ägypten, auf den Philippinen und in der Türkei; in kleinen Bergwerken in Afrika, Asien und Lateinamerika; und in Millionen von Haushalten als Hausangestellte, die häufig missbraucht werden. So sind in Indonesien rund 5 Mio. Kinder als Hausangestellte beschäftigt und in Sri Lanka

193 Lavalette (1994: 29ff).
194 Lavalette (1994: 1).
195 Hallinan (1994); Padrazzini und Sanchez (1996).
196 Rizzini (1994).
197 Pedrazzini und Sanchez (1996).
198 ILO (1996).

eine halbe Million. In Venezuela sind 60% der arbeitenden Mädchen zwischen zehn und 14 Jahren Hausangestellte. Ein großer Teil der für Hausarbeiten angestellten Kinder ist noch sehr jung: in Bangladesh waren 24% und in Venezuela 26% jünger als zehn Jahre. Die Arbeitszeiten dieser Hausangestellten betragen zehn bis 15 Stunden am Tag, und Studien berichten von „alarmierenden Anzeichen physischen, seelischen und sexuellen Missbrauchs von Jugendlichen und jungen Frauen, die als Hausangestellte arbeiten", wie die ILO es formuliert.[199]

Das schnelle Wachstum des Tourismus, der Branche, in der gegenwärtig etwa 7% der weltweit Erwerbstätigen beschäftigt sind, ist ebenfalls eine wichtige Quelle der Kinderarbeit auf der ganzen Welt.[200] Weil es eine arbeitsintensive Branche ist, deren Aktivität zudem saisonal und unregelmäßig ist, bietet sie sich in hohem Maß für die Beschäftigung flexibler, billiger Arbeitskräfte an, wie Kinder es sind. Es handelt sich um Jobs wie Hoteldiener, Kellnerinnen, Zimmermädchen, Fahrgeldeinsammler in Sammeltaxis, Masseusen, Empfangsdamen, um Arbeitskräfte, die für „Gastlichkeit" zu sorgen haben, um Balljungen, Caddies, Botenjungen, Serviererinnen für Tee und Snacks, Betreuer von Liegestühlen auf Deck und Ponys am Strand usw. Die Bezahlung ist extrem schlecht: Eine Studie in Acapulco, Mexiko, von der Black berichtet, stellte fest, dass Kinder von sieben bis zwölf Jahren zum Servieren von Drinks angestellt waren und keine andere Bezahlung erhielten als Trinkgelder und eine kleine Umsatzbeteiligung pro serviertem Getränk.[201] Das scheint mit Berichten aus anderen Ländern überein zu stimmen.

In manchen Fällen hat Kinderarbeit mit furchtbaren Tätigkeiten zu tun. So betätigten sich 1996 im verarmten und vom Bürgerkrieg zerrissenen Kabul viele Kinder zum Nutzen ihrer Familien beim profitablen Diebstahl und Schmuggel von menschlichen Knochen. Sie besorgten sich die Knochen auf Friedhöfen, vermischten sie (um ihre Herkunft zu verschleiern) mit Knochen von Hunden, Kühen und Pferden und verkauften sie an Mittelsmänner, die sie nach Pakistan transportierten, wo sie benutzt werden, um Speiseöl, Seife, Hühnerfutter und Knöpfe herzustellen. Ein Kind verdiente in diesem Geschäftszweig etwa 12 US$ im Monat, dreimal so viel wie das Gehalt eines Beamten in Afghanistan unter der Taliban-Herrschaft.[202]

Ein besonders ausbeuterischer Typ der Kinderarbeit ist die Schuldknechtschaft. In einem Bericht der ILO von 1996 heißt es: „Die Sklaverei ist nicht tot. Die Gesellschaften sträuben sich zuzugeben, dass sie ihr noch immer Unterschlupf gewähren, aber wie sich Fällen entnehmen lässt, die der ILO berichtet wurden, stecken viele Kinder in vielen Teilen der Welt in der Falle der Sklaverei.

199 ILO (1996: 15).
200 Black (1995).
201 Black (1995).
202 *The New York Times Magazine*, 12. Januar 1997: 30ff.

Von allen arbeitenden Kindern sind dies gewiss die am meisten gefährdeten."[203] So kommt es nach einer Studie des US-Arbeitsministeriums von 1996

> in Indien, wo vorsichtige Schätzungen die Schuldknechtschaft von Erwachsenen und Kindern auf mindestens 3 Mio. ansetzen, zur Schuldknechtschaft, wenn eine Person, die einen Kredit benötigt und keine Sicherheit bieten kann, ihre Arbeit oder die Arbeit eines Menschen unter ihrer Kontrolle als Sicherheit für den Kredit anbietet ... Es gibt zunehmend Berichte über kindliche Schuldknechte sowohl im Dienstleistungs- wie im Fertigungssektor Indiens ... In manchen Ländern durchkämmen Rekrutierungsagenten das platte Land und bezahlen Eltern, ihre Kinder zur Arbeit in die Fabriken zu schicken. So stammen etwa in Thailand viele Kinderarbeiter aus verarmten Teilen der nordöstlichen Regionen, wurden von ihren Eltern verkauft oder als Teil eines Schuldknechtschaftsarrangements eingesetzt. Skrupellose „Beschäftigungsagenturen" fädeln das Geschäft häufig ein und liefern die Kinder an Branchen wie Krabbenpulen oder Prostitution. In den Philippinen wurden bei zwei unterschiedlichen Razzien in einer Sardinenfabrik Kinder vorgefunden, die teilweise erst elf Jahre alt waren und Büchsen mit filetiertem Fisch füllten, um ihre Schulden bei der Person zu bezahlen, die sie rekrutiert hatte.[204]

Dieser Bericht ist mit Fallstudien aus verschiedenen Ländern angefüllt, die kindliche Schuldknechtschaft dokumentieren. Ein weiterer Bericht des US-Arbeitsministeriums enthält reichlich Belege für Zwangsarbeit und Schuldknechtschaft von Kindern in der kommerziellen Landwirtschaft sowie über die schädlichen Folgen des Kontaktes mit Kunstdünger und Pestiziden in so jugendlichem Alter.[205]

Was ist der Grund für diesen Aufschwung der Kinderarbeit? In erster Linie ist dies ein Ergebnis der gleichzeitigen Vertiefung von Armut und der Globalisierung von Wirtschaftsaktivitäten. Die Krise der Subsistenzwirtschaften und die Verarmung großer Bevölkerungssegmente, wie oben dargestellt, zwingt Familien und deren Kinder zu allen möglichen Überlebensstrategien: keine Zeit für Schule, die Familie braucht so viele Geldverdiener wie möglich, und sie braucht sie jetzt. Die Familien bieten ihre Kinder unter dem Zwang der Not manchmal als Schuldknechte an oder schicken sie auf die Straße. Studien haben den Einfluss von Familiengröße auf Kinderarbeit nachgewiesen: Je höher die Anzahl der Kinder, desto größer ist die Wahrscheinlichkeit, dass die Familie zwischen denen auswählt, die auf die Schule, und denen, die auf die Straße geschickt werden. Dieselben Studien zeigen jedoch auch, dass die Auswirkungen der Familiengröße für die Kinderarbeit in Ländern und Regionen deutlich geringer ausfallen, die eine besser entwickelte Sozialpolitik haben.[206]

Andererseits eröffnet die Globalisierung wirtschaftlicher Tätigkeiten auch die Chance auf erhebliche Gewinne aus der Anstellung von Kindern, wenn man den Unterschied zwischen den Kosten einer Kinder-Arbeitskraft in Entwicklungsländern und dem Preis von Gütern und Dienstleistungen auf den Wohl-

---

203 ILO (1996: 15).
204 US Department of Labor (1994: 19).
205 US Department of Labor (1995).
206 Grootaert und Kanbur (1995).

standsmärkten ausnutzt. Das trifft eindeutig auf die internationale Tourismusbranche zu. Die Luxus-Dienstleistungen, die Touristen mit mittlerem Einkommen sich in vielen „Tropenparadiesen" leisten können, beruhen, wie Black nachgewiesen hat, weitgehend auf der Überausbeutung lokaler Arbeitskräfte, zu denen auch viele Kinder gehören.[207] Der Bericht der ILO von 1996 behauptet jedoch, die Arbeitskosten seien nicht zwangsläufig der Hauptgrund dafür, dass Kinder eingesetzt würden. In Indien etwa scheinen Einsparungen durch Kinderarbeit nur 5% des Endpreises von Armreifen auszumachen und zwischen 5 und 10% bei Teppichen. Warum also Kinder anstellen? Dem Bericht zufolge „liegt die Antwort darin, *wo* es zu den Gewinnen aus dem Einsatz von Kinderarbeit kommt. In der Teppichindustrie beispielsweise sind es die Eigentümer der Webstühle, die das Weben überwachen und unmittelbar profitieren. Sie sind zahlreich und in der Regel arme Auftragnehmer, die mit sehr schmaler Profitmarge arbeiten und ihr kärgliches Einkommen mehr als verdoppeln können, wenn sie Kinderarbeit nutzen".[208] Es ist also *die Vernetzung zwischen den Kleinproduzenten und größeren Unternehmen, die auf die Wohlstandsmärkte exportieren, oft durch die Vermittlung von Großhändlern und großen Warenhäusern auf diesen Märkten, was sowohl die Flexibilität als auch die Rentabilität der Branche erklärt.* 1994 fand eine Studie des US-Arbeitsministeriums heraus, dass zwar die meisten Kinder nicht direkt in exportorientierten Unternehmen arbeiten, dass aber die Ausbreitung von Subunternehmer-Netzwerken und Heimindustrie Kinder in vielen Ländern in die Exportbranchen integrierte. So zeigte etwa eine Studie zu einer Stichprobe von Näherinnen in der Bekleidungsindustrie in Lateinamerika, dass 80% Frauen waren, die zu Hause arbeiteten. Von ihnen ließen sich 34% von ihren Kindern helfen, und von denen, die 50 Stunden in der Woche arbeiteten, hatten 40% Kinder als Helfer. Auch in den exportorientierten *maquiladoras* von Mexiko sind die meisten Arbeitskräfte junge Frauen zwischen 14 und 20 Jahren; es wird angenommen, dass auch einige dabei sind, die jünger als 14 sind.[209]

Der wichtigste Grund, aus dem Kinder eingesetzt werden, scheint jedoch ihre Schutzlosigkeit zu sein, was dazu führt, dass ihnen relativ leicht minimale Bezahlung und entsetzliche Arbeitsbedingungen aufgezwungen werden können. Der ILO-Bericht sagt dazu:

> Weil die Kinder keine unersetzlichen Fertigkeiten haben und häufig nicht viel billiger sind als Erwachsene, scheint die wichtigste Erklärung für ihre Anstellung nicht-ökonomisch zu sein. Es gibt viele nicht-pekuniäre Gründe, aber der wichtigste scheint die Tatsache zu sein, dass Kinder ihre Rechte nicht so genau kennen, weniger Ärger machen, bereitwilliger Befehle entgegennehmen und monotone Arbeit klaglos verrichten. Sie sind vertrauenswürdiger, stehlen nicht so oft und fehlen seltener bei der Arbeit. Die geringere Abwesenheitsquote der Kinder ist besonders für Arbeitgeber in Branchen des informellen Sektors wichtig,

207 Black (1995).
208 ILO (1996: 19).
209 US Department of Labor (1994: 19).

> wo die Arbeiter auf Tages- und Gelegenheitsbasis beschäftigt werden, und man deshalb jeden Tag eine vollständige Belegschaft auftreiben muss.[210]

Kinder sind unmittelbar einsetzbare, disponible Arbeitskraft und daher der letzte Grenzbereich der erneuerten Überausbeutung unter dem vernetzten globalen Kapitalismus. Stimmt das aber?

Die sexuelle Ausbeutung von Kindern

Meine Frage ist wirklich rhetorisch. Bei der Not vieler Kinder geht es gegenwärtig um weitaus Schlimmeres: Sie werden zu sexuellen Waren in einer großindustriell organisierten Branche, die international ist, wobei sie sich fortgeschrittener Technologie bedient und die Vorteile der Globalisierung sowohl von Tourismus als auch von Bildern nutzt. Auf dem Weltkongress gegen die kommerzielle sexuelle Ausbeutung von Kindern, der vom 27.-31. August 1996 in Stockholm stattgefunden hat, wurde eine eindrucksvolle Dokumentation zusammengestellt, die das Ausmaß dieser Ausbeutung, ihre schnelle Ausbreitung und die diesem Phänomen zugrundeliegenden Ursachen belegt.[211] Statistiken können in dieser Frage nicht genau sein, aber zuverlässige empirische Schätzungen weisen auf die Bedeutung des Problems und sein schnelles Wachstum hin, das häufig mit der Globalisierung des Tourismus und mit der perversen Suche nach sexuellem Vergnügen jenseits des standardisierten Sexkonsums in Zusammenhang steht.[212] In Thailand als dem Brennpunkt der globalen Sexindustrie schätzt das Center for Protection of Children's Rights, eine fest verankerte Nicht-Regierungsorganisation, dass bis zu 800.000 Kinder als Prostituierte arbeiten und dass HIV-Infektionen unter ihnen grassieren. Jungfräulichkeit ist eine wahrhaft gut bezahlte Handelsware, und Sex ohne Kondome hat einen hohen Preis. Eine Untersuchung von *India Today* von 1991 beziffert die Zahl der Kinderprostituierten in Indien mit zwischen 400.000 und 500.000. In Sri Lanka liegen die Schätzungen um 20.000. In der winzigen Dominikanischen Republik arbeiteten über 25.000 Minderjährige als Prostituierte. Eine andere Studie zählte in Bogota 3.000 minderjährige Prostituierte. Beyer schätzt, dass Brasilien etwa 200.000 Prostituierte im Heranwachsendenalter hat, und Peru etwa eine halbe Million.[213] Aber das Problem beschränkt sich in keiner Weise auf die Entwicklungsländer. Der Europäische Rat schätzte, dass 1988 5.000 Jungen und 3.000 Mädchen in Paris als Straßenprostituierte arbeiteten; Defence of the Child International berechnete die Zahl der Kinderprostituierten 1990 in den Niederlanden auf 1.000; und eine 1996 auf dem Weltkongress vorgelegte Studie belegte

210 ILO (1996: 20).
211 World Congress (1996).
212 *Christian Science Monitor* (1996).
213 Beyer (1996).

einen starken Anstieg der Kinderprostitution bei russischen, polnischen, rumänischen, ungarischen und tschechischen Kindern.[214] In Belgien kam es am 20. Oktober 1996 in Brüssel zu einer der größten politischen Demonstrationen, die jemals stattgefunden hatten, um dagegen zu protestieren, dass im Skandal um den Mord an vier kleinen Mädchen von offizieller Seite offenbar Zusammenhänge mit einem Kinderprostitutionsring vertuscht werden sollten, in den möglicherweise führende Politiker verwickelt waren.[215]

Einer der am schnellsten wachsenden Märkte für Kinderprostitution befindet sich in den Vereinigten Staaten und in Kanada. Hier lagen 1996 die Schätzungen zwar weit auseinander, jedenfalls aber zwischen 100.000 und 300.000 Kinderprostituierten.[216] Einige Regionen des Landes werden zu Zielgebieten gemacht. New Yorker Zuhälter rekrutieren ihre Sexsklaven beispielsweise gerne aus Kansas und Florida. Die Zuhälter schicken die Kinder von Stadt zu Stadt und halten sie in Gegenden, die den Kindern unbekannt sind; sie sperren sie ein und geben ihnen kein Geld. Wie geraten Kinder in diese Lage? Nach einem Bericht des US-Arbeitsministeriums gibt es unterschiedliche Gründe:

> Eltern verkaufen ihre Kinder bewusst an Einkäufer, um das Familieneinkommen zu erhöhen, die Anwerber machen falsche Versprechungen, Kinder werden entführt oder laufen von zu Hause weg und werden in die Prostitution gelockt, um auf der Straße überleben zu können ... Unabhängig von den Ursachen ist das Ergebnis dasselbe. Ein großer und profitabler Geschäftszweig ist bereit, Kinder sexuell auszubeuten, um die Nachfrage nach Kinderprostituierten zu befriedigen. Die Kinder sind im Allgemeinen für ihr Leben gezeichnet – das kurz sein kann, weil sie durch Berufsrisiken wie AIDS und andere Geschlechtskrankheiten oder brutale körperliche Misshandlung häufig umkommen.[217]

Mit der Prostitution verwandt, aber doch ein anderes Segment der boomenden Kindersexindustrie ist Kinderpornografie. Die Technologie ist ein wesentlicher Faktor, der diese Branche vorwärtstreibt. Camcorder, Videorecorder, häusliche Schneidevorrichtungen und Computergrafik haben sämtlich dazu geführt, dass die Kinderpornografie zur Hausindustrie werden konnte, was die Arbeit der Polizei schwierig macht. Das Internet hat für diejenigen, die mit sexuellen Absichten Zugang zu Kindern suchen, neue Informationskanäle eröffnet. In manchen Fällen haben einsitzende Pädophile vom Gefängnis aus Computer-Informationssysteme betrieben. So wurde in einer verarmten, entindustrialisierten Kleinstadt in Nord-Minnesota anhand von polizeilich konfiszierten Unterlagen eines von Gefängnisinsassen betriebenen Pädophilie-Netzwerkes festgestellt, dass die Kinder dieses Ortes speziell benutzt worden waren. Weil pornografische Bilder und Videoclips nahezu anonym ins Netz eingespeist und heruntergeladen werden können, hat sich völlig dezentralisiert ein globales Kinderpornografie-Netzwerk entwickelt, das den Gesetzeshütern wenig Chancen

---

214 World Congress (1996).
215 *The Economist* (1996b); Trueheart (1996).
216 Clayton (1996); Flores (1996).
217 US Department of Labor (1995: 11).

lässt.[218] Die Kinderpornografie online ist denn auch ein wichtiges Argument für die Einrichtung einer Zensur im Internet. Es ist leichter, dem Boten die Schuld anzuhängen, als nach den Quellen der Botschaft zu fragen; also zu fragen, warum unsere informationelle Gesellschaft sich in so großen Maßstab hiermit befasst. Große Produzenten und Vertriebe von Kinderpornografie (bei der es großenteils um Jungen und nicht um Mädchen geht) sind legale Unternehmen mit Standorten in permissiven Umfeldern hochtechnologischer Gesellschaften wie Japan, Dänemark, die Niederlande und Schweden.[219]

Verschiedene Analysen über die Gründe für diese schwindelerregende Zunahme der globalen Kindersexbranche (im Unterschied zum „traditionellen" Kindesmissbrauch während der gesamten Geschichte) sind sich über eine Reihe von Faktoren einig. Der erste ist die Globalisierung der Märkte für alles und jedes und von überall her nach überall hin, ob es nun organisierte Sexreisen sind oder der weltweite audiovisuelle Vertrieb von pornografischem Material. Die Anonymität, die entweder der elektronische Haushalt oder die Reise in exotische Länder garantieren, hilft den Massen von Perversen, die unter uns leben, die Schranken ihrer Furcht zu überwinden. Die Flucht in weitere Übertretungen auf der Suche nach sexueller Erregung in einer Gesellschaft normalisierter Sexualität (s. Bd. II, Kap. 4) speist vor allem unter den wohlhabenden Segmenten der gelangweilten Experten die Nachfrage nach neuen Emotionen.

Auf der Angebotsseite sorgen Armut und die Krise der Familie für den Rohstoff. Die Verbindung zwischen Angebot und Nachfrage wird häufig durch die globalen kriminellen Netzwerke hergestellt, die einen großen Teil der Prostitution auf der ganzen Welt kontrollieren und immer auf der Suche nach neuen, profitableren Produktlinien und Märkten sind. Speziell kaufen südostasiatische Kinderprostitutions-Netzwerke Kinder in den ärmsten Gegenden von Thailand, Kambodscha, den Philippinen und anderen Ländern auf, um sie in die Verteilungsnetzwerke in Asien einzuspeisen, wobei Hauptzielgebiete die internationalen Touristenzentren sind, sowie in Zusammenarbeit mit der *Yakuza* auch Japan. Bangkok, Manila und Osaka sind international notorische Orte der Kinderprostitution. 1998 wurde Honduras zu einem Lieblingsziel amerikanischer Pädophiler, die sich über das Internet bequem über die Kontaktadressen in Tegucigalpa informierten. Schließlich hat das Abschlussdokument des Weltkongresses von 1996 festgestellt, dass das Medieninteresse an Kinderpornografie und Prostitution unbeabsichtigt die Nachfrage stimulieren kann und dass der leichte Zugang zu Informationen sowohl die Nachschubwege öffnet als auch die Nachfrage steigert.

So vernichtet sich die Netzwerkgesellschaft selbst, wenn sie genügend ihrer eigenen Kinder konsumiert/verschlingt, um das Gefühl der generationsüber-

---

218 *World Congress* (1996).
219 Healy (1996).

greifenden Kontinuität des Lebens zu verlieren und so die Zukunft der Menschen als einer menschlichen Gattung versperrt.

Das Töten von Kindern: Kriegsmassaker und Kindersoldaten

Es gibt noch mehr von dieser Negation unser selbst zu berichten. An dieser Jahrtausendwende sind in Ländern auf der ganzen Welt, vor allem (aber gewiss nicht ausschließlich) in Afrika als der am meisten verwüsteten Region Millionen von Kinder dem Krieg zum Opfer gefallen oder werden noch durch ihn getötet. Und Zehntausende von Kindern sind zu kämpfenden/sterbenden Tieren transformiert worden, um die blutigen, sinnlosen Kriege zu speisen, die die Erde zerstören, oder sie werden noch dazu gemacht. Nach dem UNICEF-Bericht *State of the World's Children* von 1996,[220] der sich hauptsächlich mit den Folgen von Kriegen für Kinder befasste, wurden im vergangenen Jahrzehnt als unmittelbare Kriegsfolge in dieser Welt nach dem Kalten Krieg 2 Mio. Kinder getötet, zwischen 4 und 5 Mio. verstümmelt, über 1 Mio. wurden zu Waisen oder von ihren Eltern getrennt, 12 Mio. obdachlos und über 10 Mio. psychisch traumatisiert. Der zunehmende Anteil von Kindern unter den Kriegsopfern ist auf den Charakter dieser neuen Kriege zurück zu führen, die dem Vergessen anheim gefallen sind, nachdem die wohlhabende Welt einmal beschlossen hatte, in Frieden zu leben (s. Bd. I, Kap. 7). Wie es im UNICEF-Bericht heißt:

> Dies sind keine sorgfältig geplanten Schlachten kämpfender Armeen, sondern sehr viel komplexere Vorgänge – Kämpfe zwischen Militär und Zivilisten oder zwischen rivalisierenden Gruppen bewaffneter Zivilisten. Es ist überaus wahrscheinlich, dass sie eher in Dörfern oder in den Straßen der Vorstädte ausgefochten werden als irgendwo sonst. In diesem Fall ist das feindliche Lager die gesamte Umgebung, und Unterschiede zwischen Kriegern und Nicht-Kriegern schmelzen angesichts der Verdachtsmomente und Konfrontationen des alltäglichen Kampfes dahin.[221]

Aber Kinder werden in zunehmender Zahl auch als Soldaten in diese Kriege hineingezogen. Cohn und Goodwin Gill haben dies gründlich erforscht.[222] Sie belegen das Ausmaß, in dem Hunderttausende von Kindern in die regulären staatlichen Armeen (wie Iran oder Bosnien), in Rebellenmilizen und in Verbrecherbanden rekrutiert worden sind. In einigen Fällen wurden Kinder einfach los geschickt, um in den Minenfeldern zu sterben. In anderen Fällen wie bei den gegen die Regierung gerichteten Guerillas der RENAMO in Moçambique oder den Roten Khmer in Kambodscha folterte man Kinder eine Zeit lang, um sie zu gestählten, wenn auch seelisch geschädigten Kriegern zu machen. In allen Fällen schließen sich Kinder diesen mutigen militärischen Führern aus Mangel an Alternativen an oder sie werden dazu gezwungen. Armut, Vertreibung,

220 Bellamy (1996).
221 Bellamy (1996: 14).
222 Cohn und Goodwin Gill (1994).

Trennung von ihren Familien, ideologische oder religiöse Manipulation spielen dabei alle eine Rolle.[223] In machen Fällen wie bei den Rebellen in Ost-Zaire 1996 wird den Kindern vorgespiegelt, sie besäßen magische Kraft und könnten nicht umkommen. In anderen sind das Hochgefühl der Macht, Furcht einzuflößen, „zum Mann" oder Krieger zu werden, mächtige Antriebsmomente für die Kinder. Immer scheinen die Kinder grausame Kämpfer zu sein, bereit zu kämpfen, willens zu sterben, ohne sich groß über die wirkliche Trennlinie zwischen Krieg und Spiel, Leben und Tod im Klaren zu sein. Da die neue Waffentechnologie eine außerordentliche Feuerkraft in Form von leichten, tragbaren Waffen bereit stellt, können diese Kinderarmeen gewaltige Schäden anrichten. Gegenseitig. Im Hinblick auf diejenigen, die überleben, bemerken Cohn und Goodwin Gil: „Kinder, die an Feindseligkeiten beteiligt waren, sind häufig geistig, moralisch und körperlich für ihr Leben gezeichnet."[224]

Warum Kinder zugrunde gerichtet werden

Was hat nun der informationelle Kapitalismus mit all diesem Horror zu schaffen? Sind Kinder nicht wohl oder übel im ganzen Verlauf der Geschichte missbraucht worden? Ja und nein. Es stimmt: Kinder sind in der Geschichte gequält und schikaniert worden, oft genug von ihren eigenen Familien; sie wurden zu allen Zeiten von den jeweils herrschenden Mächten körperlich, psychisch und sexuell missbraucht; und am Beginn der industriellen Ära gab es den massenhaften Einsatz von Kinderarbeit in Bergwerken und Fabriken, häufig unter Bedingungen, die der Leibeigenschaft nahe kamen. Und weil Kinder Menschen sind, fügt die Art, wie Gesellschaften mit der Kindheit umgehen, der *condition humaine* dauerhafte moralische Verletzungen zu. Ich behaupte aber, dass es am Beginn dieses Informationszeitalters etwas Neues gibt: Es besteht ein systemischer Zusammenhang zwischen den gegenwärtigen, schrankenlosen Zügen des informationellen Kapitalismus und der Zerstörung, der das Leben eines großen Segmentes der Kinder dieser Welt anheim fällt.

Der Unterschied besteht darin, dass wir im Gefolge der im großen Stil durchgeführten Deregulierung und als Folge der Umgehung von Staaten und Regierungen durch globale Netzwerke eine drastische Umkehr sozialer Errungenschaften und auch der Kinderrechte erleben, die in den reifen industriellen Gesellschaften durch Sozialreform erreicht worden waren. Der Unterschied besteht in der Desintegration der traditionellen Gesellschaften auf der ganzen Welt, wodurch die Kinder ungeschützt in den Slums der Mega-Städte ausgesetzt werden. Der Unterschied besteht darin, dass Kinder in Pakistan Teppiche herstellen, die weltweit durch Lieferantennetzwerke an Warenhäuser in den Wohl-

223 Drogin (1995).
224 Cohn und Goodwin Gill (1994: 4).

standsmärkten exportiert werden. Neu ist der globale, massenhafte Tourismus mit dem zentralen Interesse an Pädophilie. Neu ist die elektronische Kinderpornographie, die weltweit im Netz steht. Neu ist die Auflösung des Patriarchalismus, der nicht durch ein System ersetzt worden ist, in dem die Kinder durch neue Familien oder durch den Staat geschützt würden. Und neu ist auch die Aufweichung der Institutionen zur Absicherung der Rechte von Kindern wie Gewerkschaften oder Sozialpolitik, die durch moralische Aufrufe zur Wahrung der Familienwerte ersetzt werden, in denen die Opfer häufig selbst für ihre Not verantwortlich gemacht werden. Außerdem ist der informationelle Kapitalismus kein Ding. Er ist eine spezifische Gesellschaftsstruktur mit eigenen Regeln und eigener Dynamik, die durch die in diesem Kapitel nachgewiesenen Prozesse in einem systemischen Zusammenhang zur Überausbeutung und zum Missbrauch von Kindern stehen, wenn nicht bewusstes politisches Handeln sich diesen Tendenzen entgegenstellt.

An den Wurzeln der Ausbeutung von Kindern befinden sich die Mechanismen, die weltweit Armut und soziale Exklusion hervorbringen, vom subsaharanischen Afrika bis zu den Vereinigten Staaten von Amerika. Wenn Kinder in Armut leben und wenn ganze Länder, Regionen und Stadtviertel von den relevanten Kreisläufen des Reichtums, der Macht und der Information ausgeschlossen sind, bricht durch das Zerbröseln der Familienstrukturen die letzte Schranke, die die Kinder noch geschützt hatte. In manchen Ländern wie Zaire, Kambodscha oder Venezuela überwältigt das Elend die Familien in ländlichen Gebieten ebenso wie in den Wellblechsiedlungen, und Kinder werden verkauft, um zu überleben, sie werden auf die Straße geschickt, um ein wenig hinzu zu verdienen, oder sie laufen schließlich aus der Hölle zu Hause weg in die Hölle ihrer Nicht-Existenz. In anderen Gesellschaften führt die historische Krise des Patriarchalismus zum Niedergang der traditionellen Kernfamilie, ohne dass es Ersatz dafür gäbe, und Frauen und Kinder müssen die Zeche zahlen. Aus diesem Grund leben 22% der amerikanischen Kinder in Armut, die höchste Armutsrate bei Kindern in der industrialisierten Welt. Das ist auch der Grund, weshalb es nach den gut belegten Analysen von Rodgers und Lerman einen engen Zusammenhang zwischen den Veränderungen in der Familienstruktur und der Zunahme von Frauen und Kindern gibt, die in den Vereinigten Staaten in Armut leben.[225] Wer immer den Patriarchalismus herausfordert, tut dies auf eigene Gefahr. Und auf die Gefahr ihrer Kinder. 1996 schätzte ein Bericht des US Department of Health and Human Services, dass der Missbrauch und die Vernachlässigung von Kindern sich in den Vereinigten Staaten zwischen 1986 und 1993 verdoppelt hatte und von 1,4 Mio. betroffenen Kindern auf 2,8 Mio. 1993 angestiegen war. Die Zahl der Kinder, die ernsthaft zu Schaden gekommen waren, vervierfachte sich von 143.000 auf 570.000. Kinder aus Familien der untersten Einkommensschichten waren 18mal so stark gefährdet, sexuell

225 Lerman (1996); Rodgers (1996).

missbraucht zu werden, nahezu 56mal so stark gefährdet, bildungsmäßig vernachlässigt zu werden und 22mal so stark gefährdet, schwere Verletzungen durch schlechte Behandlung zu erleiden. Inzwischen ist der Prozentsatz der untersuchten Fälle scharf abgefallen.[226]

Auf das Angebot an Kindern, das durch diese geschwächte Familienstruktur und durch diese Kindheit in Armut gesichert wird, treffen auf der Nachfrageseite die Prozesse der Globalisierung, der wirtschaftlichen Vernetzung, der Kriminalisierung eines Wirtschaftssegmentes und die fortgeschrittenen Kommunikationstechnologien, auf die ich oben eigens hingewiesen habe. Zu diesen beiden Komplexen von Angebots- und Nachfragefaktoren kommen als Ursachen für die Überausbeutung, Exklusion und Vernichtung von Kindern noch der Zerfall von Staaten und Gesellschaften sowie die massenhafte Entwurzelung von Bevölkerungen durch Krieg, Hunger, Epidemien und Verbrechen hinzu.

Es gibt in der fragmentierten Kultur unserer Gesellschaften noch etwas anderes, was begünstigt, dass das Lebens von Kindern ruiniert wird und was sogar als Rationalisierung dafür dient. Unter den Kindern selbst kommt es zur Verbreitung dessen, was Pedrazzini und Sanchez auf der Grundlage von Feldforschungen auf den Straßen von Caracas als „Kultur der Dringlichkeit“ bezeichnet haben.[227] Das ist die Vorstellung, es gebe keine Zukunft und keine Wurzeln, nur die Gegenwart. Und die Gegenwart besteht aus Augenblicken, aus jedem einzelnen Augenblick. Also muss man das Leben leben, als sei jeder Augenblick der Letzte, ohne Bezüge außer der explosiven Erfüllung einer individualisierten Hyperkonsumtion. Diese beständige, furchtlose Herausforderung, das Leben über die gegenwärtige Verelendung hinaus zu erforschen, hält verwahrloste Kinder aufrecht: für kurze Zeit, bis sie der völligen Zerstörung ausgesetzt sind.

Auf der Ebene der Gesamtgesellschaft bleiben angesichts zerfallender sozialer Institutionen die Individuen, besonders die Männer, hinter der Fassade repetitiver Formeln von den Tugenden einer traditionellen Familie, die im Großen und Ganzen aufgehört hat zu existieren, mit ihren Begierden nach Übertretung allein, mit ihren Machtphantasien, mit ihrer endlosen Suche nach einem Konsum, dessen Kennzeichen ein Muster unmittelbarer Befriedigung ist. Warum sich also nicht an den schutzlosesten Mitgliedern der Gesellschaft schadlos halten?

Und während auf der Seite der Wirtschaft globale Märkte für alles und von überall her nach überall hin möglich werden, scheint der ultimative Schub der Kommodifizierung, der jetzt unsere eigene Gattung erfasst, keineswegs den strengsten Regeln der puren Marktlogik als des einzigen Wegweisers für die Beziehungen zwischen Menschen zu widersprechen und lässt so die Wertvorstellungen und Institutionen der Gesellschaft links liegen. Ich will sicher nicht behaupten, der informationelle Kapitalismus bestehe aus einer Meute von Zuhäl-

---

226 Sedlak und Broadhurst (1996).
227 Pedrazzini und Sanchez (1996).

tern und Kinderschändern. Den konservativen kapitalistischen Eliten sind die Familienwerte zweifellos lieb und teuer, und große Konzerne finanzieren und unterstützen Initiativen zum Schutz von Kindern. Es besteht jedoch ein struktureller Zusammenhang zwischen der ungezügelten Marktlogik innerhalb einer globalen, vernetzten Wirtschaft, deren Energie sich aus den fortgeschrittenen Informationstechnologien speist, und den Erscheinungen, die ich in diesem Kapitel beschrieben habe. Im Bereich der Entwicklungsökonomie sind sogar häufig Expertenmeinungen anzutreffen, die dafür plädieren, die Ausbreitung von Kinderarbeit zu akzeptieren und zu unterstützen, weil sie eine rationale Marktreaktion sei, die unter bestimmten Bedingungen Ländern und Familien zum Nutzen gereichen werde. Der Hauptgrund, aus dem Kinder zugrunde gerichtet werden, liegt darin, dass im Informationszeitalter gesellschaftliche Entwicklungen durch die neuen technologisch/organisatorischen Fähigkeiten der Gesellschaft außerordentlich verstärkt werden, wobei die Institutionen sozialer Kontrolle von den globalen Informations- und Kapitalnetzwerken umgangen werden. Und weil in uns allen zugleich die Engel und die Teufel der Menschheit wohnen, wird immer dann, wenn unsere dunkle Seite das Übergewicht gewinnt, eine nie dagewesene Zerstörungsmacht frei.

Schluss: Die schwarzen Löcher des informationellen Kapitalismus

Ich habe in diesem Kapitel versucht, ein komplexes System von Zusammenhängen aufzuzeigen, die zwischen den Charakteristika des informationellen Kapitalismus und der Zunahme von Ungleichheit, sozialer Polarisierung, Armut und Elend im größten Teil der Welt bestehen. Der Informationalismus schafft eine scharfe Trennlinie zwischen wertvollen und wertlosen Menschen und Örtlichkeiten. Die Globalisierung erfolgt selektiv, sie schließt Segmente von Volkswirtschaften und Gesellschaften in die Netzwerke von Information, Reichtum und Macht ein, die das neue herrschende System kennzeichnen, und sie schließt andere aus. Die Individualisierung der Arbeit wirft die Arbeitenden auf sich selbst zurück, um angesichts sich beständig wandelnder Marktkräfte ihr Schicksal allein auszuhandeln. Die Krise des Nationalstaates und der Institutionen der Zivilgesellschaft, die während der Industrieära um ihn herum aufgebaut worden waren, untergräbt die institutionelle Fähigkeit, soziale Ungleichgewichte zu korrigieren, die aus der ungezügelten Marktlogik entstehen. Im Extremfall wird der seiner Repräsentativität entleerte Staat wie im Fall einiger afrikanischer oder lateinamerikanischer Staaten zum Räuber am eigenen Volk. Die neuen Informationstechnologien statten diesen globalen Wirbelwind der Akkumulation von Reichtum und der Ausbreitung von Armut mit den notwendigen Werkzeugen aus.

Aber in diesem Prozess der gesellschaftlichen Neustrukturierung ist mehr enthalten als nur Ungleichheit und Armut. Da ist auch die Exklusion von Menschen und Territorien, die aus der Perspektive der herrschenden Interessen im globalen, informationellen Kapitalismus in eine Lage struktureller Irrelevanz geraten. Dieser weit verbreitete, vielförmige Prozess der sozialen Exklusion führt zur Bildung von etwas, was ich mit der Freiheit, mich einer kosmischen Metapher zu bedienen, als *die schwarzen Löcher des informationellen Kapitalismus* bezeichne. Das sind gesellschaftliche Regionen, aus denen es statistisch gesprochen für diejenigen, die auf die eine oder andere Weise diese gesellschaftlichen Landschaften betreten, kein Entrinnen vor dem Schmerz und der Zerstörung gibt, die der menschlichen Existenz zugefügt werden. Das heißt, wenn es nicht zu einer Veränderung in den Gesetzen kommt, die das Universum des informationellen Kapitalismus regieren, da anders als bei kosmischen Mächten, zielbewusstes menschliches Handeln *durchaus* die Regeln der Gesellschaftsstruktur verändern *kann*, auch diejenigen, die zu sozialer Exklusion führen.

Diese schwarzen Löcher konzentrieren in ihrer Dichte sämtliche Zerstörungsenergie, die die Menschheit aus vielfältigen Quellen angreift. Wie Menschen und Örtlichkeiten in diese schwarzen Löcher hinein geraten, ist weniger wichtig als das, was danach geschieht: dass die soziale Exklusion reproduziert wird und dass den bereits Ausgeschlossenen weitere Verletzungen zugefügt werden. So haben Timmer u.a. die Unterschiedlichkeit der Wege aufgezeigt, die in amerikanischen Städten in die Obdachlosigkeit führen.[228] Die obdachlose Bevölkerung setzte sich aus einer Mischung zusammen, zu der die „alten Obdachlosen" gehörten, klassische Trebegänger oder aus Anstalten entlassene Geisteskranke, sowie neuere Charaktere wie „Wohlfahrts-Mamis", junge Familien, die von De-Industrialisierung und Neustrukturierung zurück gelassen worden sind, Mieter, die im Zuge der Aufwertung von Wohngebieten ihre Wohnungen räumen mussten, von zu Hause weg gelaufene Teenager, wohnungslose Migranten und geschlagene Frauen, die ihren Männern entkommen waren. Sind sie aber einmal auf der Straße gelandet, so wirkt das schwarze Loch der Obdachlosigkeit als Stigma und als Welt der Gewalt und Misshandlung unterschiedslos auf die Obdachlosen ein und verdammt sie zum Elend, wenn das Leben auf der Straße eine Zeit lang anhält. So stellt Ida Susser die Folgen der Bestimmungen in den Obdachlosenunterkünften für die Wohnungslosen in New York dar, nach denen Frauen von ihren Kindern getrennt werden, womit häufig der Prozess eingeleitet wird, durch den Kinder in dem Sinne zugrunde gerichtet werden, wie auf den vorhergehenden Seiten dargestellt.[229]

Ein anderes, weniger oft genanntes Problem ist der funktionale Analphabetismus, der in einer Gesellschaft, die in zunehmendem Maße auf einer minimalen Kompetenz zum Dekodieren von Sprache beruht, Mechanismen auslöst, die

228 Timmer u.a. (1994).
229 Susser (1991, 1993, 1996).

bezahlte Arbeit blockieren und in Armut und letztlich in soziale Exklusion führen. Diese funktionale Unfähigkeit ist in den fortgeschrittenen Gesellschaften sehr viel weiter verbreitet, als man allgemein zur Kenntnis nimmt. So ergab 1988 eine Untersuchung des US-Erziehungsministeriums zum Alphabetisierungsgrad, dass 21-23% einer repräsentativen nationalen Stichprobe – also 40 bis 44 Mio. erwachsene Amerikanerinnen und Amerikaner – über eklatant ungenügende Fähigkeiten zum Lesen und Schreiben im Englischen sowie in den Grundrechenarten verfügten. Zwei Drittel von ihnen hatten keinen Sekundarschulabschluss. Ein Viertel von ihnen waren Immigranten, die dabei waren, Englisch zu lernen, womit immer noch 30 Mio. geborene Amerikanerinnen und Amerikaner übrig bleiben, die funktionale Analphabeten sind. Zusätzliche 25-28% wiesen eine Kompetenz auf, die in der Studie mit dem Niveau 2 bezeichnet wurde, ein sehr eng begrenztes Verständnisniveau, mit dem man zwar in der Lage ist, schriftliche Anweisungen zu erhalten, das aber nicht so weit reicht, etwa einen Brief zu schreiben, um einen Fehler in einer Kreditkartenabrechnung zu erläutern oder Treffen mit Hilfe von Busfahrplänen und Flugplänen zu planen. Funktionaler Analphabetismus stellt ein grundlegendes Hindernis für die Einbeziehung in den formellen Arbeitsmarkt auf jedem beliebigen Niveau dar, und er korreliert stark mit Niedriglohnbeschäftigung und Armut: fast die Hälfte der Menschen auf dem niedrigsten Niveau der Alphabetisierungsskala lebten in Armut. Ebenso besteht die Mehrheit der Gefängnisbevölkerung in den USA aus funktionalen Analphabeten.[230] Drogenabhängigkeit, Geisteskrankheit, Straffälligkeit, Gefängnisaufenthalte und Illegalität sind ebenfalls Wege zu spezifischen Formen der Verelendung und erhöhen die Wahrscheinlichkeit, unwiederbringlich vom gesellschaftlich sanktionierten Recht auf Leben abzuirren. Ihnen allen ist ein Attribut gemeinsam: Armut, aus der sie herrühren und zu der sie hinführen.

Diese schwarzen Löcher kommunizieren häufig miteinander, sind aber *sozial/kulturell* aus der Kommunikation mit dem Universum des gesellschaftlichen Hauptstromes ausgeschlossen. Sie sind jedoch wirtschaftlich mit einigen spezifischen Märkten verbunden – etwa durch die kriminelle Ökonomie von Drogen und Prostitution – und stehen bürokratisch mit dem Staat in Beziehung – durch Instanzen, die wie Polizei und Sozialhilfe zu ihrer Kontrolle geschaffen wurden. Drogen, Krankheit wie etwa AIDS, Verbrechen, Prostitution und Gewalt sind Teile derselben Netzwerke, wobei jede Komponente die andere verstärkt, etwa wenn HIV unter Drogenabhängigen durch gemeinsam benutzte Nadeln und/oder durch Prostitution übertragen wird.[231]

Soziale Exklusion kommt häufig in räumlicher Form zum Ausdruck. Die territoriale Abgrenzung systemisch wertloser Bevölkerungsteile, die von den Netzwerken der wertbringenden Funktionen und Menschen abgekoppelt sind,

---

230 Kirsch u.a. (1993); Newman u.a. (1993).
231 Susser (1996).

ist, wie ich in Band I, Kapitel 6 gezeigt habe, sogar ein wesentliches Kennzeichen der räumlichen Logik der Netzwerkgesellschaft. In diesem Kapitel habe ich die räumliche Logik der sozialen Exklusion anhand eines Überblicks über die Marginalisierung des subsaharanischen Afrika sowie durch Hinweise auf die innerstädtischen Ghettos in Amerika aufgezeigt. Aber es gibt innerhalb der ungleichmäßigen Geografie des informationellen Kapitalismus viele andere Beispiele solcher in territorialer Form auftretender Exklusion. Eines der auffälligeren ist das Schicksal der meisten Pazifikinseln, tropischer Paradiese, die inmitten einer Pazifikregion, die sich in das Energiezentrum des globalen Kapitalismus transformiert, in bitterster Armut leben und durch den Tourismus bewirkte Auflösung ihrer Gesellschaften erleben müssen.[232] Ebenso hängen die Gründe, aus denen Menschen in schwarze Löcher geraten, warum und wie Territorien exkludiert oder inkludiert werden, von spezifischen Ereignissen ab, die dazu führen, dass Entwicklungsbahnen der Marginalität im Sinne eines „*lock in*" fixiert werden. Es mag ein räuberischer Diktator sein wie in Zaire; oder die Entscheidung der Polizei, ein bestimmtes Stadtviertel den Drogenhändlern zu überlassen; oder die Ausweisung von Ausschlussbereichen für die Vergabe von Wohnungsbaudarlehen; oder die Erschöpfung von Bodenschätzen oder die Entwertung landwirtschaftlicher Produkte, mit denen die Region ihren Lebensunterhalt bestreitet. Was auch immer der Grund sein mag, für diese Territorien und für die Menschen, die dort in der Falle sitzen, kommt eine Abwärtsspirale der Armut, dann der Verelendung, schließlich des Bedeutungsverlustes in Gang, die bis zu dem Punkt weiterläuft, an dem – eventuell – eine dem entgegen wirkende Kraft, wozu auch die Revolte der Menschen gegen ihre Lage zählt, dazu führt, dass der Trend umgekehrt wird.

An dieser Jahrtausendwende hat sich das, was einmal als Zweite Welt bezeichnet wurde (das etatistische Universum) aufgelöst, weil es nicht in der Lage war, die Kräfte des Informationszeitalters zu meistern. Zur selben Zeit ist die Dritte Welt als bedeutsame Größe verschwunden; sie ist ihrer geografischen Bedeutung entleert und hat sich in ihrer wirtschaftlichen und gesellschaftlichen Entwicklung außerordentlich stark differenziert. Doch die Erste Welt ist nicht zu dem allumfassenden Universum geworden, von dem die neoliberale Mythologie handelt. Denn es ist eine neue Welt, die Vierte Welt entstanden, die aus vielfältigen schwarzen Löchern sozialer Exklusion besteht und die auf der ganzen Erde zu finden sind. Die Vierte Welt umfasst große Gebiete des Globus, etwa den Großteil des subsaharanischen Afrika und verarmte ländliche Gebiete in Lateinamerika und Asien. Sie ist in dieser neuen Geografie sozialer Exklusion aber auch buchstäblich in jedem einzelnen Land, in jeder einzelnen Stadt vorhanden. Sie besteht aus den innerstädtischen Ghettos Amerikas, aus den Enklaven der massenhaften Jugendarbeitslosigkeit in Spanien, aus den französischen Banlieues, in denen Nordafrikaner eingepfercht leben, aus den japanischen Yo-

232 Wallace (1995).

seba-Vierteln und den Wellblechstädten der asiatischen Mega-Städte. Und sie ist bevölkert von Millionen obdachloser, eingesperrter, kriminalisierter, misshandelter, stigmatisierter, kranker und analphabetischer Menschen. Sie bilden in manchen Gegenden die Mehrheit, in anderen eine Minderheit und in wenigen privilegierten Zusammenhängen eine winzige Minderheit. Überall aber ist ihre Zahl im Wachsen und ihre Sichtbarkeit nimmt in dem Maße zu, wie der selektive Ausleseprozess des informationellen Kapitalismus und der politische Zusammenbruch des Wohlfahrtsstaates die soziale Exklusion intensivieren. Im gegenwärtigen historischen Kontext ist die Entstehung der Vierten Welt von der Entstehung des informationellen Kapitalismus nicht zu trennen.

3 Die perverse Koppelung: Die globale kriminelle Ökonomie

Während der letzten paar Jahre hat die internationale Gemeinschaft eine wachsende Zahl politischer Umbrüche, geopolitischer Veränderungen und technologischer Neustrukturierungen erlebt. Zweifellos ist das transnationale Verbrechen, eine neue Dimension der eher „traditionellen" Formen des organisierten Verbrechens, zu einer der alarmierendsten dieser Herausforderungen geworden. Das organisierte transnationale Verbrechen stellt mit seiner Fähigkeit, seine Aktivitäten auszuweiten und die Sicherheit und die Wirtschaft von Ländern, besonders von Entwicklungs- und Transitionsländern anzuvisieren, eine der ernsthaften Bedrohungen dar, mit denen sich Regierungen auseinander setzen müssen, um die eigene Stabilität, die Sicherheit ihrer Völker und die Bewahrung des gesamten gesellschaftlichen Gefüges sowie die Lebensfähigkeit und weitere Entwicklung ihrer Volkswirtschaften zu garantieren.

United Nations, Economic and Social Council 1994, S. 3

Die internationalen kriminellen Organisationen haben Abkommen getroffen und vereinbart, geografische Gebiete aufzuteilen, neue Marktstrategien zu entwickeln, Formen gegenseitiger Unterstützung und der Konfliktbeilegung auszuarbeiten ... und zwar auf internationaler Ebene. Wir sehen uns einer regelrechten kriminellen Gegen-Macht gegenüber, die in der Lage ist, legitimen Staaten ihren Willen aufzuzwingen, Institutionen und Kräfte von Recht und Ordnung zu untergraben, das empfindliche wirtschaftliche und finanzielle Gleichgewicht durcheinander zu bringen und das demokratische Leben zu zerstören.

Anti-Mafia-Kommission des italienischen Parlaments[1]

Verbrechen ist so alt wie die Menschheit. Sogar im biblischen Bericht über unseren Ursprung begann die menschliche Not mit dem illegalen Handel mit Äpfeln. Aber das globale Verbrechen, die Vernetzung mächtiger krimineller Organisationen und ihrer Partner in gemeinsamen Tätigkeiten auf der ganzen Welt, ist ein neues Phänomen, das tiefgreifende Auswirkungen auf die internationale und nationale Wirtschaft, Politik, Sicherheit und letztlich auf die gesamte Gesellschaft hat. Die sizilianische *Cosa Nostra* (und ihre Partnerorganisationen *La*

1 Bericht der Anti-Mafia-Kommission des italienischen Parlaments an die UN-Versammlung, 20. März 1990, zit. nach Sterling (1994: 66).

Camorra, *Ndrangheta* und *Sacra Corona Unita*), die amerikanische Mafia, die kolumbianischen Kartelle, die mexikanischen Kartelle, die nigerianischen kriminellen Netzwerke, die japanische *Yakuza*, die chinesischen Triaden, die Konstellation russischer *Mafijas*, die türkischen Heroinhändler, die jamaikanischen *Posses* und eine Myriade regionaler und lokaler krimineller Gruppierungen in allen Ländern haben sich in einem globalen, diversifizierten Netzwerk zusammen gefunden, das Grenzen überwindet und Unternehmungen aller Art miteinander verbindet. Zwar ist der Drogenhandel das wichtigste Segment dieser weltweit operierenden Branche, doch Waffengeschäfte stellen ebenfalls einen äußerst profitträchtigen Markt dar. Hinzu kommt alles, was Mehrwert genau deshalb erhält, weil es in einem bestimmten institutionellen Umfeld verboten ist: Schmuggel von allem und jedem von überall her nach überall hin, auch von spaltbarem Material, menschlichen Organen und illegalen Einwanderern; Prostitution; Glücksspiel; räuberische Kredite; Entführung; Schieberei und Schutzgelderpressung; Fälschung von Gütern, Banknoten, Finanzdokumenten, Kreditkarten, Personalausweisen; Auftragsmorde; Handel mit Geheiminformation, Technologie oder Kunstgegenständen; internationaler Verkauf gestohlener Güter; oder sogar das illegale Verschieben von Müll aus einem Land in ein anderes (beispielsweise Müll aus den USA, der 1996 nach China geschmuggelt wurde). Schutzgelderpressung wird ebenfalls international praktiziert, etwa von der *Yakuza* gegenüber japanischen Konzernen im Ausland. Der Kern dieses Systems ist die Geldwäsche in der Größenordnung von Hunderten von Milliarden (vielleicht Billionen) von Dollar. Komplexe Finanzpläne und internationale Handelsnetzwerke binden die kriminelle Ökonomie an die formelle Ökonomie an. Daher dringt sie tief in die Finanzmärkte ein, was in einer anfälligen globalen Wirtschaft ein kritisches, wechselhaftes Element einführt. Die Wirtschaft und die Politik vieler Länder (wie Italien, Russland, die ehemaligen Republiken der Sowjetunion, Kolumbien, Mexiko, Bolivien, Peru, Ecuador, Paraguay, Panama, Venezuela, die Türkei, Afghanistan, Burma, Thailand, aber auch Japan [s. Kap. 4], Taiwan, Hongkong und eine Vielzahl kleinerer Länder, zu denen Luxemburg und Österreich gehören) sind ohne die Berücksichtigung der Dynamik der kriminellen Netzwerke nicht zu verstehen, die Teil ihrer alltäglichen Funktionsweise sind. Der flexible Zusammenhang dieser kriminellen Aktivitäten innerhalb internationaler Netzwerke bildet einen wesentlichen Bestandteil der neuen globalen Wirtschaft und der sozialen/politischen Dynamik des Informationszeitalters. Die Bedeutung und Realität dieses Phänomens wird allgemein zur Kenntnis genommen, und es gibt reichlich Beweismaterial, das hauptsächlich aus gut dokumentierten journalistischen Berichten und von Konferenzen internationaler Organisationen stammt.[2] Doch die Sozialwissenschaften kümmern

---

2 Die glaubwürdigste internationale Quelle zum globalen Verbrechen ist die Dokumentation, die der Wirtschafts- und Sozialrat der Vereinten Nationen anlässlich der Welt-Ministerkonferenz über Organisiertes Transnationales Verbrechen in Neapel am 21.-23. November 1994

sich meist wenig um das Problem, wenn es darum gehen soll, Wirtschaft und Gesellschaft zu verstehen. Sie verweisen darauf, die Daten seien nicht wirklich zuverlässig und ihre Interpretation werde durch Sensationshascherei verfärbt. Ich nehme an solchen Positionen Anstoß. Wenn man feststellt, dass ein Phänomen eine fundamentale Dimension unserer Gesellschaften und sogar des neuen globalisierten Systems ausmacht, dann müssen wir auch alle verfügbaren Beweismittel einsetzen, um die Zusammenhänge zwischen diesen kriminellen Aktivitäten sowie Gesellschaften und Wirtschaften insgesamt aufzuklären.

Die Globalisierung der Verbrechensorganisation, die kulturelle Identifikation Krimineller[3]

Während der letzten beiden Jahrzehnte haben kriminelle Organisationen ihre Geschäfte zunehmend transnational angelegt und sich dabei der Vorteile der wirtschaftlichen Globalisierung und der neuen Kommunikations- und Transporttechnologien bedient. Ihre Strategie besteht darin, ihre Management- und Produktionsbereiche in Gebieten mit geringem Risiko zu platzieren, in denen

---

zusammengestellt hat. Ich habe von diesen Materialien ausgiebig Gebrauch gemacht und möchte den Personen danken, die sie mir zur Verfügung gestellt haben: Dr. Gopinath, Direktor des International Institute for Labor Studies der ILO in Genf und Herrn Vetere, Leiter der Abteilung der Vereinten Nationen zur Vorbeugung und zur Bekämpfung von Verbrechen in Wien. Ein ausgezeichneter, dokumentierter Überblick über die Expansion des globalen Verbrechens findet sich bei Sterling (1994). Zwar wurde die Arbeit von Sterling als Sensationsmache kritisiert, doch wurden die von ihr dargestellten Fakten, die immer durch journalistische Nachforschungen belegt sind, meines Wissens nie in Zweifel gezogen. S. auch Martin und Romano (1992); Gootenberg (1999) und, wenn auch schon ein wenig alt, Kelly (1986).

3 Die Quelle der Daten, die in diesem Abschnitt verwendet werden, ist, wenn nicht anders angegeben, der Hintergrundbericht der UN-Konferenz über das Organisierte Internationale Verbrechen, zit. als United Nations, Economic and Social Council (UN-ESC) (1994). Zu den Auswirkungen des organisierten Verbrechens auf Europa s. neben der klarsichtigen Analyse von Sternberg (1994) Roth und Frey (1995): Über die italienische Mafia s. Colombo (1990); Santino und La Fiura (1990); Catanzaro (1991); Calvi (1992); Savona (1993); Tranfaglia (1992) und Arlacchi (1995). Zur neueren Transformation der amerikanischen Mafia s. Potter (1994) und wiederum Sterling (1994). Zu den Auswirkungen des globalen Verbrechens auf das amerikanische Verbrechen s. Kleinknecht (1996). Zu den chinesischen Triaden s. Booth (1991); Murray (1994); Chu (1996). Zum Heroinhandel im und aus dem Goldenen Dreieck zwischen Burma und Thailand s. Renard (1996). Zu den japanischen Yakuza s. Kaplan und Dubro (1986) und Seymour (1996). Zu Afrika s. Fottorino (1991). Zu Russland und Lateinamerika s.u. Ich habe außerdem eine Reihe von Quellen aus in Amerika, Europa und Russland erschienenen Zeitungsberichten benutzt, die von Emma Kiselyova gesammelt und analysiert wurden. Quellen für spezifische, in diesem Abschnitt benutzte Informationen werden in den Fußnoten angeführt.

sie das institutionelle Umfeld relativ gut kontrollieren können, dagegen als bevorzugte Märkte die Gebiete mit der größten zahlungskräftigen Nachfrage anzupeilen, wo sich höhere Preise erzielen lassen. Das trifft eindeutig auf die Drogenkartelle zu, ob es nun Kokain aus Kolumbien und der Andenregion ist oder Opium/Heroin aus dem südostasiatischen Goldenen Dreieck oder aus Afghanistan und Zentralasien. Dies ist aber auch der entscheidende Mechanismus im Waffenhandel oder im Handel mit spaltbarem Material. Unter Ausnutzung der relativen Straflosigkeit, mit der sie in Russland und den früheren Sowjetrepubliken während der Übergangsperiode rechnen konnten, haben sowohl russische/ex-sowjetische kriminelle Netzwerke als auch solche aus der ganzen Welt sich die Kontrolle über einen bedeutenden Teil der militärischen und nuklearen Vorräte verschafft, die in der chaotischen Situation nach dem Kalten Krieg dem Höchstbietenden angeboten wurden. Diese Internationalisierung krimineller Tätigkeiten regt das organisierte Verbrechen aus unterschiedlichen Ländern dazu an, strategische Allianzen zu bilden, um zusammen zu arbeiten anstatt sich gegenseitig auf jeweils fremdem Territorium zu bekämpfen. Das geschieht durch Subunternehmertum und *joint ventures*, deren Geschäftspraktiken sich eng an die Organisationslogik des Netzwerkunternehmens anlehnen, das ich als charakteristisch für das Informationszeitalter identifiziert habe (Bd. I, Kap. 3). Außerdem wird der weitaus größte Teil der Erträge aus diesen Aktivitäten definitionsgemäß durch Geldwäsche über die internationalen Finanzmärkte globalisiert.

Schätzungen über die Profite und Finanzströme, die aus der kriminellen Ökonomie stammen, weichen extrem voneinander ab und sind nicht unbedingt zuverlässig. Sie geben jedoch eine Vorstellung von der atemberaubenden Größenordnung des hier beschriebenen Phänomens. Die Konferenz der Vereinten Nationen über das Globale Organisierte Verbrechen schätzte 1994, dass der Wert des globalen Drogenhandels etwa 500 Mrd. US$ im Jahr betrage; das ist mehr als der Welthandel mit Erdöl.[4] Der Gesamtprofit aus Tätigkeiten aller Art wurde sogar auf 750 Mrd. US$ jährlich beziffert.[5] Andere Schätzungen kommen auf eine Zahl von 1 Billion US$ pro Jahr für 1993, was ungefähr genau so viel war, wie der US-Bundeshaushalt zur selben Zeit.[6] Sterling hält die Zahl von 500 Mrd. US$ für den weltweiten Umsatz in „Narkodollars" für plausibel.[7] 1999 wagte der IWF eine sehr grobe Schätzung der globalen Geldwäsche mit einer Zahl zwischen 500 Mrd. US$ und 1,5 Billionen im Jahr (oder 5% des globalen BIP).[8] Ein großer Teil der Profite wird gewaschen (wobei die Wäscher eine Provision von zwischen 15 und 25% des nominalen Dollarpreises erhalten), und etwa die Hälfte des gewaschenen Geldes wird wenigstens im Fall der siziliani-

4 UN-ESC (1994).
5 UN-Quellen, zit. nach Cowell (1994).
6 National Strategy Information Center mit Sitz in Washington, zit. nach *Newsweek*, 13. Dezember 1993.
7 Sterling (1994).
8 *The Economist* (1999a: 17).

schen Mafia in legale Tätigkeiten reinvestiert.[9] Diese Kontinuität zwischen Profiten aus krimineller Tätigkeit und ihrer Investition in legale Tätigkeiten macht es unmöglich, die wirtschaftlichen Auswirkungen des globalen Verbrechens allein auf den kriminellen Bereich zu begrenzen, weil der legale Sektor eine große Rolle dabei spielt, die Gesamtdynamik des Systems zu sichern und zu verschleiern. Ferner gehört zur Durchführung von Geschäften auch die Kombination einer geschickten Manipulation legaler Verfahren und Finanzsysteme in jedem einzelnen Land und international mit dem gezielten Einsatz von Gewalt und weit verbreiteter Korruption von Beamten, Bankern, Bürokraten und Gesetzeshütern.

Dem globalen Verbrechen liegen national, regional und ethnisch verankerte Organisationen zugrunde, die meist auf eine lange Geschichte zurückblicken und mit der Kultur spezifischer Länder und Regionen verknüpft sind, mit ihrer Ideologie, ihren Ehrenkodizes und ihren Bindungsmechanismen. Diese kulturell eingebundenen kriminellen Organisationen verschwinden nicht in den neuen globalen Netzwerken. Im Gegenteil, ihre globale Vernetzung ermöglicht traditionellen kriminellen Organisationen Überleben und Wohlergehen, weil sie in schwierigen Zeiten den Kontrollen eines bestimmten Staates ausweichen können. So wurde die amerikanische Mafia, nachdem sie unter den verheerenden Schlägen des FBI während der 1980er Jahre erheblich gelitten hatte, in den 1990er Jahren durch einen Zustrom aus der sizilianischen Mafia und durch Bündnisse mit den chinesischen Triaden, den russischen *Mafijas* und einem Spektrum ethnischer Banden wiederbelebt.[10]

Die sizilianische Mafia ist noch immer eine der mächtigsten kriminellen Organisationen der Welt und nutzt ihre historische Kontrolle über den italienischen Süden und ihre tiefe Durchdringung des italienischen Staates. Ihre Verbindungen zur italienischen Christlich-Demokratischen Partei ermöglichten es der Mafia, ihre Präsenz auf das gesamte Land auszudehnen und sich mit dem Bankensystem sowie dadurch mit der gesamten politischen und wirtschaftlichen Elite des Landes zu verbinden, wobei sie durch den Banco Ambrosiano, der offenbar unter dem Einfluss der Mafia gestanden hat, sogar dem Vatikan sehr nahe gekommen ist. 1987 eröffnete ein Abkommen zwischen der Mafia und dem Medellin-Kartell die Möglichkeit, Heroin aus Asien/Europa gegen Kokain aus Kolumbien zu tauschen. Damit konnten die Kolumbier auf den Heroinmarkt in den Vereinigten Staaten vordringen, den sich bis dahin die sizilianische und die amerikanische Mafia mit den chinesischen Triaden geteilt hatten. Die kolumbianischen Kartelle nutzten die sizilianische Infrastruktur, um ihr Kokain in Europa zu vertreiben, wofür sie den Sizilianern einen Anteil bezahlten.[11] Das war nur der am Besten belegte einer ganzen Reihe von internationalen Schachzügen der sizilianischen Mafia, zu denen auch das tiefe Eindringen in die kriminellen

9 Sterling (1994: 30).
10 Kleinknecht (1996).
11 Sterling (1994).

Märkte Deutschlands und große spekulative Übernahmen sowjetischen Eigentums und sowjetischer Währung während der Übergangsperiode gehörten (s.u.).

Als der italienische Staat versuchte, seine Autonomie zurückzugewinnen und sich der Mafia entgegenstellte, nachdem die Kontrolle der Christdemokraten und anderer traditioneller Parteien über das Land Anfang der 1990er Jahre erschüttert war, erreichte die Reaktion der Mafia eine nie da gewesene Brutalität, was auch in der Ermordung einiger bei den Operationen gegen das organisierte Verbrechen in Italien führender Personen zum Ausdruck kam, vor allem der Richter Falcone und Borsalino. Die Reaktion des Volkes, die Enthüllungen in den Medien und der partielle Zerfall der korrupten italienischen Politik schwächten die Macht der Mafia in Italien selbst mit der Gefangennahme und Festsetzung ihres *capo di tutti capi* Toto Rina ganz erheblich. Doch die wachsende Internationalisierung der Mafia-Aktivitäten während der 1990er Jahre ermöglichte ihren Mitgliedern eine neue Runde der Prosperität, auch wenn sie einen Teil (aber nicht den größten) ihrer Kontrolle über lokale Gesellschaften und staatliche Institutionen in Italien aufgeben mussten.

Dieser Internationalisierungsprozess der italienischen Mafia fällt mit dem der chinesischen Triaden zusammen, die gegenwärtig eines der größten und am Besten verknüpften Netzwerke krimineller Organisationen auf der ganzen Welt sind und allein in Hongkong 160.000 Mitglieder zählen, die sich auf die 14k, die Sun Yee On und die Wo-Gruppe verteilen. Ein weiteres mächtiges Netzwerk, der Vereinigte Bambus, hat seinen Hauptsitz in Taiwan. Wie die italienischen und amerikanischen Mafias sind auch die Triaden in Geschichte und Ethnizität verankert. Ihr Ursprung liegt im südlichen China im 16. Jahrhundert als Widerstandsbewegung gegen die Manchu-Invasoren der Qing-Dynastie. Sie flohen nach der kommunistischen Revolution aus China und expandierten über die ganze Welt, vor allem in den Vereinigten Staaten. Dem Verlust ihrer Basis in Hongkong 1997 kamen sie zehn Jahre früher mit einer groß angelegten Bewegung zur Internationalisierung und Diversifizierung zuvor, wobei sie hauptsächlich illegale Einwanderer in die Vereinigten Staaten, nach Europa und Kanada nutzten, die häufig von den Triaden ins Land geschleust wurden und in manchen Fällen unter ihrer Kontrolle gehalten wurden. Die Place d'Italie in Paris und das alte (um Grant Street herum) und neue (um Clemens Street herum) Chinatown in San Francisco erleben eine Vervielfachung chinesischer Geschäfte, von denen einige als Stützpunkte und zur Geldwäsche für eine große Palette krimineller Aktivitäten dienen dürften. Deren wichtigste ist nach wie vor der Heroinschmuggel aus dem Goldenen Dreieck, der historisch unter der Kontrolle der Armeen der Drogenbarone stand, die ursprünglich zum Militär von Chiang Kai-shek gehört hatten und während des Kalten Krieges von der CIA unterstützt worden waren.[12]

---

12 Renard (1996).

Die japanische *Yakuza* (die „*Boryokudan*", d.h. „die Gewalttätigen") führt in Japan eine quasi-legale Existenz und betätigt sich offen in einer großen Zahl von Wirtschaftszweigen und politischen Zusammenhängen (gewöhnlich ultranationalistische politische Vereinigungen). Die wichtigsten Gangs sind *Yamagachi-gumi* mit 26.000 Mitgliedern in 944 vernetzten Gangs; *Inagawa-kai* mit 8.600 Mitgliedern; und *Sumiyoshi-kai* mit über 7.000 Mitgliedern. Auch sie sind aus Schutznetzwerken entstanden, die unzufriedene Samurai während der ersten Stadien der japanischen Urbanisierung im 19. Jahrhundert unter der armen Stadtbevölkerung gegründet hatten. Wie bei anderen Organisationen verwandelte sich der Schutz in die Ausplünderung der eigenen Mitglieder. Lange Zeit fühlte sich die japanische *Yakuza* zu Hause so sicher, dass sich ihre internationalen Aktivitäten auf Waffenschmuggel von den USA nach Japan und auf die Rekrutierung von Sexsklavinnen aus asiatischen Ländern für japanische Bordelle und Nachtclubs beschränkten. Doch sie folgten der Globalisierung der japanischen Konzerne, begannen, ihre gewohnheitsmäßige Praxis der Erpressung und Nötigung von Konzernen in die USA zu exportieren und schüchterten japanische Top-Manager im Ausland ein, indem sie ihre *Sokaiya* (gewalttätige Provokateure) aussandten. Sie ahmten auch das Verhalten japanischer Firmen nach, indem sie vor allem in Amerika stark in Immobilien investierten und Aktien an den Finanzmärkten manipulierten. Um in Amerika und Europa operieren zu können, trafen sie eine Reihe von Arrangements mit der sizilianischen und amerikanischen Mafia und auch mit verschiedenen russischen kriminellen Gruppierungen.

Die dramatische Ausbreitung mehrerer russischer krimineller Netzwerke hat seit Anfang der 1990er Jahre auf der ganzen Welt für Schlagzeilen gesorgt. Wenn sich auch einige Führungspersonen dieser Unterwelt auf die altrussische Tradition des *vorovskoj mir* („Diebesgemeinde" oder „Diebeswelt") berufen, so ist das organisierte Verbrechen im heutigen Russland und in den ehemaligen Sowjetrepubliken doch das Resultat des chaotischen, unkontrollierten Übergangs vom Etatismus zum wilden Kapitalismus. Mitglieder der sowjetischen *nomenklatura*, äußerst unternehmungslustige „Kapitalisten" mit dem Ziel, die „Barone des Jahrtausendendes" zu werden und eine Myriade ethnischer Mobs (von denen die Tschetschenen die brutalsten und am meisten geschmähten sind) bildeten in der Wüstenei, die durch den Zusammenbruch der Sowjetunion entstanden war, kriminelle Netzwerke. Von dort expandierten sie in die ganze Welt, suchten überall den Anschluss an das organisierte Verbrechen, näherten sich an andere an und konkurrierten mit ihnen, teilten die Profite mit ihnen oder brachten sich gegenseitig um, je nach den augenblicklichen Umständen.[13]

---

13 Einer der schockierendsten Fälle von Verbindungen zwischen dem internationalisierten russischen Verbrechen und lateinamerikanischen Drogenhändlern kam im März 1997 ans Licht, als die US Drug Enforcement Administration den russischen Einwanderer Ludwig Fainberg und die beiden Cubaner Juan Almeida und Nelson Yester fest nahm, die als Mittelsmänner für ko-

Das Medellin- und Cali-Kartell in Kolumbien, die Tamaulipas-, Tijuana- und Ciudad Juarez-Kartelle in Mexiko und ähnliche Gruppen in nahezu jedem lateinamerikanischem Land waren aus dem Drogenhandel in Lateinamerika hervorgegangen. Sie organisierten ein Netzwerk für Produktion, Management und Verteilung, das die landwirtschaftlichen Produktionsgebiete, die chemischen Labors, Lagereinrichtungen und Transportsysteme für den Export auf die Wohlstandsmärkte miteinander verband. Diese Kartelle konzentrierten sich nahezu ausschließlich auf den Drogenhandel, ursprünglich mit Kokain, aber später kamen Marihuana, Heroin und chemische Drogen hinzu. Sie bildeten ihre eigenen Schlägertrupps und bauten autonome Formen der Geldwäsche auf. Sie schätzten es auch, Polizei, das Militär, Justiz und Politik zu infiltrieren, was zu einem riesigen Netzwerk von Einfluss und Korruption führte, das die lateinamerikanische Politik verändert hat und seine Wirkung auch in den kommenden Jahren ausüben wird. In ihrem innersten Wesen waren diese Kartelle (die in Wirklichkeit aus einem koordinierten Netzwerk kleinerer Produzenten bestanden, die von den Kartellführern mit Gewalt, Finanz- und Vertriebskapazitäten unter Kontrolle gehalten wurden) von Beginn an internationalisiert. Ihr Ziel bestand im Wesentlichen darin, in die Vereinigten Staaten, später nach Europa, schließlich in die ganze Welt zu exportieren. Ihre Strategien bestanden eigentlich in einer merkwürdigen Adaption der vom IWF inspirierten exportorientierten Wachstumspolitik an die tatsächlichen Möglichkeiten mancher lateinamerikanischer Regionen, im Wettbewerb innerhalb des hochtechnologischen Umfeldes der neuen globalen Ökonomie mit zu halten. Sie nahmen Kontakt mit nationalen/lokalen kriminellen Organisationen in Amerika und Europa auf, um ihre Ware zu vertreiben. Und sie bauten ein riesiges Finanz- und Handelsimperium von Operationen zur Geldwäsche auf, das in höherem Maße als jede andere kriminelle Organisation tief in das globale Finanzsystem eindrang. Die kolumbianischen und lateinamerikanischen Drogenhändler sind ebenso wie ihre sizilianischen, chinesischen, japanischen oder russischen Kollegen tief in ihrer nationalen und kulturellen Identität verwurzelt. Pablo Escobar, der Anführer des Medellin-Kartells hat seinem Leitspruch zu Berühmtheit verholfen: „Mir ist ein Grab in Kolumbien lieber als ein Gefängnis in den Vereinigten Staaten". Es gelang ihm, seinen Wunsch zu erfüllen. Seine Haltung und die vergleichbare Einstellung unter den Drogenkönigen Lateinamerikas ist Ausdruck eines offen-

lumbianische Drogenkartelle galten. Der DEA zufolge stand Fainberg, Eigentümer einer Striptease-Bar in der Nähe des Lufthafens von Miami, in Verhandlungen über den Verkauf eines sowjetischen U-Boots, komplett mit Besatzung unter Führung eines früheren Admirals der sowjetischen Marine. Es sollte Kokain in die Häfen an der Westküste der Vereinigten Staaten schmuggeln. Diese Partner hatten zudem bereits 1992 Geschäfte miteinander gemacht, als zwei russische Hubschrauber an die Kartelle verkauft worden waren. Fainberg, früher Zahnarzt, organisierte auch die Verschiffung von Kokain nach Russland und entwickelte neue Methoden des Drogentransports, die gemeinsam von russischen und kolumbianischen kriminellen Organisationen angewandt werden sollten (s. Adams 1997; Navarro 1997).

kundigen Opportunismus, weil sie sicher sein können, über Richter, Polizei und das Strafsystem in ihren eigenen Ländern eine relative Kontrolle auszuüben. Doch gibt es zweifellos noch etwas anderes, eine spezifische kulturelle Komponente in ihrer Haltung gegenüber den Vereinigten Staaten und in ihrer Anhänglichkeit an ihre Regionen und Nationen, worauf ich noch zurück kommen werde.

Die auf nationalen und ethnischen Grundlagen aufbauenden kriminellen Organisationen, die ich angeführt habe, sind auf der globalen Szene die bekanntesten, aber keineswegs die einzigen. Das türkische organisierte Verbrechen (das sich eines bedeutenden Einflusses in der Politik und bei den Gesetzeshütern der Türkei erfreut) spielt auf der traditionellen Balkanroute eine große Rolle, auf der Heroin nach Europa kommt, die jetzt aber auch für alle möglichen weiteren Schmuggelwaren genutzt wird. Ende der 1990er Jahre verschafften sich die albanischen Mafias Geltung als die herrschende Kraft beim Schmuggel illegaler Einwanderer nach Italien. Sie spielten auch eine klare geopolitische Rolle auf dem Balkan, indem sie sich 1998/99 aktiv an der Finanzierung und Bewaffnung der Kosovo-Befreiungsarmee beteiligten. Diversifizierte nigerianische kriminelle Netzwerke sind zu einer Kraft geworden, mit der nicht nur in Nigeria und Afrika zu rechnen ist (wo sie ihre Regionalkenntnis internationalen Kartellen gegen Bezahlung zur Verfügung stellen), sondern auch in der Weltarena, wo sie sich beispielsweise bei der Fälschung von Kreditkarten hervortun. In jedem Land und in jeder Region sind sich jetzt Banden und Bandennetzwerke ihrer Möglichkeiten bewusst, wenn sie eine Verbindung mit den weiterreichenden Ketten von Aktivitäten in dieser Unterwelt herstellen, die in vielen Stadtvierteln, Städten und Regionen eine beherrschende Stellung besitzt und sogar in der Lage war, den größten Teil des Vermögens kleinerer Länder aufzukaufen, wie etwa im Inselstaat Aruba vor der venezolanischen Küste.

Von diesen lokalen, nationalen und ethnischen Basen aus, die in Identität verankert sind und auf zwischenmenschlichen Beziehungen von Vertrauen/Misstrauen beruhen (natürlich unterstützt von Maschinengewehren) betreiben die kriminellen Organisationen ein breites Spektrum von Tätigkeiten. Drogenhandel ist der überragende Geschäftszweig, was so weit geht, dass die Legalisierung von Rauschgift vermutlich die schwerste Bedrohung darstellt, der sich das organisierte Verbrechen gegenüber sieht. Aber sie können sich auf die politische Blindheit und das deplazierte Moralempfinden von Gesellschaften verlassen, die sich einfach nicht der Grundwahrheit stellen, um die es hier geht: Nachfrage bestimmt das Angebot. Die Quelle der Drogensucht und daher des größten Teils der Kriminalität auf der Welt liegt in den psychischen Verletzungen, die den Menschen in unseren Gesellschaften durch das Alltagsleben zugefügt werden. Es wird deshalb ungeachtet aller Repression auf absehbare Zeit den Massenkonsum von Drogen geben. Und das globale organisierte Verbrechen wird Wege finden, um diese Nachfrage zu befriedigen und sie zu einem höchst profitablen Geschäft machen, zur Mutter der meisten anderen Formen von Kriminalität.

Neben dem Drogenhandel hat die kriminelle Ökonomie ihr Spektrum jedoch auf eine außerordentliche Vielfalt von Tätigkeiten ausgedehnt und ist so zu einem zunehmend diversifizierten und intern verknüpften globalen Wirtschaftszweig geworden. Die Konferenz der Vereinten Nationen über das Transnationale Verbrechen listete 1994 die wichtigsten Aktivitäten auf, mit denen sich diese Art von Verbrechen *zusätzlich zum Drogenhandel* befasst:

(1) *Waffenschieberei*: Das ist natürlich ein Geschäft, das viele Milliarden Dollar wert ist und dessen Grenzen zum legalen Rüstungsexport nicht leicht zu ziehen sind. Die kritische Frage ist hier die Identität der Endverbraucher, denen es aufgrund von internationalen Abkommen oder geopolitischen Erwägungen versagt ist, bestimmte Waffentypen zu erhalten. Teils sind dies Staaten, die einem internationalen Embargo unterliegen (wie Iran, Irak, Libyen, Bosnien oder Serbien). In anderen Fällen geht es um Guerillagruppen oder Parteien, die in einen Bürgerkrieg verwickelt sind. Wieder andere sind terroristische Gruppen oder kriminelle Organisationen. Die Vereinigten Staaten und die Sowjetunion hatten hauptsächlich für das Angebot an Rüstungsgütern in der Welt gesorgt, indem sie diverse kriegführende Parteien großzügig belieferten mit dem Ziel, sie im Sinne ihres geopolitischen Spiels zu beeinflussen. Nach dem Ende des Kalten Krieges befanden sich die Waffen oft in unzuverlässigen Händen, die dann mit ihren Vorräten den Markt beschickten. Andere Geschäfte nehmen ihren Ausgang von halblegalen Exporten rüstungsproduzierender Länder wie Frankreich, dem Vereinigten Königreich, China, der Tschechischen Republik, Spanien oder Israel. So wurden etwa im Mai 1996 in San Francisco in einer verdeckten Operation 2.000 illegal aus China importierte AK-47-Sturmgewehre beschlagnahmt, wobei ein Vertreter der wichtigsten staatlichen Rüstungsfirma Chinas in die Transaktion verwickelt war.[14] Ein UN-Bericht stellt fest: „Wer auch immer jedoch der Endverbraucher ist, Waffengeschäfte auf dem Schwarzmarkt haben doch immer drei Charakteristika: Sie laufen verdeckt, ein Großteil der Kosten hat mit dem heimlichen Charakter der Transaktion zu tun, und der Geldrückfluss wird gewaschen.“[15]

(2) *Handel mit spaltbarem Material*: Dazu gehört der Schmuggel von Stoffen, die ausreichend nuklear angereichert sind, um zur Herstellung von Kernwaffen und/oder zur Erpressung durch Androhung ihres Einsatzes zu dienen. Die Desintegration der Sowjetunion bot eine herausragende Gelegenheit, um sich mit dieser Art von Material zu versorgen. Deutschland stand während der 1990er Jahre im Vordergrund dieses Schmuggels, als kriminelle Netzwerke aus den ehemaligen Warschauer Pakt-Ländern spaltbares Material im Auftrag internationaler Agenten manchmal völlig rücksichtslos schmuggelten, wobei sich etwa auch extrem radioaktive Gegenstände in der Tasche des Schmugglers befan-

14 *Time*, 3. Juni 1996.
15 UN-ESC (1994: 18).

den.[16] Nach der öffentlichen Aussage des Präsidenten des Bundeskriminalamtes Hans-Ludwig Zachert gab es 1992 158 Verdachtsfälle von illegalem Handel mit radioaktivem Material und 1993 241 Fälle. In diesen beiden Jahren gab es insgesamt 39 Beschlagnahmungen, und 1993 wurden 545 Verdächtige identifiziert von denen 53% Deutsche waren, die übrigen hauptsächlich Tschechen, Polen und Russen.[17] Der Handel ist aber international, obwohl der Nachschub vorwiegend aus Osteuropa kommt: Am 10. August 1994 beschlagnahmte die deutsche Polizei 350 Gramm angereichertes Plutonium und nahm einen Kolumbianer und zwei Spanier fest, obwohl in diesem Fall das Geschäft angeblich vom deutschen Geheimdienst eingefädelt worden war.[18] Weiteres spaltbares Material wurde in Budapest und Prag beschlagnahmt. Experten nehmen an, dass einiges Material aus Lecks in den chinesischen Nuklearvorräten in den kriminellen Handel geschleust wird.[19] Der Ausgangspunkt dieses Handels war aber die katastrophale Situation in der russischen atomaren Rüstungsindustrie. Sie beschäftigt etwa 100.000 Arbeitskräfte, die 1994 – soweit sie überhaupt bezahlt wurden – Gehälter von durchschnittlich 113 US$ im Monat bekamen. Sie streikten mehrere Male, um auf ihre Notlage aufmerksam zu machen. 1996 beging der Direktor des führenden nuklearen Forschungsinstituts, das mit dem Nuklearkomplex in Russland in Verbindung steht, aus Verzweiflung Selbstmord. Unter diesen Umständen ist die Versuchung für wenigstens ein paar dieser Zehntausenden von Arbeitskräften allzu groß, wenn man bedenkt, dass der potenzielle Schwarzmarktpreis für eine Menge von Plutonium, die zum Bau einer Bombe ausreicht, im Bereich von Hunderten von Millionen Dollar liegt. Außerdem waren die Sicherheitsvorkehrungen, unter denen der Abbau der sowjetischen Basen außerhalb Russlands betrieben wurden, sehr lasch: 1995 räumte die estnische Regierung ein, dass radioaktives Material aus der Nuklearbasis Padilski gestohlen worden war.[20] In den Häfen des russischen Fernen Ostens häufen sich radioaktive Abfälle der Atom-U-Boote ohne ausreichende Lagermöglichkeit an und stellen nicht nur eine ernste Gefahr dar, sondern laden auch zum problemlosen Schmuggel über die nur locker bewachte Ostgrenze ein.[21] Der Bericht des UN-ESC von 1994 zieht die folgenden Schlüsse:

> Es ist klar, dass dieser Handel ein beträchtliches Potenzial zur Erpressung wie auch zur Schädigung der Umwelt, und wenn nur infolge unsachgemäßer Handhabung des Materials hat ... Die Tatsache, dass Nuklearmaterial häufig aus staatlich kontrollierten Organisationen der Russischen Föderation beschafft wird, legt die Annahme nahe, dass kriminelle Organisationen mit Profitinteressen beteiligt sind. Wenn sie diese Profite nicht auf die eine Weise [durch Verkauf an Kunden] bekommen können, so ist es nur ein kleiner Schritt zu versu-

16 Sterling (1994).
17 UN-ESC (1994: 18).
18 *Der Spiegel*, 4. April 1995.
19 *Time*, 1. August 1994.
20 *Baltic Observer*, 30. März-5. April 1995.
21 *San Francisco Chronicle*, 18. Dezember 1996.

chen, durch eine Art von nuklearer Erpressung daran zu kommen. Mit der Fortsetzung der nuklearen Abrüstung wird die Verfügbarkeit von solchem Material wahrscheinlich eher zu- als abnehmen.[22]

(3) *Der Schmuggel von illegalen Einwanderern*: Das Zusammenkommen von Elend auf der ganzen Welt, der Vertreibung großer Bevölkerungsteile und der Dynamik der Kernökonomien drängt Millionen von Menschen zur Emigration. Andererseits versuchen verstärkte Grenzkontrollen vor allem in den wohlhabenden Gesellschaften, sich dem Immigrationsstrom entgegen zu stemmen. Diese widersprüchlichen Tendenzen bieten kriminellen Organisationen eine außerordentliche Chance, sich auf einem unermesslichen Markt zu betätigen: „Koyoten"-Handel im globalen Maßstab.[23] Der Bericht der Vereinten Nationen von 1994 zitiert zuverlässige Quellen, die das Volumen des illegalen Einwanderungsverkehrs aus armen in reichere Länder mit ungefähr einer Million Menschen im Jahr angeben, von denen etwa 20% Chinesen sind. Das entspricht kaum den etwa 700.000 undokumentierten Einwanderern, die alljährlich auf andere Weise in die Vereinigten Staaten kommen. Ende der 1990er Jahre stieg die illegale Einwanderung in die Europäische Union auf etwa 500.000 im Jahr (s. Abb. 3.1), und die osteuropäischen Mafias waren wichtige Spieler bei der Organisation von Teilen dieser Bewegungen.[24] Die tatsächliche Anzahl der illegalen Einwanderer auf der Welt muss also viel höher als die UN-Schätzungen liegen. Die durch kriminelle Gruppen kontrollierte illegale Einwanderung ist nicht nur eine Quelle des Profits aus den Zahlungen der Möchtegern-Einwanderer (allein in Mexiko und der Karibik etwa auf 3,5 Mrd. US$ pro Jahr geschätzt). Dieses System hält sie auch für lange Zeit in Abhängigkeit, weil sie ihre Schulden mit hohen Zinsen zurück zahlen müssen. Es setzt sie auch der Gefahr von Betrug, Misshandlung, Gewalt und Tod aus. Außerdem löst die Gefahr, dass die Kanäle der gesetzlichen Einwanderung überlastet werden, eine xenophobe Rückwirkung aus, die durch demagogische Politiker noch angeheizt wird und dabei ist, kulturelle Toleranz und Gefühle von Solidarität in den meisten Ländern zu zerstören.

(4) *Frauenhandel; Kinderhandel*: Der globale Tourismus hat enge Verbindungen zu dem entwickelt, was sich als globale Prostitutionsindustrie bezeichnen lässt, die in Asien ist besonders aktiv, wo sie häufig von den Triaden oder der *Yakuza* kontrolliert wird. Aber es gibt sie auch in Europa, etwa in Italien, wo die albanischen Mafias Ende der 1990er Jahre ein riesiges Prostitutionsnetzwerk organisierten, indem sie versklavte Frauen einschmuggelten, von denen viele aus Albanien stammten, andere aus Osteuropa und dem Nahen Osten. Dieser illegale Menschenhandel erfasst in zunehmendem Maße auch Kinder (s. Kap. 2). Neben der Misshandlung und Ausbeutung von Kindern gibt es einen expandierenden Geschäftszweig für die Adoption von Kindern, vor allem aus Lateinamerika mit

---

22 UN-ESC (1994: 19).
23 „Koyote" ist der Spitzname der Schleuser für Einwanderer zwischen Mexiko und den USA.
24 *The Economist* (1999b: 26ff).

dem Zielgebiet Vereinigte Staaten. 1994 wurden zentralamerikanische Babys für 20.000 US$ an Adoptionsringe verkauft, in den meisten Fällen (aber nicht immer) mit Zustimmung ihrer Eltern. Es wird angenommen, dass dieser Handel sich zu einem Wirtschaftsbereich ausgewachsen hat, der viele Millionen Dollar wert ist.

Abbildung 3.1 Illegale Einwanderer in die Europäische Union, 1993-1999 (Schätzungen)

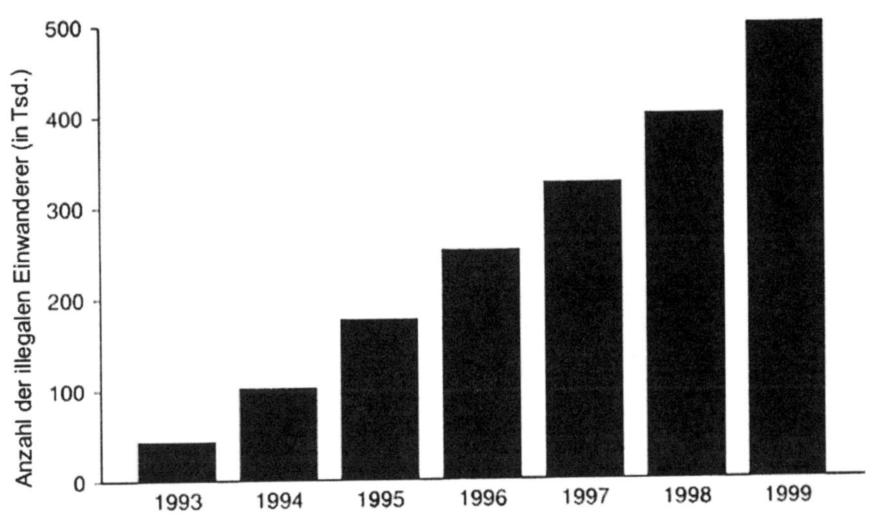

Quelle: International Centre for Migration Policy Development, bearb. von *The Economist* (1999b: 26)

(5) *Handel mit Körperteilen*: Nach dem Bericht der Vereinten Nationen von 1994 gibt es bestätigte Berichte über einen solchen illegalen Handel in Argentinien, Brasilien, Honduras, Mexiko und Peru, mit Empfängern meist in Deutschland, der Schweiz und Italien. In Argentinien hat es Fälle gegeben, in denen Patienten die Hornhaut der Augen entnommen wurde, die nach gefälschten Hirnuntersuchungen für hirntot erklärt worden waren. Es scheint sich in Russland um ein ernsthaftes Problem zu handeln, vor allem wegen Tausender von Leichen in den Leichenhäusern, um die sich niemand kümmert: 1993 wurde berichtet, dass ein Unternehmen in Moskau 700 große Organe entnommen hatte, also Nieren, Herzen und Lungen, über 1.400 Leberentnahmen, 18.000 Thymusdrüsen, 2.000 Augen und über 3.000 Hodenpaare, die alle gut bezahlenden Kunden eingepflanzt werden sollten.[25] 1999 berichtete die russische Presse über mehrere Fälle, bei denen in St. Petersburg Personen getötet worden waren, die mit dem Organhandel in Zusammenhang standen. Ebenfalls 1999 berichtete die japanische Presse, dass Kredithaie Organe zur Tilgung überfälliger Kredite verlangt hatten. Die Internationale Konferenz über den Organhandel, die unter dem Titel „Culture, Politics, and Bioethics of the Global Market“ vom 26. bis 28. April

25 *The Times*, 18. November 1993.

1996 an der University of California Berkeley unter Beteiligung führender Wissenschaftler und Experten aus der ganzen Welt abgehalten wurde, bekräftigte die Bedeutung dieses expandierenden Marktes. Man wies außerdem darauf hin, dass es nur ein schmaler Grat sei, der kriminelle Machenschaften und offiziell unterstützten Handel von einander trenne. So scheint Berichten zufolge, die auf dieser Konferenz vorgetragen wurden, die chinesische Regierung routinemäßig Vollmacht für den Verkauf von Organen Hingerichteter erteilt zu haben. Das sind mehrere Hundert im Jahr, und der Erlös wandert ganz legal in die Staatskasse. Der Handel scheint besondere Bedeutung in Indien und Ägypten zu haben, wo die Kundschaft aus reichen nahöstlichen Patienten besteht. Die meisten dieser Organe werden freiwillig verkauft, entweder von den Menschen selbst, während sie noch leben (eine Niere, ein Auge) oder von ihren Familien, wenn sie gestorben sind. Aufgrund nationaler wie internationaler Rechtsbestimmungen ist der Handel aber dennoch illegal und wird von Schmuggelnetzwerken betrieben, deren Kunden letztlich natürlich führende Kliniken auf der ganzen Welt sind. Dies ist eine der Verbindungen zwischen globaler Armut und Hightech. Im November 1999 kamen Wissenschaftler und Menschenrechtler erneut in Berkeley zusammen und gründeten eine dauerhafte Institution namens „Organs Watch", um Fälle illegalen Handels mit menschlichen Organen zu dokumentieren, öffentlich zu machen und letztendlich ihnen auch ein Ende zu setzen.

(6) Geldwäsche: Als Geschäft ist das gesamte kriminelle System nur dann sinnvoll, wenn die entstandenen Profite in der legalen Wirtschaft reinvestiert werden können. Dies ist mit dem schwindelerregenden Umfang dieser Profite immer komplizierter geworden. Aus diesem Grund bildet Geldwäsche die Grundlage der globalen Kriminalität und ihren direktesten Verbindungspunkt zum globalen Kapitalismus. Geldwäsche[26] erfolgt in drei Stadien. Im ersten und heikelsten muss Bargeld über Banken oder andere Finanzinstitutionen in das Finanzsystem eingeführt werden. In manchen Fällen befinden sich Banken in Ländern, in denen geringe Kontrolle ausgeübt wird. Panama, Aruba, die Cayman-Inseln, die Bahamas, St. Maertens, Vanuatu, aber auch Luxemburg und Österreich (wenn sich in diesen beiden Ländern die Dinge auch neuerdings ändern) werden in Polizeiberichten häufig als Schlüsselpunkte genannt, wo schmutziges Geld in das Finanzsystem gelangt. In den führenden Volkswirtschaften sind Bargeschäfte, die eine bestimmte Summe (in den USA 10.000 US$) überschreiten, jedoch berichtspflichtig. Die Einlagen werden daher mittels einer großen Zahl von Transaktionen zu 9.999 US$ (oder weniger) getätigt; dieser Prozess wird als *smurfing*, etwa „Schlumpfen", bezeichnet. Das zweite Stadium ist das „Überla-

---

26 Der Begriff „Geldwäsche" stammt ursprünglich aus dem Chicago der 1920er Jahre, als ein Finanzier aus der örtlichen Mafia ein paar Waschsalons kaufte, in denen nur bar bezahlt werden konnte. Jeden Abend pflegte er, bevor er den Tagesverdienst offiziell zusammen stellte, etwas „schmutziges" zu diesem „gewaschenen" Geld hinzu zu fügen (Bericht in *Literaturnaja Gazeta*, 12. Juli 1994).

gern" (*layering*); d.h., die Trennung des Geldes von seiner ursprünglichen Quelle, um eine Entdeckung bei künftigen Buchprüfungen zu vermeiden. Hier spielen die Globalisierung der Finanzmärkte und die Verfügbarkeit von elektronischen Transferfonds in Sekundenschnelle eine entscheidende Rolle. Zusammen mit Devisenumtausch, Investitionen in unterschiedliche Aktien und dem Einsatz eines Teils des „schmutzigen Geldes" als Sicherheit für Anleihen aus rechtlich einwandfreien Geldvermögen, machen es die Geschwindigkeit und die Vielfalt der Operationen äußerst schwierig, den Ursprung dieser Geldmittel zu erkennen. Ein Beleg für dieses Problem sind die überaus kleinen Geldbeträge, die in den kapitalistischen Hauptländern beschlagnahmt werden.[27] Das dritte Stadium ist die „Integration"; das ist die Einspeisung des gewaschenen Kapitals in die legale Ökonomie, gewöhnlich in Form von Immobilien oder Aktien. Dabei werden ganz allgemein die schwächsten Eingangstore zur legalen Wirtschaft in Ländern genutzt, die keine oder nur geringfügige Gesetze gegen Geldwäsche haben. Nach dieser Integration werden die auf kriminelle Weise erwirtschafteten Profite in den Wirbelwind der globalen Finanzströme einbezogen.[28]

Der Schlüssel zum Erfolg und zur Expansion der globalen Kriminalität liegt in den 1990er Jahren in ihrer flexiblen und vielseitigen Organisation. *Ihre Operationsform ist die Vernetzung.* Das gilt sowohl intern, innerhalb jeder einzelnen kriminellen Organisation (beispielsweise die sizilianische Mafia, das Cali-Kartell) wie im Verhältnis zu anderen kriminellen Organisationen. Die Verteilungsnetzwerke arbeiten auf der Grundlage autonomer lokaler Banden, an die sie Nachschub und Dienstleistungen liefern und von denen sie Bargeld erhalten. Jede größere kriminelle Organisation hat ihre eigenen Methoden, um Geschäften Nachdruck zu verleihen. Bedenkenlose Gewalt (dazu gehören Einschüchterung, Folter, Entführung von Familienmitgliedern, Morde) sind natürlich Teil der Routine und werden häufig an Auftragskiller als Subunternehmer vergeben. Wichtiger ist aber der „Sicherheitsapparat" des organisierten Verbrechens, das Netzwerk von Gesetzeshütern, Richtern und Politikern, die sich auf den Gehaltslisten befinden. Wenn sie einmal in dieses System eingetreten sind, sind sie lebenslang darin gefangen. Zwar haben Justiztaktiken wie ausgehandelte Geständnisse und Zeugenschutzprogramme sich vor allem in Amerika und Italien bei der Unterdrückung des organisierten Verbrechens als hilfreich erwiesen, aber die zunehmenden Möglichkeiten für führende Kriminelle, einen sicheren Hafen zu finden und die globale Reichweite von käuflichen Killern schränken die Effektivität der klassischen Repressionsmethoden des Amerika der 1950er und des Italien der 1980er Jahre erheblich ein.

Dieses Bedürfnis, dem auf Nationalstaaten basierenden polizeilichen Zugriff zu entrinnen, verleiht *strategischen Allianzen zwischen kriminellen Netzwerken* entscheidende Bedeutung bei ihrer neuen Arbeitsweise. Keine einzelne Organisati-

27 Sterling (1994).
28 De Feo und Savona (1994).

on kann für sich allein genommen Verbindungen über den gesamten Globus herstellen. Zudem kann sie ihre internationale Reichweite nicht ausdehnen, ohne in das traditionelle Territorium einer anderen kriminellen Macht einzudringen. Aus diesem Grund respektieren sich die kriminellen Organisationen gegenseitig schon aus reiner Geschäftslogik heraus und finden über nationale Grenzen und ihre jeweiligen Jagdgründe hinweg Gemeinsamkeiten. Die meisten Morde sind intranational: Russen bringen Russen um, Sizilianer töten Sizilianer, Mitglieder des Medellin-Kartells und des Cali-Kartells bringen sich gegenseitig um, eben gerade, um ihre lokale/nationale Basis zu verteidigen, von der aus sie ohne Probleme agieren können. Aus dieser Kombination flexibler Vernetzung zwischen lokalen Revieren, die in Tradition und Identität, in einem günstigen institutionellen Umfeld verwurzelt sind, sowie der globalen Reichweite, die durch die strategischen Allianzen ermöglicht wird, erklärt sich die organisatorische Stärke der globalen Kriminalität. Damit wird sie in der Wirtschaft und Gesellschaft des Informationszeitalters zu einem Akteur von grundlegender Bedeutung. Diese globale strategische Rolle ist nirgends offenkundiger als bei der Plünderung Russlands während und unmittelbar nach dem Übergang vom sowjetischen Etatismus zum wilden Proto-Kapitalismus.

Die Plünderung Russlands[29]

Wo ist die Mafia her gekommen? Das ist einfach, es beginnt mit den gemeinsamen Interessen von Politikern, Geschäftsleuten und Verbrechern. Alle anderen sind Geiseln dieser unheiligen Allianz – alle anderen, das sind wir.
Pavel Voščanov (1995), Komsomolskaja Pravda, S. 13.

Der chaotische Übergang der Sowjetunion zur Marktwirtschaft schuf die Bedingungen dafür, dass Wirtschaftsaktivitäten in Russland und den anderen Republiken auf breiter Front vom organisierten Verbrechen durchdrungen wurden. Er führte darüber hinaus auch zur weiteren Verbreitung krimineller Tätigkeiten, die von Russland und der ehemaligen Sowjetunion ausgingen, etwa ille-

29 Dieser Abschnitt beruht auf verschiedenen Quellen. Erstens auf der Analyse von Presseberichten aus russischen und westlichen Quellen, die von Emma Kiselyova durchgeführt wurde. Ich habe es nicht für notwendig gehalten, alle diese Berichte anzuführen, weil sie allgemein bekannt sind. Zweitens auf der Feldforschung, die ich 1989-1996 in Russland durchgeführt habe, und die in Kapitel 1 dieses und in Kapitel 1 des zweiten Bandes dargestellt wird. Zwar ging es bei meiner Forschung nicht unmittelbar um das organisierte Verbrechen, aber ich stieß bei den Prozessen des wirtschaftlichen und politischen Wandels, die ich erforschen wollte, beständig auf seine Spuren. Drittens habe ich ein paar wichtige Bücher und Aufsätze zum Thema benutzt. Die beste englischsprachige Darstellung des russischen organisierten Verbrechens ist Handelman (1995). Das Buch von Sterling (1994) über die globale Kriminalität enthält einige eindrucksvolle Abschnitte über Russland. Voščanov (1995) und Goldman (1996) formulieren zwingende Argumente zum Verständnis der Quellen der Kriminalisierung der russischen Wirtschaft.

galer Handel mit Waffen, spaltbarem Material, seltenen Metallen, Erdöl, Naturressourcen und Devisen. Internationale kriminelle Organisationen knüpften Verbindungen mit Hunderten von Netzwerken der postsowjetischen *Mafijas* an, von denen viele ethnisch organisiert waren (Tschetschenen, Aseris, Georgier usw.), um Geld zu waschen, um wertvolle Grundstücke zu erwerben und gut gehende illegale und legale Geschäftszweige unter ihre Kontrolle zu bekommen. Ein Bericht des Analysezentrums für Sozial- und Wirtschaftspolitik bei der russischen Präsidentschaft über das organisierte Verbrechen kam 1994 zu der Schätzung, dass praktisch alle privaten Kleinunternehmen Tribut an kriminelle Gruppen entrichteten. Von den größeren Privatfirmen und Handelsbanken schätzte man, dass zwischen 70 und 80% ebenfalls Schutzgelder an kriminelle Gruppen zahlten. Diese Zahlungen bedeuteten zwischen 10 und 20% des Kapitalumsatzes dieser Unternehmen, ein Betrag, der mehr als der Hälfte ihrer Profite entsprach.[30]

Die Lage hatte sich 1997 offenbar nicht gebessert. Nach einem weiteren Bericht der *Izvestija* lauteten Schätzungen, dass etwa 41.000 Industrieunternehmen, 50% der Banken und 80% der *joint ventures* Verbindungen zum organisierten Verbrechen hatten.[31] Nach diesem Bericht könnte die Schattenwirtschaft in all ihren Ausformungen bis zu 40% der russischen Volkswirtschaft ausmachen. Andere Beobachter, wie Marshall Goldman, stimmen der Einschätzung zu, dass die Durchdringung von Wirtschaft und Staat durch das organisierte Verbrechen weite Verbreitung gefunden hat.[32] Der Zusammenbruch des Steuersystems hängt unmittelbar mit Zahlungen der Wirtschaft an erpresserische Organisationen zusammen, um mangels eines zuverlässigen Staates ihre Sicherheitsprobleme zu lösen. Vor die Wahl zwischen einer schwerhörigen Verwaltung und effektiven, wenn auch bedenkenlosen Verbrecherunternehmen gestellt, gewöhnen sich Unternehmen ebenso wie normale Menschen allmählich daran, sich aus Angst oder Bequemlichkeit oder auch aus beiden Gründen auf Letztere zu verlassen.

In manchen Städten (z.B. Vladivostok) ist die Funktionsweise der Lokalverwaltung in hohem Maße durch ihre zweifelhaften Verbindungen bestimmt. Selbst wenn ferner ein bestimmtes Unternehmen keine Beziehung zum organisierten Verbrechen hat, bewegt es sich doch in einer Umgebung, die durchgängig von der Präsenz krimineller Gruppierungen geprägt ist. Das gilt besonders für Banken, Import-Export-Geschäfte, Handel mit Erdöl sowie mit seltenen und Edelmetallen. Das Gewaltniveau war in der russischen Geschäftswelt Mitte der 1990er Jahre wahrhaft außergewöhnlich. Die Zeitung *Kommersant* veröffentlichte 1996 eine *tägliche* Spalte mit Nachrufen, in der Geschäftsleute aufgeführt wurden, die bei Ausübung ihres Berufs umgebracht worden waren. Auftrags-

30 Bericht der *Izvestija*, 26. Januar 1994.
31 *Izvestija*, 18. Februar 1997.
32 Goldman (1996).

morde wurden in der Geschäftswelt zu einem Teil des alltäglichen Lebens.[33] Dem Innenminister zufolge wurden 1995 etwa 450 Auftragsmorde festgestellt, aber nur 60 davon wurden von der Polizei aufgeklärt. Neureiche Russen leiteten ihre Geschäfte in Moskau online von ihren Prachtvillen in Kalifornien aus, um der Gefahr für sich selbst und ihre Familien zu entgehen und doch am Geschäftemachen beteiligt zu sein, das Chancen bot, ein Vermögen zu verdienen, ohne Gleichen auf der Welt. Geschäftsabschlüssen wurde oft mit Einschüchterung, manchmal mit Mord nachgeholfen. Das organisierte Verbrechen begnügte sich meist nicht damit, zu einem gewissen Preis die Durchführung von Gewaltakten oder illegalen Geschäften zu übernehmen. Es wollte einen Anteil am Geschäft und bekam ihn in der Regel auch, entweder in Aktien oder häufiger in bar, oder aber es erhielt besondere Vergünstigungen wie Vorzugskredite oder Möglichkeiten zum Schmuggel. Im Privatsektor zahlten Geschäftsleute „Steuern“ an Verbrecherorganisationen anstatt sie dem Staat zu zahlen. Die Drohung, den Steuerbetrug der Unternehmen bei den staatlichen Steuerinspektoren zu denunzieren, war eine der Erpressermethoden, die das organisierte Verbrechen einsetzte.

Die verbreitete Präsenz internationaler Verbrechenskartelle in Russland und den ehemaligen Sowjetrepubliken fand ihre unvermeidliche Entsprechung in der dramatischen Expansion der postsowjetischen kriminellen Netzwerke im Ausland, vor allem in den Vereinigten Staaten und in Deutschland. Diese kriminellen Netzwerke operierten in Amerika auf einem hohen Niveau finanzieller und technologischer Raffinesse und wurden in der Regel von gebildeten jungen Akademikern organisiert, die nicht zögerten, ihren Operationen durch extreme, aber kalkulierte Gewalt Nachdruck zu verleihen, die oft von ehemaligen KGB-Offizieren ausgeübt wurde, die so eine Karriere nach dem Kalten Krieg fanden.[34] Wegen der strategischen, wirtschaftlichen und politischen Bedeutung Russlands und wegen seiner großen Rüstungs- und Atomwaffenbestände ist an dieser Jahrtausendwende seine neue, tiefe Verbindung zum globalen organisierten Verbrechen zu einem der besorgniserregendsten Probleme und zu einem heißen Eisen auf den geopolitischen Treffen auf der ganzen Welt geworden.[35]

---

33 Shargorodsky (1995).

34 Kleinknecht (1996); Kuznecova (1996); Wallace (1996).

35 Zur Bedeutung der russischen Beteiligung an der globalen Kriminalität s. Ovčinskij (1993). Zur Hartnäckigkeit krimineller Aktivität in Russland lieferte ein Bericht des Innenministers A. Kulikov vom 17. Januar 1997 folgende Schätzungen: 1996 wurden etwa 7 Mio. Verbrechen begangen, wovon etwa 2,62 Mio. angezeigt wurden. Es wurden 29.700 Morde und Mordversuche begangen. Von der Polizei wurden über 200 Verbrecherbanden ausgehoben. Kulikov räumte die weite Verbreitung der Korruption in seinem Ministerium ein. Der Leiter der Verwaltung für Technik und Militärgüter im Ministerium und 30 weitere Offiziere wurden wegen Unterschlagung entlassen. 1996 wurden etwa 10.000 Beschäftigte des Innenministeriums angezeigt, davon 3.500 wegen krimineller Vergehen.

Wie ist es zu diesen Zuständen gekommen? Zunächst einmal muss gesagt werden, dass dies *nicht* in historischer Kontinuität mit früheren russischen Erfahrungen oder mit der Untergrund-Ökonomie der Sowjetunion steht, auch wenn Personen, die unter dem früheren System in kriminelle oder illegale Aktivitäten verwickelt waren, innerhalb der neuen kriminellen Ökonomie sicherlich überaus aktiv sind. Aber zu ihnen sind auf der Bühne des Verbrechens viele andere Akteure hinzu gekommen, und die Mechanismen, nach denen sich die neue kriminelle Ökonomie formiert hat und wächst, sind völlig anders. Kriminelle Organisationen hat es in Russland Jahrhunderte lang gegeben.[36] Der *vorovskoj mir* („Diebeswelt"), die in der Regel von einer Elite der *vory v zakone* („Diebe im Gesetz") vom Gefängnis aus gesteuert wurde, überlebte Repressionen und hielt sich gegenüber dem zaristischen und dem sowjetischen Staat auf Distanz. Dieses Milieu wurde jedoch unter Stalin hart getroffen und danach durch interne Spaltungen und Morde vor allem während der „Streikbrecher-Kriege" der 1950er Jahre geschwächt. Es tauchte während der *perestrojka* wieder auf, musste aber die Kontrolle über Straßen und kriminelle Schiebereien mit den sich schnell ausbreitenden ethnischen *Mafijas* und Scharen von neu ins Geschäft Eingestiegenen teilen und darum konkurrieren. In den 1990er Jahren war dies nur eine Komponente eines viel breiter aufgefächerten Bildes, dessen Machtzentren und Reichtum ihren Ursprung in den Jahren des Übergangs hatten. Die gegenwärtigen russischen *Mafijas* sind auch keine Fortsetzung der Netzwerke, die die Untergrund-Ökonomie kontrollierten, welche während der Breschnew-Zeit entstanden ist. Die Untergrund-Ökonomie befand sich nicht in der Hand von Kriminellen, sondern der kommunistischen *nomenklatura*. Sie erhöhte die Flexibilität einer immer rigideren Kommandowirtschaft und verschaffte den Türstehern an jeder bürokratischen Hürde Belohnungen (Renten). Wie ich in Kapitel 1 dargestellt habe, gehörte zu dieser Untergrund-Ökonomie der Tauschhandel zwischen Unternehmen ebenso wie der illegale Verkauf von Gütern und Dienstleistungen auf allen Ebenen des Wirtschaftssystems unter der Aufsicht und zum persönlichen Nutzen eines gigantischen Netzwerkes von Bürokraten, die in der Regel mit der kommunistischen Machtstruktur in Verbindung standen. Die Existenz dieser Untergrund-Ökonomie war vollständig an die Kommandowirtschaft gebunden, und deshalb konnten ihre Netzwerke den Zusammenbruch des Sowjetstaates nicht überleben. Zwar nutzten viele dieser Profiteure aus der *nomenklatura* ihren akkumulierten Reichtum und ihren Einfluss, um Positionen in der neuen kriminellen Ökonomie des postsowjetischen Russland zu besetzen, aber diese kriminelle Ökonomie und die Mechanismen, durch die sie mit der Geschäftswelt und dem Staat verknüpft ist, sind völlig neu.

Die neuen kriminellen Netzwerke bildeten sich während der Zeit von 1987-1993 mit dem Ziel heraus, die Plünderung Russlands zu betreiben, und sie konsolidierten ihre Verzahnung mit der Geschäftswelt und dem politischen System

36 Handelman (1995).

im gesamten Verlauf der 1990er Jahre.[37] Ich will versuchen, diesen außergewöhnlichen Entwicklungsgang zu analysieren und dazu eine Erklärung in drei Schritten vorschlagen, die ich im Lichte des bekannten Materials für plausibel halte.[38] Ich verbinde dabei eine strukturelle Interpretation mit der Identifizierung der beteiligten Akteure bei der unkontrollierten Aneignung des sowjetischen Vermögens und einer Beschreibung von Mechanismen, die von diesen Akteuren eingesetzt wurden, um in sehr kurzer Zeit Reichtum und Macht zu akkumulieren.

Die strukturelle Perspektive

Das wirtschaftliche Chaos als Folge der partiellen Kriminalisierung der Ökonomie entstand vor allem aus dem Übergangsprozess von der Kommandowirtschaft zur Marktwirtschaft, der ohne Institutionen ins Werk gesetzt wurde, die in der Lage gewesen wären, die Märkte zu organisieren und zu regulieren, und der durch den Zusammenbruch der staatlichen Instanzen behindert wurde, die unfähig waren, die Entwicklungen zu kontrollieren oder einzudämmen. Marshall Goldman beschreibt das so:

> Das Aufbrechen der Sowjetunion wurde vom Kollaps der wirtschaftlichen Infrastruktur begleitet; Gosplan, die Ministerien, das Großhandelssystem – alles war einfach verschwunden. Am Ende gab es ein institutionelles Vakuum. Zu alledem kam noch hinzu, dass es keinen allgemein gültigen ökonomischen Verhaltenskodex gab. Russland besaß plötzlich die Attribute des Marktes, aber kein Handelsgesetzbuch, kein Bürgerliches Gesetzbuch, kein effektives Bankensystem, kein effektives Buchhaltungssystem, kein Verfahren zur Konkursanmel-

37 Die Kennzeichnung des Zeitabschnitts 1987-1993 als Formationsperiode der gegenwärtigen russischen *Mafijas* ist nicht willkürlich. 1987 gestattete Gorbatschow die Gründung privater Unternehmen (hauptsächlich in Form von Kooperativen) unter den allerverwirrendsten Bedingungen und ohne den nötigen gesetzlichen Zusammenhang. So rief er Ansätze eines Proto-Kapitalismus hervor, der häufig unter ungesetzlichen Schutzarrangements arbeiten musste. Im Oktober 1993 setzte Jelzin Panzer ein, um die Rebellion des letzten russischen Parlaments zu zermalmen, das während der Sowjetära eingesetzt worden war, und beendete so eigentlich den politischen Transitionsprozess. Genau während dieser unsicheren Periode, als niemand außer dem Präsidenten selber wirklich wusste, wer die Kontrolle ausübte, bildete das organisierte Verbrechen seine Wirtschaftsnetzwerke, während viele Politiker sich innerhalb des allgemeinen Geschiebes nach dem russischen Reichtum positionierten. Ende 1993 begann in Russland mit einer neuen Verfassung und einem neuen, demokratisch gewählten Parlament so etwas wie institutionelle Normalität. Doch inzwischen hatte sich die Verflechtung zwischen Wirtschaft, Staat und Kriminalität bereits konsolidiert und wurde zu einem Bestandteil des neuen Systems.

38 S. die oben in Anm. 29 zitierten Quellen. S. auch Bohlen (1993, 1994); Bonet (1993, 1994); Ovčinskij (1993); *Commission on Security and Cooperation in Europe* (1994); Erlanger (1994a,b); Gamajunov (1994); *Izvestija* (1994b,c); Podlesskich und Terešonok (1994); Savvateeva (1994); *The Current Digest* (1994); Kuznecova (1996); Bennett (1997).

dung. Was übrig war, besonders die vorherrschende Annahme, es sei völlig in Ordnung, den Staat übers Ohr zu hauen, half nicht viel weiter.[39]

Unter derartigen Bedingungen des institutionellen Chaos eröffnete der beschleunigte Übergang zu Marktmechanismen einschließlich der Liberalisierung der Preiskontrollen den Weg für eine wilde Konkurrenz, um Staatseigentum mit jedwedem Mittel an sich zu reißen, häufig in Verbindung mit kriminellen Elementen. Goldman schreibt denn auch: „Man kann behaupten, dass die russischen Reformer die Mafia-Bewegung in gewissem Maße schlimmer gemacht haben, als sie unbedingt hätte werden müssen."[40]

Dieses institutionelle Chaos wurde durch das Aufbrechen der Sowjetunion in 15 unabhängige Republiken noch schlimmer. Sicherheitsdienste und Streitkräfte waren desorganisiert; bürokratische Befehlslinien verwischt; die Gesetzgebung wucherte in Unordnung aus, und Grenzkontrollen waren nicht existent. Protokapitalisten und Kriminelle zogen durch die verschiedenen Republiken, nutzten das für sie günstigste Umfeld und operierten doch noch immer über die ganze Ausdehnung dessen, was einmal die Sowjetunion gewesen war. Die technologische Unterentwicklung erschwerte es, die Bewegungen von Kapital, Gü-

---

39 Goldman (1996: 42).

40 Goldman (1996:40): Die erste Regierung des demokratischen Russland erhielt 1992 durchaus Warnungen über die möglichen Folgen eines beschleunigten Übergangs zu einer Marktwirtschaft, ohne vorher die Institutionen zu schaffen, die den Märkten das richtige Funktionieren ermöglicht hätten. Das internationale Beratungskomitee für die russische Regierung, dessen Vorsitzender ich 1992 war (s. Erläuterung in Kap. 1 dieses Bandes und in Kap. 1 von Bd. II) hat neben wiederholten verbalen Warnungen mehrere Notizen und Berichte abgegeben (die ich noch besitze), die darauf hinwiesen, dass Märkte Institutionen und Regeln erfordern, wie die kapitalistische Entwicklung in anderen Ländern zeigt. Burbulis sagte mir im Juli 1992, er stimme unseren Argumenten zu, „Kräfte im Kreml" seien aber für ein pragmatischeres, weniger regulatives Vorgehen, das größere Manövriermöglichkeiten eröffnen werde. Gajdar, der vom IWF unterstützt wurde, glaubte fest an die den Marktkräften innewohnende Fähigkeit, Hindernisse von selbst beiseite zu räumen, wenn nur einmal erst die Preise liberalisiert wären und die Leute ihre Gutscheine benutzen könnten, um Geschäftsanteile zu erwerben. 1996 räumte er im Nachhinein einige der Probleme mit unkontrollierter Privatisierung ein, die unser Komitee seit März 1992 vorhergesehen hatte und gab „den Kommunisten und ihren Verbündeten" die Schuld. Ich glaube nicht, dass Gajdar, Burbulis und andere Mitglieder von Jelzins erstem Kabinett 1992 korrupt waren. Ich glaube, das Entscheidende ist, dass sie wirklich keine rechtliche, politische oder bürokratische Macht besaßen, um die Folgen ihrer Entscheidungen zu kontrollieren. Also liberalisierten sie, entfesselten alle möglichen wirtschaftlichen Kräfte und wurden von allen möglichen Interessengruppen innerhalb wie außerhalb des Staates übergangen und überwältigt. Als der Prozess der Liberalisierung und Privatisierung zum Freifahrschein für alle wurde und die staatlichen Institutionen keine Garantie bieten konnten, stiegen diverse Mafija-Organisationen ein und übernahmen teilweise die Kontrolle über den Prozess. Das ist eine wichtige Lektion für die Geschichte. Wann immer und wo immer es keine Regulation und Kontrolle durch die legitime Macht des Staates gibt, wird es immer rücksichtslose Kontrolle durch die illegitimen Mächte gewaltbereiter privater Gruppen geben. Ungehemmte Märkte sind gleich bedeutend mit wilden Gesellschaften.

tern und Dienstleistungen auf dem riesigen Territorium zu verfolgen. Lokale *Mafijas* übernahmen die Kontrolle über lokale Staaten und schufen ihre eigenen Verbindungsnetzwerke. Die *Mafijas* und ihre Geschäftspartner stürzten sich viel schneller ins Informationszeitalter als die Staatsbürokratien. Weil sie die lokalen Knoten ebenso kontrollierten wie die Kommunikationsverbindungen, umgingen die halbkriminellen Unternehmen die meisten zentralisierten Kontrollen, die noch vorhanden waren. Sie halten das Land durch ihre eigenen Netzwerke am Laufen.

Wer sind die Akteure?

Wer sind nun die Akteure, die diesen wilden Akkumulationsprozess in Gang gesetzt haben, der teilweise durch kriminelle Interessen bestimmt ist? Für einen der am höchsten geschätzten Beobachter der politischen Szene in Russland, Pavel Voščanov, ist die Antwort unzweideutig:

> Wie wurde der kriminelle russische Staat geboren? In gewisser Weise entstand er nach dem Putsch vom August 1991. Damals ging die politische Elite mit der vielleicht wichtigsten Frage um – wie sie die wirtschaftlichen und politischen Veränderungen nach dem Coup unumkehrbar machen könnte. Diese Beamten waren einhellig der Meinung, dass sie eine eigene gesellschaftliche Basis benötigten – eine Klasse von Eigentümern. Sie musste ziemlich groß und in der Lage sein, ihren Patronen Halt zu geben. Das Problem bestand darin, dass man mit der Erschaffung dieser Klasse an einem Punkt beginnen musste, wo alle in puncto Einkommen und Besitz grob gesprochen gleich waren ... Worin bestand das größte Hindernis für die neue *nomenklatura* im Kreml? Es war das Gesetz. Jegliches Gesetz war ein Hindernis, weil es nach den Worten von Präsidentenberatern 1991 „den Fortschritt der Demokratie aufhielt."[41]

Die strategischen politischen Interessen der Reformer, die 1991-1992 an der Macht waren, führten zu einem rapiden Liberalisierungs- und Privatisierungsprozess, der in der Lage war, eine große Klasse von Eigentümern mit manifestem Interesse an der Entwicklung des Kapitalismus in Russland entstehen zu lassen. Manche dieser Reformer können durchaus im Sinn gehabt haben, aus ihren Machtpositionen persönlichen Nutzen zu ziehen, was einige während der folgenden Jahre dann auch getan haben. Das Wichtigste ist jedoch, dass sie bewusst oder unbewusst für diejenigen, die Geld und Macht hatten, die Gelegenheit schufen, Staatseigentum an sich zu reißen – das heißt so viel wie das gesamte Russland. Diese Möchtegern-Kapitalisten waren vor allem zuerst einmal Mitglieder der kommunistischen *nomenklatura*, die während der Jahre der *perestrojka* Reichtum akkumuliert hatten, indem sie staatliche Gelder auf ihre persönlichen Bankkonten im Ausland umleiteten. Mir wurde von hochrangigen Mitgliedern des Kabinetts Jelzin 1992 berichtet, dass bei ihrem Machtantritt die Gold- und Devisenreserven des Sowjetstaates fast vollständig verschwunden

---

41 Voščanov (1995: 13).

waren, und diese Berichte wurden später von verschiedenen Quellen bestätigt und 1996 unter anderen auch von Egor Gajdar öffentlich gemacht. Das kam zu den geheimen Auslandsguthaben der Kommunistischen Partei der Sowjetunion noch hinzu, die einfach in den globalen Finanzströmen verschwanden. Insgesamt kann das mit aller Wahrscheinlichkeit -zig Milliarden Dollar ausgemacht haben. Ein Bruchteil dieses Kapitals war völlig ausreichend, um in Russland beträchtliche Mengen von Immobilien, Unternehmen, Banken, Gütern und Dienstleistungen zu kaufen, besonders, wenn der politische Einfluss, den die Freunde der *nomenklatura* noch immer besaßen, den Kauf staatlichen Eigentums erleichterte. Nur wenige Monate nach dem Ende der Sowjetunion tauchten in der russischen Wirtschaft gigantische Finanzimperien mit einer hochgradig diversifizierten Investitionspalette auf. Bald fanden diese Konglomerate Verbindung zum neuen politischen System, denn das institutionelle Vakuum erforderte eine Art ad hoc-Unterstützung von der Regierung, um in einem ungewissen Umfeld, das periodisch von einem Windstoß an Dekreten erschüttert wurde, zu bestehen.

Es gab noch andere Akteure, die sich aktiv an der wilden Entwicklung des neuen russischen Kapitalismus beteiligten. Das globale organisierte Verbrechen, besonders die sizilianische Mafia und die kolumbianischen Kartelle ergriffen die Chance des russischen Chaos, um beträchtliche Geldmengen zu waschen und auch „schmutziges Geld" milliardenweise mit gefälschten Dollars zu vermischen.[42] Gajdar gestand 1994 selbst ein, dass es in Russland größere Beträge von „schmutzigem" Geld, gewaschenem Kapital und Kapital gab, das gerade gewaschen wurde.[43] Nachdem sie Ende der 1980er und Anfang der 1990er Jahre in Russland in Stellung gegangen waren, konnten sich die globalen kriminellen Netzwerke den Privatisierungsprozess zunutze machen. Sie nahmen Verbindung zum russischen organisierten Verbrechen auf und regten auch die Entstehung neuer krimineller Organisationen an. Sie knüpften auch Verbindungen zu den Schmuggelnetzwerken, die in der Umgebung von Waffendepots, Atomanlagen, Erdölfeldern und Bergwerken für seltene Erden und Edelmetalle in die Höhe schossen.[44]

Als das institutionelle System 1991 zusammen brach und auf Straßenniveau eine unordentliche Marktwirtschaft aufblühte, trat in Russland eine größere Zahl Krimineller aller Art, alte und neue, aus verschiedenen ethnischen Zusammenhängen als Parasiten eines jeglichen kleinen oder großen Wirtschaftsunternehmens auf. Viele gemeinnützige, steuerbefreite Organisationen gerieten unter den Einfluss einer *Mafija*, etwa die Nationale Sportstiftung, der Russische Fonds für die Invaliden des Afghanistan-Krieges und die All-Russische Gesellschaft für Gehörlose. Selbst die russisch-orthodoxe Kirche beteiligte sich wahrscheinlich unter dem Schutz der *Mafija* am Geschäft mit der Steuerbefreiung, importierte zollfreie

---

42 Sterling (1994).

43 Interview mit Gajdar, *Trud*, 10. Februar 1994.

44 Beaty (1994); Handelman (1995); Gordon (1996).

Zigaretten für humanitäre Zwecke und investierte in Ölgesellschaften.[45] Wegen des Fehlens effektiver staatlicher Regulierung und Kontrolle entstand eine symbiotische Beziehung zwischen dem Wachstum privater Unternehmen und ihres an Erpressung gekoppelten Schutzes durch kriminelle Netzwerke. Diese vom Verbrechen durchdrungene Geschäftswelt verband sich auf lokaler, provinzieller und nationaler Ebene mit Politikern, so dass schließlich die drei Sphären (Politik, Wirtschaft und Kriminalität) miteinander verflochten waren. Dies heißt jetzt nicht, dass die Politik von Verbrechern kontrolliert würde oder dass die meisten Firmen kriminell wären. Das bedeutet aber, dass die Unternehmen in einem Umfeld operieren, das tief von Kriminalität durchsetzt ist; dass die Wirtschaft den Schutz der Politik braucht; und dass viele Politiker in den 1990er Jahren durch ihre Wirtschaftskontakte große Vermögen angesammelt haben.

Akkumulationsmechanismen

Die Mechanismen, durch die diese Art ursprünglicher kapitalistischer Akkumulation in Russland erfolgt ist, waren vielgestaltig: In der Tat sind kühne, einfallsreiche Pläne das Alltagsgeschäft der russischen Kapitalisten und Gauner. Der entscheidende Mechanismus war aber *der Prozess der Privatisierung*, der ohne Transparenz und mit wenig Kontrolle sowie unzuverlässiger Buchführung durchgeführt wurde. Durch die unkontrollierte Privatisierung wurde es möglich, dass alle wertvollen Vermögenswerte in Russland für einen Spottpreis an einen jeden verkauft wurden, der das Geld und die Macht besaß, die Kontrolle über das Geschäft auszuüben. Auf diese Weise und aus diesem Grund trafen sich nolens volens Staatsbeamte, ehemalige Angehörige der *nomenklatura* sowie russisches und internationales organisiertes Verbrechen.

Unmittelbar bevor der Privatisierungsprozess begann, trugen einige Großbetrügereien dazu bei, die wirtschaftlichen Institutionen zu destabilisieren, und sorgten für Basiskapital, um mit der ursprünglichen Akkumulation des russischen Volksvermögens zu beginnen. Claire Sterling hat den vermutlich größten dieser Betrugsfälle von 1992/93 ausgemacht und sorgfältig dokumentiert, die durch globale Verbrechensnetzwerke, vor allem durch die sizilianische Mafia in Komplizenschaft mit Kontaktpersonen im sowjetischen Staatsapparat und vermutlich auch westlichen Geheimdiensten eingeleitet wurden. Ich beziehe mich auf ihre Darstellung, die eine Reihe glaubwürdiger Quellen aufführt und Namen, Orte, Daten und Zahlen nennt.[46] Kurz gesagt haben kriminelle Organisationen und ihre Kontaktpersonen über eine Reihe von Mittelsleuten, die als „internationale Geschäftsmänner" auftraten, für die Abwertung des Rubels gesorgt, indem sie mit „schmutzigen" Dollars in Russland Milliarden von Rubeln

---

45 *Business Week*, 9. Dezember 1996; Spencer (1996).

46 Sterling (1994: 169-243).

zu einem großen Rabatt kauften und sie auf dem Weltmarkt zu einem Niedrigpreis anboten. Außerdem verbreiteten sie Gerüchte über noch größere Transaktionen, was zu noch stärkerer Abwertung beitrug. Elemente aus der *nomenklatura* hatten Interesse, zum eigenen Nutzen oder in manchen Fällen auch, um die Devisenreserven des Sowjetstaates aufzustocken, diese wertlosen Rubel in harte Devisen umzutauschen. Diese Transaktionen heizten die Kapitalflucht aus der Sowjetunion während der letzten Periode der *perestrojka* an. Es scheint, dass als Garantie für einige dieser Transaktionen staatliche Goldreserven benutzt wurden. Die Abwertung des Rubel machte in Russland Vermögenswerte und Waren wesentlich billiger. Verbrechensnetzwerke, spekulierende Zwischenhändler und *nomenklatura*-Bosse nutzten die von ihnen angehäuften Milliarden von Rubeln und ein paar Millionen Dollar für den Aufkauf und Schmuggel von Öl, Waffen, Rohstoffen, seltenen und Edelmetallen. Sie investierten außerdem in Immobilien, Hotels und Restaurants. Und sie kauften von Privatleuten große Pakete der Privatisierungsgutscheine, mit denen diese selbst nichts anzufangen wussten oder die zum Verkauf gezwungen waren. Als dieses spekulative/kriminelle Kapital erst einmal innerhalb der Volkswirtschaft in Stellung gegangen war, bemühte es sich erfolgreich um die Unterstützung erst der sowjetischen, dann der russischen Regierung für Investitionen im Land selbst und für Import/Export-Geschäfte. Diese Investitionen, die ursprünglich aus gewaschenem Geld und Summen bestanden hatten, die dem Staat hinterzogen worden waren, vervielfachten sich daher in erheblichem Maße. Weil viele legale Auslandsinvestitionen bald davon abgeschreckt wurden, in dem unsicheren Umfeld Russlands zu investieren, wirkte sich die sowjetische und russische Gesetzgebung zur Förderung des ausländischen Kapitals und des Außenhandels weitgehend zugunsten der para-kriminellen Netzwerke aus. Einige der Initiatoren dieser Betrügereien wurden eindeutig identifiziert (Sterling nennt die Amerikaner Leo Wanta und Marc Rich), aber nie dingfest gemacht und betrieben ihre Geschäfte weiter aus der Sicherheit, die andere Länder ihnen boten (Rich lebte 1994 in Zug in der Schweiz). Sterling schätzt den illegalen Kapitalschmuggel für 1992 auf etwa 20 Mrd. US$ und den illegalen Abfluss von Öl und Rohstoffen auf weitere 17 Mrd. US$. Das ist das Mehrfache der gesamten Auslandsinvestitionen in Russland während der Zeit von 1991-1996. Sterlings Geschichte erfüllt zwar alle Kriterien eines echten Thrillers, ihre Dokumentation ist jedoch so seriös, dass sie plausibel erscheint, und die Hauptstoßrichtung ihrer Argumentation entspricht Berichten aus anderer Quelle.[47] Außerdem habe ich zwar keine eigenen Faktenbelege, aber das Bild illegaler Geschäfte und wirtschaftlicher Destabilisierung, das ich aus meiner Feldforschung in Russland 1989-1996 einschließlich Interviews auf den höchsten Ebenen der sowjetischen und russischen Regie-

47 Sterlings (1994) Argumentation entspricht anderen Quellen, die in den Fußnoten zu diesem Kapitel zitiert werden.

rung gewonnen habe, stimmt mit den Berichten von Sterling, Handelman, Voščanov und vielen anderen Beobachtern überein.

Spekulationsmanöver des globalen Verbrechens während der chaotischen Zeit des sowjetischen Kollaps wären aber nicht ausreichend gewesen, um die Verflechtung zwischen Politik, Wirtschaft und Verbrechen zustande zu bringen, die seit den 1990er Jahren für die russische Szene kennzeichnend ist. Die drastischen Irrtümer, die zuerst Gorbatschow beging, als er das Sowjetsystem auflöste, ohne etwas an seine Stelle zu setzen und später die Demokraten, als sie einen beschleunigten Übergang zur Marktwirtschaft ohne gesellschaftliche und institutionelle Kontrolle voran trieben, haben die Vorbedingungen dafür geschaffen, dass eines der größten und von Natur aus reichsten Länder der Welt eingesackt werden konnte. Es ist diese wilde Aneignung von Reichtum, die von den etablierten Mächten durchgeführt oder toleriert wurde, die die überwältigende Präsenz der Kriminalität erklärt, nicht umgekehrt. Aber anders als die amerikanischen *„robber barons"*, die ihre sämtlichen verfügbaren Mittel einsetzten, um neben der eigenen Bereicherung Investitionskapital zu akkumulieren, ist der wilde russische Kapitalismus fest in die globale Kriminalität und in die globalen Finanznetzwerke eingebunden. Sobald Profite entstehen, werden sie durch den anonymen Wirbelwind des globalen Finanzsystems, geschickt, von wo aus nur ein Teil nach der entsprechenden Wäsche in die lohnende, aber risikoreiche russische Volkswirtschaft reinvestiert wird.

Im August 1999 machte die *New York Times* die internationale Öffentlichkeit auf einen raffinierten Plan zum illegalen Kapitaltransfer aus Russland über die Bank of New York aufmerksam, der durch eine Reihe von Schattenunternehmen in Großbritannien, der Schweiz, den USA und diversen *offshore*-Plätzen vermittelt wurde. Die Beträge wurden auf -zig Milliarden Dollar geschätzt. Wegen der Größe der transferierten Beträge wurde schnell klar, dass die russischen Mafias allein nicht die Quelle dieses Kapitals sein konnten, obwohl Herr Mogilevich, ein israelischer Staatsbürger und notorischer Kopf osteuropäischer Mafias, der zuvor in Budapest gelebt hatte, an einigen der Operationen beteiligt war. Während die Affäre im Lauf der folgenden Monate öffentlich wurde, berichtete die europäische und die russische Presse ausführlich von einem riesigen Interessennetzwerk, das beim Steuerbetrug und der illegalen Ausfuhr schwindelerregender Summen aus Russland zusammenlief. Es wurde behauptet, dass ein bedeutender Anteil der IWF-Anleihen an Russland umgeleitet und von Bankern sowie Staatsbeamten mit Wissen sehr hochrangiger russischer Behörden ins Ausland transferiert worden sei. Berichte im *Corriere della Sera* brachten den Manager der Kremlverwaltung und die Familie von Präsident Jelzin unmittelbar mit dem Unternehmen in Verbindung. Die Londoner *Times* vom 7. November 1999 dokumentierte den illegalen Transfer von Geldmitteln aus Russland in die Vereinigten Staaten über britische Banken und erhob die Beschuldigung, das Geld sei dafür gedacht gewesen, Bestechungsgelder an amerikanische Beamte in Washington, D.C., zu zahlen. Weil Information und Gegeninformation in Russland und auf der ganzen Welt zu politischer Munition geworden waren, wurde es immer schwieriger, Tatsachen, Erfindung und Manipulation voneinander zu trennen, geschweige denn, in dieser immer wichtigeren und äußerst obskuren Affäre irgend etwas zu beweisen. Um der Klarheit willen möchte ich folgende Überlegungen vortragen. Erstens liegt dem illegalen Kapitalexport die absurde und obskure Bestimmung der russischen Regierung über Kapitalkontrollen und Unternehmensbesteuerung sowie die zutiefst willkürliche Anwendung dieser Regeln zugrunde. So müssen legale Unternehmen in Russland vor allem im Finanz- und Exportbereich auf außerordentliche Maßnahmen zurück greifen, wollen sie funktionsfähig bleiben: Dazu gehört es, dass Zahlungen für legitime Exportgeschäfte im Ausland bleiben und Profite auf internationaler Ebene investiert werden, um der russischen Bürokratie auszuweichen. Das mag illegal sein, aber für sich genommen ist dies noch keine Operation, die mit der Mafia zu tun hat. Zweitens müssen Ergebnisse von Steuerhinterziehung einen Weg ins Ausland finden. Drittens benötigen auch unzulässig angeeignete Gelder innerhalb der Regierung und ihres Umfeldes einen Weg nach draußen. Viertens verschleiern Regierungsbeamte auf unterschiedlichen Ebenen diese Systeme des illegalen Kapitalexports und der illegalen Einkommensquellen, erhalten dafür ihren Anteil und schließen sich dem Club der Exporteure an. Fünftens ist anzunehmen, dass ein paar kriminelle Organisationen dabei behilflich gewesen sind, die Netzwerke der illegalen Kapitalzirkulation ins Leben zu rufen und sie zugleich nutzen, um ihre eigenen Einkünfte zu waschen. Sechstens entwickelte ein Netzwerk von Mittelsleuten in Russland wie im Westen ein komplexes System von Schattenfirmen und Finanzinstitutionen, von denen sich die meisten in der Grauzone des internationalen Handels befinden und dem Zweck dienen, russisches Kapital aus unterschiedlichen Quellen abzusaugen und von den grauen Geschäften zu profitieren. Schließlich nehmen die Bank of New York und andere seriöse Finanzinstitute einfach das Geld entgegen, ohne viel zu fragen: Sie belohnen sogar ihre russischstämmigen Angestellten für die lukrativen Geschäftsbeziehungen – vor allem, wenn das Geld sich in der Größenordnung von -zig Milliarden Dollar bewegt. Von jetzt an ist das Geld aller Beschränkungen ledig, und ein Teil kann sogar als Auslandskapital unter neuen, vorteilhafteren Bedingungen wieder in Russland investiert werden. Was die Medien als Russenmafia bezeichnen, ist daher nur ein kleiner Bruchteil des riesigen Netzwerkes illegaler Operationen, durch das letztendlich ein großer Teil des Reichtums des Landes (und vielleicht ein Teil der internationalen Hilfe) von ein paar Einzelpersonen angeeignet und am Ende unter Beteiligung (bewusst oder unbewusst) westlicher Banken und Finanzinstitutionen in die globalen Finanznetzwerke transferiert wird.[48]

---

48 Eine Zusammenfassung dieser Affäre und eine Chronologie der Ereignisse bis zum November 1999 ist in einer russischsprachigen Quelle auf der russischen politischen Nachrichten-Website (http://www.polit.ru/stones.html) zu finden. Informationen aus westlichen Quellen s. Bonner und O'Brien (1999) und *The Economist* (1999a).

Schaubild 3.1 Entwicklung der illegalen und kriminellen Netzwerke in Russland

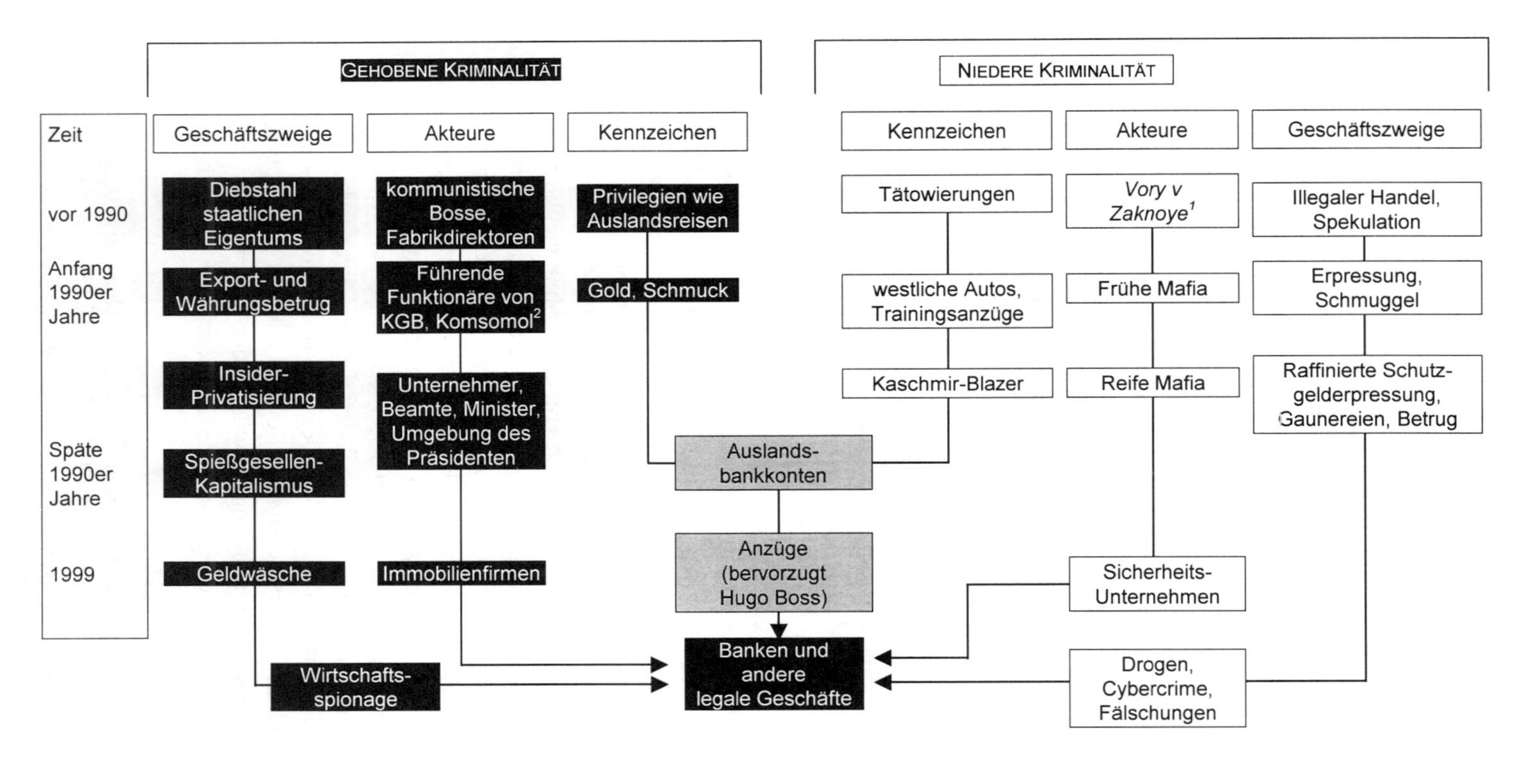

1 Diebe im Rahmen des Gesetzes – traditionelle Verbrecher-Clans
2 Jugendbund der Kommunistischen Partei

Quelle: Control Risk, *The Economist* (1999a)

Im August 1999 legte *The Economist* nach einer Untersuchung über die Entwicklung der russischen Schattenwirtschaft während der 1990er Jahre ein Schaubild vor, das die Transformation dieser Volkswirtschaft von kleinen kriminellen Aktivitäten marginaler Individuen und ethnischer Mafias bis zu den hochkriminellen Tätigkeiten zusammenfasst, die sich während des Privatisierungsprozesses unter dem Schutz des Staates und (wie ich hinzu füge) mit Wissen westlicher Regierungen und Institutionen intensiviert hat, die sich entschlossen hatten, über die Korruption hinweg zu sehen, so lange Russland unter seiner prowestlichen Führung politisch unter Kontrolle blieb (s. Schaubild 3.1). Also geht die Plünderung Russlands weiter, als Quelle leicht verdienter Profite und als Ausgangspunkt für internationale kriminelle und illegale Aktivitäten, deren Erträge in die globalen Finanznetzwerke eingespeist werden.

Die russische Gesellschaft ist in ihrer großen Mehrheit an dieser Jahrtausendwende vom Informationszeitalter ausgeschlossen. Aber ihr mit Verbrechen infizierter Kapitalismus ist vollständig in die globalen Ströme von Reichtum und Macht eingetaucht, an die er Anschluss finden konnte, indem er die Hoffnungen der russischen Demokratie pervertiert hat.[49]

---

49 Castells und Kiselyova (1998).

Narcotráfico, Entwicklung und Abhängigkeit in Lateinamerika[50]

Das außerordentliche Wachstum der Drogenhandelsbranche seit den 1970er Jahren hat die Ökonomie und Politik Lateinamerikas verändert. Klassische Paradigmen von Abhängigkeit und Entwicklung müssen neu durchdacht werden, um als grundlegenden Bestandteil die Charakteristika der Drogenbranche und ihr tiefes Eindringen in staatliche Institutionen und in die gesellschaftliche Organisation zu berücksichtigen. Im Mittelpunkt der Branche stehen vor allem Produktion, Verarbeitung und Export von Koka und Kokain. Während der 1990er Jahre ist jedoch Heroin zu einem immer wichtigeren Bestandteil geworden, und Marihuana hat vor allem in Mexiko teilweise die Bedeutung zurück gewonnen, die es Ende der 1960er und Anfang der 1970er Jahre hatte. Um die mächtigen kriminellen Netzwerke, die auf dem Drogenhandel aufbauen, werden andere kriminelle Aktivitäten (besonders Geldwäsche, Schmuggel, Waffenhandel, Handel mit Immigranten, internationale Prostitution, Kidnapping) organisiert. So entsteht eine komplexe kriminelle Welt, deren hochgradig dezentralisierte Struktur alle lateinamerikanischen Gesellschaften durchzieht und ihnen ihren Stempel aufdrückt. Es sind mehrere Hauptmerkmale, die die Branche des *narcotrafico* kennzeichnen.

(1) Sie ist *nachfragegetrieben und exportorientiert*. Ihr ursprünglich und noch immer bedeutendster Markt sind die Vereinigten Staaten. Westeuropa und die wohlha-

---

50 Eine der besten politisch-ökonomischen Analysen des Drogenhandels in Lateinamerika ist, wenn auch auf Kolumbien konzentriert, Thoumi (1994). Zur internationalen Struktur der Drogenbranche in Lateinamerika s. (Arnedy 1990); Tokatlian und Bagley (1990); Del Olmo (1991); Simposio Internacional (1991); Laserna (1991); Bastias (1993). Zu den Folgen der Kokaproduktion und des Kokainhandels für die nationalen und regionalen Ökonomien s. Laserna (1995, 1996). Zum Verständnis der Psychologie, des sozialen Kontextes und der politischen Implikationen des Drogenhandels ist das vermutlich anregendste Dokument der außerordentliche Bericht von Gabriel Garcia Marquez, *Nachricht von einer Entführung* (1996). Zu den kulturellen Dimensionen der Welt des Drogenhandels s. De Bernieres (1991); Prolongeau (1992); Salazar und Jaramillo (1992). Zu den Zusammenhängen zwischen der Drogenbranche und den Beziehungen zwischen den USA und Lateinamerika s. das klassische Buch von Scott und Marshall (1991). Zu Bolivien s. Laserna (1995) sowie Pasquini und De Miguel (1995). Zu Ecuador Bagley u.a. (1991). Zu Venezuela Azocar Alcala (1994). Zu Mexiko Mejia Prieto (1988); Garcia (1991) und Kap. 5, Bd. II. Zu Peru Turbino (1992); und Pardo Segovia (1995). Eine wichtige Quelle für Informationen und Ideen über die politische Ökonomie des Drogenhandels in Lateinamerika war Roberto Laserna, Professor für Wirtschaftswissenschaften an der Universidad Mayor de San Simon, Cochabamba. Unser mehr als 15 Jahre währender intellektueller Austausch hat mein Denken über diesen Gegenstand entscheidend geprägt, wenn ihn auch keine Verantwortung für mögliche Fehler meinerseits trifft. Auch meine Aufenthalte in Cochabamba 1985 und dann 1998 mit einem höchst interessanten Besuch im Chapare 1985, wo damals eines der Zentren des Kokaanbaus in Lateinamerika war, waren für mein Verständnis der Drogenbranche wesentlich.

benden Teile Asiens sind jedoch dabei, mit großer Geschwindigkeit ebenfalls zu wichtigen Märkten zu werden. Zur Illustration der Basisökonomie der Kokaindustrie: 1991 betrugen die Produktionskosten für ein Kilogramm Kokain in Kolumbien (einschließlich der Produktionskosten der Kokapaste, die aus anderen Ländern kam) schätzungsweise 750 US$; sein Exportpreis von Kolumbien aus war etwa 2.000 US$; der Großhandelspreis für dasselbe Kilogramm in Miami betrug 15.000 US$; und auf den Straßen Amerikas, wo es erst einmal geschickt mit anderen Stoffen „verschnitten" grammweise verkauft wurde, konnte sein Wert bis zu 135.000 US$ erreichen.[51] Die Transport- und Distributionskosten sowie der Schutz für diese Distributionssysteme hängen natürlich mit der Illegalität des Stoffes und der anhaltenden Nachfrage in den Vereinigten Staaten zusammen.

(2) *Die Branche ist vollständig internationalisiert, wobei es zwischen unterschiedlichen Standorten eine wechselnde Arbeitsteilung gibt.* Wenn wir wieder auf das Kokain schauen, so sind Kokablätter in der Andenregion seit Tausenden von Jahren angebaut und gefahrlos konsumiert worden.[52] Um 1900 erzeugte Kolumbien etwa 40% der Kokablätter auf der Welt, Bolivien und Peru zusammen etwa weitere 40%, während der Rest sich hauptsächlich auf Ecuador, Venezuela und in etwas jüngerer Zeit auch auf Brasilien und Mexiko verteilte. Die Verarbeitung von Kokablättern zu Kokapaste und neuerdings in Kokabase erfolgt in der Regel in den Anbauländern, wenn auch in einiger Entfernung von den Feldern, um nicht so leicht entdeckt zu werden. Als ich beispielsweise 1985 das damalige Hauptanbaugebiet von Koka in Bolivien, den Chapare in der Provinz Cochabamba besuchte, wurde die Kokapaste ungefähr 100 km vom Chapare entfernt in Dörfern hergestellt, die in den Tälern um Cochabamba lagen, von wo aus die Paste auf dem Rücken von Trägern zu geheimen Landebahnen im Wald getragen wurde. Von dort aus ebenso wie von Alto Huallaga, dem Hauptproduktionsgebiet in Peru, wurden/werden Kokapaste und Kokabase nach Kolumbien geflogen, wo die wichtigsten Zentren der Branche ihre Kontrolle seit Ende der 1970er Jahre gefestigt haben. Trotz der Repression ist Kolumbien nach wie vor das Hauptzentrum für die Veredelung und weitere Verarbeitung von Kokain. Es beherbergt auch die Verwaltungs- und Handelszentren, von denen aus die heikelste Operation organisiert wird: der Transport in die Wohlstandsmärkte, vor allem in die Vereinigten Staaten. Ende der 1990er Jahre wurde Kolumbien, nachdem die peruanische und bolivianische Regierung auf Forderungen der US Drug Enforcement Agency (DEA) hin den Druck auf die Kokabauern erhöht hatten, auch zu einem der wichtigsten Anbauzentren. Der Grund ist, dass es in diesem Land riesige Gebiete gibt, die sich außerhalb der Kontrolle der kolumbianischen Regierung befinden und wo die Bauern die Kokablätter mit geringerem Strafrisiko als in anderen Ländern anbauen können.

---

51 Thoumi (1994: 295).

52 Laserna (1996); Gootenberg (1999).

Während die frühen Stadien der Branche durch primitives Schmuggeln auf dem Rücken menschlicher Lasttiere geprägt waren, besteht die wichtigste Transportform nach den USA heute in Kleinflugzeugen, die von der Karibik aus starten. Diese Methode wurde durch den führenden Rauschgifthändler Carlos Lehder organisiert, der die kleine Insel Norman's Cay in den Bahamas kaufte und ihre Landebahn anderen Exporteuren vermietete. So schuf er die Grundlage für Kooperation – ein flexibles Kartell – zwischen den Exporteuren. Aber es wurden und werden viele andere Methoden eingesetzt, weil die Beschlagnahmungen durch Zollbeamte zugenommen haben: kommerzielle Fluglinien, Frachtschiffe, persönliche Kuriere, Verstecke für Kokain in legal exportierten Handelswaren (Baustoffe, Glaspaneele, Obst, Konservendosen, Bekleidung und so weiter) sowie besonders während der 1990er Jahre der Landtransport über die Grenze zwischen Mexiko und den USA. Die mexikanischen Drogenkartelle haben sich im Lauf der 1990er Jahre stark entwickelt, erst als Vermittler für die Kolumbier, dann selbstständig, wobei sie außer dem Kokain, das sie als Partner der Kolumbier transportierten, noch Heroin, Amphetamine und Marihuana hinzu nahmen.

In vielen Fällen ist die Transportmethode einfach und direkt: Bestechung der Zollbeamten eines oder mehrerer Länder. In anderen Fällen ist sie einfallsreicher: beispielsweise wurde 1999 die Frau eines US-Obersten, der die US-Militäroperationen in Kolumbien leitete, dazu zu überredet, von der amerikanischen Botschaft in Kolumbien aus sechs Pakete mit der Post nach New York City zu schicken.[53] Langstrecken wie die nach Europa oder Asien sind weitgehend von Frachtschiffen abhängig, die in Küstennähe von kleineren Schiffen entladen werden: Das gilt für Galizien in Spanien, in historischer Kontinuität mit den einheimischen Netzwerken des Zigarettenschmuggels eines der wichtigsten Eingangstore nach Europa. Die Verteilungsnetzwerke in den Vereinigten Staaten werden meist von Kolumbiern oder ihren Verbündeten kontrolliert, häufig Mexikanern, die Immigrantennetzwerke ihrer nationalen oder selbst regionalen Herkunft nutzen: vertrauensgebundene Netzwerke. In Europa und Asien liefern die kolumbianischen Netzwerke die Ware und überlassen die Kontrolle über die Verteilung den kriminellen Organisationen, die das jeweilige Territorium beherrschen. Guyaquil spielt für Seetransporte in die USA eine große Rolle. Venezuela ist der Ausgangspunkt für Flugzeugtransporte nach Europa.

Weitere wesentliche Ausgangsstoffe für die Herstellung sind Chemikalien, die hauptsächlich aus der Schweiz, Deutschland und den Vereinigten Staaten importiert, zunehmend aber von der lateinamerikanischen Chemieindustrie selbst geliefert werden, vor allem aus Argentinien und Brasilien. Brasilien, wo eine begrenzte Menge Koka angebaut wird, hat sich auch bei der Verarbeitung engagiert, als die kolumbianischen Labors zunehmend unter Druck der DEA

53 McFadden (1999).

aus den USA gerieten. Während das geografische Muster des *narcotrafico* sich entwickelt und seine Reichweite ausdehnt, hat er in seiner internen Hierarchie eine bemerkenswerte Stabilität bewahrt, denn die kolumbianischen „Kartelle" konnten ihre Herrschaftsposition aufrecht erhalten. Die Gründe dafür und die dabei eingesetzten Mechanismen werde ich weiter unten darlegen.

Die drei wichtigsten *Transformationen dieser internationalen Arbeitsteilung der Drogenbranche an der Jahrhundertwende* sind: (a) das Auftreten Mexikos als quasi-autonomes Exportzentrum, das von seiner Nähe zu den Vereinigten Staaten profitiert; (b) die strategischen Allianzen der kolumbianischen Kartelle mit kriminellen Organisationen auf der ganzen Welt, besonders mit der sizilianischen Mafia, der amerikanischen Mafia und den russischen Verbrechensnetzwerken; (c) der weit verbreitete Einsatz der neuen Kommunikationstechnologie, vor allem von Mobiltelefonen und Laptops, um miteinander zu kommunizieren und Transaktionen zu verfolgen, was die Flexibilität und die Komplexität der Industrie erhöht.

(3) *Die kritische Komponente der gesamten Drogenbranche ist das System zur Geldwäsche.* Sie steht ebenfalls unter der Kontrolle der wichtigsten Rauschgifthändler aus Kolumbien und Mexiko, aber sie wird von spezialisierten Agenturen durchgeführt, deren Hauptstandorte sich in den Banken und Finanzinstitutionen von Kolumbien, Venezuela, Panama und Florida befinden. Während der 1980er Jahre spielten Finanzinstitutionen in verschiedenen kleinen Karibikländern wie Cayman-Inseln, Turcos y Caicos, Aruba, Bahamas eine unverzichtbare Rolle als Eingangstore für die Geldwäsche, aber ihr Bekanntwerden und der geringe Umfang ihrer Finanzsysteme haben dazu geführt, dass ihre Rolle in der globalen Geldwäsche zurück gegangen ist, auch wenn sie noch immer sichere Sparkonten für die persönlichen Finanzen der Rauschgifthändler bieten.

(4) Das ganze System von Transaktionen hängt ab von der *Durchsetzung mittels außergewöhnlicher Gewalt.* Alle wichtigen Verbrecherorganisationen haben ein eigenes Netzwerk von Killern aufgebaut (beispielsweise die kolumbianischen *sicarios*), einige davon sind hochgradig spezialisiert und professionell. Viele andere, Tausende, haben die Aufgabe, entweder als Mitglieder der Organisation oder als Subunternehmer ganze Städte zu kontrollieren und zu terrorisieren. Neben ihrer Durchsetzungsrolle sind diese Killernetzwerke auch Instrumente im Konkurrenzkampf und zum Schutz, wenn die Organisationen sich gegenseitig die Kontrolle über einen bestimmten Markt streitig machen oder um die Bedingungen kämpfen, unter denen die Profite aufgeteilt werden. Gerade dieses hohe Gewaltniveau funktioniert, wie Thoumi bemerkt, als entscheidende „Zugangsbeschränkung" für Möchtegern-Wettbewerber in der Branche.[54] Wenn sie nicht über die Ressourcen und die Energie verfügen, das Risiko auf sich zu nehmen,

---

54 Thoumi (1994).

werden sie einfach eliminiert, bevor sie sich noch auf dem Markt positionieren können.

(5) *Die Branche benötigt die Korruption und die Durchdringung ihres institutionellen Umfeldes, um an allen Punkten des Systems operieren zu können.* Die Rauschgifthändler müssen die lokalen und nationalen Behörden korrumpieren und/oder einschüchtern, also Polizei, Zoll, Richter, Politiker, Banker, Chemiker, Transportarbeiter, Journalisten, Eigentümer von Medien und Geschäftsleute. Für die meisten dieser Leute stellt die Alternative zwischen der Chance, eine beträchtliche Summe Geld zu bekommen und der Möglichkeit, dass ihre Familie terrorisiert wird, eine zu große Versuchung dar, als dass sie ihr widerstehen könnten. Wenn der Staatsmacht nicht entschieden Geltung verschafft wird, übernehmen die Netzwerke des narcotrafico die Kontrolle über so viele Menschen und Organisationen, wie sie in ihrem Umfeld benötigen. Sicher führt der Frontalangriff gegen den Staat, wie ihn Pablo Escobar und das Medellin-Kartell 1984-1993 in Kolumbien unternahmen, für die Kriminellen gewöhnlich ins Verderben. Die Medellin-Taktik war jedoch extrem und stark an die Persönlichkeit ihrer Führer gebunden, von Rodriguez Gacha „el Mexicano", der 1989 getötet wurde, und Pablo Escobar, der zutiefst gegen die Regierung aufgebracht war, die ihn zum politischen Vogelfreien erklärt hatte. Das Cali-Kartell, das ebenso bedenkenlos und brutal ist wie das Medellin-Kartell, entwickelte eine subtilere Strategie zur Durchdringung des Staates, indem es einkaufte anstatt zu töten und die Morde für seine Rivalen aus Medellin und für Personal auf niedriger Stufe aufsparte, die sich leicht unterwerfen ließen. Das Ergebnis dieser Strategie bestand darin, dass die Führer des Cali-Kartells, Miguel und Gilberto Rodriguez Orejuela, als sie schließlich festgenommen und im Januar 1997 vor Gericht gestellt wurden, zu Gefängnisstrafen von aller Wahrscheinlichkeit nach drei bis vier Jahren verurteilt wurden. Die systematische Korruption des Staatsapparates und extreme Gewalt als Lebensform sind wesentliche Bestandteile der narcotrafico-Branche.

Welche wirtschaftlichen Konsequenzen hat die Drogenbranche für Lateinamerika?

Es gibt keinen Zweifel, dass die kriminelle Ökonomie zur Jahrtausendwende ein großes und höchst dynamisches Segment der lateinamerikanischen Volkswirtschaften darstellt. Darüber hinaus ist sie abweichend von den traditionellen Mustern der Internationalisierung von Produktion und Handel in Lateinamerika eine exportorientierte Branche, die unter lateinamerikanischer Kontrolle steht und deren globale Wettbewerbsfähigkeit erwiesen ist. Selbst wenn chemische Drogen künftig den eigentlichen Stoff ersetzen sollten, verfügen doch die in Kolumbien basierten Netzwerke über das System, ihre beherrschende Marktposition zu halten, und dazu gehören auch die F&E-Aktivitäten für neues Produktdesign und neue Transporttechnologien. Der wichtigste Markt sind noch immer die Vereinigten Staaten, mit ihrer stabilen und umfangreichen Nachfrage nach Drogen. Als Folge der Sucht leiden die USA unter einer außerordentlichen Belastung durch Kriminalität, soziale Desintegration und Kosten für Polizei-, Rechts- und Strafsystem, deren wichtigste Ursachen in der Kriminalisierung von Drogen und Drogenhandel liegen. Auch Heroin aus Asien gehört dazu, und die amerikanische und sizilianische Mafia spielen ebenso wie heimische Gangs in vielen amerikanischen Städten eine wichtige Rolle in der kriminellen Szene. Der in Lateinamerika basierte Drogenhandel ist jedoch ein entscheidender Bestandteil der Kriminalität in Amerika, was so weit geht, dass die US-Politik gegenüber Lateinamerika von der Zwangsvorstellung beherrscht ist, den Drogenhandel am Ausgangspunkt seiner Angebotsseite zu bekämpfen. Das ist eine unlösbare Aufgabe, die aber die Beziehungen zwischen den USA und Lateinamerika vollständig transformiert hat: Aus dem altmodischen Imperialismus ist die hysterische Jagd nach einem nicht dingfest zu machenden Feind geworden, der immer wieder entwischt und dabei den politischen Systemen Schaden zufügt.

Wenn der *narcotráfico* die Abhängigkeitsbeziehung umkehrt, trägt er dann zur Entwicklung bei? Darüber gibt es eine heiße Debatte. Francisco Thoumi, ein führender Wirtschaftswissenschaftler, der über die politische Ökonomie des Rauschgifthandels arbeitet, glaubt nicht daran. Andere wie etwa Sarmiento verknüpfen das Wachstum in Kolumbien mit Rücküberweisungen aus dem Ausland und Investitionen, die durch Drogenhandel zustande kommen.[55] Wieder andere nehmen wie Laserna eine Zwischenposition ein und bewerten die wirtschaftlichen Auswirkungen von Koka/Kokain je nach der Art von Entwicklung, die wir gerade betrachten, nach den einzelnen Segmenten der Branche und dem Ort, wo sie stattfindet.[56] Ich neige dazu, mich ihm anzuschließen. In den Anbaugebieten – in Bolivien, Peru, Ecuador, Kolumbien – verbessern sich die Einkommen, aber nicht die Lebensverhältnisse. Denn die ständige Gefährdung der Produktion blockiert in diesen Ansiedlungen dauerhafte Investitionen. Das sind Goldgräberstädte, die sich ständig auf der Flucht befinden, bereit, an einem Standort abgebaut und 100 km weiter im Regenwald wieder errichtet zu werden. Was ich 1985 im Chapare auf dem Höhepunkt der boomenden Produktion gesehen habe, waren armselige Hütten ohne sanitäre Einrichtungen, ohne Wasseranschluss, wenig Elektrizität, keine Schulen, keine Gesundheitsversorgung, wenige Frauen und noch weniger Kinder. Aber ich habe an einem Ort mit nur 3 km Teerstraße auch eine Menge von Mercedes und BMWs und einen Überfluss an japanischer Konsumelektronik gesehen sowie einen IBM-PC ohne Stromanschluss, dessen Eigentümer mir stolz erklärte, dies würde der Schlüssel zur Ausbildung seiner Kinder werden. Der größte Teil des im Chapare verdienten Geldes (für eine Familie von Kokabauern, die viermal im Jahr ernten, etwa 20.000 US$ im Jahr) wurde auf der Straße in Pesos umgetauscht, um einen

55 Sarmiento (1990).
56 Laserna (1995, 1996).

Lastwagen zu kaufen oder zu Hause im Dorf ein Haus zu bauen. Ein Teil des Geldes wurde auf den Banken von Cochabamba deponiert, von wo aus dieses Kapital über La Paz, die Karibik und Miami gewaschen würde. Selbst in Cochabamba war 1985 außer ein paar neu gebauter Prachtvillen wenig Reichtum zu erblicken. Bei meinem zweiten Besuch 1998 sah ich in Cochabamba jedoch mehr Prachtbauten und viel mehr demonstrativen Konsum, als fühle sich die „Narko-Bourgeoisie" jetzt sicherer und seriöser. La Paz und die bolivianische Wirtschaft insgesamt haben mehr profitiert. Und etwas auch Peru: Ein Teil der erstaunlichen Kapitalinvestitionen in der Zeit von 1992-1996 könnte aus der kriminellen Ökonomie stammen. Aber die Bauern von Alto Huallaga, einer Region, die sich weitgehend unter der Kontrolle der Guerilla des mit den Narkohändlern verbündeten Sendero Luminoso befindet, schienen aus diesem Boom keine besonderen Vorteile gezogen zu haben. Die Kolumbier eigneten sich einen viel größeren Teil des Profits an, obwohl der größte Teil des Profits sicherlich zugunsten der kleinen, auf Kriminalität basierenden Wirtschaftselite in die globalen Finanzmärkte zurück geführt wurde. Aber es gab seit Mitte der 1980er Jahre in Kolumbien einen beträchtlichen Boom in Bau, Immobilien und Investitionen. Trotz der Verwüstungen durch Narko-Terrorismus und politische Instabilität erlebte der Großraum Bogotá 1995 eine jährliche Wachstumsrate des BIP von ungefähr 12%. Während meines höchst surrealistischen Abendessens mit dem Bürgermeister von Medellin in Bogotá im Dezember 1995 entwickelte er seine großartigen Pläne für eine neue Stadtentwicklung, die ins 21. Jahrhundert hinüber leiten sollte. Natürlich lässt sich diese Investitionswelle Mitte der 1990er Jahre nicht exakt auf kriminelle Ursprünge zurück verfolgen. Doch wenn man die vorsichtige Zurückhaltung des regulären ausländischen Kapitals gegenüber der Szene in Kolumbien berücksichtigt, ist es plausibel, einen Teil dieser Investitionen und erst recht die gewaltige Zunahme von Mittelsleuten, die in Kolumbien Investitionen in Bau, Landwirtschaft, Industrie und fortgeschrittenen Dienstleistungen managen, damit in Zusammenhang zu bringen, dass Profite aus dem Drogenhandel in die legale Wirtschaft zurück geführt werden. Demnach scheinen Bogotá und Kolumbien wirtschaftlichen Nutzen aus ihrer zentralen Stellung im profitablen Drogenhandel gezogen zu haben, allerdings werden die Vorteile dieses Geschäftszweiges teilweise durch die Zerstörungen ausgeglichen, die der Terrorismus, das Klima der Gewalt und die politische Instabilität durch den jeweils entgegen gesetzten Druck von Drogenhändlern und der US-Regierung verursachen. Und dementsprechend glitt Ende der 1990er Jahre, als die kolumbianischen Drogenhändler unter zunehmenden Druck von Regierung und US-Behörden gerieten und Gewalt und Guerillakrieg sich in Kolumbien ausbreiteten, die kolumbianische Wirtschaft in eine ernsthafte Rezession, was die strukturelle Instabilität einer Volkswirtschaft unterstreicht, die von Narko-Kapital abhängig ist.

Warum Kolumbien?[57]

Die Vorherrschaft der kolumbianischen Kartelle/Netzwerke im globalen Kokaingeschäft bedeutet, dass dieses Land erstmals eine hegemoniale Position in einem wichtigen Sektor der globalen Wirtschaft einnimmt, sieht man vom Kaffee-Export einmal ab. Das hat mit kulturellen und institutionellen Eigenheiten zu tun. Eine kurze Erinnerung daran, wie sich in Kolumbien eine exportorientierte Drogenhandelsbranche unter kolumbianischer Kontrolle entwickelt hat, ermöglicht es mir, ein wichtiges Thema meiner Interpretation des globalen Verbrechens einzuführen: *die hohe Bedeutung kultureller Identität für die Konstituierung, das Funktionieren und die Strategien der kriminellen Netzwerke.*

Der exportorientierte Drogenhandel setzte in Kolumbien Ende der 1960er und Anfang der 1970er Jahre in der atlantischen Küstenregion La Guajira mit dem Handel von Marihuana ein, das in den Bergen in der Nähe von Santa Marta angepflanzt wurde (die berühmte Marihuana-Sorte „Santa Marta Gold"). Sozialhistoriker in Kolumbien berichten, dass die Entdeckung der Möglichkeiten von Marihuana sich aus den Erfahrungen junger Amerikaner ergab, die in den 1960er Jahren vom US Peace Corps nach Kolumbien geschickt worden waren. Die amerikanische Mafia nahm von Panama aus Kontakt mit Kolumbien auf und organisierte den Handel zusammen mit einer lockeren Gruppe von Netzwerken in La Guajira und Barranquilla, einem Gebiet das jahrhundertelang das Reich der Piraten, Aussteiger und Schmuggler gewesen war. Sie wurden während der neuen Wohlstandsära der 1970er Jahre als *Marimberos* bekannt. Diese Phase war nicht von Dauer. Marihuana war für den Transport zu sperrig, und das niedrige Verhältnis von Preis zu Volumen bedeutete einen Wettbewerbsnachteil, als man sich strengeren Kontrollen des US-Zolls gegenüber sah. Der Marihuana-Markt in den

57 Eine dokumentierte Sozialgeschichte des Drogenhandels in Kolumbien liefern Betancourt und Garcia (1994). Eine gute journalistische Darstellung ist Castillo (1991). Analysen der wirtschaftlichen Auswirkungen auf Kolumbien enthalten Sarmiento (1990); L.F. Sarmiento (1991); Kalmanovitz (1993) und Thoumi (1994). Zu Sozialanalysen der kriminellen Subkulturen Kolumbiens und ihren Beziehungen zum Alltagsleben s. Prolongeau (1992) sowie Salazar und Jaramillo (1992). Für Berichte und Analysen über das Medellin-Kartell, die am besten untersuchte Verbrechensorganisation im Zusammenhang mit Kokain, und zu seinen Kriegen gegen das Cali-Kartell s. Veloza (1988); De Bernieres (1991); Gomez und Giraldo (1992) sowie Strong (1995). Zu den Verbindungen zwischen dem *narcotrafico* und paramilitärischen Organisationen in Kolumbien mit besonderem Bezug auf Boyaca s. Medina Gallego (1990). Zusätzliche Information bieten auch Camacho Guizado (1988); Perez Gomez (1988) sowie Arrieta u.a. (1990). Auch hier ist die Lektüre der *Nachricht von einer Entführung* von Garcia Marquez (1996) die erhellendste Quelle, um die Beziehungen zwischen dem *narcotrafico* und der kolumbianischen Gesellschaft zu verstehen. Ich habe meine Analyse auch während Besuchen in Bogotá 1992, 1994 und 1999 entwickelt und dabei Informationen gesammelt. Ich genoss den Vorzug, mich mit einer Reihe von Kollegen und Freunden zu treffen und zu unterhalten, deren Namen ich besser nicht nenne, obwohl diese Vorsichtsmaßnahme vermutlich übertrieben ist. Ich möchte aber sehr wohl allen und besonders E.H. meine tiefempfundene, wenn auch stille Dankbarkeit zum Ausdruck bringen.

USA wurde allmählich aus den Vereinigten Staaten selbst bedient. Humboldt County in Nord-Kalifornien überholte bald Kolumbien als Marihuana-Produzent. Die von den USA veranlasste Repression gegen den Anbau und Handel mit Marihuana in Mexiko und Kolumbien verstärkte bis in die 1990er Jahre die Verlagerung der meisten Produktionsstandorte in die USA (zum Beispiel in die Appalachen-Region), als die Kontrolle der mexikanischen Kartelle über große Teile des mexikanischen Staates die Rückkehr der Marihuana-Produktion für den grenzüberschreitenden Export ermöglichte.

Die Netzwerke, die um den Marihuana-Export aus Kolumbien heraus entstanden waren, überlebten in gewissem Maße. Amerikanische Mafiosi in Panama brachten Kolumbien und Bolivien durcheinander (sic) und fragten bei ihren kolumbianischen Kontaktleuten an, wie die Chancen eines Wechsels zu Kokain stünden. Einige unternehmungslustige Kolumbier, die in der Schmuggelbranche aktiv waren, ergriffen diese Chance. Sie konnten auch Koka produzieren, aber wichtiger war, dass sie den einsetzenden Handel übernehmen konnten, der in Bolivien, Ecuador, Peru und Chile entwickelt wurde. Einer von ihnen war ein früherer Studentenführer aus Medellin, Pablo Escobar, der gerade ein Riesengeschäft beim Handel mit gestohlenen Grabsteinen gemacht und bereits gelernt hatte, sich juristischer Verfolgung durch Bestechung und Mord zu entziehen. Er profitierte von einem günstigen Geschäftsklima.

Medellin, die Hauptstadt von Antioquia, war traditionell der Geburtsort des kolumbianischen Unternehmertums, das Gegenstück zu São Paulo in Brasilien. In den 1970er Jahren war seine traditionelle Textilindustrie wegen der internationalen Konkurrenz durch Kunstfasern ein Trümmerhaufen. Dasselbe galt für Cali, das andere industrielle Zentrum Kolumbiens und Hauptstadt des Valle del Cauca, dessen Zuckerindustrie unter den neuen Zuckerquoten litt, die im internationalen Handel festgelegt worden waren. Eine dritte Region, Boyaca im Zentrum des Landes war ebenfalls wirtschaftlich zusammengebrochen, weil der Smaragdbergbau und -schmuggel und damit ihr Hauptprodukt in der Krise steckte. Diese drei Gebiete wurden zu Zentren der Drogenhandelsnetzwerke, die sich um das Kokain herum entwickelten. Boyaca schloss sich unter Führung von Rodríguez Gacha, eines blutdürstigen, populistischen Führers, der Medellin-Gruppe an, die von Pablo Escobar und der Familie Ochoa geleitet wurde. Cali bildete ein eigenes Netzwerk und lieferte sich mit der Medellin-Gruppe einen brutalen Krieg. Die Cali-Gruppe stand unter der Führung der Brüder Rodríguez Orejula, stammte aus der oberen Mittelklasse von Cali und stellte die Macht der traditionellen kolumbianischen Oligarchie niemals in Frage, die immer Wirtschaft, Prestige, Reichtum, Land, Staatsapparat und die beiden Parteien *Conservador* und *Liberal* kontrolliert hatte. Diese Oligarchen fanden dennoch einen Weg, in dem mörderischsten Bürgerkrieg in Lateinamerika, La Violencia in den 1950er Jahren, die *Liberales* gegen die *Conservadores* zu hetzen. Dabei trat ein Muster der Gewalt hervor, das zum Markenzeichen der kolumbianischen kriminellen Netzwerke werden sollte.

Die Medellin-Gruppe dagegen musste, weil sie aus der unteren Mittelklasse stammte, in einer Kultur, in der nur Reichtum Respekt verschafft, ihre Klassenunterschiede mit der lokalen Elite bereinigen. Sie war auch hoch politisiert; das ging so weit, das Pablo Escobar und ein enger politischer Verbündeter 1982 in den kolumbianischen Kongress gewählt wurden, nur um auf Intervention der US-Botschaft wieder ausgeschlossen zu werden. Auch die Beziehungen zwischen den beiden Kartellen und den marginalen Bevölkerungsgruppen unterschieden sich deutlich. Escobar finanzierte in Medellin ein Wohnungsbauprogramm für niedrige Einkommensgruppen und soziale Dienstleistungen für die Armen und verschaffte sich eine beträchtliche soziale Basis unter den Bewohnern der informellen Siedlungen. Er versuchte sogar, die „Menschenrechte" seiner Jugendbanden gegen die offenkundigen Übergriffe der Nationalpolizei zu verteidigen. Das Cali-Kartell dagegen praktizierte „soziale Säuberung"; d.h., das willkürliche Töten Hunderter, vielleicht Tausender von „desechables" (Abfall), zu denen in den Augen der Rauschgifthändler Obdachlose, Prostituierte, Straßenkinder, Bettler, kleine Diebe und Homosexuelle gehörten. Dies wird bis jetzt in Bogotá von paramilitärischen Einheiten und von den Oberklassen initiierten „Jagdgesellschaften" praktiziert, die nachts den Terror in die Stadt bringen.

Alle am Drogenhandel beteiligten Gruppen erwarben ihre militärischen Fertigkeiten jedoch im selben Killer-Netzwerk: dem MAS (Muerte a Secuestradores), der 1981 als Reaktion auf die Entführung von Martha Nieves de Ochoa (aus der Ochoa-Familie in Medellin) durch linke Guerillas des M-19 gegründet worden war. Frau Ochoa kam nach Verhandlungen frei, aber die Morde folgten zu Hunderten über Jahre hinweg: Die Drogenhändler fuhren fort, klar zu stellen, dass sie stark und entschlossen genug waren, sich von niemandem irgend etwas aufzwingen zu lassen.

Ungeachtet ihrer gewalttätigen Meinungsverschiedenheiten und ihrer voneinander abweichenden Taktik hoffte jedoch die Medellin- ebenso wie die Cali-Gruppe darauf, vollständig in die kolumbianische Gesellschaft integriert zu werden. Wiederholt schlugen sie verschiedenen Präsidenten vor, die kolumbianische Auslandsschuld in bar zu begleichen (unterschiedliche Dollarsummen zu unterschiedlichen Zeitpunkten, immer in Milliardenhöhe), ihr Kapital in Kolumbien zu reinvestieren und so legale Geschäftsleute zu werden. Es war kein unmöglicher Traum. Aber es blieb dennoch ein Traum, weil die US-Regierung beschloss, hier den Riegel vorzuschieben und alle verfügbaren Mittel einzusetzen, um die Drogenhändler daran zu hindern, Kolumbien zu ihrer sicheren Heimatbasis zu machen. Der Hauptpunkt bestand daher in der Auslieferung der Drogenhändler an die Vereinigten Staaten, was die USA im Lauf der 1980er Jahre in Form einer gesetzlichen Regelung auch erreichten. Doch dies war auch der Grund, aus dem das Medellin-Kartell im Namen der „*Extraditables*" einen Frontalangriff auf den kolumbianischen Staat mit dem Ziel unternahm, das Gesetz wieder abzuschaffen. Es verlor die Schlacht, gewann aber den Krieg. Nach Jahren des gewaltsamsten städtischen Terrorismus, den Lateinamerika je erlebt hatte, war die Führungsgruppe des Medellin-Kartells dezimiert, und Pablo Escobar wurde im Dezember 1993 in Medellin auf einem Dach niedergeschossen. Doch 1992 untersagte die neue kolumbianische Verfassung die Auslieferung von Staatsangehörigen. Allerdings wurde 1998 auf Druck der USA das Auslieferungsverfahren wieder eingeführt.

Die Anhänglichkeit der Drogenhändler an ihr Land und ihre Herkunftsregion geht über strategische Berechnung hinaus. Sie waren oder sind in ihren Kulturen, Traditionen und Regionalgesellschaften tief verwurzelt. Sie haben nicht allein ihren Reichtum mit ihren Städten geteilt und einen bedeutenden (jedoch nicht den größten) Teil ihres Vermögens in ihrem Land investiert, sondern sie haben auch lokale Kulturen wieder belebt, das ländliche Leben neu aufgebaut, ihre religiösen Gefühle und ihren Glauben an lokale Heilige und Wunder entschieden bekräftigt, die musikalische Folklore gefördert (und sind dafür von kolumbianischen Barden mit Lobliedern belohnt worden), kolumbianische Fußballteams (die traditionell schlecht waren) zum Stolz der Nation gemacht und die vor sich hin dösenden Wirtschaftszusammenhänge und das gesellschaftliche Leben in Medellin und Cali wiederbelebt – bis Bomben und Maschinengewehre dem Spaß ein Ende bereiteten. Die Beerdigung von Pablo Escobar war eine Huldigung an ihn durch die Stadt und besonders durch die Armen der Stadt: Viele von ihnen betrachteten ihn als ihren Wohltäter. Tausende versammelten sich, riefen Parolen gegen die Regierung, beteten, sangen, weinten und nahmen Abschied.

Warum Kolumbien? Wegen des ursprünglichen Zusammentreffens latenter Drogenschmuggel-Netzwerke, die Verbindungen zu den Vereinigten Staaten herstellten, einer bestehenden Unternehmerklasse, die durch das Scheitern der Industrialisierung Lateinamerikas marginalisiert worden war und der tiefen Verwurzelung der relativ gebildeten, aufstiegsorientierten Schmuggler in ihren Kulturen und Lokalgesellschaften. Diese Kombination glücklicher Zufälle baute jedoch auf einer Tradition auf und nutzte ein sehr günstiges institutionelles Umfeld. Die Tradition bestand in der Gewalt, die Kolumbien durch seine gesamte Geschichte hindurch und besonders während der 1950er Jahre kennzeichnet. Die *sicarios* der 1980er Jahre waren eine Reinkarnation der *pajaros* („Vögel" = Killer), die während der *Violencia* sowohl für die Liberalen wie für die Konservativen gearbeitet hatten. Und die kolumbianischen Drogenhändler machten sich die ewige Legitimitäts- und Kontrollkrise des kolumbianischen Staates zunutze. Kolumbien ist der einzige Staat in Südamerika, wo sich zur Jahrtausendwende große Teile des Landes der Kontrolle der Regierung entziehen. Kommunistische Guerillas wie die *Fuerzas Armadas Revolucionarias Colombianas* und kleinere Gruppen wie der *Ejercito de Liberacion Nacional* haben Gebiete auf dem Land, in den Wäldern und Bergen Kolumbiens über das letzte halbe Jahrhundert hinweg kontrolliert. Während der 1980er Jahre organisierten Rodríguez Gacha und Carlos Lehder in Zentralkolumbien „antikommunistische freie Territorien" und übten von der Armee toleriert ihren Terror ungehemmt aus. Der kolumbianische Staat stand mehr noch als andere lateinamerikanische zugleich unter der Kontrolle einer schmalen Oligarchie und war tief durchdrungen von Korruption. Als mutige Führer wie Carlos Galan versuchten, diese Entwicklung umzukehren, wurden sie einfach ermordet (in seinem Fall von den *sicarios* von Pablo Escobar). Paramilitärische Gruppen, die mit Elementen in Polizei und Streitkräften in Verbindung stehen, haben Gemäßigten in der Regierung ihr brutales Diktat aufgezwungen und veranstalten oft Mordorgien an gewählten Amtsinhabern, Gewerkschaftsführern, Basisaktivisten, Intellektuellen und linken Militanten. Und das organisierte Verbrechen hatte lange bevor der Kokainhandel in Kolumbien Bedeutung gewann, bereits Einfluss auf die Regierung. Demnach erscheint die Hypothese von Thoumi als plausibel, der auf die Schwäche des kolumbianischen Staates als den entscheidenden Faktor verweist, der die herausragende Bedeutung Kolumbiens im globalen Kokainhandel begünstigt hat.[58] Dies verweist weiter auf eine übergreifende Tendenz. Wenn große, aber schwache Staaten wie Kolumbien die Etablierung von Kommando- und Kontrollzentralen der globalen kriminellen Netzwerke erleichtern, so ist wahrscheinlich, dass die Macht dieser kriminellen Zentren diese Staaten noch weiter überwältigen wird. Daraus folgt eine Abwärtsspirale, wonach diese kriminellen Zentren am Ende manche Staaten regelrecht kontrollieren könnten: nicht, indem sie der gewaltsamen Taktik vom Typ Medellin folgen, sondern durch die Kombination von Bestechung, Einschüchterung, der Finanzierung des politischen Lebens und der Stärkung kultureller Identität mit geschicktem internationalem Wirtschaftsmanagement. Kolumbien, dann Mexiko, dann Russland, dann Thailand, dann Nigeria, dann Albanien, dann ...

Globalisierung und Identität stehen in der kriminellen Ökonomie Lateinamerikas in einer Wechselbeziehung. Sie organisieren die perverse Koppelung, die Entwicklung und Abhängigkeit auf historisch nicht vorhergesehene Weise neu definiert.

Die Auswirkungen der globalen Kriminalität auf Wirtschaft, Politik und Kultur

Geldwäsche und ihre Derivate sind zu einer wesentlichen und besorgniserregenden Komponente der globalen Finanzströme und Aktienmärkte geworden. Der Umfang dieses Kapitals ist zwar unbekannt, vermutlich aber beträchtlich. Wichtiger aber ist seine Mobilität. Um nicht aufgespürt zu werden, wechselt Kapital, das aus der kriminellen Ökonomie stammt, beständig von Finanzinstitution zu Finanzinstitution, von Währung zu Währung, von Aktie zu Aktie, von Investitionen in Immobilien zu Investitionen in Unterhaltung. Wegen seiner

58 Thoumi (1994).

Wechselhaftigkeit und seiner hohen Risikobereitschaft folgt das kriminelle Kapital den spekulativen Turbulenzen der Finanzmärkte und verstärkt sie. So ist es zu einer wichtigen Quelle für die Destabilisierung der internationalen Finanz- und Kapitalmärkte geworden.

Die kriminelle Aktivität übt auch eine mächtige direkte Wirkung auf eine Reihe von Volkswirtschaften aus. In manchen Fällen überwältigt die Größe ihres Kapitals die Wirtschaft kleiner Länder. In anderen Fällen wie Kolumbien, Peru, Bolivien und Nigeria stellt es eine Summe dar, deren Größe ausreicht, um makroökonomische Prozesse zu beeinflussen und die in spezifischen Regionen und Sektoren entscheidende Bedeutung erhält. In wieder anderen Ländern wie Russland und Italien transformiert die Durchdringung von Geschäftswelt und Institutionen durch die organisierte Kriminalität das wirtschaftliche Umfeld, macht es unberechenbar und begünstigt so Investitionsstrategien, die sich auf kurzfristige Gewinne konzentrieren. Selbst in so großen Volkswirtschaften wie der Japans können Finanzkrisen durch kriminelle Manöver ausgelöst werden, wie 1995 bei den Verlusten an Sparguthaben und Anleihen im Wert von Hunderten Milliarden von Dollars infolge der faulen Kredite, die einigen Bankern von der *Yakuza* aufgezwungen worden waren. Die verzerrenden Folgen der unsichtbaren kriminellen Ökonomie für Geldpolitik und Wirtschaftspolitik insgesamt erschweren es noch zusätzlich, national verankerte Wirtschaftsprozesse innerhalb einer globalisierten Ökonomie zu kontrollieren, von der eine Komponente offiziell gar nicht existiert.

Die Auswirkungen der Kriminalität auf staatliche Institutionen und Politik sind sogar noch größer. Die staatliche Souveränität, die bereits durch die Prozesse der Globalisierung und Identitätsfindung erschüttert ist, wird durch die flexiblen Netzwerke des Verbrechens unmittelbar bedroht, die alle Kontrollen umgehen und ein Risikoniveau akzeptieren, dem sich keine andere Organisation aussetzen kann (s. Bd. II, Kap. 5). Die technologische und organisatorische Chance zur Schaffung globaler Netzwerke hat das organisierte Verbrechen transformiert und ihm zusätzliche Macht verschafft. Lange Zeit bestand seine Grundstrategie darin, nationale und lokale staatliche Institutionen im jeweiligen Heimatland zu durchdringen, um seine Aktivitäten abzusichern. Die sizilianische Mafia, die japanische *Yakuza*, die in Hongkong, Taiwan oder Bangkok beheimateten Triaden, die kolumbianischen Kartelle stützen sich auf ihre Fähigkeit, mit der Zeit eine tiefe Beziehung zu Segmenten der nationalen und regionalen Staatsapparate aufzubauen, mit Bürokraten ebenso wie mit Politikern. Das ist für die Operationsweise des organisierten Verbrechens immer noch wichtig: Es kann nur auf der Grundlage von Korruption und Einschüchterung von staatlichem Personal und manchmal auch staatlichen Institutionen überleben. In jüngster Zeit hat die Globalisierung der institutionellen Strategie des organisierten Verbrechens aber eine entscheidende Wendung hinzu gefügt. Es haben sich an verschiedenen Stellen der ganzen Welt sichere oder relativ sichere Heimstätten gefunden: klein (Aruba), mittel (Kolumbien), groß (Mexiko), XL

(Russland) neben vielen anderen. Außerdem ermöglichen die hohe Mobilität und extreme Flexibilität der Netzwerke, nationalen Regulierungen und den starren Verfahrensweisen der internationalen Polizeiorganisation auszuweichen. So präsentiert die Integration der Europäischen Union dem organisierten Verbrechen eine wunderbare Gelegenheit, sich die Widersprüche zwischen den nationalen Rechtslagen und das Zögern, mit dem die meisten Polizeien ihre Unabhängigkeit aufgeben, zunutze zu machen. So ist Deutschland zu einem wichtigen Operationszentrum der sizilianischen Mafia geworden, Galizien ist ein wichtiger Ausgangspunkt für die kolumbianischen Kartelle, und die Niederlande beherbergen wichtige Knotenpunkte des Heroinschmuggels der chinesischen Triaden.[59] Wenn in einem bestimmten Land der Druck von Seiten des Staates und von internationalen Mächten (gewöhnlich der US-Geheimdienste) zu groß wird, selbst wenn die Gegend für das internationale Verbrechen zuvor „sicher" war (etwa die starke Repression gegen das Verbrechen auf Sizilien 1995-1996 oder in Medellin und Cali 1994-1996), erlaubt es die Flexibilität des Netzwerkes, seine organisatorische Geometrie zu verändern, Nachschubbasen zu verlegen, Transportrouten zu variieren und neue Wohnorte für die Bosse zu finden, was zunehmend in wohl beleumundeten Ländern wie der Schweiz, Spanien und Österreich geschieht. Und das, worauf es ankommt, das Geld, zirkuliert schließlich sicher in den Strömen computerisierter Finanztransaktionen, die von *offshore*-Bankenzentren aus betrieben werden, die ihr Wirbeln in Zeit und Raum dirigieren.

Wenn das organisierte Verbrechen durch Vernetzung und Globalisierung der Polizeikontrolle entgeht, ermöglicht ihm dies außerdem den weiteren Zugriff auf seine Heimatbasen. So erlitten die kolumbianischen Drogenkartelle (vor allem Medellin) Mitte der 1990er Jahre ernsthafte Rückschläge, doch die kolumbianischen Drogenhändler überlebten, indem sie ihre Organisation veränderten und ihre Strukturen dezentralisierten. Sie waren natürlich nie ein hierarchisches, konsolidiertes Kartell gewesen, sondern ein lockerer Zusammenschluss von Exporteuren, zu dem in Cali mehr als 200 unabhängige Organisationen gehörten. Wenn also einige Führer allzu unleidlich werden (wie etwa Rodríguez Gacha oder Escobar) oder eliminiert werden, finden diese Netzwerke neue Arrangements, neue Machtbeziehungen und neue, wenn auch instabile Formen der Kooperation. Gestützt auf lokale Flexibilität und globale Komplexität pariert die kriminelle Ökonomie die verzweifelten Versuche der starren, national gebundenen staatlichen Institutionen, sie zu kontrollieren, die von vornherein wissen, dass sie die Schlacht verlieren. Damit sind sie auch dabei, einen unverzichtbaren Bestandteil staatlicher Souveränität *und Legitimität* zu verlieren: die Fähigkeit, Recht und Ordnung durchzusetzen.

In einer verzweifelten Reaktion auf die zunehmende Macht des organisierten Verbrechens greifen demokratische Staaten in Selbstverteidigung zu Maß-

---

59 Sterling (1994); Roth und Frey (1995); *The Economist* (1999b).

nahmen, die demokratische Freiheiten einschränken und weiter einschränken werden. Weil außerdem Netzwerke von Immigranten häufig vom organisierten Verbrechen genutzt werden, um in Gesellschaften einzudringen, löst die übertriebene und ungerechtfertigte Assoziation zwischen Einwanderung und Kriminalität fremdenfeindliche Gefühle in der öffentlichen Meinung aus und untergräbt so die Toleranz und die Fähigkeit zur Koexistenz, die unsere zunehmend multi-ethnischen Gesellschaften so dringend brauchen. Weil der Nationalstaat in die Defensive gedrängt ist und die nationalen Gesellschaften und Ökonomien durch ihre Verflechtung mit den transnationalen Netzwerken von Kapital und Menschen bereits verunsichert sind, könnte der zunehmende Einfluss der globalen Kriminalität zu einschneidenden Beschränkungen demokratischer Rechte, Werte und Institutionen führen.

Der Staat wird nicht nur von außen durch das organisierte Verbrechen umgangen. Er zerfällt auch von innen heraus. Neben der Fähigkeit der Kriminellen, Polizei, Richter und Staatsbeamte zu bestechen und/oder einzuschüchtern steht die tückischere und zerstörerischere Durchdringung: *die Korruption der demokratischen Politik*. Der immer größere Finanzbedarf politischer Kandidaten und Parteien verschafft dem organisierten Verbrechen eine erstklassige Gelegenheit, in entscheidenden Situationen von Wahlkämpfen Hilfe anzubieten. Jeglicher Schritt in diese Richtung wird einem Politiker für immer anhaften. Außerdem bietet die Vorherrschaft der Skandalpolitik, des Rufmordes und des *image-making* im demokratischen Prozess dem organisierten Verbrechen ein günstiges Feld zur politischen Einflussnahme (s. Bd. II, Kap. 6). Indem Politiker mit Sex, Drogen und Geld verlockt werden oder wenn nötig auch durch erfundene Behauptungen, hat das organisierte Verbrechen ein breites Netzwerk der Informationsbeschaffung und Erpressung geschaffen, in dem Einfluss gegen Schweigen gehandelt wird. In den 1990er Jahren wurde die Politik vieler Länder nicht nur in Lateinamerika von Skandalen und Krisen beherrscht, die auf den direkten oder indirekten Zusammenhang zuwischen organisiertem Verbrechen und Politik zurück gingen. Aber zusätzlich zu diesen bekannten oder vermuteten Fällen politischer Korruption legt die Allgegenwart der Skandalpolitik die Annahme nahe, dass das organisierte Verbrechen sich in einer Reihe von Ländern Positionen in der Welt von Politik und Medien verschafft hat, etwa in Japan (*Yakuza*)[60] und Italien (sizilianische Mafia).

60 Um nur ein Beispiel für die Durchdringung des Staates durch das organisierte Verbrechen in Japan zu nennen, möchte ich einen Bericht aus einem zuverlässigen japanischen Magazin zusammenfassen. Am 3. Januar 1997 wurde der ehemalige Verteidigungsminister der japanischen Regierung Keisuke Nakanishi, noch immer ein führender Politiker der Shinshinto-Partei, auf dem Flughafen Haneda von zwei Mitgliedern der *Yakuza* angegriffen und leicht verletzt. Dem Übergriff lag offenbar ein Streit zwischen der *Yakuza* und dem Ex-Minister über dessen Verhalten bei der Beschaffung eines Großkredits zugrunde, den eine Bank einer Entwicklungsgesellschaft zugunsten der *Yakuza* gewähren sollte. Während der Transaktion verschwanden ungefähr 200 Mio. Yen, und die *Yakuza* griff zur Einschüchterung, um wie-

Der Einfluss der globalen Kriminalität reicht auf subtilere Weise auch in die *kulturelle Sphäre*. Einerseits stützt die kulturelle Identität die meisten dieser kriminellen Netzwerke und liefert die Codes und die Bindungen, die innerhalb eines jeden Netzwerkes Vertrauen und Kommunikationsfähigkeit schaffen. Diese Komplizität schließt Gewalt gegen die eigenen Leute nicht aus. Vielmehr erfolgen die meisten Gewaltakte innerhalb des Netzwerkes. Es gibt jedoch innerhalb der kriminellen Organisation eine breitere Ebene des Teilens und Verstehens, die auf Geschichte, Kultur und Tradition aufbaut und eine eigene Legitimationsideologie hervorbringt. Das ist durch zahlreiche Studien zur sizilianischen und amerikanischen Mafia seit ihrem Widerstand gegen die französische Besatzung im 18. Jahrhundert und unter den chinesischen Triaden belegt worden, deren Ursprünge auf den Widerstand des Südens gegen nördliche Invasoren zurück geht und die sich dann im Ausland als Bruderschaften weiter entwickelt haben. In meiner kurzen Beschreibung der kolumbianischen Kartelle habe ich einen Einblick in ihre tiefe Verwurzelung in der Regionalkultur und in ihrer ländlichen Vergangenheit gegeben, die sie wieder zu beleben suchten. Und auch das russische organisierte Verbrechen, das wahrscheinlich das kosmopolitischste ist, ist in die russische Kultur und ihre Institutionen eingebettet. Je globaler das organisierte Verbrechen in der Tat wird, desto stärker betonen seine wichtigsten Bestandteile ihre kulturelle Identität, um nicht im Wirbelwind des Raumes der Ströme zu verschwinden. Damit bewahren sie zugleich ihre ethnischen, kulturellen und, wo dies möglich ist, auch ihre territorialen Grundlagen. Die kriminellen Netzwerke sind den multinationalen Konzernen vermutlich in der Fähigkeit voraus, kulturelle Identität und globales Unternehmertum miteinander zu verbinden.

Die wichtigste kulturelle Auswirkung, die die globalen kriminellen Netzwerke für die Gesellschaften insgesamt haben, liegt jedoch jenseits des Ausdrucks ihrer eigenen kulturellen Identität in der *neuen Kultur, die sie initiieren*. In vielen Zusammenhängen sind wagemutige, erfolgreiche Kriminelle zu Rollenmodellen für eine junge Generation geworden, die keine einfache Möglichkeit sieht, der Armut zu entkommen und sicherlich keine Chance auf den Genuss von Konsum und wirklichem Abenteuer. Von Russland bis Kolumbien bestätigen die Beobachter die Faszination, die die Mafiosi auf die lokalen Jugendlichen ausüben. In einer Welt der Exklusion und inmitten einer Krise der politischen Legitimität verwischen sich zunehmend die Grenzen zwischen Protest, Mustern der unmittelbaren Befriedigung, Abenteuer und Verbrechen. Vielleicht hat Garcia Marquez besser als irgend jemand sonst die „Kultur der Dringlichkeit" der jungen Killer in der Welt des organisierten Verbrechens erfasst. In seinem Tatsachenbericht *Nachricht von einer Entführung* (1996) beschreibt er den Fatalismus

---

der an das Geld heran zu kommen. Von Herrn Nakanishi wurde angenommen, er habe sich während seiner Amtszeit als Verteidigungsminister an verschiedenen gemeinsamen Geschäftsunternehmen mit der *Yakuza* beteiligt (nach *Shukan Shincho*, 16. Januar 1997).

und Negativismus der jungen Killer. Für sie gibt es keine Hoffnung in der Gesellschaft, und alles, besonders Politik und Politiker, ist verfault. Das Leben selbst hat keinen Sinn, und ihr Leben hat keine Zukunft. Sie wissen, dass sie bald sterben. Also zählen allein der Augenblick, sofortiger Konsum, gute Kleidung, gutes Leben auf der Flucht, zusammen mit der Befriedigung, Angst auszulösen, sich mit ihren Knarren mächtig zu fühlen. Nur ein höchster Wert: ihre Familie, und besonders ihre Mutter, für die sie bereit sind, alles zu tun. Und ihre religiösen Vorstellungen, besonders ihr Glaube an bestimmte Heilige, die ihnen in schlechten Augenblicken helfen sollen. In eindrucksvoller literarischer Manier stellt Garcia Marquez das Phänomen dar, das viele Sozialwissenschaftler auf der ganzen Welt beobachtet haben: Junge Kriminelle sind gefangen zwischen ihrer Begeisterung für das Leben und ihrer Einsicht in ihre eigenen Grenzen. Deshalb pressen sie das Leben in ein paar Augenblicke, um es voll auszukosten und dann zu verschwinden. Während dieser kurzen Momente der Existenz entschädigen das Durchbrechen der Regeln und das Gefühl des Machtgewinns für das monotone Bild eines längeren, aber elenden Lebens. Ihre Wertvorstellungen werden von anderen Jugendlichen weitgehend geteilt; freilich nicht in so extremer Form.[61]

Die Verbreitung der Kultur des organisierten Verbrechens wird durch die Allgegenwart des Alltagslebens der kriminellen Welt in den Medien noch unterstützt. Menschen auf der ganzen Welt ist vermutlich die Medienversion der Arbeitsbedingungen und der Psyche von Killern und Drogenhändlern vertrauter als die Dynamik der Finanzmärkte, wo ihr eigenes Geld investiert wird. Die kollektive Faszination, die Actionfilme auf der ganzen Welt auslösen, in denen die Protagonisten Akteure im organisierten Verbrechen sind, lässt sich nicht allein durch den unterdrückten Drang zur Gewalt in unserer Psyche erklären. Sie könnte durchaus ein Hinweis auf den kulturellen Zusammenbruch der traditionellen Moralordnung sein und die implizite Einsicht in eine neue Gesellschaft, die aus kommunaler Identität und unbändiger Konkurrenz besteht, deren konzentrierter Ausdruck globale Kriminalität ist.

61 Souza Minayo u.a. (1999); Waiselfisz (1999).

4 Entwicklung und Krise in der asiatischen Pazifikregion: Globalisierung und Staat[1]

Das wechselhafte Schicksal der asiatischen Pazifikregion[2]

Vor dem 2. Juli 1997 galt die asiatische Pazifikregion zurecht als die weltweite Erfolgsstory in Sachen Wirtschaftsentwicklung und technologischer Modernisierung während des letzten halben Jahrhunderts. So betrug die reale durchschnittliche Jahreswachstumsrate des weltweiten BIP zwischen 1965 und 1996 3,1%. Dagegen wuchsen in der asiatischen Pazifikregion China um die durchschnittliche Jahresrate von 8,5%, Hongkong um 7,5%, Südkorea um 8,9%, Singapur um 8,3% Thailand um 7,3%, Indonesien um 6,7%, Malaysia um 6,8%, die Philippinen um 3,5% und Japan um 4,5%. 1950 wurden 19% des Welteinkommens in Asien erzielt; 1996 erreichte sein Anteil 33%. Im Zeitraum von etwa drei Jahrzehnten war die asiatische Pazifikregion zum wichtigsten Zentrum der Kapitalakkumulation auf dem Planeten geworden, zum größten industriellen Produzenten, zur wettbewerbsstärksten Handelsregion, zu einem der beiden führenden Innovations- und Produktionszentren für Informationstechnologie (das andere waren die USA) und zu dem am schnellsten expandierenden Markt. Und außerdem in einer besonders folgenreichen Entwicklung zum heißesten Zielgebiet auf der Welt für Investitionen in *emergent markets*. Im Lauf der 1990er Jahre nahmen die asiatischen Entwicklungsländer einen Kapitalzufluss auf, der

---

1 Dieses Kapitel ist im Herbst 1999 gründlich überarbeitet worden, um neue Materialien und Analysen einzubauen, die die Asienkrise von 1997-1998 und ihre Folgen für Staaten und Gesellschaften in der asiatischen Pazifikregion, aber auch für die globale Ökonomie berücksichtigen.

2 Die Daten zur Asienkrise für alle Länder für den Zeitraum von 1996-1998 stammen aus der wirtschaftlichen Standardliteratur, vor allem aus *Far Eastern Economic Review, Business Week, The Economist, The Wall Street Journal, The Financial Times* und *The International Herald Tribune* sowie aus Internet-Quellen. Weil alle diese Quellen leicht öffentlich zugänglich sind, halte ich es nicht für notwendig, jede hier angeführte Zahl einzeln nachzuweisen. S. auch Jomo (1999) und Henderson (1999). Mehrere Kollegen haben wertvolle Ideen und Informationen beigesteuert. Ich möchte vor allem Chu-Joe Hsia von der National Taiwan University, Jeffrey Henderson von der University of Manchester, You-tien Hsing von der University of British Columbia, Jong-Cheol Kim von der University of California, Berkeley und Jeffrey Sachs von der Harvard University danken.

auf über 420 Mrd. US$ geschätzt wird. Zusammen mit dem Aufstieg Chinas zur Weltmacht und mit der technologischen und finanziellen Macht Japans schien es, als sei eine geo-ökonomische Gewichtsverlagerung in Vorbereitung, die das Pazifische Zeitalter einleiten werde. Dann brachen innerhalb weniger Monate 1997 und 1998 ganze Volkswirtschaften in sich zusammen (Indonesien, Südkorea), andere gerieten in eine tiefe Rezession (Malaysia, Thailand, Hongkong, die Philippinen), und Japan als die führende Volkswirtschaft, die zweitgrößte der Welt, wurde von Finanzpleiten erschüttert, was international zu Wertabschlägen für japanische Anleihen und Aktien führte. Am Ende geriet auch die japanische Wirtschaft in eine Rezession. Taiwan und Singapur hatten wesentlich weniger zu leiden, obwohl sie eine mäßige Abwertung ihrer Währungen erlebten. Das Wachstum Taiwans verlangsamte sich, und Singapur ging 1998 erstmals leicht zurück. China schien beim Einsetzen der Krise den Schock zu verkraften und war das einzige Land, das zur Stabilisierung der Region beitrug. Das von den anderen abweichende Verhalten der Volkswirtschaften Chinas, Taiwans und Singapurs inmitten der globalen Turbulenzen von 1997 und 1998 ist eine höchst bedeutsame Beobachtung, die einige Hinweise für die Erklärung der Krise und der darauf folgenden Entwicklung geben kann. Ich werde die Bedeutung dieser Beobachtung am Ende dieses Kapitels interpretieren.

Anfang 1999 schienen sich die asiatischen Volkswirtschaften von der Krise erholt zu haben. Unter Führung der durch staatliche Maßnahmen angeregten Wiederbelebung der japanischen Wirtschaft, die ihre Importe aus asiatischen Ländern nach einem Rückgang von 10% 1998 um 13% erhöhte, kehrte die asiatische Pazifikregion auf den Wachstumspfad zurück. Durch die Abwertung der meisten Währungen unterstützte Exporte waren erneut der Motor der wirtschaftlichen Erholung. Die Börsen der Region gingen bis zum Juli 1999 steil in die Höhe: In Südkorea, Malaysia und Indonesien stiegen die Stammaktien während der ersten Jahreshälfte 1999 um 60%. In der zweiten Jahreshälfte 1999 kam es jedoch in allen Ländern außer Japan zu einer erheblichen Verlangsamung des Wachstums. Dass China dagegen ein Wachstum von 7% beibehielt, war hauptsächlich auf Staatsausgaben zurück zu führen, die Geld in eine Wirtschaft pumpten, die sich am Rande der Deflation bewegte. Die Auslandsanleihen wiesen in der asiatischen Pazifikregion (ohne Japan) 1998 einen Negativsaldo von 50 Mrd. US$ auf und 1999 ebenfalls einen Negativsaldo von 26 Mrd. gegenüber einem Positivsaldo von 110 Mrd. vor der Krise 1996. Die Voraussagen für 2000 waren ähnlich negativ. Nach *Business Week* (18. Oktober 1999) mussten ausländische Gläubiger in Ostasien sogar Kredite im Wert von 300 US$ Mrd. abschreiben. Auch die Portfolio-Investitionen in Asien fielen zwischen 1996 und 2000 rapide ab. Demnach war die Situation nach der Krise durch wirtschaftliche Instabilität und Schwankungen der Finanzmärkte charakterisiert. Für die asiatische Pazifikregion begann mit dem neuen Jahrtausend wirklich eine neue Ära. Aber es war nicht das Pazifische Zeitalter, sondern eine Ära der Ungewissheit und wirtschaftlichen Neustrukturierung im Prozess des

Auftretens neuer Beziehungen zwischen Volkswirtschaften, Gesellschaften und staatlichen Institutionen im Gefolge der Krise.

Wenn wir die Gründe und Charakteristika der Asienkrise von 1997-1998 betrachten, können wir den spezifischen Prozess besser verstehen, durch den Asien in den globalen Kapitalismus integriert worden ist, und damit auch die neuen Züge des globalen Kapitalismus selbst. Natürlich tobt dazu die Debatte zwischen den Wirtschaftswissenschaftlern, doch die detaillierte Darstellung dieser Debatte würde uns allzu weit weg vom zentralen analytischen Schwerpunkt dieses Kapitels führen. Außerdem war die Asienkrise kein Einzelereignis, und ihre Folgen zeichnen sich in einem noch immer anhaltenden Prozess erst richtig ab. Jegliche empirische Beurteilung ihrer Konturen wäre daher bis zu dem Zeitpunkt, an dem Sie diese Zeilen lesen, bereits überholt. Ich werde mich deshalb auf das konzentrieren, was an der Interpretation der Asienkrise im Bezugsrahmen des langfristigen Prozesses der asiatischen Entwicklung von allgemeinem analytischen Wert ist und mich dabei auf das konzentrieren, was ich als den zentralen Faktor in diesem Prozess sehe: die sich entfaltende Beziehung zwischen Globalisierung und Staat.

Die Asienkrise war ihrem Ursprung nach eine Finanzkrise, die durch eine Währungskrise hervorgerufen wurde. Nach der Abwertung des thailändischen Baht am 2. Juli 1997 gerieten die meisten Währungen der Region mit Ausnahme des nicht vollständig konvertiblen Yuan ins Trudeln (die indonesische Rupie verlor beispielsweise innerhalb eines Jahres 80% ihres Wertes gegen den Dollar, obwohl die Halbjahresmarke noch viel schlimmer war: –250%). Die Abwertung der Währung machte es für die Banken unmöglich, den ausländischen Gläubigern ihre kurzfristigen Kredite zurück zu zahlen, weil sie mit Währungen arbeiteten, die bis dahin an den Dollar gebunden gewesen waren. Als die Regierungen meistenteils unter dem Druck des IWF handelten und zur Verteidigung ihrer Währungen die Zinsraten erhöhten, setzten sie die zahlungsunfähigen Banken und Firmen zusätzlich unter Druck und brachten ihre Volkswirtschaften im Endeffekt zum Stillstand, weil sie die Kapitalversorgung austrockneten. Ferner haben führende Ökonomen wie Jeffrey Sachs überzeugend dargetan, dass die Intervention des IWF die Krise erheblich verschlimmert hat.[3] Denn als das Hauptproblem in der mangelnden Glaubwürdigkeit einer bestimmten Währung bestand, war es entscheidend wichtig, das Vertrauen in diese Währung wieder her zu stellen. Dagegen verstärkten die alarmierenden Aussagen des IWF über die Krisen der Volkswirtschaften und über die Unzuverlässigkeit ihrer Banken und Finanzinstitutionen noch die Finanzpanik und veranlassten sowohl internationale wie einheimische Investoren, ihr Geld abzuziehen und keine neuen Kredite zu gewähren. Deshalb fielen die Währungen noch stärker, und Tausende von Firmen gingen bankrott. Die Instabilität der asiatischen Finanzmärkte rief spekulative Bewegungen hervor, die sich über die Devisenmärkte der Region ausbreiteten. Als am 23. Oktober

3 Sachs (1998).

1997 der Hongkong-Dollar, ein Symbol der Stabilität, nachhaltig unter Druck geriet, wurde die Wirtschaft des Territoriums ernsthaft untergraben, und die Immobilienwerte fielen zwischen Mitte 1997 und Mitte 1998 um 40%, womit der Gegenwert von 140 Mrd. US$ vom Reichtum Hongkongs vernichtet wurde. Zwar stabilisierte die Entschlossenheit Chinas zur Verteidigung des Finanzsystems Hongkongs die Währung für eine gewisse Zeit, aber die Hongkong-Krise wurde zum Wendepunkt, durch den die globalen Investoren auf die Gefahren aufmerksam wurden, die auf den *emergent markets* in Asien lauerten. Südkorea, die am höchsten verschuldete Volkswirtschaft, die elftgrößte der Welt, brach regelrecht zusammen. Ende 1997 war Südkorea gezwungen, sich für bankrott zu erklären und seine wirtschaftliche Souveränität im Austausch für einen Stützungskredit von 58 Mrd. US$, den höchsten in der Geschichte des IWF, dem IWF zu übertragen. Die Austeritätspolitik, die in Südkorea und in der gesamten Region durchgeführt wurde, brachte die meisten Volkswirtschaften der asiatischen Pazifikregion mit Ausnahme Chinas und Taiwans 1998 in die Rezession.

Der Asienkrise lag demnach der Vertrauensverlust der Investoren und der plötzliche Glaubwürdigkeitsmangel der asiatischen Währungen und Wertpapiere auf den globalen Finanzmärkten zugrunde. Was die Krise ausgelöst hat, war die brutale Umkehr der Kapitalströme: Die fünf am stärksten beschädigten Volkswirtschaften (Südkorea, Thailand, Indonesien, Malaysia und die Philippinen) verzeichneten 1996 einen Kapitalzustrom von 93 Mrd. US$, der sich 1997 in einen Abfluss von 12 Mrd. US$ verwandelte – ein Umschlag in der Höhe von 105 Mrd. US$. Was war aber die Ursache dieser Glaubwürdigkeitskrise? Manche Wirtschaftswissenschaftler wie Krugman und Fischer vom IWF verweisen auf die Schwächen der asiatischen Volkswirtschaften: etwa Leistungsbilanzdefizite, abgeschottete Finanzsysteme, überbewertete Währungen, übermäßige kurzfristige Verschuldung und der Einsatz überbewerteter Immobilien als Sicherheit für Kredite. Andere Ökonomen wie Sachs und Stiglitz verweisen im Gegenteil auf die grundsätzlich soliden Merkmale der meisten asiatischen Volkswirtschaften wie Budgetüberschüsse, niedrige Inflation, hohe Sparquoten, Exportorientierung – all die Merkmale, die das tägliche Brot guter Entwicklungsökonomie sind. Das war durchaus auch die Ansicht der globalen Investoren. Außerdem gab es beträchtliche Unterschiede zwischen den makroökonomischen Daten und der Industriepalette der verschiedenen Volkswirtschaften, die letztlich gemeinsam in der Krise steckten, während andere, insbesondere Taiwan, China und in gewissem Maß auch Singapur dem Sturm stand hielten und eine Rezession vermeiden konnten. Es gab also einerseits eine externe Ursache für die Krise, die mit der Dynamik der globalen Finanzmärkte zusammenhing. Andererseits führten ökonomische Vielfalt und institutionelle Besonderheiten zu sehr unterschiedlichen Auswirkungen der Krise und darauf folgende Entwicklungen.[4] Untersuchen wir diese beiden Beobachtungen eine nach der anderen.

4 Henderson (1998a)

Zuallererst die externe Dimension der Krise: wie und warum die Globalisierung des Finanzsystems die finanzielle Stabilität einer Reihe von asiatischen Ländern erschüttert hat. Manche Elemente der asiatischen Volkswirtschaften (wie politisch regulierte Bankgeschäfte und mangelhafte Transparenz des Rechnungswesens) waren für vorsichtige kapitalistische Investoren Anlass zur Sorge. Aber diese Dinge waren Jahre lang bestens bekannt gewesen und haben massive Auslandsinvestitionen in direkter Form oder in Beteiligungen nicht abgeschreckt. Warum verschwand dieses Vertrauen plötzlich 1997 innerhalb von wenigen Monaten? Wie verwandelten sich in den Augen der Investoren staatlicher Schutz in Günstlingskapitalismus und finanzielle Flexibilität in verantwortungslose Kreditaufnahme? Ein wichtiger Grund für die Instabilität des asiatischen Finanzsystems scheint das übermäßig große Volumen der Auslandsanleihen gewesen zu sein, von denen viele kurzfristig waren. Es hatte ein solches Ausmaß erreicht, dass, wie Jeffrey Sachs meint, den Investoren klar wurde, dass sobald alle Investoren ihre Kredite stoppten, Länder wie Thailand, Indonesien und Südkorea zahlungsunfähig würden. Sobald daher Bedenken wegen der Überbewertung bestimmter Währungen auftauchten (besonders des Baht und des Won), kam es zum Wettlauf zwischen den Investoren, ihr Geld vor den anderen zurück zu ziehen. Es wurde zu einer *self-fulfilling prophecy*. Als infolge der wirtschaftlichen Unsicherheit die Immobilienpreise zusammenbrachen, verschwanden die meisten Vermögenswerte, die als Sicherheiten für offenstehende Kredite gedient hatten. Und die staatliche Unterstützung ließ sich nicht mehr durchhalten, angesichts der Größenordnung an Hilfe, die zahlreiche Banken und Konzerne alle zur selben Zeit benötigten. Dann vertieften globale Akteure die Krise. Private Bewertungsfirmen wie Moody's und Standard & Poor schlugen Alarm, indem sie ganze Länder herabstuften – etwa Südkorea. Diese Abstufung erstreckt sich automatisch auf alle Finanzunternehmen und Konzerne, die von dem abgestuften Land aus operieren (die sog. *sovereign ceiling doctrine*). Damit kam – abgesehen vom Aufkauf neuer einheimischer Firmen vor allem der Finanzbranche zu Schleuderpreisen – der Zustrom an ausländischen Investitionen zum Stillstand. Andererseits rettete die vom IWF aufgezwungene Politik einen Großteil des Geldes der ausländischen Investoren auf Kosten der Verschärfung der Glaubwürdigkeitskrise und der Stagnation der einheimischen Wirtschaften, weil sie es den Firmen noch mehr erschwerte, ihre Kredite zurück zu zahlen. Damit wurde die Pleitewelle ausgeweitet. Die schwächsten Volkswirtschaften wie Indonesien brachen buchstäblich zusammen, was zu weitgehender De-Industrialisierung und Rückwanderung aufs Land führte. Die Folge waren große soziale Unruhen: manchmal chaotisch, mit Umschlagen in ethnisch/religiösen Hass; manchmal günstig für soziale und politische Veränderungen (etwa das Ende der Diktatur Suhartos; Wirtschaftsreform und Stärkung der Demokratie in Südkorea unter Kim Dae-Jung; politischer Wandel in Thailand).

Es ist ein weiterer Faktor zu berücksichtigen, wenn man den Zeitpunkt und die Charakteristika der Asienkrise erklären will. Das ist die Krise, in der Japan selbst während des größten Teils der 1990er Jahre steckte und die ein wesentlicher Faktor für die Unfähigkeit der Region war, auf die Verwerfungen zu reagieren, die durch die schwankenden Kapitalströme hervor gerufen wurden. Wäre Japan in der Lage gewesen, Kapital auszuleihen, Importe aufzunehmen und die Finanzmärkte zu reorganisieren, so wäre die Asienkrise nur eine vorübergehende Turbulenz gewesen. In Wirklichkeit hatte Japan aber seit Anfang der 1990er Jahre unter einer Strukturkrise seines Entwicklungsmodells gelitten. Außerdem hatte der japanische Staat bereits seit einiger Zeit Selbstverleugnung geübt, so dass Japan keineswegs ein Bollwerk gegen die Krise in Asien bildete, sondern vielmehr selbst ernsthaft unter den Folgen des finanziellen Zusammenbruchs in der gesamten Region zu leiden hatte. Der wackelige Zustand der japanischen Banken und Finanzinstitutionen wurde offenkundig, und die Wirtschaft geriet nach Jahren der Stagnation in eine Rezession, bis Japan sich schließlich auf einen Reformprozess einließ, der 1998-1999 einige Ergebnisse zeitigte. Ich werde weiter unten in diesem Kapitel auf die spezifische Krise in Japan und auf ihre Beziehung zur Asienkrise insgesamt zurück kommen.

Diese Interpretation der Asienkrise muss jedoch nach der Theorie des informationellen globalen Kapitalismus, wie sie in diesem Buch durchgängig dargestellt wird, in den Bezugsrahmen einer weiter ausgreifenden Analyse gestellt werden. Ich behaupte, dass der wichtigste Grund, aus dem die globalen Finanzmärkte die Stabilität der asiatischen Volkswirtschaften überrannt hatten, darin bestand, dass die globalen Finanzströme Mitte der 1990er Jahre diese Wirtschaften so tief durchdrungen hatten, dass sie süchtig nach kurzfristigen Anleihen und damit extrem verwundbar für jegliche kurzfristige Richtungsänderung der Investitionsströme geworden waren. Spekulationsmanöver stellten zweifellos einen Faktor dar, als eine Reihe von Währungen zugrunde gingen. Wir sollten Spekulation jedoch nicht mit den angeblichen Handlungen einer Reihe finsterer Charaktere gleichsetzen, die in einem Konzernbüro miteinander konspirieren. Ich verstehe unter Spekulation vielmehr Profitstrategien von Investoren aller Art, zu denen Hedge-Fund-Unternehmen ebenso gehören wie institutionelle Investoren, die sich über Computernetzwerke anonym miteinander verbinden, um sich finanziellen Nutzen zu verschaffen, indem sie auf die Schwankung einer Währung oder eines jungen Aktienmarktes setzen – und so bestehende Markttendenzen entscheidend verstärken.

Warum aber haben die globalen Finanzströme in den asiatischen Volkswirtschaften eine so überwältigend wichtige Rolle erhalten? Es scheint, dass hier hauptsächlich zwei Faktoren am Werk gewesen sind: erstens der Erfolg dieser Volkswirtschaften und ihre Aussichten auf hohes Wirtschaftswachstum; zweitens die Schwäche ihrer Finanzinstitutionen, die vollständig vom Staat abhängig waren. Die ausländischen Investoren verdienten wesentlich besser als auf den Märkten der USA oder Europas – und es wurden keine Fragen gestellt. Weil die asiatischen Regierungen ihren Banken über lange Zeit hinweg vollständig Rückendeckung gegeben hatten (im Falle Hongkongs ging dies, wie sich in der

Krise von 1997 zeigte, paradoxerweise von der Regierung der VR China aus), bestand die Erwartung, dass, sollte etwas schief gehen, dies von den Regierungen ausgebügelt würde. Also war das, was zur allgemeinen Klage der globalen Investoren geworden war (Fehlen rechtlicher Regelungen, staatliche Einmischung) genau der Grund, der die nie da gewesenen Kapitalinvestitionen in Asien überhaupt motiviert hatte.

Es ist noch eine weitere wichtige Frage zu stellen: Warum waren die asiatischen Finanzinstitutionen, Banken und Aktienfirmen so krisenanfällig? Warum wurde der finanzielle Steuerungsmechanismus, der es den Regierungen ermöglicht hatte, den außerordentlichsten Prozess von Wirtschaftswachstum in der Geschichte Asiens zustande zu bringen, ineffektiv für das Management globaler Anleihen und Investitionen? Meiner Ansicht nach wurden die asiatischen Volkswirtschaften im gesamten Verlauf der schnellen Entwicklung zwischen Anfang der 1960er und Ende der 1980er Jahre von ihren Staaten vor dem Wirbelwind der globalen Finanzmärkte – und sogar in gewissem Maße vor der globalen Handelskonkurrenz – geschützt, während andererseits asiatische Firmen, die innerhalb ihrer Volkswirtschaften abgeschirmt waren, zu globalen Mitspielern bei Handel und Investitionen wurden. Als die Größenordnung dieser Volkswirtschaften, der Umfang dieser Unternehmen und ihre Eingliederung in die globalen kapitalistischen Netzwerke zu einer beiderseitigen Integration in die globale Wirtschaft führten, konnten die Staaten ihrer Schutzfunktion nicht mehr nachkommen und die Bewegungen von Kapital, Gütern und Dienstleistungen nicht mehr kontrollieren. Sie wurden daher von den globalen Wirtschaftsströmen übergangen und waren nicht in der Lage, ihre Volkswirtschaften nach den zuvor noch geltenden Regeln zu regulieren oder zu kommandieren, weil ihr eigener Erfolg diese Regeln obsolet gemacht hatte. Ohne staatlichen Schutz wurden die asiatischen Finanzmärkte und Unternehmen von den globalen Kapitalströmen übernommen, die hohe Profite machten und dann diese Märkte wieder verließen, als ihre mangelhafte Transparenz sie allzu riskant werden ließ. Ob vorher kalkuliert oder nicht, jedenfalls war es insgesamt und in den meisten Fällen für die globalen Investoren (einschließlich des globalisierten asiatischen Kapitals) ein profitables Geschäft, denn die internationale Auslösung notleidender Kredite zielte hauptsächlich darauf ab, ihre Verluste auszugleichen. Zudem wurde die Pleite lokaler Unternehmen zur willkommenen Gelegenheit für ausländische, hauptsächlich amerikanische und westeuropäische Firmen, durch Käufe und *joint ventures* zu sehr günstigen Konditionen endlich die Finanzbranche in den asiatischen Ländern aufzuknacken. Insgesamt wurde das institutionelle System, das den Kern des asiatischen Wirtschaftswunders ausgemacht hatte, der Entwicklungsstaat, zum Hindernis für ein neues Stadium globaler Integration und kapitalistischer Entwicklung in der asiatischen Wirtschaft. Damit sich die asiatischen Volkswirtschaften vollständig der globalen Ökonomie anschließen konnten, also nicht bloß als Mitwettbewerber und Investoren, sondern als Märkte und Aufnahmeländer globaler Investitionen, mussten sie der Disziplin der internationalen Finanzmärkte unterworfen werden. Das bedeutete die

Unterordnung unter die Standardregeln des Marktes, denen wo nötig durch Bankrott, schlechte Bewertungen und daran anschließende Erzwingung von Strategien nach dem Muster des IWF Geltung verschafft wird. Das war nicht das Ergebnis einer kapitalistischen Verschwörung, sondern die unausweichliche Konsequenz einer gemeinsamen, globalen, kapitalistischen Logik, die durch die Integration der Finanz- und Devisenmärkte in Kraft gesetzt worden ist. Die historische Reise des asiatischen Entwicklungsstaates war erfolgreich, als es darum ging, arme, periphere Länder auf die hohe See des informationellen Kapitalismus zu steuern. Dann, als er einmal den stürmischen Ozean der globalen Finanznetzwerke erreicht hatte, war der Entwicklungsstaat in den meisten Ländern ohne Zentrum und ohne Institutionen und versank – ein nutzloses Fahrzeug, ein Gefangener seiner Verankerung an den nationalstaatlichen Gestaden. Die Wirtschaften und Gesellschaften wurden allmählich entstaatlicht, während sie plötzlich der neuen Tyrannei der Kapitalströme gewahr wurden, die durch die Lichtblitze der Anweisungen auf den Computer-Bildschirmen enthüllt wurde.

Henderson hat jedoch darauf hingewiesen,[5] dass die Muster von Entwicklung und Krise in der asiatischen Pazifikregion sich je nach den spezifischen sozialen, wirtschaftlichen und institutionellen Umweltbedingungen erheblich voneinander unterschieden. Was in Japan, Korea, China, Singapur, Taiwan, Indonesien oder irgend einem anderen Land geschah, war abhängig von dem jeweils spezifischen System der Beziehungen zwischen Staat, Wirtschaft und Gesellschaft. Wir müssen also für ein und dieselbe Zeit Erklärungen dafür finden, warum sich jede einzelne Volkswirtschaft entwickelt hat, warum sie unter der Krise gelitten hat (oder warum nicht) und warum die Krise in unterschiedlichem Maß Länder mit sehr unterschiedlichen Ausgangsbedingungen erfasst hat. Genau in diesem Zusammenspiel zwischen interner sozialer Dynamik und externen Finanzströmen, die beide durch die staatlichen Institutionen vermittelt werden, liegt die Erklärung für die widersprüchlichen Prozesse von Entwicklung und Krise in der asiatischen Pazifikregion.

Um also das neue historische Stadium der asiatischen Pazifikregion und ihre Beziehung zum Informationszeitalter zu verstehen, muss ich den gesellschaftlichen und institutionellen Wurzeln ihrer Entwicklungssaga nachspüren, wobei ich mich auf spezifische Gesellschaften und Entwicklungsprozesse konzentriere. Erst nach dem Durchgang durch eine Reihe von länderbasierten Analysen werde ich in der Lage sein, auf die Ursachen und Konsequenzen der Asienkrise von 1997-1998 zurück zu kommen und ihre möglichen Folgen für den Pazifik und für die Welt insgesamt einzuschätzen. Weil Gesellschaften nicht global, sondern historisch und kulturell verankert sind, werde ich im Verlauf meiner Analyse des Aufstiegs der asiatischen Pazifikregion die historische Reise mehrerer Gesellschaften während der letzten drei Jahrzehnte resümieren. Weil meine Forschungskapazität begrenzt ist, muss ich bei dieser Beobachtung einige Län-

5 Henderson (1998b).

der auslassen, die für das Verständnis der Krise wichtig sind, vor allem Indonesien, Thailand und Malaysia. Ich werde jedoch versuchen, die Analyse ihrer Wirtschaftskrisen im Kontext der Neustrukturierung der asiatischen Pazifikregion im Schlussabschnitt dieses Kapitels zu berücksichtigen. Ich konzentriere mich zuerst auf den Entwicklungsprozess der sechs Länder, die gemeinsam den wirtschaftlichen Kern der asiatischen Pazifikregion ausmachen und die die historische Bedeutung von Entwicklung für immer verändert haben. Ich beginne mit der entscheidenden Volkswirtschaft der Region – Japan – und werde mit einer Untersuchung der vier asiatischen „Tiger" fortfahren, um mit einem summarischen Überblick über die Transformation des Reichs der Mitte zu enden, der Heimat eines Fünftels der Menschheit.

Japan in der Heisei-Zeit: Entwicklungsstaat versus Informationsgesellschaft[6]

Die Niederlage Japans war unausweichlich. Japan hatte keine Rohstoffe, war rückständig in den Naturwissenschaften und sein Volkscharakter ist schon lange korrumpiert und blind. Man muss die Niederlage Japans als von der Vorsehung gewollt und als Gottesurteil verstehen und freudig daran arbeiten, zum Wiederaufbau unseres neuen Vaterlandes beizutragen. Das japanische Volk muss wieder geboren werden. Nachdem ich zu diesem Schluss gekommen bin, bin ich heute ein glücklicher Mann [am Tage seiner Hinrichtung].

Abschiedsbrief eines Sanitätsoffiziers der japanischen Marine, der 1949 in Guam hingerichtet wurde.[7]

Der Prozess wirtschaftlichen Wachstums, technologischer Transformation und gesellschaftlicher Entwicklung, den Japan während des letzten halben Jahrhunderts vollzogen hat, sein Aufstieg aus der Asche seiner zerstörten imperialisti-

6 Meine Analyse der japanischen Gesellschaft wurde hauptsächlich während meiner Zeit als Gastprofessor für Soziologie an der Hitotsubashi-Universität im Jahr 1995 erarbeitet. Ich bin vor allem Professor Shujiro Yazawa, dem Dekan der Fakultät für Sozialwissenschaften zu Dank verpflichtet, sowohl für die Einladung wie für die überaus aufschlussreichen Diskussionen, die wir damals und auch später geführt haben. Ich schulde auch den Lehrenden und Graduierten verschiedener japanischer Universitäten für ihre Beteiligung und ihre aufschlussreichen Beiträge in meinen Seminaren an der Hitotsubashi-Universität ebenso Dank wie meinem Forschungsassistenten Keisuke Hasegawa, der mir bei der Analyse des japanischen Materials behilflich war und eine Datenbank über die japanische Informationsgesellschaft aufgebaut hat. Professor Kakichi Shoji, der Vorsitzende der Soziologischen Abteilung der Tokyo-Universität, stellte mir großzügigerweise eine Fülle soziologischer Studien über Japan zur Verfügung und vermittelte mir seine Überlegungen zur gesellschaftlichen Transformation in Japan. Yazawa ebenso wie Shoji sind für meine Interpretation Quellen der Inspiration gewesen, aber natürlich tragen sie keinerlei Verantwortung für irgendwelche Thesen oder mögliche Missverständnisse.

7 Zit. nach Tsurumi (1970: 172).

schen Bestrebungen ist nur außergewöhnlich zu nennen. Er hat die Welt und unsere Wahrnehmung weltweiter Entwicklung wirklich verändert, denn er war in der Lage, Wachstum mit Umverteilung zu verbinden, die Reallöhne substanziell zu erhöhen und die Einkommensungleichheit auf eines der niedrigsten Niveaus auf der Welt herunter zu bringen.[8] Außerdem wurde die japanische Landschaft zwar tiefgreifend transformiert, was Gesellschaft und Umwelt angeht, aber die japanische kulturelle Identität blieb im Großen und Ganzen erhalten, und dies ist ein machtvoller Nachweis für die Möglichkeit, sich zu modernisieren ohne sich zu verwestlichen.[9] Sicherlich erforderten diese Erfolge große Anstrengungen der gesamten japanischen Gesellschaft, und die Arbeiter und Arbeiterinnen arbeiteten über eine lange Zeitspanne hinweg sehr viel länger als ihre amerikanischen und europäischen Kolleginnen und Kollegen, konsumierten viel weniger und sparten/investierten viel mehr.[10] Japan wurde paradoxerweise auch durch die Reformen unterstützt, die ihm die amerikanische Besatzungsmacht aufgezwungen hat. Unter diesen Reformen sind besonders bedeutsam die Landreform, die Arbeitsgesetzgebung einschließlich der Anerkennung der Rechte der organisierten Arbeiterbewegung, das Verbot von Wirtschaftsmonopolen, das zur Entflechtung der *zaibatsu* geführt und die neue Wahlgesetzgebung, die den Frauen das Wahlrecht gebracht hat. Zudem hat der militärische Schirm, den die Vereinigten Staaten für Japan im Zusammenhang mit dem Kalten Krieg aufgespannt hatten, die japanische Wirtschaft von der Last der Militärausgaben und den japanischen Staat von den außenpolitischen Kopfschmerzen befreit, die ihn sonst von seiner besessenen Konzentration auf Produktion, Technologie und Export abgelenkt hätten. Aber selbst wenn man diese günstigen Rahmenbedingungen berücksichtigt, lässt sich der atemberaubende Entwicklungs- und gesellschaftliche Transformationsprozess, den Japan vollzogen hat, nur durch die interne Dynamik der japanischen Gesellschaft erklären.

An der Wurzel dieser Dynamik stand ein Projekt der Betonung nationaler Identität in historischer Kontinuität mit *Ishin Meiji* von 1868. Japan war und ist eine der kulturell und sozial homogensten Gesellschaften auf der Welt, wenn auch nicht in dem Maße, wie es dem Selbstbild der meisten Japaner entspricht, wobei die Millionen von Einwohnern, die Koreaner, Okinawer und Ainu sind, ebenso vergessen werden wie die kulturell assimilierten, aber sozial ausgeschlossenen Burakumin. Seine insulare Isolierung hat diese Identität jahrhundertelang verstärkt, bis sie durch die vom westlichen Kolonialismus erzwungene Öffnung für den westlichen Handel mittels der „schwarzen Schiffe" des Kommodore Perry 1853 bedroht wurde. Die Reaktion auf diese Bedrohung führte zur Meiji-Restauration und zur beschleunigten Modernisierung des Landes während der folgenden Jahrzehnte als der einzigen Möglichkeit, um Japan instand zu setzen,

8 Allen (1981); Tsuru (1993).
9 Reischauer (1988); Shoji (1991).
10 Tsuru (1993).

der westlichen Herausforderung zu begegnen.[11] Das ist noch immer der entscheidende Faktor, will man den sozialen Konsensus und die politische Legitimität verstehen, die im Verlauf von mehr als einem Jahrhundert die Grundlage der Entwicklungsanstrengung Japans gewesen sind. Nach dem Fehlschlag sowohl des demokratischen Modernisierungspfades während der Taisho-Zeit (1912-1926) wie auch des militaristischen, ultranationalistischen Projektes während des zweiten Showa-Jahrzehnts (1935-1945) kam der japanische Nationalismus in Form eines staatlich geführten Projektes wirtschaftlicher Entwicklung wieder zum Vorschein, das sich an der friedlichen Konkurrenz innerhalb der internationalen Wirtschaft orientierte.[12] Als verarmtes, schutzloses Land, das für Energie und Naturressourcen vollständig vom Ausland abhängig war und das sich mit Selbstzweifeln sowie in progressiven intellektuellen Kreisen mit Schuld und Scham auseinander zu setzen hatte, ging Japan zur kollektiven Mobilisierung über: zuerst um zu überleben, dann um zu konkurrieren, schließlich, um sich mittels industrieller Produktion, wirtschaftlichem Management und technologischer Innovation Geltung zu verschaffen. Dies muss der Ausgangspunkt einer jeden Analyse der *japanischen Entwicklung sein: Es war das Streben nach nationaler Unabhängigkeit und nationaler Macht mit friedlichen Mitteln*, in Übereinstimmung mit der Verfassung von 1947, die Krieg und Streitkräften auf immer abgeschworen hat. Ich will versuchen, den unmittelbaren Zusammenhang zwischen diesem nationalistischen Projekt und dem japanischen Entwicklungsmodell darzustellen, der sowohl für die Periode des schnellen Wachstums von 1956-1973 wie auch für die kühne Neustrukturierung kennzeichnend war, die erfolgreich auf die Herausforderungen des Ölschocks von 1974 reagiert hat. Meine Überlegungen im Kontext meiner Analyse des Auftretens des Pazifik als entscheidender Region für das 21. Jahrhundert gehen aber über eine Neubewertung dieser wohlbekannten Entwicklungserfahrung hinaus. Ich behaupte, dass es *eine grundlegende Krise des japanischen Entwicklungsmodells in der Heisei-Zeit* (ab 7. Januar 1989) gibt, die während der 1990er Jahre in der Instabilität des politischen Systems zum Ausdruck gekommen ist, die in deutlichem Gegensatz zu den vorausgegangenen fünf Jahrzehnten stand; in der langen Rezession, die auf das Platzen der spekulativen „bubble economy" folgte; und in der psychologischen Verwirrung, die in großen Teilen der Jugend verbreitet war und auf dramatische Weise im Aufstand von *Aum Shinrikyo* offen zum Vorschein kam (s. Bd. II, Kap. 2). Ich stelle die Hypothese auf, dass *diese multidimensionale Krise gerade aus dem Erfolg des japanischen Entwicklungsmodells resultiert, das neue wirtschaftliche, gesellschaftliche und kulturelle Kräfte auf den Plan gerufen hat, die dann die Priorität des nationalistischen Projektes und daher des Entwicklungsstaates in Zweifel gezogen haben.* Die Bedingungen und die Formen der Lösung dieser Krise haben tiefgreifende Auswirkungen auf

11 Norman (1940).
12 Kato (1987); Beasley (1990).

die japanische Gesellschaft, auf Japans Beziehungen mit der Pazifikregion und letztlich auf das gesamte Schicksal dieser Region.

Ein gesellschaftliches Modell des japanischen Entwicklungsprozesses[13]

Es sollte nach Jahrzehnten entwicklungssoziologischer Forschung evident sein, dass Prozesse des wirtschaftlichen Wachstums und der strukturellen Transformation in Institutionen eingebettet, durch Kultur orientiert, durch gesellschaftlichen Konsensus gestützt, durch soziale Konflikte geformt, in der Politik umkämpft und durch Politik und Strategie angeleitet erfolgen.[14] Das Herzstück des

---

13 Meiner Meinung nach ist die beste politisch-ökonomische Analyse der Ursprünge und Charakteristika der japanischen Entwicklung aus westlicher Perspektive ein wenig beachtetes Buch eines hervorragenden englischen Gelehrten, G.C. Allen (1981). Natürlich ist die klassische Studie über die Herausbildung und Funktionsweise des Entwicklungsstaates Chalmers Johnsons *MITI and the Japanese Miracle* (1982), wo außerdem der Begriff erstmals eingeführt wurde. Zur weiteren Ausarbeitung dieser Perspektive s. die Auswahl seiner Schriften zum japanischen politischen System in Johnson (1995). Die beste historische Analyse über die Entstehung des modernen Staates in Japan angefangen mit der Meiji-Restauration ist noch immer Norman (1940). Eine japanische Darstellung des Prozesses wirtschaftlicher Entwicklung seit den 1950er Jahren bietet Tsuru (1993). Zu den kulturellen und psychologischen Bedingungen, unter denen der neue Entwicklungsstaat entstanden ist, s. Tsurumi (1970). Eine durchgreifende soziopolitische Analyse der Entwicklung Japans in der Zeit von 1960-1990 unter besonderer Berücksichtigung des Neonationalismus bietet Shoji (1991). Zur Analyse der japanischen sozialen Bewegungen s. Yazawa (1997). Eine Studie zum kulturellen Nationalismus ist Yoshino (1992). Wem an (meiner Meinung nach verzerrter) westlicher Kritik an der japanischen Gesellschaft und Politik gelegen ist, findet sie bei Van Wolferen (1989) und Harvey (1994). Eine sympathisierende westliche Perspektive vertritt Reischauer (1988). Zur theoretischen Interpretation des japanischen Staates s. Kato (1984, 1987) sowie Taguchi und Kato (1985). Eine interessante Chronik der internen Dynamik des japanischen Staates bietet Ikuta (1995). Inoguchi (1995) ist eine ausgezeichnete, aktuelle Studie über *Kanryo* (die japanische Bürokratie). Schlesinger (1997) untersucht die japanischen Politik-Maschinen einschließlich der politischen Korruption. Zum japanischen Neonationalismus s. Watanabe (1996). Zur Lage der Frauen und zur Mobilisierung der Frauen in Japan s. Ueno (1987); Gelb und Lief-Palley (1994); Shinotsuka (1994) und Yazawa (1995). Zur japanischen Familie s. Seki (1987) sowie Totani und Yatazawa (1990). Empirische Einblicke in japanische Schulen vermittelt Tsuneyoshi (1994). Eine kommentierte soziologische Bibliografie japanischer Quellen bietet Shoji (1994). Zur japanischen Unternehmensstruktur, zu den industriellen Beziehungen, zur Arbeitsorganisation, zu den Arbeitsmärkten und Beschäftigungspraktiken s. meine Analyse in Bd. I, Kap. 3 und 4. Ich werde hier keine Verweise auf Quellen wiederholen, die in diesen Analysen benutzt wurden und in Bd. I zu finden sind. Weitere Quellen, die in meiner Analyse in diesem Abschnitt benutzt wurden, werden in den Fußnoten zum Text aufgeführt. Natürlich wird die überwältigende Masse der möglichen Quellen zu Bibliografie und Daten für die Gegenstände, die in diesem Abschnitt behandelt werden, noch nicht einmal angedeutet. *Ich beziehe mich nur auf die Quellen, die ich für meine Ausarbeitung unmittelbar benutzt habe.*

14 Evans (1995).

japanischen Entwicklungsprozesses bildet seit den 1950er Jahren das nationalistische Projekt des Entwicklungsstaates, das von der staatlichen Bürokratie im Namen der Nation durchgeführt wird.[15] Kurz gesagt hat die staatliche Bürokratie die japanischen Konzerne angeleitet und koordiniert, sie hat Unternehmensnetzwerke (*keiretsu* und *kigyo shudan*) organisiert, sie durch Handelspolitik, Technologiepolitik und Kredite dabei unterstützt, erfolgreich im Rahmen der Weltwirtschaft zu konkurrieren. Der Handelsüberschuss wurde als finanzieller Überschuss in das System zurückgeleitet und erlaubte zusammen mit einer hohen einheimischen Sparquote eine Expansion ohne Inflation. Damit wurde es möglich, gleichzeitig hohe Investitionsraten, schnell ansteigende Reallöhne und einen verbesserten Lebensstandard zu realisieren. Die hohe Investitionsrate in F&E und die Konzentration auf fortgeschrittene Industriezweige ermöglichten es Japan, die Führungsposition in den Branchen der Informationstechnologie zu einem Zeitpunkt zu übernehmen, als deren Produkte innerhalb der globalen Ökonomie unverzichtbar wurden. Diese wirtschaftliche Leistungsfähigkeit beruhte auf sozialer Stabilität und hoher Arbeitsproduktivität durch die Kooperation zwischen Gewerkschaften und Management, was wiederum durch stabile Beschäftigungsverhältnisse und ein auf Seniorität beruhendes Beförderungssystem für die Kernbelegschaften ermöglicht wurde. Die Flexibilität auf dem Arbeitsmarkt wurde durch die Teilzeit- und Gelegenheitsbeschäftigung garantiert, die hauptsächlich von Frauen übernommen wurde, deren Beteiligungsquote an der Erwerbsbevölkerung in die Höhe schoss. Die gesamtgesellschaftliche Stabilität beruhte auf drei Hauptfaktoren: (a) dem Engagement der Menschen für den Wiederaufbau der Nation; (b) dem Zugang zu Konsum und substanziellen Verbesserungen des Lebensstandards; (c) einer starken, patriarchalischen Familie, die die traditionellen Wertorientierungen reproduzierte, Arbeitsethik vermittelte und für die persönliche Sicherheit ihrer Mitglieder sorgte – alles unter der Bedingung, die Frauen in Unterwürfigkeit zu halten. Die politische Stabilität wurde dadurch garantiert, dass eine Koalition von Interessen und Patronage unter dem Dach der Liberaldemokratischen Partei organisiert wurde, die bis 1993 die Regierung kontrolliert hat und unbeschadet ihrer weit verbreiteten Korruptionspraktiken auf die unerschütterliche Unterstützung der Vereinigten Staaten bauen konnte. Der Entwicklungsstaat baute zwar durch die Einlösung des Versprechens wirtschaftlicher Entwicklung selbst seine Legitimität auf, profitierte aber zusätzlich von einer doppelten Legitimitätsquelle: von den Wahlstimmen für die LDP und vom „symbolischen Kaisersystem“, das die historische Kontinuität mit den Wurzeln der nationalen Identität herstellte. Schaubild 4.1 macht den Versuch einer synthetischen Darstellung der gesellschaftlichen/institutionellen Logik, die Japans Wirtschaftsentwicklung zugrunde gelegen hat. Ich werde kurz einiges weiter ausführen, um diese allzu knappe Zusammenfassung zu verdeutlichen.

---

15 Kato (1984); Taguchi und Kato (1985); Johnson (1995).

Schaubild 4.1 Sozialmodell der japanischen Entwicklung, 1955-1985

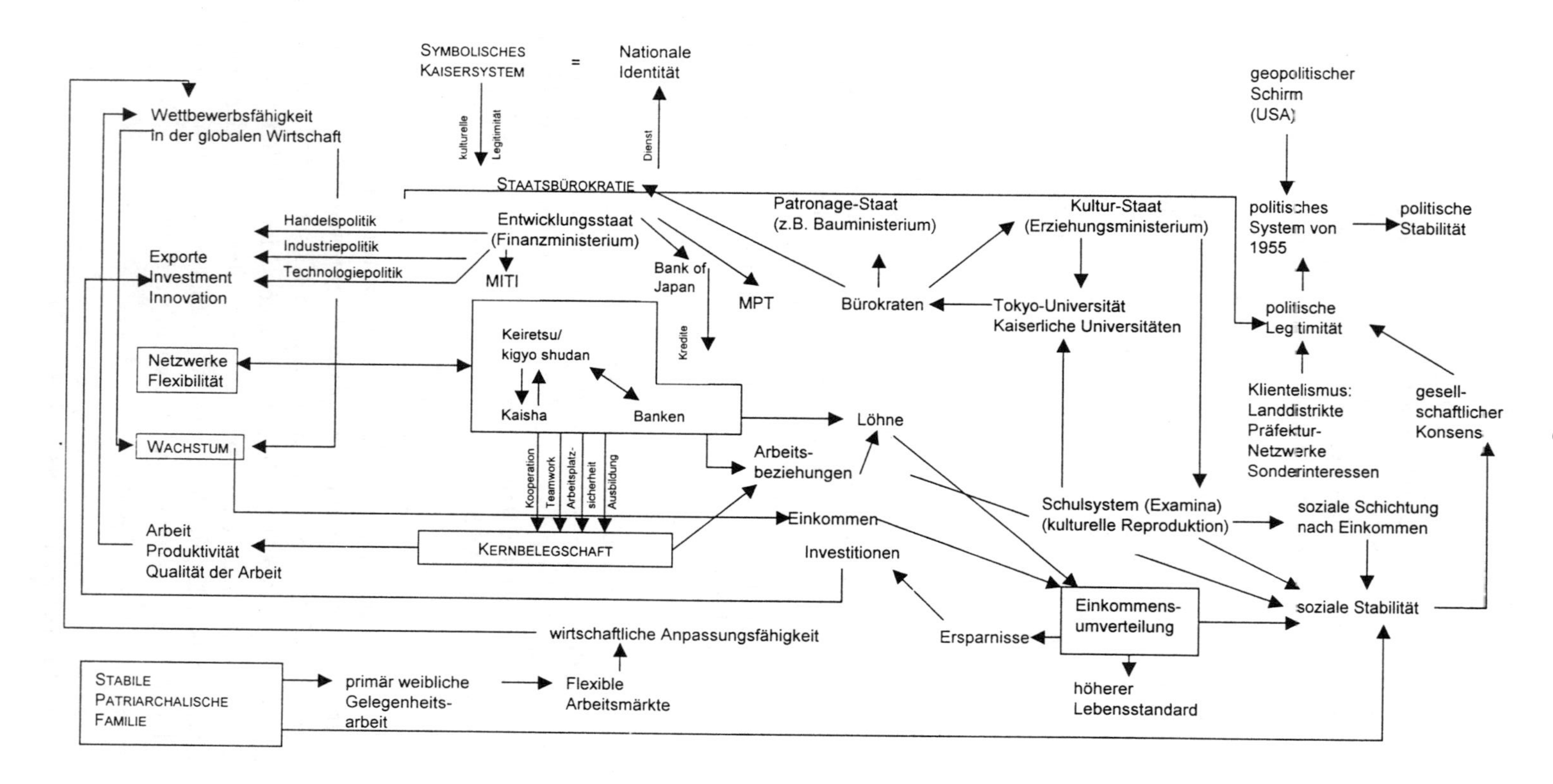

Wie bei allen Prozessen gesellschaftlicher Mobilisierung ist es auch hier wichtig, die Quellen der Legitimität auszumachen, die es dem dominierenden Akteur in diesem Prozess (hier dem japanischen Staat) erlauben, Unterstützung in der Gesellschaft zu finden und die Wirtschaft seiner Koordination zu unterstellen. Die Grundlagen der staatlichen Legitimität sind außerhalb der Bürokratie zu finden, im sogenannten „symbolischen Kaisersystem" (*Shocho Tennosei*) und seit Bestehen der Verfassung von 1947 in geringerem Maße in dem auf demokratischen Wahlen beruhenden politischen System. Ich sage in geringerem Maße, weil die Regierung fast fünf Jahrzehnte lang zwar verfassungsgemäß gewählt war, aber von der „*Nagatacho*-Politik" abhängig war; d.h., von der Koalition aus Interessengruppen, Fraktionen und Patronagenetzwerken, die um die Liberaldemokratische Partei herum organisiert worden war, durch Korruption zusammengehalten wurde und in den Augen der meisten Leute kaum Wertschätzung verdiente. Die Leitung des Entwicklungsprozesses ging im wesentlichen von der effizienten und in der Regel sauberen Staatsbürokratie aus, die für politische Kontinuität sorgte, die Streitigkeiten zwischen den verschiedenen Fraktionen der LDP überbrückte und eine bunt gemischte Koalition aus Interessengruppen, Ideologien und Persönlichkeiten formierte.[16] Obwohl sie formell von der Regierung abhängig war, schuf sich die Staatsbürokratie ihre eigene Legitimität auf der Grundlage der Wertvorstellungen des aktualisierten symbolischen Kaisersystem. Masao Maruyama schrieb 1946 einen Klassiker der japanischen Politikwissenschaft, der noch immer als die aufschlussreichste Analyse des symbolischen Kaisersystems und seiner Rolle in der japanischen Kultur und Politik gilt. Seiner Analyse zufolge „haben wir es in Japan mit einer Situation zu tun, in der zur nationalen Souveränität sowohl spirituelle Autorität als auch politische Macht gehören. Der Standard, nach dem die Handlungen der Nation als richtig oder falsch beurteilt werden, liegt in ihr selbst (also im ‚nationalen politischen System')."[17] Der Grund liegt darin, dass

> während im Westen die nationale Macht nach der Reformation auf der formalen, externen Souveränität beruhte, der japanische Staat [nach Meiji] niemals dazu gekommen ist, eine Trennungslinie zwischen der externen und der internen Sphäre zu ziehen und anzuerkennen, dass seine Autorität sich nur auf die erste erstreckte ... Deshalb hat es in Japan bis zu dem Tag, an dem 1946 die göttliche Natur des Kaisers in einem Kaiserlichen Erlass formell widerrufen wurde, im Prinzip in Japan keine Grundlage für Glaubensfreiheit gegeben. Weil zur Nation auch ihr „nationales politisches System" gehört, konnten all die inneren Werte der Wahrheit, Moral und Schönheit und auch Gelehrsamkeit oder Kunst nicht abgetrennt von diesen nationalen Werten bestehen. ... Es war genau zu dem Zeitpunkt, als sich das Erfolgsmotiv mit dem Nationalismus verbündete, dass das moderne Japan in die Lage versetzt wurde, mit seinem „Sturm zum Fortschritt" zu beginnen. Doch zugleich war es genau dieses Zusammentreffen, das zu Japans Verfall führte. Denn die Logik, nach der die Privatangelegenheiten aus sich heraus nicht gerechtfertigt werden können, sondern stets mit den natio-

16 Inoguchi (1995); Schlesinger (1997).
17 Maruyama (1963: 8).

nalen Anliegen identifiziert werden müssen, hat eine umgekehrte Implikation: Private Interessen sickern unablässig in die nationalen Angelegenheiten ein.[18]

Die soziale Logik dessen, was das korporatistische Japan oder laut der Etikettierung der Kritiker die Japan AG werden sollte, ist in Maruyamas Analyse der politischen Kultur implizit enthalten. Nach der demütigenden Niederlage des ultranationalistischen Projektes sicherte das neu bestimmte symbolische Kaisersystem die historische Kontinuität und politische Legitimität für eine Bürokratie, die daran ging, das Land umzustrukturieren und wieder aufzubauen und dabei auf pragmatische Weise den Weg entdeckte, auf dem sie ein starkes, modernes Japan schaffen konnte, indem sie es mit der Weltwirtschaft aufnahm. G.C. Allen und Chalmers Johnson haben überzeugende empirische Analysen über den Aufstieg des japanischen Entwicklungsstaates und seine entscheidende Rolle bei der strategischen Anleitung des nationalen Wirtschaftswachstums wenigstens zwischen 1955 und 1985 vorgelegt.[19] Die beherrschende Instanz dieser Bürokratie ist das Finanzministerium, das den Geldsack kontrolliert und damit die materielle Entscheidungsmacht besitzt. Seine beiden Instrumente sind das legendäre MITI (Ministry of International Trade and Industry) und die Bank von Japan, weil Kredit, Export-/Import-Zuweisungen und Unterstützung für technologische Entwicklung die unverzichtbaren Werkzeuge sind, mit denen die Staatsbürokratie in der Lage ist, die japanische Wirtschaft zu koordinieren, sie zu unterstützen, ihren Wettbewerb zu organisieren und sie manchmal wieder unter Kontrolle zu bringen. Zusätzlich spielten weitere Infrastruktur-Ministerien, seit den 1980er Jahren insbesondere das Ministerium für Post und Telekommunikation (MPT), eine entscheidende Rolle dabei, die materiellen Bedingungen der Produktion zu schaffen und selektiv die Verbreitung von Technologie zu organisieren. Parallel und manchmal im Konflikt dazu erfüllten weitere Ministerien je nach ihrem spezifischen Kompetenzbereich andere Funktionen. So hatte das Bildungsministerium die Aufgabe, für die Bewahrung der kulturellen Identität zu sorgen und ein ordentliches System von Schichtung und sozialer Mobilität zu organisieren, indem es ein hierarchisches, strenges Prüfungssystem in Kraft setzte, das das gesamte Leben der japanischen Kinder und Jugendlichen durchzog und damit alle Familien in die Ideologie und die Rituale der Meritokratie einbezog. Andere Ministerien nahmen stärker politische Funktionen wahr. So scheinen das Bau-, das Landwirtschafts- und das Transportministerium eine wesentliche Rolle dabei gespielt zu haben, private Mittel in die Wahlkämpfe der LDP zu leiten und lokale Klientelbeziehungen abzusichern, indem sie staatliche Mittel an aufgeschlossene Staatsorgane auf lokaler und Provinzebene verteilten.[20] Man sollte die Kohärenz der Staatsbürokratie einschließlich der Teile, die zum Entwicklungsstaat gehören, nicht übertreiben. Wie alle Staa-

18 Maruyama (1963: 6-7).

19 Allen (1981); Johnson (1982, 1995).

20 Ikuta (1995); Johnson (1995).

ten ist auch der japanische Staat von inneren Konflikten und widersprüchlichen Interessen zerrissen, weil verschiedene Bürokratien miteinander konkurrieren, um ihre Position im Spiel um die Macht abzusichern. So beschränkte sich etwa die Rolle des MPT nicht auf Infrastruktur und Technologie, weil seine Kontrolle über die größte Quelle von Sparguthaben über das Postsparsystem, ihm die Macht gab, in entscheidender Weise auf den Finanzmärkten, aber auch in die staatliche Finanzierung öffentlicher und privater Investitionen zu intervenieren. Außerdem war die Staatsbürokratie im Allgemeinen zwar den politischen Eliten gegenüber weitgehend autonom und unterlag weniger dem Einfluss von Interessengruppen, doch gab es erhebliche Überschneidungen zwischen Politikern und Bürokraten, weil die Ministerposten den verschiedenen politischen Fraktionen als Machtbasis dienten, womit sich die Komplexität des Systems steigerte. Die kulturelle Homogenität und der gemeinsame Glaube an den Vorrang der Interessen der Nation, die immer noch symbolisch durch das Kaisersystem verkörpert wurde, wurden jedoch durch die strikte Kontrolle über die Rekrutierungswege für die oberste Bürokratie garantiert, die über Institutionen erfolgte, die vom Bildungsministerium sorgfältig überwacht wurden. Schlüsselelemente dieses Rekrutierungssystems waren und sind die Tokyo-Universität, vor allem ihre Juristische Fakultät, und die kaiserlichen Universitäten, die zusammen mit ein paar privaten Elite-Universitäten praktisch alle Mitglieder der obersten Ränge der Staatsbürokratie liefern. Diese soziale Kohäsion an der Spitze durchzieht die gesamte Gesellschaft, weil nur etwa 1% dieser Rekruten den Aufstieg zur Spitze der Staatsbürokratie schaffen. Die anderen steigen in späteren Phasen ihrer Karriere „vom Himmel herab“ und übernehmen Posten als Konzernvorstände, führende Politiker oder Leiter halböffentlicher Stiftungen, die die Zivilgesellschaft strukturieren und anleiten. Auf diese Weise verbreitet sich der kulturelle Kitt der bürokratischen Klasse durch die Zirkulation der Eliten zwischen unterschiedlichen Bereichen des gesellschaftlichen und wirtschaftlichen Lebens und garantiert so die Weitervermittlung von Ideen, die Aushandlung von Interessen und die Reproduktion der Ideologie.

Die Mechanismen, die dem Wirtschaftswachstum förderlich sind und von der nationalistischen Bürokratie entworfen und angewendet wurden, sind in einer Flut von Monografien über das „japanische Wirtschaftswunder“ dargestellt worden: Eine rückhaltlose Exportorientierung auf der Grundlage hervorragender Wettbewerbsfähigkeit, die durch substanzielle Zunahme der Arbeitsproduktivität, durch die Qualität der Arbeit und den Schutz der Binnenmärkte ermöglicht wurde; reichlich Kapital auf der Grundlage einer hohen Sparquote und kurzfristige, niedrig verzinsliche Darlehen der Bank von Japan an die Banken der *keiretsu*; nachhaltige Anstrengungen zur technologischen Entwicklung durch staatlich geförderte Programme zum Erwerb von Technologie und zu technologischer Innovation; der Akzent auf der Fertigung; eine Industriepolitik, die von Niedrigtechnologie-Branchen zu einer der mittleren und dann der Hochtechnologie wechselte und dabei der Entwicklung der Technologie, der weltweiten Nachfrage und der Produktionskapazität der japanischen Industrie folgte. Das MITI spielte, wenn es seine Programme mit dem Finanzministerium abgeklärt hatte, für die japanischen Unternehmensnetzwerke eine bedeutsame Rolle bei der strategischen Planung und in Form von Hilfestellungen, Anleitung und Unterstützung vor allem im Bereich der Handelspolitik, in der Technologiepolitik und in der Industriepolitik bei der Entscheidung über die Sektoren, denen bei den Investitionen Priorität gegeben wurde. Seine Entscheidungen waren nicht immer von Erfolg gekrönt, und sie wurden auch nicht immer befolgt. So war etwa das breit publizierte Computerprogramm der Fünften Generation in den 1980er Jahren ein Fiasko. Und die meisten der 26 Technopole, die vom Technopolen-Programm des MITI während der 1980er und 1990er Jahren in über das ganze Land verstreuten Präfekturen eingeführt wurden, waren da, wo sie erfolgreich waren, eher Zusammenballungen von Zweigwerken als die Miniaturausgaben von Silicon Valley, die vom MITI ursprünglich intendiert gewesen waren. Im gesamten Zeitverlauf waren die strategischen Planer des MITI jedoch in den meisten Fällen treffsicher, und die japanische Industrie war in der Lage, mit bemerkenswerter Geschwindigkeit von Produkten und Prozessen mit geringem Mehrwert zu solchen mit hohem Mehrwert überzugehen und dabei in den meisten Schlüsselbranchen zuerst Europa und dann die Vereinigten Staaten zu überholen. Das reichte von Automobilen bis zu Halbleitern, bis die technologisch/manageriale Gegenoffensive der amerikanischen Unternehmen während der 1990er Jahre ihnen auf fortgeschrittenerem Niveau bei Mikrocomputern, Software, Mikroelektronik, Telekommunikation, Biotechnologie und in den entscheidenden neuen Branchen einen Vorteil verschaffte, die sich um das Internet herum entwickelten. Die japanischen Firmen beherrschen aber nach wie vor den Markt für Konsumelektronik, für Speicherchips, für die Fertigung von Halbleiterausrüstungen. Und sie haben in einer ganzen Palette fortgeschrittener Fertigungsbranchen mit den wichtigen Ausnahmen von Pharmazie und Chemie eine sehr starke Wettbewerbsposition. Und man wäre schlecht beraten, ihre künftige Wettbewerbsfähigkeit in den mit dem Internet verbundenen Technologien und Geschäftszweigen gering zu schätzen.

Die Effektivität der staatlich-administrativen Anleitung wurde durch die Vernetzungsstruktur der japanischen Wirtschaft entscheidend gestärkt, die ich einigermaßen detailliert in Band I, Kapitel 3 dargestellt habe. Die Staatsbürokraten konnten, wenn sie ein paar Mitspieler koordinierten und die Konkurrenz zwischen den Konzernnetzwerken an der Spitze aufrecht erhielten, die gesamte Wirtschaftsstruktur erreichen, ohne zu dem selbstzerstörerischen Instrument der zentralen Planung zu greifen. Das japanische Modell ist eine entscheidende Erfahrung, die zeigt, wie strategische, selektive Intervention eine Marktwirtschaft produktiver und wettbewerbsfähiger machen kann. Es widerlegt daher die ideologischen Behauptungen von der inhärent überlegenen Effizienz einer Wirtschaftspolitik nach dem Prinzip des *laissez-faire*.

Aber nichts von alledem wäre ohne die vollständige Zusammenarbeit zwischen Management und Arbeit möglich gewesen. Dies war die Quelle von Produktivität, Stabilität und langfristigen strategischen Investitionen, der eigentlichen Determinanten der japanischen Wettbewerbsfähigkeit. Der Handelsprotektionismus wurde von vielen lateinamerikanischen Volkswirtschaften praktiziert, von denen einige sehr groß sind, die aber nie in der Lage waren, eine wesentliche Rolle auf den globalen Märkten für hohe Mehrwertanteile zu spielen. Es waren die Einbindung der Arbeit auf Werkstattebene und der soziale Friede, dessen sich die japanische Wirtschaft erfreute, die der japanischen Wirtschaft frühzeitig den entscheidenden Vorteil verschafften. Das war vor allem wichtig, um den japanischen Übergang zu Fertigung und Dienstleistungen zu garantieren, die auf den Informationstechnologien aufbauen, weil hier die vollständige Mobilisierung der intellektuellen Kapazität der Arbeit gefordert war, um die neuen Technologien optimal zu nutzen. Aber das Engagement der Arbeit in den Unternehmen und ihre Kooperationsbereitschaft lassen sich nicht einer ethno-kulturellen Absonderlichkeit zuschreiben. Die starke kulturelle Besonderheit der japanischen Arbeiter hinderte sie nicht daran, sich zu mobilisieren, zu streiken und eine militante Arbeiterbewegung zu organisieren, als sie während der 1920er und Anfang der 1930er Jahre und dann wieder Ende der 1940er und während der 1950er Jahre die Freiheit besaßen, dies zu tun.[21] Diese Kämpfe führten in den 1950er Jahren zu einer Reihe von Reformen in der Arbeits- und Sozialpolitik. Auf der Grundlage dieser Reformen wurde um 1960 von der japanischen Wirtschaft und Regierung ein neues System der Arbeitspolitik und der industriellen Beziehungen geschaffen. Es hatte vier zentrale Merkmale. Das erste war die Verpflichtung der Unternehmen auf die lebenslange Beschäftigung der Kernbelegschaften in den Großunternehmen, entweder innerhalb der Firma oder aber in einer anderen Firma des *keiretsu*; im Austausch dafür sollten sich die japanischen Arbeiter ihrerseits verpflichten, für die Dauer ihres Arbeitslebens in derselben Firma zu bleiben. Das zweite war das Senioritätsprinzip bei der Beförderung, womit der Entscheidungsspielraum des Managements beseitigt wurde, Arbeiter zu belohnen oder zu bestrafen und sie so durch individuelle Konkurrenz untereinander zu spalten; dieses Senioritätsprinzip brachte Vorhersehbarkeit in die Lebensmuster der Arbeiter. Das dritte Merkmal bestand in dem kooperativen System der Arbeitspraxis, der Einführung einer flachen Organisationshierarchie bei der Aufsichtsarbeit in den Fabriken und Büros, der Bildung von Arbeitsteams und Qualitätskontrollzirkeln und dem weit verbreiteten Einsatz der Initiative der Arbeiter bei der Verbesserung von Effizienz und Qualität im Produktionsprozess. Der vierte Faktor war die unternehmensbasierte Organisation der Gewerkschaften, womit die Interessen von Gewerkschaftsführern und Mitgliedern mit den Interessen der Firma identifiziert wurden. Es gab und gibt japanische Gewerkschaftsverbände, und es gibt für man-

21 Yazawa (1997).

che Sektoren auch eine Art von Tarifverhandlungen auf nationaler Ebene, denen eine symbolische Mobilisierung – wie die rituellen „Frühjahrsoffensiven" – vorausgeht, um das organisatorische Potenzial der organisierten Arbeiterbewegung zu demonstrieren. Im Großen und Ganzen konnte sich der japanische Kapitalismus jedoch durch die firmenspezifische Gewerkschaftsorganisation, die Arbeiterpartizipation auf Werkstattebene und die gemeinsame Verpflichtung von Management und Arbeit auf das Wohl der Volkswirtschaft besserer industrieller Beziehungen erfreuten als jede andere Marktwirtschaft.

Diese arbeitspolitischen Instrumente waren für die Durchführung der Mechanismen unverzichtbar, die gewöhnlich mit dem erfolgreichen japanischen Management in Verbindung gebracht werden. Ich habe das in meiner Analyse über die japanischen Arbeitsbeziehungen in Band I, Kapitel 3 und 4 begründet. So kann das „*just in time*"-System zur Eliminierung der Lagerhaltung nur funktionieren, wenn es keine Arbeitsunterbrechungen gibt, weil das System der industriellen Beziehungen problemlos funktioniert. Die Entwicklung und Verbreitung von „stillem Wissen" durch die Arbeiter, das nach der einflussreichen Analyse von Nonaka und Takeuchi dem „wissensgenerierenden Unternehmen"[22] zugrunde liegt, ist nur möglich, wenn die Arbeiter Anreize dazu haben, ihr einzigartiges Erfahrungs- und Insider-Wissen über das Produktionssystem des Unternehmens in den Erfolg der Firma zu investieren, zu der sie gehören. Zusammengenommen beruhten Arbeitsproduktivität und Arbeitsqualität, zwei grundlegende Quellen für die japanische Wettbewerbsfähigkeit, auf einem System der Arbeitskooperation und der industriellen Beziehungen, das durch erhebliche Fortschritte für die Arbeiter ermöglicht wurde, wozu auch großzügige unternehmensgebundene Sozialleistungen und langfristige Beschäftigungsgarantien selbst während einer negativen Phase des Wirtschaftszyklus gehören. Es stimmt jedoch ebenfalls, dass einige kulturelle Elemente wie das Streben nach *Wa* (Harmonie) in den Beziehungen am Arbeitsplatz, der gemeinschaftliche Geist des Teamwork und die nationale Mobilisierung zum Wiederaufbau Japans zu einer starken, geachteten Nation ebenfalls dazu beigetragen haben, den Sozialpakt zu konsolidieren, der zwischen Wirtschaft, Arbeit und Regierung um 1960 herum erreicht worden war.

Nichtsdestotrotz ist diese kooperative Dimension der Arbeitsbeziehungen nur ein Teil der Geschichte vom japanischen Arbeitsmarkt. Nach der empirischen Analyse, die ich in Band I, Kapitel 4 vorgelegt habe, wurde die Flexibilität des Arbeitsmarktes dadurch sicher gestellt, dass es in den Kleinunternehmen, in den traditionellen Wirtschaftssektoren (wie Einzelhandel) und für die Teilzeitarbeitskräfte in den Großunternehmen weit flexiblere Arbeitspraktiken und weniger Rechte für die Arbeitenden gab. Ein Großteil dieser Teilzeit- und Aushilfsarbeit war und ist zunehmend das Los von Frauen, vor allem von verheirateten Frauen, die ins Arbeitsleben zurückkehren, nachdem sie ihre Kinder durch

22 Nonaka und Takeuchi (1994).

die ersten Jahre gebracht haben. Die Expansion des weiblichen Arbeitsmarktes, der derzeit etwa 50% der erwachsenen Frauen erfasst, ist der Schlüssel zur Flexibilität und Anpassungsfähigkeit der Arbeitsmärkte und garantiert die Stabilität der Kernbelegschaften als Quelle der Produktivität, wobei die Firmen immer noch die Möglichkeit haben, sich in Zeiten der Rezession dadurch abzufedern, das sie auf Aufhilfsbasis eingestellte Arbeitskräfte entlassen. In anderen Industrieländern gibt es eine ähnliche Segmentierung des Arbeitsmarktes, was zu einer ebenso segmentierten Sozialstruktur und damit zu Ungleichheit und Armut führt. Das eigentliche Wunder der japanischen Gesellschaft besteht darin, dass diese Segmentierung in Klassen durch die Stärke der japanischen patriarchalischen Familie weggehoben wird, die innerhalb der Familienstruktur stabile männliche und aushilfsweise beschäftigte weibliche Arbeitskräfte wieder zusammen führt, so dass die sozialen Zerklüftungen innerhalb der Einheit der Familie aufgelöst werden. Das ist besonders bedeutsam, wenn wir das hohe Bildungsniveau der japanischen Frauen bedenken, was bedeutet, dass das Heer der Aushilfsarbeitskräfte nicht weniger qualifiziert ist, sondern lediglich weniger hoch bewertet wird.

Der Patriarchalismus ist eine unverzichtbare Ingredienz des japanischen Entwicklungsmodells. Nicht allein aus ökonomischen Gründen. Die patriarchalische Familie hat die beschleunigte Industrialisierung und Modernisierung als stabile Einheit personeller Stabilität und kultureller Reproduktion überlebt. Die Scheidungsraten steigen zwar, liegen aber weit unter denen anderer fortgeschrittener Industrieländer, mit Ausnahme von Italien und Spanien (s. Bd. II, Kap. 4). Wenn nötig, greift der Staat ein, um der Lage eine kleine institutionelle Wendung zu geben und den Patriarchalismus zu belohnen. So macht es die japanische Steuergesetzgebung etwa sinnlos, dass Frauen über Teilzeitverdienste hinaus allzu viel Geld beitragen, weil die Steuerquote für doppelverdienende Haushalte prohibitiv hoch wird. Der Beitrag gebildeter, hyperaktiver Frauen zur Flexibilität der japanischen Arbeitsmärkte, zur Stabilität der Familien und zur traditionellen Kultur ist ein entscheidend wichtiger Bestandteil des gesamten sozialen und wirtschaftlichen Gleichgewichtes in Japan. Und wenn komparative Erfahrungen irgendwie Bedeutung haben, vielleicht auch das schwächste Kettenglied des japanischen Modells.

Die kulturelle Reproduktion wird auch durch den Staat, besonders durch das Bildungsministerium abgesichert, das die Bildungsprogramme und Lehrpläne von den Vorschulen bis hin zu den führenden Universitäten genau überwacht. Dabei wird der Akzent auf die traditionelle Kultur und auf ein hierarchisches, komplexes Prüfungssystem gelegt, das das Berufsschicksal jeder japanischen Person häufig sehr früh im Leben fest legt. Strikte Disziplin ist die Regel, wie dies 1990 beispielhaft an einem tragischen Vorfall zum Ausdruck kam, als ein Schulmädchen umkam, weil sie von dem Rollgitter erfasst wurde, das dazu dient, Schülerinnen und Schüler draußen zu halten, die zu spät gekommen sind. Diese stratifizierte kulturelle Homogenität ist entscheidend dafür, um Kooperation, Kommunikation und ein Zugehörigkeitsgefühl zur gemeinschaftlichen/nationalen Kultur sicher zu stellen, wobei zugleich die sozialen Unterschiede akzeptiert und die relative Position einer jeden und eines jeden respektiert werden. Der kombinierte Druck einer starken patriarchalischen Familie von unten und eines starken Bildungsministeriums von oben sorgen für eine reibungslose kulturelle Reproduktion und verdammt alternative Wertvorstellung zu einer Existenz als radikale Herausforderungen außerhalb des Systems. Rebellion wird damit marginalisiert.

Auf der Grundlage eines steigenden Lebensstandards, industrieller Kooperation, geordneter Reproduktion der traditionellen Werte und gesellschaftlicher Mobilisierung im Namen der Nation wurde die politische Stabilität durch eine zusammen gewürfelte Koalition von Persönlichkeiten, Interessengruppen und Klientelbeziehungen abgesichert, die im Gefolge der amerikanischen Besetzung hastig unter dem Namen der Liberaldemokratischen Partei zusammengebracht worden war. Die LDP war – recht ähnlich wie die italienischen Christdemokraten, die vom Vatikan und den Vereinigten Staaten zum Widerstand gegen Kommunismus und Sozialismus geschaffen wurden – eine instabile Koalition politischer Fraktionen, eine jede mit ihren „*capo*" (von denen der mächtigste Kakuei Tanaka war), der über fünf Jahrzehnte hinweg zum Mittelpunkt eines Geflechtes von Interessen, Komplizenschaft, Intrige, Verschwiegenheit und Verpflichtungen geworden war. Die LDP profitierte von der Nachsicht der USA (grundlegend für die japanische Wirtschaft, die einen Gesprächspartner brauchte, der in den USA Vertrauen genoss, um den entscheidend wichtigen Zugang zu den amerikanischen Märkten und Lieferungen zu sichern), und ihre Fraktionen perfektionierten die Kunst politischer Vermittlung. Sie tauschten Wahlstimmen gegen Geld, Geld gegen Vergünstigungen, Vergünstigungen gegen Posten, Posten gegen Patronage, dann Patronagen gegen Wahlstimmen und so weiter. Sie lagen ständig im Streit um die Kontrolle über Ressourcen innerhalb des Patronagesystems, waren sich aber immer einig, wenn es um das gemeinsame Wohl ging. Sie wurden periodisch durch Skandale erschüttert, vor allem nach der „Lockheed-Affäre" 1976, die zum Rücktritt von Premierminister Tanaka führte und die möglichen Folgen politischer Enthüllungen in den Medien deutlich machte. Das war ein Ereignis, dessen Auswirkungen ähnlich waren wie Nixons Watergate für die US-Politik. Wie ich in Band II, Kapitel 6 analysiert habe, stand die politische Korruption in Japan wie in den meisten anderen Ländern im Zusammenhang mit der Finanzierung von Wahlkämpfen und politischen Fraktionen, wobei auch die Geldbeschaffer der Partei ein kleines Trinkgeld erhielten. Wie oben erwähnt, waren anscheinend das Bau-, Landwirtschafts- und Verkehrsministerium bevorzugte Kanäle, durch die staatliche Gelder an begünstigte Privatunternehmen im Austausch dafür geleitet wurden, dass diese Unternehmen die Tätigkeit der LDP und ihre Führer finanzierten, während die lokalen Bosse für die notwendigen Stimmen sorgten.[23] Aber das war si-

23 Ikuta (1995); Johnson (1995); Schlesinger (1997).

cherlich nicht die einzige Finanzquelle für die Politik. Schließlich sind in den japanischen Medien wiederholt unverhüllte Verbindungen zwischen der *Yakuza* und LDP-Führern (einschließlich Premierministern) offen gelegt worden.

Über die politische Korruption hinaus sicherten in ländlichen Gebieten und weniger stark entwickelten Provinzen auch traditionelle Patronagesysteme die Unterstützung für die LDP-Kandidaten. Das Wahlgesetz sorgte für eine überproportionale Vertretung dieser Distrikte im Parlament und machte es so äußerst schwierig, den wiederholten Erfolg der LDP zu gefährden. Es funktionierte. Nahezu fünf Jahrzehnte lang sicherte das LDP-System ungeachtet all seiner Probleme in Japan politische Stabilität. Konflikte blieben innerhalb „der Familie" und das Volk konnte seinen sauer verdienten Wohlstand genießen und dabei immer verachtungsvoller auf die Politiker schauen. Dieses System konnte jedoch trotz seiner begrenzten Legitimität nur aus dem Grund überleben, weil eine höhere Autorität, das symbolische Kaisersystem, für das japanische Volk eine moralische Garantie blieb und weil ein Aufgebot aufgeklärter Despoten sich um die Staatsangelegenheiten kümmerte und dabei Wirtschaft und Arbeiter beim Wiederaufbau der Nation zusammen führte.

Das war das gesellschaftliche Entwicklungsmodell, das die Welt in Staunen versetzte, Amerika Furcht einjagte und die europäischen Regierungen veranlasste, Schutz unter dem Schirm der Europäischen Union zu suchen. Es war in der Tat kohärent, mächtig, brillant. Es war historisch gesehen zugleich kurzlebig, weil es Mitte der 1980er Jahre seinen Höhepunkt erreicht hatte und während der Anfangsjahre der Heisei-Zeit in eine offene Strukturkrise geriet.

Sonnenuntergang: Die Krise des japanischen Entwicklungsmodells

Seit Mitte der 1980er Jahre entwickelte sich in Japan allmählich eine Strukturkrise, die in verschiedenen Dimensionen der wirtschaftlichen, sozialen und politischen Landschaft zum Ausdruck kam. Zwar schien die japanische Wirtschaft 1999 auf dem Weg der Genesung zu sein, aber die meisten Probleme, die der Krise zugrunde gelegen hatten, waren im Großen und Ganzen ungelöst. Deshalb war die Neustrukturierung Japans zur Jahrhundertwende noch immer dabei, sich zu entfalten. Die Krise der 1990er Jahre manifestierte sich in einer Reihe scheinbar unzusammenhängender Ereignisse, deren untereinander verknüpfte Logik ich hoffe, am Ende meiner Analyse nachweisen zu können.

Konzentrieren wir uns zuerst auf die Finanzkrise, die im Vordergrund der Strukturkrise Japans zu stehen scheint.[24] Wenn man die Komplexität der Finanzkrise auf ihren Wesenskern reduziert, so besteht das Hauptproblem in der

24 Die Analyse der japanischen Finanzkrise in der Zeit von 1996-1998 beruht auf Berichten in der in Anm. 2 angeführten Wirtschaftspresse. Nützliche Überblicke enthalten *The Economist* (1997); Eisenstodt (1998) und die spannenden Szenarios von Nakame International Economic Research, Nikkei sowie Global Business Network (1998).

schwindelerregenden Höhe notleidender Kredite, die von den japanischen Banken aufgehäuft wurden und 1998 auf etwa 80 Billionen ¥ geschätzt wurden, was 12% von Japans BIP entsprach. Ausländische Experten, die 1998 die Lage der japanischen Banken beurteilten, meinten, dass nur zwei der 19 größten Banken über eine ausreichende Kapitalisierung verfügten, um die möglichen Verluste abzudecken. Der krasseste Fall betraf eine der größten Banken der Welt, die Long Term Credit Bank, wo die Regierung im Herbst 1998 intervenierte, nachdem die Bank Forderungen in Höhe von 7 Mrd. US$ nicht mehr befriedigen konnte und die dann an eine Finanzgruppe verkauft wurde, die von dem amerikanischen Anlagefonds-Verwaltungsunternehmen Ripplewood Holdings organisiert worden war. Unter den Banken, die sich in verzweifelter Lage befanden, waren die Fuji-Bank mit 17 Mrd. US$ notleidender Kredite, die Sakura-Bank mit weiteren 11 Mrd. US$ potenzieller Verluste und Nippon Credit mit einem Minus von 1,5 Mrd. US$. Sie alle wurden 1998-1999 je nach dem nationalisiert, umstrukturiert und fusioniert oder in manchen Fällen auch liquidiert. Die Lage der japanischen Banken am Rande des Zusammenbruchs entwertete ihren Aktienwert und machte es für sie prohibitiv teuer, internationale Kredite zu akquirieren. Daher schränkten die überlebenden Banken ihr Kreditgeschäft drastisch ein und trockneten so das der Wirtschaft zur Verfügung stehende Leihkapital aus. 1998 schrumpfte die japanische Wirtschaft zum ersten Mal seit der Ölkrise der 1970er Jahre.

Die Schlüsselfrage lautet: Warum gab es so viele faule Kredite, und warum wurde so lange ignoriert, dass sie nicht abgezahlt wurden? Die Antwort liegt in den Widersprüchen, die in das japanische Entwicklungsmodell eingebaut waren und die durch die zunehmende Konfrontation der japanischen Finanzinstitutionen mit den globalen Finanzmärkten verschärft wurden. Ich will das erklären. Das schnelle Wachstum Japans beruhte auf einem staatlich abgesicherten Finanzsystem, das darauf eingestellt war, sowohl Sparern als auch Banken Sicherheit zu gewährleisten und zugleich den Unternehmen günstige Kredite zu niedrigen Zinsen zu verschaffen. Lange Zeit operierten die japanischen Finanzinstitutionen relativ isoliert von den internationalen Kapitalströmen nach den Regeln und politischen Leitlinien, die das Finanzministerium aufgestellt hatte und interpretierte. Der Aktienmarkt war keine wichtige Finanzquelle und bot auch keine attraktiven Investitionsmöglichkeiten für Spargelder. Die hohen Sparquoten waren entscheidend wichtig, um Investitionen ohne Inflation am Laufen zu halten. Aber die Vermittlung zwischen Ersparnissen und Investitionen wurde über die Guthaben beim Postamt, bei Banken und bei Spar- und Darlehenskassen geleitet. 1997 betrug das Verhältnis der Guthaben zur Gesamtsumme des BIP in Japan 92,5%, verglichen mit 34% in den USA. Die Banken und Spar-Institutionen waren daher vollgesogen mit Bargeld und brannten darauf, es auszuleihen. Die Banken waren jeweils mit einem *keiretsu* verbunden und in ihrem Kreditierungsverhalten daher an bevorzugte Kunden gebunden. Im Gegenzug wurden sie durch die Gesamtstruktur des *keiretsu* abgesichert. Der Staat sorgte dafür, dass keine Bank bankrott ging. Darlehen wurden durch Grundeigentum und Unternehmensanteile abgesichert. Bei geringen Risiken und geringen Zinssätzen hatten die Banken daher eher ein manifestes Interesse an hohen Kreditsummen und weniger an Profitmargen. Weil Geld zu günstigen Bedingungen international und zu Hause die Wirtschaft ankurbelte, schien es, als würden hohe Wachstumsraten die Rückzahlung der Darlehen garantieren und so für zusätzliches Bargeld für künftige Anleihen sorgen. Daneben schossen die Grundstückspreise vor allem in Tokyo und Osaka in die Höhe, was zusätzliche Sicherheitswerte für eine endlose Expansion des Geldverleihens schuf. Für diese Überbewertung von Land und Immobilien gab es zwei Gründe. Einmal machte die rapide Kapitalakkumulation in Japan, die hauptsächlich Resultat des anhaltenden Handelsüberschusses war, Gelder für Immobilieninvestitionen verfügbar und trieb so die Grundstückspreise in die Höhe. Zum anderen führte der ungeplante, chaotische Charakter der japanischen Urbanisierung, der in scharfem Kontrast zur sorgfältigen strategischen Planung von Produktion und Technologie stand, zur Entstehung eines wilden Immobilienmarktes.[25] Das schnelle Wirtschaftswachstum konzentrierte Bevölkerung und Aktivität in verdichteten städtischen Gebieten, und das in einem Land, das sich bereits durch die Knappheit nutzbaren Landes unter Druck gesetzt sah. Die Bodenpreise stiegen wegen der Mechanismen der politischen Patronage drastisch an, die eine große Zahl kleiner Grundeigentümer, von denen viele in den ländlichen Randgebieten der großen Ballungsräume lebten, mit einer Sonderprämie bedachte. Zur Illustration stiegen zwischen 1983 und 1988 die Durchschnittspreise für Wohn- und Geschäftsgrundstücke im Gebiet von Tokyo um 119% bzw. 203%.[26] Die Grundstücksspekulation kleiner Grundeigentümer wurde von den großen Finanzfirmen, die am meisten davon profitierten, unterstützt. Die Lokalverwaltungen konnten sich garantierter Revenuen und politischer Unterstützung gerade dann sicher sein, wenn sie nicht planten und keinen alternativen Wohnraum zur Verfügung stellten, sondern die Entscheidung dem Markt überließen und so Grundeigentümer und Banken sich künstlich an den überzogenen Immobilienwerten bereichern ließen. Zugleich mussten Menschen, die ein Eigenheim anstrebten, mehr Ersparnisse erzielen, was zusätzliches Geld für die Banken und Finanzinstitutionen bedeutete. Damit hing die Entwicklung des Aktienmarktes zusammen, der ebenfalls von den japanischen Exporterlösen angetrieben wurde und seinen Wert vervielfachte, was zu zusätzlichen Krediten führte, die scheinbar durch die überbewerteten Aktienwerte abgesichert waren. So lange, wie das System auf der Grundlage von Wettbewerbsfähigkeit im Ausland, hohen Exporterlösen, hohen Sparquoten und übertriebenen Bewertungen zu Hause funktionierte, speiste das Finanzsystem seine eigene Expansion. Und Wirtschaftsberater aus der ganzen Welt eilten denn auch nach Tokyo, um das Wun-

25 Machimura (1994).
26 Fukui (1992: 217).

der eines Finanzsystems zu studieren und zu preisen, das in der Lage schien, Wert aus sich selbst heraus zu schöpfen und dabei die Wettbewerbsfähigkeit in Industrie und Handel voranzubringen. 1990 waren acht der zehn am Depositenvolumen gemessen größten Banken der Welt japanisch.

Die Gewährung günstiger Kredite hatte noch eine weitere, verborgene Dimension: den ungleichen Zugang zu Darlehen. Die Banken waren verpflichtet, unabhängig von der Seriosität der Investition und des mit einem Geschäft verbundenen Risikos Geld an Firmen, Einzelpersonen und Organisationen zu verleihen, die privilegierten Zugang zu der jeweiligen Bank hatten. Es gibt hauptsächlich vier Gruppen solcher „privilegierten Schuldner". Die erste bilden die Firmen des *keiretsu* der jeweiligen Bank; hier war die Darlehenspolitik Teil der umfassenderen Konzernstrategie. Zweitens gab es die direkte oder indirekte Empfehlung des Finanzministeriums für ein bestimmtes Darlehen, das im Interesse der japanischen Volkswirtschaft lag. Drittens gab es Zugeständnisse der Bank (oder Spar- und Darlehenskasse) gegenüber dem Druck von Firmen, die mit der *Yakuza* in Verbindung standen (s.o., Kap. 3). Viertens kam es zur Finanzierung politischer Parteien, in der Regel der Regierungspartei LDP oder zur Unterstützung von Leuten aus ihrem Personal. Schließlich wurden die Banken im Gegenzug genau durch den letztinstanzlichen Schutz der Regierung für das *keiretsu* und die Bankenbranche insgesamt gegen Missgeschicke abgesichert. Der Kreis schließt sich. Da Finanzmärkte, individuelle Investoren und Konsumenten wenig Einfluss auf das Bankensystem hatten, funktionierte das japanische Finanzwesen wie ein Fall aus dem Lehrbuch für staatskapitalistischen Korporatismus. Die Banken verfügten nur über geringe Autonomie: Sie waren hauptsächlich Instrumente, um Spargelder zu erfassen und sie Zielgruppen zuzuteilen, die durch das verzwickte Gewebe der Japan AG dazu bestimmt wurden, dem nationalen Interesse Japans und den persönlichen Interessen seiner Repräsentanten zu dienen.

So lange es hielt, erfüllte dieses System auf sehr dynamische und einigermaßen effiziente Weise seinen Zweck. Aber als es sich umkehrte und von Wertschöpfung auf Wertvernichtung umschaltete, brachte es die japanische Volkswirtschaft völlig durcheinander. Für den Untergang dieses Finanzsystems waren drei Faktorenkomplexe verantwortlich. Erstens platzte 1991 die Spekulationsblase auf dem Immobilien- und Aktienmarkt. Zweitens machte es die Öffnung der japanischen Finanzinstitutionen gegenüber den globalen Finanzmärkten äußerst schwierig, weiter an den japanischen Routinen im Finanzwesen fest zu halten. Drittens verlor der Staat großenteils seine Fähigkeit, Bankschulden und mögliche Zahlungsunfähigkeit abzudecken. Wir wollen diese drei Entwicklungen etwas detaillierter betrachten.

Erstens platzte die Spekulationsblase, weil alle Blasen das am Ende tun. Das nennt sich Wirtschaftszyklus. Aber im japanischen Fall gab es besondere, erschwerende Umstände. Die überhitzte Wirtschaft trieb den Kurs des Yen nach oben, was die japanische Wettbewerbsfähigkeit unterminierte. Aber der starke

Yen und der boomende Aktienmarkt veranlassten die Konzerne, im Finanzbereich zu investieren und international ebenso wie auf dem heimischen Markt große Summen zu verleihen. Die Grundstückspreise gaben schließlich sowohl wegen der strukturellen Unfähigkeit der Wohnungsnachfrage nach, die Preissteigerungen abzufangen, als auch wegen der Überkapazität auf dem Markt für Bürobauten. Die Aktienmärkte folgten diesem Abfall und destabilisierten das japanische Finanzsystem, das auf der riskanten Unterstellung eines fortdauernden Höhenfluges aufgebaut war. Aus Angst vor einer Inflation zog die Regierung die Bremse und rief so Anfang der 1990er Jahre eine Wirtschaftsrezession hervor. Das drastische Einknicken des Aktienmarktes vernichtet bis 1996 zusammen mit dem Zusammenbruch der Immobilienpreise den größten Teil der Werte, die während der 1980er Jahre künstlich geschaffen worden waren (s. Abb. 4.1). Zum ersten Mal in vier Jahrzehnten begann die japanische Volkswirtschaft zu stagnieren und erholte sich erst Mitte der 1990er Jahre aufgrund der Ankurbelung durch Staatsausgaben und mit nur geringen Wachstumsraten.[27] Aber diese Erholung war nur kurzlebig. Die finanzielle Instabilität zwang die Banken zu einer strikteren Kreditvergabe. Die Volkswirtschaft litt daher trotz der Anstrengungen der Regierung, die Zinsen zu senken, die 1998 mit um die 1% einen historischen Tiefststand erreichten, unter Geldmangel, und der führte zum Wachstumsstillstand. Japan rutschte in einen deutlichen Abschwung hinein.

Abbildung 4.1 Aktien- und Grundstückswerte in Japan (Mrd. Yen), 1976-1996 (nicht realisierte Profite, Gesamtwert)

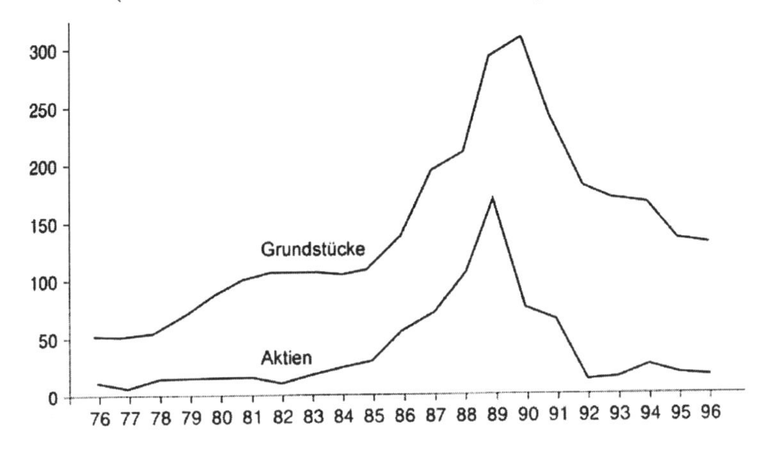

Quelle: The Economist (1997: 4)

Aber das ernsthafteste Problem für das japanische Finanzsystem ergab sich aus seiner zunehmenden Öffnung gegenüber den globalen Finanzmärkten. Hier

27 *Asahi Shimbun* (1995).

sind drei Hauptprobleme zu berücksichtigen. Erstens vergaben die japanischen Banken und Finanzinstitutionen angesichts der stagnierenden japanischen Wirtschaft und des Booms auf dem asiatisch-pazifischen Markt hohe Kredite auf diesen aufstrebenden Märkten. Sie reproduzierten dabei dieselben Kreditierungsverfahren, die sie auch zu Hause anwendeten: Sie vergaben hohe, kurzfristige Kredite an bevorzugte Kunden unabhängig von deren Zahlungsfähigkeit unter der doppelten Garantie der lokalen Konzerne und Regierungen. Sie akzeptierten für viele ihrer Darlehen überbewertetes Grundeigentum als Sicherheit. Damit setzten sie ihr asiatisches Kreditgeschäft denselben Risiken aus wie die von ihnen in Japan vergebenen Darlehen. Als die Blase der Immobilienspekulation in Asien platzte, verloren viele der Darlehen ihre Sicherheiten, was zur Zahlungsunfähigkeit führte. Als die Aktienmärkte in Thailand, Indonesien, Malaysia, den Philippinen, Südkorea und Hongkong zusammenbrachen, waren die dortigen Unternehmen, die für die Kredite garantiert hatten, nicht mehr in der Lage, sie zurück zu zahlen. Als die lokalen Währungen in den Keller gingen, konnten die japanischen Banken ihre auf Dollar oder Yen laufenden Darlehen nicht zurück bekommen. Und als sie sich an die asiatischen Regierungen und auch an ihre kostspielig gewonnenen „Freunde“ im Staatsapparat wandten, und sie aufforderten, ihren Verpflichtungen nachzukommen, waren die Regierungen dazu einfach nicht imstande. Die Staaten sahen sich einem Berg von finanziellen Verpflichtungen gegenüber, die alle zur selben Zeit fällig wurden. Mit ihrer Suche nach Rettung auf den asiatischen Märkten hatten die japanischen Finanzinstitutionen auf diese Weise wesentlich dazu beigetragen, ihre eigene Krise zu exportieren, die am Ende auf sie selbst zurückschlug.

Zweitens wurde es für die japanischen Finanzunternehmen, als sie zu Global Players aufstiegen, schwieriger, die Insider-Geschäfte und riskanten Praktiken am Rande der Legalität aufrecht zu erhalten, die sie von zu Hause gewohnt waren. Das lag nicht daran, dass sie sich nun in eine „sauberere Umwelt“ begeben hätten. Vielmehr gibt es zahlreiche Beispiele für fragwürdige, riskante und sogar illegale Praktiken westlicher Finanzinstitutionen. Die Regierungen und Finanzbranchen der USA und Europas haben durchaus ihre Erfahrungen damit, dass Banken und Finanzinstitutionen gerettet werden mussten, weil sie ohne entschiedenes staatliches Eingreifen, oft unter Einsatz von Steuergeldern, zusammengebrochen wären und damit eine Finanzpanik ausgelöst hätten. Die Auslösung der Spar- und Kreditvereinigungen in den USA während der 1980er Jahre (zu schwindelerregenden 250 Mrd. US$), die Schließung von BCCI in Luxemburg, die Sanierung des Credit Lyonnais in Frankreich (Ausgleich einer Deckungslücke von 100 Mio. US$) und die Rettung von Long Term Capital Management in New York 1998 (eine Auslösung zu 4 Mrd. US$) illustrieren ein weit verbreitetes Muster riskanter Finanzpraktiken in der globalen Ökonomie. Die japanischen Banken und Wertpapierfirmen hatten das Problem, keine genaue Vorstellung von den Spielregeln zu haben, die im Ausland herrschten. Mit anderen Worten besaßen sie auf globaler Ebene nicht dasselbe Insider-Wissen und die vertraglichen Netzwerke, auf die sie sich in Japan verlassen konnten. Zudem konnten sie anders als in Japan auf den wichtigsten Finanzmärkten in der ganzen Welt nicht auf die Komplizenschaft der Regierungen zählen. Als sie die globalen Regeln durch ihre Misserfolge endlich gelernt hatten, war es für viele Banken und Wertpapierfirmen zu spät. Unter anderen wurde die Sanwa Bank in den Vereinigten Staaten mit Sanktionen belegt; Nomura Securities war in Japan und den USA von Skandalen und riesigen Verlusten betroffen; und Yamaichi Securities, eines der größten Unternehmen der Welt, wurde 1997 in den Konkurs gezwungen.

Außerdem wurden die japanischen Banken und Wertpapierfirmen, indem sie sich vollständig auf die internationalen Finanzmärkte einließen, Teil der zunehmenden Masse scheinbar mächtiger, doch in Wirklichkeit machtloser Finanzgruppen. Mit anderen Worten, sie akkumulierten und investierten zwar riesige Kapitalmengen, hatten aber wenig Möglichkeiten, die Ereignisse zu kontrollieren, die die Form der Finanzmärkte bestimmen und neu bestimmen. Damit waren die japanischen Firmen denselben Risiken wie alle anderen auf der ganzen Welt ausgesetzt. Aber es gab zwei Faktoren, die für die japanischen Firmen zu Quellen größerer Risiken wurden. Erstens hatten sie im Vertrauen auf die Rückzahlung riskanter Kredite auf der Grundlage anhaltenden schnellen Wachstums eine Finanzpyramide aufgebaut. Jeglicher Abschwung konnte angesichts des kurzfristigen Zeithorizontes eines Großteils ihrer Darlehen zu einer Kettenreaktion finanzieller Verluste führen. Zweitens ist da das, was ich das „Paradox des schwachen Riesen" nenne. Entgegen den Annahmen, die sich vielleicht zwingend aus dem gesunden Menschenverstand ergeben, ist eine Finanzinstitution im gegenwärtigen globalen Finanzsystem in einer Krise umso verwundbarer, je größer sie ist. Denn Größe bestimmt das Ausmaß des Engagements auf der ganzen Welt. Je höher das Volumen des Kapitals ist, das profitabel angelegt werden muss, desto größer sind Reichweite und Ausmaß der Operationen, an denen die Finanzinstitution beteiligt sein muss, um durchschnittliche Profite zu garantieren. Die globalen Finanzmärkte sind interdependent, und eine Turbulenz an irgend einem Knoten dieser internationalen Finanznetzwerke strahlt aus Gründen, die mit wirtschaftlichen Grundgegebenheiten wenig zu tun haben, auf andere Märkte aus. Je stärker also die Investitionen eines Unternehmens dem globalen Markt ausgesetzt sind, desto höher ist die Wahrscheinlichkeit, dass es irgendwo zu Verlusten kommt – oder gleichzeitig zu vielfachen Verlusten. Umgekehrt steigt auch die Wahrscheinlichkeit, auf erfolgreichen Märkten Profit zu machen, mit der Größe. Weil aber Profite und Verluste in Zeit und Raum nicht vorhersagbar sind, nimmt mit der Größe und Komplexität der Finanzfirma die Unsicherheit der Erträge aus Investitionen zu. Je größer daher auf einem bestimmten Risikoniveau die Firma und je höher das Ausmaß ihrer Globalisierung, desto größer wird auch die Unsicherheit ihrer finanziellen Erträge sein. Die Hedge-Funds sollten die Antwort auf dieses Paradox sein. Stattdessen sind sie zur allerabenteuerlichsten Quelle von Investitionsstrategien geworden. Gewöhnlich wetten Hedge-Fund-Firmen auf alternative Szenarien für ein finanzielles Risiko, aber nicht, um das Risiko zu verringern, sondern um Extraprofit aus den relativen Abweichungen nach Zeit und Ort zwischen den beiden Seiten der Wette zu ziehen. Daher erhöhen die Hedge-Funds letztlich die finanzielle Unsicherheit, anstatt sie zu verhindern. In solchen Zusammenhängen wurden die japanischen Banken, als sie vollgesogen mit dem Bargeld aus den Handelsüberschüssen der japanischen Konzerne auf die globale Bühne traten, gegenüber der Instabilität der durch die Geschwindigkeit der elektronischen Transaktionen beschleunigten Finanzmärkte (s. Bd. I, Kap. 2) immer anfälliger.

Die dritte wichtige Entwicklung, die zur Krise des japanischen Finanzsystems geführt hat, war die abnehmende Fähigkeit des japanischen Staates, die Verluste der Finanzinstitutionen abzudecken. Das hatte verschiedene Gründe. Die Verluste stiegen auf ein solches Niveau, dass die öffentlichen Mittel den Anforderungen immer weniger entsprachen, vor allem dann, wenn die Verluste wegen des Verstärkungseffektes der Finanzpyramiden gleichzeitig auftraten. Das Finanzministerium versuchte, die Wirtschaft durch Stimulation aus der Stagnation heraus zu führen und senkte die Zinsen, was den Banken zusätzliche Revenuen nahm. Außerdem wurden die verfügbaren öffentlichen Mittel in Investitionen in öffentliche Arbeiten gelenkt, was den finanziellen Spielraum für die Unterstützung der Banken mit Steuergeldern reduzierte. Der wichtigste Faktor, der die schwindende Fähigkeit der Regierung erklärt, das Finanzsystem umzuformen, war jedoch ihre politische Schwäche. Wie ich unten eingehender darlegen werde, bedeutete das Ende der beherrschenden Rolle der LDP in der japanischen Politik, dass die Entscheidungsfindung gegenüber den Oppositionsparteien legitimiert werden musste. Als Skandal auf Skandal das öffentliche Vertrauen ruinierten, verlor die Regierung die Macht, ihren bedrängten Freunden von der Finanz hinter den Kulissen beizuspringen. Außerdem erfasste die Vertrauenskrise erstmals auch die japanische Bürokratie und besonders das einst allmächtige Finanzministerium. 1997-1998 begannen sämtliche Forderungen der Opposition nach Reform mit dem Verlangen nach einer Finanzagentur, die unabhängig vom Finanzministerium die Finanzreform überwachen sollte. So trugen die politische Schwäche sowohl der LDP als auch der Bürokratie zur Krise des alten Finanzsystems bei. Und die Vertiefung der Krise trug dazu bei, dass der Staat noch mehr geschwächt wurde, so dass es schwierig wurde, die Banken ohne politische Verantwortlichkeit wieder flott zu bekommen.

Schließlich verstärkten die drei Faktoren, die ich analysiert habe – nämlich die Umkehr des Wirtschaftszyklus, die inneren Widersprüche der Globalisierung der Finanzwirtschaft und die Krise des politischen Management – einander im gesamten Verlauf der 1990er Jahre, und so entstand eine Spirale, in der die Bankenkrise außer Kontrolle geriet. Die partielle Deregulierung der Finanztransaktionen, die die Bewegung der Kapitalströme erleichterte, ermöglichte eine Kapitalflucht aus Japan, die zur Abwertung des Yen führte, was den Kapitalabfluss weiter verstärkte. Weil die japanischen Sparer und Investoren künftig leichteren Zugang zu internationalen Investmentfonds haben würden und weil die Zinsen auf den ausländischen Märkten höher waren, stand die Möglichkeit der Aushöhlung des japanischen Finanzsystems drohend am Horizont.

Angesichts des Zusammenbruchs der Aktien- und Grundstückspreise zu Hause und unfähig, die großen Summen, die sie in Japan und Asien ohne ausreichende Sicherheiten ausgeliehen hatten, effektiv zurück zu fordern, riefen die japanischen Banken und Finanzfirmen die Regierung zu Hilfe. Die Regierung reagierte 1997 mit einem Paket von über 60 Mrd. US$, dann 1998 mit einer zusätzlichen Spritze von 570 Mrd. US$, zu denen 1999 noch einmal 72 Mrd. US$ allein für die Bankgruppe Daiwa kamen. Einige Banken wurden nationalisiert oder übernommen und dann verkauft, und die meisten wurden umstrukturiert und/oder fusioniert. Eine Reihe durch die Regierung veranlasster Großfusionen schuf 1999 gigantische Banken/Finanzgruppen: DKB, IBJ and Fuji-Bank mit einem Gesamtvermögen von 98,7 Billionen ¥; Tokai and Asahi Bank mit 66,3 Billionen ¥, zu denen möglicherweise die Daiwa Bank hinzu kommen sollte. Das Wichtigste an diesen Fusionen war, dass sie quer zu unterschiedlichen *keiretsu* erfolgten und damit potenziell der Abhängigkeit der Banken von ihren Verpflichtungen gegenüber den *keiretsu* ein Ende setzten. Diese Tendenz führte auch Banken, Versicherungsgesellschaften und Finanzinstitutionen zusammen. Nach dieser Neustrukturierung war die japanische Finanzbranche, wenn man noch die Bank of Tokyo/Mitsubishi und die Sanwa-Gruppe hinzu nimmt, um nur fünf Großgruppen herum organisiert. Die Regierung übernahm einen beträchtlichen Teil der notleidenden Kredite der Banken. Ende 1999 belohnte der Aktienmarkt die Anstrengungen der Banken zur Neustrukturierung, und die Aktien der Großbanken steigerten ihren Wert um das Sechzigfache gegenüber den Prognosen über die Erlöse pro Aktie für 1999. Weil die Regierung nicht über das Bargeld verfügte, um die Rettungsaktion zur selben Zeit zu bezahlen, als sie ihre Ausgaben steigerte, um die Wirtschaft anzukurbeln, lieh sie sich das Geld. Daher bestand der Preis, den die Regierung und das Land für die Rettung der japanischen Banken zu zahlen hatten, in der Hinnahme eines schwindelerregenden Budgetdefizits (10% des BIP) und eines nie dagewesenen Standes der Staatsschuld (ungefähr 140% des BIP), was der japanischen Wirtschaft im Lauf des 21. Jahrhunderts noch zu schaffen machen wird. Die vorläufige Lösung der Finanzkrise in Japan hat jedoch nicht die tiefsitzenden Probleme der japanischen Volkswirtschaft gelöst. Was in Frage gestellt war, war das gesamte wirtschaftliche Entwicklungsmodell.

Die Globalisierung transformierte schließlich auch das industrielle Entwicklungsmodell. Mitte der 1980er Jahre drängten die Angst vor einem amerikanischen und europäischen Protektionismus sowie der starke Yen und das hohe Kostenniveau in Japan die japanischen Konzerne endlich zu einer globalen Dezentralisierung, was die relative Schwächung der industriellen Basis Japans bedeutete.[28] Die ersten Schritte auf der Suche nach niedrigeren Produktionskos-

28 Aoyama (1996).

ten und günstigeren Ausgangsbasen für den Export in die fortgeschrittenen Volkswirtschaften gingen in Richtung Asien.[29] Aber Ende der 1980er Jahre beschleunigte sich der Prozess, und es kam zur Übersiedelung ganzer Produktionseinheiten einschließlich von F&E-Zentren zusammen mit Fabriken und Handelsniederlassungen in die wichtigsten Märkte Japans, vor allem in die Vereinigten Staaten, in das Vereinigte Königreich und nach Deutschland.[30] Asiatische Länder wurden nun auch zu Märkten, nicht nur zu Produktionsbasen. Das MITI versuchte, dieser Abwanderung japanischen Kapitals und japanischer Technologie gegenzusteuern, indem es in Kooperation mit den Präfekturen der weniger entwickelten Provinzen das Technopolis-Programm entwickelte, um die Hightech-Unternehmen für eine Strategie regionaler Dezentralisierung anstelle der Auslagerung zu gewinnen.[31] Kyushu hat von dem Technopolis-Programm teilweise deshalb stark profitiert, weil ausländische Elektronikunternehmen an Standorten auf dem japanischen Markt interessiert waren. Auch japanische Firmen dezentralisierten einige ihrer Zweigfabriken, beließen aber ihre wichtigsten Talente und ihre hochqualifizierten Fertigungsprozesse im Innovationsmilieu von Tokyo-Yokohama. Doch die Tendenz zur Auslagerung von Fertigung sowie Handels- und Finanzaktivitäten betraf ein unvergleichlich viel höheres Investitionsvolumen. Einige dieser Auslagerungen hatten das Ziel, billiger zu produzieren und die Produkte nach Japan zurück zu transportieren, so dass ein beträchtlicher Teil des japanischen Handels mit Asien in Wirklichkeit aus dem Hin- und Hertransport der japanischen Produktionsnetzwerke in Asien besteht. Wie aber Aoyama in ihrer in Berkeley eingereichten Dissertation über die internationalen Standortstrategien der japanischen Konsumelektronikunternehmen empirisch gezeigt hat,[32] läuft das meiste auf eine wirkliche Globalisierung der japanischen Unternehmen jenseits der Küsten Japans hinaus. Der Trend weitete sich Ende der 1990er Jahre aus, angetrieben von den Ängsten vor einem Protektionismus und der Notwendigkeit, sich spezifische – qualifizierte wie nicht qualifizierte – Arbeitsmärkte zu sichern sowie die Exportbasen zu diversifizieren. Insgesamt gab es eine zunehmende Tendenz der japanischen Multis, sich von der japanischen Volkswirtschaft abzukoppeln. Die wichtigste Folge dieser Tendenz besteht darin, dass das MITI und das System des Entwicklungsstaates viel von ihrer Schlagkraft und selbst von ihrem Einfluss auf die japanischen Konzerne verloren haben. Das liegt nicht nur daran, dass diese jetzt viel größer sind und sich für stark genug halten, selbst über ihre Strategien zu entscheiden, sondern auch daran, dass sie jetzt global sind und zu globalen Netzwerken gehören. Damit sind ihre Interessen als Unternehmen und Unternehmensgruppen zunehmend aufgefächert und erfordern unterschiedliche Strategi-

29 Ozawa (1996).

30 Aoyama (1996).

31 Castells und Hall (1994).

32 Aoyama (1996).

en für unterschiedliche Länder, unterschiedliche Sektoren und unterschiedliche Produktlinien.[33] Natürlich befinden sich die meisten ihrer Vermögenswerte noch immer in Japan (wenn auch ein abnehmender Anteil), und es herrscht unter japanischen Unternehmen vermutlich eine höhere kulturelle/geografische Loyalität gegenüber ihrem Land als unter anderen Unternehmen von ähnlich globaler Reichweite. Es trifft auch zu, dass der japanische Staat eine Politik verfolgt, die seine Unternehmen begünstigt, genauso wie die US-Regierung (etwa die Unterstützung des Verteidigungsministeriums für die Mega-Fusion zwischen Boeing und McDonnell Douglas 1996, um die Konkurrenz von Airbus zu konterkarieren). Aber anders als in den 1960er und 1970er Jahren hat das MITI keinen direkten Einfluss auf die japanischen Konzerne mehr; und diese Konzerne bestimmen ihre Strategien auch nicht mehr vorrangig im Bezugsrahmen der Wirtschaftsinteressen Japans. Die Entkoppelung der systemischen Interaktion zwischen dem Entwicklungsstaat und den in Japan beheimateten multinationalen Netzwerken führt nach Japan und in die Welt insgesamt eine neue Dynamik ein.

Unter den Schlüsselelementen dieser neuen Dynamik sind folgende zu nennen. Es ist fraglich, ob es die japanischen Unternehmen, wenn sie den Bedingungen globaler Konkurrenz innerhalb einer vielschichtigen Standortstruktur ausgesetzt sind, vermögen, das System garantierter Beschäftigung für ihre Kernbelegschaften aufrecht zu erhalten. 1999 ist die Arbeitslosigkeit gestiegen, wenn auch auf das mäßige Niveau von 4,6%. Aber die meisten der neu geschaffenen Arbeitsplätze waren Teilzeitjobs. Die japanischen Konzerne bauten eine große Zahl ihrer weniger leistungsfähigen Tochterfirmen ab und verschlossen damit die ehrenvollen Rückzugsmöglichkeiten für Arbeiter und Manager, die im Hauptkonzern überflüssig geworden waren. Die Industrie war von Entlassungen besonders stark betroffen. Die allmähliche Schwächung des Systems stabiler Beschäftigung und die Ausweitung der Aushilfsarbeit untergraben die japanischen Institutionen stabiler Arbeitsbeziehungen. Wie die ernsthaften Meinungsverschiedenheiten in den Handelsgesprächen mit der US-Regierung anzudeuten scheinen, ist es fraglich, ob sich die Festung Japan unter den neuen Regeln der Welthandelsorganisation allzu lange wird halten lassen. Die Versuche Japans, die Handelsgespräche auf eine multilaterale Grundlage zu stellen und so die direkte Konfrontation mit den USA zu vermeiden, könnten die Spannungen sogar erhöhen, weil die Europäische Union dabei ist, ihre Wettbewerbsposition zu verbessern. Weil die japanischen Finanzinvestitionen auf der ganzen Welt den Ungewissheiten der globalen Ströme übermäßig ausgesetzt sind, wird es für die japanischen Banken immer schwieriger, ihre Verpflichtungen innerhalb der *keiretsu* zu erfüllen. Der beständige Wirbel von Finanzströmen, die in die japanische Volkswirtschaft ein- und aus ihr ausfließen, begrenzt die Wirksamkeit der Finanzkontrollen durch die Bank of Japan, so dass das Finanzministerium nicht

33 Imai (1990).

mehr in der Lage ist, die Zinssätze, den Eckpfeiler der japanischen industriellen Finanzpolitik, zu bestimmen. Die Deregulierung der Telekommunikation, der Medien und öffentlichen Dienstleistungen geht langsam, aber sicher ihren Weg und eröffnet die Möglichkeit zu Investitionen aus unterschiedlichen Quellen, und dazu gehören auch ausländische Quellen.[34] Zwar hat die Umstrukturierung des japanischen Finanzsystems wieder ein gewisses Maß an Stabilität gebracht, aber die neu strukturierten japanischen Banken sind in die Netzwerke des globalen Finanzsystems eingebunden worden und mussten sich den globalen Spielregeln anpassen, anstatt dem Rat der Staatsbürokratie zu folgen. Außerdem war der mächtigste Faktor hinter dem Anstieg des Nikkei-Aktienindex, der 1999 die Erholung der japanischen Volkswirtschaft anzeigte, der massive Zustrom von Auslandsinvestitionen in japanische Aktien (1999 etwa 125 Mrd. US$). 1999 befanden sich 15% des Wertes der Tokyoter Börse in den Händen ausländischer Investoren, gegenüber 5% ein Jahrzehnt zuvor. Wie die Erfahrungen anderer asiatischer Länder zeigen, ist die Kehrseite dieses Geldsegens die Unsicherheit des Marktes, wenn die Kapitalströme ihre Richtung umkehren. Demnach hat die Struktur, die die Finanzmärkte nach der Krise erhalten haben, Japan tiefgreifend an die Bewegungen des globalen Kapitals gekoppelt und so die Autonomie des japanischen Staates unterminiert.

Außerdem erschien 1998 der G7-Gruppe, der US-Regierung und dem Internationalen Währungsfonds Japan als so schwach, dass sie keine Bedenken hatten, der japanischen Regierung eine Wirtschaftspolitik zu verordnen, die ihnen erforderlich schien, um die Krise, die die globale Ökonomie als Ganze bedrohte, zu überwinden. Zwar weigerte sich Japan eisern, von Ausländern beraten zu werden, doch spielte dieser Druck dennoch eine Rolle dabei, eine Reihe von Schlüsselmaßnahmen in Japan durchzusetzen, bei denen es vor allem um Finanzreformen und Haushaltspolitik ging.

Insgesamt befindet sich also das System administrativer Leitung, das kennzeichnend für das japanische Wirtschaftswunder gewesen ist, im Prozess der Auflösung. Das ist vor allem auf die Unfähigkeit der Regierung zurückzuführen, unter den Bedingungen der Globalisierung der Finanzmärkte das Finanzsystem unter Kontrolle zu halten. Es bleibt eine Reihe kultureller/institutioneller Hindernisse für die Öffnung der japanischen Märkte, wie etwa der bürokratische Amtsschimmel, die innere Disziplin der Wirtschaftsnetzwerke und die kulturnationalistische Gewohnheit, japanische Güter zu kaufen und zu konsumieren. Die imponierende staatliche Maschinerie, die vor mehr als einem halben Jahrhundert geschaffen wurde, ist immer noch vorhanden, um die japanische Wirtschaft anzuleiten, ihr Hilfestellung zu geben und sie abzustützen. Es ist eine wohlbekannte Regel des bürokratischen Lebens, dass das Instrument die Funktion schafft: das MITI wird immer etwas zu tun finden. Es gibt dennoch eine Transformation des übergreifenden Entwicklungsmusters, weil die Unterneh-

34 Khan und Yoshihara (1994).

men versuchen, die Interessen Japans mit ihren eigenen Interessen (im Plural) zu identifizieren, anstatt dass sie entsprechend den Vorhersagen von Maruyama dem nationalen Interesse dienen.

Und weitere grundlegende Veränderungen sind in Vorbereitung. Wie Sumiko Yazawa, Chizuko Ueno und andere Forscherinnen und Forscher auf der Grundlage historischer Studien gezeigt haben,[35] mobilisieren sich die japanischen Frauen in zunehmendem Maße sowohl an der Basis wie im politischen System, vor allem in der Lokalpolitik und parallel zu ihrem Eintritt ins Erwerbsleben. Zwar ist der explizite Feminismus in seinen Ausdrucksformen noch immer begrenzt, aber die Kämpfe von Frauen um Frauenrechte stehen in einer wachsenden Zahl von Gemeinden im Vordergrund. Das Medieninteresse für diese Aktivitäten verstärkt ihre Wirkung und eröffnet den Weg, den gegenwärtigen Status von Frauen als Arbeitskräfte zweiter Klasse und politische Untertanen in Frage zu stellen. Zu dem Zeitpunkt, an dem die Frauenbewegung sich ausbreiten und in die Privatsphäre der patriarchalischen Familie eindringen sollte, würde wegen der Verklammerung des Patriarchalismus mit dem gesamten Institutionensystem die ganze japanische Sozialstruktur unter Druck geraten. Und es gibt verstreute, aber bedeutsame Anzeichen, die solche Herausforderungen ankündigen. 1999 war die Scheidungsrate in Japan steil angestiegen, Frauen heirateten später und zunehmende Verhaltensformen, die professionelle und persönliche Unabhängigkeit an den Tag legen, lieferten anekdotische Beweisstücke für einen anhaltenden Transformationsprozess in den patriarchalischen Verhältnissen Japans.[36] Letzten Endes haben wirtschaftliche Krise und sozialer Wandel in Japan zusammen eine grundlegende politische Krise ausgelöst, die möglicherweise den Weg für ein neues Modell der Beziehungen zwischen Staat und Gesellschaft eröffnet.

Das Ende der „Nagatacho-Politik"

Die Krise des japanischen Entwicklungsmodells wurde in den 1990er Jahren durch die Krise seines politischen Systems verschärft. Sie wurde 1993 durch die Wahlniederlage der LDP und die Bildung einer Koalitionsregierung aus neuen, von der LDP abgespaltenen Parteien und den Sozialisten eingeleitet. Zwei Jahre später änderte sich die Lage, und die LDP kam in Koalition mit den Sozialisten wieder an die Regierung. Und 1996 führten Neuwahlen zu einer LDP-Minderheitsregierung mit parlamentarischer Unterstützung kleinerer Parteien einschließlich der zusammengeschmolzenen Sozialisten. Die Zusammensetzung des Parlamentes ließ aber klar erkennen, dass es zu neuen Koalitionen und ihrer neuerlichen Auflösung, mithin zu einer Ära der Instabilität in der japanischen

35 Ueno (1987); Yazawa (1995).
36 Yazawa u.a. (1992); Iwao (1993); Yazawa (1995).

Politik kommen würde. Und wirklich wurde die LDP im Juli 1998 bei den Oberhauswahlen empfindlich geschlagen und erhielt nur 44 der 126 zur Wahl stehenden Sitze. Gewinner der Wahl war Naoto Kan, der Führer der oppositionellen Demokratischen Partei, der zum populärsten Politiker Japans wurde. Bedeutsam war auch, dass die Kommunistische Partei, die einen aktiven, basisorientierten Wahlkampf geführt hatte, die Anzahl ihrer Sitze verdreifachen konnte. Der Premierminister und Führer der LDP Hashimoto trat infolge dieser Abstrafung durch das Wahlvolk zurück. Er wurde in einem verzweifelten Versuch der LDP, sich den zentrifugalen Kräften, die die Partei gefährdeten, entgegenzustemmen, durch den erfahrenen, ausgleichenden Partei-Apparatschik Keizo Obuchi ersetzt. Während jedoch Obuchi viele Kritiker durch seinen energischen wirtschaftlichen Reformwillen überraschte, gaben wenige Beobachter der LDP eine Chance, nach der nächsten Wahl die Kontrolle über die Regierung zu behalten. Und zur Jahrhundertwende scheint die LDP denn auch in zunehmende Abhängigkeit von ihrem Bündnis mit der buddhistisch inspirierten Komeito-Koalition zu geraten, einem Irrwisch in der politischen Arena.

Diese politische Krise ist weniger wichtig wegen ihrer unmittelbaren politischen Konsequenzen als deswegen, was sie offen legt.[37] Man könnte sogar behaupten, dass 1993-1999 eigentlich kein Wechsel des politischen Personals statt gefunden hat, weil die Sozialisten erhebliche Einbußen hinnehmen mussten und der Hauptgrund dafür, dass die LDP die Kontrolle über die Regierung verlor, darin bestand, dass mehrere ihrer Fraktionen die LDP verließen, um neue Parteien zu gründen. In manchen Fällen haben die scharfen innerparteilichen Kämpfe künftige Koalitionen zwischen der LDP und den von ihr abgespaltenen Gruppen schwierig gemacht, vor allem im Fall der *Jiyu*-Partei von Ichiro Ozawa. Die Krise geht jedoch tiefer, als es den Anschein hat. Ich werde Shojis Hinweis folgen, dass die „große Veränderung" sich aus der Akkumulation „kleiner Veränderungen" ergeben hat, unter denen die Transformation des Lebensstils des japanischen Volkes an der Spitze steht.[38]

Die schrittweise Fragmentierung der LDP wurde durch das Ende des geopolitischen Notstandes erleichtert, unter dem die nationale Einheit der proamerikanischen Kräfte sowohl für die wirtschaftlichen und gesellschaftlichen Eliten Japans wie für die amerikanischen Interessen erstrangige Bedeutung gehabt hatte.[39] Außerdem zeigte das offene Eingeständnis der Spannungen mit Amerika in Handelsfragen, dass die altmodische LDP-Politik nicht mehr nützlich war, um Amerikas Zögerlichkeit bei der Anerkennung der neuen wirtschaftlichen Supermacht zu beheben. Die Diversifizierung der nationalen Interessen Japans im Zuge der Globalisierung seiner Wirtschaft eröffnete eine Debatte über Politik und Strategie. Damit wurde die Schaffung eines wirklich auf Konkurrenz be-

37 Ikuta (1995); Johnson (1995); Schlesinger (1997).
38 Shoji (1995); Smith (1997).
39 Curtis (1993).

ruhenden politischen Systems erforderlich, das über die Koalition von Verwaltern hinausging, die die Politik der Bürokraten des Entwicklungsstaates abgenickt hatten. Die vollständige Urbanisierung Japans unterhöhlte die Patronagenetzwerke. Um der neuen Verteilung der Wählerstimmen Rechnung zu tragen, führte 1994-1995 eine politische Reform zur Neuaufteilung der Wahlkreise und zur Verbindung von Wahlkreisen mit einem Mandat und nationaler Listenwahl. Der öffentliche Widerwille gegen die systemische politische Korruption brachte die Politiker in die Defensive, so dass mehrere von ihnen einen Neuanfang versuchten und sich als erneuerte politische Führer darstellten. Die Öffnung für den politischen Wettbewerb und die Auflösung der Loyalitäten innerhalb der LDP-Familie schufen Gelegenheiten für politische Positionskämpfe, womit Persönlichkeiten, politische Clubs und Gruppen mit Sonderinteressen in die politische Vermarktung einstiegen und ein neues Feld wettbewerbsbestimmter Politik eröffneten. Im Verlauf dieses Prozesses wurde die schmutzige Wäsche der LDP durch immer mutigere, autonome Medien weiter an den Tag gebracht, was die Wiederherstellung der Koalition unterminierte und die zentrifugalen Kräfte weiter antrieb. Das ist der Grund, warum die meisten japanischen und ausländischen Beobachter meinen, die Zeit der LDP-Dominanz sei vorüber.[40] Was als Nächstes kommt, ist viel schwieriger vorher zu sagen, weil die Sozialisten einem noch schnelleren Auflösungsprozess unterliegen als die LDP und lokale Persönlichkeiten wie der unabhängige Gouverneur Aoshima in Tokyo, der 1995 mit einem gegen die Konzerne gerichteten Programm gewählt worden war, ohne stabile Unterstützung der Basis und ohne überzeugendes Programm schnell ihren Schwung eingebüßt haben. Es könnte sehr wohl zutreffen, dass diese Ära der „Übergangspolitik" überhaupt keinen Übergangscharakter hat: dass also das „Parteiensystem" durch den „Politikmarkt" ersetzt wird, der auf der Abhängigkeit von der Medienwirksamkeit und der Unterstützung durch die öffentliche Meinung beruht. Daraus wird eine systemische politische Instabilität folgen, die die bequeme Pufferzone der politischen Parteien beseitigt, die bisher zwischen der Unzufriedenheit des Volkes und den Höhen der Staatsbürokratie gelegen hat, die im Namen des symbolischen Kaisersystems handelt. Der Machtverlust, den das Finanzministerium während der Finanzkrise 1997-1998 hinnehmen musste, und das Misstrauen bei Wirtschaft, Oppositionspolitikern und dem Volk im Allgemeinen gegenüber der ehemals unantastbaren Bürokratie signalisieren dem japanischen Staat das Ende eines Entwicklungszyklus. Nicht, als hätte die Bürokratie die Macht verloren. Sie ist vielmehr wahrscheinlich das einzig kohärente und stabile Machtsystem, das heutzutage in Japan noch übrig ist. Ihre Autorität steht jedoch von so vielen Seiten her unter Beschuss, dass sie inzwischen nichts ist als ein weiterer Knoten in dem verwickelten Geflecht der japanischen Entscheidungsprozesse. Aus dieser unmittelbaren Konfrontation zwischen den Bestrebungen der japanischen Gesellschaft und

40 Curtis (1993); Johnson (1995); Schlesinger (1997).

den alten Strukturen historischer Legitimität könnte eine neue, fundamentalere politische Krise entstehen, die den Kern der japanischen nationalen Identität angreifen könnte.

Einige Elemente dieser tieferen gesellschaftlichen und politischen Krise sind Mitte der 1990er Jahre in Japan aufgetreten. Einerseits ist da die begrenzte Wiederbelebung sozialer Bewegungen, die seit der politischen und kulturellen Niederlage der radikalen Studentenbewegung in den 1960er Jahren im Großen und Ganzen eingeschlafen waren. Diese beginnenden Formen des sozialen Protestes konzentrieren sich in erster Linie auf Umwelt- und Anti-Atomkraft-Fragen, auf Frauenanliegen und auf die Wiederbelebung des lokalen und regionalen Gemeinschaftslebens.[41] Häufig treten sie mit der Lokalpolitik in Verbindung und unterstützen beispielsweise erfolgreich populistische Kandidaturen bei Kommunalwahlen (wie in den Wahlen in Tokyo und Osaka 1995) oder arbeiten für die Ablehnung von Atomkraftwerken durch Volksentscheide wie in der Stadt Maki im August 1996. Andererseits sieht sich eine zunehmend verwirrte Gesellschaft vor allem in ihren jüngeren Teilen, die im Wohlstand aufgewachsen sind, sinnvoller Wertorientierungen beraubt, weil die traditionellen Strukturen des Familienpatriarchalismus und der bürokratischen Indoktrinierung in einer von Informationsströmen aus unterschiedlichen Quellen angefüllten Kultur ihre Überzeugungskraft verlieren. Eine Mixtur aus ritualistischen japanischen Traditionen, amerikanischen Ikonen und Hightech-Konsum füllt das Vakuum, das eine Gesellschaft, die ihre Aufgabe erfüllt hat, an sozialer Dynamik, kultureller Herausforderung oder persönlichen Träumen empfindet: Es ging darum, Japan innerhalb von 50 Jahren sicher, reich und angesehen zu machen. Jetzt entdecken die Japaner nach all ihrer harten Arbeit den Tunnel am Ende des Lichtes, wo der Entwicklungsstaat, der über den Notstand hinausgewachsen ist, zunehmend abstrakte, neue technokratische Anforderungen stellt. Oder schlimmer noch, die Finanzkrise und die Folgen der Globalisierung haben Japan in die Stagnation gestürzt, die Anlass zur wirtschaftlichen Neustrukturierung war und nach Jahrzehnten ehrlicher Anstrengung, wohlhabend, sicher und unabhängig zu sein, die stabile Beschäftigung untergraben hat. Laut soziologischen Studien möchten die meisten Leute einfach den ruhigen Konsum des guten Lebens genießen, was weniger *karoshi*, mehr Urlaub, bessere Wohnverhältnisse, bessere Städte und ein Leben ohne Examina bedeutet;[42] derweil suchen junge Leute, die vor Energie ihrer zunehmend befreiten Leidenschaften platzen, Möglichkeiten zum Experimentieren. Aus diesen dunklen Gassen, die man während solcher Erkundungen besucht, sind die Symptome einer destruktiven Revolte ausgegangen, wie sie konzentriert in *Aum Shinrikyo* zum Ausdruck kommen (s. Bd. II, Kap. 3). *Aum* war kein isolierter Zwischenfall und wird es nicht bleiben, weil die Sprünge im Spiegel der japanischen Gesellschaft, die Asahara und seine Jünger

41 Hasegawa (1994); Smith (1997); Yazawa (1997).

42 Shoji (1994; 1995).

aufgezeigt haben, aus dem Grundwiderspruch herzurühren scheinen, der in Heisei-Japan zutage tritt: der Unvereinbarkeit zwischen dem Entwicklungsstaat – dem Akteur der japanischen Entwicklung und Garanten der japanischen Identität – und der Informationsgesellschaft, zu deren Zustandekommen dieser Staat entscheidend beigetragen hat.

Hatten Hokka und *Johoka Shakai:* Eine widersprüchliche Beziehung[43]

Der Begriff „Informationsgesellschaft" (*Johoka Shakai*) ist in Wirklichkeit eine japanische Erfindung und wurde 1978 von Simon Nora und Alain Minc im Titel ihres Berichtes an den französischen Premierminister in den Westen exportiert.[44] Er wurde erstmals 1963 von Todao Umesao in einem Artikel über die Theorie der sozialen Evolution auf der Grundlage der Dichte der „Informationsbranchen" vorgeschlagen. Der Artikel wurde zum Gegenstand einer Debatte in der Januar-Ausgabe der Zeitschrift *Hoso Asahi*, deren Herausgeber in ihrer Einleitung zu der Debatte den Terminus *Johoka Shakai* erstmals benutzten. Er wurde ein paar Jahre später von japanischen Futurologen popularisiert, vor allem von Masuda und Hayashi. Doch zu einem wichtigen Thema für vorausschauende Politik und strategisches Denken wurde die Informationsgesellschaft, weil sie 1967 zur zentralen Fragestellung der Sektion für Informationstechnologie des Industriestrukturrates des MITI gemacht wurde. Als die Grenzen des extensiven Entwicklungsmodells auf der Grundlage traditioneller industrieller Fertigung erreicht waren, begab sich das MITI auf die Suche nach neuen, mobilisierenden Zielsetzungen für die Nation. Dabei ging es vor allem darum, neue industrielle Sektoren zu finden, die weniger umweltverschmutzend sein und die Möglichkeit bieten sollten, einen Wettbewerbsvorteil gegenüber der sich abzeichnenden, billiger produzierenden asiatischen Konkurrenz zu behalten. Die

43 Diese Analyse der japanischen Informationsgesellschaft beruht zum Teil auf der Datenbank, die 1995 von meinem Assistenten Keisuke Hasegawa von der Abteilung für Soziologie der Hitotsubashi-Universität zusammengestellt worden ist. Ein früherer Überblick über Literatur und Daten zur Informationsgesellschaft Japans wurde 1990-1994 von meiner Assistentin Yuko Aoyama in Berkeley, University of California, Department of City and Regional Planning erarbeitet. Weitere Informationen stammen aus meiner gemeinsam mit Peter Hall durchgeführte Studie über japanische Technopole (Castells und Hall 1994) und aus Interviews, die ich 1989 und 1995 in Japan geführt habe. Eine wichtige Quelle für statistische Daten zur Verbreitung der Informationstechnologien in Japan ist Ministry of Posts and Telecommunications (1995); s. auch Japan Information Processing Development Center (1994); Wakabayashi (1994); und InfoCom Research (1995). Ein Mitte der 1990er Jahre mit der Formulierung vom „Sieg Japans" etwas überholter, ausgezeichneter Überblick zur Wettbewerbsfähigkeit Japans im Bereich der Informationstechnologien aus westlicher Perspektive ist Forester (1993). Einblicke in die Debatte über analytische Fragen der gesellschaftlichen Transformation im Zusammenhang mit der Informationalisierung Japans geben Ito (1980, 1991, 1993, 1994a,b); Kazuhiro (1990); Watanuki (1990); und Sakaiya (1991).

44 Ito (1991).

Informationstechnologie-Branchen waren da nach Aussage eines von dem Rat herausgegeben Dokumentes „Aufgaben für Johoka – Bericht über die Entwicklung der Informationsverarbeitungsindustrie" die naheliegenden Kandidaten.

Dieser Bericht war aus zwei Gründen bemerkenswert: Einmal sah er die wesentliche Rolle der Elektronik für das neue Stadium der weltweiten Konkurrenz voraus; dann dehnte er die Vorstellung des Informationalismus auf die gesamte Wirtschaft und Gesellschaft aus und forderte eine tiefgehende Transformation Japans durch die Verbreitung der Informationstechnologie. Diese neue Entwicklungsweise passte tatsächlich gut zu Japans Projekt, sich auf wissensintensive Produktion und Export zu spezialisieren und von den ressourcenfressenden und energieintensiven Branchen weg zu kommen, bei denen Japan wegen seiner schlechten natürlichen Ausstattung klar benachteiligt war. Die Ölkrise von 1973 unterstrich die Genauigkeit dieser Analyse noch einmal und trieb Japan zu einem rückhaltlosen Wettlauf an, weltweit führend in der Informationstechnologie zu werden. Das war weitgehend erfolgreich: Japan wurde nach einem außerordentlich angestrengten Kampf von drei Jahrzehnten zweiter hinter den Vereinigten Staaten.[45] Parallel zu Entwurf, Produktion und Export informationstechnologischer Erzeugnisse begann Japan auch mit der schnellen Verbreitung der neuen Technologien in den Fabriken und Büros des von Konzernen beherrschten Wirtschaftssektors. Die meisten Industrieroboter auf der Welt gibt es in Japan. Mikroelektronische Anlagen mit numerischer Steuerung wurden zu einer japanischen Spezialität und vor dem Rest der Welt weithin in japanischen Fabriken eingesetzt. Videorecorder, Fernsehgeräte, Videospiele, Videokameras und Konsumelektronik im Allgemeinen wurde zum japanischen Monopol, bis die asiatischen Produzenten zu einer Konkurrenz in den billigeren Marktsegmenten wurden. Karaoke-Apparate pflasterten die große Mehrzahl der japanischen Bars und Unterhaltungszentren. Regierungsstellen, Haushalte und Schulen waren beim Zugang zu den Informationstechnologien viel langsamer. Dennoch verlief Japans technologische Modernisierung schneller als im Rest der Welt, allerdings mit der wichtigen Ausnahme der Vereinigten Staaten. Mit der Hilfe von Keisuke Hasegawa habe ich ein paar Indikatoren für einen Niveauvergleich und die Entwicklung der „Informationalisierung" in Japan, den USA und dem Vereinigten Königreich 1985 und 1992 (zum Zeitpunkt der Studie 1995 letzte verfügbare Statistiken) aufgestellt. Nach unseren Daten (von denen ich meine, es wäre überflüssig, sie hier noch einmal abzudrucken, weil sie in den japanischen statistischen Jahrbüchern leicht zugänglich sind) lag Japan noch immer hinter den USA zurück und war dem Vereinigten Königreich voraus, aber es machte sehr schnelle Fortschritte (allerdings bei elektronischen Geräten für den privaten Gebrauch wie Heimcomputern und Mobiltelefonen langsamere als die USA).

45 Forester (1993).

Zusammen mit der Produktion und Verbreitung informationstechnologischer Maschinen schuf Japan auch eine neue Mythologie um die futurologische Sicht der Informationsgesellschaft, in der eigentlich soziales Denken und politische Projekte durch Bilder einer computerisierten/telekommunizierten Gesellschaft ersetzt werden sollten, der ein paar humanistische, pseudo-philosophische Plattitüden hinzugefügt wurden. Eine Flut von Stiftungen, Publikationen, Seminaren und internationalen Konferenzen versorgte die neue Ideologie, derzufolge die technologische Revolution die Zukunftsprobleme Japans und nebenbei auch der Welt lösen werde, mit einem Apparat. Der Entwicklungsstaat (auf Japanisch *Hatten Hokka*) fand eine neue Goldgrube in strategischen Initiativen: Sämtliche Ministerien wetteiferten miteinander, technologieorientierte Programme aufzulegen, die in ihren jeweiligen Zuständigkeitsbereichen dem Ziel dienen sollten, Japan zu transformieren, indem die Infrastruktur der Informationsgesellschaft geschaffen wurde.[46] Dann startete das MITI das Technopolis-Programm, dessen Ziel in der Massenproduktion von Silicon Valleys bestand, wobei zugleich die regionalen Präfekturen begünstigt werden sollten, was zur Stärkung der politischen Stellung des MITI im Informationszeitalter beitragen würde. Das Post- und Telekommunikationsministerium machte seine führende Rolle im Telekommunikationsbereich deutlich und startete neben anderen Initiativen sein Teletopia-Programm, mit dem in 63 Modellstädten interaktive Medien installiert werden sollten. Das Bauministerium konterte mit seinem eigenen Programm für Intelligente Städte und nutzte seine Kontrolle über die Wegerechte, um Glasfasernetzwerke zu installieren und seine Kontrolle über die öffentlichen Arbeiten, um intelligente Gebäude, Büros und Wohnanlagen zu bauen. Die Japanische Regionalentwicklungsgesellschaft schuf die Wissenschaftsstadt Tsukuba und bewog die nationale Regierung zur Gründung einer neuen Universität und zur Ansiedlung von 40 Forschungsinstituten in Tsukuba, mit Schwerpunkt auf landwirtschaftlicher und biologischer Forschung. Mächtige Präfekturen entwickelten eigene Programme, so dass der größte Teil Japans am Aufbau der materiellen Basis der neuen Informationsgesellschaft beteiligt war, wie dies von einem Heer von Futurologen unter Führung pensionierter Spitzenbürokraten und Konzernchefs versprochen worden war, die ein ganzes Spektrum von Stiftungen leiteten, die als Denkfabriken fungierten. Das Problem bestand darin, dass die japanische Gesellschaft sich inzwischen auf ihr kulturell/historisch spezifisches Modell der Informationsgesellschaft hin entwickelte. Dies geriet in Widerspruch nicht nur zu den technokratischen Blaupausen eines abstrakten Gesellschaftsmodells, sondern auch zu den institutionellen und politischen Interessen seiner Erschaffer. Außerdem geriet die Logik des Staates, als Japan einmal seine gesamte technologische und wirtschaftliche Entwicklung auf das informationelle Paradigma gesetzt hatte, in Widerspruch zur vollen Blüte eben dieses Paradigmas. Ich will das erklären.

46 Castells und Hall (1994).

Eine Informationsgesellschaft ist nicht gleichbedeutend mit einer Gesellschaft, die Informationstechnologien einsetzt. Es ist die spezifische Gesellschaftsstruktur, die mit dem Aufstieg des informationellen Paradigmas zusammen hängt, aber nicht von ihm determiniert ist. Der erste Band dieses Buches versucht, sowohl die strukturellen Merkmale wie die historisch/kulturellen Varianten dieser Gesellschaft darzustellen, die ich, um eine stärker soziologische Charakterisierung zu wählen, als *Netzwerkgesellschaft* bezeichne. Die meisten ihrer Merkmale waren für Japan während der 1990er Jahre kennzeichnend, wenn auch mit japanischen Charakteristika. Diese Merkmale der Netzwerkgesellschaft gerieten in Widersprüche zu den Institutionen und zur Logik des japanischen Staates, wie sie sich während des letzten halben Jahrhunderts historisch konstituiert hatten. Ich werde erklären, wie und weshalb.

Zuerst einmal untergrub, wie oben erwähnt, die Globalisierung der japanischen Konzerne und Finanzmärkte die Einflussmöglichkeiten des Entwicklungsstaates und legte den Blick auf seine bürokratische, paralysierende Dimension frei. Sie wird in einer Welt variabler Geometrie, in der Bewegungsfreiheit und Anpassungsfähigkeit zum Überleben im rücksichtslosen Wettlauf der Konkurrenz überlebenswichtig sind, zum ernsthaften Hindernis.

Zweitens zwang die Welle der Deregulierung und Privatisierung in der gesamten Welt ebenso wie in Japan den japanischen Staat, langsam aber sicher seinen Zugriff auf die Telekommunikation, die Medien, öffentlichen Dienstleistungen, Bauarbeiten und eine Reihe anderer Bereiche zu lockern. Damit büßte er viele Möglichkeiten ein, Kontrolle über die Wirtschaft auszuüben und das Land zu steuern.

Drittens setzte die Schwäche der japanischen Naturwissenschaft der japanischen Fähigkeit Grenzen, bestehende Technologien von dem Zeitpunkt an zu verbessern, sie besser und billiger zu machen, an dem die japanischen Unternehmen einmal Spitzenpositionen bei der technologischen Innovation errungen hatten. Dieser Rückstand in der naturwissenschaftlichen Grundlagenforschung und in der Ausbildung von Forschern ermöglichte es in den 1990er Jahren den amerikanischen Elektronikunternehmen, die Welle der japanischen Konkurrenz umzukehren und erklärt den nur begrenzten Fortschritt der japanischen Firmen in den Bereichen Biotechnologie und Software. Die Erklärung für diese Lücke zwischen der japanischen Fähigkeit, Technologie anzupassen und Technologie auf der Grundlage naturwissenschaftlicher Erkenntnis selbst hervor zu bringen, ist ungeachtet der quasi-rassistischen Verallgemeinerungen über angeborene Fähigkeiten oder deren Mangel bei Japanern in institutionellen und nicht in kulturellen Faktoren zu suchen. Sie liegt im Wesentlichen in den bürokratischen Merkmalen des japanischen Universitätssystems und in dem prüfungsorientierten, überholten Erziehungssystem, das sich auf die Absicherung kultureller Reproduktion und nicht auf die Anregung intellektueller Innovation konzentriert. Bekanntlich sind die Universitäten angewiesen, nicht für die Konzerne zu arbeiten, die Professoren sind Beamte und dürfen in der Regel keine Wirtschaftsunternehmen betreiben, die Graduierten-Abteilungen sind schwach, die Promotionsstudien sind auf hausinterne Beförderung ausgerichtet, und Endogamie ist bei der Rekrutierung des Lehrkörpers die Regel. All das wirkt abschreckend dagegen, Zeit und Ressourcen in ein Auslandsstudium zu investieren. Außerdem werden Frauen bei ihren wissenschaftlichen Karrieren krass diskriminiert, was die Verschwendung eines außerordentlichen Potenzials an Innovation und qualifizierter Lehre bedeutet. Die Universitäten sind Diplomierungs-Bürokratien, denen es vor allem um kulturelle Reproduktion und soziale Selektion geht, nicht etwa Zentren der Innovation und der Ausbildung zu autonomem Denken. Diese Tatsachen werden von den staatlichen Institutionen weithin eingeräumt, aber nicht so leicht korrigiert, weil dies gegen die grundlegende Mission verstoßen würde, die vom Bildungsministerium verkörpert wird: Bewahrung der japanischen Identität, Weitergabe der traditionellen Werte und Reproduktion des meritokratischen Schichtungsprinzips. Die Öffnung des Systems für individuellen Wettbewerb, autonomes Denken, Programmvarianten entsprechend der Marktnachfrage und für ausländische Einflüsse wäre gleichbedeutend damit, die Festung *nihonjiron* (Ideologie der japanischen Einzigartigkeit) zu schleifen. Um es klar zu sagen: Ich behaupte nicht, die japanische Identität befinde sich im Widerspruch zur Informationsgesellschaft, obwohl sie wie jede Identität zwangsläufig im Lauf der Geschichte verändert werden wird. Ich meine, dass das japanische Erziehungssystem, die Quelle, an der die Subjekte der Informationsgesellschaft produziert werden, mit seiner gegenwärtigen Struktur und seinen jetzigen Zielen trotz der astronomischen Zahl der dort ausgebildeten Ingenieure unfähig ist, die kritische Masse an Forscherinnen und Forschern sowie Forschungsprogrammen hervor zu bringen, auf die dann die Wirtschaft für Innovationen in neuen Bereichen der industriellen, technologischen und kulturellen Entwicklung zurück greifen könnte. Und weil das Imitationsspiel, in dem sich die japanischen Unternehmen in den 1960er bis 1980er Jahren so sehr hervorgetan haben, jetzt von vielfältigen Wettbewerbern auf der ganzen Welt praktiziert wird, können sich die japanischen Unternehmen nicht mehr auf japanische Institutionen und in Japan ausgebildete Wissenschaftler und Ingenieure verlassen, wenn sie beim Wettbewerb in der obersten Klasse der auf Information beruhenden Wirtschaftsbranchen mithalten wollen. Die japanische Regierung schien dieser Tatsache Rechnung zu tragen, als sie im August 1996 einen speziellen Plan genehmigte, nach dem die Anstrengungen in Wissenschaft und Technologie forciert werden und über fünf Jahre hinweg 155 Mrd. US$ in Programme an 100 nationalen Universitäten und privaten Bildungseinrichtungen investiert werden sollten.[47] Wenn es aber keine fundamentale Reform der Erziehungsinstitutionen gibt, bedeutet zusätzliches Geld einfach mehr, besser ausgebildete, bürokratisch gesinnte Absolventen in bürokratisch organisierten Forschungszentren, die immer weniger in der Lage sind, mit dem zunehmend inter-

47 „Japan's blast-off in science", *Business Week*, 2. September 1996.

aktiven Universum der globalen Forschung zu interagieren. Die explosionsartige weltweite Expansion des Internet Ende der 1990er Jahre, die die Wirtschaft ebenso wie die Gesellschaft erfasste, hat die technologischen Schwächen Japans als Konsequenz aus dem Mangel an individuellem Unternehmergeist und als Folge verfehlter Prognosen der Regierungsbürokratie noch deutlicher werden lassen, die glaubte, die Informationsgesellschaft würde auf Supercomputern aufbauen und nicht auf computervermittelter Information.

Eine vierte institutionelle Beschränkung gegenüber den Flexibilitätsanforderungen der Netzwerkgesellschaft betrifft die Möglichkeit, das System der langfristigen Beschäftigungsgarantie für die Kernbelegschaften in Frage zu stellen. Dieses System ist nicht einfach nur Ergebnis von Verhandlungen zwischen Kapital und Arbeit gewesen. Es ist in einer Situation des Notstandes und der nationalen Mobilisierung zustande gekommen, zu der vom Staat aufgerufen worden war. Die zunehmende Interdependenz zwischen der japanischen Wirtschaft und Wirtschaftspraktiken auf der ganzen Welt, die vor allem in der asiatischen Pazifikregion durch Beschäftigungsflexibilität bestimmt sind, macht es immer schwieriger, am *choki koyo*-System fest zu halten (s. Bd. I, Kap. 4). Dieses System macht den Kern der gesellschaftlichen Stabilität in drei Dimensionen aus: im System der industriellen Beziehungen; in der Legitimität des Staates, dessen Paternalismus die langfristige Sicherheit garantiert; und in der patriarchalischen Familie, weil nur die dem Patriarchen zugesicherte Beschäftigungsstabilität die Flexibilität der Frauen ermöglicht, weil es damit für die Frauen weniger riskant wird, ihre Doppelrolle als Hausfrauen und Teilzeitarbeiterinnen beizubehalten, ohne sich eine eigenständige, unabhängige Zukunftsperspektive zu schaffen. Wenn sich die Arbeitsplatzunsicherheit über die augenblicklichen Tendenzen zu instabilen Beschäftigungsverhältnissen für junge Arbeitskräfte ausbreitet, wird dies in Japan besonders einschneidende Konsequenzen haben, weil die meisten Sozialleistungen vom jeweiligen Unternehmen abhängig sind.

Fünftens ist die Kultur der realen Virtualität (s. Bd. I, Kap. 5) in Japan dabei, sich schnell auszubreiten. Multimedia, Videospiele, Karaoke, Kabelfernsehen und neuerdings auch computervermittelte Kommunikation bilden vor allem für die jüngeren Generationen den neuen Grenzbereich des gesellschaftlichen Lebens in Japan.[48] Für diese Kultur der realen Virtualität ist die Vermengung von Themen, Botschaften, Bildern und Identitäten zu einem potenziell interaktiven Hypertext charakteristisch. Die gleichzeitige Globalisierung und Individualisierung dieser Kultur führt dazu, dass spezifisch japanische Identitäten mit diesem Text verschmelzen und/oder interagieren und offen sein werden für eine Vielfalt kultureller Ausdrucksformen. Was wird das für die japanische Identität bedeuten? Bei oberflächlicher Betrachtung würde sich die Amerikanisierung der japanischen Jugendkultur (vom Rap bis zu Sport-Ikonen) ergeben. Schaut man jedoch genauer hin, so zeigen sich spezifische Formen der Anpassung dieser Bil-

---

48 *Dentsu Institute for Human Studies* (1994).

der an eine japanische Existenzweise im 21. Jahrhundert. Was auch immer das sein mag, es ist keine traditionelle japanische Identität. Und es ist auch keine aktualisierte Version der japanischen Kultur. Es ist etwas Anderes: ein Kaleidoskop von Botschaften und Ikonen aus unterschiedlichen kulturellen Quellen, auch Japans eigenen, das in Japan von Japanern, aber niemals mehr isoliert von den globalen Bahnen des virtuellen Hypertextes zusammen gebraut und konsumiert wird. In diesem Sinne gerät die Betonung des Zwangs zur Loyalität gegenüber den spezifisch japanischen Werten durch die traditionellen Kulturapparate in Widerspruch zu der kulturellen Umwelt, in der die neuen Generationen aufwachsen. Die Folge ist Kakophonie anstelle von *high fidelity*.

Sechstens widersprechen die neuen Wege sozialer Mobilisierung auf der Grundlage von Identität zur Verteidigung der territorialen Gemeinschaften, aufgrund von Geschlechterfragen und wegen Umweltproblemen unmittelbar dem Mythos von der gesellschaftlichen Homogenität Japans und dem Bild einer obersten nationalen Gemeinschaft, die von der Staatsbürokratie repräsentiert wird. Es stimmt zwar, dass den Untersuchungen von Shoji zufolge[49] die Mehrheit der Japaner noch immer Kulturnationalisten sind und ein deutliches kulturelles Überlegenheitsgefühl gegenüber anderen Kulturen auf der Welt an den Tag legen. Aber die embryonalen sozialen Bewegungen, die in Japan während der 1990er Jahre aufgetreten sind, finden dieses Bild nationaler Einheit anstößig und betonen ihre unterschiedlichen Interessen – nicht gegen die Nation, aber mit dem Anspruch der Unterschiedlichkeit innerhalb der Nation. Diese Perspektive widerspricht direkt der unauflöslichen Einheit des nationalen politischen Systems, auf dem das symbolische Kaisersystem beruht.

Siebtens ist die Informationsgesellschaft, die in Japan während der letzten 20 Jahre geschaffen worden ist, eine aktive, autonome, selbstbewusste Zivilgesellschaft, die dem korrupten, ineffektiven politischen System immer kritischer gegenüber steht und die in Routinen erstarrten politischen Debatten ablehnt.[50] Diese Gesellschaft braucht ein dynamisches, offenes politisches System, das in der Lage ist, die grundlegenden Debatten zu verarbeiten, die in Japan zu der Frage einsetzen, wie das Leben nach dem Ende der Belagerung und damit auch jenseits der Belagerungsmentalität aussehen soll. Weil das „politische System von 1955“ ein Kontrollmechanismus war, der als eine Art kosmetischer Korrektur dem Entwicklungsstaat hinzu gefügt worden war, fehlen ihm die Legitimität und die Fähigkeit, sich in eine staatsbürgerliche *agorá* des Informationszeitalters zu transformieren.[51] Das Ende der Legitimität des politischen Systems setzt daher den Entwicklungsstaat unmittelbar den Ansprüchen und Herausforderungen der *Johoka Shakai* aus. Diese Konfrontation beherrscht Japan und wird es weiter beherrschen.

49 Shoji (1994).
50 Shoji (1993); Smith (1997); Yazawa (1997).
51 Inoguchi (1995).

Schließlich gab es zur Jahrhundertwende vielerlei Anzeichen dafür, dass sich die japanische Netzwerkgesellschaft trotz all der oben erwähnten Hindernisse in unvorhergesehene Richtungen entwickelte.[52] Das Internet entwickelte sich schnell: Etwa 23 Mio. Japaner waren 1999/2000 User. Das ermöglichte horizontale, freie Kommunikation, die bald dazu diente, Kritik von Konsumenten und Staatsbürgern zu artikulieren und Verbindung mit der Welt aufzunehmen. Der Verkauf von Heimcomputern stieg ebenfalls steil an (1999 um 80%) und stattete die junge Expertenschicht mit den Mitteln aus, sich Zugang zu Informationsverarbeitung und E-mail-Kommunikation zu verschaffen. Der E-commerce wurde zu einer lebensfähigen Branche, und etablierte Unternehmen blieben dabei links liegen. Unternehmerische Selbstständigkeit wurde für Tausende junger Hochschulabsolventen, die nicht mehr bereit waren, die Hackordnung der traditionellen japanischen Firmen hinzunehmen, zu einer Alternative gegenüber Teilzeit- und Gelegenheitsarbeit und auch gegenüber den langen Warteschlangen auf den Karriereleitern der Konzerne. Die potenzielle Freisetzung von bis zu 430 Mrd. US$ an Postsparguthaben bot die Möglichkeit eines riesigen Kapitalreservoirs, das in aussichtsreiche neue Ideen investiert werden konnte. Diese Perspektive könnte die japanische Wirtschaft revolutionieren. Die gleichzeitige Krise der stabilen Jobkarrieren und die Öffnung von Wegen individueller Mobilität unterminierte das Muster der verzögerten Belohnung ernsthaft, auf dem das Sozialverhalten aufgebaut gewesen war. Frauen machten in zunehmender Zahl und mit neu entdeckter Entschiedenheit ihre Rechte geltend. Die traditionelle japanische Familie war zusammen mit dem traditionellen japanischen Konzern bedroht und mit ihnen auch der japanische Entwicklungsstaat.

Wenn daher die strategischen Planer des MITI noch immer auf dem Weg sein sollten, so findet ihre Zukunft jetzt statt. Und wie das in der Geschichte immer ist, sieht sie unordentlicher aus, als dies in ihren Blaupausen vorhergesagt worden war, denn sie ist angefüllt mit den wirklichen Bedürfnissen, Ansprüchen, Ängsten und Träumen des japanischen Volkes.

Japan und die Pazifikregion

Der Nachweis dafür, dass das symbolische Kaisersystem in Japan gesund und munter ist, besteht in der anders ganz unverständlichen, hartnäckigen Weigerung der japanischen politischen Eliten, sich bei ihren asiatischen Nachbarn für Japans Aggression und die Kriegsverbrechen der 1930er und 1940er Jahre zu entschuldigen. Hätte Deutschland eine solche Haltung eingenommen, gäbe es heute keine Europäische Union. Und weil Japan einen anderen Weg gewählt

52 *Business Week* (1999b).

hat, *der in seinen Institutionen und seinem Kulturnationalismus verwurzelt ist*,[53] wird es keine pazifischen Institutionen zur politischen Integration geben, weil diese von den Chinesen, den Koreanern und den Russen (auch ein pazifisches Land) konsequent abgelehnt werden.

Andererseits gibt es in der asiatischen Pazifikregion eine wachsende wirtschaftliche Interdependenz und ein System von Interessen, in dessen Zentrum vor allem die Produktionsnetzwerke der japanischen Unternehmen in Asien stehen. Außerdem schaffen Japans Abhängigkeit von Energie und Rohstoffen, seine geografische Nähe und die Expansion der asiatischen Märkte mächtige Anreize für friedliche Zusammenarbeit und Austausch. Dieser Prozess könnte am Ende zu verstärkter pazifischer Zusammenarbeit führen. Dennoch sind gerade die Institutionen, die Japan und die anderen Länder der asiatischen Pazifikregion in die globale Ökonomie hinein getrieben haben, die Haupthindernisse für eine weitere Kooperation, die über die spannungsreichen gemeinsamen Wirtschaftsinteressen hinaus ginge. Denn sowohl in Japan wie in den Ländern der asiatischen Pazifikregion war der Motor des Entwicklungsprozesses das nationalistische Projekt, das Herzstück des jeweiligen Entwicklungsstaates. Nur die Überwindung des nationalistischen Entwicklungsstaates in Japan und anderswo könnte daher die Bedingungen für neue Identitäten, neue Institutionen und neue historische Entwicklungsbahnen schaffen.

Den Drachen enthaupten? Vier asiatische Tiger mit Drachenkopf und ihre Zivilgesellschaften[54]

Die Entwicklung Japans und seine Herausforderung des Westens bedeuteten nur eine halbe historische Überraschung. Schließlich hatte sich Japan seit Ende

---

53 Watanabe (1996).

54 Diese Analyse beruht weitgehend auf Feldforschung, Lektüre und persönlichen Erfahrungen im Verlauf von Lehre, Vorträgen und Forschung in Hongkong (University of Hong Kong, 1983, 1987), Singapur (National University of Singapore, 1987, 1989), Südkorea (Korean Research Institute of Human Settlements, Seoul National University, 1988) und Taiwan (National Taiwan University, 1989). Zu meiner Analyse über Hongkong und Singapur s. Castells u.a. (1990), was als allgemeiner Nachweis der Quellen zu Hongkong und Singapur bis 1990 gelten soll, um nicht die in dieser Monografie enthaltenen Literaturverweise hier noch einmal wiederholen zu müssen. Ich möchte auch für die Hilfe und Anregungen der Professoren Chu-Joe Hsia und You-tien Hsing über Taiwan und von Professor Ju-Chool Kim zu Südkorea danken. Zusätzlich für diesen Abschnitt benutzte Quellen sind: Lethbridge (1978); Amsdem (1979, 1985, 1989, 1992); Lau (1982); Lim (1982); Chua (1985); Gold (1986); Deyo (1987a); Krause u.a. (1987); Kim (1987); White (1988); Winckler und Greenhalgh (1988); Robinson (1991); Sigur (1994); Evans (1995). Ich möchte den interessanten, vorausschauenden und relativ wenig bekannten Beitrag eines jungen koreanischen Forschers erwähnen, der nach Abschluss seines Buches gestorben ist: Ahn (1994). Weitere benutzte Materialien werden in den Fußnoten zum Text gesondert angeführt.

des 19. Jahrhunderts industrialisiert und war während der 1930er Jahre in der Lage gewesen, eine formidable Industrie- und Militärmaschine aufzubauen. Was in der gesamten ordentlichen Welt der Herrschaft von Kulturen mit europäischer Ahnentafel (einschließlich Russlands) wirklich die Alarmglocken schrillen ließ, war der Aufstieg der vier asiatischen „Tiger“: Südkorea, Taiwan, Singapur und Hongkong. Dass diese unfruchtbaren Territorien, deren Wirtschaft von Krieg und Geopolitik verwüstet war, ohne Binnenmarkt und Natur- oder Energieressourcen, ohne industrielle Tradition und technologische Basis in der Lage waren, sich innerhalb von drei Jahrzehnten in die konkurrenzfähigsten Produzenten und Exporteure der Welt zu transformieren, war ein deutliches Signal dafür, dass die neue, globale Ökonomie einem anderen Tempo folgte und durch neue Spielregeln strukturiert war – durch Regeln, die diese „Tiger“ anscheinend schneller gelernt und besser gemeistert hatten als die alten Industrieländer. Zu diesen Regeln gehörte die Fähigkeit, sich die neuen Informationstechnologien anzueignen, sie sowohl auf Produkt- wie auf Prozessebene einzusetzen und zu verbessern, sowie die strategische Kompetenz, das Potenzial der neuen Technologien vorauszusehen und sich auf dieser Grundlage darauf zu konzentrieren, die Industrie, das Management und die Arbeitskraft des Landes technologisch umzukrempeln. Die Analyse des Entwicklungsprozesses der vier „Tiger“ wirft daher ein Licht auf die neuen Beziehungen zwischen Technologie, Wirtschaft, Staat und Gesellschaft, die den Übergang zur informationellen, globalen Wirtschaft kennzeichnen. Ferner hatte die asiatische Wirtschaftskrise, die 1997 einsetzte, für jeden der vier „Tiger“ sehr unterschiedliche Auswirkungen und Ausdrucksformen. Die südkoreanische Volkswirtschaft, die größte unter den vieren, brach zusammen und konnte am 21. November 1997 ihre internationalen Schulden nicht mehr bedienen. Ab Oktober 1997 erlitt Hongkong wie oben erwähnt einen dramatischen Rückgang seiner Aktien- und Grundstückswerte. Die Auswirkungen der Krise auf Singapur waren trotz einer gemäßigten Abwertung des Singapur-Dollar und eines Negativwachstums 1998 milder. Und Taiwan schien der Krise zu widerstehen.

Für die analytischen Zwecke dieses Buches bietet die unterschiedliche Reaktionsweise der vier „Tiger“ eine großartige Möglichkeit, die eigentliche Natur der Krise zu verstehen. Wenn ich daher die Entwicklungsprozesse der vier „Tiger“ untersucht und interpretiert habe, werde ich diese komparative Analyse auf die Interpretation ihrer Krise ausdehnen. Ich werde in diesem Abschnitt auch versuchen, über die Analyse von Entwicklungsprozessen und Krisen hinauszugehen und die gesellschaftlichen und politischen Widersprüche analysieren, die durch diese Prozesse ausgelöst worden sind und die den Übergang zu Informationsgesellschaften und ihre Integration in die globale Ökonomie eingeleitet haben. Während die Rolle des Entwicklungsstaates (des „Drachens“ in meiner Geschichte) tatsächlich entscheidend war, um über etwa drei Jahrzehnte hinweg wirtschaftliches Wachstum und technologische Modernisierung zu fördern, anzuleiten und abzusichern, wurde während der 1990er Jahre den Zivilgesellschaften und Konzernen die erdrückende Präsenz des Staates immer ungemütlicher. Und die Globalisierung der Wirtschaft stand im Widerspruch zur Nationalisierung der Gesellschaft. Deshalb wurden in dreien der vier Länder neue gesellschaftliche und politische Bedingungen geschaffen, während das vierte, Singapur, sich zu dem außergewöhnlichen Experiment eines kybernetischen globalen Knotens transformierte. In dieser sich entwickelnden Interaktion zwischen Entwicklung, Krise, Staat und Gesellschaft können wir die Erklärung für unterschiedliche Formen der Einbeziehung dieser asiatischen Gesellschaften in die globale Wirtschaft und für ihre spezifischen Wege des sozialen Wandels finden.

Zum Verständnis der Entwicklung in Asien

Das Verständnis der gesellschaftlichen Prozesse, die wenn auch zu hohen sozialen Kosten und unter Bedingungen politischer Repression zwischen 1960 und 1990 zu dem spektakulären Wirtschaftswachstum und zur Modernisierung dieser vier Länder geführt haben, wird noch immer durch die Leidenschaft ideologischer Debatten vernebelt. Der Grund liegt darin, dass die Entwicklung dieser Volkswirtschaften die gängigen Lehrsätze sowohl der dogmatischen Dependenzanalyse wie auch der neoklassischen Wirtschaftslehre auf dem Gebiet der Entwicklungstheorie in Frage stellt.[55] Im Gegensatz zur vorherrschenden Ansicht auf der Linken, derzufolge wirtschaftliche Entwicklung in abhängigen Ländern unter dem Kapitalismus nicht eintreten kann, haben die vier asiatischen „Tiger" etwa vier Jahrzehnte lang die höchsten BIP-Wachstumsraten auf der Welt gehabt und große Weltmarktanteile für sich gewonnen. Sie haben dabei ihre Wirtschaftsstruktur und ihr soziales Gewebe transformiert. Außerdem waren zwar Ausbeutung und Unterdrückung integrale Bestandteile des Entwicklungsprozesses (wie während der europäischen Industrialisierung auch), aber das Wirtschaftswachstum war mit beträchtlichen Verbesserungen der Lebensbedingungen verbunden (bei Löhnen, Gesundheit, Bildung und Wohnung). Zudem nahm die Einkommensungleichheit während der 1960er Jahre ab, stabilisierte sich in den 1970er Jahren und lag, obwohl sie während der 1980er Jahre leicht zunahm, Mitte der 1980er Jahre noch immer unter den 1950er Jahren und war niedriger als in den USA, dem Vereinigten Königreich, Frankreich und Spanien. Es stimmt, dass diese wirtschaftliche und soziale Transformation im Kontext politischer und ideologischer Repression stattfand. Aber die meisten Entwicklungsgesellschaften auf der Welt lebten unter ähnlichen repressiven Bedingungen und waren dennoch nicht in der Lage, ihre Entwicklungshindernisse zu überwinden, die sie großenteils aus der kolonialen und halbkolonialen Vergangenheit geerbt hatten. Nur die vier „Tiger" konnten mit dieser Vergangen-

55 Amsdem (1979); Evans (1995).

heit erfolgreich brechen und inspirierten damit die übrigen asiatischen Länder, es ihnen gleich zu tun, die während der 1990er Jahre anscheinend einem ähnlichen Pfad folgten, wenn auch unter anderen Bedingungen und mit etwas abweichender Strategie, gerade weil die Entwicklung der „Tiger" den Kontext, in dem sie agierten, verändert und innerhalb der globalen Wirtschaft den pazifischen Zusammenhang etabliert hat.

Andererseits ist der wirtschaftliche Erfolg der asiatischen „Tiger" benutzt worden, um den ideologischen Diskurs einiger Ökonomen und Politiker abzustützen, die sich am freien Markt orientieren und in ihrer konstruierten Version der asiatischen Entwicklung das verlorene Paradies des Neoliberalismus entdeckten. Dabei weiß jeder ernsthafte, unvoreingenommene Beobachter der Szene in der asiatischen Pazifikregion, dass systematische Staatsintervention in die Wirtschaft sowie die strategische Anleitung des Staates für die nationalen Unternehmen und multinationalen Konzerne, die sich auf dem Territorium eines Landes befanden, grundlegende Faktoren dafür gewesen sind, den Übergang der Industrialisierung dieser Wirtschaften in jedes neue Stadium zu sichern, das sie im Lauf ihres Entwicklungsprozesses erreichten.[56] Wie in Japan befindet sich der „Entwicklungsstaat" auch im Kern der Erfahrung dieser neu industrialisierten Volkswirtschaften.[57] Diese Tatsache wird im Hinblick auf Singapur, Südkorea und Taiwan weithin anerkannt. Auf der Grundlage einer Fülle weniger bekannter Studien einschließlich meiner eigenen werde ich belegen, dass dies auch auf Hongkong zutraf.[58] Aber die These, dass der Staat die treibende Kraft in der wirtschaftlichen Entwicklung dieser Länder gewesen ist, wirft für die Entwicklungstheorie mehr Fragen auf, als sie beantwortet. Denn angesichts der weit verbreiteten und im Allgemeinen wirkungslosen Staatsintervention in anderen Entwicklungsökonomien müssen wir das komplexe System von Beziehungen zwischen Staat, Gesellschaft und Wirtschaft in der asiatischen Pazifikregion rekonstruieren, um die besonderen gesellschaftlichen Bedingungen zu verstehen, die das erfolgreiche Ergebnis des Entwicklungsprozesses erklären. Ich werde versuchen, eine solche Erklärung zu geben, wobei ich mich zuerst auf die spezifischen Prozesse in den einzelnen Ländern konzentriere und dann versuche, in komparativer Perspektive analytische Fragen aufzuwerfen und zu beantworten. Die Reihenfolge der Darstellung folgt einer Anordnung vom höchsten zum niedrigsten Grad der staatlichen Intervention: Singapur, Südkorea, Taiwan und Hongkong.

---

56 Deyo (1987a); Appelbaum und Henderson (1992).
57 Johnson (1987).
58 Castells u.a. (1990).

Singapur: staatliches *Nation-Building* über multinationale Konzerne

Aus ökonometrischer Perspektive zeigt die Analyse von Yuan Tsao über die Quellen des Wachstums in Singapur in der Zeit von 1965-1984, dass der Kapitaleinsatz den größten Beitrag leistete, die Arbeit ebenfalls einen positiven Effekt hatte, während die Produktivität aller Faktoren nur einen vernachlässigenswerten Beitrag leistete.[59]

Bei der Arbeitskraft hatte Singapur 1966 eine Arbeitslosenquote von 9% und eine Erwerbsquote von 42,3%. 1983 war die Arbeitslosenquote auf 3% gesunken, und die Erwerbsquote lag vor allem dank der massenhaften Einbeziehung von Frauen ins Erwerbsleben bei 63%. Das Bildungsniveau der Arbeitskräfte hatte sich wesentlich verbessert, es gab in den Schulen Pflichtunterricht in Englisch und eine Ausweitung der beruflichen Ausbildung. Die Einwanderung wurde strikt begrenzt, um die Ansiedlung von Niedriglohn-Aktivitäten zu vermeiden und den Staatsbürgern von Singapur eine Vorzugsstellung zu verschaffen. Illegale Einwanderung wurde mit harten Maßnahmen verfolgt.

Der entscheidende Faktor war der massive Kapitalzustrom hauptsächlich aus zwei Quellen: (a) Auslandsdirektinvestitionen, die während der 1970er Jahre zwischen 10 und 20% des BIP schwankten; und (b) eine außergewöhnliche Wachstumsrate der nationalen Bruttospareinlagen, die Mitte der 1980er Jahre 42% des BIP erreichten, die höchste Sparquote der Welt. Für die gesamte Periode von 1966-1985 machten die nationalen Bruttospareinlagen mehr als 74% der gesamten einheimischen Bruttokapitalbildung aus. Davon kam ein großer Teil aus dem öffentlichen Sektor (46%), hauptsächlich über den Central Provident Fund, ein staatlich kontrolliertes Sozialversicherungssystem, das darauf ausgerichtet war, die Bevölkerung zum Sparen zu zwingen. Die Regierung investierte den größten Teil dieser Ersparnisse, freilich nicht alle, in die soziale und physische Infrastruktur, einiges auch in staatliche Konzerne (in den 1980er Jahren gab es in Singapur über 500 Staatskonzerne). Der Staat investierte in Aktien und Immobilien, auch im Ausland, um die Anfälligkeit der Staatsrevenue für die Zyklen der Volkswirtschaft von Singapur zu reduzieren. Zudem wurde etwa ein Viertel der gesamten staatlichen Revenue in einen staatlichen Entwicklungsfonds eingezahlt, der die Volkswirtschaft stabilisieren und strategische Staatsausgaben ermöglichen sollte. Diese Reserve gab der Regierung ein beachtliches Instrument in die Hand, um die Geldwertstabilität zu sichern und die Inflation im Griff zu halten.

Die fiskalische Zurückhaltung der Regierung bedeutete, dass die Verantwortung für Investitionen und Wirtschaftswachstum den Auslandsdirektinvestitionen zufiel. Die Regierung von Singapur war sich vom Augenblick der Unabhängigkeit 1965 an darüber im Klaren, dass ihr verarmtes kleines Territorium nur dann auf die Beine kommen könnte, wenn es sich multinationalen Konzer-

59 Tsao (1986: 17-65).

nen als Exportplattform zur Verfügung stellte.[60] Dennoch fiel die Hauptrolle im Entwicklungsprozess Singapurs der Regierung zu, die für die notwendigen Anreize sorgte, um ausländisches Kapital anzuziehen und den Investoren durch die Schaffung eines Economic Development Board (EDB) entgegen kam, das sich mit strategischen Planungen zur künftigen Entwicklungsrichtung der internationalen Wirtschaft befasste. Entscheidende Faktoren, die während des ersten Stadiums Investitionen vor allem aus dem industriellen Bereich nach Singapur zogen, waren: ein günstiges Wirtschaftsklima, wozu niedrige Arbeitskosten gehörten; sozialer Friede nach der Unterdrückung und Auflösung der unabhängigen Gewerkschaften Anfang der 1960er Jahre; eine gebildete, weitgehend englischsprachige Erwerbsbevölkerung; wirtschaftsfreundliche Sozial- und Umweltgesetze; ein Angebot von vollständig ausgestatten Industrieflächen, wozu auch vom Staat errichtete schlüsselfertige Fabriken gehörten; ein vorteilhaftes Inflationsgefälle; stabile staatliche Finanzpolitik; und politische Stabilität.[61]

Die Regierung von Singapur spielte die entscheidende Rolle, um die industrielle Diversifizierung sowie die Verbesserung des technischen Niveaus der bereits in Singapur angesiedelten Produktionsprozesse zu ermöglichen und steigerte so mit der Zeit den Wert der nationalen Produktion. Singapur wechselte schrittweise von traditionellen Dienstleistungen (regionaler Handel) zur Fertigung (hauptsächlich Montage von Elektronikprodukten), dann zu fortgeschrittenen Dienstleistungen (ausgelagerte Finanzoperationen, Kommunikation, unternehmensbezogene Dienstleistungen). Es schritt von wenig qualifizierter Fließbandfertigung fort zu anspruchsvollen industriellen Produkten und Prozessen, wozu auch F&E und *wafer*-Produktion für die Mikroelektronikindustrie gehörte; und von einer Volkswirtschaft, die durch Seehandel und Erdölraffinerie beherrscht worden war, zu einer hochgradig diversifizierten Branchenstruktur mit Maschinenbau, Elektronik, Transportausrüstungen, Produzentendienstleistungen und internationaler Finanz. Der Staat war weitgehend für diese Verbesserungen verantwortlich, weil er die Infrastruktur in den Bereichen Technologie und Bildung schuf (auch eine der besten Telekommunikations- und Lufttransportausstattungen der Welt); weil er Grundstücke, Informationssysteme und das nur locker regulierte Umfeld bereitstellte, in dem die neuen internationalen Unternehmensdienstleistungen gedeihen konnten; und durch die Höherstufung der Arbeitskraft mittels einer Reihe mutiger Maßnahmen, zu denen auch die gezielten drastischen Lohnsteigerungen 1979-1982 gehörten, mit denen, als Singapur einmal das Stadium des Überlebenskampfes hinter sich gelassen hatte, Unternehmen verdrängt wurden, die sich für unqualifizierte, billige Arbeitskräfte interessierten. Das effiziente staatliche Management und die politische Stabilität, die durch rücksichtslose Herrschaftsmethoden und soziale Integrationsmechanismen garantiert wurde, gaben den Multis Grund zu der Annahme, dass Singa-

60 Deyo (1981).
61 Chen (1983).

pur der sicherste Hafen in einer unruhigen Welt war. Das war es auch, außer für Intellektuelle, Journalisten, politische Dissidenten, aufmüpfige Teenager, illegale Immigranten, schwangere legale Immigrantinnen, Raucher, Drogenabhängige und Leute, die Abfall auf die Straße fallen ließen. Für 87% der Bevölkerung wurden öffentliche Wohnungen von zunehmend anständiger Qualität bereit gestellt, vollständig ausgestattet mit den notwendigen Einrichtungen und zumeist in eigens geplanten, grünen Anlagen. Zudem verbesserten das öffentliche Gesundheits- und Erziehungswesen und Massenverkehrsmittel, die alle kräftig subventioniert wurden, zusammen mit steigenden Löhnen und zurückgehender Einkommensungleichheit die Lebensverhältnisse der Gesamtbevölkerung drastisch. Singapur hatte in den 1990er Jahren ein viel höheres Pro-Kopf-Einkommen als Großbritannien. Dieser materielle Wohlstand trug dazu bei, die sozialen und interethnischen Konflikte zu befrieden, die für Singapur während der 1950er und Anfang der 1960er Jahre typisch gewesen waren. Ein ausgefeilter staatlicher Sicherheitsapparat kümmerte sich auf diskrete Art um die wenigen Abweichler und isolierte Singapur vom Einfluss „nicht-asiatischer Wertvorstellungen". Der Umstrukturierungsprozess, den Singapur Anfang der 1980er Jahre einleitete, um seine Bildungs- und Technologiebasis zu verbessern, führte 1985-1986 zu einer kurzen Wirtschaftsrezession. Aber die Löwenstadt ging schlanker und gemeiner daraus hervor, und der Staat begann mit wirtschaftlicher Liberalisierung und Internationalisierung und transformierte auf diese Weise in hartem Wettbewerb mit Kuala Lumpur Singapur allmählich in das Technologie-, Finanz- und Unternehmensdienstleistungszentrum Südostasiens.

Als in den 1990er Jahren Fertigungslinien mit mittleren Qualifikationsanforderungen wie Diskettenlaufwerke für Computer begannen, sich aus Singapur nach Standorten in Südostasien mit geringeren Kosten zu verlagern, unternahm die Regierung größere Anstrengungen, um die mikroelektronische Produktion in Singapur zu verankern und entsprechend ihrer strategischen Überzeugung, dass Industrie für den Reichtum eines Landes wichtig ist, sicher zu stellen, das der Beitrag der Industrie zum BIP nicht unter 25% absinken würde. Sie orientierte sich auf hochwertige Industriefertigung – also F&E und *wafer*-Produktion für anspruchsvolle Chips. Weil der Staat in Singapur jetzt reich war, investierte er selbst in die mikroelektronische Produktion. Die Staatsfirma Chartered Semiconductor-Manufacturing baute in Singapur zwei Fabriken zu insgesamt 1,1 Mrd. US$ Investitionskosten und plante 1996 den Bau von vier weiteren Fabriken. Der Staat gründete außerdem *joint ventures* mit Texas Instruments, Canon und Hewlett Packard, um zwei weitere Fabriken mit einer Investitionssumme von 1,6 Mrd. US$ zu bauen; und noch ein weiteres *joint venture* mit Hitachi und Nippon Steel, um eine weitere Halbleiter-Fabrik für ungefähr 1 Mrd. US$ zu bauen. SGS-Thompson beschloss im Vertrauen auf staatliche Unterstützung in Form von Ausbildung und Subventionen die Ausweitung seiner Chip-Fabrik in Singapur mit einer zusätzlichen Investition von 710 Mio. US$ für 1998. Insgesamt stand die Halbleiterindustrie Singapurs bereit, bis zum Jahr

2000 quantitativ und qualitativ die Mikroelektronikproduktion eines jeden europäischen Landes zu überholen.

Außerdem half das schnelle Wirtschaftswachstum in der Region, vor allem in Thailand, Malaysia und Indonesien, Singapur beim Aufstieg auf der Leiter des Informationalismus auf dem Weg, eines der Zentren der globalen Ökonomie zu werden. Es war nicht nur in schnellem Wachstum begriffen, sondern transformierte auch die Qualität seines Wachstums, weil Unternehmen aus der ganzen Welt Singapur zu ihrer bevorzugten Operationsbasis für Management und Investitionen inmitten der dynamischsten Wirtschaftsregion der Welt machten.

So etablierte sich Singapur gegen alle Wahrscheinlichkeit, auf der Grundlage einer zerstörten Volkswirtschaft, 1965 gewaltsam von seinem malaysischen Hinterland abgeschnitten sowie als Umschlagplatz und Militärbasis nach dem Rückzug des britischen Empire 1968 aufgegeben, als Prunkstück des neuen Entwicklungsprozesses und gründete seine nationale Identität auf multinationale Investitionen, die vom Entwicklungs-Stadtstaat angezogen und abgesichert wurden.

Südkorea: Die staatliche Produktion des oligopolistischen Kapitalismus

Die amerikanische Intervention in Korea war für die Schaffung der Grundlagen einer modernen Wirtschaft 1948-1960 durch Bodenreform, militärische Unterstützung für Südkorea und massive Finanzhilfen, die das Überleben des Landes nach einem der blutigsten Kriege der jüngeren Geschichte ermöglichten, von grundlegender Bedeutung. Der schnelle Entwicklungsprozess Südkoreas begann jedoch erst unter dem Regime von Park Chung Hee, das nach dem Militärputsch vom Mai 1961 an die Macht kam und durch eine gefälschte Wahl im Oktober 1963 als Dritte Republik institutionalisiert wurde.

Auf der Grundlage der militärischen, finanziellen und politischen Unterstützung der Vereinigten Staaten – eine Unterstützung, die durch die Bedeutung des 38. Breitengrades als der Berliner Mauer Asiens bestimmt war – begannen das südkoreanische Militär und sein politischer Arm, die Demokratisch-Republikanische Partei, als Grundlage ihres nationalistischen Projektes eine mächtige Volkswirtschaft aufzubauen. In den anfänglichen Entwicklungsstadien übernahm der Staat über öffentliche Konzerne und staatliche Investitionen die Rolle des Unternehmers. So beliefen sich in der Periode von 1963-1979 die Käufe des Staates und der öffentlichen Konzerne im Jahresdurchschnitt auf nahezu 38% der einheimischen Bruttokapitalbildung. Das Park-Regime zielte jedoch unter starkem Einfluss des japanischen Modells auf die Schaffung einer Industriestruktur, die sich weitgehend auf koreanische Großunternehmen stützte, die zu Konglomeraten organisiert waren. Dafür ergriff es starke protektionistische Maßnahmen, um den Binnenmarkt zu schützen. Wegen der geringen Kaufkraft des Binnenmarktes entschloss sich die Regierung jedoch zu einer rückhaltlosen Exportstrategie auf der Grundlage der industriellen Fertigung. Unter Einsatz seiner Kontrolle über das Bankensystem und die Import-Export-Lizenzen drängte der Staat die koreanischen Unternehmen dazu, sich zu großen, horizontalen Netzwerken (den *chaebol*) zusammen zu schließen, ähnlich den japanischen *keiretsu*, aber ohne deren finanzielle Unabhängigkeit (s. Bd. I, Kap. 3). 1977 beschäftigten die koreanischen Firmen mit Belegschaften über 500 Menschen 44% aller Erwerbstätigen, machten aber nur 2,2% aller Firmen aus. Die Regierung gründete die Behörde für Wirtschaftsplanung, die eine Reihe von wirtschaftlichen Fünfjahresplänen konzipierte und durchführte. Sie leitete die koreanischen Unternehmen in Sektoren, denen strategische Bedeutung für die Volkswirtschaft zugemessen wurde, entweder mit dem Ziel des Aufbaus von Eigenständigkeit oder zur Förderung der Wettbewerbsfähigkeit in der Weltwirtschaft. Südkorea beschritt so methodisch den Pfad der industriellen Entwicklung und investierte nacheinander in Textilien, Petrochemie, Schiffbau, Stahl, Elektromaschinen, Konsumelektronik und (während der 1980er Jahre) in Automobilbau, Personalcomputer und Mikroelektronik (mit einigen spektakulären Erfolgen in der letzteren Industrie, u.a. der Fähigkeit zur Entwicklung und Produktion von Chips mit 256k vor Westeuropa).[62] Häufig waren einige der strategischen Entscheidungen der staatlichen Stellen krass verfehlt, was zu wirtschaftlichen Rückschlägen führte.[63] Aber die Regierung stand bereit, um die Verluste aufzufangen, Fabriken umzurüsten und neue Kredite zu beschaffen.[64]

Wie im Falle Singapurs, nur diesmal in viel größerem Maßstab, bestand die entscheidende Rolle des Staates darin, Kapital anzuziehen und die Arbeitskraft zu kontrollieren und zu mobilisieren. Dies ermöglichte in den 1960er und 1970er Jahren die Bildung und das Wachstum der *chaebol*. Ein entscheidender Anteil des Kapitals stammte aus ausländischen Quellen, aber hier gab es einen wesentlichen Unterschied gegenüber Singapur. Der Nationalismus der koreanischen Regierung führte zur Ablehnung einer übermäßigen Präsenz ausländischer multinationaler Konzerne, weil man ihren Einfluss auf Gesellschaft und Politik mit Sorge betrachtete. Deshalb nahm der Kapitalzustrom nach Südkorea die Gestalt von Anleihen an, die vom Staat mit Unterstützung der Vereinigten Staaten garantiert wurden. Der Regierung wurden öffentliche Anleihen hauptsächlich von internationalen Institutionen wie der Weltbank zur Verfügung gestellt, um eine produktive Infrastruktur aufzubauen. Private Anleihen wurden von der Regierung an koreanische Unternehmen entsprechend deren Bereitschaft weiter geleitet, sich den staatlichen strategischen Plänen einzufügen. Ausländisches Kapital war damit zwischen 1962 und 1979 für 30% der gesamten einheimischen Bruttokapitalbildung verantwortlich. Die Quote der Aus-

---

62 Lee (1988).
63 Johnson (1987).
64 Lim und Yang (1987).

landsschuld zum BIP stieg 1978 auf über 26%, was Südkorea Anfang der 1980er Jahre zu einer der am höchsten verschuldeten Volkswirtschaften der Welt machte. Doch der Schuldendienst war im Verhältnis zu den Exporten nicht übermäßig hoch und ging sogar von 19,4% 1970 auf 10,5% zu Ende des Jahrzehntes zurück. Die Außenhandelsquote (Exporte und Importe) gegenüber dem BIP sprang sogar von 22,7% 1963 auf 72,7% 1979 in die Höhe. Die Erfahrung Südkoreas zeigt, dass Verschuldung für sich genommen kein Hindernis für Entwicklung ist: Die richtige Verwendung des geliehenen Geldes entscheidet über das Ergebnis. Südkorea setzte im Gegensatz zu einigen lateinamerikanischen Militärregimes (etwa Argentinien) die Kredite zum Aufbau der Infrastruktur und zur Exportförderung ein. Sein Manövrierspielraum wurde dadurch garantiert, dass die USA die riesigen Verteidigungsausgaben der südkoreanischen Regierung übernahmen, um deren Rolle als asiatisches Bollwerk gegen den Kommunismus zu kompensieren.

Erst in den 1970er Jahren, als die Grundlagen der südkoreanischen Volkswirtschaft unter der strikten Kontrolle der vom Staat angeleiteten *chaebol* fest etabliert waren, bemühte sich die Regierung aktiv um ausländische Direktinvestitionen. Doch selbst dann wurden die ausländischen Unternehmen mit weitreichenden Beschränkungen belegt: der ausländische Anteil am Stammkapital wurden außer in den vom koreanischen Markt isolierten Freien Produktionszonen auf ein Maximum von 50% beschränkt, was die Ausländer in *joint ventures* mit koreanischen Firmen hinein zwang. Die Regierung verfuhr auch bei der Zulassung von ausländischen Investitionen sehr selektiv und bemühte sich vor allem um Unternehmen, die einen Technologietransfer bewirken konnten. Japanische Unternehmen investierten in Textilien, Elektromaschinen und Elektronik. Amerikanische Unternehmen schufen sich vor allem im Erdöl- und Chemiebereich eine Präsenz. Doch insgesamt blieben die ausländischen Investitionen begrenzt und lieferten 1978 nur 19% der südkoreanischen Exporte und 16% des gesamten industriellen Ausstoßes.

Der Staat organisierte auch die untergeordnete Stellung der Arbeit in der neuen industriellen Wirtschaft nach dem Prinzip, dass zuerst die Produktion komme, danach erst die Umverteilung. Die koreanischen Arbeitskräfte sind gut ausgebildet, arbeiten hart und bildeten wie im übrigen Ostasien auch einen entscheidenden Faktor für den Entwicklungsprozess. Die Form ihrer Einordnung gestaltete sich in Korea aber viel repressiver als in den anderen Gesellschaften.[65] Die Konzentration der Arbeitskräfte in Großbetrieben, die von einem quasimilitärischen Management organisiert wurden, begünstigte die Entstehung einer militanten Gewerkschaftsbewegung. Unabhängige Arbeitergewerkschaften waren jedoch verboten, Streiks wurden brutal unterdrückt, und die Arbeits- und Lebensbedingungen wurden in der Fabrik ebenso wie im Privatleben für lange Zeit auf einem Minimum gehalten. Diese repressive Haltung führte zur Bildung

---

65 Deyo (1987b).

der militantesten Arbeiterbewegung in Asien, wie sich später an der Häufigkeit und Gewaltsamkeit der Streiks während der 1980er und 1990er Jahre zeigen sollte. Die Begrenzung der Lohnzuwächse auf einem Niveau deutlich unter dem Produktivitätszuwachs war ein Eckpfeiler der staatlichen Wirtschaftspolitik.

Die Lebensverhältnisse verbesserten sich jedoch für die Gesamtbevölkerung ebenso wie für die Industriearbeiter wegen der eindrucksvollen Erfolge der Volkswirtschaft, die von der exportgeleiteten Industrialisierung angeregt wurden. So stiegen die Staatseinnahmen etwa während der entscheidenden Entwicklungsperiode 1972-1979 mit einer erstaunlichen Jahresrate von 94,7%, die 46 größten *chaebol* realisierten einen jährlichen Wertzuwachs von 22,8%, und die Reallöhne stiegen mit einer Jahresrate von 9,8%. Der Anteil der unter der Armutsgrenze lebenden Bevölkerung sank von 41% 1965 auf 15% 1975. Und während sich die Einkommensungleichheit in den 1970er Jahren verschärfte, wies Südkorea insgesamt während der 1980er Jahre noch immer eine gerechtere Einkommensverteilung auf als die Vereinigten Staaten.

Schließlich hat der südkoreanische Staat seit den 1960er Jahren geradezu besessen auf die Förderung von Wissenschaft und Technologie sowie auf die Höherstufung der Produkte und Prozesse der koreanischen Industrie hin gewirkt. Er gründete eine Reihe spezialisierter F&E-Institute, stattete sie mit Personal aus und stellte ihre Verbindung zur Industrie unter Anleitung des Ministeriums für Wissenschaft und Technologie her. Südkorea ist das sich industrialisierende Land, das innerhalb der internationalen Arbeitsteilung am schnellsten die technologische Leiter empor geklettert ist.[66] So stiegen die Exporte des südkoreanischen Maschinenbaus zwischen 1970 und 1986 mit einer durchschnittlichen Jahresrate von 39%, was weit über der Leistung Japans von 20% lag. In den 1990er Jahren sind die koreanische Mikroelektronik, Konsumelektronik und Computerindustrie zu ernsthaften Konkurrenten der japanischen und amerikanischen Unternehmen geworden und überflügeln die europäischen Firmen bei weitem, wenn es darum geht, Weltmarktanteile im Elektronikbereich zu erobern.

Südkorea ist von Alice Amsdem zurecht als „Asiens nächster Wirtschaftsriese" bezeichnet worden: Es hat seinen Anteil an der weltweiten Inlandsproduktion zwischen 1965 und 1986 um 345% gesteigert.[67] Die vier führenden südkoreanischen *chaebol*, Samsung, Lucky Gold Star, Daewoo und Hyundai gehörten in den 1990er Jahren zu den 50 größten Wirtschaftskomplexen der Welt. Sie sind heute Investoren mit globaler Reichweite und durchdringen die Märkte in Amerika, Europa, Asien und Lateinamerika sowohl mit ihren Exportgütern als auch mit Direktinvestitionen. Europäische und amerikanische Regionen kämpfen gegeneinander um koreanische Investitionen. 1996 versuchte die französische Regierung, ihren notleidenden „nationalen Meister" Thompson für

66 Ernst und O'Connor (1992).
67 Amsdem (1989).

1 Franc an ein Konsortium unter Führung von Daewoo zu verkaufen und zog sich aus diesem Geschäft nur deshalb zurück, weil die Ankündigung in Frankreich einen nationalen Proteststurm auslöste.

Diesem außerordentlichen Aufstieg aus der Asche eines zerstörten und geteilten Landes innerhalb von nur drei Jahrzehnten liegt das nationale Projekt eines Entwicklungsstaates zugrunde, der sich bewusst um die Schaffung von koreanischen Großunternehmen bemühte, die in der Lage waren, innerhalb der Weltwirtschaft zu Global Players zu werden. Es ereichte sein Ziel unter Einsatz von ausländischen Krediten, amerikanischer militärischer Unterstützung und rücksichtsloser Ausbeutung der koreanischen Arbeiter.

Taiwan: Flexibler Kapitalismus unter Leitung eines inflexiblen Staates

Selbst nach den hohen Maßstäben der asiatisch-pazifischen Entwicklung ist Taiwan vermutlich *die* Erfolgsstory, wenn es um die Verbindung einer anhaltend hohen Wachstumsrate (Jahresdurchschnitt von 8,7% 1953-1982 und von 6,9% 1965-1986), der Steigerung des Anteils am weltweiten BIP (1965-1986 durch den Faktor 3,6 vervielfacht), der Steigerung des Anteils an den weltweiten Exporten (1986 2%, mehr als alle anderen neu industrialisierten Länder einschließlich Südkorea) und der Steigerung des Anteils an der weltweiten Industrieproduktion (1965-1986 mit dem Faktor 6,8 multipliziert gegenüber 3,6 für Südkorea) geht. Und das im Kontext einer Einkommensverteilung, die weniger ungleich ist als die jeden anderen Landes mit Ausnahme Skandinaviens und Japans, wobei die Ungleichheit während des Wachstumsprozesses schnell gesunken ist: Der Gini-Koeffizient liegt für 1953 mit 0,558 und für 1980 mit 0,303, deutlich unterhalb dem der USA und dem westeuropäischen Durchschnitt, wenn sich die Einkommensungleichheit auch während der 1980er Jahre wieder etwas erhöht hat.[68] Es gab auch beträchtliche Verbesserungen in den Gesundheitsverhältnissen, in der Ausbildung und im allgemeinen Lebensstandard.[69]

Das taiwanesische Wachstum beruht weitgehend auf Produktivität und Wettbewerbsfähigkeit als Ergebnis eines flexiblen Produktionssystems, das dort bereits praktiziert wurde,[70] noch bevor es von amerikanischen Wissenschaftlern in Norditalien entdeckt wurde. Die Flexibilität betrifft sowohl die industrielle Struktur selbst als auch ihre übergreifende Anpassungsfähigkeit an sich wandelnde Bedingungen in der Weltwirtschaft, wobei sie unter der Leitung eines starken Staates stand, der in den Anfangsstadien der Entwicklung von der US Agency for International Development (AID) unterstützt wurde. Im gesamten Verlauf des Entwicklungsprozesses veränderte sich das Modell des Wirtschafts-

68 Kuo (1983).
69 Gold (1986).
70 Greenhalgh (1988).

wachstums recht drastisch. Sein Schwerpunkt verlagerte sich von der Importsubstitution der 1950er Jahre in den 1960er Jahren (der Periode des *take-off*) auf die exportorientierte Industrialisierung und dann zu dem, was Thomas Gold „exportorientierte Importsubstitution" (also die Vertiefung der industriellen Basis zur Speisung des Exports von Industriegütern)[71] nennt, während der 1970er und 1980er Jahre. In den 1980er Jahren wurde Taiwan zur Wirtschaftsmacht aus eigener Kraft, taiwanesische Unternehmen drangen auf den Weltmarkt vor und internationalisierten ihre Produktion und ihre Investitionen sowohl in Asien (vor allem in China) als auch in den OECD-Ländern (vor allem in den Vereinigten Staaten).[72]

In jedem dieser vier Stadien des Prozesses beobachten wir unterschiedliche industrielle Strukturen die sich ohne größere Krisen entwickeln und übereinander lagern. Aber in allen Fällen sind zwei Merkmale zum Verständnis des Prozesses von entscheidender Bedeutung: (a) der Kuomintang(KMT)-Staat stand im Zentrum der Struktur; und (b) die Struktur ist ein Netzwerk, das aus Beziehungen zwischen Firmen besteht; zwischen Firmen und Staat; vermittelt über (hauptsächlich japanische) Handelsgesellschaften und weltweite kommerzielle Mittler (s. Bd. I, Kap. 3) zwischen Firmen und Weltmarkt.

Während der 1950er Jahre leitete der KMT-Staat nachdem er die Gesellschaft mittels der blutigen Repression der Jahre 1947-1950 und des „weißen Terrors" der 1950er Jahre unter seine totale Kontrolle gebracht hatte, mit massiver Wirtschaftshilfe und unter dem militärischen Schutz der USA die Wirtschaftsreform ein. Eine auf amerikanische Anregung durchgeführte Bodenreform zerstörte die Grundeigentümerklasse und schuf eine große Bevölkerung von Kleinbauern, die mit staatlicher Unterstützung die landwirtschaftliche Produktion erheblich steigerten. Die landwirtschaftliche Produktivität war die erste Quelle der Akkumulation von Überschüssen. Sie erbrachte Investitionskapital und setzte Arbeitskräfte für den städtisch-industriellen Sektor frei. Der Staat zwang die Bauern durch seine Kontrolle über Kredit und Düngemittel und durch die Organisierung eines Naturaltauschsystems von landwirtschaftlichen Hilfsmitteln gegen Reis in den ungleichen Tausch mit der Industriewirtschaft. Zusammen mit seiner Kontrolle über die (in der Regel in Staatseigentum befindlichen) Banken und die Importlizenzen richtete der taiwanesische Staat die Wirtschaft auf Importsubstitutions-Industrialisierung aus und bildete auf einem vollständig abgeschirmten Markt die Anfänge einer kapitalistischen Struktur. Er stellte mit Unterstützung von USAID auch die erforderliche Infrastruktur für Industrie und Kommunikation bereit und legte Wert auf die Ausbildung der Arbeitskräfte. Zur Durchführung dieser Strategien wurden verschiedene staatliche Agenturen gegründet und Vierjahrespläne ausgearbeitet.

---

71 Gold (1986).
72 Hsing (1997a).

Ende der 1950er Jahre hatte der heimische Markt sein Nachfragepotenzial zur Wachstumsstimulierung erschöpft. Wiederum auf Rat von US-Experten begann der KMT-Staat mit einem ehrgeizigen Programm der wirtschaftlichen Neustrukturierung, das diesmal einer Außenorientierung folgte. 1960 liberalisierte das 19-Punkte-„Programm zur Wirtschafts- und Finanzreform" die Handelskontrollen, stimulierte die Exporte und entwickelte eine Strategie, um ausländische Investitionen anzuziehen. Taiwan war das erste Land, das in Kaohsiung 1964 eine Freie Produktionszone einrichtete. 1964 übernahm General Instruments mit der Auslagerung elektronischer Montage nach Taiwan die Pionierrolle. Mittlere Unternehmen aus Japan zeigten bald Interesse daran, von den niedrigen Löhnen, dem Fehlen von Umweltkontrollen, ausgebildeten Arbeitskräften und staatlicher Unterstützung zu profitieren. Doch der Kern der taiwanesischen Industriestruktur war ein heimisches Gewächs. Er bestand aus einer großen Anzahl kleiner und mittlerer Firmen, die mit Familienersparnissen und mit Hilfe kooperativer Sparnetzwerke (den berühmten *huis*) gegründet worden waren und wenn nötig durch Kredite staatlicher Banken unterstützt wurden. Die meisten dieser Firmen wurden an den ländlichen Rändern der Ballungsräume gegründet, wo die Familien sich zu gleicher Zeit die Arbeit auf dem Land und in den Industriewerkstätten teilten. So besuchte ich beispielsweise 1989 ein ländlich-industrielles Gebiet im Kreis Changhua in der Nähe von Tachung, wo Netzwerke aus kleinen Firmen etwa 50% der Regenschirme für die ganze Welt herstellten. Der taiwanesische Staat zog ausländische Investitionen an, um so Kapital und Zugang zu den internationalen Märkten zu erhalten. Aber die ausländischen Konzerne waren über Subkontrakte mit einem weiten Netzwerk kleiner Firmen verbunden, das eine substanzielle Basis für die industrielle Produktion bot. Mit Ausnahme der Elektronik stellten und stellen die ausländischen Direktinvestitionen in der Tat keinen großen Bestandteil der Volkswirtschaft Taiwans dar. So entsprach 1981 der direkte Kapitalstock der ausländischen Unternehmen in Taiwan nur 2% des BIP, die Beschäftigung in ausländischen Firmen betrug 4,8% der Gesamtbeschäftigung, ihr Ausstoß etwa 13,9% des gesamten Ausstoßes und ihr Export nur 25,6% des Gesamtexports.[73] Der Zugang zu den Weltmärkten wurde anfangs durch japanische Handelsgesellschaften und durch Aufkäufer für amerikanische Warenhäuser erleichtert, die sich um eine direkte Belieferung durch taiwanesische Firmen bemühten.

Die Außenorientierung der Wirtschaft war daher nicht gleichbedeutend mit ihrer Kontrolle durch die Multis (wie in Singapur) oder mit der Bildung großer nationaler Kapitalgruppen (wie in Korea), obwohl unter staatlicher Aufsicht durchaus eine Anzahl von Industriegruppen heranwuchs und es in den 1990er Jahren mehrere sehr große, vollständig internationalisierte taiwanesische Unternehmen gab. Aber der größte Teil der Entwicklung Taiwans wurde durch eine flexible Kombination dezentralisierter Netzwerke von familienbasierten taiwanesischen Firmen vollzogen, die als Subunternehmer für ausländische Hersteller

73 Purcell (1989: 81).

mit Standort in Taiwan und als Lieferanten für internationale Handelsnetzwerke arbeiteten, die gewöhnlich durch Mittler untereinander verbunden waren. Auf diese Weise durchdrangen Waren „Made in Taiwan" alle Bereiche unseres Alltagslebens.

Obwohl Taiwans mittlere und kleine Firmen so wichtig sind, um Wettbewerbsfähigkeit durch Flexibilität zu gewinnen, ist die Rolle des Staates im Entwicklungsprozess zumindest bis Mitte der 1980er Jahre unübersehbar. Er war der zentrale Akteur bei der Leitung und Koordination des Industrialisierungsprozesses, bei der Schaffung der notwendigen Infrastruktur, bei der Anziehung des ausländischen Kapitals, bei den Entscheidungen über die strategischen Investitionen und wo nötig, bei der Durchsetzung von Bedingungen. So schlug der erste Versuch, in Taiwan mit der Autoproduktion zu beginnen, fehl, weil die Regierung die von Toyota gestellten Bedingungen ablehnte.

Wie im Fall der anderen „Tiger" bestand ein entscheidend wichtiger Faktor zur Förderung der wirtschaftlichen Produktivität in dem hohen Arbeitsertrag, der durch eine Kombination niedriger Löhne, anständiger Bildung, harter Arbeit und sozialen Friedens erreicht wurde. Die soziale Kontrolle über die Arbeit wurde in Taiwan erstens dadurch erreicht, dass der Präzedenzfall ungezügelter Repression gegen jegliche Herausforderung der staatlichen Autorität geschaffen wurde. Aber neben der Repression trugen noch eine Anzahl weiterer Faktoren entscheidend dazu bei, Konflikte zu entschärfen und Arbeiterforderungen zu ersticken. Der Staat sorgte für ein Sicherheitsnetz in Form von subventionierter Gesundheitsversorgung und Ausbildung, nicht aber im Wohnbereich. Der wichtigste Faktor für die Aufrechterhaltung des sozialen Friedens war jedoch die industrielle Struktur selbst, die aus Tausenden von Kleinunternehmen bestand, von denen viele auf der Beteiligung von Familienmitgliedern und primären Sozialnetzwerken beruhten, die manchmal mit landwirtschaftlichen Teilzeitaktivitäten verbunden waren. In den multinationalen Unternehmen bestand die Masse der ungelernten Arbeitskräfte wie in den anderen asiatischen Gesellschaften aus jungen Frauen, die dem doppelten Patriarchalismus der Familie und der Fabrik unterworfen waren. Während hier mit dem Aufwachsen einer machtvollen feministischen Bewegung in Taiwan in den 1990er Jahren eine Änderung einsetzte (s. Bd. II, Kap. 4), war die geschlechtsspezifische Definition der Arbeitsverhältnisse ein wichtiger Faktor, um während der entscheidenden Periode des industriellen take-off den sozialen Frieden zu sichern.

Seit Mitte der 1970er Jahre betrieb der KMT-Staat, um die Bedrohung durch den Protektionismus auf den Weltmärkten zu bekämpfen und der Gefahr internationaler Isolierung nach der diplomatischen Anerkennung Chinas durch die Vereinigten Staaten entgegen zu wirken, einen Prozess der Höherstufung und Modernisierung der Industrie, besonders der hochtechnologischen Fertigung. Mit diesem Bemühen war der Beginn von Taiwans Mikroelektronikindustrie, der Personalcomputer und der Computer-Peripherie-Branchen verbunden sowie der Bau eines der erfolgreichsten Technologieparks in Asien: Hsinchu in der Nähe von Taipei.[74] Eine Reihe von taiwanesischen Firmen wurden zu wichtigen Lieferanten großer Elektronikunternehmen wie DEC und IBM, während andere, in Netzwerken miteinander verbunden, sich in Silicon Valley und an anderen US-Standorten niederließen und eigenständig florierten.[75] Anderen Industriesektoren wie Bekleidung und Textilien wurde von der Regierung geraten, die Qualität und den Wert ihrer Produktion zu verbessern, um die restriktiven Importquoten auf den Auslandsmärkten zu umgehen, die in der Regel nach Volumen berechnet werden.

Mitte der 1980er Jahre war Taiwan zu einer reifen, diversifizierten Volkswirtschaft mit einem festen Halt auf den Weltmärkten und den größten Währungsreserven der Welt geworden. Die taiwanesischen Firmen fühlten sich stark genug, es mit China aufzunehmen, investierten über Hongkong und wurden zu einem Schlüsselfaktor im chinesischen Wirtschaftswunder (s.u.). Wegen des Lohnanstiegs und der zunehmenden Organisierung der Arbeitenden in Taiwan, wozu noch die Einschränkung der Quoten für Exporte aus Taiwan kam, begannen die größten taiwanesischen Unternehmen, ihre Produktion nach China und Südostasien auszulagern. So ist Taiwan gegenwärtig der weltweit größte Exporteur von Schuhen, aber ein Großteil der Produktion der taiwanesischen Firmen findet in Wirklichkeit in China statt.[76] Diese Konsolidierung der Firmen Taiwans auf den internationalen Märkten führte jedoch zusammen mit dem Heranwachsen einer Zivilgesellschaft zu einer zunehmenden Ablehnung der Kontrolle durch die KMT, was zur Transformation des taiwanesischen Staates führte, als Teng Hui Lee, ein gebürtiger Taiwanese, im Januar 1988 die Präsidentschaft übernahm. Der Entwicklungsprozess, den die KMT begonnen hatte, um neue Legitimität in Taiwan sowie auf der anderen Seite der Taiwan-Straße in China selbst zu gewinnen, hat eine komplexe industrielle Wirtschaft und eine wohlhabende, gebildete Gesellschaft geschaffen, die den KMT-Staat haben obsolet werden lassen.

Modell Hongkong vs. Hongkonger Wirklichkeit: Kleinunternehmen in der Weltwirtschaft und die koloniale Ausgabe des Wohlfahrtsstaates

Hongkong ist und bleibt der historische Bezugspunkt der Verfechter des zügellosen Kapitalismus. Während die herausragende Rolle des Staates in den Super-Wachstumsökonomien Japans, Südkoreas und Taiwans allzu offenkundig ist, als dass sie zu leugnen wäre, verkörpert Hongkong mit seinem frühen *take-off* in den 1950er Jahren und seiner scheinbar dem *laissez-faire* entsprechenden

74 Castells und Hall (1994).

75 Ernst und O'Connor (1992).

76 Leung u.a. (1980); Youngson (1982); Schiffer (1983); Castells u.a. (1990).

Sorte Kapitalismus die Traumvorstellungen vom staatslosen Kapitalismus, was durch die ausdrückliche Hongkonger Regierungspolitik der „positiven Nicht-Intervention" noch abgestützt wird. Es war, wie man so sagt, eine Gesellschaft, die an geborgtem Ort zu geborgter Zeit aufgebaut wurde. Und doch kann eine sorgfältige Analyse der wirtschaftlichen Entwicklung Hongkongs seit Mitte der 1950er Jahre die entscheidende Rolle zutage fördern, die der Staat bei der Schaffung der Bedingungen für Wachstum und Wettbewerbsfähigkeit gespielt hat, freilich mit einer subtileren, indirekteren, aber um nichts weniger effektiven Form der Intervention, als sie die anderen drei „Tiger" praktizierten.[77]

Vergegenwärtigen wir uns zuerst gewisse Tatsachen. In dem Hongkonger Paradies des freien Marktes war alles Land (mit Ausnahme des Gemeinschaftslandes in den *New Territories*) Kronland, das der Staat verpachtete, nicht etwa verkaufte. Das geschah zur Steigerung der öffentlichen Einnahmen auf einem Grundstücksmarkt, der vollständig staatlicher Manipulation unterlag. Diese Bodenpolitik ermöglichte es der Regierung auch, öffentliche Wohnungsbauprojekte zu subventionieren (Land wurde kostenlos zur Verfügung gestellt). Gleiches galt für staatlich entwickelte Industriegebiete und Etagenfabriken, die während des ersten Industrialisierungsstadiums eine große Rolle spielten, um kleine Industriefirmen unterzubringen. Ferner wuchs während der entscheidenden Jahre des *take-off* (1949-1980) das BIP zwar um den eindrucksvollen Faktor 13, aber die Staatsausgaben stiegen real um das 26fache und die staatlichen Sozialausgaben (wozu Wohnung, Erziehung, Gesundheit und Sozialversicherung gehörten) wuchsen atemberaubend um das 72fache. So erreichten die Staatsausgaben als Anteil des BIP 1980 20,3%. Der staatliche Anteil an der gesamten Kapitalschöpfung stieg während der 1960er und 1970er Jahre von 13,6% 1966 auf 23,4% 1983, bevor er auf etwa 16% Ende der 1980er Jahre zurückging.[78]

Die staatliche Regulierung war wichtiger, als dies gewöhnlich zugestanden wird. So war sie etwa in der Bankenbranche bedeutend, nachdem Anfang der 1980er Jahre eine Reihe von Finanzskandalen gedroht hatten, die Märkte Hongkongs zu ruinieren.[79] Wirklich entscheidend aber war die Rolle, die der Staat bei der Schaffung der Bedingungen für die Wettbewerbsfähigkeit der Hongkonger Wirtschaft auf den Weltmärkten gespielt hat. Ich will die Argumentation zusammenfassen.

Die klassische ökonometrische Studie von Edward K.Y. Chen über die Quellen des Wirtschaftswachstums in Hongkong für die Zeit von 1955-1974 hat gezeigt, dass der Aufwand an Kapital und Arbeit in Hongkong wie in Singapur eine viel größere Rolle spielte als in den fortgeschrittenen industriellen Volkswirtschaften.[80] Er benannte auch Export und internationalen Handel als

---

77 Leung u.a. (1980); Youngson (1982); Schiffer (1983); Castells u.a. (1990).

78 Ho (1979); Youngson (1982); Castells u.a. (1990).

79 Ghose (1987).

80 Chen (1979).

die wichtigsten Ursachen für das Wachstum Hongkongs. Diese Interpretation wurde durch die sorgfältige statistische Analyse von Tsong-Biau Lin, Victor Mok und Yin-Pin Ho über den engen Zusammenhang zwischen dem Export von Industriegütern und Wirtschaftswachstum bestätigt und weiter ausgebaut.[81] Das war schwerlich ein überraschendes Ergebnis, aber es stellte doch eine bedeutsame Beobachtung dar. Das gilt vor allem aus der Perspektive der 1990er Jahre, wo der Aufstieg Hongkongs zum Finanz- und anspruchsvollen Dienstleistungszentrum den Blick auf die ursprünglichen Quellen für den Wohlstand des Territoriums etwas verstellt. Ihre Studie zeigt, dass sich die Exporte im Zeitverlauf nach einem anderen Muster, als dies bei den anderen drei „Tigern" zu beobachten war, auf dieselbe kleine Anzahl von Branchen konzentrierten – Textil, Bekleidung, Schuhe, Plastik, Konsumelektronik. Die Ausweitung des Exports ging hauptsächlich auf das zurück, was Lin u.a. als „Veränderungen wegen unterschiedlicher Warenzusammensetzung"[82] bezeichnet haben, d.h. Veränderungen der Produktlinien und im Wert der Produkte innerhalb derselben Branche. In diesem Sinne *war die Flexibilität der Hongkonger Hersteller von grundlegender Bedeutung, die sich innerhalb derselben Branchen schnell und effektiv der Nachfrage der Weltmärkte anpassten.*

Wir haben aber neben ihrer Fähigkeit zur Anpassung an die Nachfrage noch die Wettbewerbsfähigkeit dieser Industriebranchen zu erklären. Eine weitere ökonometrische Studie von E.K.Y. Chen hat den entscheidenden Hinweis gegeben: *Die entscheidende Variable zur Erklärung der Hongkonger Wachstumsgleichung bestand in dem Unterschied zwischen den relativen Preisen in Hongkong und dem Einkommensniveau in den Vereinigten Staaten, dem wichtigsten Markt für Hongkongs Exporte.*[83] Weil das Preisniveau für Industrieprodukte in Hongkong hauptsächlich durch das Lohnniveau in den arbeitsintensiven Branchen bestimmt wurde, war es die Fähigkeit der Hongkonger Firmen, die Lohnerhöhungen deutlich unterhalb der Einkommenszunahme in den USA zu halten und dennoch dafür zu sorgen, dass es eine effiziente, qualifizierte, gesunde und motivierte Arbeitsbevölkerung gab, die die Grundlage für die Ausweitung der Fertigwarenexporte und damit für das Wirtschaftswachstum bildete. *Die Flexibilität der Industrie und die konkurrenzfähigen Preise auf der Grundlage relativ niedriger Produktionskosten waren daher die hauptsächlichen Faktoren, die das Wachstum Hongkongs erklären.* Aber die „Erklärungsvariablen" sind ihrerseits Resultat einer spezifischen Branchenstruktur und einer bestimmten institutionellen Umwelt, die die Flexibilität und Wettbewerbsfähigkeit der Volkswirtschaft erst möglich machten.

Einerseits *war die Flexibilität das Resultat einer Industriestruktur, die durch Kleinunternehmen gekennzeichnet war.* Über 90% der Industriefirmen in Hongkong beschäftigten 1981 weniger als 50 Arbeitskräfte, und große Firmen (über 100 Ar-

81 Lin u.a. (1980).
82 Lin u.a. (1980).
83 Chen (1980).

beitskräfte) steuerten nur 22,5% des Beitrags der Industrie zum BIP bei. Weil 90% der Industrieerzeugnisse exportiert wurden, können wir annehmen, dass die Kleinunternehmen auch im Export eine ebenso bedeutende Rolle spielten, auch wenn keine Daten zur Verfügung stehen, die das direkt nachweisen könnten. Wir wissen jedoch, dass ausländische Hersteller nur einen kleinen Teil der Industrieexporte Hongkongs beisteuerten (1974 10,9%, 1984 13,6%). Die Durchschnittsgröße von industriellen Betrieben ist in Hongkong im Zeitverlauf sogar zurück gegangen: von durchschnittlich 52,5 Arbeitskräften pro Betrieb 1951 auf 20 1981. Das Geheimnis liegt in der Art und Weise, wie diese kleinen Firmen Verbindung mit dem Weltmarkt aufnehmen konnten. Anders als in Taiwan spielten in Hongkong ausländische Handelsgesellschaften keine wichtige Rolle. Es gab natürlich die traditionellen, etablierten britischen „Hong"-Handelshäuser (wie die legendären Gruppen Jardine Matheson oder Squire, deren Personal die Romane von James Clavell bevölkerte), aber ihre Rolle beim Industrieexport war recht gering. Nach der klassischen Studie von Victor Sit wurden etwa 75% der lokalen Exporte durch lokale Export/Import-Firmen abgewickelt.[84] Die große Mehrheit dieser kleinen Firmen waren selbst Kleinunternehmen. Es gab 1977 in Hongkong über 14.000 solcher Firmen. Erst in den 1980er Jahren errichteten die großen Warenhäuser aus den Vereinigten Staaten, Japan und Westeuropa ihre Niederlassungen in Hongkong, um Aufträge an lokale Firmen zu geben. Die industrielle Grundstruktur Hongkongs bestand daher aus Netzwerken kleiner Firmen, die jeweils ad hoc entsprechend den Aufträgen, die über auf Export/Import spezialisierte Kleinunternehmen liefen, die für einander als Subunternehmen arbeiteten und sich vernetzten. Diese flexible Struktur wurde für den anfänglichen Kern von 21 Schanghaier Industriellen, die sich nach der chinesischen Revolution mit ihrem Know-how und Familienersparnissen nach Hongkong zurück gezogen hatten, zu einem effektiven wirtschaftlichen Arbeitsmittel, um sich der schnell wechselnden Nachfrage auf einem expandierenden Weltmarkt anzupassen.

Wie aber konnten diese kleinen Unternehmen Informationen über den Weltmarkt bekommen, um ihre Produktion aufzuwerten, ihre Maschinen zu verbessern, ihre Produktivität zu steigern? Der Hongkonger Staat spielte dabei eine bedeutende, wenn auch nicht entscheidende Rolle. Erstens organisierte er die Verteilung der nach dem Faserabkommen zulässigen Exportquoten unter die verschiedenen Firmen der Textilindustrie und formte damit Produktionsnetzwerke unter der Anleitung der *Industrial Department*. Zweitens gründete er (in den 1960er Jahren) mehrere Informations- und Ausbildungszentren wie das Hong Kong Productivity Center, dessen Aufgabe in Trainingsprogrammen sowie in Beratung und technologiebezogenen Dienstleistungen besteht; und den Hong Kong Trade Development Council, der Büros auf der ganzen Welt hat, um Exporte zu fördern und Information über die Hongkonger Unternehmen

84 Sit (1982).

zu verbreiten. Andere Dienstleister wie die Hong Kong Credit Insurance Corporation dienten dazu, die Risiken abzudecken, die die Exporteure eingingen. Ende der 1970er Jahre, als die Notwendigkeit zur Aufwertung der Hongkonger Volkswirtschaft als Antwort auf die Herausforderung des Protektionismus auf den Märkten des Zentrums dringlich wurde, ernannte die Regierung ein Committee on Industrial Diversification, das einen strategischen Plan für das neue Industrialisierungsstadium Hongkongs ausarbeitete, der dann auch im Großen und Ganzen während der 1980er Jahre durchgeführt wurde.

Der grundlegende Beitrag, den der Hongkonger Staat jedoch zur Flexibilität und Wettbewerbsfähigkeit der Kleinunternehmen leistete, bestand in seiner breit angelegten Intervention in den Bereich des kollektiven Konsums. Bei dieser Intervention bestand das Schlüsselelement in einem großen öffentlichen Wohnungsbauprogramm, nach dem Anteil der darin untergebrachten Bevölkerung dem zweitgrößten in der kapitalistischen Welt: während der 1980er Jahre etwa 45%. Obwohl die ersten Anlagen von grauenvoller Qualität waren, wurden sie mit der Zeit besser, als mehrere große, mit allen städtischen Einrichtungen versehene Trabantenstädte gebaut wurden. Ende der 1980er Jahre sanierte der Staat das Programm, riss alte Baulichkeiten ab oder renovierte sie und baute für die verdrängten Mieter neue Häuser. Zudem wurde über die Jahre hinweg ein umfassendes System der öffentlichen Erziehung, des öffentlichen Gesundheitswesens, subventionierten massenhaften öffentlichen Nahverkehrs, sozialer Dienstleistungen und subventionierter Nahrungsmittel eingerichtet, was einer bedeutsamen Subvention in Form von indirekter Lohnzahlung an die Erwerbstätigen gleichkam. Schiffer hat die Auswirkungen der außerhalb des Marktes wirkenden Faktoren auf die Ausgaben von blue-collar-Haushalten 1973/1974 berechnet: Durchschnittlich beliefen sie sich auf einen Zuschuss in Höhe von 50,2% der Gesamtausgaben eines jeden Haushaltes.[85] Yu und Li schätzten den Naturaltransfer an den durchschnittlichen Mieter der öffentlich gebauten Wohnungen auf 70% des Haushaltseinkommens.[86] Demnach haben der öffentliche Wohnungsbau und die besondere Art von Wohlfahrtsstaat, die in Hongkong entstanden ist, die Arbeitskräfte subventioniert und es ihnen ermöglicht, lange Arbeitszeiten hinzunehmen, ohne allzu viel Druck auf ihre Arbeitgeber auszuüben, von denen die meisten wenig Spielraum hatten, um sich Lohnerhöhungen zu leisten. Indem ein Großteil der Verantwortung für das Wohlergehen der Arbeitskräfte auf die Schultern des Staates abgewälzt wurde, konnten die Kleinunternehmen sich darauf konzentrieren, ihre Preise konkurrenzfähig zu gestalten und dabei je nach den Nachfrageschwankungen ihre Belegschaften zu verkleinern oder auszuweiten.

---

85 Schiffer (1983).

86 Yu und Li (1985).

Schaubild 4.2 Struktur und Prozess der wirtschaftlichen Entwicklung in Hongkong, 1950-1985

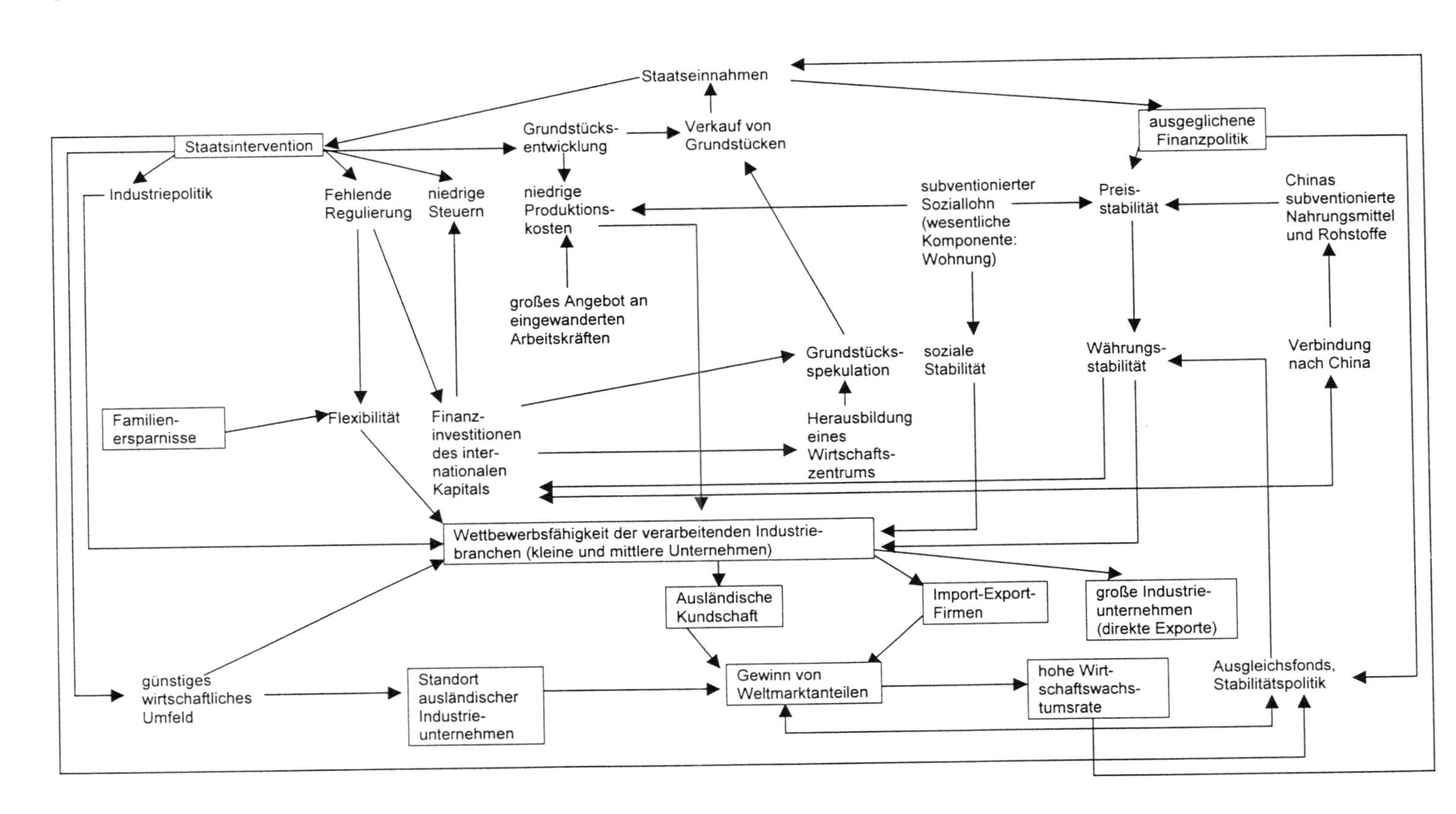

Der koloniale Wohlfahrtsstaat Hongkongs erfüllte noch zwei weitere wichtige Funktionen, die unmittelbar mit der Wettbewerbsfähigkeit der Volkswirtschaft zu tun haben: Erstens ermöglichte er über einen langen Zeitraum hinweg die Aufrechterhaltung des industriellen Friedens, was einigermaßen wichtig war, wenn man die (häufig vernachlässigte) historische Tradition sozialer Kämpfe in der Hongkonger Arbeiterklasse bedenkt, die als verdeckte Grundströmung in den schweren städtischen Unruhen 1956, 1966 und 1967 mit wilder Gewalt an die Oberfläche trat.[87] Zweitens schuf er ein Sicherheitsnetz für das mit geringem Risiko operierende Unternehmertum, das für die Szene der kleinen Firmen in Hongkong kennzeichnend war. Denn wie überall sonst, hatten die Kleinunternehmen auch in Hongkong natürlich eine hohe Ausfallquote: Durchschnittlich hatte jeder Unternehmer erst nach sieben Anläufen Erfolg.[88] Aber die meisten Unternehmen wurden von Arbeitern gegründet, die all ihre kleinen Ersparnisse darauf setzten und sich auf die Hilfe ihrer Familie stützten, und die dieses Risiko eben auch im Vertrauen auf das Sicherheitsnetz der öffentlichen Wohnungen und auf die subventionierten öffentlichen Einrichtungen eingingen. Falls ihre Träume vom eigenen Unternehmen scheiterten, konnten sie in diesem Sicherheitsnetz weich landen, sich neu formieren und es noch einmal versuchen.

So spielten die soziale Stabilität und der subventionierte kollektive Konsum eine entscheidende Rolle, um den unmittelbaren Druck der Löhne auf die Unternehmen zu mildern, für stabile industrielle Beziehungen zu sorgen und ein aufblühendes Nest von kleinen und mittleren Unternehmern zu schaffen, die in der Tat die treibende Kraft in der Entwicklung Hongkongs darstellten, jedoch unter sozialen und institutionellen Voraussetzungen, die sich sehr von denen unterschieden, die Milton Friedman sich in seinen phantasievollen Schriften über die Hongkonger Wirtschaft vorgestellt hat. Schaubild 4.2 gibt eine synthetische Übersicht über das Beziehungsgefüge, das meiner Forschung und meinen Quellen zufolge den Entwicklungsprozess Hongkongs zwischen dem Beginn der 1950er und der Mitte der 1980er Jahre gekennzeichnet hat.

Nach dem chinesisch-britischen Abkommen von 1984 über die Übertragung der Souveränität zum historisch festgesetzten Datum 1997 trat Hongkong in ein neues Entwicklungsmodell ein, wozu es gleichzeitig durch neue Formen des Konkurrenzdrucks, die von der Weltwirtschaft ausgingen, sowie durch die bevorstehende Transformation seines institutionellen Umfeldes gedrängt wurde. Erstens vertiefte Hongkong seine Rolle beim Industriegüterexport, indem es den größten Teil seiner Produktion ins Perlflussdelta jenseits der Grenze dezentralisierte (s. Bd. I, Kap. 6). Schätzungen zufolge waren Mitte der 1990er Jahre im Perlflussdelta und seiner Umgebung, der Provinz Guangdong, zehn oder

87 Hong Kong Government (1967); Endacott und Birch (1978); Chesneaux (1982); Chan u.a. (1986).

88 Sit (1982).

sechs oder nicht weniger als 5 Mio. Arbeitskräfte in der Produktion für Hongkonger Firmen beschäftigt. Zweitens weitete Hongkong seine Rolle als internationales Wirtschaftszentrum aus, in der es sich in den 1980er Jahren etabliert hatte und nutzte dabei seine flexiblen Finanzbestimmungen, seine exzellenten Kommunikationsmittel und seine wirtschaftliche Infrastruktur sowie seine Verbindungs- und Beziehungsnetzwerke. Drittens wurde Hongkong wie schon in seiner Geschichte, aber jetzt auf viel höherer Stufe, das Verbindungsglied mit China und dem chinesischen Wirtschaftswunder. Damit, dass es für Chinas Einbeziehung in die globale Wirtschaft unverzichtbar wurde und auf seine Fähigkeit setzte, sich an die neue Umgebung anzupassen und in einem potenziell von China dominierten pazifischen Jahrhundert zur Blüte zu gelangen, antizipierte Hongkong seine Zukunft. Um sich aber China und der Welt verkaufen zu können, verweist Hongkong auf seine wirtschaftliche Wachstumsleistung während des letzten halben Jahrhunderts – ein Prozess, der das sogenannte Hongkong-Modell Lügen straft, aber eine Fülle von Lektionen über Entwicklungsprozesse bereit hält, die man am Fall Hongkong studieren kann.

Tigerzucht: Gemeinsamkeiten und Abweichungen im wirtschaftlichen Entwicklungsprozess der „Tiger"

Auf den vorhergehenden Seiten habe ich versucht, die spezifische, dem Entwicklungsprozess in jedem der vier zu untersuchenden Länder zugrundeliegende politisch/ökonomische Logik zusammen zu fassen. Ich werde jetzt versuchen, komparativ zu denken, indem ich mich auf Gemeinsamkeiten und Abweichungen zwischen den vier Prozessen konzentriere. Daraus ergeben sich Hinweise auf ein Verständnis für die sozialen und historischen Bedingungen, die in der globalen Ökonomie Entwicklung herbei führen.

Fangen wir mit den Faktoren an, die die Länder voneinander unterscheiden, denjenigen, die in jedem einzelnen Fall klar voneinander abweichen und deshalb nicht als entscheidende Momente des Entwicklungsprozesses gelten können. Die wichtigste Uneinheitlichkeit ist die Industriestruktur eines jeden Landes. Vor allem sollten wir die These von der „neuen internationalen Arbeitsteilung" zurück weisen, nach der neue Industrialisierungsschritte „in der Peripherie" hauptsächlich auf die Dezentralisierung von Produktion durch multinationale Konzerne „aus dem Zentrum" zurück geht. Die Multis sind für Singapur von grundlegender Bedeutung, aber sie haben bei der Industrialisierung eine sekundäre Rolle gespielt, und in Südkorea und Hongkong waren und sind sie nur kleinere Mitspieler (obwohl in Hongkong Mitte der 1980er Jahre multinationale *Finanz*konzerne zu einem wichtigen Faktor wurden). Wie oben erwähnt, ist die Industriestruktur Singapurs durch die direkte Verknüpfung zwischen multinationalen Konzernen und Staat gekennzeichnet, wozu auch eine Anzahl bedeutender Konzerne im staatlichen Besitz oder mit staatlicher Beteiligung gehören.

Im Zentrum der südkoreanischen Wirtschaft standen und stehen die koreanischen *chaebol*, die vom Staat aufgepäppelt, unterstützt und angeleitet worden sind; und Mitte der 1990er Jahre lieferten die vier größten *chaebol* noch immer 84% vom Ausstoß Koreas. Taiwan verschmilzt eine flexible Struktur kleiner und mittlerer wirtschaftlicher Familiennetzwerke und eine bedeutende, doch auf eine Minderheitsposition begrenzte Präsenz ausländischer Firmen, die entweder groß und amerikanisch oder mittelgroß und japanisch sind. Das Wirtschaftswachstum Hongkongs ging bis Mitte der 1980er Jahre hauptsächlich von lokalen Industriefirmen aus, die meisten von kleiner oder mittlerer Größe und unterstützt durch einen wohlwollenden Kolonialstaat, der für produktive Infrastruktur und subventionierten kollektiven Konsum sorgte und sich an eine subtile Form der Industrialisierungspolitik wagte. Es besteht daher kein Zusammenhang zwischen Industriestruktur und Wirtschaftswachstum.

Und auch die sektorale Spezialisierung der Volkswirtschaften ist kein gemeinsames Merkmal. Die Wettbewerbsfähigkeit ließ sich nicht durch die Konzentration der industriellen Anstrengung auf Textilien oder Elektronik erklären, weil Südkorea und in geringerem Maße Taiwan ihre Aktivitäten in andere Sektoren hinein diversifizierten. Singapur begann mit Erdölverarbeitung und Elektronik (hauptsächlich Halbleiter) und vertiefte dann seine Spezialisierung auf Elektronik (Hinzunahme von Computerdiskettenlaufwerken, wo es in den 1980er Jahren zum Hauptproduzenten auf der Welt wurde, und dann in den 1990er Jahren von fortgeschrittener Mikroelektronik), erweiterte sein Spektrum aber auch mit einer ganzen Palette hochmoderner Dienstleistungen und Handelsaktivitäten. Hongkong vertiefte andererseits seine Spezialisierung in fünf Sektoren und wertete sie zugleich auf: Textilien, Bekleidung, Plastik, Schuhe und Konsumelektronik, wozu wie in Singapur ein aufblühender Zweig mit hochmodernen Dienstleistungen kommt. Der einzig gemeinsame Zug der vier Entwicklungsprozesse ist damit die Anpassungsfähigkeit und Flexibilität der Firmen und der politischen Strategien gegenüber der Nachfrage auf dem Weltmarkt. Aber diese Flexibilität funktionierte entweder durch die gleichzeitige Präsenz in mehreren Sektoren (Taiwan) oder durch eine Abfolge vorrangiger Sektoren (wie in Südkorea) oder durch die Aufwertung der traditionellen Sektoren (wie in Hongkong). Wettbewerbsfähigkeit scheint nicht darauf zu beruhen, dass man „die Sieger erwischt", sondern dass man zu siegen lernt.

Das Vorhandensein einer Art von Wohlfahrtsstaat in Form von subventioniertem kollektivem Konsum war in der Entwicklung der Stadtstaaten – Hongkong und Singapur – ein entscheidendes Moment. Aber das war in Korea eindeutig nicht der Fall, wo der Staat sich nicht um die Bedürfnisse der Arbeiter kümmerte und lediglich die *chaebol* ein paar Elemente eines „repressiven Paternalismus" einführten, wie etwa Werkswohnungen. Und es traf auch nicht auf Taiwan zu, wo der Staat sich zum Ziel setzte, die Einkommensungleichheit zu beseitigen und die Erziehung garantierte, aber im Vertrauen auf den Sickereffekt des Wirtschaftswachstums es dem Markt überließ, die Grundgüter zu liefern, die die Bevölkerung brauchte.

Nicht am unwichtigsten ist schließlich, dass der Mythos vom sozialen Frieden als wesentliche Komponente des Entwicklungsprozesses in Ostasien der Beobachtung nicht Stand hält. Singapur wurde erst nach massiver staatlicher Repression und nach dem Verbot der unabhängigen Mehrheitsgewerkschaft Anfang der 1960er Jahre stabil. Taiwan befand sich nach der Exekution von schätzungsweise 10-20.000 Taiwanesen, die sich der Besetzung durch die KMT widersetzt hatten und dem ausgedehnten „weißen Terror" der 1950er Jahre in einem angespannten Zustand der Befriedung. Zudem begannen sich in Taiwan nach den Chung Li-Unruhen von 1977 die sozialen Konflikte wieder zu entwickeln, und Ende der 1980er Jahre breiteten sich vielerlei soziale Bewegungen aus, ohne die wirtschaftliche Dynamik zu gefährden. Hongkong besaß lange Zeit einen relativ hohen gewerkschaftlichen Organisationsgrad, und die größte Gewerkschaftsföderation wurde von den Kommunisten aus der VR China kontrolliert. Der „soziale Friede" Hongkongs wurde mehrmals erschüttert, durch die Unruhen von 1956, 1966 und 1967, und auf die letzten folgten mehrere Monate sozialer Proteste, bis hin zu Bombenattentaten. Seit Ende der 1970er Jahre haben in Hongkong mächtige Basisbewegungen die Grundlagen für die heutige aktive „Demokratiebewegung" gelegt, die den Behörden in Hongkong ebenso wie in Beijing ernsthaft Sorge macht. In Südkorea leitete die Studentenbewegung, die 1960 zum Sturz von Syngman Rhee führte, eine endlose Abfolge von (meist unterdrückten und ignorierten) Studentendemonstrationen und Arbeiterkämpfen ein, von denen der Aufstand von Kwangju 1980 am bekanntesten ist, der durch die Diktatur von Chun Doo Hwan unterdrückt wurde, was den Tod von möglicherweise 2.000 Menschen kostete. Die koreanischen sozialen Bewegungen und der politische Protest führten 1987 zum Sturz des Militärregimes und bereiteten der Demokratie den Weg. Politische Turbulenzen und der alltägliche Widerstand sowie die machtvollen Streiks der Arbeiter forderten den autoritären Führungsstil der *chaebol* heraus, unterminierten aber nicht das Wachstum Südkoreas, das sich während der 1990er Jahre in schnellem Tempo mit Jahresraten fortsetzte, die 1991-1996 zwischen 5 und 9% schwankten.

Demnach war das Streben nach sozialer Stabilität zwar teilweise erfolgreich und bildete ein grundlegendes Element in der Entwicklungsstrategie der vier Länder, aber es war keine gesellschaftliche Grundgegebenheit. Ganz im Gegenteil: Alle vier Gesellschaften begannen ihren Entwicklungsprozess in einer explosiven sozialen und politischen Situation, so dass wichtige Segmente der Gesellschaft unterdrückt, gezähmt und später integriert werden mussten, um ein Minimum an Ordnung aufrecht zu erhalten, das für das Wirtschaftswachstum erforderlich war. Und als soziale Bewegungen wieder an der Oberfläche auftauchten, passte sich die Entwicklung den sozialen Spannungen an, und die vier Länder vermochten mit Ausnahme Singapurs Wachstum und Umverteilung zusammen mit demokratischer Liberalisierung beizubehalten.

Soziale Stabilität war keine Voraussetzung der Entwicklung, sondern ihr immer unsicheres Ergebnis.

Ich entdecke in meinen Beobachtungen über asiatische Entwicklung auch Gemeinsamkeiten. Ohne sie könnte ich nicht an ein sich wiederholendes Muster glauben, das unser Verständnis der neuen historischen Entwicklungsprozesse erhellen kann. Der erste gemeinsame Faktor betrifft das *Vorhandensein einer Notstandssituation in der Gesellschaft* als Folge großer Spannungen und Konflikte sowohl nationaler wie geopolitischer Art. Das liegt in den Fällen von Südkorea und Taiwan auf der Hand. Es ist auch daran zu erinnern, dass Hongkong sich 1949 infolge der chinesischen Revolution dramatisch verändert hat, als es den größten Teil seiner traditionellen Rolle als Umschlagplatz für den Chinahandel einbüßte und damit gezwungen wurde, sich auf industrielle Exporte zu verlegen, wenn es überleben wollte, ohne das Budget der Krone zu belasten. Es war neben seinem wirtschaftlichen Erfolg ja gerade seine Rolle gegenüber China, die Hongkong daran hinderte, sich dem Entkolonialisierungsprozess anzuschließen; denn weder das Vereinigte Königreich noch China konnten seine Unabhängigkeit hinnehmen. Das traf auch auf Singapur zu, wo zuerst britische Truppen verhinderten, dass es von Indonesien annektiert wurde, das dann 1965 aus der Föderation von Malaysia ausgeschlossen wurde und durch Großbritannien 1965-1968 seinem Schicksal überlassen wurde, dann aber wegen seiner Unterstützung der amerikanischen Anstrengungen im Vietnamkrieg gerettet wurde. Das entscheidende geopolitische Moment in Asien bestand im Gegensatz zu Lateinamerika darin, dass die USA für einen großen Teil Asiens die Gefahr sahen, dass die Kommunisten und ihre Verbündeten hier an die Macht kämen, und es gab durchaus Momente, die diese Wahrnehmung stützten. Für die US-Politik in dieser Region überwogen strategische Überlegungen jedes andere Kalkül, was den asiatischen Staaten einen beträchtlichen Spielraum zur Organisierung ihrer Volkswirtschaft verschaffte, unter der Bedingung, dass sie in außenpolitischer Hinsicht und bei der Unterdrückung ihrer eigenen Kommunisten „Vasallenstaaten" der Vereinigten Staaten blieben, und dem stimmten sie freudig zu. Wenn es einen grundlegenden gemeinsamen Leitfaden in der Politik der vier „Tiger" (einschließlich Hongkong) gibt, so besteht er darin, dass wir am Ursprung des Entwicklungsprozesses *politische Strategien* finden, die *von der Politik des Überlebens diktiert* waren.

Eine weitere Konsequenz war in diesem vom asiatischen Kalten Krieg beherrschten Zusammenhang die große Bedeutung der amerikanischen und britischen Unterstützung für die Regierungen und ihre Volkswirtschaften. Die amerikanische Hilfe war während der zweiten Hälfte der 1950er Jahre das wichtigste Element beim Wiederaufbau und bei der Neuorientierung der Volkswirtschaft von Südkorea und Taiwan. Wenn Hongkong auch Großbritannien mehr gab als Großbritannien Hongkong, so blieben doch einige entscheidende Funktionen wie die Verteidigung eine Last, die Großbritannien zu tragen hatte. Und am Wichtigsten war, dass Hongkong ins Commonwealth exportieren durfte und vom Vereinigten Königreich entschieden dabei unterstützt wurde, die Exportquoten zu erhalten, die für den Anfang seines Vordringens auf die Weltmärkte so entscheidend wichtig waren. Singapur erhielt zwar nicht viel ausländische Hilfe, aber seine Wirtschaft erhielt einen gewaltigen Anschub durch das profitable Geschäft mit Öllieferungen und Schiffsreparaturen für das amerikanische Militär in Vietnam während der 1960er Jahre. Die Geopolitik lieferte die Grundlagen dafür, dass aus der Politik des Überlebens erfolgreiche entwicklungspolitische Strategien werden konnten.

Ein zweiter wesentlicher Faktor besteht darin, dass alle vier Entwicklungsprozesse auf einer *wirtschaftlichen Außenorientierung und genauer auf dem Erfolg beim Export von Industriegütern* aufbauten, der vor allem auf den US-Markt zielte. Es stimmt, dass für Südkorea wie für Taiwan Strategien der Importsubstitution unverzichtbar waren, um zu Beginn des Entwicklungsprozesses eine industrielle Basis zu schaffen. Ihr schnelles Wachstum setzte jedoch erst dann ein, als es ihnen ausgehend von ihren geschützten Märkten gelang zu exportieren. In diesem Sinne scheinen die explosionsartige Entwicklung des Welthandels während der 1960er Jahre und der Prozess, in dem sich eine neue, globale Ökonomie herausgebildet hat, für die asiatischen „Tiger" ein unverzichtbares Milieu dargestellt zu haben.

Ein dritter gemeinsamer Faktor ist das Fehlen einer ländlichen Grundeigentümerklasse, die in Hongkong und Singapur nichtexistent war und in Südkorea und Taiwan durch die von den Amerikanern inspirierten Bodenreformen der 1950er Jahre ausgelöscht (oder zu Industriellen transformiert) wurde. Die Existenz einer mächtigen Grundeigentümerklasse ist ein Entwicklungshindernis, weil ihre Investitionen in der Regel spekulativen Charakter tragen und sie sich nur widerwillig auf einen Modernisierungsprozess einlassen, der ihre soziale und kulturelle Dominanz aufs Spiel setzen würde. Es scheint, als sei dies eines der Hindernisse für den indonesischen Entwicklungsprozess gewesen, bis in den 1980er Jahren die Internationalisierung der Volkswirtschaft unter staatlicher Regie die Interessen der traditionellen ländlichen/finanziellen Oligarchien umgehen konnte.[89]

Ein vierter gemeinsamer Faktor in der Entwicklung der vier Länder ist die *Verfügbarkeit gut ausgebildeter Arbeitskraft, die imstande ist, sich während des Prozesses der industriellen Aufwertung umzuqualifizieren, sowie einer hohen Produktivität und eines Lohnniveaus, das im internationalen Vergleich niedrig ist.* Die Arbeit wurde im Hinblick auf Arbeitsdisziplin und Arbeiterforderungen mit Ausnahme der Belegschaften der südkoreanischen Großbetriebe Ende der 1980er Jahre insgesamt unter Kontrolle gehalten. Disziplinierte, effiziente, relativ billige Arbeitskräfte bildeten ein grundlegendes Element der asiatischen Entwicklung. Aber diese Disziplin und Effektivität war nicht die Folge der vorgeblich unterwürfigen Natur der asiatischen Arbeitskräfte (was einfach eine rassistische Behauptung

89 Yoshihara (1988).

ist), noch in etwas raffinierterer Version des Konfuzianismus. Der Konfuzianismus erklärt zwar die hohe Wertschätzung der Bildung und daher die hohe Qualität der Arbeitskraft, wenn der Staat einmal die Zugangsbedingungen zur Erziehung schafft. Aber der Konfuzianismus erklärt nicht die Unterordnung der Arbeit, weil Autorität in der konfuzianischen Philosophie legitim sein und auf legitime Weise ausgeübt werden muss, andernfalls besteht Widerstandspflicht. Und die lange Geschichte der Volksaufständc in China wic auch dic Tradition revolutionärer Arbeiterklassenbewegungen in Schanghai und Kanton widerspricht wirklich solchen uninformierten, ideologischen Aussagen.[90] Wie oben erwähnt, wurde Arbeitsdisziplin in allen vier Ländern zuerst mittels Repression durchgesetzt. Aber in allen Fällen gab es danach auch starke Elemente sozialer Integration, die erklären, warum eine historisch rebellische Bevölkerung sich am Ende mit den ausbeuterischen Verhältnissen arrangierte, die für die meisten Menschen über den längsten Teil der Entwicklungsperiode hinweg die Arbeits- und Lebensbedingungen geprägt haben. Unter den Integrationsfaktoren ragte vor allem die tatsächliche Verbesserung des Lebensstandards der Arbeiter heraus. Was für einen amerikanischen oder japanischen Arbeiter ein niedriger Lohn war, war für die Industriearbeiterschaft der armen asiatischen Länder ein Vermögen. Ferner zeigen die Daten für die ersten Entwicklungsstadien eine Abnahme der Einkommensungleichheit und einen drastischen Anstieg der Reallöhne über drei Jahrzehnte hinweg. Daneben leistete im Fall Hongkongs und Singapurs eine besondere Form des Wohlfahrtsstaates, der materiell um öffentliche Wohnungsbauprojekte und Trabantenstädte herum zentriert war, einen wesentlichen Beitrag, um sowohl die Lebensverhältnisse zu verbessern, als auch staatliche Kontrolle und Legitimität zu festigen. Im Falle Taiwans sorgten die Integration von ländlichem und städtischem Leben in denselben Familien und die Lebenskraft der sozialen Netzwerke gleichzeitig für das Sicherheitsnetz, um die Schockeffekte der schnellen Industrialisierung aufzufangen und für horizontale Mechanismen der sozialen Kontrolle, die die Arbeiter davon abhielten, das System in Frage zu stellen. Durch eine Kombination von staatlicher Repression, staatlicher Integration, wirtschaftlichen Verbesserungen sowie Schutz und Kontrolle durch soziale Netzwerke sah eine zunehmend gebildete Erwerbsbevölkerung (von der ein Großteil Frauen waren) ihre Interessen am besten gewahrt, wenn sie den Anforderungen eines Systems entsprachen, das ebenso dynamisch wie rücksichtslos war. Erst nachdem die Überlebensphase vorbei war, begann besonders in Südkorea der spontane gesellschaftliche Widerstand die Form einer Arbeiterbewegung und politischer Alternativen anzunehmen.

Ein fünfter gemeinsamer Faktor bei der asiatischen Industrialisierung bestand in der Fähigkeit dieser Volkswirtschaften, sich dem informationellen Paradigma und dem sich ändernden Grundmuster der globalen Ökonomie anzupassen, indem sie auf der Entwicklungsleiter durch technologischen Fortschritt,

---

90 Chesneaux (1982); Chan u.a. (1986).

Ausweitung der Märkte und wirtschaftliche Diversifizierung emporkletterten. Was – wie im Falle Japans, das außer in Hongkong als Rollenmodell für die Entwicklung diente – besonders bemerkenswert ist, ist die Einsicht in die entscheidende Bedeutung von F&E sowie der Hightech-Sektoren für die neue globale Ökonomie. Die Forcierung von Wissenschaft und Technologie – in Südkorea und Taiwan stärker, aber auch in den Stadtstaaten spürbar – beruhte auf staatlicher Entscheidung und Durchführung, aber sie wurde von den Industriefirmen begrüßt und internalisiert. Die vier Länder vollzogen während drei Jahrzehnten den Übergang zu den fortgeschrittenen Strukturen der informationellen Ökonomie, wenn sie auch viele Aktivitäten auf niedrigem technologischem Niveau beibehielten, was auch für die USA zutrifft.

Es war diese Fähigkeit, von einem Entwicklungsniveau zum anderen und von der peripheren Einbeziehung in die globale Ökonomie auf eine dynamischere, günstigere Wettbewerbsposition in Tätigkeitsbereichen mit höherer Wertschöpfung zu wechseln, die zu einem nachhaltigen Wachstum führten. Das steht im Gegensatz zu den kurzlebigen Wachstumsschüben, die für die meisten lateinamerikanischen Volkswirtschaften prägend gewesen sind.[91]

Hinter den meisten wesentlichen Falktoren, die den Erfahrungen der vier ostasiatischen „Tiger“ gemeinsam sind, steht das, was die wichtigste Gemeinsamkeit von allen zu sein scheint: *die Rolle des Staates im Entwicklungsprozess.* Die Produktion hochqualifizierter Arbeitskraft sowie dann ihre effektive Kontrolle, die strategische Steuerung durch die gefährliche See der Weltwirtschaft, die Fähigkeit, die Volkswirtschaft beim Übergang zu Informationalismus und Globalisierung anzuführen, der Prozess der Diversifizierung, die Schaffung einer wissenschaftlichen und technologischen Basis und ihre Ausbreitung in das industrielle System – das sind alles entscheidend wichtige politische Strategien, deren Erfolg die Machbarkeit des Entwicklungsprozesses entscheidend beeinflusst hat.

Politische Strategien sind natürlich das Ergebnis von Politik, die vom Staat in die Tat umgesetzt wird. Hinter der wirtschaftlichen Leistung der asiatischen „Tiger“ schnauft der Drache des Entwicklungsstaates.

Der Entwicklungsstaat in der ostasiatischen Industrialisierung: Zum Begriff des Entwicklungsstaates

Wenn die Charakteristik, die ich auf den vorangegangenen Seiten vorgetragen habe, plausibel ist, dann erfordert das Verständnis dieses Entwicklungsprozesses eine soziologische Analyse der Herausbildung und Interventionsweise des Entwicklungsstaates in diesen Ländern. Zuerst muss ich aber die genaue Bedeutung des Entwicklungsstaates definieren. Ich habe diesen Begriff bereits bei

91 Fajnzylber (1983).

meiner Analyse Japans benutzt. Ich übernehme ihn von Chalmers Johnson und ich habe nichts gegen die Bedeutung einzuwenden, die ihm von Johnson, Peter Evans, Alice Amsdem und anderen auf dem Gebiet der Entwicklungstheorie gegeben worden ist. Ich denke jedoch, dass es nützlich sein wird, wenn ich eine eigene Definition nach meinem Verständnis auf der Grundlage meiner Analyse der vier ostasiatischen „Tiger“ gebe, obwohl sie auch in anderen Zusammenhängen benutzt werden kann.

Ein Staat ist ein Entwicklungsstaat, wenn er seine Fähigkeit, Entwicklung zu fördern und aufrecht zu erhalten, zu seinem Legitimitätsprinzip macht, wobei unter Entwicklung die Kombination zwischen stetigen, hohen wirtschaftlichen Wachstumsraten und strukturellem Wandel im Produktionssystem zu verstehen ist, und zwar sowohl im eigenen Land als auch in dessen Beziehungen zur internationalen Wirtschaft. In dieser Definition muss jedoch die Bedeutung von „Legitimität“ für den jeweiligen historischen Kontext spezifiziert werden. Viele Politologen bleiben in einer ethnozentrischen Vorstellung von Legitimität gefangen, die auf den demokratischen Staat bezogen ist. Danach ist der Staat legitim, wenn er gegenüber der Zivilgesellschaft seine Hegemonie durchsetzt oder aber Konsens schafft. Diese bestimmte Form der Legitimität setzt aber voraus, dass der Staat selbst seine Unterwerfung unter das Prinzip akzeptiert, dass er die Gesellschaft so repräsentiert, wie sie ist. Wir wissen jedoch, das die Staaten, die im Verlauf der gesamten Geschichte versucht haben, mit der bestehenden Ordnung zu brechen, die jeweils bestehende Zivilgesellschaft nicht als ihre Legitimitätsquelle anerkannt haben. Und doch waren sie keine bloßen Apparate nackter Gewalt, wie dies bei etlichen defensiven Militärdiktaturen der Fall war. Die eindeutigsten Beispiele sind revolutionäre Staaten, vor allem diejenigen, die aus kommunistischen Revolutionen oder nationalen Befreiungsbewegungen hervorgegangen sind. Sie haben niemals vorgegeben, legitim in dem Sinne des Einverständnisses ihrer Untertanen zu sein, sondern im Sinne des von ihnen verkörperten historischen Projektes, als Avantgarden der Klassen und Nationen, die sich ihrer Bestimmung und ihrer Interessen noch nicht voll bewusst waren. Die offenkundigen und bedeutsamen politischen und ideologischen Unterschiede zwischen kommunistischen und revolutionären Staaten einerseits und den rechten Diktaturen in Ostasien andererseits haben meiner Meinung nach dazu geführt, dass einige grundlegende Ähnlichkeiten übersehen wurden, die über formelle Übereinstimmungen hinaus den Kern der staatlichen Logik betreffen: das Legitimitätsprinzip, das den Apparat zusammenhält und die Struktur der Codes und Prinzipien, die den Zugang zu und die Ausübung von Macht bestimmen sowie ihr Verhältnis zueinander vorgeben. Mit anderen Worten kann es sein, dass das Legimitätsprinzip im Namen und Auftrag der Gesellschaft ausgeübt wird, oder aber im Namen eines gesellschaftlichen Projektes. Wenn der Staat sich bei der Bestimmung der gesellschaftlichen Ziele selbst für die Gesellschaft substituiert, wenn ein solches gesellschaftliches Projekt (unabhängig von unserem Werturteil) eine grundlegende Transformation der sozialen Ordnung bedeutet, dann bezeichne ich ihn als revolutionären Staat.

Wenn das gesellschaftliche Projekt die weiteren Parameter der sozialen Ordnung respektiert (etwa den globalen Kapitalismus), aber (unabhängig von den Interessen der Zivilgesellschaft oder ihren Wünschen) grundlegende Transformationen der wirtschaftlichen Ordnung anstrebt, dann schlage ich die Hypothese vor, dass es sich um einen Fall von Entwicklungsstaat handelt. Der historische Ausdruck dieses gesellschaftlichen Projektes nimmt im Allgemeinen die Form des Aufbaus oder Wiederaufbaus nationaler Identität an (wie im größten Teil Ostasiens), womit die nationale Präsenz einer bestimmten Gesellschaft oder einer bestimmten Kultur in der Welt geltend gemacht wird. Manchmal fällt diese nationale Emphase noch nicht einmal mit dem Territorium zusammen, das der Entwicklungsstaat politisch kontrolliert: etwa der Kuomintang-Staat, der in der sicheren, durch die 7. US-Flotte gewährten Zuflucht für die „Republik China" sprach.

Demnach ist *für den Entwicklungsstaat wirtschaftliche Entwicklung letztlich kein Endzweck, sondern ein Mittel.* In der Weltwirtschaft wettbewerbsfähig zu werden, war für alle asiatischen „Tiger" zuerst die Möglichkeit, als Staat und Gesellschaft zu überleben. Zweitens wurde es auch zu ihrer einzigen Möglichkeit, ihren nationalen Interessen in der Welt Geltung zu verschaffen – also aus einer Lage der Abhängigkeit auszubrechen, auch wenn dies bedeutete, bedingungslos zur weltpolitischen Frontlinie der Vereinigten Staaten zu werden. Ich stelle die Überlegung zur Debatte, dass der Entwicklungsstaat den Übergang vom politischen Subjekt „an sich" zum politischen Subjekt „für sich" vollzieht, indem er sich auf das einzige Legitimitätsprinzip beruft, das den internationalen Mächten, die über sein Geschick wachen, nicht bedrohlich erscheint: wirtschaftliche Entwicklung.

Der Aufstieg des Entwicklungsstaates: Von der Politik des Überlebens zum Prozess des *Nation-Building*

Der ostasiatische Entwicklungsstaat wurde aus der Notwendigkeit zum Überleben geboren und wuchs auf der Grundlage eines nationalistischen Projektes, das kulturelle/politische Identität auf der Weltbühne zur Geltung brachte. *Zuerst war das Überleben.*

Singapur war zu Beginn seiner Unabhängigkeit 1965 ein Nichts. Ein aufgegebener militärischer Vorposten des zerfallenen britischen Empire, die bankrotte Wirtschaft eines Umschlagplatzes, der von seinen Verbindungen mit Indonesien abgeschnitten war, ein integraler Bestandteil Malaysias, der gegen seinen Willen aus der Föderation Malaysia ausgeschlossen worden ist, und eine pluri-ethnische Gesellschaft unter dem Druck ihrer malaiischen Umgebung und zerrissen von den gewaltsamen inneren ethnischen und religiösen Konflikten zwischen der chinesischen Mehrheit und der muslimisch-malaiischen sowie hindu-tamilischen Minderheit hätte es leicht zu einem anderen Sri Lanka werden können. Das erste Anliegen der People's Action Party (PAP) von Lee

Kwan Yew, die den antikolonialen Kampf gegen die Briten angeführt hatte, bestand darin, Singapur zusammenzuhalten, es lebensfähig zu machen und zugleich das abzuwehren, was als Bedrohung durch die Guerillas der Malaysischen Kommunistischen Partei wahrgenommen wurde, die unter der Führung von Chinesen stand und von der VR China unterstützt wurde.

Südkorea hatte soeben den mit aller Macht vorgetragenen Angriff Nordkoreas überlebt und war knapp der Gefahr entgangen, in die Falle eines Atomkrieges zwischen den imperialen Phantasien von MacArthur[92] und der siegreichen chinesischen Volksbefreiungsarmee zu geraten. 1953 lag das Land in Trümmern, die Nation war geteilt, und die Erste Republik von Syngman Rhee war lediglich ein Überbau für die Vereinigten Staaten, um auf der Grundlage der neuen, kriegsgestählten südkoreanischen Armee an der nördlichen Grenze zwischen Kommunismus und Freier Welt in Asien eine starke Verteidigungslinie aufzubauen.

Taiwan war noch gar nicht Taiwan. Es war eine verarmte, terrorisierte Insel, die zur letzten Bastion der geschlagenen Kuomintang-Armeen geworden war, die von den Vereinigten Staaten als potenzielle Bedrohung und als politischer Stützpfeiler gegen die wachsende Macht der VR China in Reserve gehalten wurde. Es war just die kommunistische Invasion nach Südkorea, die die Vereinigten Staaten zu der Entscheidung veranlasste, in der Taiwan-Straße die Grenze zu ziehen, und diese Entscheidung rettete die KMT und ermöglichte es ihr, ihrer ideologischen Phantasie der Wiedererrichtung der Republik China von der Provinz Taiwan aus zu leben. Diese Phantasie wurde von den chinesischen Kapitalisten nicht geteilt, von denen die meisten anderswohin emigrierten.

Hongkong war nach der chinesischen Revolution und dem Embargo gegen China, das die Vereinigten Staaten anlässlich des Koreakrieges verhängten, schnell dabei, zum Anachronismus zu werden. Sein Zwischenhandel nach China verkam zum Schmuggel und es war auf dem Weg, zur letzten Kolonie des dahinschwindenden Empire zu werden. Grundlegende Zweifel daran, ob China willens sei, es außerhalb chinesischer Kontrolle am Leben zu lassen und auch politische Befürchtungen, dass entweder die Labour Party oder die britische öffentliche Meinung das Territorium in die nächste Runde der Entkolonisierung einbeziehen würden, hielten Hongkong in Unsicherheit über sein Schicksal, während eine Welle nach der anderen von chinesischen Immigranten/Flüchtlingen durch ihr Entkommen aus der Revolution oder aus dem Elend die Kolonie zur selbst gestellten Falle machten.

Der erste Reflex der Staatsapparate, die später zu Entwicklungsstaaten wurden (des PAP-Staates in Singapur, des Park-Regimes in Südkorea, der KMT in Taiwan und des Kolonialstaates in Hongkong) bestand in der Sicherung der

92 General Douglas MacArthur, US-Oberkommandierender im Fernen Osten während des Zweiten Weltkrieges, wurde 1951 wegen strategischer Differenzen mit Präsident Truman im Koreakrieg abgelöst; d.Ü.

physischen, sozialen und institutionellen Lebensfähigkeit der Gesellschaften, über die sie die Kontrolle erhalten hatten. Dabei konstruierten und konsolidierten sie ihre Identität als politische Apparate. Nach der von mir vorgeschlagenen Hypothese formten sie ihre Staaten aber um das Legitimitätsprinzip der Entwicklung herum auf der Grundlage eines je spezifischen politischen Projektes mit spezifischen politischen Akteuren, die sämtlich durch den Bruch mit den Gesellschaften entstanden, die sie nun kontrollieren und lenken sollten.

In Singapur hatte die PAP zwar den antikolonialen Kampf angeführt, aber sie hatte sich während der 1950er Jahre im engen Bündnis mit der linken Bewegung (einschließlich der linken Gewerkschaften) und sogar mit den Kommunisten befunden. Erst die Ereignisse Anfang der 1960er Jahre überzeugten Lee Kwan Yew, den nationalen Führer Singapurs, davon, dass er die Linke unterdrücken müsse (was er rücksichtslos tat), um ein autonomes politisches Projekt voran zu bringen, das Singapur aus einem kolonialen Vorposten in eine moderne Nation verwandeln sollte.[93] Die PAP war geradezu nach leninistischem Muster organisiert, mit strikten Mechanismen sozialer Kontrolle und Mobilisierung, zentralisierten Formen der Parteimacht und unmittelbarer Leitung der Wirtschaft durch eine gut ausgebildete, gut bezahlte, in der Regel saubere staatliche Technokratie. Die Sozialpolitik der PAP mit öffentlichem Wohnungsbau und Gemeinschaftsdienstleistungen setzte sich zum Ziel, die komplexe, pluriethnische Struktur Singapurs zu einer nationalen Kultur zu verschmelzen, während die Betonung des Konfuzianismus und der Lesefähigkeit in Mandarin unter den Chinesen bewusst das Aufbrechen der Subkulturen anstrebte, die sich entsprechend der Dialekte gebildet hatten, die von chinesischen Netzwerken unterschiedlichen regionalen Ursprungs gesprochen wurden. Wirtschaftliche Entwicklung war das Mittel, um beide Ziele zu erreichen – Singapur zu einem lebensfähigen Land zu machen und es als neue Nation aufzubauen.

Als die KMT in Taiwan einmal die Tatsache hinnehmen musste, dass sie China verloren hatte, versuchte sie Taiwan in ein Schaufenster dafür zu verwandeln, was eine reformierte KMT für China und das chinesische Volk tun könne, nachdem sie ihr desaströses Wirtschaftsmanagement und die Schäden eingestanden hatte, die ihre ungehemmte Korruption ihrer politischen Kontrolle über China zugefügt hatte.[94] Als quasi-leninistische, ausdrücklich nach den Prinzipien des demokratischen Zentralismus organisierte Partei versuchte die KMT, sich zu reformieren. Sie machte ihre Treue zu den „drei Volksprinzipien" Sun Yat-sens zur offiziellen Ideologie und leitete daraus ihre Politik der Landreform, der Verminderung der Ungleichheit und forcierter Bildungsanstrengungen ab. Für die Konsolidierung der KMT-Macht auf Taiwan kam es entscheidend darauf an, dass sie in der Lage war, den zunehmenden Wohlstand der Insel zu garantieren. Die KMT erachtete den Erfolg ihres Entwicklungsprojektes

93 Chua (1985).
94 Gold (1986).

als entscheidende Bedingung dafür, die Unterstützung von Chinesen auf der ganzen Welt zu gewinnen, um später die kommunistische Macht im kontinentalen China in die Schranken weisen zu können. Und so war denn auch die chinesische Politik der „Offenen Tür" in den 1980er Jahren zum Teil eine Antwort auf die Wirkung, die das Wirtschaftswunder Taiwans nicht nur unter den informierten Teilen der chinesischen Bevölkerung, sondern auch innerhalb der chinesischen Führungsgruppe selbst ausübte.

Die Ursprünge des Park-Regimes in Korea lassen sich ebenfalls auf das Auftreten eines neuen politischen Akteurs zurück verfolgen, der mit der kolonialen Ordnung ebenso gebrochen hatte wie mit dem korrupten und ineffizienten Rhee-Regime, unter dem die Überreste der pro-japanischen Handelsbourgeoisie durch die staatliche Umverteilung der Hilfe aus den USA noch einmal aufgeblüht waren, während das Land weiter unter den Kriegszerstörungen zu leiden hatte.[95] Wenn der Putsch von 1961 auch unmittelbar die kurzlebige zivile Regierung von John Chang stürzte, die aus der von den Studenten angeführten Rebellion gegen Syngman Rhee hervorgegangen war, so gingen Ideologie und Praxis der militärischen Verschwörer doch über den simplen Reflex von Recht und Ordnung hinaus. Die Führer des Putsches waren junge, nationalistische Militäroffiziere von niederem Rang, mit Ausnahme von Generalmajor Park, der in Japan ausgebildet worden war und in der japanischen Armee in der Mandschurei gedient hatte. Das südkoreanische Militär war eine völlig neue Institution, deren Organisation und Wachstum natürlich mit dem Koreakrieg zusammenhingen. Es wuchs von 100.000 1950 auf 600.000 1961 und wurde zu einer der zahlenmäßig größten, best ausgebildeten und relativ professionellen Armeen der Welt. Aufgrund des militärischen Interesses der USA an Korea konzentrierten sich die Anstrengungen um Modernisierung und Unterstützung vor allem auf die bewaffneten Kräfte. Daher scheinen die professionelle Ausbildung der Armee und ihre organisatorischen Fähigkeiten während der 1960er Jahre denen der übrigen südkoreanischen Gesellschaft überlegen gewesen zu sein, eine kleine Gruppe von Studierenden und eine noch kleinere Gruppe der Intelligenz einmal ausgenommen. Angesichts der Auflösungserscheinungen in Staat, Wirtschaft und Gesellschaft scheinen daher die Offiziere, die 1961-1963 die Macht ergriffen, der Form „nasseristischer" Militärregime nahe gekommen zu sein. Ohne gesellschaftliche Basis und mit einem unsicheren Gefühl, was die Unterstützung der Vereinigten Staaten für nationale Pläne Koreas anging, die sich jenseits der geopolitischen Funktion des Landes bewegten, entwarf das Park-Regime seine Entwicklungsstrategie als Instrument, um die koreanische Nation wieder aufzubauen und politische Freiheitsgrade zu gewinnen.

Was aber ist mit Hongkong? Wie ist dort die halbherzige, subtilere Version eines halben Entwicklungsstaates zustande gekommen? Wie konnte sich eine Kolonialverwaltung mit der Zukunft der Kolonie identifizieren? Wenn sich die

95 Cole und Lyman (1971); Lim (1982).

traditionellen *Hongs* und die neuen Unternehmen hauptsächlich ums Geschäft kümmerten, wenn die altgedienten Briten hauptsächlich vom Ruhestand in Surrey träumten und die chinesischen Industriellen von ihren *Green Cards* und dem Leben in Kalifornien – wie konnte da in Hongkong ein kollektiver Akteur auftreten, um es zu einem entwickelten Stadtstaat zu machen, der eine wichtige Rolle in der Weltwirtschaft spielt? Untersuchen wir die Frage im historischen Detail.

Die institutionelle Macht konzentrierte sich in Hongkong während des gesamten Entwicklungsprozesses in den Händen des kolonialen Gouverneurs, der von Westminster ernannt wurde. Nach seiner Ernennung war der Gouverneur jedoch in seinen Entscheidungen über die Hongkonger Politik fast vollständig autonom.[96] Von 1957 an war keine formelle Genehmigung des Hongkonger Budgets aus London mehr erforderlich. Die Kolonie wurde also als autonomer Staat verwaltet, in dessen Zentrum der Gouverneur und eine Reihe ernannter Komitees standen, die von Sekretären geleitet wurden, die ebenfalls vom Gouverneur ernannt wurden. Die exekutive Staatsgewalt stützte sich auf eine Anzahl legislativer und beratender Organe, die aus beamteten und nichtbeamteten Mitgliedern bestanden, von denen bis zu den politischen Reformen der 1980er Jahre die meisten ebenfalls von der Regierung ernannt wurden. Diese Institutionen wurden von einem zahlreichen, gut ausgebildeten und effizienten öffentlichen Dienst getragen, der in den 1980er Jahren 166.000 Beamte umfasste. Hinter dieser formellen Machtstruktur legen aber die empirische Studie von Miron Mushkat, die historisch-anthropologische Monografie von Henry Lethbridge und eine Reihe anderer Untersuchungen,[97] auch meine eigene Feldforschung, eine andere, faszinierende Geschichte über die wahre Machtstruktur Hongkongs bloß. Der Kern dieser Machtstruktur scheint sich in den Händen derjenigen befunden zu haben, die Mushkat als die „administrative Klasse" bezeichnet, eine kleine, feine Gruppe von Beamten, die bis in die 1970er Jahre hinein in ihrer überwältigenden Mehrzahl vom British Colonial Civil Service in Großbritannien aus den besten britischen Universitäten und im Allgemeinen aus Oxford und Cambridge rekrutiert wurden. Zwischen 1842 und 1941 gab es nur 85 „cadets" (wie sie bis 1960 hießen) im Hong Kong Colonial Civil Service. Selbst nach der gewaltigen Personalaufstockung während der 1970er Jahre mit der massenhaften Rekrutierung von Chinesen gab es nur 398 „general grade administrative officers".[98] Diese administrative Klasse mit ihrer starken sozialen und ideologischen Kohäsion, gemeinsamen beruflichen Interessen und kulturellen Werten scheint es gewesen zu sein, die über den größten Teil der Geschichte der Kolonie hinweg die Macht im Staate Hongkong kontrollierte. Sie übten die Macht aus und behielten dabei die Interessen der Wirtschaftselite im Auge, aber

96 Miners (1986).
97 Lethbridge (1970); Mushkat (1982); Kwan und Chan (1986).
98 Scott und Burns (1984).

nur, soweit die Geschäftswelt den wirtschaftlichen Wohlstand Hongkongs sicherte, von dem Macht, Einkommen, Prestige und ideologische Selbstlegitimierung der administrativen Klassen abhängig waren. Ihr Interesse an der Zukunft Hongkongs galt zwei Dingen: die Kolonie inmitten der Turbulenzen der Entkolonialisierung und der programmatischen Forderungen der britischen Labour Party aufrecht zu erhalten; und der Welt zu zeigen, dass der Colonial Service im Namen dessen, was von der Tradition des britischen Empire geblieben war, eher als jede andere politische Institution – einschließlich der neuen unabhängigen Nationalstaaten – in der Lage war, für den Wohlstand der neuen asiatischen Welt zu sorgen. Das schloss aus einer pateranalistischen Haltung heraus, die an das historische Beispiel des „aufgeklärten Despotismus" erinnert, in hohem Maß auch das Wohlergehen der Völker dieser Region ein. Wenn mein ethnografisches Material zu diesem Thema auch nicht systematisch genug ist, um definitive Schlussfolgerungen zu erlauben, so hat es mich doch davon überzeugt, dass die Hingabe und Effizienz des elitären Colonial Civil Service of Hongkong gleichbedeutend mit dem letzten Salutschuss des britischen Empire gewesen ist. Die „Hong Kong cadets" setzten es sich zum Ziel, den Wohlstand Hongkongs als ideologisches Denkmal zum historischen Gedenken an das verlorene Empire zu errichten und zugleich für ihre Pensionärsjahre in England vorzusorgen.

In unterschiedlichen, für jede Gesellschaft spezifischen Formen scheint der Entwicklungsstaat in den neu industrialisierten asiatischen Ländern also ein Instrument in Prozessen des Aufbaus (oder Wiederaufbaus) der Nation (oder der Stadt) gewesen zu sein, die von politischen Akteuren ins Werk gesetzt wurden, die gegenüber ihren Gesellschaften weitgehend autonom waren. Nur weil diese politischen Akteure jedoch in der Lage waren, ihre Zivilgesellschaften sowohl zu mobilisieren als auch zu kontrollieren, konnten sie ihre Entwicklungsstrategie durchführen.

Staat und Zivilgesellschaft in der Neustrukturierung Ostasiens: Der Erfolg des Entwicklungsstaates im Entwicklungsprozess

Wenn wir die wichtigsten Akteure des Entwicklungsprozesses in der asiatischen Pazifikregion (die Entwicklungsstaaten) ausmachen, so klärt dies noch nicht die grundlegende Frage, warum sie erfolgreich sein konnten, wenn wir unter Erfolg die Verwirklichung ihrer Vision wirtschaftlicher Entwicklung verstehen. Um die Faktoren zu bestimmen, die ihren Erfolg erklären, muss ich mich drei Fragen zuwenden: (a) der Beziehung zwischen den asiatischen Entwicklungsstaaten und anderen Staaten im internationalen System; (b) der inneren Logik der Entwicklungsstaaten; und (c) der Beziehung zwischen den Entwicklungsstaaten und ihren Gesellschaften.

Erstens sollte man daran erinnern, dass die ersten Stadien der ostasiatischen Industrialisierung durch den geopolitischen Zusammenhang außerordentlich begünstigt wurden, in denen diese Volkswirtschaften sich ausbildeten: der asiatische Kalte Krieg und die volle Unterstützung der Vereinigten Staaten für diese Regime sowie im Falle Hongkongs die Unterstützung durch Großbritannien. Wir müssen jedoch die übertriebene linke Vereinfachung zurückweisen, nach der diese Staaten nur „Marionetten des amerikanischen Imperialismus" waren: In Wirklichkeit zeigten diese Staaten ihre Autonomie gerade durch die Verfolgung ihrer eigenen Projekte des *Nation-Building*. Um ihre historische Besonderheit zu verstehen, schlage ich den Begriff des „Vasallenstaates" für diese spezifische politische Form vor. Unter einem *Vasallenstaat* verstehe ich in Analogie zum Feudalismus *einen Staat, der in seinen eigenen politischen Strategien weitgehend autonom ist, soweit er sich an dem spezifischen Beitrag orientiert, den er gegenüber seinem „souveränen Staat" zu erbringen hat.* Die Staaten der asiatischen Tiger waren demnach keine „abhängigen Staaten" in dem Sinne, wie abhängige Gesellschaften und abhängige Staaten von der strukturhistorischen Theorie der Dependenz definiert werden. Dies sind Staaten mit sehr begrenzter Autonomie gegenüber dem übergreifenden geopolitischen System, dem sie angehören, wobei sie im Gegenzug Schutz sowie ein bedeutendes Maß an Autonomie bei ihren inneren Angelegenheiten erhalten. Ich stelle die These auf, dass Taiwan bis mindestens Anfang der 1970er Jahre und Südkorea bis mindestens 1987 Vasallenstaaten der Vereinigten Staaten gewesen sind, während Hongkong durchgängig ein Vasallen-Stadtstaat (und keine Kolonie) des Vereinigten Königreiches war. Singapur dagegen war seit dem Vietnamkrieg ein Halb-Vasallenstaat der Vereinigten Staaten, wozu auch ein paar merkwürdige Verbindungen wie die Organisierung und Ausbildung seines Militärs durch die Israelis gehören. Dieses „Vasallen"-Verhältnis schuf einen Sicherheitsschirm, nahm einen Großteil der Belastung durch das Verteidigungsbudget von diesen Ländern und spielte eine Rolle bei den ersten maßgeblichen Schritten zu einem leichteren Zugang zum Weltmarkt.

Das zweite Element, das den Erfolg der Entwicklungsstrategie erklärt, war *der Aufbau eines effizienten, technokratischen Staatsapparates*. Das hat wenig mit der traditionellen Unterscheidung zwischen korrupten und sauberen Bürokratien zu tun. Die Korruption war in Südkorea weit verbreitet, hatte in Taiwan ein bedeutendes Ausmaß, war in Hongkong präsent und begrenzter, aber keineswegs abwesend in Singapur. Und doch waren alle vier Staaten in der Lage, mit einem hohen Maß an Effizienz zu funktionieren. Sie hatten gut ausgebildete Beamte und waren flexibel organisiert, sodass sie auf die Bedürfnisse eines jeden Entwicklungsstadiums reagieren konnten. Funktional ist Korruption nur dann ein Hindernis für Effizienz, wenn sie die Bürokratie daran hindert, die ihr übertragenen Aufgaben zu lösen. Und sie stellt nur dann ein Legitimitätsproblem dar, wenn es einen demokratischen Staat gibt, der gegenüber einer zivilen Gesellschaft verantwortlich ist, die erwartet, dass der Dienst an der Öffentlichkeit Vorrang vor privaten Interessen erhält. In Südkorea war Korruption beispielsweise die Bezahlung, die Offiziere und Parteifunktionäre von den koreanischen Industriellen dafür verlangten, dass sie das Land entsprechend den Entwicklungszielen verwalteten, die diesen staatlich geförderten Industriellen so sehr zugute kamen. Insgesamt waren diese Staaten eher technokratisch als bürokratisch, weil ihre Apparate darauf zugeschnitten waren, ein strategisches historisches Projekt durchzuführen und nicht nur (sicher auch), die Früchte der Diktatur zu ernten.

Die grundlegende Bedingung für die Fähigkeit der Entwicklungsstaaten, ihr Projekt zu verwirklichen, bestand jedoch in ihrem politischen Vermögen, ihren Gesellschaften ihre Logik aufzuzwingen und diese Logik zu internalisieren. Die Autonomie der Entwicklungsstaaten und ihre Fähigkeit, ihr Projekt unter geringen Zugeständnissen an die Forderungen der Gesellschaft durchzuführen, muss empirisch und historisch und ohne Rückgriff auf die Metaphysik des Konfuzianismus erklärt werden.

Die erste Erklärung ist einfach: Repression. Die Kuomintang begann ihre Kontrolle über die Insel mit den großen Massakern vom 9. Mai 1947 zu etablieren. Sie schuf dann einen rücksichtslosen politischen Kontrollapparat, der während der folgenden drei Jahrzehnte politische Abweichler festgenommen, gefoltert und umgebracht hat, die gleichgültig ob links oder rechts alle unter dem Etikett Kommunismus zusammengefasst wurden. Die PAP liquidierte in Singapur in der Zeit von 1961-1965 jegliche ernsthafte politische Opposition, verbot die wichtigste Gewerkschaft und verhaftete die Führer der Barisan-Sozialisten, was dazu führte, dass die PAP aus der Sozialistischen Internationale ausgeschlossen wurde. Später setzte sie häufig die British Colonial Internal Security Act ein, die es der Regierung ermöglichte, jeden ohne konkrete Beschuldigung für unbestimmte Zeit festzuhalten, der der „Subversion" verdächtigt wurde. Hongkong setzte britische Truppen ein, um die Unruhen von 1956, 1966 und 1967 zu unterdrücken und unterhielt eine sehr große und effiziente Polizeitruppe von mehr als 20.000 Mann, die nicht zögerte, jeden Dissidenten, der als Bedrohung der öffentlichen Ordnung betrachtet wurde, umgehend nach China abzuschieben. In Südkorea wurden unter der Ägide einer der effektivsten und brutalsten Polizeiorganisationen der Welt (der Koreanischen CIA) Dissidenten festgenommen, gefoltert, ins Gefängnis geworfen und umgebracht, und bis zum Ende des autoritären Regimes Ende der 1980er Jahre waren jede unabhängige Gewerkschaftsarbeit und größtenteils auch unabhängige politische Aktivität verboten.

Die meisten Länder der Dritten Welt praktizieren jedoch eine ähnliche Politik, sind aber nicht so erfolgreich, weder wenn es darum geht, den Protest in Grenzen zu halten, noch erst recht, ihre Gesellschaften auf den Weg der Entwicklung zu bringen. Es müssen also andere Faktoren für die organisatorische Fähigkeit verantwortlich ein, die die ostasiatischen Entwicklungsstaaten gegenüber ihren Gesellschaften an den Tag gelegt haben.

Ein wichtiges Element bestand darin, dass mit teilweiser Ausnahme Hongkongs *die traditionellen herrschenden sozialen Klassen entweder vernichtet und desorganisiert waren oder dem Entwicklungsstaat untergeordnet wurden.* Die Bodenreformen in Korea und Taiwan und das Fehlen einer nicht-kolonialen Bourgeoisie in Singapur zerstörten in diesen Gesellschaften die traditionelle Oligarchie. Was von der Handels- und Industriebourgeoisie übrig blieb, wurde zu einem Anhängsel der vom Staat beschlossenen Entwicklungsstrategie. Da es keine einheimische Akkumulationsbasis gab und der Staat den Zugang zur Weltwirtschaft kontrollierte, geriet ein jeder lokale Kapitalist in vollständige Abhängigkeit von den Import-Export-Lizenzen und den staatlich geförderten Krediten. In Singapur begriffen die Multis schnell, dass die Löwenstadt nur dann zum Tropenparadies für sie werden würde, wenn sie der Regierung nicht „in die Quere" kämen. In Hongkong entwickelte sich wie üblich ein komplexeres Bild. Sowohl die traditionelle Bourgeoisie (die britischen Hongs) wie die Neuankömmlinge (die Schanghaier Industriellen) wurden über eine Anzahl von Regierungskomitees kooptiert. Der chinesischen Bourgeoisie wurde erlaubt, ihre Geschäfte unter der Bedingung zu betreiben, dass sie die Regierung auf dem Laufenden hielten und ihren Anweisungen Folge leisteten. Der Jockey Club schweißte die politischen und wirtschaftlichen Eliten sozial zusammen, freilich unter eindeutiger Führerschaft der „cadets". Und eine bedeutende Anzahl hochrangiger Staatsbeamter nahm den Abschied, um Vertreter Hongkonger Wirtschaftsverbände zu werden. So entstand ein informeller und effektiver Kommunikationsweg zwischen Staat und Wirtschaft, die in einer harmonischen Arbeitsteilung lebten, im Allgemeinen unter Führung der aufgeklärten staatlichen Technokratie.[99]

Gegenüber der Arbeiterklasse entwickelten die vier Staaten Integrationsstrategien, um die Repression zu ergänzen und wenn möglich auf lange Sicht zu ersetzen. Alle vier Staaten setzten darauf, mit Wirtschaftswachstum und verbessertem Lebensstandard einschließlich Zugang zu Bildung und Gesundheit die Arbeiter ruhig zu halten. Diese Strategie funktionierte auch über den größten Teil der Periode hinweg. Neben der Verbesserung der Lebensverhältnisse standen ausdrückliche Strategien der sozialen Integration. Taiwan legte Wert auf die Verringerung der Einkommensungleichheit. Hongkong ebenso wie Singapur schufen eine asiatische Ausgabe des britischen Wohlfahrtsstaates, in deren Mittelpunkt öffentlicher Wohnungsbau und soziale Dienstleistungen standen. Die öffentlichen Wohnkomplexe spielten für die soziale Integration eine grundlegende Rolle. Im Falle Hongkongs bedeutete der öffentliche Wohnungsbau für eine weitgehend zugewanderte Arbeiterklasse das faktische Bürgerrecht. Im Falle Singapurs war das *social engineering* über das Programm des öffentlichen Wohnungsbaus und der Trabantenstädte wesentlich, um die interethnischen Spannungen im Alltagsleben abzubauen.[100] Südkorea verfolgte gegenüber der Arbeiterklasse eine viel härtere Politik und muss sich daher heute mit einer der militantesten Arbeiterbewegungen in Asien auseinander setzen. Die außerordentliche Verbesserung der Lebensverhältnisse, die Entstehung einer wohlhabenden Mittelklasse und

99 Lethbridge (1978); King und Lee (1981); Scott (1987); Castells u.a. (1990).
100 Castells u.a. (1990).

vor allem die große Dauerhaftigkeit des Patriarchalismus innerhalb der Familie ermöglichten es Südkorea jedoch, die Arbeitskonflikte bis in die 1980er Jahre hinein unter Kontrolle zu halten. Die Entwicklungsstaaten waren sich demnach über die Notwendigkeit vollständig im Klaren, ihre Gesellschaften so weit zu integrieren, wie diese Integration mit den wirtschaftlichen Zwängen der Wettbewerbsfähigkeit in der Weltwirtschaft vereinbar war. Sie waren nicht nur einfach repressive Diktaturen. Ihr Projekt war eine zweischneidige Pflugschar, die sie nicht zögerten, wenn nötig in ein Schwert zu verwandeln.

Der Entwicklungsprozess, den sie erfolgreich durchführten, transformierte jedoch nicht nur die Wirtschaft, sondern veränderte auch die Gesellschaft vollständig. Während der 1980er Jahre trat eine neue, selbstbewusstere Kapitalistenklasse auf, die bereit war, es mit der ganzen Welt aufzunehmen und es sich zutraute, ohne den Staat der Technokraten, Seilschaften und politischen Polizei auszukommen. Eine neue, konsumorientierte, gebildete, liberale Mittelklasse beschloss, dass das Leben zu wertvoll war, um es dem historischen Projekt einer künstlich erfundenen Nation zu opfern. Und neue, bewusstere, besser organisierte soziale Bewegungen, Arbeiter, Studenten, Bürger, Frauen, Umweltschützer schienen bereit zu sein, Fragen über Bedingungen und Zielsetzungen der Entwicklung sowie über die Teilhabe an ihr zu stellen. Der Erfolg der Entwicklungsstaaten in Ostasien führte schließlich dazu, dass ihre Apparate abgeschafft wurden und ihre messianischen Träume verblassten. Die Gesellschaften, deren Entstehung sie unter Blut und Tränen gefördert haben, sind tatsächlich industrialisierte, moderne Gesellschaften. Aber an der Wende des Jahrtausends werden ihre wirklichen historischen Projekte von ihren Bürgern und Bürgerinnen geprägt, die sich jetzt auf dem offenen Feld befinden, auf dem sie ihre Geschichte selbst machen können.

Auseinander strebende Pfade: Die asiatischen „Tiger" in der Wirtschaftskrise[101]

Die Wirtschaftskrise der ausgehenden 1990er Jahre machte sich in den vier Ländern, die wir analysieren, sehr unterschiedlich bemerkbar. Die südkoreanische Wirtschaft brach zusammen, Hongkong verlor zwischen Oktober 1997 und Juni 1998 Aktien- und Grundstückswerte in Höhe von etwa 300 Mrd. US$: rund den Gegenwert aller Einlagen bei den lokalen Banken. 1998 erlitt die Wirtschaft Hongkongs die erste Rezession im Verlauf von drei Jahrzehnten. Singapur erlebte mit einem Rückgang um etwa 1% 1998 einen gemäßigten Ab-

101 Dieser Abschnitt steht in der intellektuellen Schuld von Jeffrey Henderson, Chu-Joe Hsia, You-tien Hsing und Jong-Cheol Kim, obwohl die Verantwortung für alle Interpretationsfehler auf mich fällt. Zu analytischen Entwicklungen und Informationsquellen s. Dolven (1998); Dornbusch (1998); Henderson (1998a,b); Henderson u.a. (1998); Kim (1998); Stiglitz (1998); Thompson (1998).

schwung. Taiwan wuchs 1998 mit ordentlichem Tempo von etwa 5% weiter. Obwohl sowohl die Wirtschaft Singapurs wie die Taiwans unter den Auswirkungen der Asienkrise zu leiden hatten, kann ein Verständnis ihrer höheren Widerstandsfähigkeit den Weg eröffnen, um die künftigen Entwicklungspfade im 21. Jahrhundert zu begreifen.

Es gab einen krassen Unterschied zwischen den Ursachen der Krise in Hongkong und in Südkorea. In Hongkong spielten bei der Finanzkrise der Zusammenbruch des Grundstücksmarktes und seine Auswirkungen auf die Aktien eine entscheidende Rolle. In Südkorea war es die Rentabilitätskrise der großen *chaebol*, die zu riskanten Auslandsanleihen Anlass gab, was zum Aussetzen bei ihrer Bedienung führte. In beiden Fällen wurde die Krise jedoch durch spekulative Angriffe auf die Währungen verstärkt, die von globalen Kapitalquellen ausgingen, die die Gelegenheit nutzen wollten, die das wackelige Finanzsystem ihnen bot. Um die Analyse zu vereinfachen, werde ich Hongkong Singapur und dann Südkorea Taiwan gegenüberstellen.

In Hongkong schossen die Grundstückspreise auf dem privaten Markt während der 1990er Jahre in die Höhe. Zwischen 1990 und 1996 stiegen die Wohnungspreise um das Vierfache. Das lag teilweise an einer Klausel des Abkommens zwischen dem Vereinigten Königreich und der VR China von 1984, nach der die Versteigerung von Staatsland auf 50 ha. im Jahr begrenzt wurde, wenn die Volksrepublik nicht anderweitigen Regelungen zustimmte. Daher schrumpfte das Angebot an Grundstücken, während die Nachfrage wegen des Booms der Finanz- und Unternehmensdienstleistungen in Hongkong in schnellem Tempo anstieg. Der Hongkonger Regierung kamen die steigenden Bodenpreise zugute. Wie ich oben gezeigt habe, bildeten Bodenrevenuen eine der wichtigsten staatlichen Einnahmequellen – sie ersetzten geradezu Steuereinnahmen. Außerdem stellte Hongkong während der 1990er Jahre seine Wirtschaft von Industrie auf Dienstleistungen um. Anstatt sich technologisch zu verbessern, beschlossen die Hongkonger Industriellen, ihre Kosten dadurch zu senken, dass sie auf die andere Seite der Grenze wechselten und außerdem in Unternehmensdienstleistungen, Finanzmärkte und Immobilien investierten. Ihnen schlossen sich auslandschinesische Investoren an, die Hongkong zu ihrer wichtigsten Operationsbasis und bevorzugten Börsenplatz machten. Es folgte eine außergewöhnliche Aufwertung von Aktien und Grundstücken, die kurzfristiges Spekulationskapital aus der ganzen Welt anzog. Hongkong besaß keine richtige Finanzregulierung, und das System der Währungsbehörde, die eingerichtet worden war, um den Wechselkurs stabil zu halten, schränkte die geldpolitischen Handlungsmöglichkeiten der Regierung ein. So untergrub der *Run* auf den Hongkong-Dollar im Oktober 1997 das Vertrauen der Investoren. Nur die Entschlossenheit der VR China, die Hongkonger Währung zu verteidigen, erhielt die Bindung an den US-Dollar aufrecht. Aber die Kosten waren schwindelerregend. Hohe Zinssätze und der Verlust des Vertrauens der Investoren führten zu einem Einbruch sowohl auf dem Grundstücks- wie auf dem Aktienmarkt. Im

Sommer 1998 versuchte die Hongkonger Regierung ein Katz- und Mausspiel mit den spekulativen Finanzströmen. Sie kaufte und verkaufte ohne Vorwarnung Hongkonger Aktien, nur um den Spekulanten Verluste zuzufügen und sie so von weiteren Schachzügen abzuhalten. Es war eine verzweifelte Strategie, die darauf hinauslief, mit einem Eimer eine Springflut eindämmen zu wollen. Nach dem Verlust von mehr als 10 Mrd. US$ stellte die Hongkonger Regierung den Kampf ein und überließ der VR China die volle Verantwortung für ihre Währung. Nachdem es sich in eine Finanz- und Dienstleistungswirtschaft verwandelt hatte und wegen seiner sturen Weigerung zur Abwertung gegenüber seinen Nachbarn an Wettbewerbsfähigkeit verloren hatte, lernte Hongkong, was eine Rezession ist.

Inzwischen folgte Singapur, der andere Stadtstaat, in den 1990er Jahren einem ganz anderen Pfad. Dieser Pfad erlaubte es ihm schließlich, den Krisenschock auszuhalten. Die Grundstückswerte wurden im Großen und Ganzen unter Kontrolle gehalten. Der viel größere Anteil der Bevölkerung, der in öffentlichen Wohnungen lebte (87%), schränkte die Wirkung der Spekulation auf die Immobilienpreise ein, weil der Boden wie in Hongkong zur öffentlichen Sphäre gehörte. Aber anders als in Hongkong spielten die Bodenrevenuen nur eine begrenzte Rolle bei den Staatsfinanzen, sodass die Regierung wenig Interesse hatte, sich auf das riskante Abenteuer einzulassen, selbst zum spekulierenden Grundeigentümer zu werden. Vielmehr verließ sich die Regierung weiterhin auf die Finanzströme, die der Central Provident Fund sowie die Erträge aus dem riesigen und zumeist profitablen öffentlichen Unternehmenssektor bereitstellten. So erwirtschafteten 1998 der Staat und die staatlich beeinflussten Wirtschaftsunternehmen etwa 60% von Singapurs BIP.

Außerdem legte Singapur, während es zu einem wichtigen Finanzzentrum und zu einer Wirtschaft mit hochmodernen Dienstleistungen wurde, Wert darauf, auch ein führendes Industriezentrum zu bleiben. Die industrielle Fertigung war im Wesentlichen Angelegenheit der Multis, wie aber in diesem Kapitel weiter oben gezeigt, fand sie durch die Politik der Regierung beständig Unterstützung. Die Regierung von Singapur entwickelte eine Strategie, nach der die in Singapur beheimateten Unternehmen technologisch aufgewertet wurden, sodass die 25% der Gesamtbeschäftigung in der Industrie sich wegen des höheren Mehrwertes der Industrieprodukte in einen höheren Anteil der Industrie am BIP übersetzten. Singapur besaß auf den Finanzmärkten stärkere Regulierungsmechanismen als Hongkong (zumal nach dem Zusammenbruch der Barings Bank in Singapur), striktere Kontrollen für die Grundstückswerte, einen starken, produktiven öffentlichen Sektor und profitable Investitionsmöglichkeiten in Industrie und Unternehmensdienstleistungen. Es erlitt daher nicht dieselben spekulativen Angriffe wie Malaysia oder Hongkong. Sicherlich führte die enge Verbindung zwischen Singapur und den südostasiatischen Volkswirtschaften seiner Umgebung 1998 zu einem Knick in seinem Wirtschaftswachstums und einer milden Rezession. Der Fortgang der Asienkrise könnte für seine Volkswirtschaft noch immer recht schmerzhaft werden. Doch die Stärke und Entschlossenheit des Staates in Singapur und seine festen Verbindungen zu den multinationalen Industrieunternehmen erwiesen sich gegenüber den frei laufenden Finanzmärkten von Hongkong und orthodoxer Wirtschaftspolitik unter den Bedingungen der neuen globalen Ökonomie als die besseren Voraussetzungen, um der Krise zu standzuhalten.

Südkorea und Taiwan sind ganz anders als die Stadtstaaten. Sie sind beide auf fundamentale Weise von der Wettbewerbsfähigkeit ihrer Industrien abhängig. Aber ihre Industriestruktur ist sehr unterschiedlich: große, vertikal integrierte *chaebol* im Falle Südkoreas; flexible, engagierte kleine und mittlere Unternehmen, von denen einige wegen ihrer Wettbewerbsfähigkeit in ihrer Größenordnung erheblich gewachsen sind, im Falle Taiwans. Die staatliche Kontrolle war ebenfalls unterschiedlich: Der südkoreanische Staat war zutiefst in die *chaebol* verwickelt und kontrollierte während der Periode des schnellen Wirtschaftswachstums ihre Finanzen vollständig. Der taiwanesische Staat gab stattdessen, wie oben dargestellt, entscheidende Hilfestellung in den Bereichen Technologie, Infrastruktur und Handelspolitik, ließ aber die Firmen selbst über ihre Strategie entscheiden. Daneben war der taiwanesische Staat zwar Eigentümer oder Teilhaber der Großbanken in Taiwan, setzte aber Bankkredite nur selten als industriepolitisches Instrument ein. Vielmehr nutzten Unternehmensneugründungen im Taiwan der 1990er Jahre den gut ausgestatteten Risikokapitalmarkt, der die heimischen Ersparnisse in produktive Investitionen leitete. Die unterschiedlichen Entwicklungsbahnen der beiden Länder während der Krise unterstreichen, wie wichtig solche Unterschiede sind.

Die südkoreanische Krise begann im Januar 1997 mit dem Bankrott des großen *chaebol* Hanbo, der sich in der Stahl- und Baubranche spezialisiert hatte. Während der darauf folgenden Monate folgten eine Reihe weiterer *chaebol*, die alle zu den 30 größten gehörten, und meldeten Konkurs an: Sammi, Jinnro, Daenong, Kia, Sangbangui, Haitai. Bis zum September 1997 entsprachen die notleidenden Kredite und Bankrotte der Summe von 32 Billionen Won, was 7,5% des BIP waren. Der darauf folgende Einbruch der Aktienkurse und die Abschläge auf südkoreanische Papiere durch internationale Bewertungsfirmen führten zu einem Ansturm der ausländischen Gläubiger, die ihre Kredite kündigten. Es kam zur Kapitalflucht. Nachdem die südkoreanische Regierung den größten Teil ihrer Reserven ausgegeben hatte, um die Währung zu stützen, gab sie auf und der Won brach zusammen. Am 21. November 1997 erklärte die südkoreanische Regierung sich für unfähig, ihren internationalen Zahlungsverpflichtungen nachzukommen und bat um die Hilfe des IWF im Austausch gegen ihre wirtschaftliche Souveränität. So wurde die Finanz- und Währungskrise durch den Bankrott großer südkoreanischer Konzerne ausgelöst, die nicht allzu lange vorher zu den schärfsten Wettbewerbern in der globalen Ökonomie gezählt hatten.

Drei Faktoren scheinen für ihr Scheitern entscheidend gewesen zu sein. Erstens hatten die südkoreanischen Hersteller seit Beginn der 1990er Jahre vor allem auf dem US-Markt erheblich an Wettbewerbsfähigkeit eingebüßt. Die südkoreanischen Unternehmen produzierten zu teuer, um mit der unteren Kategorie der neuen asiatischen Hersteller zu konkurrieren und waren zugleich nicht in der Lage, mit dem technologischen Niveau der japanischen, amerikanischen oder selbst taiwanesischen Unternehmen mitzuhalten. Diese Tendenz war besonders bei Halbleitern offenkundig, wo die relative Vorherrschaft der koreanischen Unternehmen bei den Speicherchips (40% des Weltmarktes) durch die flexibleren und innovationsfreudigeren taiwanesischen Firmen (Acer, Powerchip, Windbond) angegriffen wurde, die Ende 1998 etwa 9% des Weltmarktes erobert hatten. Die Automobilfirma Kia erlitt mit ihrer Exportstrategie ein ernstes Fiasko. Die Reaktion der koreanischen *chaebol*, die es gewohnt waren, ihre Vorstellungen durchzusetzen und dabei auf die Unterstützung des Staates rechnen zu können, bestand in neuen Anleihen und Investitionen, um ihre Wettbewerbsfähigkeit zu erhöhen. Aber Anfang der 1990er Jahre hatte sich der südkoreanische Staat ebenso verändert wie die Weltwirtschaft. Unter der Präsidentschaft von Kim Young Sam wurde die Wirtschaftsplanungsbehörde an das Finanzministerium übertragen und verlor ihre strategische Fähigkeit zur Wirtschaftslenkung. Das Finanzsystem wurde dereguliert, was den *chaebol* den direkten Zugang zu Auslandsanleihen ermöglichte. Die Finanztransaktionen wurden jetzt nicht mehr durch den Staat, sondern durch die nur locker regulierten südkoreanischen Banken vermittelt. Japanische Finanzfirmen, die zu Hause keine hohen Zinsraten bekamen, waren froh, gaben den *chaebol* gerne Kredit und rechneten dabei immer auf den gewohnten Schutz durch den südkoreanischen Staat. So schoss das Verhältnis von Verschuldung zu Stammkapital bei den südkoreanischen Firmen in die Höhe und brachte das Finanzsystem auf einen riskanten Weg.

Der dritte und entscheidende Auslösefaktor für die Krise war die Änderung in der Haltung des südkoreanischen Staates. Dieses Mal löste er die *chaebol* nicht aus. Der daraus resultierende Konkurs mehrerer *chaebol* löste eine Vertrauenskrise bei den ausländischen Gläubigern aus, die zur allgemeinen Finanzkrise führte. Warum aber hat der Staat die Bankrotte nicht durch eine frühere Intervention verhindert? Erstens waren die größten *chaebol* zu Global Players geworden, die vom Staat ganz unabhängig agierten. Die *chaebol* nutzten die finanzielle Deregulierung, um eine weit größere, globale Kreditquelle anzuzapfen als sie zuvor die staatlich kontrollierten Banken dargestellt hatten. Zweitens war der südkoreanische Staat im Kontext der Demokratisierung gegenüber der Gesamtgesellschaft verantwortlich geworden, sodass seine Manövriermöglichkeit begrenzt war. Die engen Verbindungen zwischen den *chaebol* und der politischen Klasse blieben unter dem demokratischen Regime erhalten, aber es handelte sich nun um eine klientelistische Beziehung, nicht mehr um ein systemisches Merkmal des Staates. Diverse politische Fraktionen unterhielten eigene Beziehungen zu bestimmten *chaebol* und begannen daher, ihre Spezis zu unterstützen, anstatt das Staat/*chaebol*-System als Ganzes aufrechtzuerhalten. Mit anderen Worten kam es zu einem Wechsel vom korporatistischen Staatskapitalismus zu korrupten Regierungspraktiken im Interesse spezifischer Wirtschaftsinteressen. Der Mangel an Regulierung und die lockere staatliche Kontrolle über das Finanzsystem, nicht aber etwa übermäßige staatliche Intervention waren die entscheidenden Faktoren, die es möglich machten, dass die Finanzkrise die Volkswirtschaft ruinierte.

Die südkoreanische Krise kann daher durch die Unfähigkeit der *chaebol* ausgelöst worden sein, auch ohne Unterstützung des Entwicklungsstaates weiter zu wachsen und auf dem Weltmarkt zu konkurrieren. Der südkoreanische Staat konnte nicht dasselbe Maß an Unterstützung leisten, wie er es in der Vergangenheit getan hatte. Der Grund bestand einerseits darin, dass gesellschaftliche Mobilisierung und politische Demokratie Grenzen des Einsatzes staatlicher Mittel für den exklusiven Nutzen der *chaebol* erzwungen hatten. Andererseits hatten die Integration der südkoreanischen Volkswirtschaft in die globale Ökonomie sowie die Deregulierung von Finanzmärkten und Währungskrontrollen unter dem Druck der USA dem Staat wesentliche politische Instrumente genommen. Der globale Wirbelwind der spekulativen Finanzströme füllte die Lücke, die so zwischen den Bedürfnisseen der *chaebol* und den begrenzten Möglichkeiten des Staates entstanden war und versorgte die koreanischen Unternehmen mit günstigen Krediten. Aber kurzfristige, hoch riskante Anleihen sind auch die Art von Geld, die beim ersten Anzeichen möglicher Zahlungsschwierigkeiten gekündigt wird.

Insgesamt war die südkoreanische Krise also das Ergebnis der kumulativen Konsequenzen folgender Faktoren: einer Rentabilitätskrise der großen Hersteller südkoreanischer Exporte; die Schwäche der Finanzinstitutionen in Südkorea, die von spekulativen, hochgradig risikobereiten Geldverleihern vor allem aus Japan ausgenutzt wurde; und der substanziellen Einschränkung der Fähigkeit des Staates, die Entwicklung zu steuern und anzuregen, die sich aus den neuen Kontrollen ergab, die durch die demokratische Gesellschaft errichtet worden waren sowie aus dem internationalen (nämlich US-)Druck in Richtung auf die Liberalisierung von Handel und Finanzsektor.

Im Gegensatz dazu spielte der taiwanesische Staat bei der steigenden Wettbewerbsfähigkeit der taiwanesischen Firmen während der 1990er Jahre eine sekundäre Rolle. Die Netzwerke dieser Unternehmen in Taiwan, in Asien und in den Vereinigten Staaten (besonders in Silicon Valley) fanden ihren eigenen Weg aus der Halbleiter-Krise. Und sie nahmen es mit der südkoreanischen und japanischen Konkurrenz auf und eroberten Markanteile bei Speicherchips, Personalcomputern, LCD-Bildschirmen und im Software-Bereich. Die riesigen Devisenreserven Taiwans, die größten der Welt, wirkten auf die meisten Spekulationsattacken abschreckend. Die Währung wurde jedoch um 6,5% abgewertet, angeblich als politische Intrige, um den Yuan unter Druck zu setzen und so die chinesische Wirtschaft aus dem Gleis zu werfen. Aber die Märkte drückten den NT später wieder nach oben, ein klarer Hinweis darauf, wie grundlegend gesund die taiwanesische Wirtschaft ist. Taiwan litt zwar unter der Krise, weil es beträchtliche Exportmärkte in Asien verlor, aber es entging wirklich den finanziellen Turbulenzen zum größten Teil. Sein Grundstücksmarkt spielte für die Akkumulation nur eine untergeordnete Rolle. Sein Bankensystem war weitgehend von der Exportindustrie abgekoppelt, die über eigene Finanzierungsquellen verfügte. Und der Aktienwert an der Börse wurde weitgehend durch die Rentabilität der Unternehmen bestimmt, die dort gehandelt wurden. Taiwan bietet daher ein gutes Beispiel für den Unterschied zwischen dem Leiden an den Auswirkungen einer externen Krise und einer hausgemachten Krise, die Folge von einheimischen wirtschaftlichen und institutionellen Schwächen ist. Der Entwicklungsstaat in Taiwan wurde während der 1990er Jahre ebenso wie im Fall Südkoreas schwächer, weil er mit demokratischer Politik und einer aktiven Zivilgesellschaft zu rechnen hatte. Er verminderte seinen Dirigismus erheblich. Aber wegen ihrer unternehmerischen Flexibilität hatte die taiwanesische Wirtschaft den Staat nicht mehr nötig. Gestützt auf die Wettbewerbsfähigkeit ihrer Industriellen und ihren heimischen Kapitalmarkt wurde die taiwanesische Volkswirtschaft nicht von unkontrollierbaren Finanzströmen globalen Ursprungs überwältigt. Die finanziellen Turbulenzen ruinierten daher die Wirtschaft nicht, obwohl sie durchaus den von Taiwan geplanten „Marsch nach Süden" gefährdeten, mit dem Investitionen und Handel nach Südostasien ausgedehnt werden sollten.

Insgesamt ergibt sich kein klares Bild über die Ursachen der Krise der vier „Tiger", weil jeder Fall offenbar anders ist. Aber wir können sagen, dass das Vorhandensein des Entwicklungsstaates und exzessiver Interventionismus nicht zur Krise geführt haben, weil Singapur Belege für effektive Staatsintervention liefert, die die Auswirkungen der Krise eingeschränkt hat, während das deregulierte Umfeld von Hongkong und die Politik seiner Währungsbehörde, die den orthodoxen Wirtschaftsrezepten folgte, zur verheerenden Vernichtung von Finanzwerten geführt hat. Es scheint sogar, dass es im Fall Südkoreas der ungeordnete Rückzug des Entwicklungsstaates aus dem volkswirtschaftlichen Management und seine nur lockere Regulierung des Bankensystems waren, welche die Krise ausgelöst haben. Nicht staatliche Intervention hat demnach die Krise verursacht, sondern die Inkonsequenz dieser Intervention. Aber durch die „weiche Landung" des Dirigismus in Taiwan und die Fortsetzung staatlicher Kontrolle in Singapur wurden die Risiken vermieden, die durch den chaotischen Rückzug des Staates in Südkorea und durch die erratische staatliche Intervention in Hongkong hervorgerufen wurden.

Eine zweite Beobachtung zeigt, dass in Taiwan und Singapur die industrielle Wettbewerbsfähigkeit weiterhin die Grundlage einer relativ soliden Wirtschaftsleistung bildete, während die De-Industrialisierung Hongkongs und der Verlust der Wettbewerbsfähigkeit durch die südkoreanischen *chaebol* deren Volkswirtschaften geschwächt haben. Auch eine hochmoderne Dienstleistungswirtschaft benötigt noch immer eine solide Verbindung zu einem dynamischen Industriesektor – allen post-industrialistischen Mythen zum Trotz. Endlich bleibt die destabilisierende Rolle der kurzfristigen Bewegungen der globalen Finanzströme die wichtigste Quelle der Krise. Aber die Volkswirtschaften sind ihrem destruktiven Einfluss noch stärker ausgesetzt, wenn sie ihre einheimischen Regulierungsmechanismen abbauen und süchtig werden nach dem schnellen Geld. Institutionelle Schwächen sind bei der unterschiedlichen Widerstandsfähigkeit der Volkswirtschaften gegenüber den zerstörerischen Folgen des globalen Finanzsektors entscheidende Faktoren. Diese institutionellen Schwächen lassen sich in letzter Instanz auf die Krise des Staates zurückverfolgen. Und die Krise des Entwicklungsstaates scheint eine Funktion der sich wandelnden Muster in der Beziehung zwischen Staat und Gesellschaft zu sein.

Demokratie, Identität und Entwicklung in Ostasien in den 1990er Jahren

Am 26. August 1996 wurde der frühere südkoreanische Diktator und Präsident General Chun Do Hwan in Seoul wegen seiner Beteiligung am Putsch von 1979 und seiner Verantwortung für das Massaker an den Demonstranten, die 1980 in Kwangju für die Demokratie eingetreten waren, zum Tode verurteilt. Sein Nachfolger und einstiger Protegé Roh Tae Woo, der während des Übergangs Südkoreas zur Demokratie Präsident gewesen war, erhielt eine Gefängnisstrafe von mindestens 22 Jahren. Mit dieser hochsymbolischen Geste stellte sich die koreanische Demokratie unter Präsident Kim Young Sam gegen den autoritären Staat. Nicht nur die Militärdiktatur stand vor Gericht: Die korrupte Koppelung zwischen dem autoritären Regime und der südkoreanischen Geschäftswelt wurde ebenfalls verurteilt. Die Chefs von acht *chaebol* erhielten Gefängnisstrafen, weil sie den ehemaligen Präsidenten Roh bestochen hatten. Die Strafen wurden zur Bewährung ausgesetzt, aber der Prozess war ein Bruch mit der Vergangenheit.

Zu einem noch größeren Bruch kam es, als im Dezember 1997 Kim Dae Jung, der unbestrittene Führer der radikaldemokratischen südkoreanischen Opposition, zum Präsidenten gewählt wurde. Die Tatsache, dass er nun Präsident einer ruinierten Volkswirtschaft war, war genauso symbolisch. Der südkoreanische Entwicklungsstaat war sowohl seiner wirtschaftlichen Leistungsfähigkeit als auch seiner politischen Kontrollfähigkeit nach gescheitert. Kim Dae Jung begnadigte mit einer überaus symbolischen Geste den ehemaligen Diktator Chun Don Hwan, den Mann, der ihn zum Tode verurteilt hatte. Die Demokratie war stark genug für Gesten der nationalen Versöhnung, die den Weg ebnen sollten, an dessen Ende die Wiedervereinigung mit dem Norden in einem künftigen demokratischen, nationalistischen Projekt stehen würde. Aber der Neuaufbau dieses politischen Projektes – der Bruch mit dem autoritären Entwicklungsstaat – erforderte den Angriff auf die korrupten Grundlagen der südkoreanischen Politik. Im September 1998 beschuldigte der Staatsanwalt die frühere Regierungspartei Grand National Party, Steuerbeamte eingesetzt zu haben, um von den *chaebol* 6 Mio. US$ für ihren Wahlkampf einzusammeln. Präsident Kim

Dae Jung forderte die Partei auf, sich für diesen „Steuerdiebstahl" zu entschuldigen und löste so eine weitere politische Krise aus. Außerdem handelte Präsident Kim Dae Jung im August 1999 die Aufteilung eines der größten *chaebol* und vielleicht des symbolträchtigsten für die koreanische Entwicklung aus: Daewoo mit einer Belegschaft von über 2,5 Millionen Menschen. Um einen unkontrollierten Bankrott wegen Schulden in Höhe von 50 Mrd. US$ zu vermeiden, wurden die Hunderte von Firmen des *chaebol* voneinander getrennt und unabhängig voneinander verkauft, wobei nur das Automobilunternehmen und die Handelsgesellschaft den Markennamen behalten durften. Das Ereignis signalisierte, dass nun der Herrschaft der *chaebol* über die koreanische Politik und Wirtschaft neue Grenzen gesetzt worden waren.

So verlagerte die südkoreanische Politik in einer Abfolge von Ereignissen während der 1990er Jahre ihr Gravitationszentrum von den Überresten der Militärbürokratie hin zu einer neuen, demokratischen politischen Elite, die in der professionellen Mittelklasse verwurzelt ist. Zu dieser Transformation von Politik und Staat hätte es nicht ohne die Transformation der Zivilgesellschaft durch den Einfluss sozialer Bewegungen kommen können.

Am 27. Dezember 1996 begannen Hunderttausende koreanischer Arbeiter einen Generalstreik, der in unterschiedlichen Formen mehrere Wochen andauerte. Sie protestierten gegen ein neues Gesetz, das von Präsident Kim Young Sam eingebracht und von der parlamentarischen Regierungsmehrheit gebilligt worden war und das es den koreanischen Unternehmen erleichterte, Arbeitskräfte zu entlassen. Die Verfechter des Gesetzes behaupteten, dies bedeute eine Anpassung an die Flexibilität der Arbeitsmärkte, wie sie der neue globale Wettbewerb erfordere. Die Streikenden protestierten auch dagegen, dass der wichtigsten Gewerkschaftsföderation die Anerkennung vorenthalten wurde. Nach wochenlangen Streiks, Demonstrationen und wiederholten Zusammenstößen mit der Polizei erreichten die Gewerkschaften mit Hilfe der öffentlichen Meinung und der politischen Opposition ihre Anerkennung und auch einige Zugeständnisse bei der Arbeitsgesetzgebung. Danach stieg der Einfluss der Gewerkschaften trotz der Wirtschaftskrise. Aber angesichts des Zusammenbruchs der südkoreanischen Wirtschaft stimmten sie 1998 einem Sozialpakt mit der Wirtschaft und der Regierung zu, damit Präsident Kim Dae Jung die Chance bekam, das Land zur wirtschaftlichen Erholung zu führen.

Vier Elemente haben nach 1987, als Chun dem Druck von demokratischer Seite nachgab und sich auf einen Prozess der kontrollierten Liberalisierung einließ, zusammen die Beziehung zwischen Staat, Gesellschaft und Wirtschaft in Südkorea transformiert. Der erste Faktor, der das Militärregime zu Fall brachte, war das zunehmende Selbstbewusstsein der Zivilgesellschaft, in der sich starke soziale Bewegungen ausbreiteten. Da war die traditionell militante Studentenbewegung. Doch die radikalen Studenten waren während der vielen Jahre ihres Kampfes gegen das Regime von der Gesamtgesellschaft isoliert gewesen. Ende der 1980er Jahre trat ihnen eine wiederbelebte Arbeiterbewegung an die Seite, die aus Hunderten von wilden Streiks hervorgegangen war, die die repressive Kontrolle Südkoreas über seine Arbeiterklasse erschüttert hatten. Die Streiks und Demonstrationen von Dezember 1996 und Januar 1997 waren eine Demonstration der Stärke seitens der Gewerkschaften, die klar machten, dass die Arbeiter die Herrschaft von Staat und Wirtschaft über die Arbeit zerschlagen hatten. Basisbewegungen, die sich vor allem wegen Wohnungsproblemen und gegen Stadtsanierung formierten und häufig von den Kirchen unterstützt wurden, mobilisierten große Teile der überwiegend städtischen koreanischen Gesellschaft. Und die gebildete, wohlhabende Mittelklasse strebte danach, ein „normales Leben" in einem „normalen Land" zu führen. Insgesamt trugen sie dazu bei, die politische Landschaft zu verändern.

Ein zweiter Faktor bestand in der zunehmenden Distanz der koreanischen *chaebol* gegenüber dem Staat, als sie einmal globale Unternehmen geworden waren, ihre Interessen auffächerten und es immer weniger schätzten, dass ihnen staatliche Politik aufgezwungen wurde. Ein dritter Faktor war der internationale Druck, der vor allem von den Vereinigten Staaten ausging, um ein demokratisches Südkorea zu stabilisieren, dessen Verteidigung gegenüber Nordkorea zu einem Zeitpunkt auf politischer Ebene akzeptabel sein sollte, als das Schwinden der Spannungen mit der UdSSR die geopolitische Begründung für das US-Engagement untergrub. Die Olympischen Spiele 1988 symbolisierten die Öffnung der neuen Republik Korea gegenüber der Welt.

Der vierte Faktor ist weniger bekannt, meiner Meinung nach aber für das Verständnis der politischen Dynamik Südkoreas von fundamentaler Bedeutung: die Regionalisierung der Politik. Es mag in einer ethnisch so homogenen Nation und in einem geografisch kleinen Land erstaunlich sein, aber die regionale Identität ist in der koreanischen Politik ein entscheidender Faktor, und das Versäumnis des Militärregimes, diese Identitäten in einem nationalistischen Projekt zusammenzubringen, hat seine Bemühungen um politische Kontrolle zum Scheitern verdammt. So eroberte etwa in der ersten demokratischen Parlamentswahl 1988 die Partei von Kim Young Sam 15 der 16 Sitze in seiner Heimatprovinz Pusan und war auch in der Nachbarprovinz Kyungsang stark. Sein Rivale in der demokratischen Opposition, Kim Dae Jung, sicherte sich 31 von 32 Sitzen in seiner regionalen Basis, den Provinzen Nord- und Süd-Cholla. Und „der dritte Kim", Kim Jong Pil, beherrschte Süd-Chungchung. Dagegen fuhr die vom Militär gestützte Partei DJP in Nord-Kyungsang, der Heimatprovinz von Roh, einen überwältigenden Sieg ein. Allein Seoul/Inchon mit seiner metropolitanen, in Migrationswellen herausgebildeten Bevölkerung schien verschiedenen politischen Lagern zuzuneigen. Bei den Präsidentschaftswahlen 1997 war die Grundlage des Sieges von Kim Dae Jung erneut seine überwältigende Unterstützung in Cholla. Aber bei dieser Wahl gelang es Kim Dae Jung, sich breite Unterstützung in Seoul/Inchon zu sichern, die vor allem auf die Unzufriedenheit der Mittelschicht mit der anhaltenden Korruption unter Kim Young Sam zurückging. Diese Fraktionierung der südkoreanischen Politik auf der

Grundlage regionaler Identität hat die Organisation von Opposition gegen das Militärregime auf der Grundlage vertrauenswürdiger regionaler Führer begünstigt und die Kontrolle des Militärs untergraben, sobald einmal eine plurale politische Debatte toleriert wurde. Es war aber andererseits auch ein Faktor, der die demokratische Opposition durch die darin enthaltenen Trennungslinien schwächte und die Chancen der Demokraten unterminierte, die Regierungspartei bei Wahlen zu besiegen. Das Patt wurde überhaupt erst in den 1990er Jahren überwunden, als Kim Young Sam ein brillantes, aber riskantes Manöver durchführte und sich mit Roh Tae Woh zusammen tat. So konnte er im Austausch gegen demokratische Legitimität für die Reste der pro-militärischen Politiker Rohs Nachfolger als Präsident werden. Die Fragmentierung der regionalen Identität ist aber noch immer ein wesentlicher Faktor sowohl der Mobilisierung wie auch der Instabilität in Südkorea. Bei meinen persönlichen Gesprächen mit Kim Young Sam 1988 in seinem Haus in Seoul, als er noch die Ideale eines Teils der demokratischen Opposition verkörperte, wies er mich auf das wohl entscheidende Ziel einer Reorientierung der zerklüfteten koreanischen Politik hin. Seiner Meinung nach war es unverzichtbar, das nationalistische Projekt, den undemokratischen Militärs zu entreißen und es in die Hände der Demokraten zu legen. Nur unter dieser Bedingung könne die regionale Identität unter eine starke koreanisch-nationale Identität subsumiert werden. Aber dieser demokratische Nationalismus hatte eine wesentliche Aufgabe zu erfüllen: die Wiedervereinigung Koreas. Die Wiedervereinigung ist nun schon seit langer Zeit der Leitspruch der demokratischen Bewegungen in Korea, und die koreanische Demokratie wird auch in den 1990er Jahren von der Debatte darüber beherrscht, wie damit umzugehen sei – kein einfaches Vorhaben, denn der nordkoreanische Kommunismus ist im Lande stärker verankert als es etwa der ostdeutsche Kommunismus war. Doch die koreanischen demokratischen Führer, Kim Dae Jung ebenso wie Kim Young Sam, waren überzeugt, dass die Wiedervereinigung unverzichtbare Bedingung dafür sei, ein starkes Korea für das 21. Jahrhundert aufzubauen. Ein Korea, das stark genug wäre, um der furchterregenden Herausforderung zu begegnen, die sich aus dem parallelen Aufstieg Japans und Chinas zu den Gipfeln weltweiter Macht und globalen Einflusses ergibt und das stabil genug ist, um als Stammsitz für die neu globalisierten koreanischen Konzerne zu dienen. Daher ist die Neugründung des nationalistischen Projektes auf demokratischer Basis ein unverzichtbarer Bestandteil des Abbaus des Entwicklungsstaates, nachdem sich das Legitimitätsprinzip vom entwicklungsorientierten Nationalismus einmal auf den staatsbürgerlichen Nationalismus verlagert hat.

Identität spielt auch in den Orientierungen und Debatten eine entscheidende Rolle, von denen die demokratische Politik Taiwans während der 1990er Jahre bestimmt war. Auch die Gesellschaft auf Taiwan litt unter einer unklaren Identität, was der taiwanesische Gelehrte Chu-joe Hsia als „Waisen-Syndrom" bezeichnet. Die KMT und die Chinesische Kommunistische Partei waren sich nur in einem einig: dass Taiwan nicht Taiwan sei, sondern eine chinesische Provinz. Aber weil dies nicht seine Realität war, hat das Volk von Taiwan während des letzten halben Jahrhunderts, nachdem es für den größten Teil des vorangegangenen halben Jahrhunderts japanische Kolonie gewesen war, nirgendwo hin gehört. Die Sache wurde durch die grundlegende Kluft verschlimmert, die in Taiwan zwischen den vom Festland Stammenden und Taiwanesen besteht, sowie durch die weitere Kluft, die unter den Taiwanesen selbst zwischen den eingeborenen Taiwanesen, den Leuten aus der Provinz Fujian und den Hakka verläuft. Wenn sie auch aus ethnischer Sicht alle Han-Chinesen waren, so bestand doch innerhalb der Bevölkerung Taiwans eine scharfe soziale/kulturelle Trennlinie. Diese Teilung war auf allen staatlichen Ebenen präsent, weil die Führung der KMT sich bis zum Tod von Chiang Ching Kuo 1988 fest in den Händen der vom Festland Stammenden befand. Mit der Aufhebung des Kriegsrechtes 1987 (charakteristischerweise im selben Jahr, in dem die Demokratisierung Südkoreas begann) verband sich das Bemühen, das politische System Taiwans auf die neue historische Realität Taiwans zu gründen. 1990 wurde der in Taiwan geborene, ungemein gebildete KMT-Führer Teng Hui Lee zum Präsidenten gewählt. Unter ihm kam es zur Demokratisierung Taiwans, und er bemühte sich darum, der autonomen Existenz in der internationalen Arena Geltung zu verschaffen, indem er die wirtschaftliche und industrielle Macht Taiwans einsetzte, seine Existenzberechtigung auszuhandeln. Ein bedeutender Teil der demokratischen Opposition ging darüber hinaus: Die führende Oppositionspartei, die 1986 gegründete *Democratic Progressive Party* (DPP), machte die Unabhängigkeit Taiwans zu ihrem übergreifenden Ziel. China wandte sich entschieden gegen beides und drohte mit Militäraktionen, sollte Taiwan den Weg zur Unabhängigkeit zu Ende gehen. Die Vereinigten Staaten kamen Taiwan einmal mehr zu Hilfe, aber nur in einem gewissen Rahmen. Das bedeutete, Taiwan musste sich vernünftig verhalten und politisch in der Schwebe verharren, solange China seine kooperative Haltung gegenüber den Vereinigten Staaten beibehielt. So kehrte Taiwan in den 1990er Jahren an den Anfang seiner merkwürdigen Geschichte zurück: Geboren aus der geopolitischen Strategie der USA gegenüber China, bleibt es auf absehbare Zeit im Großen und Ganzen vollständig abhängig von den Beziehungen zwischen den USA und China. Das Problem liegt aber darin, das mittlerweile 20 Mio. Menschen auf einer Insel leben, die zu einem wirtschaftlichen Kraftwerk geworden ist, das vollständig mit der globalen Ökonomie vernetzt ist und dessen Investitionen in China eine bedeutende Rolle bei der Entwicklung des neuen Kapitalismus in Südchina gespielt haben. Die Zivilgesellschaft Taiwans hat in den 1990er Jahren mächtige Entwicklungssprünge gemacht, mit überaus aktiven Basisbewegungen, einer Umweltbewegung, Studentenbewegung, Frauen-, Schwulen- und Lesbenbewegungen (s. Bd. II, Kap. 4), in gewissem Maße wiederbelebten Gewerkschaften und einer informierten, gebildeten öffentlichen Meinung, die von unabhängigen, einflussreichen Medien versorgt wird. Das Zusammenfließen dieser sozialen Bewegungen und die Suche nach einer nationalen und *lokalen* Identität führte zum Sieg der Unabhängigkeitspartei, der DPP, bei den Kommunalwahlen in Taipei 1995. Der neu gewählte Bürgermeister Chen Sui-pien erhielt für seinen Slogan „Eine Bürgerstadt" breite Zustimmung. Die nationale Politik wurde freilich weiterhin von der KMT dominiert, und Präsident Lee wurde bis ins 21. Jahrhundert hinein wiedergewählt. Das lag hauptsächlich an der Sorge der Menschen, die Wahl von Führern, die für die Unabhängigkeit eintreten, sei eine Provokation für China, während Lee entschieden genug auftrat, um von der chinesischen Regierung persönlich als Feind angegriffen zu werden. Außerdem wurde 1999 ein KMT-Kandidat zum Bürgermeister von Taipei gewählt, der sich die schlechten Leistungen der ersten demokratischen Stadtverwaltung zunutze machen konnte. Aber das war eine andere KMT als diejenige, die 50 Jahre zuvor auf der Insel eine blutige Diktatur errichtet hatte. Die KMT ist an der Jahrtausenwende auf der Suche nach einer neuen institutionellen wie einheimischen Identität und versucht beispielsweise, den Kontakt mit den Basisbewegungen herzustellen, um Mechanismen einer partizipatorischen Demokratie zu schaffen. Dagegen ist die Unabhängigkeitsbewegung zunehmend zwischen ihrem fundamentalistischen Flügel, der nach Unabhängigkeit und nationaler Identität strebt, und ihrem an den sozialen Bewegungen orientierten Flügel gespalten, dessen Ziele Demokratie und gesellschaftliche Veränderung sind, ohne in die geopolitische Debatte einzusteigen. Es besteht jedoch weitgehende Einigkeit darüber, dass es notwendig ist, den Entwicklungsstaat einzuschränken oder ihn sogar ganz abzuschaffen. Die Wirtschaftsnetzwerke Taiwans haben, ob sie aus großen oder kleinen Unternehmen bestehen, jetzt ihre Nischen in der globalen oder asiatischen Wirtschaft gefunden. Staatliche Anleitung wird allgemein als Hindernis betrachtet. Die Forderungen, die die Zivilgesellschaft Taiwans an die Regierung stellt, beziehen sich eher auf Konsum und Lebensqualität als auf Produktion und Technologie. Und die Suche nach Identität verlagert sich immer mehr aus der Öffentlichkeit ins Private, von der Nation auf die Familie und das Individuum, von der Unmöglichkeit einer taiwanesischen kulturellen Identität auf die alltägliche persönliche Identität von Chinesen, die auf der kargen Insel, auf der sie durch die Wechselfälle der Geschichte gelandet sind, gekämpft, überlebt und ihr Leben in die Hand genommen haben.

Die Zukunft Hongkongs ist noch tiefer in historische Zweideutigkeiten verstrickt. Es ist jetzt Teil Chinas. Aber es wird immer ein ganz besonderer Teil Chinas sein. Das liegt einerseits daran, dass es weiter die Rolle spielt, die es viele Jahre lang gespielt hat: Als Hauptbindeglied zwischen China und der internationalen Wirtschaft und zugleich Chinas Ausbildungsstätte und Versuchsgelände in kapitalistischem Geschäftsgebaren. Aber es liegt andererseits auch daran, dass aus Hongkong während der gesamten 1980er Jahre eine aktive Zivilgesellschaft geworden ist, wo Basisbewegungen und eine große, gebildete Mittelschicht ihre demokratischen Wertvorstellungen offen zum Ausdruck brachten. Zehntausende von Experten haben Hongkong verlassen, um sichere Zuflucht in den Vereinigten Staaten, dem Vereinigten Königreich, Australien oder Kanada zu suchen. Weitere Zehntausende besitzen Aufenthaltsberechtigungen für fremde Länder und pendeln zwischen ihren lukrativen Jobs in Hongkong und dem neuen Wohnort ihrer Familie in Vancouver oder Perth. Aber die Hongkonger sind in Hongkong. Und lokale ebenso wie multinationale Unternehmen sind an Hongkong gebunden, weil Hongkong noch immer ein wichtiger Knoten der globalen Ökonomie ist und es auch nach der verheerenden Immobilien- und Finanzkrise bleiben wird. Die Zukunft der Hongkonger ist keineswegs sicher, aber ihre Identität ist gewiss. Sie sind wesentlicher Bestandteil des neuen China, eines China, das aus transnationalen Unternehmensnetzwerken und Regionalgesellschaften besteht, die mit einem komplexen Gewebe nationaler/provinzieller/lokaler Staatsorgane in Verbindung stehen und von ihnen geleitet werden. Und sie werden mit China auch die ungewisse Zukunft teilen.

Der letzte „Tiger" in unserer Geschichte verwundert mich ebenso wie alle anderen. Anders als in den drei anderen Ländern hat sich in Singapur während der 1990er Jahre eigentlich keine Zivilgesellschaft entwickelt, und der Staat scheint ungeachtet anderslautender Aussagen so mächtig und stark wie eh und je. Das gilt für die autoritäre Politik und die Kontrolle von Information ebenso wie für die Steuerung und Überwachung der Entwicklung Singapurs. Der Staat arbeitet weiterhin eng mit multinationalen Konzernen zusammen, wie er es schon vor 30 Jahren getan hat. Weil er aber reich geworden ist, nutzt er jetzt seine eigenen Ressourcen, um entweder selbstständig oder in *joint ventures* in Unternehmen zu investieren. Das Pro-Kopf-Einkommen übersteigt in Singapur jetzt das der Europäischen Union. Der Stadtstaat funktioniert reibungslos in einem vollständig durchgeplanten Großstadtsystem. Die Insel ist das erste Land, das vollständig mit Glasfaser-Kabeln vernetzt ist und schickt sich an, das erste rauch- und drogenfreie Land zu werden (Drogenhändler werden zum Tode verurteilt und häufig auch hingerichtet). Die Stadt ist sauber: Abfall auf die Straße zu werfen, kostet saftige Strafen und Gemeinschaftsarbeit, die in grünen Uniformen geleistet wird, wobei die Bösewichte in den Medien präsentiert werden. Abweichende politische und kulturelle Strömungen sind auf ein Minimum begrenzt, ohne dass es nötig ist, zu extremer Repression zu greifen. Es gibt formale Demokratie und eine symbolische Opposition. Prangert ein Oppositionsführer Missbrauch innerhalb des Staates oder der Regierung an, wird er von dem entsprechenden Beamten verklagt, und das Gericht achtet darauf, dass der wagemutige Kritiker eine dicke Geldstrafe bekommt oder ins Gefängnis wandert. Es gibt eine effiziente Handhabung der interethnischen Spannungen. Und es gibt eine relativ friedliche Koexistenz mit der umliegenden muslimischen Welt, wenn auch die gesamte Bevölkerung weiterhin in einer bewaffneten Miliz organisiert ist und die *Singaporean Air Force* sich in ständiger Alarmbereitschaft befindet, um Vergeltungsschläge gegen Ziele in großen Städten zu fliegen, die nach den Flugplänen nur wenige Minuten entfernt sind. Die überragende Gestalt von Lee Kwan Yew ist, auch wenn er nicht mehr Premierminister ist, noch immer in der politischen Kultur und in den Institutionen Singapurs allgegenwärtig. Es gelang ihm, aus dem Nichts eine Nation zu erfinden und sie zum historischen Nachweis der Überlegenheit der „asiatischen Werte“ zu machen – ein Projekt, das er wahrscheinlich in seinen Jahren in Oxford erträumt hatte, als er ein Nationalist ohne Nation war.[102] In Wirklichkeit entdeckte er das viktorianische England neu, mit seinem Kult moralischer Tugenden, seiner Besessenheit von Sauberkeit, seiner Abscheu gegen die nichtswürdigen Armen, seinem Glauben an Bildung und die natürliche Überlegenheit der wenigen Hochgebildeten. Er fügte dem einen Hightech-Dreh hinzu und finanzierte sogar Studien, die den wissenschaftlichen Nachweis der biologischen Überlegenheit bestimmter Gruppen führen sollten. Nicht auf Rassen-, sondern auf Klassengrundlage. Seine Vorstellungen haben die in Singapur verfolgte Politik unmittelbar bestimmt. So erhielten Frauen mit College-Ausbildung während der 1980er Jahre in Singapur besondere staatliche Zuwendungen, um so viele Kinder als möglich zu gebären und ferner Erziehungszeiten zur Betreuung der Kinder, während (chinesische oder malaiische) Frauen aus der Arbeiterklasse extra besteuert wurden, wenn sie zu viele Kinder hatten. Das Ziel bestand darin, die Qualität der Bevölkerung Singapurs zu verbessern, indem der Anteil jener Kinder erhöht wurde, die in gebildeten Familien auf die Welt kamen. Singapur ist zur Gänze auf das Prinzip des Überlebens der Tüchtigsten gegründet. Das eigentliche Ziel der staatlichen Politik besteht darin, Singapur in die Lage zu versetzen, gegen die gnadenlose Konkurrenz der globalen Ökonomie in einer interdependenten Welt mittels Technologie, *social engineering*, kulturellen Zusammenhalt, Selbstselektion des Menschenmaterials und rücksichtsloser politischer Entschlossenheit zu überleben und zu siegen. Die PAP hat dieses Projekt nach den Prinzipien des Leninismus, den Lee Kwan Yew in seinen Widerstandsjahren als Arbeiteranwalt in der antikolonialen Bewegung kennen und schätzen gelernt hatte, durchgeführt, und sie fährt damit fort. Und es ist in der Tat wahrscheinlich das einzige wahrhaft leninistische Projekt, das überlebt und sein ursprüngliches Vorbild überdauert hat. Singapur steht für die Verbindung des revolutionären mit dem Entwicklungsstaat, was die Schaffung von Legitimität, die Kontrolle über die Gesellschaft und das Manövrieren innerhalb der Wirtschaft angeht. Es könnte auch ein erfolgreiches Modell für das 21. Jahrhundert vorweg nehmen: ein Modell, das vom chinesischen kommunistischen Staat bewusst gesucht wird, der die Entwicklungsziele eines nationalistischen Projektes verfolgt.

Während die meisten der asiatischen „Tiger“ und ihre sich neu industrialisierenden Nachbarn mit Ausnahme Singapurs anscheinend dabei sind, den Drachen des Entwicklungsstaates zu enthaupten, ist ein viel größerer Drachen – zur Erinnerung: Drachen sind in der chinesischen Mythologie glückbringende Wesen – aus seiner jahrtausendelangen Isolation aufgebrochen, um es mit der Welt aufzunehmen, und sie im Guten oder im Schlechten für immer zu verändern.

102 Chua (1998).

Chinesischer Entwicklungsnationalismus mit sozialistischen Charakterzügen[103]

Die Politik, den wirtschaftlichen Aufbau als das entscheidende Kettenglied zu betrachten, darf niemals geändert werden; die Reform und die Politik der Offenen Tür dürfen niemals geändert werden. Die grundlegende Linie der Partei darf in 100 Jahren nicht erschüttert werden. Wir müssen die richtigen Lehren aus dem Schicksal der ehemaligen Sowjetunion ziehen. Wir müssen die Führungsstellung der KPCh bewahren. Der Status der KPCh als regierende Partei darf niemals in Frage gestellt werden.
Deng Xiaoping, 1994[104]

Chinas sozialistische Modernisierungskampagne, die Praxis der Reform und die Politik der Offenen Tür sowie die neuen Entwicklungen der Weltlage [müssen von der Partei zusammengeführt werden], um den Marxismus weiter zu entwickeln, während man an ihm festhält.
Jiang Zemin, 1990[105]

Wer sind die größten Nutznießer der gegenwärtigen Politik? Karrieristen und Politiker kapitalistischer Art. Die Menschen leiden schwer. Das Land des Vorsitzenden Mao wird von diesen Leuten zugrunde gerichtet werden. Von Konfuzius bis Sun Yat-sen hat es in der Entwicklung unserer Nation große historische Kontinuität gegeben. Die Geschichte wird diejenigen verurteilen, die dies leugnen. Wenn man nur Bewunderung zulässt und jegliche Erwähnung der gegenwärtigen Probleme und Schwierigkeiten verbietet, so weist dies auf eine große Verschleierungsaktion für Unzulänglichkeiten und Irrtümer hin.
Mao Yingxing, 1970[106]

Die neue chinesische Revolution

Das Reich der Mitte hat mit einem Jahrtausende alten Grundmuster absoluter oder relativer Isolierung gebrochen und sich bewusst in den Rest der Welt eingegliedert. Damit hat es die Weltgeschichte verändert. Weniger als zwei Jahrzehnte nach Beginn der „Politik der Offenen Tür“ haben das Wirtschaftswachstum Chinas, während der letzten beiden Jahrzehnte das schnellste auf dem Planeten, und seine Wettbewerbsfähigkeit im internationalen Handel Regierungen und Unternehmen gleichermaßen in Erstaunen versetzt und widersprüchliche Gefühle bei ihnen ausgelöst. Einerseits könnte die Aussicht auf das Hinzukommen eines Marktes von 1,2 Mrd. Menschen, wenn auch nur mit einem Bruchteil des westlichen Niveaus an zahlungskräftiger Nachfrage, durchaus auf lange Zeit jegliche Überproduktionskrise abwenden und so den Aufstieg des globalen Kapitalismus in das 21. Jahrhundert festigen. Aus etwas erweiterter Perspektive wird der zunehmende Austausch mit der ältesten Zivilisation der Menschheit mit ihrer außerordentlichen Kulturtradition mit Sicherheit zu spiritueller Bereicherung und zu gegenseitigem Lernen führen. Doch haben andererseits das Auftreten Chinas als wirtschaftliche und militärische Großmacht, die Hartnäckigkeit der Kontrolle der Kommunistischen Partei über die Gesellschaft und die unnachgiebige Haltung der chinesischen Regierung gegenüber internationalen und einheimischen Klagen gegen die Verletzung von Menschenrechten und politischer Demokratie vor allem in Asien, aber auch in anderen Ländern wie den Vereinigten Staaten ernstliche Sorgen über einen möglichen neuen

---

103 Meine Analyse Chinas stützt sich hauptsächlich auf zwei Quellen unmittelbarer Beobachtung. Zuerst sind meine eigenen Besuche und meine Feldforschung in China während der 1980er Jahre zu nennen. Für mein Verständnis der chinesischen Reformen war die Feldforschung von besonderer Bedeutung, die ich 1987 zusammen mit Martin Carnoy und Patrizio Bianchi durchgeführt habe, um auf Einladung des Instituts für Technologie und Internationale Wirtschaft des Staatsrates die Technologiepolitik und die wirtschaftliche Modernisierung zu untersuchen. Wir haben in Beijing, Schanghai, Guangzhou und Shenzhen chinesische Beamte, Manager chinesischer Fabriken, Manager amerikanischer und europäischer Unternehmen sowie Lokal- und Provinzvertreter interviewt. Eine Zusammenfassung unserer Studie ist in Bianchi u.a. (1988) enthalten. China hat sich seither verändert. Aus diesem Grund habe ich mich in hohem Maße auf eine zweite Quelle direkter Beobachtung gestützt: die Feldforschung, die zwischen 1992 und 1997 in ganz China, aber vor allem in Guangdong, Fujian, Schanghai und Beijing von Professor Yout-tien Hsing von der University of British Colombia durchgeführt worden ist, die mir liebenswürdigerweise ausführliche Notizen und Dokumente zu ihrer Feldforschung zur Verfügung gestellt hat und dies durch ausführliche persönliche Gespräche und E-Mail-Korrespondenz über diesen Gegenstand noch ergänzt hat. Ich bin ihr für diese entscheidende Hilfe wahrhaft zu Dank verpflichtet. Die Verantwortung für diese Analyse liegt jedoch ausschließlich bei mir, und sie sollte nicht für meine Irrtümer und Übertreibungen verantwortlich gemacht werden. Für Teile ihrer Analyse s. Hsing (1997, 1999). Ich habe auch eine Reihe von Quellen zur Entwicklung Chinas während der 1990er Jahre zu Rate gezogen – nur einen winzigen Ausschnitt aus der riesigen Literatur. Ein ausgezeichneter Überblick über die Ereignisse findet sich in Lam (1995). Nützliche journalistische Einschätzungen zur Wirtschaft sind in *The Economist*, 17. August 1996 und Overhalt (1993) enthalten. Eine umfassende historische Darstellung bietet Spence (1990). Ein klassisches Werk über die gesellschaftlichen und politischen Verhältnisse in China unter dem Kommunismus ist Walder (1986), für die neuere Zeit ergänzt durch Walder (1995). Zu den auslandschinesischen Unternehmensnetzwerken s. neben Hsing (1997a,b) *Business Week*, 29.November 1993 (Spezialbericht über „Asia's Wealth"); Clifford (1994); und Ong und Nonini (1997). Über die Beziehungen zwischen der Zentrale und lokalen Fragen in China s. Hao und Zhimin (1994). Zu den *guanxi* und den informellen Netzwerken s. Yang (1994). Zur chinesischen Fiskalpolitik und den Beziehungen zwischen Zentrum und lokalen Fragen s. Wong u.a. (1995). Zu den Demokratiebewegungen s. Lin (1994); und Walder (1992). Eine spezifische Auswahlbibliografie in Chinesisch und Englisch zu den Merkmalen des neuen chinesischen Kapitalismus enthält Hsing (1997a). Und denjenigen Intellektuellen, die vor 30 Jahren über die Kulturrevolution phantasiert haben, rate ich zur Lektüre der Dokumente, die Walder und Gong (1993) zusammen gestellt und übersetzt haben. Weitere bei der Niederschrift dieses Abschnittes benutzte Quellen sind: Granick (1990); Nathan (1990); White (1991); Mackie (1992); Bowles und White (1993); Cheung (1994); Naughton (1995); Yabuki (1995); und Li (1996).

104 Rede bei einem Besuch von Qingdao, wahrscheinlich seine letzten öffentlichen politischen Instruktionen, zit. nach Lam (1995: 386).

105 Zit. nach Lam (1995: 2).

106 Eine Lehrerin im Kreis Jingning in der Provinz Gansu, die am 14. April 1970 unter Beschuldigung, sie sei eine „aktive Konterrevolutionärin" von der Abteilung für öffentliche Sicherheit hingerichtet wurde, zit. nach Walder und Gong (1993: 77). Diese Worte stammen aus ihrem letzten Brief.

Kalten Krieg ausgelöst, der gefährlich drohend ins 21. Jahrhundert hineinragen könnte. Dann befürchten andere Beobachter wieder eine Periode des Chaos und der zivilen Konfrontation in China, wenn die Wirtschaftskrise in Asien schließlich doch die chinesische Wirtschaft zu Fall bringt und wenn Armut und Arbeitslosigkeit soziale Proteste anheizen und sich mit politischen Forderungen verbinden. Was auch immer aber die Ansichten und Gefühle über die Transformation Chinas während der 1990er Jahre sein mögen, so glaube ich, dass viele von ihnen ein tiefes Missverständnis des sozialen und politischen Charakters der chinesischen Entwicklung zum Ausdruck bringen und so Anlass zu irreführenden Schlussfolgerungen über die Zukunft Chinas im Hinblick auf Wirtschaft, Politik und internationale Beziehungen geben. Im engen Rahmen dieses Abschnittes werde ich versuchen, eine alternative Hypothese vorzutragen, die auf einer Prämisse beruht.

Die Prämisse: Chinas Modernisierung und internationale Öffnung war und ist eine bewusste staatliche Strategie, die bisher durch die Führung der Kommunistischen Partei entworfen und kontrolliert worden ist. Es war das Werk von Deng Xiaoping, nachdem er Ende der 1970er Jahre siegreich aus seinen Kämpfen gegen die Maoisten und Ende der 1980er Jahre aus den Auseinandersetzungen mit den liberalen Reformern hervorgegangen war. Jiang Zemin setzte Dengs zentristische, vorsichtige Politik fort und nahm seine Führungsposition nach Dengs Tod ohne bedeutenden Widerstand oder innere Konflikte in der Partei ein. Die Motive, Orientierung und Entwicklungen der Politik der Offenen Tür müssen daher aus der Perspektive eines spezifischen politischen Projektes verstanden werden, das auf der Grundlage der Interessen der Kommunistischen Partei, des selbsterklärten Vertreters der Interessen des Volkes und der Nation, ausgearbeitet und durchgeführt worden ist. Um diese Interessen zu verstehen, ist es weiter unbedingt notwendig, sich daran zu erinnern, dass *die chinesische Revolution in erster Linie eine nationalistische Revolution mit sozialistischen Charakterzügen war.* Es waren die japanische Invasion und der inkompetente Widerstand des korrupten, unpopulären Kuomintang-Regimes, die den Weg für den Einfluss und das Wachstum der Volksbefreiungsarmee ebneten, des Rückgrates der kommunistischen Macht in China und des Bollwerks der charismatischen Führerschaft Maos. Und es war die entscheidende Teilnahme der chinesischen Kommunisten am Zweiten Weltkrieg gegen Japan im Kontext der westlich-sowjetischen Allianz bei dieser Unternehmung, wodurch die politischen und militärischen Voraussetzungen für ihren endgültigen Ansturm auf die KMT-Armeen geschaffen wurden, die 1945-1949 trotz amerikanischer Unterstützung vernichtend geschlagen worden sind. Die Ideologie Maos und die Praxis der Kommunistischen Partei betrachteten die chinesische Revolution nie als sozialistisch: Sie war eine „demokratische Revolution", die auf der Strategie des Klassenbündnisses gegen „den Imperialismus und seine Lakaien" beruhte. Sie stützte sich auf die Mobilisierung armer Bauern gegen die korrupte urbane Welt der Kompradorenbourgeoisie. Die „proletarische Avantgarde" fehlte in dieser Revolution fast vollständig, unter anderem, weil die Proletarier in dem nur schwach industrialisierten China nur einen sehr kleinen Bevölkerungsanteil ausmachten. Die Kategorien der marxistisch-leninistischen Terminologie sind zwar eindeutig unzureichend, um die Komplexität der Klassenstruktur und politischen Ideologie im China des 20. Jahrhunderts zu erfassen, sie sind aber nichtsdestoweniger ein guter Indikator für die vorwiegend nationalistischen Beweggründe der chinesischen Revolution. Es war die Verteidigung des gedemütigten Chinas gegen die ausländischen Mächte einschließlich der brüderlichen Sowjetunion, die unter den chinesischen Kommunisten zusammen mit einer Agrarreform, die die Dorfstruktur stärkte und die verhassten Grundeigentümer eliminierte, anstatt die Kulaken zu verfolgen, eine große Anhängerschaft mobilisierte. Die agrarische Orientierung und der Nationalismus waren die „zwei Beine", auf denen die chinesische Revolution voranschritt. Aber das Gehirn, der Motor und das Gewehr wurden von der Kommunistischen Partei verkörpert. Und weil sie kommunistisch, und das heißt leninistisch, war (und ist), prägte sie dem chinesischen revolutionären Nationalismus durch den gesamten Prozess des Aufbaus des neuen Staates, der neuen Wirtschaft und der neuen Gesellschaft hindurch „sozialistische" Charakterzüge ein. Der oberste davon war wie in der Sowjetunion die Kontrolle der Wirtschaft durch die Partei mit Hilfe eines zentralen Planungssystems und die Kontrolle der Gesellschaft durch einen ausgedehnten ideologischen Apparat, der die dominierende Stellung der marxistisch-leninistischen Ideologie sicher stellte und Information und Kommunikation strikt kontrollierte. Auch das politische System war nach der marxistisch-leninistischen Tradition geformt, und die Partei kontrollierte alle Ebenen und Abteilungen der Staats- und Regierungsinstitutionen, einschließlich des Militärs durch ein Netzwerk politischer Kommissare. Das Herzstück des Machtsystems war (und ist) die Zentrale Militärkommission des Zentralkomitees der Partei. Der Vorsitz dieser Kommission war der einzige Posten, den Mao immer innegehabt hatte, der letzte den Deng 1989 aufgab und derjenige, den Jiang Zemin 1997 innehatte. Für die chinesischen Kommunisten gilt damals wie heute, dass „die politische Macht aus den Gewehrläufen kommt". Aber die Partei war auch eine mächtige, dezentralisierte Maschine, die in jedem Dorf, in jedem Viertel und jeder Produktionseinheit im ganzen Land präsent war und ein immenses hierarchisches Netz bildete, das erstmals in der Geschichte China tatsächlich bis in den letzten Winkel kontrollierte. Und das ist nicht nur abgestandene Geschichte: 1998 war die Kommunistische Partei Chinas (KPCh) mit ihren 54 Mio. Mitgliedern frisch und munter, und ihre lokalen Führer und Kader erfreuten sich in ihren Distrikten eines Höchstmaßes an Macht und Einfluss, wenn nicht an Popularität. Das ist eine grundlegende Realität, die die Entwicklung Chinas formt und prägt. An der Spitze des Machtsystems bestand außer in kurzen Perioden des Interregnums eine extreme Personalisierung der Führungsrollen, ein wirklicher Personenkult. Nach den Mao-Zedong-Ideen war in den 1990er Jahren die Zeit der Deng-Xiaoping-Ideen (wenn Deng diese Bezeichnung auch höflich ablehnte), denn die Volksbefreiungsarmee (People's Liberation Army, PLA) beschäftigte sich weisungsgemäß mit der Lektüre und Kommentierung der Ausgewählten Werke von Deng. Die Diskussion über die Kontinuität der personalisierten Führerschaft in China (die neuen Kaiser) erscheint nicht als sonderlich aufschlussreich, denn es handelt sich ebenso gut um einen Charakterzug des Kommunismus wie Chinas. Die extreme Personalisierung der Führerschaft im chinesischen Kommunismus begünstigt den politischen Voluntarismus sehr. Was immer der Führer beschließt, wird durch eine Kommandokette zur materiellen Gewalt, die ihre Wirkung durch die gesamte Gesellschaft und die Machtzentren hindurch entfaltet. Das ist die einzige Erklärung, die es für die außerordentlich destruktiven Abenteuer des Großen Sprungs nach vorn und der Großen Proletarischen Kulturrevolution gibt, die gegen den Willen der kollektiven Parteiführung von Mao Zedong beschlossen und angeführt wurde und die so weit ging, dass *seine* „revolutionären Garden" mit Rückendeckung der PLA einen wilden Feldzug unternahmen, der sich hauptsächlich gegen kommunistische Parteikader und Organisationen richtete. Die Tatsache, dass die KPCh ihre eigenen selbstmörderischen Tendenzen (also den Maoismus) überlebt hat, zeigt eine viel größere politische Stärke als die jeder anderen kommunistischen Erfahrung. Aber der Maoismus war kein Irrsinn (obwohl es einige seiner Aktionen waren). Er brachte tatsächlich eine mögliche Antwort auf das Grundproblem der chinesischen Revolution zum Ausdruck: wie man China stark und unabhängig machen und die Macht der Kommunisten in einer Welt bewahren könne, die von Supermächten beherrscht ist und in der die technologische und wirtschaftliche Entwicklung an den gegenüberliegenden Küsten des Chinesischen Meeres mit hohem Tempo voranging. Die Antwort von Deng und Liu Shaoqi lautete seit den 1950er Jahren beschleunigte Industrialisierung, Wirtschaftswachstum und technologischen Modernisierung nach sowjetischem Vorbild, dem einzigen Modell, das den chinesischen Kommunisten zu dieser Zeit zur Verfügung stand. Maos Antwort dagegen war Vertrauen auf die eigenen Kräfte, Betonung der Ideologie, Bewahrung der ländlichen Wurzeln und dezentralisierter Guerillakrieg („Volkskrieg"), um jedem Eindringling zu widerstehen, wobei man auf Kernwaffen als letztes Abschreckungsmittel setzte (obwohl Mao einmal auf dem Höhepunkt der Kulturrevolution ernsthaft vom Aufbau des Sozialismus auf den nuklearen Ruinen des Kapitalismus sprach). In der Mitte erreichte Zhou Enlai die Zustimmung der streitenden Fraktionen für einen zentristischen Kurs, der Chinas technologisch-militärischen Komplex als notwendige Garantie der nationalen Unabhängigkeit absicherte. Deshalb blieb dieser technologisch-militärische Komplex von dem politischen Durcheinander der 1960er und 1970er Jahre relativ unbehelligt. Als Deng Xiaoping, der die Kulturrevolution als Straßenkehrer in seiner Heimatstadt Chongqing überlebt hatte, nach dem Sturz der „Viererbande" an die Macht zurückkehrte, wandte er sich wieder der Grundüberlegung zu, dass wirtschaftlicher Wohlstand und technologische Modernisierung die wichtigsten Eckpfeiler für Chinas Macht und Unabhängigkeit seien. Außerdem musste nach den verheerenden Auswirkungen der Kulturrevolution auf das Leben und das Denken der Menschen nicht nur die Unabhängigkeit Chinas bewahrt, sondern die Legitimität der Kommunistischen Partei wieder hergestellt werden. Nach einer solch mörderischen ideologischen Orgie konnten nur die sofortige Verbesserung der Lebensbedingungen, die Ausweitung der Eigentumsrechte und die Aussicht auf ein besseres Leben zu ihren eigenen Lebzeiten die Chinesen wieder hinter dem neu gestalteten kommunistischen Regime sammeln. Wie Deng Jahre später 1990 vor dem 13. Zentralkomitee erklären sollte: „Wenn sich die Wirtschaft bessert, können andere politische Strategien ebenfalls Erfolg haben, und der Glaube des chinesischen Volkes an den Sozialismus wird gefestigt. Wenn nicht, ist der Sozialismus nicht nur in China, sondern auch in der übrigen Welt in Gefahr."[107] Aber 1978 war die Sowjetunion Chinas Feind, und das sowjetische Wirtschaftssystem befand sich eindeutig in schlechter Verfassung, während im gesamten Umfeld Chinas die asiatische Pazifikregion und insbesondere die ethnisch chinesischen Volkswirtschaften mit dem schnellsten Tempo der Geschichte wuchsen und sich modernisierten. Daher hatte die scharfe Kehrtwende, die das Zentralkomitee auf Initiative Dengs 1978 an einem kalten Dezembertag in Beijing beschloss, das Ziel, Chinas Eintritt in die kapitalistische globale Wirtschaft und in das informationelle Paradigma zu garantieren (selbst wenn die Verfechter der Politik der Offenen Tür und der Politik der „Vier Modernisierungen" diese Worte nicht anerkennen wollten), wobei man sich die Erfahrungen der asiatischen „Tiger" (in China „Drachen" genannt) zunutze machte. Doch sollte dieser neue Entwicklungspfad so verlaufen, dass der „Sozialismus" gewahrt wurde; also Macht, Kontrolle und Einfluss der Kommunistischen Partei als Vertreterin des chinesischen Volkes. In diesem Sinne war es nicht grundsätzlich anders als das, was Gorbatschow nur sieben Jahre später in der Sowjetunion versuchen sollte. Aber anders als Gorbatschow, der zu arrogant war, sich sein eigenes Scheitern vorzustellen, verstand die chinesische Führung, dass die Lockerung des kommunistischen Zugriffs auf die Gesellschaft in einer Zeit schnellen wirtschaftlichen und daher auch gesellschaftlichen Wandels den Prozess in Richtung auf einen „Kapitalismus mit chinesischen Charakterzügen" aus dem Ruder laufen lassen und sie so aus dem Geschäft drängen könnte. Deng und seine Umgebung waren zurecht von dieser Idee besessen und das Schicksal Gorbatschows und der Sowjetunion bestätigte zumindest aus ihrer Sicht ihre Diagnose vollständig. Das ist der Grund, warum bei den chinesischen kommunistischen Führern das „Modell Singapur" so beliebt war und ist. Die Vorstellung von einem vollständigen wirtschaftlichen und technologischen Entwicklungsprozess ohne die Notwendigkeit, dem Druck der Zivilgesellschaft nachzugeben, wobei die Manövrierfähigkeit fest in der Hand des Staates bleibt, ist für eine Partei höchst attraktiv, deren Existenzberechtigung letztlich in der Weltmachtstellung Chinas liegt, wenn

107 Zit. nach Lam (1995: 5).

möglich zusammen mit der Bewahrung der kommunistischen Mythologie. Doch lässt sich die Erfahrung des winzigen Singapur schwerlich auf ein Land extrapolieren, in dem 20% der Menschheit leben. Und die sowjetische Erfahrung mit einem kommunistisch kontrollierten Übergang zum Kapitalismus endete in einem Desaster. Deshalb steuern die chinesischen Kommunisten mit äußerster Vorsicht und Pragmatismus durch unbekanntes historisches Gewässer. Und deshalb folgt der tatsächliche Transformationsprozess in China nicht Dengs ursprünglicher, vorläufiger Blaupause von Anfang der 1980er Jahre, sondern ergibt sich aus *ad hoc*-Entscheidungen einer Vielzahl von Akteuren und aus Interessen, Kompromissen, Konflikten und Bündnissen, die durch die Reformpolitik ausgelöst werden und zutage treten.

Insgesamt wurden (und werden) also die wirtschaftliche Entwicklung und die technologische Modernisierung Chinas im Rahmen der neuen globalen Wirtschaft von der chinesischen kommunistischen Führung sowohl als unverzichtbares Instrument für nationale Macht verfolgt, als auch als neues Legitimitätsprinzip für die Kommunistische Partei. In diesem Sinne bedeutet der chinesische Kommunismus am Anfang des 21. Jahrhunderts die Verbindung des Entwicklungsstaates mit dem revolutionären Staat. Aber um dieses strategische Ziel zu erreichen, musste die Kommunistische Partei in den 1990er Jahren unter Führung von Deng Xiaoping, Jiang Zemin und Zhu Rongji mit einer Reihe gewaltiger Probleme fertig werden: die Form der Integration in die globale Wirtschaft; die kontrollierte Dezentralisierung der Staatsmacht; die Handhabung der gesellschaftlichen Widersprüche, die durch Landflucht und soziale Ungleichheit ausgelöst wurden; die Repression der politischen Demokratie; die Kontrolle einer entstehenden Zivilgesellschaft; das Ausbalancieren von Macht und Einfluss innerhalb der Machtelite, wobei die Ideologen in Schach gehalten werden mussten, ohne das Risiko übermäßiger Fraktionsbildung in Armee und Partei einzugehen. Ich werde kurz jedes dieser unterschiedlichen Probleme behandeln und auf eine übergreifende Hypothese hin argumentieren: dass dieser komplexe Balanceakt mit beträchtlichen, aber nicht garantierten Aussichten auf künftigen Erfolg vollzogen wird, indem regionale Entwicklungsstaaten mit dem nationalen Projekt Chinas als Großmacht verflochten werden, die in der Lage sein wird, sich für immer von den ausländischen Teufeln zu befreien. Der Kapitalismus und das ungewisse Schicksal der Demokratie sind nur Mittel für ein so fundamentales Ziel, auch wenn die Machtelite währenddessen beträchtlich von den neuen Quellen von Reichtum und Prestige profitiert.

Guanxi-Kapitalismus? China in der globalen Wirtschaft

Die Integration Chinas in die globale Wirtschaft begann Anfang der 1980er Jahre mit einem Missklang: der Politik der Sonderwirtschaftszonen, durch die gegenüber von Hongkong, Macau und Taiwan vier Freie Produktionszonen eingerichtet wurden, die den ausländischen Investoren, vor allem multinationalen Konzernen, billige Arbeitskraft und Grundstücke, Steuervorteile und soziale Disziplin bieten und als Exportbasen dienen sollten. Die Zonen wurden so konzipiert, dass sie physisch und rechtlich vom Rest des chinesischen Territoriums abgetrennt waren, damit der Sozialismus nicht infiziert würde. Die chinesischen Arbeitskräfte sollten zu diesen Zonen hin befördert werden, aber andere chinesische Staatsbürger waren von diesen Gebieten ausgeschlossen. Nach diesem Plan sollten die Sonderwirtschaftszonen ausländisches Kapital und Technologie an sich ziehen, Einkommen schaffen und China mit wertvollem Erfahrungswissen versorgen. Dem lag ein Projekt zugrunde, das darauf hinauslief, vier und dann viele neue chinesische Drachen zu schaffen, diesmal aber unter der Kontrolle der chinesischen Regierung und zum Nutzen von China als Ganzem. Es funktionierte nicht. Bei den Gesprächen über diese Fragen, die ich 1987 mit chinesischen Beamten der mittleren Ebene führte, wurde mir ihr grundlegender Irrtum deutlich: Sie hatten die von einigen westlichen Marxisten vertretene „Theorie der neuen internationalen Arbeitsteilung" gelesen und glaubten daran. Deshalb brannten sie darauf, den multinationalen Konzernen einen Teil der chinesischen Arbeitskraft zur Ausbeutung anzubieten – hauptsächlich zum Preis des Technologietransfers. Wie ich ihnen aber damals erklärte, hatten die multinationalen Konzerne kein Interesse daran, auf der Suche nach billiger Arbeitskraft und Steuererleichterungen nach China mit all seinen politischen Unbekannten und seiner schlechten Infrastruktur zu gehen, wenn sie ähnliche Bedingungen in einem großen Spektrum von Entwicklungsländern unter weit günstigeren politischen Umständen bekommen konnten. Was die multinationalen Konzerne wollten, war die Durchdringung des chinesischen Marktes, das Auspflanzen von Investitionen als Keime künftiger Expansion. Dafür aber benötigten sie den Zugang zum gesamten China, über die begrenzten Sonderwirtschaftszonen hinaus; sie mussten die Möglichkeit haben, ihren eigenen Nachschub ohne oder mit geringen Gebühren zu importieren; und sie benötigten die Freiheit, ihr eigenes Netzwerk von Lieferanten und Vertriebskanälen zu schaffen. Mit einem Wort: Was sie brauchten, war der Einlass in die chinesische Wirtschaft und nicht bloß die Möglichkeit, chinesische Arbeitskräfte und chinesisches Land zu Exportzwecken nutzen. Aber ihre offenkundigen wirtschaftlichen Interessen bereiteten den vorsichtigen chinesischen Führern große Probleme. Einerseits mussten sie die Interessen der staatlichen Unternehmen wahren, die in China selbst durch die Konkurrenz ausländischer Unternehmen verdrängt würden. Andererseits war das, was China wirklich brauchte, der Export von Industrieprodukten und der Import von Technologie und Know-how, und bestand nicht darin, einfach die Übernahme der chinesischen Industrie durch ausländische Hersteller und die Überflutung des chinesischen Marktes durch ausländische Produkte zuzulassen. Während also die chinesische Regierung im Rahmen der Politik der 14 Küstenstädte formell einen großen Teil der städtisch-industriellen Regionen des Landes für ausländische Investitionen und Handelsaktivitäten öffnete, sorgten Beschränkungen und der Amtsschimmel dafür, dass der Prozess unter Regierungskontrolle blieb. Die multinationalen Konzerne reagierten darauf, indem sie ihre Investitionen begrenzten, Technologie zurückhielten und Marktanteile unmittelbar mit der Regierung aushandelten. Bei meinen Interviews mit amerikanischen und europäischen Unternehmen in Schanghai und Beijing 1987 beschrieben deren Vertreter ihre Firmenaktivitäten als industrielle Insel in einem Meer technologischer und wirtschaftlicher Rückständigkeit, und einige von ihnen importierten bis zu 90% der für die Herstellung ihrer Produkte benötigten Materialien. Keines der Unternehmen machte Gewinn. Alle tauschten Kapitalinvestitionen und den Transfer alter Technologie gegen ihre Präsenz in China ein, in der Hoffnung auf künftige Möglichkeiten. Die Dinge haben sich mittlerweile geändert, und die Produktion japanischer, amerikanischer und europäischer Unternehmen ist vor allem durch die Hightech-Märkte der Staatsaufträge und durch regionale, von Provinzregierungen geschützte Märkte (etwa Volkswagen in Schanghai, deutsches Bier in Shendang) erheblich gestiegen. Ein paar symbolische Abkommen wie die Investition von 1 Mrd. US$ durch General Motors 1994 sind Ausdruck der Entschlossenheit der Regierung, ausländische Investoren anzulocken. Doch waren wenigstens bis Mitte der 1990er Jahre multinationale Konzerne sowie westliche und japanische Investitionen nicht die hauptsächliche Verbindung zwischen China und der globalen Wirtschaft. Vielmehr kamen, wie Tabelle 4.1 zeigt, zwischen 1979 und 1992 von den 116,4 Mrd. US$ Investitionen, die für China vorgesehen waren, 71,7% aus Hongkong und Taiwan, 7% aus den USA und 5,8% aus Japan. Der Anteil einzelner europäischer Länder an den Investitionen lag sogar noch darunter. In ähnlicher Weise stammt auch nur ein Bruchteil der Importe nach China aus OECD-Ländern. Andererseits geht, wenn man die Rüstungsverkäufe ausspart, ein bedeutender Teil der chinesischen Exporte (von chinesischen Firmen oder von in China angesiedelten *joint venture*-Unternehmen) nach Westeuropa oder in die Vereinigten Staaten. Die Vereinigten Staaten scheinen sogar Gefahr zu laufen, gegenüber China ein Handelsdefizit zu haben, das größer ist als gegenüber jedem anderen Land. Aber die neue Konkurrenzfähigkeit Chinas war nicht das Verdienst seiner ineffizienten Staatsunternehmen, noch stammte sie größtenteils aus dem noch in den Kinderschuhen steckenden privaten Wirtschaftssektor. Sie entstand aus den Investitionen, dem Know-how und der Kenntnis der Weltmärkte auslandschinesischer Investoren, die in Zusammenarbeit mit einer besonderen Art von institutionellen Partnern (s.u.) in den 1980er und 1990er Jahren das grundlegende Bindeglied zwischen China und der globalen Wirtschaft darstellten.

Tabelle 4.1 Vertraglich vereinbarte Investitionen in China nach Ursprungsgebiet, 1979-1992 (Mio. US$, Prozentanteile in Klammern)

	1979-90	1991	1992	1979-92
Nationale Gesamtsumme	45.244	12.422	58.736	116.402
	(100)	(100)	(100)	(100)
Hongkong	26.480	7.531	40.502	74.513
	(58,5)	(60,6)	(69,0)	(64,0)
Taiwan	2.000	1.392	5.548	8.968
	(4,4)	(11,2)	(9,4)	(7,7)
USA	4.476	555	3.142	8.163
	(9,9)	(4,5)	(5,3)	(7,0)
Japan	3.662	886	2.200	6.748
	(8,1)	(7,1)	(3,7)	(5,8)

Zwischen 1979 und 1989 betrug die Gesamtsumme der zugesagten (vertraglich vereinbarten) ADI in China 32,37 Mrd. US$, die wirkliche (realisierte) Summe war 15,61 Mrd. US$, 48% der Zusagen. Legen wir 48% als den Prozentanteil der tatsächlichen ADI an den gesamten zugesagten ADI zugrunde, so liegt die nationale Gesamtsumme an realisierten ADI in China zwischen 1979 und 1992 bei etwa 56 Mrd. US$.

Quelle: Sung (1994: 50)

Der ethnische Zusammenhang der globalen Integration Chinas ist nun wirklich eine außergewöhnliche Geschichte, die voller praktischer und theoretischer Implikationen steckt. Aber man muss sie so wie Yout-tien Hsing[108] ohne die Romantisierungen und anekdotischen Belege erzählen, die für einen Großteil der industriellen Forschung typisch sind, die sich mit den „chinesischen Unternehmensnetzwerken" befasst, welche innerhalb des *China circle* operieren. Diese ethnischen Unternehmensnetzwerke sind für die gegenwärtige chinesische Entwicklung von zentraler Bedeutung, aber sie sind in China dadurch ins Leben getreten, dass die Gelegenheit der Politik der Offenen Tür genutzt wurde. Investitionen in China waren riskant, aber sie konnten sehr hohe Profite auf einem weitgehend noch unerschlossenen Markt bei minimalen Lohnkosten unter der Bedingung erbringen, dass man wusste, wie man sich in einem komplexen Umfeld zu bewegen hatte. Chinesische Investoren aus Hongkong und Taiwan nutzten die Öffnung, um ihre Produktion vor allem ins Perlflussdelta und in andere Gebiete Südchinas zu dezentralisieren, als steigende Produktionskosten zu Hause und die Senkung ihrer Exportquoten ihre Wettbewerbsposition gefährdeten. Um ihr Risiko zu minimieren, nutzten sie ihre *guanxi*(Beziehungs)-Netzwerke, wobei sie vor allem Leute aussuchten, die aus demselben Ort stammten (*tong-xiang*), weiter Verwandte und Freunde sowie Bekannte, die den gleichen Dialekt sprachen. Der Aufbau der notwendigen Infrastruktur zur Pflege internationaler Geschäftsbeziehungen (Hotels, Unternehmensdienstleistungen, Straßen, Grundstücksentwicklung) schuf sofort einen Markt für große Firmen aus Hongkong, die sich zu einem sehr frühen Zeitpunkt des wirtschaft-

108 Hsing (1999).

lichen Reformprozesses mit derartigen Investitionen engagierten (ich hatte das Vergnügen, bereits 1983 in einem internationalen Hotel in Guangzhou zu logieren, das von der Hongkonger Wirtschaft eingerichtet worden war). Wie ich in Band I, Kapitel 6 analysiert habe, war Anfang der 1990er Jahre die Mega-Region Hongkong-Shenzhen-Guangzhou-Zhuhai-Macau-Perlflussdelta mit etwa 60 Mio. Menschen zu einer wirtschaftlichen Einheit geworden, die einen der potenziellen globalen Knoten des 21. Jahrhunderts bildete. Um mit gleicher Münze zurückzuzahlen, eröffnete Schanghai mit Unterstützung der weitgehend von der „Schanghaier Gruppe" dominierten Beijinger politischen Elite Anfang der 1990er Jahre die neue Gewerbezone Pudong, die dabei ist, zum wichtigsten Zentrum für Finanz- und hochmoderne Dienstleistungen in China zu werden.

Als Ende der 1980er Jahre erst einmal die von Hongkong und Taiwan ausgehenden Investitionsnetzwerke etabliert waren, strömte das Kapital aus der ganzen Welt herein. Ein Großteil davon stammte von Auslandschinesen, aus Singapur, Bangkok, Penang, Kuala Lumpur, Jakarta, Kalifornien, New York, Kanada und Australien. Das statistische Übergewicht Hongkongs ist in Wirklichkeit eine Täuschung. Es bringt das Management von Investitionen aus vielerlei Quellen durch in Hongkong beheimatete chinesische Firmen zum Ausdruck und sollte daher als „globales Kapital" verstanden werden. Aber dieses „globale Kapital", das aus jeder beliebigen Quelle – von japanischen Banken bis zu Geldwäschern – stammen kann und auch wirklich stammt, wird durch chinesische Unternehmensnetzwerke verwaltet und weitgehend kontrolliert, die in den meisten Fällen auf Familienbeziehungen beruhen und trotz bitterer Rivalität auf spezifischen Märkten und bei Einzelprojekten untereinander verknüpft sind. Warum sind chinesische Unternehmen gegenüber anderen ausländischen Investoren im Vorteil, und warum gehen sie unter den unsicheren Bedingungen des proto-kapitalistischen China nicht ebenso hohe Risiken ein wie westliche oder japanische Investoren? Ich bin gegenüber kulturellen Erklärungsversuchen über Insider-Wissen und persönliche Verbindungen skeptisch geworden. Nach der Lektüre der ausgezeichneten anthropologischen Darstellung von Yang über ländliche *renqing*- und städtische *guanxi*-Praktiken im heutigen China[109] sehe ich schließlich keinen wesentlichen Unterschied im Vergleich zu den mir bekannten, ganz ähnlichen Praktiken in Lateinamerika. Und doch beherrschen US-Investoren die lateinamerikanischen Volkswirtschaften seit Jahrzehnten, und Mexiko, eines der am stärksten *guanxi*-orientierten Länder, die ich kenne, profitierte in den 1990er Jahren von einer Flut internationaler Direktinvestitionen, ohne dass es besonderer mexikanischer Vermittlung bedurft hätte, während die mexikanischen Unternehmensnetzwerke ihre Ersparnisse weiter ins Ausland exportierten, anstatt sie in Mexiko zu investieren. Im Falle Chinas sind die auslandschinesischen Unternehmensnetzwerke tatsächlich die hauptsächlichen Vermittlungsinstanzen zwischen dem globalen Kapital einschließlich des auslands-

109 Yang (1994).

chinesischen Kapitals sowie den chinesischen Märkten und Produktions-/Exportstandorten. Aber der Grund liegt nicht darin, dass sie ebenso wie ihre südchinesischen Partner gern gedünsteten Kabeljau essen. Der Grund ist, dass *das vielfache Bindeglied Chinas zur globalen Wirtschaft lokal ist, das heißt, es funktioniert durch die Verbindung zwischen den auslandschinesischen Geschäftsleuten und den Staatsorganen auf lokaler und Provinzebene in China*, der kapitalistischen Klasse *sui generis*, die Hsing als „bürokratische Unternehmer" bezeichnet.[110]

Chinas regionale Entwicklungsstaaten und die bürokratischen (kapitalistischen) Unternehmer

Um den ideologischen Widerstand hoher Kader der KPCh und PLA gegen die Wirtschaftsreformen zu überwinden, bemühte sich Deng von Beginn der Reform an um die Unterstützung seitens lokaler und Provinzregierungen. Um die Macht der Konservativen, die sich im Hauptquartier in Beijing und in den Nordprovinzen konzentrierte, zu umgehen, proklamierte er das Prinzip *yindizhiyi* („jedem Ort nach seinen Eigenschaften") und führte während der 1980er Jahre eine beträchtliche fiskalische Dezentralisierung durch: Der BIP-Anteil der Zentrale sank von 37% 1978 auf 19% 1992, und ihr Anteil am gesamten Steueraufkommen betrug 1993 nur 35%.[111] Er hofierte besonders Guangdong und Schanghai, die traditionellen Bindeglieder Chinas zu Außenhandel und ausländischen Investitionen. 1992 begab er sich auf seine berühmte *nanxun* (kaiserliche Inspektionstour) im Süden und ermunterte dabei vor allem Guangdong, die Drachen der asiatischen Pazifikregion durch Beschleunigung der Wachstumsrate und Öffnung zur internationalen Wirtschaft zu überholen. „Nur Entwicklung", so argumentierte er, „kann der Prüfung durch die Vernunft standhalten."[112] Guangdong, Schanghai, aber auch die meisten anderen Provinzen und Orte nahmen Deng beim Wort und bestanden auf ihrer Wirtschaftsautonomie in fiskalischen Angelegenheiten ebenso wie bei der Kreditpolitik, um die eigene Infrastruktur zu finanzieren, neue Unternehmen zu schaffen und ausländische Investoren anzuziehen. Die wirtschaftliche Überhitzung, die 1988, 1992 und 1993 eintrat und die daraus folgenden Inflationsschübe veranlassten die Regierung zu strafferer Kontrolle und zur Rücknahme der Dezentralisierung. Sie schuf daher 1993 ein duales Steuersystem, nach dem die Zentralregierung eine eigene Einkommensquelle behielt. Die Provinzregierungen nutzten angeführt von Guangdong ihr neues politisches und wirtschaftliches Gewicht, um neuen Plänen zur Einkommensteilung Widerstand entgegenzusetzen. Aber ihr Streben nach Autonomie (an der Quelle ihres neuen Reichtums) erfolgte hauptsächlich

110 Hsing (1999).
111 Lam (1995: 88).
112 Zit. nach Lam (1995: 132).

nicht durch das Abziehen von Ressourcen von der Zentrale, sondern durch die Schaffung neuer eigener Einnahmequellen, wobei sie ihre Spielräume exakt ausnutzten. Wenn Deng einen kollektiven Unternehmergeist verbreiten wollte (vermutlich für einen Pragmatiker wie ihn zu raffiniert gedacht), so hatte er Erfolg. Die lokalen und Provinzregierungen (die ich der Einfachheit halber mit dem Etikett „regional" zusammenfasse) haben in China, häufig in *joint ventures* mit ausländischen Investoren, in neue, marktorientierte Unternehmen investiert und sind als kollektive Unternehmer, die die Erträge ihrer Unternehmen miteinander teilen, zur Quelle „privater" Akkumulation geworden. 1993 erbrachten Staatsunternehmen („vollständig im Volkseigentum befindliche Firmen") 48,4% des Gesamtwertes der Industrieproduktion; solche in Privateigentum (einschließlich ausländische Beteiligung) nur 13,4%; während „kollektive Unternehmen" (das sind Unernehmen unter Beteiligung bestimmter staatlicher Verwaltungen, zumeist regionale und private Investoren) 38,2% der Gesamtsumme ausmachten und weiter wuchsen.[113] Aber die Industrieproduktion war nicht der wichtigste Bereich, in den die Regionalregierungen und ihre ausländischen Partner, zumeist Auslandschinesen, investierten. Das Einfallstor dieser Investoren war die Immobilien-Entwicklung: Sie war weniger riskant, versprach in einem Land, dessen Küstenregionen im Augenblick zu gigantischen Baustellen wurden, sofortige Gewinne und bot schließlich die Aussicht auf einen festen Halt in den lokalen Netzwerken. Zudem stellte die Kontrolle über ihr eigenes Land eine unstrittige Ressource der Lokal- und Provinzregierungen dar. Auch der Finanzsektor war entscheidend für die Stärkung der Provinzautonomie und die Einführung kapitalistischer Methoden des wirtschaftlichen Managements. Wiederum die Provinzverwaltung von Guangdong initiierte bereits 1981 ein kühnes Finanzexperiment. Der Guangdonger Zweig der Bank des Volkes erhielt das autonome Recht, einen bestimmten Kapitalbetrag für die Ausgabe kurz- und mittelfristiger Darlehen einzusetzen.[114] Die Errichtung einer provinzeigenen Finanzinstitution, der Entwicklungsbank von Guangdong auf Aktienbasis, wurde 1988 gebilligt und ins Register eingetragen. Dann erhielt Guangdong die Erlaubnis, einen Aktien- und Wertpapiermarkt einzurichten, Devisenbörsen zu schaffen und Geschäfte mit ausländischen Guthaben abzuwickeln. Die Provinz durfte auch Auslandsanleihen aufnehmen und mit Genehmigung der Zentrale im Ausland eigene Schuldverschreibungen ausgeben. Als die Zentralregierung 1994 fiskalische Austerität verordnete, begann die Stadtverwaltung von Guangzhou, sich entweder über die ausländischen Partner von in Guangzhou ansässigen *joint ventures* oder über ihre eigene Guangzhou International Trust and Investment Corporation sowie über Yuexiu Enterprise in Hongkong Geld auf den internationalen Finanzmärkten zu besorgen.[115] Zwischen Juni und No-

113 Lam (1995: 94f).

114 Cheung (1994: 26-39).

115 Lu (1994a).

vember 1994 gaben inmitten der nationalen Austeritätspolitik sechs ausländische Banken in Guangzhou lokalen Unternehmen Kredite in Höhe von 380 Mio. US$.[116] Außer seinen Auslandsanleihen zog Guangdong noch Kapital aus anderen Provinzen Chinas an. Während daher viele Regionen Mitte der 1990er Jahre unter der Austeritätspolitik zu leiden hatten, setzten Städte und Kreise im Perlflussdelta ihre Expansionspläne fort, fuhren Budgets, die die von den zentralen Plänen der Regierung zugestandene Höhe um das Fünffache überschritten und finanzierten sie mit Schuldverschreibungen und Darlehen. Inmitten der Kontroverse über die Überhitzung der Wirtschaft rief der Bürgermeister von Dongguan, einer Stadt im Perlflussdelta, aus: „Wie soll das Perlflussdelta mit den vier ostasiatischen Drachen gleichziehen, wenn wir uns nur vorsichtig bewegen?"[117] Die Lokalverwaltungen von Guangdong zogen Kapital an, indem sie außerordentlich hohe Zinsen boten (18-20%; was 8 Prozentpunkte mehr war als in den Provinzen Sichuan und Hunan). Sie verfuhren nach dem Prinzip, dass „Wasser ins Tiefland fließt, die Leute nach oben ziehen und das Geld zu den Profiten geht", was die schnelle Aneignung kapitalistischer Prinzipien durch die chinesischen Sprücheklopfer belegt.[118] Nur dank dieses Zugangs zu externen Finanzquellen konnten Guangdong, Schanghai und andere schnell wachsende Gebiete in China die Wirtschaftskontrollen des zentralen Planungssystems umgehen. Dieses System gibt es noch immer, aber seine Hauptrolle besteht darin, den unproduktiven Staatssektor zu subventionieren und dafür zu sorgen, dass genug Einnahmen hereinkommen, um Geld für die Prioritäten der Zentrale bereitzustellen. Zu diesen Prioritäten gehören Investitionen in Technologie und Rüstung sowie die Selbstreproduktion des Staats- und Parteiapparates.

Durch diese und ähnliche Prozesse ist *in China eine neue kapitalistische Klasse entstanden, die sich hauptsächlich aus „bürokratischen Unternehmern" zusammensetzt; also aus Individuen (in den meisten Fällen Mitglieder der Kommunistischen Partei), deren Zugang zu Ressourcen sich aus der Kontrolle über staatliche Institutionen und Finanzen herleitet.* Sie setzen diese Ressourcen ein, um im Namen der staatlichen Institutionen, die sie vertreten, entweder allein oder zusammen mit anderen Bürokratien oder zunehmend auch im Verbund mit ausländischen Investoren in Unternehmen zu investieren. Diese gemischten Unternehmen sind der Kern des neuen Kapitalismus in China. Es handelt sich um einen hochgradig dezentralisierten Kapitalismus, weil er den Linien von Allianzen auf lokaler und Provinzebene und von Unternehmensnetzwerken folgt, mit denen sie Verbindung aufnehmen: ein Kapitalismus, der auf den lokalen Märkten oligopolistisch und auf nationaler und internationaler Ebene konkurrenzorientiert ist. Und es handelt sich um einen Kapitalismus, der weiß, dass er genug Überschuss erwirtschaften muss, um (formell oder informell) seinen Beitrag an die höheren staatlichen Ebenen zu ent-

116 Lu (1994b).
117 Zit. nach Lu (1993).
118 Zit. nach Hsing (1997).

richten, die nicht direkt an Unternehmen beteiligt sind, sowie an unverzichtbare Teilhaber an den lokalen/Provinzunternehmen wie hohe Offiziere und Parteikader, deren Protektion nötig ist, um sich der Planwirtschaft entziehen zu können.

Dieser Prozess der „bürokratischen kapitalistischen Entwicklung" befand sich Mitte der 1990er Jahre unter staatlicher Aufsicht. Mit der Ausbreitung der Marktwirtschaft wurde es jedoch vor allem aus drei Gründen immer schwieriger, die politische Kontrolle auszuüben, ohne Chaos hervorzurufen: Erstens, weil die Zentren der Kapitalakkumulation sich hauptsächlich in Händen dieser Konstellation lokaler/Provinzunternehmen befanden, die direkt mit ausländischen Märkten und Finanzquellen in Verbindung standen. Der zweite Grund bezieht sich auf das Heranwachsen Tausender von *gumin* („aktienverrückte Spekulanten"), die von allen möglichen Orten in China aus unter Einsatz von Informationstechnologie an den Börsen von Beijing, Schanghai und Shenzhen handelten und so Ersparnisse unter Umgehung der staatlichen Kontrollen umleiteten. Und der dritte und fundamentale Grund besteht darin, dass das neue Machtgleichgewicht in China die Form eines komplexen, interdependenten Musters zwischen Zentrale und Regionen angenommen hat, die über Partei und Militär miteinander in Verbindung stehen. Jeder ernsthafte Versuch der Zentrale, die wirtschaftliche Autonomie vor allem der reichen Provinzen zu beschneiden, könnte nicht nur die Wirtschaftsreformen aus dem Gleis werfen (die zutiefst auf den provinziellen Verwaltungskapitalismus gegründet sind), sondern auch den brüchigen Status quo in Frage stellen, der innerhalb des reformierten kommunistischen Staates unter dem Zwillingsbanner der nationalen Macht Chinas und Dengs Slogan „Es ist herrlich, reich zu sein!", hergestellt worden ist.

Dem Sturm trotzen? China in der asiatischen Wirtschaftskrise

Ende 1999 befand sich China mit 7% noch immer auf dem Pfad des Wirtschaftswachstums. Das Wachstum hing jedoch größtenteils von massiven Staatsausgaben ab, die eine Wirtschaft ankurbeln sollten, die sich im Herbst 1999 bei seit 23 Monaten kontinuierlich fallenden Preisen im Zustand der Deflation befand. Die Exporte gingen um etwa 5% zurück, und der Handelsüberschuss fiel 1999 um über 60%. Dennoch stand er noch immer bei 8 Mrd. US$ und die Devisenreserven betrugen 150 Mrd. US$. Eine niedrige Staatsschuld (bei etwa 10% des BIP) ermöglichte eine Anhebung des Staatshaushaltes, um die staatliche Belebungspolitik zu finanzieren. Doch war die wirtschaftliche Zukunft ungewiss, weil Chinas Entwicklung weitgehend vom wirtschaftlichen Gesamtverlauf in der asiatischen Pazifikregion abhängig ist. Zudem ist es trotz der anfänglich erfolgreichen Verteidigung des Yuan gegen Spekulationsattacken möglich, dass China zu dem Zeitpunkt, zu dem Sie dies lesen, seine Währung abgewertet hat. Die offene und wichtige Frage ist freilich, um wie viel.

Und dennoch hat China insgesamt während der Krise von 1997-1998 seine wirtschaftliche Macht spüren lassen und sich relativ stabil gehalten, indem es sich gegen den destruktiven Ansturm der Finanzströme gestemmt und es vermieden hat, in eine Rezession zu geraten. Die chinesische Regierung fühlte sich sogar stark genug, den Hongkong-Dollar vor der Abwertung zu bewahren. Die Entschlossenheit der VR China mit ihren Reserven an harter Währung von 140 Mrd. US$ im Rücken ermöglichte es der Währungsbehörde von Hongkong, wenigstens für eine gewisse Zeit zu überleben. China hatte zusätzlich zu der Tatsache, dass das Territorium jetzt vollständig zu China gehört, weitere sehr gute Gründe dafür, die Wirtschaft Hongkongs abzustützen. Der chinesische Staat und chinesische Banken sind die größten Grundeigentümer und gehören zu den größten Aktienbesitzern in Hongkong, also versuchten sie, ihre Verluste in Grenzen zu halten. Wichtiger noch ist aber die Tatsache, dass Hongkong die Hauptquelle der Auslandsinvestitionen in China ist, die meist aus auslandschinesischen Unternehmen stammen und durch Hongkonger Firmen geleitet werden. Um Hongkong zu stabilisieren, war es entscheidend, internationale Investoren zu einem Zeitpunkt mit dem chinesischen Markt zu verbinden, als China sich den Tendenzen zum Kapitalabfluss entgegenstemmen musste. Um dem Hongkong-Dollar ebenso wie dem Yuan stabile Wechselkurse zu bewahren, war China bereit, einen Teil seiner Wettbewerbsfähigkeit zu opfern, weil die Exporte seiner asiatischen Konkurrenten durch die Abwertung ihrer Währungen erheblich billiger wurden. China erlitt aus zwei Gründen Verluste: Das Exportwachstum knickte erheblich ein und ging von einer Wachstumsrate von 22% 1997 auf etwa 5% 1998 zurück. Und der Kapitalabfluss schoss wie in anderen asiatischen Ländern auch in die Höhe: 1997 gingen 20 Mrd. US$ ins Ausland und 1998 eine weit größere Summe, als die Investoren von einer Abwertung des Yuan befürchtet hatten. Und doch hatte die chinesische Wirtschaft insgesamt unter den Auswirkungen der Krise viel weniger zu leiden als die übrige Pazifikregion. Es ist von äußerster analytischer Tragweite, die Gründe dafür zu verstehen, selbst wenn eine neue, hausgemachte Krise China hart treffen sollte.

Der Hauptfaktor, der erklärt, warum China den Schock der Krise von 1997-1998 relativ gut verkraften konnte, bestand in Chinas begrenzter Integration in die globale Wirtschaft, vor allem bezogen auf die Finanzmärkte. Der Yuan war 1998 nicht voll konvertibel und damit besser gegen spekulative Attacken gefeit als Währungen, die auf dem offenen Markt gehandelt werden. Das Bankensystem in China befand sich 1997-1998 genauso in Schwierigkeiten wie das in Japan. Die Banken hatten mindestens 240 Mrd. US$ notleidende Kredite, und die meisten Schuldner waren zahlungsunfähig. Berichte von Standard & Poor bezifferten die faulen Bankkredite auf etwa 60% von Chinas BIP. Doch die Regierung stützte die Banken und ließ Konkurse nur unter kontrollierten Bedingungen zu; und wegen der strikten Kontrolle über Auslandsanleihen wurden die chinesischen Banken nicht von kurzfristigen Auslandsschulden erdrosselt, der

Quelle des größten Teils der Finanzkrise im übrigen Asien. Trotz der Tatsache, dass sich einige Banken ausländisches Geld über Hongkonger Banken geliehen hatten, verhinderte in China die „Stoßstange“ Hongkong eine Finanzpanik von der Art, wie sie Indonesien und Südkorea getroffen hat. Die staatliche Kontrolle über die Verbindungen zwischen dem chinesischen Finanzsystem und den globalen Märkten sorgte so für einen Puffer, mit dem man den wilden Turbulenzen der um die Welt rasenden Finanzströme widerstehen konnte.

Ein zweiter Faktor der mithalf, China auf dem Weg der Entwicklung zu halten, bestand im staatlichen Management des Tempos, mit dem es sich in den internationalen Handel integrierte. Trotz des Drängens Chinas, Mitglied der Welthandelsorganisation zu werden, und all den Implikationen für eine offene Handelspolitik kompensierte China 1998 doch seinen Exportrückgang durch Einschränkungen bei den Importen und behielt damit eine gesunde Zahlungsbilanz aufrecht. Um den Zustrom billiger, minderwertiger Produkte asiatischer Konkurrenten auf seinen Markt zu stoppen, griff China zu bürokratischen Hemmnissen und Währungskontrollen bei Importgesellschaften und begünstigte so die lokalen Produzenten. Aber in dem entscheidenden Sektor hochwertiger Hightech-Industrieprodukte vermochte China die Importe wegen des guten technologischen Niveaus seiner hochmodernen Fertigungsbranchen zu kontrollieren. Denn obwohl viel über die Überalterung des staatlichen Unternehmenssektors geschrieben worden ist, ist es einigen dieser staatlich kontrollierten Unternehmen vor allem im Telekommunikationsbereich doch gelungen, ihre Produktivität und technologischen Standards zu verbessern und so gegen die ausländische Konkurrenz Marktanteile in China selbst in solchen Produktlinien zu erobern, die in China von ausländischen Unternehmen hergestellt werden. Gestützt auf staatlich kontrollierte Unternehmen wie Huawei, Datang, und Great Dragon haben die chinesischen Unternehmen ihren Anteil am chinesischen Markt in Telekommunikation von 10% 1995 auf 55% 1998 gesteigert. Zwar haben die chinesischen Hersteller staatliche Unterstützung bei einigen Aufträgen vor allem auf Provinzebene erhalten, doch meinen Industriefachleute, dass die hohe Qualität und die harte Arbeit der niedrig bezahlten, innovativen chinesischen Ingenieure und die F&E-Anstrengungen der lokalen chinesischen Hersteller die wichtigsten Faktoren waren, die zu den Wettbewerbsvorteilen gegenüber ausländischen Firmen geführt haben.[119] Eine ähnliche Tendenz ist in der Automobilindustrie zu verzeichnen, wo der Verkauf des Alto, der in China von dem ausschließlich chinesischen Norinco hergestellt wird, es mit importierten ausländischen Autos aufnimmt. Also war die Fähigkeit, die verarbeitende, primär auf den Binnenmarkt ausgerichtete Industrie zu verbessern, abzuschirmen und auszuweiten, ein Schlüsselfaktor, damit China wenigstens im Verlauf dieser Krise einen dramatischen wirtschaftlichen Einbruch vermeiden konnte.

---

119 *The Economist* (1998: 64ff).

Doch keiner dieser Umstände hätte China aus einer möglichen Rezession herausgehalten, wenn nicht die Wirtschaftspolitik der Regierung gewesen wäre. Zhu Rongji, Premierminister seit 1998 und während der 1990er Jahre Architekt der Anti-Inflationspolitik, hatte längst vor dem Internationalen Währungsfonds erfasst, dass das eigentliche Problem, dem sich Asien gegenüber sah, die Deflation war und nicht die Staatsausgaben. Deshalb begann die chinesische Regierung, anstatt die Wirtschaft abzubremsen und eine Austeritätspolitik durchzuführen, wie sie Indonesien, Thailand und Südkorea vom IWF aufgezwungen wurde, mit einem ehrgeizigen Plan von Staatsausgaben, von denen der größte Teil für Infrastruktur und Wohnungsbau vorgesehen war. Um die Kosten abzudecken, rechnete die Regierung darauf, die 560 Mrd. US$. Sparguthaben zu mobilisieren, die bei den staatlichen Handelsbanken angelegt waren. Um die Banken als Mittler nutzen zu können, setzte die Regierung zunächst 32 Mrd. US$ ein, um sie wieder flott zu kriegen, ihnen die Rückkehr ins Kreditgeschäft zu ermöglichen und so die Wirtschaft anzukurbeln. Was also dem anfänglichen Erfolg Chinas beim Überstehen der Finanzkrise anscheinend zugrunde gelegen hat, war Keynesianismus großen Stils, der von den zerstörerischen Finanzströmen abgeschirmt war und von der Regierung durch Währungskontrollen und eine gelenkte Handelspolitik angeleitet wurde. Es bleiben erhebliche Probleme ungelöst, auf die ich unten eingehen werde, und es ist überhaupt nicht sicher, ob China weiter „ein bisschen global" und „ein bisschen kapitalistisch" bleiben und zugleich die kommunistische Führung und entschiedene Staatsinterventionen in die Wirtschaft beibehalten kann. Doch die ersten Ergebnisse der chinesischen Erfahrung mit dem Krisenmanagement scheinen im Gegensatz zu dem, was auf anderen *emerging markets* auf der Welt geschehen ist, die These über die entscheidende Rolle des Staates bei der Auseinandersetzung mit den Folgen der Globalisierung zu bestätigen.

Demokratie, Entwicklung und Nationalismus im neuen China

Beobachter des neuen China beginnen ihre Prognosen häufig mit der impliziten Annahme eines notwendigen Zusammenhangs zwischen Entwicklung und Demokratie. Daher prognostizieren sie entweder die allmähliche Erosion oder den plötzlichen Umsturz der kommunistischen Macht in dem Maße, wie die neue städtische Mittelklasse zunimmt und eine stärkere, einflussreiche Zivilgesellschaft ins Leben tritt. Gegenwärtig wird diese Sicht der Dinge durch die verfügbaren Fakten nicht gestützt. Das Netzwerk der kommunistischen Parteiorganisationen übt eine feste Kontrolle über die meisten freiwilligen Vereinigungen und Ausdrucksformen des staatsbürgerlichen Lebens aus. Die Partei überwältigt die *shimin shehui* (Zivilgesellschaft). Es gibt Offenheit und Vielfalt in den Medien, aber innerhalb der Grenzen der politischen Korrektheit. Es gibt die neuen elektronischen Medien, aber sogar ausländische Satellitensender wie Murdochs

Star TV üben sich, wenn es um chinesische Politik geht, in Selbstbeschränkung aus Angst, einen gigantischen Markt zu verlieren. Es gibt das Internet in China, aber China ist das einzige Land der Welt, das einigermaßen erfolgreich damit ist, Internetseiten und *hook ups* zu kontrollieren, wenn auch auf Kosten einer Verarmung seines kollektiven Zugangs zum weltweiten Netz. Die Mittelklasse ist zu sehr damit beschäftigt, Geld zu verdienen und es zu wieder auszugeben und bestätigt so den vulgären ökonomistischen Ansatz von Deng gegenüber dem neuen Stadium der Revolution. Außerdem ist der Zugang zu staatlichen Institutionen und zu Ressourcen, die von der Partei kontrolliert werden, unverzichtbar, wenn man im Geschäft bleiben will; und weil es reichlich Chancen gibt, besteht wenig Interesse daran, das System abzubauen oder es zu öffnen, während sich alle ihrer persönlichen „ursprünglichen Akkumulation" widmen. Aus diesem Grund ist *guanxi* so wichtig und zugleich so abhängig vom formellen System der Planwirtschaft, deren alltägliche Umgehung eine wichtige Einnahmequelle für diejenigen ist, die die Zugänge kontrollieren. Das entstehende Marktsystem entwickelt sich in China unter Ausnutzung der Risse in der noch immer vorherrschenden Kommandowirtschaft. Da sie also wenig Anreiz hat, die kommunistische Kontrolle zu unterminieren und der Versuch ein erhebliches Risiko bedeuten würde, kann die neue Mittelklasse zwar den Staat nicht lieben, ihren Widerwillen aber so lange, wie es ihrer Familie gut geht, leicht abtun.

Sicherlich gibt es in China vor allem unter der Intelligenz und den Studierenden viele Demokraten. Und in einem so großen Land ist es leicht, sie nach Hunderttausenden zu zählen, die zumeist in den großen Ballungsräumen konzentriert sind. Aber Tian An Men hat einige Lektionen vermittelt. Zum einen hat es die Entschlossenheit des kommunistischen Staates demonstriert, nicht die Kontrolle über den Transitionsprozess zu verlieren. Dann hat das Geschehen auch gezeigt, obwohl dies gewöhnlich nicht zugegeben wird, dass die Studentenbewegung so weit gehen konnte, wie sie es tat, weil sie auf die relative Toleranz (oder gar die Ermutigung) von Zhao Ziyang setzen konnte, der sich im Kampf mit der Parteilinken befand. Wer wen manipuliert hat (wurden die Studierenden beispielsweise vielmehr von der Linken manipuliert, um eine Reaktion nach dem Prinzip von Recht und Ordnung zu provozieren, die zum Sturz von Zhao Ziyang und zur Konter-Reform führte?), werden wir wahrscheinlich nie erfahren. Es ist aber deutlich geworden, dass die Bewegung begrenzt war, dass ihr eine breite Massenunterstützung gefehlt hat und dass ihr Schicksal vollständig von den inneren Kämpfen der KPCh abhängig gewesen ist.

Ob es zur Expansion einer autonomen Zivilgesellschaft und zur Entwicklung politischer Demokratie kommen kann, wird daher wesentlich davon abhängen, in welchem Maße es der KPCh gelingt, ihre Einheit zu bewahren sowie dem chinesischen Staat, die Konflikte zwischen verschiedenen Regierungsebenen und zwischen unterschiedlichen Provinzen zu handhaben, die um wirtschaftliche Gewinne wetteifern. Für die Beantwortung beider Fragen kommt der Stärke, Einheit und Ausrichtung der Volksbefreiungsarmee eine Schlüsselstellung zu. Wahrscheinlich wird das wichtigste politische Erbe Dengs in der geschickten Art bestehen, wie er sich während seiner letzten Jahre in dem Minenfeld der Militärkommandeure bewegt hat. Anfang der 1990er Jahre hat er im Wesentlichen vier Schlüsseloperationen erfolgreich durchgeführt. Zuerst eliminierte er die Opposition der Linken, Ideologen und unzuverlässigen Offiziere an der Spitze, wobei er 1992 vor allem den stellvertretenden Vorsitzenden der Zentralen Militärkommission General Yang Shangkung zusammen mit seinem Bruder und 300 weiteren Offizieren entließ, die im Verdacht standen, ein linkes Netzwerk zu organisieren. Zweitens schritt er zur Ernennung von reformorientierten Offizieren auf die höchsten Posten und nahm zugleich gegenüber der traditionellen Linken in der Armee eine versöhnliche Haltung ein, solange sie nicht eine Verschwörung gegen ihre neuen Befehlshaber anzettelten. Er stärkte auch die Vertretung der Armee in den führenden Parteiorganen: auf dem 14. Parteitag der KPCh 1992 stieg der Anteil der Armee im Zentralkomitee von 18 auf 22%, und mit General Liu Huaqing erhielt ein Berufsoffizier einen ständigen Sitz im Politbüro. Drittens entschloss sich Deng mit Unterstützung der Armeekommandeure, stärkeres Gewicht auf Professionalität und Technologie zu legen, um etwas zu schaffen, was er als „Elitekorps mit chinesischen Charakterzügen" bezeichnete. Wie auch die Sowjetarmee war die PLA stark beeindruckt von den Leistungen der Hightech-Waffen und der westlichen Luftwaffe während des Golfkrieges. Das untergrub die Position derjenigen Offiziere, die noch immer die auf ideologischer Motivation beruhende Taktik des Volkskrieges betonten. Das Militär entschloss sich daher zur Unterstützung der wirtschaftlichen und technologischen Modernisierung, die als unverzichtbar erschien, um die chinesischen Streitkräfte auf den Stand der Kriegführung im 21. Jahrhundert zu bringen. Nicht zuletzt sorgten Deng und Jiang dafür, dass die PLA vollständig an den Segnungen des chinesischen Wirtschaftsaufschwungs partizipierte. Rüstungsfabriken erhielten die Möglichkeit, sich auf den zivilen Markt auszurichten, was sie mit der Zusicherung von Schutzzöllen gegen ausländische Importe im Rücken mit erheblichem Erfolg taten. Einzelne Offiziere wurden zu Staatsunternehmen und zu staatlichen Überwachungsgesellschaften abgeordnet und erhielten die Möglichkeit, aus ihrer kommerziellen Tätigkeit Profit zu schlagen. Die Provinzverwaltungen schlossen sich dieser Politik an, sodass am Ende Tausende von Offizieren in den Vorständen der neuen „Kollektivunternehmen" saßen und in die neue Klasse bürokratischer Unternehmer integriert wurden. Da außerdem aktive Offiziere sich nicht gänzlich dem Wirtschaftsleben widmen können, erhielten ihre Söhne und Töchter in China ebenso wie in Hongkong die Möglichkeiten dazu. So entstand ein riesiges Netzwerk von Familieninteressen, das ausländische Unternehmensnetzwerke, bürokratische Unternehmer, PLA-Führer und ihre Familien miteinander verband und so die herrschende Klasse Chinas in einem untrennbaren Gewebe von politischen Positionen und Wirtschaftsinteressen konstituierte. Die Konversion der PLA aus einer Bastion der Linken zu einer wirtschaftsfreundlichen Institution ging schließlich für die politischen Interessen des chinesischen Staates zu weit. 1998 erließ Jiang Zemin mehrere Direktiven, um die Beteiligung hoher Offiziere an Wirtschaftsunternehmen einzuschränken, weil die Armee dabei war, wegen des übermäßigen Engagements vieler Offiziere bei ihren geschäftlichen Vorhaben ihre Disziplin und militärische Bereitschaft zu verlieren. Insgesamt blieb die Armee jedoch ein wesentlicher Bestandteil der neuen, profitablen staatskapitalistischen Wirtschaft Chinas. Weil daher die Einheit von Partei und Armee weitgehend durch ihre neuen wirtschaftlichen Bande gesichert war und die Gesellschaft sich unter Kontrolle befand, schien der chinesische kommunistische Staat bereit zu sein, den allmählichen Übergang zu einem wirtschaftlichen und politischen System zu vollziehen, das in der Lage wäre, auf die Interessen dieser Eliten im Zusammenhang von Chinas Integration in die globale Wirtschaft einzugehen.

An der Jahrtausendwende sah sich China jedoch einer Reihe schwieriger Probleme gegenüber, deren Lösung seine Zukunft ebenso bestimmen wird wie das Schicksal der Pazifikregion im 21. Jahrhundert. Keines dieser Probleme hat mit Demokratie zu tun, was ein westliches Anliegen und für den größten Teil Chinas kein wirkliches Problem ist. Aber von den sozialen Konflikten, die sich aus einigen dieser Probleme ergeben, könnte durchaus eine demokratische Bewegung ausgehen. Ich konnte mindestens vier solcher Probleme feststellen. Vielleicht das unmittelbarste ist die massive Landflucht als Folge der Modernisierung und Privatisierung der Landwirtschaft, von der während der 1990er Jahre schätzungsweise 300 Mio. Bauern betroffen waren. Ein gewisser Teil von ihnen kommt in den kleinen Landstädten unter, die von der chinesischen Regierung geschaffen werden, um den Schock abzufangen. Andere sind in der neuen städtischen Wirtschaft sowie in den Fabriken und Werkstätten beschäftigt, die über die halbländlichen Gebiete verstreut sind. Viele von ihnen (vielleicht sogar 50 Mio.) befinden sich offenbar in der Kategorie der „fließenden städtischen Bevölkerung", die auf der Suche nach Arbeit und Unterkunft die chinesischen Städte durchstreift. Diese Masse entwurzelter Migranten lässt sich schwerlich mit der Vorstellung einer „Zivilgesellschaft" in Einklang bringen. Sie sind unorganisiert, haben weder kulturelle noch politische Ressourcen, um eine artikulierte oppositionelle Kraft darzustellen. Aber sie sind ein außerordentlich explosives Element, dessen potenzielle Wut den gesamten Transitionsprozess zur Marktwirtschaft destabilisieren könnte, sollten sie mit messianischen Führungsfiguren oder mit Splitterfraktionen der Kommunistischen Partei in Berührung kommen.

Ein weiteres ernstes Problem besteht in den erbitterten Konflikten, die zwischen einzelnen Provinzen existieren. Aus Gründen, die oben angesprochen wurden, scheinen die Gegensätze zwischen der Zentrale und den Provinzen, zumal den reichen Provinzen des Südens und der Küste, in intelligenter Weise durch die Kooptation von Führungspersonen aus den Provinzen (vor allem aus Schanghai) in die Regierung in Beijing abgefedert worden zu sein. Ähnliches gilt für die Freiheiten, die die Zentrale den Provinzen gelassen hat, auf eigene Faust in der internationalen Wirtschaft zu prosperieren. Weil die KPCh und die PLA ihre Interessen an der Zentralregierung und den Institutionen der Provinzen orientieren, scheint es funktionierende Wege zu geben, die vorhandenen scharfen Konflikte zwischen dem Zentrum und den Küstenprovinzen zu bearbeiten. Zudem stellt der ethnische/nationale Faktor anders als in der ehemaligen Sowjetunion und trotz des tibetischen Widerstands und der Unruhe unter den Moslems keine ernsthafte Quelle von Widersprüchen dar, weil die Han-Chinesen etwa 94% der Bevölkerung ausmachen. Außerhalb von Tibet, Xinjiang und der Inneren Mongolei ist daher die Grundlage für nationalen oder regionalen Widerstand sehr dünn. Es gibt aber eine intensive Rivalität und erbitterte Konkurrenz unter den Provinzen, wobei besonders die armen Regionen des inneren China den reichen Küstenprovinzen gegenüber stehen, die vollständig an Marktwirtschaft und internationalem Austausch teilhaben. 1996 berichtete das Innenministerium, dass es zwischen Provinzen und Regionen zu über 1.000 Streitigkeiten und zu einigen „blutigen Kämpfen" über die Bestimmung ihrer territorialen Grenzen gekommen war. Manche Provinzen setzen ihre Autonomie ein, um innerhalb ihrer Grenzen den Verkauf von Produkten aus anderen Provinzen zu verbieten und verfolgen eigene Steuer-, Kredit- und Industriepolitiken. Weil die politische Schlagkraft der Provinzen noch immer weitgehend von ihren Einflussmöglichkeiten in Beijing abhängt, werden ihre Streitereien und damit auch die potenziell destabilisierenden Tendenzen in die zentralen Apparate von Partei und Regierung exportiert. So trifft etwa die augenblickliche Vorherrschaft von Schanghai in der Beijinger Regierung auf starke Ressentiments in Guangdong. Die Eingliederung von Hongkong scheint diese Spannungen zu verstärken, weil die Wirtschaftsmacht der Mega-Region Hongkong/Guangdong nicht den entsprechenden politischen Einfluss in Beijing hat. Und weil weiter die regionalen Ungleichheiten zwischen den armen, subventionierten Regionen und den sich selbst versorgenden, marktorientierten Regionen dramatisch zunehmen, gewinnen die ideologischen Konflikte über das Ausmaß und die Haltbarkeit der Kommandowirtschaft und des sozialistischen Sicherheitsnetzes regionale Untertöne, und das wird sich noch weiter verstärken. Die potenziellen regionalen Konflikte, die sich in China abzeichnen, werden nicht dem Auseinanderbrechen der Sowjetunion gleichen. Es wird vielmehr ein Regionalismus mit chinesischen Charakterzügen sein, vielleicht mit der Gefahr, in eine neue Zeit der kämpfenden Staaten abzugleiten, wie sie unter den Han-Chinesen vor 24 Jahrhunderten für 200 Jahre eingetreten war.

Das dritte Hauptproblem, dem China sich gegenüber sieht, betrifft die Frage, wie man sich auf eine Marktwirtschaft zubewegen und zugleich Massenarbeitslosigkeit und den Wegfall des Sicherheitsnetzes vermeiden soll. Hier gibt es hauptsächlich zwei Schwierigkeiten. Die erste ist die Privatisierung des Wohnraumes. Einerseits ist dies die Geheimwaffe der Regierung, um die chinesische Wirtschaft anzukurbeln, indem die große, unangetastete Masse privater Ersparnisse mobilisiert und auf einen gigantischen Hypothekenmarkt für Wohnungsbau und -erwerb geleitet wird. Andererseits verfügt der größte Teil der städtischen Bevölkerung nicht über die Mittel, sich Zugang zum neuen Immobilienmarkt zu verschaffen. Deshalb könnten Entwurzelung, städtische Segregation und massive Wohnungslosigkeit die Folgen eines hohen Tempos bei der Privatisierung des Wohnraumes sein. Das ist der Grund, warum der „große Knall“ des Privatisierungsprogramms, der für Juli 1998 angekündigt worden war, auf unbestimmte Zeit verschoben worden ist, um stattdessen vorsichtiger Stadt für Stadt vorzugehen.[120]

Das zweite große Problem, das die chinesischen Wirtschaftsreformen verlangsamt, sind die niedrige Produktivität und niedrige Rentabilität vieler (aber wie oben gezeigt, nicht aller) staatlicher Unternehmen, die mit Subventionen überleben und noch immer den größten Teil der industriell Erwerbstätigen beschäftigen. Das Problem wird noch durch die Tatsache verschärft, dass große Staatsbetriebe ebenso wie staatliche Verwaltungen für alle Lebensbereiche der chinesischen Arbeiter von entscheidender Bedeutung sind, vom Wohnen bis zur Gesundheitsversorgung, vom Kindergarten bis zum Urlaub. Die Privatisierung ist zügig vorangeschritten, aber die meisten Staatsunternehmen finden keine Käufer, und die Regierung finanziert sie weiter. Wie lange noch? Alles deutet darauf hin, dass die chinesischen Kommunisten fest entschlossen sind, nicht dieselben Fehler wie ihre europäischen Pendants zu begehen. Sie hören zwar auf westliche Ökonomen, wenn es um den Umgang mit dem internationalen Wirtschaftssektor geht, doch scheinen sie sich darauf eingerichtet zu haben, eine lange Übergangsperiode abzusichern, während der der öffentliche Sektor und der Wohlfahrtsstaat als die Grundlagen ihrer eigenen Macht und Legitimität subventioniert werden. Dafür ist die Beibehaltung des zentralen Plansystems als System der Buchhaltung und des Managements im öffentlichen Sektor unverzichtbar, und damit werden die Funktion und die Arbeitsplätze von Millionen von Staatsangestellten gerechtfertigt, deren Lebensunterhalt davon abhängt. Die neue chinesische Wirtschaft entwickelt sich daher durch den Gegensatz von drei Sektoren: eines öffentlichen Sektors, der von der Marktkonkurrenz abgeschottet ist; eines international orientierten Sektors, der auf Auslandsinvestitionen und Außenhandel eingestellt ist; und eines auf den Binnenmarkt orientierten kapitalistischen Sektors, in dessen Zentrum hauptsächlich das bürokratische Unternehmertum steht. Die Verbindungen und Übergänge zwischen den drei Sektoren werden von den Unternehmensnetzwerken der Partei garantiert, den so genannten „roten Kapitalisten“. Die Komplexität des Systems und die Anzahl potenzieller Interessenkonflikte eröffnen jedoch die Möglichkeit heftiger Machtkämpfe. So war es etwa 1999 dem Finanzministerium klar, dass es zur Vermeidung einer Bankenkrise die Anzahl der „faulen Kredite“ reduzieren musste, welche die Banken unrentablen Staatsunternehmen gewährt hatten. Zu diesem Zweck gründete es die Vermögensbewertungsfirma China Cinda, die

120 Po (i.E.).

von in Amerika ausgebildeten Finanzfachleuten betrieben wurde. Cinda leitete ein ehrgeiziges Programm von *debt-for-equity swaps* zugunsten der großen Staatsbanken ein, indem es einen Teil ihrer notleidenden Kredite übernahm und diese Schulden in Anteile an den Schuldnerunternehmen eintauschte. Dann entwickelte Cinda für jedes Unternehmen ein Sanierungsprogramm, wozu auch die Entlassung von Tausenden von Arbeitern gehörte, um Kosten zu senken und Rentabilität zu schaffen. Ungeachtet einer Reihe schmerzhafter Erfahrungen mit solchen Sanierungen wurde Cinda mit seinem harten Managementansatz durch die chinesische Wertpapierregulierungskommission gebremst, deren Zustimmung für jede Sanierung erforderlich war. Demnach hing der Fortschritt der Privatisierung und profitorientierter Strategien in hohem Maße von politischen Überlegungen und widerstreitenden Ansichten zwischen den politischen Stellen ab, die an der Wirtschaftsreform beteiligt waren.

Das vierte Problem ist von anderer Art, aber ich halte es für entscheidend für die Machbarkeit des „Modells Singapur", das die chinesische kommunistische Führung anscheinend anzuwenden bestrebt ist. Und es stellte auch, wie ich in Kapitel 1 zu zeigen versuche, einen wichtigen Faktor bei der Auflösung der Sowjetunion dar. Dabei geht es um Technologie, um Informationstechnologie. Wenn die Wirtschaft Chinas in der globalen Arena konkurrenzfähig sein soll und wenn der chinesische Staat militärische Macht beweisen soll, dann ist die technologische Basis unverzichtbar. Die besitzt China jedoch noch nicht. Es besaß sie mit Sicherheit noch nicht, als ich 1987 Gelegenheit hatte, sie wenn auch oberflächlich zu begutachten.[121] Neuere Informationen weisen allerdings darauf hin, dass China während des letzten Jahrzehnts bedeutende Fortschritte gemacht hat. Das gilt, wie oben erwähnt, vor allem für Telekommunikation und PCs. Das Tempo des technologischen Wandels ist jedoch so hoch, dass China seine technologische Aufwertung gegenüber den Vereinigten Staaten, Japan, den asiatischen „Tigern" und den multinationalen Konzernen auf der ganzen Welt wird forcieren müssen. China kann durchaus Satelliten in die Erdumlaufbahn schießen und verfügt über bemerkenswerte naturwissenschaftliche Forschungsgruppen. Es ist auch Atommacht mit der Fähigkeit zu Raketenstarts, vermutlich einschließlich eines begrenzten Vorrats an Interkontinentalraketen. Satellitenstarts sind jedoch hauptsächlich ein Geschäft, das andere Länder mit mittleren Technologiestandards wie Indien betreiben; die Naturwissenschaften scheinen sich vorwiegend isoliert von der Industrie zu entwickeln; und die Fähigkeit, einen Teil des Planeten in die Luft zu jagen, ist ein letztes militärisches Abschreckungsmittel, aber kein Beleg für die technologische Fähigkeit zur konventionellen Kriegführung. Die Frage ist dieselbe, wie sie sich für die Sowjetunion stellte: ob sich die gegenwärtige technologische, auf Informationstechnologie basierende Revolution in einer geschlossenen Gesellschaft entwickeln lässt, in der die einheimische Technologie im nationalen Sicherheitssystem ab-

121 Bianchi u.a. (1988).

gesondert ist, wo kommerzielle Anwendungen von Auslandslizenzen und Imitaten abhängig sind, und am Allerwichtigsten, wo sich Individuen, Privatunternehmen und Gesamtgesellschaft die Technologie nicht aneignen, sie benutzen und ihre Möglichkeiten entwickeln können – etwa durch freien Zugang zum Internet. Ich glaube, das geht nicht, und die Erfahrung der Sowjetunion scheint das zu bestätigen, wenn auch zuzugestehen ist, dass in der Krise der Sowjetunion andere wichtige Faktoren eine Rolle gespielt haben und die chinesischen Kommunisten den Vorteil nutzen können, aus der sowjetischen Erfahrung zu lernen. Die chinesischen Führer glauben, sie können den Widerspruch handhaben, indem sie Technologie aus dem Ausland beschaffen, Maschinen kaufen, sich Lizenzen besorgen, durch Technologietransfer ausländischer Unternehmen und indem sie ihre eigenen Wissenschaftler und Ingenieure zur Ausbildung ins Ausland schicken. 1987 wurde mir bei meinen Unterhaltungen mit einigen ihrer Experten in diesen Fragen und bei unserer Studie über ihre Technologiepolitik deutlich, dass die chinesischen Beamten eine überholte, industrialistische Vorstellung davon hatten, was Technologie eigentlich ist. Sie glaubten immer noch, Technologie bestehe aus Maschinen, und sie könnten mit den ausgezeichneten wissenschaftlichen und technischen Fähigkeiten der chinesischen Experten alles zuwege bringen, wenn sie nur die nötigen Apparate besäßen. Daher ihr vorrangiges Bestreben, Lizenzen zu erwerben und Maschinen zu importieren sowie sich um die Ansiedlung technologisch avancierter Multis zu bemühen, die erkennbare Auswirkungen auf die chinesische Industriestruktur haben könnten. Das ist schlicht verkehrt, obwohl hier nicht der Ort dafür ist, Ihnen eine Vorlesung darüber zu halten, was heutzutage Technologie ist. Im informationellen Paradigma sind die Anwendungen der Technologie von der Technologie selbst nicht zu trennen. Geräte lassen sich mit Ausnahme von militärischem Ausrüstungen überall leicht kaufen. Es kommt aber darauf an, zu wissen, was man mit ihnen anfangen soll, wie man sie programmieren und umprogrammieren und mit ihnen in einem weitgehend von glücklichen Zufällen abhängigen Prozess interagieren soll, der ein offenes, unzensiertes Netzwerk der Interaktion und der Rückmeldung erfordert. Die Technologie befindet sich vor allem in unserem Gehirn und unserer Erfahrung. China sendet als effektivstes Mittel zum Ausbau seiner technologischen Möglichkeiten nach wie vor Studierende und Experten ins Ausland. Wie aber Lehrende großer Universitäten auf der ganzen Welt wissen, sind die meisten dieser klugen jungen chinesischen Wissenschaftler und Ingenieure zu Hause nach ihrer Rückkehr nicht wirklich willkommen. Sie werden von einem bürokratischen Wissenschaftssystem, durch Anwendung von Technologie auf niedrigem Niveau und eine allgemein beklemmende kulturelle Atmosphäre erstickt. Also bürokratisieren sie sich nach ihrer Ausbildung, oder sie finden ein profitableres Geschäft, oder sie bleiben in vielen Fällen einfach im Westen oder bekommen einen guten Job in der blühenden Pazifikregion außerhalb Chinas. Ich will nicht so weit gehen, zu behaupten, China könne ohne Demokratie nicht wirklich Zugang zum Paradigma der Informationstechnologie bekommen, die für seinen großen Plan so lebenswichtig ist: Politische Prozesse lassen sich nicht zu einfachen Aussagen eindampfen. Aber ohne eine Art von offener Gesellschaft wird es aus Gründen, die in Band I und in Kapitel 1 dieses Bandes dargelegt werden, vermutlich nicht gehen. Es scheint aber einige Hinweise auf Verbesserungen in den chinesischen Hochtechnologiebranchen, vor allem bei den Ausrüstungen für Telekommunikation zu geben. Das liegt in hohem Maße am Technologietransfer durch multinationale Konzerne und auslandschinesische Unternehmen, die mit technologisch avancierten Staatsunternehmen kooperieren und auf die ausgezeichneten Standards der chinesischen technischen Universitäten setzen. Die Frage ist, ob sich diese technologische Aufwertung ohne eine vollständige Modernisierung der gesamten industriellen Fertigung und ohne eine viel breitere Öffnung der chinesischen Universitäten für internationalen Austausch durchhalten lässt.

Das Schlüsselproblem ist hier die Entwicklung des Internet, des Rückgrates der Netzwerkökonomie, aber auch der Netzwerkgesellschaft. Beide Aspekte lassen sich nicht voneinander trennen. Weil sich die chinesische Regierung völlig über die potenziellen politischen Implikationen freier Kommunikation im Klaren ist, ist sie zwischen der Notwendigkeit, neues Unternehmertum zuzulassen und dem Kontrollverlust bei Informationen hin und her gerissen. Die Zahl der Internet-User ist in China schnell von 900.000 1997 auf mehr als 4 Mio. Ende 1999 angewachsen. Aber das Wachstumspotenzial ist weit größer und hat beträchtliche ausländische Investitionen in chinesische Internetunternehmen gezogen. Im September 1999 forderte der Minister für die Informationsindustrie Wu Jichuan, die ausländischen Investitionen ins Internet zu stoppen, weil diese Investitionen ein Verbot von 1993 verletzten, das sich gegen ausländische Kontrolle über chinesische Telekommunikationseinrichtungen richtete. Es gibt gegenwärtig einen scharfen Konflikt innerhalb der chinesischen Regierung darüber, wie und wie sehr man die Ausbreitung des Internet und seiner Anbindung ans Ausland zulassen soll. Insgesamt wurstelt China sich durch den Widerspruch hindurch, der in der Entwicklung von Informationstechnologie in einer Gesellschaft besteht, in der Information kontrolliert ist. Aber diese pragmatische Politik wird sich noch viel größeren Problemen gegenüber sehen, wenn die chinesischen Unternehmen erst einmal ein höheres Niveau an technologischer Innovation benötigen, das nicht durch *reverse engineering* erreicht werden kann.

Demokratie ist demnach in China kein vordringliches Thema, und die Nachfolge Dengs scheint bei einer fähigen kommunistischen Führungsgruppe mit Jiang Zemin an der Spitze unter Kontrolle zu sein. Doch die Aussichten der Parteiherrschaft im 21. Jahrhundert und die Möglichkeiten der Übernahme des „Modells Singapur“ sind angesichts des weiten Spektrums konfliktträchtiger Probleme, die zur Jahrtausendwende angepackt werden müssen, doch fraglich. Eine grundlegende Frage betrifft die möglichen Ausdrucksformen dieser sozialen Probleme als soziale Konflikte. Unter Berücksichtigung der chinesischen

Geschichte ist meine Hypothese, dass sich soziale Konflikte im China des 21. Jahrhunderts eher als identitätsbasierte Mobilisierungsprozesse denn als politische Bewegungen entwickeln könnten, die auf die Eroberung des Staates abzielen. Das entspricht meiner umfassenden Analyse der widersprüchlichen Beziehung zwischen Globalisierung und Identität. Tatsächlich schien diese Möglichkeit bestätigt zu werden, als 1999 ein Leitartikel in der chinesischen kommunistischen Parteizeitung, der *Volkszeitung* vom 5. November betonte: „Wir müssen vollständig zu kraftvollen Gegenmaßnahmen auf die Erbitterung und Komplexität des Kampfes gegen diese böse Kraft vorbereitet sein ... Dies ist eine wichtige politische Frage, bei der es um die Zukunft des Landes geht, um die Zukunft seiner Menschen und um die Zukunft der großen Bemühungen um Reformen und Öffnung und sozialistische Modernisierung."[122] Diese „böse Kraft", die den gesamten Kurs der sozialistischen Modernisierung in China gefährden könnte, ist nicht mehr der Kapitalismus oder Imperialismus. Es ist auch nicht die Bewegung für Demokratie. Es ist der obskure Kult Falun Gong, der die alte chinesische Tradition des Qigong, der Stärkung der Lebensenergie des Körpers, praktiziert und sie mit Elementen des Buddhismus und Daoismus vermischt. Dieser Kult war unter Führung von Li Hongzhi, eines ehemaligen kleinen Bürokraten, der jetzt in New York im Exil lebt, in der Lage, vor den zentralen Regierungsgebäuden in Beijing in mehreren Fällen Tausende von Anhängern zu mobilisieren, die einfach forderten, in Ruhe gelassen zu werden. Mit mehreren Millionen Gläubigen in China und auf der ganzen Welt, die von Li Hongzhi über das Internet locker miteinander koordiniert werden, flößte Falun Gong den chinesischen Kommunisten mehr Angst ein als irgendeine andere Protestbewegung in der Vergangenheit. Diese anscheinend überzogene Reaktion lässt sich offenbar durch eine Reihe von Faktoren erklären. Zuerst sind da die Schwierigkeiten bei der Überwachung und Unterdrückung der Bewegung. Ihre Größe (nach Regierungsangaben mindestens 2 Mio. Anhänger), ihre lockere, dezentralisierte Struktur, doch mit der Fähigkeit sich an einem bestimmten Ort zu bestimmter Zeit für spezifische Proteste zu versammeln, erscheinen einem Staat als Herausforderung, der es gewohnt ist, wohlorganisierte politische und militärische Kräfte zu bekämpfen und zu vernichten, nun aber durch eine flexible, vernetzte Struktur verwirrt ist, die auf der Autonomie von Individuen und zweckgerichteter Koordination beruht. Zweitens scheint Falun Gong seine wichtigste Unterstützungsbasis unter arbeitslosen und pensionierten Menschen mittleren Alters aus städtischen Gebieten in wirtschaftlich krisengeschüttelten Provinzen zu haben: Das sind genau diejenigen Teile der Bevölkerung, die vom Übergang zum Kapitalismus schwer getroffen werden. Einige Beobachter haben überlegt, dass die von den Qigong-Übungen erhofften gesundheitlichen Verbesserungen für viele Menschen mit Gesundheitsproblemen keine Kleinigkeit sind, wenn sie nach dem Verlust ihres Arbeitsplatzes ohne Gesundheitsver-

122 *The New York Times* (5. November 1999: A3).

sorgung da stehen. Drittens gibt es in China eine lange Tradition religiöser oder quasi-religiöser Bewegungen, die sich gegen ausländischen Einfluss erheben und in Schlüsselmomenten historischer Übergänge Widerstand gegen die Krise der traditionellen Institutionen leisten, wie etwa die Taiping-Rebellion 1845-1864 (s. Bd. II, Kap. 1). Bedenkt man das wache historische Bewusstsein der chinesischen politischen Führung, so muss alles, was irgendwie an diese Gespenster gemahnt, sicherlich Alarm auslösen. Und indem sie eine große Propaganda- und Repressionskampagne einleitete, lenkte die chinesische Regierung die Aufmerksamkeit der Menschen darauf, dass es solche Quellen der Opposition gibt und verstärkte die Wirkung von Falun Gong vielleicht in einer politischen Richtung, die von der Bewegung nicht unbedingt gewollt war.

Wenn Konflikte aufflammen, wenn China den politischen Druck der Außenwelt spürt und wenn die Innenpolitik unruhig wird, dann wird der chinesische Staat sehr wahrscheinlich versuchen, sich in der Form eines kompromisslosen Nationalismus zu perpetuieren. Da die revolutionäre Legitimität im Volk faktisch erschöpft ist, wird das Regime, sollte der Konsumismus nicht ein breites Bevölkerungssegment erreichen und so die gesellschaftliche Stabilität sichern, seine nationalistische Identität herausstellen und sich als Verteidiger Chinas und der Chinesen auf der ganzen Welt präsentieren, die endlich in der Lage sind, es mit dem Osten, Westen und Norden aufzunehmen und Japan, den USA und Russland gleichzeitig Respekt abzufordern. 1996-1999 schienen das Säbelrasseln im Chinesischen Meer, die Konfrontation mit Taiwan, Vietnam und Japan wegen der Souveränität über ein paar Inselchen und die offenen Drohungen gegen Taiwan darauf hin zu deuten, dass dies für das chinesische Regime ein möglicher politischer Entwicklungspfad ist. Dies könnte auf eine beträchtliche öffentliche Unterstützung zählen. Der Nationalismus steht in China zu dieser Jahrtausendwende hoch im Kurs. Studenten haben im August 1996 mit solchem Enthusiasmus gegen die Arroganz Japans demonstriert, dass die Regierung eingreifen musste, um die Bewegung zu beruhigen, bevor sie außer Kontrolle geriet. So ist China nach einem halben Jahrhundert Kommunismus wieder an dem Punkt angekommen, wo es seine Ansprüche als Nation und als Zivilisation anmeldet und nicht mehr als alternatives Gesellschaftssystem und dabei teilt es im Großen und Ganzen die Risiken und Reichtümer des Kapitalismus. Aber dieser erneuerte chinesische Nationalismus weist ausgeprägt sozialistische Charakterzüge auf. Und er greift in die Pazifikregion aus und drängt darüber hinaus, weil er es erstmals wagt, der Welt als Großmacht gegenüberzutreten.

Schluss: Globalisierung und Staat

In diesem Kapitel wurden genügend Belege vorgetragen, um die These zu untermauern, dass der Entwicklungsstaat die treibende Kraft in dem außerordentlichen Prozess wirtschaftlichen Wachstums und technologischer Modernisierung gewesen ist, den die asiatische Pazifikregion im letzten halben Jahrhundert erlebt hat. Zu den hier analysierten Fallbeispielen ließen sich andere hinzufügen. Malaysia war ebenso entwicklungsorientiert wie Singapur, wenn auch geschwächt durch seine internen, potenziell explosiven ethnischen und religiösen Widersprüche. Indonesien war ebenso wie Thailand in den 1980er Jahren ein Quasi-Entwicklungsstaat. Sicherlich beruhte das Regime Suhartos auf der Aneignung eines bedeutenden Teils des Reichtums des Landes durch die Familie Suharto mittels ihrer Kontrolle des Militärs, der Regierung und des Bankensystems. Suhartos persönliche Diktatur ermöglichte es ihm und seinen Spießgesellen, ein Bündnis mit den multinationalen Konzernen (vor allem den japanischen) und mit den reichen chinesischen Geschäftsleuten herzustellen, was es ihm erlaubte, das Land im Austausch für einen Anteil an den Profiten zu regieren. Während die Entwicklungsstrategie in Indonesien und Thailand als wesentliches Element jedoch die persönliche Bereicherung der Regierenden mit einschloss, konzentrierte sich die staatliche Politik doch darauf, das Land mit der globalen Wirtschaft zu verbinden, um die Volkswirtschaft zu industrialisieren und zu dynamisieren. Diese Strategien hatten im Hinblick auf Wachstum und Modernisierung großen Erfolg – wenn auch mit hohen sozialen Kosten. Schließlich gab es in den Staaten Südkoreas, Taiwans und selbst Japans auch systemische Korruption. Und persönliche Diktatur war lange Zeit ein zentrales Merkmal des Staates in Südkorea, Taiwan und Singapur. Demnach war mit Ausnahme der Philippinen unter Marcos (ein Räuberstaat), dem militaristischen Myanmar sowie Kambodscha und Laos, die von Kriegen zerrissen waren, der Entwicklungsstaat in unterschiedlichem Grad und in verschiedenen Formen der Hauptakteur im erfolgreichen Entwicklungsprozess der asiatischen Pazifikregion.

Sein eigener Erfolg hat dann zu seinem Untergang geführt, (vorerst) mit Ausnahme von China und Singapur. Der Entwicklungsstaat beruhte auf der Prämisse einer zweiseitigen relativen Autonomie. Relative Autonomie gegenüber der globalen Wirtschaft, wobei die Unternehmen des Landes international konkurrenzfähig gemacht, aber Handel und Finanzströme kontrolliert wurden. Relative Autonomie gegenüber der Gesellschaft, wobei Demokratie unterdrückt oder limitiert wurde und die Legitimität auf der Verbesserung des Lebensstandards, nicht aber auf Bürgerbeteiligung beruhte. All dies unter dem Banner des Dienstes an der Nation, oder selbst ihrer Schöpfung, während es den Herrschenden selbst zugute kam. In beiderlei Hinsicht wurde die Autonomie des Staates durch das Ergebnis des Entwicklungsprozesses in Frage gestellt. Die vollständige Integration in die globale Wirtschaft machte es für den Staat immer schwieriger, die Finanzströme, den Handel und damit die Industriepolitik unter Kontrolle zu behalten. Unternehmen, die der Staat aufgepäppelt hatte, wurden zu globalen Konzernen oder zu globalen Unternehmensnetzwerken. Finanzinstitutionen zapften die internationalen Finanzmärkte auf eigene Faust an. Globale Investoren fanden ihren direkten Weg in die boomenden asiatischen

Volkswirtschaften, den Wilden Osten eines ungehemmten Kapitalismus. Und Ende der 1990er Jahre auch nach Japan. Die vom Entwicklungsstaat geschaffenen traditionellen Mechanismen waren überholt, aber es gab keine neuen, der Globalisierung der Finanzmärkte angepassten Regeln und Regulierungsformen. Wir wissen, dass Kapitalismus nicht einfach gleichbedeutend ist mit dem freien Markt. Ungehemmte Märkte ohne verlässliche Institutionen und Regelwerke sind, wenn die Lehren der Geschichte irgendetwas wert sind, gleichbedeutend mit Plünderung, Spekulation, missbräuchlicher persönlicher Bereicherung und letztlich mit Chaos. Das institutionelle Vakuum, das der wirre Übergang vom Entwicklungsstaat zu einem neuen, regelhaften kapitalistischen Bezugsrahmen geschaffen hatte, wurde schnell von globalen Geldverleihern, Spekulanten und ihren lokalen Kumpanen ausgefüllt.

Der Erfolg des Entwicklungsstaates bei der Modernisierung der Wirtschaft hat in den meisten Fällen zur Entstehung einer Zivilgesellschaft geführt, die ihre Ansprüche gegenüber dem autoritären Staat geltend machte. Als der gesellschaftliche Wandel und die Demokratie sich durch die politischen Institutionen kämpften, wurde der Spielraum des Entwicklungsstaates eingeschränkt. Er war daher immer weniger in der Lage, gleichzeitig mit der globalen Konkurrenz fertig zu werden und für das persönliche Wohlergehen der Regierenden zu sorgen. Niemand schien den Zusammenhang zwischen der Bewahrung dieser doppelten Autonomie und dem Überleben des Entwicklungsstaates besser zu verstehen als der nationale Führer von Malaysia Mahathir Mohamad. Seine Reaktion auf die Krise ging in drei Richtungen. Erstens, Malaysia teilweise von der globalen Wirtschaft abzukoppeln, indem der Ringgit nichtkonvertibel gemacht wurde und ein striktes Kontrollsystem für grenzüberschreitende Finanztransaktionen eingerichtet wurde, aber dabei weiter Direktinvestitionen von Multis in Malaysia im Produktionssektor zu unterstützen. Zweitens, einen Schlag gegen Zivilgesellschaft und Demokratie zu führen, wozu die Entlassung von Mahathir Mohamads liberal gesinntem Stellvertreter und Finanzminister Anwar Ibrahim gehörte, den er unter lächerlichen Vorwänden ins Gefängnis sperrte, während er Menschen, die für Anwar demonstrierten, zusammenschlagen ließ. Drittens putschte er den malaysischen Nationalismus auf und berief sich auf die religiöse Identität, indem er die globalen Finanzstrategien als neue Form von Kolonialismus und westlicher Dominanz verurteilte, wie es hieß, wahrscheinlich von den Juden inspiriert und sicherlich unter der Regie von George Soros. Zwar hatten die meisten dieser Gesten vorwiegend symbolische Bedeutung, aber sie signalisierten doch die Weigerung zumindest eines Entwicklungsstaates, sich dem Prozess der Globalisierung zu beugen, zu dessen Zustandekommen nicht zuletzt die Entwicklungsstaaten beigetragen hatten.[123] Malaysia hat den Preis für diesen Anschein von Unabhängigkeit gezahlt. Als die malaysische Regierung zum 1. September 1999 die zehnprozentige Steuer auf die Repatriierung von

123 Jomo (1999).

Grundkapital in ausländischen Portfolio-Investitionen aufhob, fielen die gesamten ausländischen Portfolio-Investitionen von netto 1,2 Mrd. US$ im August auf 178 Mio. im September, weil sich das ausländische Kapital vom malaysischen Aktienmarkt zurückzog.

Es ist wichtig, aus den spezifischen Prozessen, die es Taiwan, Singapur und China ermöglicht haben, der Finanzkrise von 1997-1998 zu widerstehen, einige analytische Lehren zu ziehen, weil diese Lehren dazu beitragen können, die Bedingungen und Perspektiven einer Wiederbelebung des Wirtschaftswachstums in der Pazifikregion an der Jahrhundertwende zu verstehen. Taiwan bietet hier keinerlei Geheimnisse. Die taiwanesische Volkswirtschaft hatte Mitte der 1990er Jahre bereits den Übergang zu flexiblen Unternehmernetzwerken vollzogen, die mit Märkten und Fertigungsnetzwerken in der gesamten Pazifikregion und darüber hinaus in Verbindung standen. Der Staat war stark genug, um das Bankensystem teilweise abzuschirmen, aber nicht stark genug, einen auf Vetternwirtschaft ausgerichteten Kapitalismus zu verordnen oder die entstehende Zivilgesellschaft zu ersticken. Insgesamt waren die Unternehmen Taiwans und das gesamte Land daher vollständig in die Regeln und Verfahren des fortgeschrittenen globalen Kapitalismus integriert – mit allen Vorteilen und Risiken vollständiger Integration.

Singapur war und bleibt der ultimative Entwicklungsstaat, eindeutig eine Vervollkommnung des japanischen Vorbildes. Und doch erlitt seine Volkswirtschaft als Folge des umfassenden Niedergangs in Südostasien nur einen leichten Knick. Und seine Gesellschaft ist zwar wohlhabend und modernisiert, lässt sich aber nicht als Zivilgesellschaft im Sinne Gramscis bezeichnen. Die staatliche Kontrolle über die Wirtschaft ebenso wie über die Gesellschaft ist unvermindert. Ich halte das für eine Ausnahme. Weil Singapur vollständig in die globale Wirtschaft integriert ist, ist die Währung konvertibel, ist es ein führendes Finanzzentrum, steht es den multinationalen Konzernen vollständig offen und doch behält der Staat erhebliche Kontrolle über die Wirtschaft und die wilden Schwankungen der Finanzmärkte. Und obwohl staatliche Eingriffe gegenüber Personen und Organisationen eine immer gegenwärtige Möglichkeit sind, sind es der vom Volk selbst verursachte Rückzug sowie die staatliche Zensur und nicht rohe Gewalt, die in Singapur regieren. Ich kenne keinen Staat und keine Gesellschaft auf der Welt, die der Erfahrung Singapurs auch nur nahe kämen. Es könnte ein künftiges Modell der menschlichen Zivilisation vorweg nehmen, also genau das, was Lee Kwan Yew gewollt hat. Wenn das so ist, wird eine gründliche wissenschaftliche Auseinandersetzung mit Singapur als Labor für eine mögliche gesellschaftliche Zukunft im 21. Jahrhundert zu einer wichtigen Aufgabe.

In China liegen die Dinge anders, auch wenn die chinesischen Führer gerne das „Modell Singapur“ übernehmen würden. Vorerst demonstriert China die Möglichkeit, von der Globalisierung zu profitieren und die Wirtschaft des Landes gleichzeitig zum Teil von den unkontrollierbaren Marktkräften abzuschirmen. Die chinesische Regierung konnte durch die eingeschränkte Konvertibilität des Yuan und die Aufrechterhaltung strikter Kontrolle über die Finanzströme und mit der vollständigen staatlichen Kontrolle über das Bankensystem die Wettbewerbsfähigkeit der chinesischen Unternehmen auf den Exportmärkten voran bringen und Auslandsinvestitionen anziehen, für die vor allem die Marktgröße attraktiv war. So war China in der Lage, hohe Wirtschaftswachstumsraten beizubehalten und der Inflation oder Deflation in Abhängigkeit vom Wirtschaftszyklus entgegenzuwirken. Die naheliegende Konsequenz einer Strategie der Kontrolle über die Finanzströme ist die Zurückhaltung der globalen Investoren, in China Anleihen oder Investitionen zu platzieren. Deshalb könnten die Auslandsinvestitionen, die eine der wichtigsten Quellen für das Superwachstum Chinas während der 1990er Jahre gewesen sind, mit der Zeit zurückgehen, und dies könnte die Gefahr des Wachstumsstillstandes mit sich bringen. Es gibt aber eine wichtige alternative Finanzquelle: die hohe heimische Sparquote. Und damit ein Teil dieser Ersparnisse in harter Währung vorliegt, ist Wettbewerbsfähigkeit beim Export auf die Weltmärkte erforderlich. Schließlich war es genau diese Formel, die vom Entwicklungsstaat praktiziert wurde und das Wachstum in den asiatisch-pazifischen Ländern angespornt hat, bevor China sich ihnen angeschlossen und sie überholt hat. Während der Entwicklungsstaat also im größten Teil der asiatischen Pazifikregion am Ende zu sein scheint, könnte der chinesische Entwicklungsstaat als Werkzeug nationalistischer Selbstdarstellung und politischer Legitimität noch im Aufstieg begriffen sein. Die Größe Chinas, sein wissenschaftliches Potenzial, seine tiefen Verbindungen mit den dynamischen Unternehmensnetzwerken der Auslandschinesen könnten dem größten aller Drachen die Luft zum Atmen verschaffen. Man kann hier einer an Gerschenkron orientierten Logik folgern, denn ich vermute, dass sich der komparative Vorteil des chinesischen Entwicklungsstaates teilweise aus seinem späten Auftreten in der globalen Wirtschaft herleitet. Dann wird dieser Vorteil mit der Zeit verschwinden und China zwingen, sich mit denselben Widersprüchen herumzuschlagen wie seine frühreifen Nachbarn. Doch die Geschichte ist kein festgelegtes Szenario. Schon die Tatsache allein, dass China sich noch immer als Entwicklungsstaat gerieren kann, verändert den Kontext, weil China nicht wie Singapur eine kleine Ausnahme von der globalen Regel sein kann. Wenn es China gelingt, mit der Globalisierung zurechtzukommen und die Gesellschaft bei ihrem Übergang zum Informationszeitalter zu disziplinieren, dann bedeutet das, dass der Entwicklungsstaat für mindestens ein Fünftel der Menschheit lebt und putzmunter ist. Und wenn Nationen und Staaten auf der ganzen Welt sich gegenüber den globalen Finanzmärkten immer hilfloser fühlen, dann könnten sie nach Alternativen Ausschau halten und die chinesische Erfahrung anregend finden. Aber das ist natürlich nur eine von mehreren möglichen Verlaufsformen. Es könnte durchaus sein, dass China die Kontrolle über seine Wirtschaft verliert und dass eine schnelle Abfolge abwechselnder Deflation und Inflation das Land ruiniert, soziale Explosionen auslöst und politische Konflikte hervorruft. Wenn es so kommt, wird der Entwicklungsstaat seinen geschichtlichen Weg abgeschlossen haben, und die globalen Kapital- und Informationsströme können unangefochten herrschen – wenn nicht eine neue Staatsform, der Netzwerkstaat, für den die Europäische Union ein Beispiel sein könnte, den von ihrer Wirtschaft versklavten Gesellschaften rettend beispringt. Die Beziehung zwischen Globalisierung und Staat, die zentral für Entwicklung und Krise in der asiatischen Pazifikregion ist, ist auch die alles beherrschende politische Frage an der Jahrtausendwende.

5 Die Vereinigung Europas: Globalisierung, Identität und der Netzwerkstaat

Die Vereinigung Europas wird, wenn und falls sie um die Wende zum 21. Jahrhundert herum vollendet wird, eine der wichtigsten Tendenzen sein, die unsere neue Welt bestimmen.[1] Sie ist vor allem deshalb wichtig, weil sie wahrscheinlich (aber nicht mit Sicherheit) den jahrtausendelangen Kriegen ein Ende setzen wird, die die großen europäischen Mächte gegeneinander geführt haben. Diese wiederkehrenden Ereignisse haben Europa und im Zeitalter der Moderne der Welt über den gesamten Verlauf der bekannten Geschichte hinweg Zerstörung und Leiden gebracht, deren Höhepunkt mit der außerordentlichen Gewalt während der ersten Hälfte des 20. Jahrhunderts erreicht wurde. Sie ist auch wichtig, weil ein vereintes Europa mit seiner wirtschaftlichen und technologischen Macht und seinem kulturellen und politischen Einfluss zusammen mit dem Aufstieg der asiatischen Pazifikregion das weltweite Machtsystem in einer polyzentrischen Struktur verankern und so trotz anhaltender militärischer (und technologischer) Überlegenheit der Vereinigten Staaten die Existenz einer he-

---

1 Für dieses Kapitel bin ich intellektuell dem Austausch mit einer Reihe von Europa-Forschern sowohl aus dem Lehrkörper wie unter den Graduierten an der University of California, Berkeley verpflichtet, wo ich von 1994 bis 1998 Vorsitzender des Center for Western European Studies war. Ich bin auch vielen europäischen Gelehrten und Vortragenden (einschließlich Regierungsvertretern aus verschiedenen Ländern) dankbar, die das Zentrum während dieser Jahre besucht haben. Meine Darstellung der Informationstechnologie in Bezug auf die europäischen Volkswirtschaften und Gesellschaften ist teilweise durch den Austausch mit meinen Kollegen in der High Level Expert Group der Europäischen Kommission beeinflusst worden, der ich 1995-1997 angehört habe. Ich danke Luc Soete, dem Vorsitzenden dieser Gruppe für die Förderung dieses Austauschs. Ich habe auch von meiner Beteiligung an einem Forschungsprogramm profitiert, das 1995-1998 in Berkeley vom Center for German and European Studies und vom Center for Slavic and Eastern European Studies zum Thema „Europa und der Westen: Herausforderungen der nationalen Souveränität von oben und von unten“ organisiert worden ist. Ich danke den Direktoren dieses Forschungsprogramms, Victoria Bonnell und Gerald Feldman, für ihre freundliche Einladung, mich an diesem Unternehmen zu beteiligen. Nicht zuletzt haben meine Gespräche mit Alain Touraine, Felipe Gonzalez, Javier Solana, Carlos Alonso Zaldivar, Jordi Borja, Roberto Dorado, Peter Schulze, Peter Hall, Stephen Cohen, Martin Carnoy und John Zysman zu Themen, die in diesem Kapitel behandelt werden, meine Überlegungen geprägt und meinen Informationsstand beträchtlich bereichert.

gemonialen Supermacht ausschließen wird. Und ich behaupte, dass sie außerdem als Quelle institutioneller Innovation bedeutsam ist, die Antworten auf die Krise des Nationalstaates liefern könnte. Denn im Rahmen des Prozesses, in dem sich die Europäische Union herausbildet, entstehen auf europäischer, nationaler, regionaler und lokaler Ebene neue Formen des Regierens und neue staatliche Institutionen, die zu einer neuen Staatsform führen. Ich schlage vor, sie als *Netzwerkstaat* zu bezeichnen.

Es ist jedoch noch immer nicht recht deutlich, was der eigentliche Inhalt dieser Vereinigung ist und welches ihre Akteure sind, und das wird auch noch eine Zeit lang so bleiben. Gerade diese Zweideutigkeit macht die Vereinigung möglich und kennzeichnet ihren Prozess eher als eine Debatte denn einen fertigen Plan. So wuchs die europäische Vereinigung während des letzten halben Jahrhunderts denn auch aus der Konvergenz alternativer Visionen und miteinander konfligierender Interessen von Nationalstaaten sowie wirtschaftlichen und sozialen Akteuren. Allein schon die Vorstellung eines auf einer gemeinsamen Identität beruhenden Europa ist höchst fragwürdig. Der bekannte Historiker Josep Fontana hat belegt, wie die europäische Identität während der gesamten Geschichte immer gegen „das Andere" konstruiert wurde, gegen die Barbaren unterschiedlicher Art und unterschiedlichen Ursprungs.[2] Der augenblickliche Vereinigungsprozess macht da keinen Unterschied, weil er aus einer Abfolge *defensiver politischer Projekte* besteht, sie sich um ein paar Interessen gruppieren, die den beteiligten Staaten gemeinsam sind. Und doch ist Europa zur Jahrtausendwende etwas anderes und komplexeres. Das ergibt sich aus der internen Dynamik des Vereinigungsprozesses, der auf diesen defensiven Projekten aufbaut und dann neuerdings durch die beiden Makro-Tendenzen gedreht, verstärkt und herausgefordert worden ist, die charakteristisch für das Informationszeitalter sind: die Globalisierung von Wirtschaft, Technologie und Kommunikation sowie parallel dazu die Betonung von Identität als Quelle von Sinn. Weil es der klassische Nationalstaat nicht vermag, eine Antwort auf diese symmetrischen, einander entgegen stehenden Herausforderungen zu formulieren, versuchen die europäischen Institutionen – und sie versuchen es nur – , mit beiden Tendenzen durch den Einsatz neuer Formen und Prozesse zu Rande zu kommen und so den Versuch zum Aufbau eines neuen institutionellen Systems zu machen, des Netzwerkstaates. Das ist die Geschichte, auf die ich in diesem Kapitel eingehen werde, ohne die Möglichkeit zu haben oder auch die Absicht zu hegen, die gesamte wirtschaftliche und politische Komplexität darzustellen, die den Aufbau der Europäischen Union umgibt, wozu ich Interessierte auf die reichliche, gut informierte Literatur zu diesen Themen verweise.[3] Mir geht es

---

2 Fontana (1994).

3 Ein Großteil der Information, auf die sich meine Analyse stützt, lässt sich in allgemeinen Zeitungen und Zeitschriften wie *El País*, *Le Monde*, *The New York Times*, *The Economist* und *Business Week* finden. Ich halte es für unnötig, Einzelbelege für weithin bekannte Tatsachen

hier vor allem darum, zu zeigen, wie die von mir ausgemachten, für die Konfiguration des Informationszeitalters entscheidenden Tendenzen – Globalisierung, Identität und die Krise des Nationalstaates – den europäischen Vereinigungsprozess und damit die Welt des 21. Jahrhunderts prägen.

Die Vereinigung Europas als Abfolge defensiver Reaktionen: Bilanz nach einem halben Jahrhundert

Die Europäische Union ist das Ergebnis von drei explosiven Schüben politischer Initiative und institutionellen Aufbaus, durch die die beteiligten Länder gegen drei Serien wahrgenommener Bedrohungen in drei historischen Augenblicken geschützt werden sollten: in den 1950er, den 1980er und den 1990er Jahren. In allen drei Fällen war *das Ziel in erster Linie politisch und die Mittel, um dieses Ziel zu erreichen, waren hauptsächlich wirtschaftliche Maßnahmen.*

1948 trafen sich mehrere hundert führende europäische Politiker in Den Haag, um über die Aussichten einer europäischen Integration zu sprechen. Jenseits ideologischer Proklamationen und technokratischer Gelüste bestand das wesentliche Ziel der europäischen Integration darin, neue Kriege zu vermeiden. Dazu musste eine dauerhafte Form des Arrangements mit Deutschland gefunden werden, die sich von der demütigenden Lage Deutschlands nach dem Ersten Weltkrieg, die dann zum Zweiten Weltkrieg geführt hatte, deutlich abheben sollte. Diese Einigung hatte in erster Linie zwischen Deutschland und der anderen europäischen Kontinentalmacht Frankreich zu erfolgen. Und sie musste den Segen der Vereinigten Staaten haben, Europas Schutzmacht im Gefolge eines höchst zerstörerischen Krieges. Außerdem erforderte der Kalte Krieg, dessen Frontlinie durch Deutschland hindurch verlief, ein wirtschaftlich starkes, politisch stabiles Westeuropa. Die NATO sorgte für den notwendigen militärischen

---

anzuführen. Und ich beabsichtige auch nicht, den Leserinnen und Lesern eine dichte Bibliografie über die hoch spezialisierten Themen zu geben, um die es bei der europäischen Integration geht. Ich erwähne nur ein paar Quellen, die ich als nützlich zur Auffrischung meines Gedächtnisses und als anregend für meine Überlegungen zu einem Thema empfunden habe, das ich in Frankreich und Spanien während des letzten Vierteljahrhunderts sehr genau verfolgt habe. Wahrscheinlich eine der intelligentesten und am besten informierten Analysen ist bei Alonso Zaldivar (1996) zu finden. Einen hellsichtigen Überblick, dessen Überlegungen ich weitgehend teile, gibt Orstrom Moller (1995). Eine wichtige Quelle von Ideen ist Keohane und Hoffman (1991b). Ein grundlegender Aufsatz über die politische Dimension der europäischen Vereinigung ist Waever (1995). Zum Multikulturalismus und der Krise der Demokratie in Europa s. Touraine (1997). Weiter sind nützlich: Ruggie (1993); Sachwald (1994); Ansell und Parsons (1995); Bernardez (1995); Bidelux und Taylor (1996); Estefanía (1996, 1997); Hill (1996); Hirst und Thompson (1996); Parsons (1996), Pisani-Ferry (1996); Tragardh (1996); Zysman u.a. (1996); Zysman und Weber (1997); Ekholm und Nurmio (1999). Es ist auch erfrischend, die klassischen Texte von Ernst Haas (1958a,b) wieder zu lesen, wo viele der gegenwärtigen Debatten analytisch vorbereitet werden.

Schutzschirm, und der Marshall-Plan half dabei, die europäischen Volkswirtschaften wieder aufzubauen und ebnete zugleich den Weg für Investitionen der amerikanischen Multis. Aber es waren politische Institutionen notwendig, um die Beziehungen zwischen Nationalstaaten zu stabilisieren, die sich historisch im Kampf gegeneinander oder auf der Suche nach Allianzen für den nächsten Krieg konstituiert hatten. Es ist daher kein Wunder, dass der erste Schritt zur europäischen Integration ein gemeinsamer Markt für die Kohle- und Stahlindustrie war, der autonome nationale Entwicklungen in den Industriebranchen unmöglich machte, die zu dieser Zeit für jegliche künftige Kriegsanstrengung strategisch zentral waren. Die Europäische Gemeinschaft für Kohle und Stahl (EGKS) wurde im April 1951 von Westdeutschland, Frankreich, Italien und den Benelux-Ländern gegründet. Die guten Ergebnisse dieser Initiative führten zu den beiden Römischen Verträgen vom 25. März 1957, mit denen Euratom zur Koordinierung der Politik im Bereich der Kernenergie als der neuen strategischen Industriebranche sowie die Europäische Wirtschaftsgemeinschaft geschaffen wurden, die darauf ausgerichtet war, Handel und Investitionen zwischen den sechs Nationalstaaten zu verbessern.

Die schnelle Intensivierung der europäischen Integration auf dem Kontinent rückte konkurrierende Vorstellungen vom Integrationsprozess in den Vordergrund der europäischen Debatte. Die Technokraten, die die Urheber der Blaupause für ein vereintes Europa waren, und vor allem Jean Monnet träumten von einem föderalen Staat. Keiner der Nationalstaaten glaubte wirklich daran, und sie wollten es auch nicht. Die Trägheit der europäischen Institutionen führte jedoch zur Akkumulation eines beträchtlichen Einflusses (wenn nicht gar von Macht) in den Händen der europäischen Bürokratie, während Deutschland, dessen internationale Rolle eingeschränkt war, in der EWG eine willkommene internationale Bühne erblickte. Als de Gaulle französischer Präsident wurde, bremste dies den Prozess ab, in dem Souveränität übertragen wurde, und verstärkte die Option, die dann als intergouvernemental bezeichnet wurde: Die ganz Europa betreffenden Entscheidungen wurden in die Hände des Rates der Häupter der Exekutivmacht jedes einzelnen Landes gelegt. De Gaulle versuchte, der EWG eine weitere, neue politische Perspektive zu geben: ihre Unabhängigkeit gegenüber den Vereinigten Staaten zu betonen. Aus diesem Grund legte Frankreich 1963 und 1966 zweimal sein Veto gegen den britischen Beitrittsantrag in die EWG ein, aus der Überlegung heraus, dass die engen Bindungen Großbritanniens an die Vereinigten Staaten autonome europäische Initiativen gefährden würden. Tatsächlich vertrat Großbritannien damals eine dritte, andere Vision der europäischen Integration und tut es in gewissem Maße noch heute: Sie betont vor allem die Schaffung einer Freihandelszone, ohne dass ernsthaft politische Souveränitätsrechte abgegeben würden. Als Großbritannien (zusammen mit Irland und Dänemark) 1973 nach dem Rückzug de Gaulles schließlich in die EWG eintrat, wurde diese wirtschaftliche Vorstellung von der europäischen Integration für etwa ein Jahrzehnt vorherrschend. Damit wurde die politische Dynamik in den Hintergrund gedrängt und das Tempo der Integration faktisch verlangsamt, weil die Aushandlung nationaler Wirtschaftsinteressen den größten Teil der Energie und des Budgets der EWG in Anspruch nahm. Die Wirtschaftskrisen der Jahre 1973 und 1979 führten zu einer Ära des Euro-Pessimismus, und die meisten europäischen Nationen fühlten sich durch die beiden Supermächte ihrer nationalen Macht beraubt, technologisch deklassiert, weil die informationstechnologische Revolution sich weitgehend fernab der europäischen Küsten entwickelte und wirtschaftlich im Hintertreffen nicht nur gegenüber den Vereinigten Staaten, sondern auch gegenüber der neuen asiatisch-pazifischen Konkurrenz.

Die Einbeziehung Griechenlands 1981 und vor allem Spaniens und Portugals 1986 gab der europäischen Wirtschaft aber zusätzlichen Raum zum Atmen (schließlich war Spanien damals die achtgrößte Volkswirtschaft der Welt) und brachte neue, dynamische Teilnehmer ins Spiel. Aber dabei kamen auch Krisenregionen hinzu, und die Verhandlungen in Schlüsselbereichen wie Landwirtschaft, Fischerei, Arbeitsgesetzgebung und Abstimmungsverfahren wurden komplizierter. Es war jedoch das Gefühl, Europa könnte wirtschaftlich und technologisch zur Kolonie amerikanischer und japanischer Unternehmen werden, was zur zweiten großen Defensivreaktion führte, für die die Einheitliche Europäische Akte von 1987 steht, die Schritte zu einem wirklich vereinheitlichten Markt bis 1992 festlegte. Wirtschaftliche Maßnahmen wurden mit besonderer Aufmerksamkeit für die Technologiepolitik verbunden. Das geschah in Koordination mit dem europäischen Eureka-Programm, das auf Initiative der französischen Regierung, diesmal unter Mitterrand, ins Leben gerufen wurde, um der amerikanischen technologischen Offensive entgegenzutreten, die dann durch das Krieg-der-Sterne-Programm symbolisiert wurde. Da außerdem Mitterrand die französische Position hinsichtlich supranationaler Institutionen abschwächte und Spanien unter Felipe Gonzalez Deutschlands Bemühungen um die europäischen Institutionen unterstützte, erhielt die Europäische Kommission weiter reichende Machtbefugnisse; der Europäische Rat (die Vertretung der Chefs der Exekutiven) erhielt ein Abstimmungsverfahren nach dem Mehrheitsprinzip, und das Europäische Parlament erhielt einige begrenzte Rechte, die über seine zuvor symbolische Rolle hinausgingen.

Es hat auch politische Gründe, dass Spanien zusammen mit Deutschland wahrscheinlich das am stärksten föderalistisch orientierte Land wurde: Die Verankerung des Landes in einem starken, vereinten Europa sollte aus Sicht der spanischen Demokraten verhindern, dass sich das Land wieder den Dämonen des politischen Autoritarismus und kulturellen Isolationismus zuwendete, die die spanische Geschichte den größten Teil der vergangenen 500 Jahre über beherrscht haben. Der doppelte Impuls der vollständigen Durchsetzung der Demokratie in Südeuropa und der Verteidigung der technisch-wirtschaftlichen Autonomie Europas innerhalb des neuen globalen Systems bewirkte, dass aus der EWG die EG wurde: die Europäische Gemeinschaft. Wiederum war eine wirtschaftliche Maßnahme, die Schaffung eines wirklich gemeinsamen Marktes für Kapital, Güter, Dienstleistungen und Arbeitskraft im Kern ein Mittel zur weiteren politischen Integration, weil Teile der nationalen Souveränität abgetreten wurden, um den Mitgliedstaaten ein gewisses Maß an Autonomie im neuen globalen Umfeld zu sichern. Als Thatcher versuchte, sich dem entgegenzustellen und Großbritannien in einem überholten staatlichen Nationalismus zu verbarrikadieren, kostete es sie den Job. Der größte Teil der britischen politischen und wirtschaftlichen Eliten hatte verstanden, welche Möglichkeiten sich mit einem vereinten Europa boten und beschlossen mitzumachen, sich aber die Möglichkeit offen zu halten, bei nicht erwünschten politischen Schritten wie (für die Konservativen) der Sozialcharta auszusteigen.

Gerade als Europa sich zu einem beschleunigten Tempo wirtschaftlicher Ingeration und zu einem gemäßigten Tempo bei den supranationalen politischen Strukturen entschlossen hatte, veränderten sich am 9. November 1989 plötzlich die geopolitischen Rahmenbedingungen und gaben den Anstoß zu einer weiteren Runde des Aufbaus Europas, um den neuen politischen Problemen gerecht zu werden, die jetzt auf dem Kontinent auftraten. Die unerwartete Vereinigung Deutschlands musste notwendig tiefgreifende Auswirkungen auf die Vereinigung Europas haben, weil die Neutralisierung der geopolitischen Spannungen zwischen Deutschland und seinen europäischen Nachbarn das ursprüngliche Ziel der europäischen Integration gewesen war. Das neue vereinigte Deutschland mit 80 Mio. Menschen und 30% des BIP der Europäischen Gemeinschaft stellte im europäischen Kontext ein spalterisches Moment dar. Zudem ermöglichte das Ende des Kalten Krieges Deutschland, von der Vormundschaft frei zu werden, in der es vier Jahrzehnte lang von den Siegern des Zweiten Weltkrieges gehalten worden war. Es wurde also für das gesamte Europa erneut zur gebieterischen Notwendigkeit, die wirtschaftlichen und politischen Bindungen zwischen Deutschland und dem Rest des Kontinents zu verstärken, indem die Europäische Gemeinschaft intensiviert wurde und die deutschen Interessen darin ihren Platz fanden. Im Kern bedeutete das Verhandlungsergebnis, dass die deutsche Volkswirtschaft vollständig in das übrige Europa integriert wurde, indem eine einzige europäische Währung, der Euro eingeführt und eine unabhängige Europäische Zentralbank geschaffen wurde. Damit Deutschland seine mühsam erkämpfte harte D-Mark aufgab und der Widerstand der Bundesbank[4] überwunden werden konnte, waren zum Ausgleich vor allem drei wesentliche Dinge nötig:

1. Die europäischen Volkswirtschaften mussten die Deflationspolitik aushalten, die durch die Angleichung der Währungspolitik an die Bedürfnisse und das Tempo der deutschen Wirtschaft notwendig wurde, besonders nach der Entscheidung, den Wechselkurs zwischen der west- und ostdeutschen Wäh-

---

4 [Im Original deutsch; d.Ü.]

rung auf das Verhältnis von einer Mark zu einer DM festzulegen, was in Deutschland inflationären Druck ausgelöst hatte.

2. Die europäischen Institutionen mussten in ihren Befugnissen gestärkt werden, sodass sie ein höheres Niveau an Supranationalität gewinnen konnten, was bedeutete, den traditionellen französischen Widerstand und die britische Ablehnung gegenüber jeglichem Projekt zu überwinden, das dem Föderalismus nahe kam. Andererseits war das Drängen auf weitere europäische Integration für Deutschland die einzige Möglichkeit, sein Gewicht auf der internationalen Bühne zur Geltung zu bringen, ohne bei den meisten europäischen Ländern Furcht und Feindseligkeit hervorzurufen. Was Japan niemals vermocht hat – also die Gespenster des Zweiten Weltkrieges zu Grabe zu tragen – wird von Deutschland über seine vollständige Beteiligung an den supranationalen europäischen Institutionen vollzogen.
3. Deutschland forderte von den zwölf EU-Mitgliedern ein weiteres Zugeständnis, wobei es aus eigenen, anderen Gründen von Großbritannien unterstützt wurde: die Erweiterung der EU nach Norden und Osten. Im Fall von Österreich, Schweden und Finnland bestand die Zielsetzung darin, die Europäische Union durch reichere Länder und weiter entwickelte Volkswirtschaften auszubalancieren, um die Einbeziehung Südeuropas mit seiner Belastung durch arme Regionen zu kompensieren. Im Fall Osteuropas versuchte und versucht Deutschland, mit dem übrigen Europa wirtschaftlich und politisch die Notwendigkeit zu teilen, diese nicht konsolidierten Länder zu stabilisieren, um so zu verhindern, dass durch Immigration oder geopolitische Konflikte künftig politische Wirren auf Deutschland übergreifen. So könnte Deutschland seine Rolle als mittel- und osteuropäische Macht spielen, ohne in Verdacht zu geraten, eine Neuauflage von Bismarcks Traum zu betreiben.

Hierbei ist es interessant zu sehen, wie hartnäckig sich historische Einschätzungen davon halten, was eine geopolitische Bedrohung darstellt. Die osteuropäischen Länder übten allen möglichen Druck auf Deutschland aus, damit sie in die Europäische Union aufgenommen würden und auf die USA, um in die NATO zu kommen. Das geschah hauptsächlich aus Sicherheitsgründen: um für immer dem russischen Einfluss zu entkommen. Deutschland unterstützte ihr Anliegen auch mit der Zielsetzung, ein territoriales Vorfeld zwischen seiner Ostgrenze und Russland zu schaffen. Und doch erscheinen die Begriffe, mit denen über diese strategischen Ziele gehandelt wird, als obsolet. Zuerst einmal können und werden die großen Kriege des Informationszeitalters im Wesentlichen aus der Luft und durch elektronische Kommunikation sowie die Verzerrung von Funksignalen geführt werden, was ein paar Minuten mehr Flugzeit für Raketen oder Flugzeuge bedeutungslos werden lässt. Zweitens scheint Russland für den Westen kein Sicherheitsrisiko darzustellen, selbst wenn man das Wiederaufleben des russischen Nationalismus als Reaktion auf die Unterordnung des Jelzin-Regimes gegenüber dem westlichen Einfluss während der 1990er Jahre in Rechnung stellt. Vielmehr erlauben es – abgesehen von seinem Status als nukleare Supermacht – Russlands Militär und die wirtschaftliche Schwäche des Landes dem russischen Nationalismus auf Jahre hinaus nicht, geopolitische Machtgelüste auf Europa zu richten. Und doch haben Jahrhunderte der Konfrontation zwischen der russischen, deutschen und französischen Militärmacht im östlichen Europa, wobei in diesen Ländern brutale Schlachten ausgefochten wurden, einen Eindruck hinterlassen, der über die Transformation der tatsächlichen Bedingungen geopolitischer Konfrontation im Europa von heute hinausgeht. Wegen der Furcht vor der – realen oder potenziellen – russischen Macht und aufgrund der Instabilität der russischen Institutionen wird Russland, eine der ältesten europäischen Kulturen, nicht Mitglied der Europäischen Union werden. Die Länder des östlichen Europa sind unter den „Schutz" der NATO gestellt worden und werden der Europäischen Union in einer Weise assoziiert werden, die von Land zu Land unterschiedlich sein wird. Die Osterweiterung der Europäischen Union, die sich wahrscheinlich bis zur Mitte des ersten Jahrzehnts des 21. Jahrhunderts verzögern wird, wird aber im Grunde größere Schwierigkeiten für die effektive Integration in die EU schaffen. Das liegt an den gewaltigen Disparitäten, die in wirtschaftlicher und technologischer Hinsicht zwischen den ehemals etatistischen Ländern und selbst den ärmsten EU-Mitgliedern bestehen. Außerdem steigert sich, nach der reinen Spieltheorie, mit der Zahl der Mitglieder die Komplexität der Entscheidungsprozesse, was die Gefahr mit sich bringt, dass die europäischen Institutionen paralysiert werden und die Europäische Union auf eine Freihandelszone mit schwacher politischer Integration zurückgestutzt wird. Das ist übrigens der Hauptgrund, aus dem Großbritannien die Erweiterung unterstützt: Je größer die Anzahl und unterschiedlicher die Mitglieder sind, desto geringer ist die Bedrohung der nationalen Souveränität. Daraus ergibt sich das Paradox, dass Deutschland als das am stärksten föderalistische Land und Großbritannien als das am stärksten antiföderalistische Land die Erweiterung aus völlig unterschiedlichen Gründen unterstützen. Die Hauptprobleme, denen sich die europäische Vereinigung im ersten Jahrzehnt des 21. Jahrhunderts gegenüber sieht, haben mit dem beschwerlichen Prozess der Eingliederung Osteuropas zu tun, der mit der Aufnahme Polens, der Tschechischen Republik, Ungarns, Sloweniens und möglicherweise Estlands in die EU beginnen wird, alles Länder, deren Wirtschaft tief von europäischen (meist deutschen) Investitionen durchdrungen ist und die weitgehend von Exporten in die EU abhängig sind. Die Arbeitskraftmobilität wird jedoch noch einige Zeit beschränkt werden, und es werden politische Hürden bleiben, was Abstimmungsverfahren und Entscheidungsfindung in der Europäischen Union angeht. Letztlich wird die Osterweiterung der EU eine Reform ihrer politischen Institutionen erzwingen.

Der Vertrag von Maastricht, der im Dezember 1991 unterzeichnet und auf der Regierungskonferenz 1996-1997 überarbeitet wurde, nachdem Referenden in Frankreich und Dänemark sowie die britische parlamentarische Opposition drohten, ihn zu Fall zu bringen, war Ausdruck des Kompromisses zwischen diesen unterschiedlichen Interessen, und die Zweideutigkeit der institutionellen Formeln hatte zum Ziel, den Integrationsprozess fortzusetzen, ohne sich offen mit dem Grundproblem der Supranationalität auseinander setzen zu müssen. Im Kern bedeutete Maastricht mit der Entscheidung, eine europäische Währung zu schaffen, das Europäische Währungsinstitut zu gründen und die Finanzpolitik zu harmonisieren, eine unumkehrbare Festlegung auf eine vollständig vereinigte europäische Wirtschaft, die während der ersten Jahre des dritten Jahrtausends verwirklicht werden würde. Durch die Stärkung der Entscheidungskompetenzen der europäischen Institutionen und besonders, indem es erschwert wurde, eine Sperrminorität im Europäischen Rat zu organisieren, begann europaweite Politik auf so unterschiedlichen Gebieten wie Infrastruktur, Technologie, Forschung, Bildung, Umwelt, Regionalentwicklung, Immigration, Justiz und Polizei den Vorrang über nationale Politik zu erhalten. Dieser Integrationsprozess wurde durch den Namenswechsel von der Europäischen Gemeinschaft zur Europäischen Union symbolisch zum Ausdruck gebracht.

Ende der 1990er Jahre waren jedoch Außen-, Sicherheits- und Verteidigungspolitik nicht wirklich integriert, weil sie trotz rhetorischer Erklärungen über Konvergenz über lange Zeit hinweg in der Europäischen Union Bereiche der Entscheidungslosigkeit und Verwirrung gewesen waren. Doch der Kosovo-Krieg eröffnete eine völlig neue Perspektive. Nach dem katastrophalen Krisenmanagement des Bosnienkrieges durch die Europäische Union, beanspruchte die NATO die Rolle als das grundlegende Sicherheitsinstrument der Europäischen Union im engen Bündnis mit den Vereinigten Staaten. Die Wahl von Javier Solana, eines führenden spanischen Sozialisten, zum NATO-Generalsekretär symbolisierte diese Transformation eines Bündnisses aus dem Kalten Krieg in ein operatives Instrument zur politisch/militärischen Koordination von Initiativen Europas (und der Vereinigten Staaten) im neuen geopolitischen Zusammenhang – eine Entwicklung, die den Traum de Gaulles von einem Europa, das militärisch und strategisch von den Vereinigten Staaten unabhängig wäre, dazu zu verurteilen schien, der Vergessenheit anheim zu fallen. Großbritannien und Deutschland haben diese Unabhängigkeit nie gewollt, und die Wähler waren/sind in keinem Land Europas bereit, die Kosten des Weltmachtstatus in Form von Steuern und militärischer Anstrengung zu tragen, womit Europa strategisch von den Vereinigten Staaten abhängig ist.

Während daher 1999 die europäischen Länder es endlich schafften, gemeinsam gegen Jugoslawien vorzugehen und so den ersten Krieg der NATO begannen, übernahmen die Luftwaffe und die Flotte der USA den größten Teil des Feldzuges. Der Einsatz von Satellitentechnologie und präzisionsgesteuerter Munition machte die europäischen Armeen weitgehend zu Hilfstruppen der US-Militärtechnologie. Der Krieg um das Kosovo demonstrierte die Abhängigkeit der Europäischen Union von der NATO als des unverzichtbaren militärischen

Werkzeuges ihrer Außenpolitik. Das Paradox liegt darin, dass die volle Einsicht in diese Abhängigkeit die Europäische Union nach dem Krieg veranlasste, sich um eine autonome gemeinsame Verteidigungs- und Sicherheitspolitik zu bemühen. Großbritannien unter Blair drängte auf ein gemeinsames europäisches Verteidigungssystem, und die Westeuropäische Union wurde auf neue Sicherheitsarrangements hin umgepolt; die europäische Rüstungsindustrie erhielt 1999 durch die Fusion der Rüstungsabteilungen von Daimler-Chrysler und Lagardère-Matra zu dem Rüstungsgroßunternehmen EADS (European Aeronautic, Defense, and Space) einen starken Anstoß; und im Regierungssystem der Europäischen Union wurde ein neuer Posten geschaffen, um die Formulierung der europäischen Sicherheits- und Verteidigungspolitik zu leiten. Es war wichtig, dass der Erste, der auf diese Position kam, niemand anders war als Javier Solana, nachdem er seinen Posten bei der NATO geräumt hatte. Er symbolisierte so die Kontinuität zwischen den beiden Sicherheitsarrangements. In der Tat bedeutet die Entstehung einer autonomen europäischen Verteidigungspolitik keinen Bruch mit den Vereinigten Staaten.

Der Erfolg der NATO im Jugoslawien-Krieg könnte jedoch den Beginn ihres historischen Niedergangs eingeleitet haben, weil die neue Koordination zwischen den europäischen Armeen den Weg zur europäischen militärischen Autonomie geebnet hat. Diese Autonomie hätte aber für die europäischen Länder ein Ansteigen des Verteidigungsbudgets sowie eine wesentliche Anstrengung für F&E und Technologie im Rüstungsbereich bedeutet. Insgesamt wird dieses europäische Verteidigungssystem aus technologischen und geopolitischen Gründen weiterhin in enger Koordination mit den USA operieren, freilich mit einem höheren Maß an politischer Freiheit. So hat sich der Entscheidungsfindungsprozess bei der NATO auch bereits in Richtung auf Aushandlung, Konsultation und Vernetzung unter ihren Mitgliedern entwickelt: Während des Krieges in Jugoslawien 1999 standen die führenden Politiker der hauptsächlich teilnehmenden Länder über tägliche Videokonferenzen in einem ständigen Konsultationsprozess sowohl untereinander wie mit dem NATO-Generalsekretär und den Militärbefehlshabern. Der kollektive, auf Aushandlung beruhende Charakter dieses Entscheidungsfindungsprozesses wurde während einer der gefährlichsten Episoden des Krieges deutlich: Nach der überraschenden Besetzung des Flughafens von Pristina durch russische Fallschirmjäger befahl der US-amerikanische NATO-Oberkommandierende die gewaltsame Entfernung der russischen Soldaten. Aber der britische Offizier, der die Truppe vor Ort befehligte, verweigerte den Befehl und erreichte schließlich, dass er von der politischen Führung der NATO annulliert wurde. Der US-General wurde mit Vorruhestand belohnt. Was zuvor nach der alten Logik des Nationalstaates ein unvorstellbares Verhalten gewesen wäre, nämlich die Weigerung mitten im Krieg, den Befehl des obersten alliierten Kommandeurs entgegenzunehmen, war innerhalb der Netzwerke gemeinsamer Entscheidungsfindung, die die Aktionen der NATO während des Jugoslawien-Krieges kennzeichneten, zu einer akzeptablen Handlungsweise geworden. Ihre technologische Überlegenheit und der Willen, für den Status als Supermacht mit Steuergeldern zu bezahlen, machten die USA zum unverzichtbaren Partner der europäischen Verteidigungspolitik – nicht mehr als eine Macht, die diktierte, wie es im Kalten Krieg gewesen war, sondern als Schlüsselknoten in einem komplexen Netzwerk strategischer Entscheidungsfindung.

Für den Aufbau Europas hat der Vertrag von Maastricht bei all seinen Grenzen und Widersprüchen doch aus der wirtschaftlichen und politischen Integration der Europäischen Union einen irreversiblen Prozess gemacht. Dieser Prozess wurde im Großen und Ganzen durch einen „Pakt für Stabilität (und Wachstum)" bestätigt, der in Dublin beschlossen wurde. Andererseits hat das britische, schwedische und dänische Zögern, die Abgabe von Souveränität mit zu vollziehen, was die gemeinsame europäische Währung impliziert, zusammen mit der Vielfalt der Situation unter den Ländern, die über ihre künftige Mitgliedschaft verhandeln, zu einem „Europa à la carte" geführt; also je nach Land und Fragestellung zu unterschiedlichen Niveaus der Integration. Diese „variable Geometrie" des europäischen Konstrukts[5] ist ungeachtet all ihrer Inkohärenz ein wesentliches Instrument des Aufbaus selbst, weil sie frontale Konflikte zwischen wichtigen Partnern verhindert und es den europäischen Institutionen zugleich erlaubt, sich durch die Herausforderungen hindurch zu wursteln, die die beiden Prozesse stellen, die gleichzeitig die Integration fördern und ihr entgegenstehen: wirtschaftliche Globalisierung und kulturelle Identität.

Globalisierung und europäische Integration

Die europäische Integration ist zu ein und derselben Zeit eine Reaktion auf den Prozess der Globalisierung und seine am weitesten fortgeschrittene Ausdrucksform. Sie ist auch der Beweis dafür, dass die globale Wirtschaft kein undifferenziertes System aus Firmen und Kapitalströmen ist, sondern eine regionalisierte Struktur, in der alte nationale Institutionen und neue supranationale Instanzen noch immer eine wichtige Rolle dabei spielen, den wirtschaftlichen Wettbewerb zu organisieren und seine Früchte zu ernten oder zu verderben. Daraus folgt jedoch nicht, dass Globalisierung nur Ideologie wäre. Wie ich in Band I, Kapitel 2 und in Band II, Kapitel 5 gezeigt habe, ist zwar der größte Teil der Wirtschaftstätigkeit und der Arbeitsplätze auf der Welt national, regional oder selbst lokal, doch die strategischen wirtschaftlichen Kernaktivitäten sind im Informationszeitalter durch elektronisch funktionierende Netzwerke des Austauschs von Kapital, Waren und Information global integriert. Diese globale Integration bewirkt und formt den augenblicklichen Prozess der europäischen Vereinigung

5 Pisani-Ferry (1995).

auch auf der Grundlage von europäischen Institutionen, die historisch vorwiegend für politische Ziele geschaffen wurden.

Die offenkundigste Dimension im Globalisierungsprozess sind die Finanz- und Devisenmärkte. Sie sind wahrhaft global und haben die Möglichkeit, mit Hilfe von elektronischen Strömen als Einheit in Echtzeit zu arbeiten und staatliche Kontrollen zu übergehen und zu überwältigen. Die zentrale Entscheidung, die der Anker der Vereinigung Europas ist, war die Schaffung des Euro in der Zeit von 1999-2002 und die Abschaffung der nationalen Währungen mit der möglichen Ausnahme des britischen Pfundes, das faktisch entweder an den Euro oder an den US-Dollar gebunden werden wird. Während der 1990er Jahre wurde es nach zwei aufschlussreichen Erfahrungen zur Notwendigkeit, ein Mindestmaß an monetärer und fiskalischer Stabilität in den europäischen Volkswirtschaften zu bewahren. Die eine war der gescheiterte Versuch der ersten Regierung Mitterrand Anfang der 1980er Jahre in Frankreich, unabhängig eine Expansionspolitik einzuleiten, was nur dazu geführt hat, dass der Franc dreimal gezwungenermaßen abgewertet werden musste und ein Jahrzehnt lang sozialistische ebenso wie konservative Regierungen die strengste Haushaltspolitik auf dem gesamten Kontinent durchsetzen mussten. Die zweite Erfahrung bestand in der zweiphasigen Krise des europäischen Währungssystems im Herbst 1992 und Sommer 1993, als das Pfund und die Lira aus der Währungsschlange hinaus gedrängt und die Peseta und der Escudo zur Abwertung gezwungen wurden. Dazu ist es trotz des umfangreichen Engagements mehrerer europäischer Zentralbanken, u.a. der italienischen, der britischen und der spanischen gekommen, deren Interventionen hinweg gefegt wurden, als im Oktober 1992 innerhalb einer Woche etwa 1 Billion US$ in die europäischen Währungsmärkte einströmte. Nach dieser Erfahrung wurde es klar, dass bei der engen Verknüpfung der Volkswirtschaften untereinander flottierende Wechselkurse zwischen ihren nationalen Währungen eine permanente Versuchung darstellten, Turbulenzen auf den Kapitalmärkten auszulösen; denn die Kapitalströme auf den globalen Finanzmärkten befanden/befinden sich in beständiger Bewegung, um augenblicklich sich bietende Gelegenheiten maximal zur Ertragssteigerung zu nutzen. In diesem Zusammenhang ist die Rede von Spekulation einfach irreführend. Was wir beobachten, ist keine „Spekulation", sondern die Beherrschung aller anderen Investitionsmöglichkeiten zur Maximierung von Profit durch die Finanzmärkte als Strukturmerkmal der neuen, globalen, informationellen Ökonomie. Das bedeutet nicht, dass Banken oder Finanzinstitutionen das Industriekapital dominieren. Diese obsolete Formulierung wird der Verflechtung zwischen den Kapitalbewegungen in den unterschiedlichen Sektoren der vernetzten Ökonomie nicht gerecht. Ich werde auf dieses Thema im Schlussteil dieses Buches ausführlich eingehen.

Die Integration der Kapitalmärkte und die Schaffung einer einheitlichen Währung erfordern die Homogenisierung der makro-ökonomischen Bedingungen in den unterschiedlichen europäischen Volkswirtschaften, wozu auch die

Haushaltspolitik gehört. Die Staatsbudgets können sich noch immer entsprechend der nationalen Politik voneinander unterscheiden, aber nur dadurch, dass innerhalb der Beschränkungen einer überall ähnlichen fiskalischen Zurückhaltung bestimmte Etatposten gegenüber anderen Priorität erhalten. Außerdem bildet die Angleichung der europäischen Volkswirtschaften auf der Grundlage eines bestimmten Systems makro-ökonomischer Parameter nur den ersten Schritt zu ihrer Angleichung an internationale Standards zumindest gegenüber den OECD-Ländern. Und so spiegeln die grundlegenden Anforderungen, die durch den Maastrichter Vertrag festgelegt und durch den Dubliner Stabilitätspakt vom Dezember 1996 präzisiert worden sind, ziemlich genau die Standardkriterien wider, die der Internationale Währungsfonds auf der ganzen Welt durchsetzt: niedrige Budgetdefizite (unter 3% des BIP); relativ niedrige Staatsschuld (nicht mehr als 60% des BIP); niedrige Inflation; niedrige langfristige Zinsen und ein stabiler Wechselkurs. Die Harmonisierung der europäischen Volkswirtschaften ist untrennbar mit der Harmonisierung der globalen makroökonomischen Parameter verbunden, die gegenüber dem Rest der Welt durch die jährlichen G7-Gipfel der reichen Länder und den Internationalen Währungsfonds überwacht und wenn nötig durchgesetzt werden. In diesem Sinne können wir auch wahrhaftig von der Globalisierung des Kapitals und der Zirkulationsbedingungen des Kapitals sprechen, was in einer kapitalistischen Wirtschaft keine kleine Angelegenheit ist. Im weiteren Verlauf ist der Versuch zur Stabilisierung des Wechselkurses zwischen Euro, US-Dollar und Yen zu erwarten. Und weil die Geschwindigkeit der elektronischen Geschäfte auf den Devisenmärkten es unmöglich macht, hochgradig destabilisierende Bewegungen zu kontrollieren (wie dies auf den Märkten der Euro-Währungen der Fall war), werden die drei vorherrschenden Währungen wahrscheinlich in Zukunft aneinander gebunden werden, was die faktische Eliminierung wirtschaftlicher Souveränität bedeuten würde, wenn der Nationalstolz auch die Schaffung einer globalen Währung verhindern wird und technische Hindernisse die Rückkehr zum Goldstandard unwahrscheinlich machen.

Die Globalisierung hat eine zweite wichtige Dimension: die Informationstechnologie, den Kern der produktiven Fähigkeit der Volkswirtschaften und der Militärmacht der Staaten. Wie ich oben erwähnt habe, ist es zur Intensivierung der europäischen Integration teilweise als Antwort auf die Wahrnehmung des technologischen Defizits gegenüber den Vereinigten Staaten und Japan gekommen. Allerdings waren die meisten europäischen Initiativen auf dem Gebiet der Technologie ein Fehlschlag. Die äußerst bedeutsamen Ausnahmen bildeten der Airbus und die Luftfahrtindustrie im Allgemeinen, mehr aufgrund erfolgreicher Vermarktungsstrategien als wegen technologischer Vorzüge. Doch ist Europa während der 1980er und 1990er Jahre gegenüber den US-Unternehmen in den entscheidenden Bereichen Mikroelektronik und Software zurückgefallen, und gegenüber den japanischen und koreanischen Unternehmen bei Mikroelektronik und fortgeschrittener Konsumelektronik (mit Ausnahme von Nokia).

Die Politik der „nationalen Meister" ist zur verschwenderischen Subventionierung überdimensionierter, ineffizienter Unternehmen verkommen, was in dramatischer Weise unterstrichen wurde, als es der französischen Regierung 1996 nicht gelang, Thomson für den symbolischen Preis von einem Franc an ein Konsortium unter Führung von Daewoo zu verkaufen. Die Forschungsprogramme der Europäischen Union waren – wie etwa Esprit – zu weit von der industriellen F&E entfernt, und die Universitäten, die am meisten davon profitierten, waren nicht weit genug, um neue technologische Wege zu bahnen. Die Anstrengungen von Eureka, innovative Wirtschaftsunternehmen anzuregen, waren zu begrenzt und zu sehr von einer Reihe bürokratischer Regeln bei der Schaffung von Partnerschaften unter Beteiligung von mehreren Ländern abhängig, um das Gesamtbild wirklich verändern zu können. Die Telekommunikation war ein grundlegender Bereich, wo europäische Unternehmen (vor allem Alcatel, Siemens und Ericsson) über avancierteste Kenntnisse, eine starke industrielle Basis und gut eingeführte Marktzugänge verfügten. Doch ihre Abhängigkeit von elektronischen Komponenten und Computern ließ auch hier eine technologische Autonomie Europas als undenkbar erscheinen. Die Folge war, dass Ende der 1990er Jahre kein ernsthaft vorausplanender Politiker oder Industriestratege in Europa über europäische Technologie in der Art und Weise dachte, wie de Gaulle oder Mitterrand es gesehen haben würden. Aber die Begriffe dieser Debatte sind durch die Natur der informationstechnologischen Branchen in der neuen globalen Wirtschaft überholt worden. Alle Hightech-Firmen sind von den globalen Netzwerken technologischen und wirtschaftlichen Austauschs abhängig. Es stimmt, dass es ein paar Oligopole gibt, wie Microsoft bei der Software oder Intel bei der fortgeschrittenen Mikroelektronik. Und die Konsumelektronik mit ihrer Serie von Schlüsseltechnologien wie HDTV oder LCD-Bildschirmen ist im Großen und Ganzen ein japanisches (und zunehmend koreanisches) Revier. Doch die Beschleunigung des technologischen Wandels, die Notwendigkeit, mit bestimmten Märkten Kontakt aufzunehmen und die Strategie der Absicherung technologischer Wetteinsätze unter mehreren Partnern (s. Bd. I, Kap. 1 und 3) haben dazu geführt, dass ein voll ausgebildetes Netzwerk multinationaler Konzerne und mittlerer Unternehmen nach dem Modell der gegenseitigen Durchdringung von Technologie, Produktion und Märkten entstanden ist, das ich als das „Netzwerkunternehmen" definiert habe. Anstatt daher amerikanische und japanische mit europäischen Unternehmen zu konfrontieren, führt die Informationstechnologie zur vollständigen Verflechtung von Forschung, F&E, Produktion und Distribution zwischen den an der Spitze liegenden Regionen, Firmen und Institutionen in den Vereinigten Staaten, dem Pazifik und der Europäischen Union.

Die Informationstechnologie ist derzeit in asymmetrischer Form globalisiert, und die Bedeutung der europäischen Forschungszentren, Firmen und Märkte garantiert, dass Europa tief in die herrschenden Technologienetzwerke integriert ist. So erfolgte etwa der entscheidende Durchbruch bei der Verbreitung des Internet, die Erfindung der Technologien, die dem World Wide Web zugrunde liegen, 1990 im CERN-Labor in Genf; auf der Grundlage dieser Technologien entwickelten Forscher am Supercomputer Center der University of Illinois 1993 den neuen Web-Browser Mosaic; und schließlich wurde die Technologie in Silicon Valley von Netscape 1994-1995 kommerzialisiert, einer neuen Firma, die im Umfeld des Teams von der University of Illinois gegründet worden war (s. Bd. I, Kap. 1). Ein anderer Fall technologischer Interdependenz ist in der nächsten technologischen Welle die Genmanipulation, wo Japan weit zurück liegt; europäische Labors nehmen beim Klonen eine Spitzenstellung ein; und F&E ist zwar in den Vereinigten Staaten am dynamischsten, aber ein Teil der fortgeschrittenen amerikanischen Forschung ist mit den Forschern von gigantischen Pharmazieunternehmen in der Schweiz, Deutschland und Frankreich erworben worden. Die Mobiltelefonie war zur Jahrtausendwende in Europa viel weiter als in den USA, weil die europäischen Länder und Unternehmen über gemeinsame Standards und Protokolle verfügten. Das finnische Unternehmen Nokia scheint seine weltweit führende Stellung bei der Zellulartelefonie dadurch zu festigen, dass es heimische Forschungsressourcen mit einer tiefgehenden Koppelung an innovative Technologiefirmen in den USA verbindet. Der französische Software-Gigant Cap Gemini hatte sich 1999 ebenfalls einen beträchtlichen Marktanteil in Europa gesichert und war dabei, hauptsächlich durch den Erwerb amerikanischer Neugründungen beträchtliche Fortschritte auf dem amerikanischen Markt zu machen. Demnach ist es zwar richtig, dass die in Amerika beheimatete informationstechnologische Forschung und Produktion noch immer weiter ist als die in Europa (mit einigen bemerkenswerten Ausnahmen wie Nokia und Ericsson), aber für die europäischen Firmen und Institutionen ist der Zugang zu neuen Quellen des Wissens und der Anwendung durch die Verflechtung der informationstechnologischen Netzwerke gesichert, und die europäischen Unternehmen sind in den Hightech-Branchen sowohl in Europa als auch auf den globalen Märkten schnell im Aufholen begriffen. In diesem Sinne ist die fundamentale Produktionsbasis Europas im Informationszeitalter wahrhaft globalisiert.

Die Globalisierung von Kapital und Informationstechnologie zwingt uns, das klassische Thema der Integration von Handel und Investition aus neuer Perspektive zu betrachten. Wenn über Europa und Globalisierung debattiert wird, so ist der mögliche Niedergang der europäischen Wettbewerbsfähigkeit in einem wahrhaft globalen Markt ein wichtiges Thema, weil sie von oben durch die amerikanische und japanische Technologie und von unten durch die niedrigeren Produktionskosten der neu industrialisierten Länder in die Zange genommen wird. Während der 1990er Jahre war die Handelsbilanz der Europäischen Union gegenüber den Vereinigten Staaten Jahr für Jahr knapp ausgeglichen, und das galt Ende der 1990er Jahre auch für Japan. Es gab ein Defizit gegenüber den neu industrialisierten Ländern, aber die Importe Europas aus diesen Ländern waren nicht so groß, dass es insgesamt zu einem Ungleichgewicht gekommen wäre. Wie war das möglich? Wie vermag es Europa insgesamt trotz höherer Lohnkosten, unterlegenem Unternehmertum, dem finanziellen Konservatismus seiner Firmen und einem niedrigeren Niveau an technologischer Innovation, seine Wettbewerbsposition zu halten? Ein Teil der Antwort betrifft den jeweiligen Zeitpunkt. Die Märkte für Güter und Dienstleistungen sind noch nicht wirklich globalisiert. Einige traditionelle Sektoren wie Textil oder Bekleidung haben unter der Konkurrenz aus Asien und Lateinamerika gelitten. Aber der größte Teil des europäischen Handels wird innerhalb der Europäischen Union abgewickelt, und die Zollsenkungen in strategischen Bereichen wie Autos und landwirtschaftliche Produkte sind noch nicht allzu weit fortgeschritten und werden nach den Abkommen der Uruguay-Runde des GATT auf der Basis der Gegenseitigkeit erfolgen müssen. Ein weiterer Faktor besteht darin, dass die technologische Umrüstung und die Neuausrüstung der Manager der europäischen Unternehmen es ihnen während der 1990er Jahre erlaubt hat, mit der amerikanischen Arbeitsproduktivität (in Deutschland) gleich zu ziehen oder sie (in Frankreich) sogar zu übertreffen. Das bedeutet die Absicherung der Konkurrenzfähigkeit in einer offenen Wirtschaft. Bei der Konkurrenz mit Japan sind dessen Lohnkosten in der Informationstechnologie sogar höher als in Europa, und die japanischen Firmen in Schlüsselsektoren der Informationstechnologie wie Software und Internet-Design liegen hinter den europäischen weit zurück.

Aber etwas anderes ist noch wichtiger: die Vernetzung von Handel und Investitionen über nationalstaatliche Grenzen hinweg. Japanische, amerikanische und asiatisch-pazifische Unternehmen exportieren nicht nur von ihren verschiedenen Produktionsbasen nach Europa, sondern sie investieren und produzieren dort auch. Und europäische Firmen produzieren in Asien und den Vereinigten Staaten. Immerhin ein Drittel des Welthandels besteht offenbar aus firmen- oder netzwerkinternen Bewegungen von Gütern und Dienstleistungen, die damit für Handelsstatistiken weitgehend unsichtbar sind (s. Bd. I, Kap. 2). Und die europäischen Unternehmen tendieren angesichts der abnehmenden Wettbewerbsfähigkeit ihrer europäischen Produktionsbasen dazu, in Amerika, der asiatischen Pazifikregion und Lateinamerika zu investieren. Das Ziel besteht darin, sowohl diese Märkte zu bedienen, als auch von den ausgelagerten Produktionsstandorten wie Singapur aus zurück nach Europa zu exportieren. So fuhren 1994-1996 deutsche Unternehmen ihre Investitionen in Deutschland zwar drastisch herunter, begannen aber eine Investitionskampagne rund um die Welt, besonders in Asien. 1995 beispielsweise verdoppelten sich die Auslandsinvestitionen deutscher Unternehmen nahezu und erreichten den Rekordstand von 32 Mrd. US$, während die Investitionen in Deutschland zurück gingen. Der Globalisierungsprozess wird also durch die globale Investitionsbewegung und die Bildung grenzüberschreitender Produktionsnetzwerke gekennzeichnet, nicht durch die Bildung eines einzigen globalen Marktes.

Während im Europa der 1990er Jahre für die Bewegungen von Kapital, Technologie und produktiven Investitionen die Globalisierung charakteristisch war, ist die Mobilität der Arbeitskraft viel stärker eingeschränkt. Sicherlich haben Bürgerinnen und Bürger der Europäischen Union das Gefühl einer Einwanderungs-Invasion, aber die wirklichen Tendenzen sind komplexer und erfordern angesichts der Bedeutung dieser Frage für die europäische Identität eine empirische Klärung.[6] Wie ich in Band I, Kapitel 4 gezeigt habe, lag bis 1990 der Anteil der legal registrierten ausländischen Bevölkerung in der Europäischen Union bei bescheidenen 4,5%, wenn auch mit beträchtlichem Anstieg vom Stand von 3,1% 1982. Ein Großteil dieser Zunahme ging auf Einwanderung nach Deutschland, Italien und Österreich zurück, während in Großbritannien und Frankreich der ausländische Anteil an der Wohnbevölkerung während der 1980er Jahre leicht gefallen ist. Die Lage hat sich während der 1990er Jahre aus vier Gründen wesentlich verändert. Erstens löste die Öffnung der Grenzen in Russland und Osteuropa eine bedeutende Auswanderung aus diesen Regionen aus. Die katastrophenartigen Vorhersagen der Europäischen Kommission über 25 Mio. Russen, die nach Westeuropa einfallen würden, bewahrheiteten sich nicht. Aber über 400.000 Deutschstämmige aus Russland und Osteuropa nutzten ihre Einwanderungs- und Bürgerrechte. Hunderttausende anderer Osteuropäer emigrierten ebenfalls, meist mit dem Ziel Deutschland oder Österreich. Zweitens riefen die Destabilisierung des Balkans durch die Auflösung Jugoslawiens und die darauf folgenden nationalistischen Reaktionen und ethnischen Kriege einen großen Zustrom von Flüchtlingen vor allem nach Deutschland und Italien hervor. Deutschland fand sich in einer paradoxen Situation, die sich aus seiner widersprüchlichen Einbürgerungspolitik ergab. Einerseits bleiben durch die Schwierigkeiten, die deutsche Staatsbürgerschaft zu erlangen, Millionen von Einwohnern, die bereits lange Zeit im Land sind und von denen viele in Deutschland geboren wurden, Ausländer im eigenen Land; andererseits wirkt die kompensatorische Politik einer liberalen Asylpraxis anziehend auf Hunderttausende von Flüchtlingen aus politischen und wirtschaftlichen Gründen. Zusammen trugen diese beiden Tendenzen zu einem steilen Anstieg des Ausländeranteils in Deutschland bei, der sich zur Jahrhundertwende auf die 12% zu bewegte, wozu noch illegale Einwanderer und eingebürgerte Deutschstämmige hinzu zu zählen sind. Italien erlitt den ungebremsten Schock der Auflösungstendenzen Albaniens und einen Teil der Auswirkungen der Balkankriege. Drittens ließ die Öffnung der innereuropäischen Grenzen die Immigration in Länder wie Spanien, Portugal und Italien ansteigen, die an der Frontlinie zu den verarmten afrikanischen Ländern liegen. Die Migranten hatten die Option, in diesen Ländern zu bleiben, oder nach Arbeitsmöglichkeiten weiter im Norden zu suchen. Das trug zu einem nicht vorausgesehenen, deutlichen Anstieg der Immigration nach Südeuropa bei. Viertens verstärkte sich, als die Europäische Union ihre Grenzkontrollen verschärfte, die illegale Immigration explosionsartig. 1999 wurde geschätzt, dass der Zustrom an illegalen Einwanderern in die

6 Massey u.a. (1999).

Europäische Union etwa 500.000 im Jahr betrug. Die osteuropäischen Mafias machten den Schmuggel mit Menschen zu ihrem profitabelsten Geschäftszweig, wozu auch der Verkauf von Hunderttausenden von Frauen als Prostituierte zum Vergnügen der zivilisierten Männer der Europäischen Union gehörte. Nimmt man den demografischen Druck vom Südrand des Mittelmeeres hinzu, wird sich die Festung Europa im 21. Jahrhundert einer massiven Herausforderung gegenüber sehen. Aber anders als die Vereinigten Staaten, die ein ähnliches Problem im Süden des Rio Grande haben, aber immer eine multikulturelle, multiethnische Gesellschaft gewesen sind, sehnen sich die meisten Europäer in der Europäischen Union weiterhin nach der ethnisch homogenen Gesellschaft, die jetzt unwiederbringlich vom globalen Winde verweht ist. Diese Schizophrenie zwischen Selbstbild und neuer demografischer Realität Europas ist ein Schlüsselmerkmal der kulturellen und politischen Dynamik im Zusammenhang mit der Neudefinition der europäischen Identität.[7]

Zwei weitere Dimensionen der Globalisierung wirken sich unmittelbar auf den Prozess der europäischen Einigung aus. Ich werde sie um der Kohärenz der Argumentation willen hier einfach erwähnen, ohne sie zu wiederholen, weil sich die Analyse an anderer Stelle in diesem Buch findet. Einerseits schaffen Globalisierung und Interdependenz der Kommunikationsmedien (s. Bd. I, Kap. 5 und Bd. II, Kap. 5) einen europäischen audiovisuellen Raum, der die europäische Kultur und Information in einem Prozess, der im Großen und Ganzen unabhängig von den Nationalstaaten verläuft, grundlegend verändert. Andererseits findet die entstehende globale kriminelle Ökonomie (s. Kap. 3 dieses Bandes) in einem halb-integrierten Institutionensystem, wie es gegenwärtig für die Europäische Union kennzeichnend ist, eine wunderbare Gelegenheit zur Entwicklung. So lassen sich die nationalen Kontrollen durch die neue Mobilität von Kapital, Menschen und Information ohne Schwierigkeiten umgehen, und die europäischen Polizeikontrollen entstehen nur langsam, gerade weil die nationalen Bürokratien sich sträuben, ihr jeweiliges Machtmonopol aufzugeben. Das führt zu einem historischen Niemandsland, in dem sich Verbrechen, Macht und Geld miteinander verbinden. Im Oktober 1999 hat der Ministerrat der Europäischen Union bei seinem Treffen in Tampere, Finnland, jedoch eine Reihe von Maßnahmen verabschiedet, mit denen die Koordination der Polizeifunktionen verstärkt werden soll; hinzu kommen vorbereitende Schritte zu einem europäischen Rechtsraum. Damit haben sich die europäischen Regierungen die Mittel zur Bekämpfung des globalen Verbrechens verschafft, zugleich aber eine wichtige Grenzlinie zur Teilung ihrer nationalen Souveränität überschritten.

Die Prägung der Vereinigung Europas durch diesen vieldimensionalen Prozess der Globalisierung hat für die europäischen Gesellschaften tiefgreifende und dauerhafte Auswirkungen. Die wichtigste ist vermutlich die Schwierigkeit, den europäischen Wohlfahrtsstaat in seiner augenblicklichen Form beizubehal-

---

7 Al-Sayyad und Castells (2000).

ten. Denn Kapitalmobilität und die Vernetzung der Produktion schaffen Bedingungen, unter denen Investitionen sich durch die ganze Welt und durch ganz Europa in Regionen mit niedrigeren Lohnkosten, niedrigeren Sozialleistungen und weniger Umweltbeschränkungen bewegen können. So investierten Ende der 1990er Jahre europäische und besonders deutsche Unternehmen stark in Osteuropa (aber nicht in Russland und der Ukraine). Sie machten sich die niedrigen Lohnkosten zunutze und nahmen zugleich die Integration dieser Länder in die Europäische Union vorweg: 1999 beliefen sich die gesamten westeuropäischen Investitionen in Polen, Ungarn, der Tschechischen Republik, Estland und Slowenien auf 11 Mrd. US$, und es wurde ihnen ein Jahreswachstum von 20% voraus gesagt.

Der Bewahrung des europäischen Wohlfahrtsstaates in seiner derzeitigen Form stehen auch deshalb zunehmende Schwierigkeiten entgegen, weil das Streben nach Flexibilität auf dem Arbeitsmarkt und der Prozess der relativen Desinvestition in der Europäischen Union die Beschäftigungsbasis vermindern, auf der die fiskalische Stabilität des Wohlfahrtsstaates beruht. Ohne die Schaffung von Arbeitsplätzen und ohne eine relative Vereinheitlichung der Sozialkosten im international vernetzten System ist kaum zu sehen, wie sich in Europa unter den Bedingungen relativ ähnlicher, in einigen Fällen niedrigerer Produktivität gegenüber anderen Produktionsgebieten (etwa den Vereinigten Staaten) ein umfassender Wohlfahrtsstaat halten soll. Das Vereinigte Königreich hat denn auch unter Thatcher und Major mit einem weitgehenden Abbau des Wohlfahrtsstaates begonnen, und Ende der 1990er Jahre stand eine bedeutende Schrumpfung des Wohlfahrtsstaates in Deutschland, Frankreich, Spanien und (in geringerem Ausmaß) in Italien ganz oben auf der politischen Tagesordnung. Die Wiederbelebung Schwedens scheint weitgehend mit der Kombination tiefer Einschnitte in die Sozialausgaben, der Flexibilisierung der Arbeitsmärkte und Steuererhöhungen zur Finanzierung von Investitionen ins Humankapital zu tun zu haben. Wenn die Erfahrung des Vereinigten Königreiches – ganz zu schweigen von den Vereinigten Staaten – übertragbar ist, so wird ein bedeutender Anstieg von Ungleichheit, Armut und sozialer Exklusion die Folge sein. Letztlich wird die politische Legitimität untergraben, denn der Wohlfahrtsstaat ist einer ihrer Eckpfeiler.[8]

Ein ähnlicher Prozess relativer Angleichung der Arbeitsverhältnisse zwischen der Europäischen Union, Osteuropa und den amerikanischen/asiatischen Volkswirtschaften findet auf den Arbeitsmärkten statt, denn der Druck hin zu Flexibilisierung und Vernetzung, die für den informationellen Kapitalismus charakteristisch sind, ist in den meisten europäischen Ländern deutlich zu spüren. Die Fähigkeit der Niederlande, Arbeitsplätze zu schaffen und während der 1990er Jahre das Niveau der Arbeitslosigkeit unter 5% zu drücken, beruhte weitgehend auf Teilzeitarbeit. Nach einem Bericht der deutschen Länder Bayern

8 Castells (1996); Navarro (1996).

und Sachsen von 1996 wurde erwartet, dass 2015 etwa 50% der deutschen Arbeitskräfte keinen stabilen Vollzeit-Arbeitsplatz haben würden.[9] Sollte das eintreten, so würde das gesamte europäische Sozialgefüge verändert. Martin Carnoy hat ähnliche Tendenzen zur Flexibilisierung des Arbeitsmarktes in ganz Europa nachgewiesen.[10]

Ich will damit aber nicht behaupten, die Konsequenzen der Globalisierung für die europäische Integration und die europäischen Gesellschaften seien unausweichlich. Es gibt, wie Alain Touraine sagt, eine Ideologie der Globalisierung, die sie als Naturkraft ansieht und Gesellschaft auf Ökonomie, Ökonomie auf Märkte und Märkte auf Finanzströme reduziert.[11] Das ist lediglich eine krude Rationalisierung strikt kapitalistischer Interessen, die häufig von neoliberalen Ideologen vehementer verfochten wird als von den Kapitalisten selbst, weil viele Unternehmen über eine Weltsicht verfügen, die breit genug ist, um ihre soziale Verantwortung und die Notwendigkeit zu erkennen, die soziale Stabilität aufrecht zu erhalten. Aber Alain Touraine weist auch darauf hin, dass der Widerstand gegen die Globalisierung in Europa und besonders in Frankreich allzu oft von gesellschaftlichen Akteuren getragen wird, die enge, korporatistische Interessen vertreten, die wiederum mit einem überholten öffentlichen Sektor zusammenhängen, der mit Steuergeldern subventioniert wird, ohne viel Nutzen zu erbringen.[12] Neben dem Korporatismus privilegierter Gruppen von Arbeitskräften wie der Piloten von Air France gibt es jedoch in Frankreich wie anderswo einen weit verbreiteten massenhaften Widerstand gegen den Abbau des Wohlfahrtsstaates und gegen den flexiblen Arbeitsmarkt, der auf Kosten der Stabilität im Leben der Arbeitenden geht. Dies wird häufig als Gegensatz des Volkes gegen die Politiker, der Nation gegen den europäischen Staat zum Ausdruck gebracht.[13] Zwar ist dieser Widerstand weitgehend in sozialen und wirtschaftlichen Interessen verwurzelt, kommt aber häufig in der Sprache des Nationalismus und der Verteidigung kultureller Identität gegen die unpersönlichen Mächte der globalen Märkte und das Diktat der Eurokraten daher. Die französischen Bauern, die mit José Bové an der Spitze 1999 gegen McDonald's-Filialen vorgingen, wollten ausdrücklich und zu ein und derselben Zeit die französische Identität (symbolisiert in französischer Küche gegenüber Fast Food) verteidigen, die US-Steuern gegen Feinkostimporte aus Frankreich bekämpfen und die europäische Gesundheit gegen genmanipulierte Nahrungsmittel verteidigen. Die politische Debatte und die gesellschaftlichen Konflikte um die Formen, in denen die Transformation der europäischen Gesellschaften im Verlauf ihrer allmählichen Integration in eine immer stärker globalisierte Wirtschaft kontrolliert

9 Touraine (1996c).
10 Carnoy (2000).
11 Touraine (1996b).
12 Touraine (1996b,c).
13 Touraine u.a. (1996).

und angeleitet wird, lässt sich nicht auf den simplen Gegensatz zwischen einem ahistorischen Neoliberalismus und einem archaischen öffentlichen Bürokratismus reduzieren. In ihrer Wirklichkeit wird diese Debatte in der Sprache des Informationszeitalters zum Ausdruck gebracht – also im Gegensatz zwischen der Macht der Ströme und der Macht der Identität.

Kulturelle Identität und europäische Vereinigung

Der Wirbelwind der Globalisierung ruft auf der ganzen Welt Abwehrreaktionen hervor, in deren Zentrum häufig Prinzipien der nationalen und territorialen Identität stehen (Bd. II, Kap. 1 und 2). In Europa materialisiert sich diese wahrgenommene Bedrohung im Kompetenzzuwachs der Europäischen Union. Die weit verbreitete Feindschaft gegenüber dem Vereinigungsprozess unter den Bürgerinnen und Bürgern wird durch den Diskurs der meisten führenden Politiker verstärkt, die die Europäische Union als notwendige Anpassung an die Globalisierung darstellen, mit den Nebeneffekten der Flexibilisierung der Arbeitsmärkte und der Einschränkung des Wohlfahrtsstaates als notwendiger Bedingungen für die Integration eines jeden Landes in die Europäische Union.[14] Weil die Beschleunigung des Integrationsprozesses während der 1990er Jahre mit steigender Arbeitslosigkeit, verbreiteter Arbeitsplatzunsicherheit und größerer sozialer Ungleichheit zusammenfiel, tendieren bedeutende Teile der europäischen Bevölkerung daher dazu, ihre Nation ihrem Staat entgegenzusetzen, der als Gefangener der europäischen Übernationalität gesehen wird. Es ist bezeichnend, dass mit teilweiser Ausnahme Großbritanniens das politische Establishment aller Länder von Mitte-Rechts bis Mitte-Links fraglos pro-europäisch ist, während die öffentliche Meinung zumeist bestenfalls tief gespalten ist.[15] Xenophobische Reaktionen auf die gestiegene Zuwanderung sind Nährstoff für nationalistische politische Strömungen, zu denen in manchen Ländern wie in Österreich und der Schweiz extremistische Spielarten zählen, von denen es einmal scheinen mochte, die europäischen Bürger und Bürgerinnen hätten sie ein für allemal abgelehnt.

> Bei der Debatte um die europäische Integration geht es nicht um die Staatsräson, sondern um die Nation. Ob es mit der Integration Europas vorwärts geht, ist von der Fähigkeit der Nationen abhängig, ihr Überleben zu sichern. Keine Nation wird die Integration zulassen, wenn sie nicht sicher sein kann, dass ihre nationale Identität nicht bedroht wird, dass sie durch die Öffnung gegenüber anderen Identitäten sogar gestärkt wird. Spürt eine Nation, dass sie nur durch die enge Übereinstimmung mit einem Staat, der souverän und unabhängig ist, überleben kann, glaubt sie nicht daran, dass der Staat integriert werden und seine Kultur doch reproduziert werden kann, dann wird sie eine weitere Integration blockieren.[16]

---

14 Touraine (1998b).
15 Alonso Zaldivar (1996).
16 Waever (1995: 16).

Die Unsicherheit wird noch durch das Zunehmen von Multiethnizität und Multikulturalismus in den europäischen Gesellschaften verstärkt, die Rassismus und Xenophobie auslösen, weil die Menschen ihre Identität sowohl gegen einen supranationalen Staat wie gegen die kulturelle Diversifizierung verteidigen wollen.[17] Wenn diese Unsicherheit durch politische Demagogen wie Le Pen in Frankreich oder Haider in Österreich ausgenutzt wird, so verstärkt dies die Ausdrucksformen des Kulturnationalismus im gesamten politischen System und in den Massenmedien. Der Zusammenhang, der im öffentlichen Bewusstsein zwischen Verbrechen, Gewalt, Terrorismus und ethnischen Minderheiten/Ausländern/den Anderen hergestellt wird, führt just auf dem Höhepunkt des europäischen Universalismus zu einer dramatischen Welle europäischer Xenophobie. Das steht freilich in historischer Kontinuität mit der einstigen Vereinigung des mittelalterlichen Europa durch das Christentum – also durch eine intolerante religiöse Grenze, die Ungläubige, Heiden und Häretiker ausschloss.[18]

Es gibt noch einen weiteren fundamentalen Grund für das Misstrauen der Menschen gegenüber den europäischen Institutionen: das, was als „demokratisches Defizit" bezeichnet wird. Wichtige Kompetenzen, die das Leben der Menschen betreffen, sind an die Europäische Union übergegangen, hauptsächlich an den Europäischen Rat und den Ministerrat, die die europäischen Nationalstaaten vertreten, sowie an die Europäische Kommission, die in ihrem Auftrag handelt. Wesentliche wirtschaftspolitische Entscheidungen sind der Kontrolle der Europäischen Zentralbank unterstellt worden. Die Möglichkeiten für Bürgerinnen und Bürger, diese Entscheidungen zu beeinflussen, sind daher erheblich vermindert worden. Zwischen dem Akt der Wahl, in dem alle vier Jahre zwischen zwei unterschiedlichen Optionen für die Regierungspolitik entschieden wird, und dem täglichen Funktionieren des komplexen paneuropäischen Systems besteht eine solche Distanz, dass die Bürgerinnen und Bürger sich deutlich ausgeschlossen fühlen. Es gibt praktisch keine wirklichen Formen der Bürgerbeteiligung in den europäischen Institutionen. Die Legitimitätskrise der Europäischen Kommission wurde durch das Ausmaß von Missmanagement und geringfügiger Korruption noch verschärft, die 1999 durch eine parlamentarische Untersuchung aufgedeckt wurden und zum Rücktritt der gesamten Kommission führten. Zwar schien durch die Ernennung des geachteten italienischen Wirtschaftswissenschaftlers Romano Prodi zum Präsidenten der Europäischen Kommission ein gewisses Maß an Glaubwürdigkeit wieder hergestellt, aber der Schaden war bereits angerichtet. Die Tatsache, dass Herr Bangemann, Europakommissar für Telekommunikation, im Juni 1999 als künftiger Berater der spanischen Telefonica zu einem Zeitpunkt eingestellt werden konnte, als er offiziell noch bei der Kommission im Amt war, bedeutete zwar keinen formalen Regelverstoß, wurde aber weithin als Hinweis darauf gesehen, wie verrottet die

---

17 Wieviorka (1993).

18 Fontana (1994).

Brüsseler Kommission inzwischen war. Zudem gibt es, wie Borja pointiert formuliert, keine „europäischen Konflikte".[19] Denn der demokratische Prozess beruht nicht nur auf Repräsentation und Konsensbildung, sondern auf demokratisch ausagierten Konflikten zwischen unterschiedlichen sozialen Akteuren, die spezifische Interessen verfolgen. Abgesehen von Bauern, die die Straßen von Brüssel mit ihren Erzeugnissen voll müllen (noch immer nicht zufrieden, obwohl sie vollständig von allen anderen Europäern und indirekt vom größten Teil der Entwicklungswelt subventioniert werden), sind die Ausdrucksformen einer transnationalen kollektiven Mobilisierung, die auf die europäischen Entscheidungsprozesse bezogen wäre, vernachlässigenswert. Eine Lehre in europäischer Staatsbürgerschaft gibt es weitgehend deshalb nicht, weil die europäischen Institutionen gewöhnlich damit zufrieden sind, in ihrer abgeschotteten Welt technokratischer Behörden und Kompromisse schmiedender Ministerrunden zu leben. So war bis zum Ende des Jahrhunderts etwa die Möglichkeit zur Nutzung von computergestützten Kommunikationsnetzwerken zur Verbreitung von Information und Bürgerbeteiligung praktisch ignoriert worden.[20] Die Bürgerinnen und Bürger ziehen sich daher angesichts des Niedergangs von Demokratie und Bürgerbeteiligung zu einem Zeitpunkt, an dem die Wirtschaft globalisiert und die Politik europäisiert wird, auf ihre Länder zurück und berufen sich zunehmend auf ihre Nation. Nationalismus, nicht Föderalismus ist die Entwicklung, die die europäische Integration begleitet. Und die Europäische Union wird als politische Konstruktion nur dann überleben, wenn sie in der Lage ist, den Nationalismus zu handhaben und ihm einen Platz zu geben. Wie Waever auf der Grundlage der Einsichten von Anthony Smith meint, könnten die europäischen Institutionen die französische Version nationaler Identität übernehmen, die auf politischer Identität aufbaut, während sich die europäischen Nationen auf die deutsche Version zubewegen würden, die auf einem sprachlich vereinigten Volk beruht.[21] So paradox es auch klingen mag, es könnte sein, dass nur der institutionelle und gesellschaftliche Ausdruck beider Identitätsprinzipien die Entwicklung einer Europäischen Union ermöglichen wird, die etwas anderes ist als ein gemeinsamer Markt.

Wenn aber Nationen unabhängig vom Staat für die europäische Integration zu Quellen einer auf Identität beruhenden Legitimität werden, so stellt sich die Frage, welcher Nationen. Im Falle Frankreich scheint die Sache relativ klar zu sein: nach der erfolgreichen Auslöschung der pluralen nationalen Identitäten durch die Französische Revolution im Namen des universalen Prinzips der demokratischen Staatsbürgerschaft. Wenn sich die Franzosen gegen Europa wenden, so tun sie dies im Namen von „La France" in einer Sprache, die von de Gaulle ebenso verstanden würde wie von den französischen Kommunisten. Aus

19 Borja (1996: 12).
20 HLEGIS (1997).
21 Waever (1995: 23); „Volk" im Or. deutsch; d.Ü.

anderen Gründen ist es auch in Deutschland klar, dass die ethnische Reinheit der Nation – bis hin zu den Deutschen Kasachstans – unbefleckt bleibt von den Millionen Immigranten und Söhnen von Immigranten, die vielleicht niemals Deutsche sein werden, nachdem die Christdemokraten 1999 erfolgreich ihre Unterschriftenkampagne gegen das Einbürgerungsgesetz der rot-grünen Regierung inszeniert haben. Es ist die größte Angst der Eurokraten, dass das deutsche Bundesverfassungsgericht im Fall einer politischen Krise das von ihm in seiner Grundsatzentscheidung vom 12. Oktober 1993 bestätigte Prinzip der Superrevisionsinstanz[22] anwenden und gegen die europäischen Institutionen entscheiden wird.

In anderen Ländern ist der Appell an nationale Identität komplizierter, weil sie wie im Falle Spaniens, des Vereinigten Königreiches und Belgiens auf plurinationalen Staaten beruhen. Würden *Catalunya* oder Schottland ihre Identität gegen die europäischen Institutionen behaupten wollen oder vielmehr umgekehrt zugunsten der europäischen Institutionen und unter Umgehung der spanischen oder britischen Regierung?[23] Ferner ist der Anspruch einer Identität für „Padanien" in Norditalien wegen des extravaganten Auftretens des Führers der Lega Nord, Bossi, zwar in oberflächlicher Weise lächerlich gemacht worden. Aber dennoch trifft es zwar zu, dass die Grundlage dieser Identität im Wesentlichen wirtschaftlicher und sogar beschränkt fiskalischer Art ist, doch hat sie auch historische Wurzeln in der künstlichen Integration Italiens Ende des 19. Jahrhunderts, und ihre Dynamik könnte sie durchaus zu mehr als nur einer politischen Anekdote werden lassen. Nicht dass es Padanien wirklich gäbe, aber in linguistischer, kultureller, gesellschaftlicher und politischer Hinsicht ist es höchst zweifelhaft, ob es bis weit ins 20. Jahrhundert hinein Italien gegeben hat, und der Mezzogiorno hat auch heute noch sehr wenig gemeinsam mit der Lombardei, dem Piemont oder der Emilia-Romagna.[24] Der Rückzug auf das Prinzip der nationalen Identität stärkt in manchen Ländern den Nationalstaat gegen die Europäische Union und unterstützt in anderen die Europäische Union gegen den gegenwärtigen Nationalstaat.

Das Streben nach Identität als Gegengift gegen wirtschaftliche Globalisierung und politische Entrechtung dringt auch unterhalb der Ebene des Nationalstaates vor und verleiht Regionen und Städten in ganz Europa eine neue Dynamik. Wie Orstrom Moller[25] schreibt, könnte das künftige europäische Modell aus der Verkoppelung von wirtschaftlicher Internationalisierung und kultureller Dezentralisierung bestehen. Regionale und lokale Staatsorgane spielen gegenwärtig eine wichtige Rolle bei der Neubelebung der Demokratie, und Meinungsumfragen zeigen ein höheres Maß an Vertrauen der Bürgerinnen und

22 „Superrevisionsinstanz" im Orig. deutsch; d.Ü.
23 Keating (1995).
24 Ginsborg (1994).
25 Orstrom Moller (1997).

Bürger auf diesen niedrigeren Ebenen staatlicher Organisation als auf der nationalen und übernationalen Ebene. Städte werden zu entscheidenden Akteuren bei der Festlegung wirtschaftlicher Entwicklungsstrategien und im ausgehandelten Zusammenspiel mit internationalisierten Firmen. Und Städte ebenso wie Regionen haben europäische Netzwerke geschaffen, die Initiativen koordinieren, voneinander lernen und neue Prinzipien der Kooperation und Konkurrenz anwenden, deren Praxis wir an anderer Stelle beschrieben haben.[26]

Eine etwas harmlosere Illustration dieser doppelten Dynamik von lokaler Identität und europäischer Vernetzung, die ich für extrem wichtig halte, ist die Strukturierung von Profi-Sportarten wie Fußball oder Basketball während des letzten Jahrzehnts. Es ist allgemein bekannt, dass das lokale Team ein Brennpunkt für die Identität der Menschen ist. Zwar werden nach wie vor nationale Wettbewerbe ausgetragen, aber die größte Aufmerksamkeit gilt den europäischen Wettbewerben (von denen es etwa im Fußball drei gibt), sodass die Belohnung für Teams im nationalen Wettbewerb darin besteht, „europäisch" zu werden – ein Ziel, das anders als vor nur wenigen Jahrzehnten viele Teams erreichen können. Zugleich führen die Öffnung des Arbeitsmarktes für europäische Spieler und die Massenmigration von Spielern aus anderen Ländern nach Europa dazu, dass ein beachtlicher Teil der Spieler im lokalen Team Ausländer sind. Im Ergebnis mobilisieren sich die Menschen über die Identität ihrer Stadt, die von einer Gruppe weitgehend ausländischer Berufsspieler repräsentiert wird, die in unterschiedlichen europäischen Ligen miteinander wetteifern. Durch diese Art von Grundmechanismen des Lebens kommt das wirkliche Europa zustande – durch gemeinsame Erfahrung auf der Grundlage bedeutungsvoller, erfahrbarer Identität. Wie also kann die Vereinigung zwischen dem scharfen Wind der Globalisierung und dem wärmenden Herd der Lokalität voran kommen?

Die Institutionalisierung Europas: Der Netzwerkstaat

Wenn wir die widersprüchlichen Visionen und Interessen im Zusammenhang mit der Vereinigung Europas bedenken und den Mangel an Enthusiasmus unter den Bürgerinnen und Bürgern der meisten Länder berücksichtigen, dann scheint es ein Wunder, dass dieser Integrationsprozess zur Jahrtausendwende so weit gekommen ist, wie es tatsächlich der Fall ist. Ein Teil der Erklärung für diesen unwahrscheinlichen Erfolg ist in der Tatsache zu suchen, dass die Europäische Union die bestehenden Nationalstaaten nicht ersetzt, sondern im Gegenteil ein grundlegendes Element für ihr Fortbestehen unter der Bedingung ist, dass sie Teile ihrer Souveränität im Austausch gegen größeren Einfluss auf internationale ebenso wie eigenstaatliche Angelegenheiten im Globalisierungszeitalter ab-

26 Borja und Castells (1997).

geben. Aber diese Interessenkonvergenz musste, um wirksam zu werden, noch immer einen institutionellen Ausdruck finden. Sie fand ihn in einer komplexen und veränderlichen Geometrie europäischer Institutionen, die die Kontrolle der Entscheidungsprozesse durch die nationalen Regierungen (den Europäischen Rat, und seine halbjährlichen Gipfeltreffen, die regelmäßigen Treffen des Ministerrates), die Erledigung der gemeinsamen europäischen Geschäfte durch die von der Europäischen Kommission geleitete Eurotechnokratie und den symbolischen Ausdruck der Legitimität im Europäischen Parlament, im Europäischen Gerichtshof und im Europäischen Rechnungshof.

Die unablässigen Verhandlungsprozesse innerhalb dieses institutionellen Systems und zwischen den nationalen Akteuren, die im Rahmen dieser Institutionen ihre Strategien verfolgen, mag mühsam und ineffizient sein. Aber genau diese Unbestimmtheit und Komplexität machen es möglich, dass in der Europäischen Union unterschiedliche Interessen und wechselnde politische Strategien ihren Platz finden, die nicht nur aus verschiedenen Ländern kommen, sondern von den verschiedenen politischen Orientierungen der in die Regierungen gewählten Parteien. Mit der Einführung einer einheitlichen Währung und mit dem Erweiterungsprozess wird der Prozess sogar noch komplizierter. Manche Länder mögen wie Großbritannien oder Dänemark ihr Recht zum Ausscheren nutzen. Andere werden Ausnahmen von den allgemeinen Regeln aushandeln. Und wegen der zunehmenden Abweichungen in der Lage der Länder innerhalb der Union werden die Abstimmungsverfahren je nach dem, was zur Entscheidung ansteht, sich verändern. Einerseits wird ein Mehrheitsverfahren im Ministerrat es ermöglichen, dass große Länder strategische Entscheidungen treffen können, ohne durch spezifische Interessen eines Landes oder einer Minderheitskoalition paralysiert zu werden. Andererseits wird der Preis für diese Verstärkung der Macht von Mehrheiten in der Flexibilisierung der Anwendung von Unionsentscheidungen auf gewisse Länder auf gewissen Gebieten für gewisse Zeit bestehen. Wie Alonso Zaldivar schreibt, schließen sich in diesem System die föderale und die konföderale Logik gegenseitig nicht aus:

> In Fragen wie der Verteidigung, der Polizei und der öffentlichen Ausgaben könnte die konföderale oder intergouvernementale [Logik] den Vorrang erhalten, während bei Geldpolitik, Handel, Aufenthaltsrecht und der Zirkulation von Kapital, Gütern und Menschen die Funktionsweise der Union dem Föderalismus oder einem supranationalen System näher käme. Andere Angelegenheiten wie Außenpolitik, Umwelt, Steuern und Einwanderung würden eine Zwischenstellung einnehmen. Die künftige erweiterte Union muss weniger einheitlich und flexibler sein [...] Es ist möglich, dass die Organisation einer solchen Institution einem Netzwerk näher kommen wird als einem Baum, und die politische Theorie hat noch keinen Begriff, der dieser Art von Konfiguration gerecht würde, aber das stellt kein Hindernis dar, sie aufzubauen. Es wird jedoch nicht ausreichen, dass aufgeklärte Bürokraten diese Institution entwerfen: Es wird auch nötig sein, dass die Bürgerinnen und Bürger sie annehmen.[27]

27 Alonso Zaldivar (1996: 352f); nach der Übers. von M.C.

Das Schlüsselelement dabei, allmählich die Legitimität der Europäischen Union zu verankern, ohne ihre Fähigkeit zur politischen Gestaltung zu gefährden, ist das Vermögen ihrer Institutionen, auf subnationaler – regionaler oder lokaler – staatlicher Ebene miteinander in Beziehung zu treten, wobei sie bewusst das Subsidiaritätsprinzip ausweiten, nach dem die Institutionen der Union nur Entscheidungen fällen, die von den niedrigeren staatlichen Ebenen einschließlich der Nationalstaaten nicht effektiv übernommen werden können. Der Ausschuss der Regionen, ein Beratungsgremium, das aus 222 Mitgliedern besteht, die regionale und lokale staatliche Instanzen aus allen Ländern der Union vertreten, ist der unmittelbarste institutionelle Ausdruck dieses Anliegens. Der wirkliche Prozess der Relegitimierung Europas scheint im Aufblühen lokaler und regionaler Initiativen zu bestehen, in wirtschaftlicher Entwicklung ebenso wie in kulturellen Ausdrucksformen und sozialen Rechten, die sich horizontal miteinander verbinden und zugleich direkt oder über die jeweiligen nationalen Regierungen mit europäischen Programmen in Kontakt treten.[28]

In ihren Überlegungen zur zunehmenden Komplexität und Flexibilität des europäischen politischen Prozesses schlagen Keohane und Hoffman vor, davon auszugehen, dass die Europäische Union „im wesentlichen als Netzwerk organisiert ist, in dem Souveränität zusammengeführt und geteilt, nicht aber auf eine höhere Ebene übertragen wird."[29] Diese Analyse, die Waever weiter entwickelt und theoretisch ausgearbeitet hat,[30] nähert den europäischen Vereinigungsprozess stärker der Charakteristik von Institutionen unter der Prämisse eines neuen Mittelalters an; das bedeutet eine Mehrzahl einander überlappender Machtinstanzen, wie es ähnlich vor Jahren von Hedley Bull formuliert und von einer Reihe europäischer Analytiker wie Alain Minc aufgegriffen worden ist.[31] Obwohl Historiker gegenüber einer solchen Parallele vielleicht Einwände haben werden, illustriert dieses Bild eindringlich die neue Staatsform, die konzentriert in den europäischen Institutionen zum Ausdruck kommt: *den Netzwerkstaat. Es ist ein Staat, der durch die Teilung von Kompetenzen (d.h. in letzter Instanz der Macht, legitime Gewalt auszuüben) innerhalb eines Netzwerkes gekennzeichnet ist.* Ein Netzwerk hat definitionsgemäß Knoten und kein Zentrum. Die Knoten können unterschiedlich groß und durch asymmetrische Beziehungen innerhalb des Netzwerkes miteinander verbunden sein, sodass der Netzwerkstaat das Bestehen politischer Ungleichheiten unter seinen Mitgliedern nicht ausschließt. Und in der Tat sind im europäischen Netzwerk nicht alle staatlichen Institutionen gleich. Nicht nur konzentriert sich noch immer ein Großteil der Entscheidungsgewalt bei nationalen Regierungen, sondern es bestehen auch große Machtunterschiede zwischen den Nationalstaaten, obwohl die Machthierarchie in unterschiedlichen

---

28 Borja (1992).
29 Keohane und Hoffman (1991b: 13).
30 Waever (1995).
31 Bull (1977); Minc (1993).

Dimensionen variiert: Deutschland ist die wirtschaftliche Hegemonialmacht, aber Großbritannien und Frankreich besitzen weit größere militärische Macht und mindestens gleichwertige technologische Kompetenz. Und Spanien kontrolliert die wertvollste Dienstleistung für viele Europäer: ihren Urlaub. Unabhängig von diesen Asymmetrien sind jedoch die verschiedenen Knoten des europäischen Netzwerkstaates jeweils voneinander abhängig, sodass kein Knoten, nicht einmal der Mächtigste, die anderen, nicht einmal den Kleinsten, im Entscheidungsfindungsprozess ignorieren kann. Wenn manche politischen Knoten dies tun, so wird das gesamte System in Frage gestellt. Das ist der Unterschied zwischen einem politischen Netzwerk und einer zentralisierten politischen Struktur.

Die verfügbaren Belege und neuere Debatten über politische Theorie scheinen darauf hin zu deuten, dass der Netzwerkstaat mit seiner variablen Souveränität die Antwort der politischen Systeme auf die Herausforderungen der Globalisierung ist. Und die Europäische Union könnte bisher die deutlichste Ausdrucksform dieser sich abzeichnenden Staatsform sein, die vermutlich für das Informationszeitalter kennzeichnend ist.

Europäische Identität oder europäisches Projekt?

Im Endeffekt wird die Vereinigung Europas wahrscheinlich nicht allein durch geschickte politische Manipulation vollendet werden. Im Kontext demokratischer Gesellschaften wird Europa sich nur dann in unterschiedlichem Grad und unter noch zu findenden Formen vereinigen, wenn seine Bürgerinnen und Bürger das wollen. Auf der Grundlage der Erkundung der gesellschaftlichen Tendenzen, die ich in den drei Bänden dieses Buches dargelegt habe, ist nicht anzunehmen, dass es allein aufgrund von instrumentellen Interessen am Umgang mit der Globalisierung dazu kommen wird, vor allem, wenn die entsprechenden Maßnahmen zweifellos für beträchtliche Teile der Bevölkerung schmerzhaft sein werden. Wenn Sinn mit Identität verknüpft ist, und wenn Identität ausschließlich national, regional oder lokal bleibt, könnte die europäische Vereinigung auf Dauer nicht mehr sein als ein gemeinsamer Markt, eine Parallele zu anderen Freihandelszonen, die in anderen Weltregionen gebildet werden. Die europäische Vereinigung erfordert auf lange Sicht eine europäische Identität.

Die Vorstellung von einer europäischen Identität ist aber im besten Fall problematisch.[32] Wegen der Trennung von Kirche und Staat und der lauen Religiosität der meisten Europäer kann sie nicht auf dem Christentum aufgebaut werden, wie dies historisch der Fall gewesen ist, wenn auch die verbreiteten antimuslimischen Reaktionen auf die historische Hartnäckigkeit des Kreuzfahrer-

32 Al-Sayyad und Castells (2000).

geistes hindeuten. Sie kann nicht auf der Demokratie aufbauen: erstens, weil die demokratischen Ideale auf der ganzen Welt geteilt werden; zweitens, gerade weil die Demokratie sich wegen ihrer gegenwärtigen Abhängigkeit vom Nationalstaat in der Krise befindet (s. Bd. II, Kap. 6). Es wird schwierig und dramatisch, sie in einer Zeit auf Ethnizität zu gründen, wo Europa ethnisch immer vielfältiger wird. Es ist definitionsgemäß unmöglich, sie auf nationaler Identität aufzubauen, obwohl die Bewahrung nationaler Identität notwendig sein wird, wenn die europäische Vereinigung weiter gehen soll. Und es wird nicht einfach sein, eine europäische Wirtschaftsidentität zu verteidigen („Festung Europa"), weil die ökonomischen Kernaktivitäten globalisiert werden und grenzüberschreitende Produktionsnetzwerke die Europäische Union an den Rest der Welt ankoppeln, angefangen mit Osteuropa und bis hin zu Südostasien. Fühlen sich die meisten Leute – neben dem Gefühl als Franzosen, Spanier oder Katalanen – den Meinungsumfragen zufolge als Europäer? Ja.[33] Wissen sie, was das bedeutet? Mehrheitlich nein. Wissen *Sie* es? Selbst wenn der Euro 2002 in Umlauf kommt, wird seine außerökonomische Bedeutung verloren gehen, wenn es nicht zu einer breiteren, kulturellen Transformation der europäischen Gesellschaften kommt.

Im Großen und Ganzen gibt es also keine europäische Identität. Aber sie könnte geschaffen werden, nicht im Gegensatz, sondern komplementär zu den nationalen, regionalen und lokalen Identitäten. Es wäre ein Prozess der sozialen Konstruktion notwendig, den ich in Band II als *Projektidentität* bezeichnet habe; also ein Plan von sozialen Wertorientierungen und institutionellen Zielsetzungen, die für eine Mehrheit der Bürgerinnen und Bürger attraktiv sind, ohne irgendjemanden prinzipiell auszuschließen. Das war es, was die Demokratie oder der Nationalstaat historisch zu Beginn des Industriezeitalters darstellten. Was könnte der Inhalt eines europäischen Identitätsprojektes im Informationszeitalter sein? Ich habe ebenso gut wie alle anderen meine Präferenzen, aber sie sollten nicht unserer Erkundung der Geschichte im Entstehen in die Quere kommen. Was sind die Elemente, *die im Diskurs und in der Praxis der gesellschaftlichen Akteure tatsächlich vorkommen, die sich gegen Globalisierung und Entrechtung wenden, ohne in den Kommunalismus zurückzufallen?*[34] Freiheit, Gleichheit, Brüderlichkeit; Verteidigung von Wohlfahrtsstaat und gesellschaftlicher Solidarität, stabilen Beschäftigungsverhältnissen und Rechten der Arbeiterinnen und Arbeiter; Sorge um die universellen Menschenrechte und die Not der Vierten Welt; neuer Nachdruck auf Demokratie und ihre Ausweitung auf Bürgerbeteiligung auf lokaler und regionaler Ebene; die Lebenskraft historisch/territorial verwurzelter Kulturen, die häufig in der Sprache zum Ausdruck kommen und die nicht vor der Kultur der realen Virtualität kapitulieren. Die meisten europäischen Bürgerinnen und Bürger würden diese Werte vermutlich unterschreiben. Wenn sie

33 *The Economist*, 23. Oktober 1999.
34 Touraine (1997).

etwa bei der Verteidigung des Wohlfahrtsstaates und stabiler Beschäftigungsverhältnisse gegen den Druck der Globalisierung geltend gemacht werden sollen, würde dies außerordentliche Veränderungen in Wirtschaft und Institutionen erfordern. Aber das ist ja genau das, was ein Identitätsprojekt ausmacht: nicht eine utopische Proklamation von Träumen, sondern ein Kampf zur Durchsetzung alternativer Formen von wirtschaftlicher Entwicklung, von Stabilität und von Regierungspraxis. Es gibt Embryonen eines europäischen Identitätsprojektes. Und wahrscheinlich wird der Prozess der europäischen Vereinigung letztlich nur dann vollendet werden, wenn diesen Embryonen politischer Ausdruck gegeben wird.

Schluss: Unsere Welt verstehen

Das will sagen, daß kaum
ins Leben getreten
und gerade geboren
wir den Mund uns nicht mit so vielen
unsicheren Namen füllen sollten,
mit so vielen öden Umgangsformen,
mit so vielen hochtönenden Lettern,
mit so vielen Dein und so vielen Mein,
mit so viel Unterschrift auf Papieren.

Ich habe vor, die Dinge zu verwirren,
zu vereinen, sie frisch zu gebären
sie durcheinanderzumengen, sie zu entkleiden,
bis das Licht der Welt
die Einheit des Weltmeers enthält,
eine großzügige Integrität,
einen prasselnden Duft.
Pablo Neruda, Fragment aus „Zu viele Namen“, Das lyrische Werk, Band 2

Dies ist das Gesamtresumé des dreiteiligen Buches *Das Informationszeitalter: Wirtschaft, Gesellschaft und Kultur*. Ich habe versucht, Wiederholungen zu vermeiden. Zur Definition der in diesem Schlussabschnitt verwendeten Begriffe (etwa Informationalismus oder Produktionsverhältnisse) möchte ich auf den Prolog zu Band I verweisen. Ferner verweise ich zur ausführlicheren Entwicklung des Begriffs der Netzwerkgesellschaft auf den Schluss von Band I und zur Analyse der Beziehungen zwischen kultureller Identität, sozialen Bewegungen und Politik auf den Schluss von Band II.

Die Genese einer neuen Welt[1]

Zu dieser Jahrtausendwende ist eine neue Welt dabei, Form anzunehmen. Ihr Ursprung lag Ende der 1960er, Mitte der 1970er Jahre im historischen Zusammenfallen von drei *voneinander unabhängigen* Prozessen: der informationstechnologischen Revolution; der wirtschaftlichen Krise sowohl des Kapitalismus wie des Etatismus und ihrer darauf folgenden Neustrukturierung; und des Aufblühens kultureller sozialer Bewegungen wie der libertären Bewegung, der Bewegung für Menschenrechte, des Feminismus und der Umweltbewegung. Das Ineinanderwirken dieser drei Prozesse und die Reaktionen, die sie ausgelöst haben, riefen eine neue dominierende Sozialstruktur ins Leben, die Netzwerkgesellschaft; eine neue Wirtschaftsform, die informationelle/globale Ökonomie; und eine neue Kultur, die Kultur der realen Virtualität. Die Logik, die in diese Wirtschaft, diese Gesellschaft und diese Kultur eingebettet ist, liegt dem sozialen Handeln und den Institutionen in der gesamten interdependenten Welt zugrunde.

Einige wesentliche Merkmale dieser neuen Welt sind von der Forschung festgestellt worden, die in den drei Bänden dieses Buches dargestellt ist. Die informationstechnologische Revolution führte zum Aufkommen des Informationalismus als der materiellen Grundlage einer neuen Gesellschaft. Unter dem In-

1 In meinen Diskussionsveranstaltungen ist während der letzten Jahre eine Frage immer wieder und so häufig aufgetaucht, dass ich es für nützlich halte, sie den Leserinnen und Lesern zu stellen. Es ist die Frage der Neuheit. Was ist neu an alledem? Warum ist es eine neue Welt? Ich glaube nun, dass es eine neue Welt gibt, die an dieser Jahrtausendwende im Entstehen ist. In den drei Teilbänden dieses Buches habe ich versucht, Informationen und Ideen zu liefern, die diese Aussage untermauern. Chips und Computer sind etwas Neues; allgegenwärtige mobile Telekommunikation ist etwas Neues; Genmanipulation ist etwas Neues; in Echtzeit arbeitende, elektronisch integrierte globale Finanzmärkte sind etwas Neues; die miteinander verknüpfte, den gesamten Planeten und nicht nur einige seiner Segmente umspannende kapitalistische Wirtschaft ist etwas Neues; die Mehrheit der städtischen Erwerbstätigen, die in den fortgeschrittenen Volkswirtschaften in der Wissens- und Informationsverarbeitung tätig ist, ist etwas Neues; eine Mehrheit städtischer Bevölkerung auf dem Planeten ist etwas Neues; das Ende des Sowjet-Imperiums, das Verblassen des Kommunismus und das Ende des Kalten Krieges sind etwas Neues; der Aufstieg der asiatischen Pazifikregion als gleichberechtigter Partner in der globalen Wirtschaft ist etwas Neues; die verbreitete Herausforderung des Patriarchalismus ist etwas Neues; das universelle Bewusstsein über Umweltschutz ist etwas Neues; und das Auftreten der Netzwerkgesellschaft auf der Grundlage eines Raumes der Ströme und zeitloser Zeit ist historisch etwas Neues. *Aber darum geht es mir nicht.* Meine zentrale Aussage besteht darin, dass es nicht wirklich von Bedeutung ist, ob man glaubt, dass diese Welt oder irgend eines ihrer Merkmale neu ist oder nicht. Meine Analyse steht für sich selbst. Dies ist unsere Welt, die Welt des Informationszeitalters. Und dies ist meine Analyse dieser Welt, die für sich selbst nach ihrer Fähigkeit oder Unfähigkeit gesehen, benutzt, beurteilt werden muss, die Phänomene, die wir beobachten und erleben, unabhängig von ihrer Neuheit zu erkennen und zu erklären. Schließlich: Wenn es nichts Neues unter der Sonne gibt, braucht man sich auch nicht die Mühe zu machen, darüber zu forschen, nachzudenken und zu lesen.

formationalismus gerieten die Schaffung von Reichtum, die Ausübung von Macht und die Schöpfung kultureller Codes in Abhängigkeit von der technologischen Kompetenz der Gesellschaften und Individuen, und im Zentrum dieser Kompetenz steht die Informationstechnologie. Die Informationstechnologie wurde zum unverzichtbaren Werkzeug für die effektive Durchführung der Prozesse sozioökonomischer Neustrukturierung. Besonders bedeutsam war dabei ihre Rolle, Vernetzung als dynamische, selbst-expandierende Organisationsform menschlicher Tätigkeit zu ermöglichen. Diese vorherrschende Netzwerklogik prägt alle Bereiche des gesellschaftlichen und wirtschaftlichen Lebens.

Die Krise der wirtschaftlichen Entwicklungsmodelle, die sowohl im Kapitalismus wie im Etatismus eingetreten war, gab ab Mitte der 1970er Jahre Anlass zu ihrer parallelen Neustrukturierung. In den kapitalistischen Volkswirtschaften ergriffen Unternehmen und Regierungen eine Reihe von Maßnahmen und politischen Strategien, die gemeinsam zu einer neuen Form des Kapitalismus geführt haben. Sie ist durch die Globalisierung der wirtschaftlichen Kernaktivitäten, organisatorische Flexibilität und einen Machtzuwachs des Managements gegenüber der Arbeit gekennzeichnet. Konkurrenzdruck, die Flexibilisierung der Arbeit und die Schwächung der organisierten Arbeiterbewegung führten zur Einschränkung des Wohlfahrtsstaates, des Ecksteins des Gesellschaftsvertrages während des Industriezeitalters. Die neuen Informationstechnologien spielten eine entscheidende Rolle, die Entstehung dieses verjüngten, flexiblen Kapitalismus zu erleichtern, weil sie die Werkzeuge für Vernetzung, für Kommunikation über weite Entfernungen, für Speicherung/Verarbeitung von Information, für koordinierte Individualisierung der Arbeit sowie für gleichzeitige Konzentration und Dezentralisierung der Entscheidungsfindung bereitstellten.

In dieser globalen, interdependenten Wirtschaft begannen neue Konkurrenten, Unternehmen und Länder einen steigenden Anteil an Produktion, Handel, Kapital und Arbeit zu beanspruchen. Das Auftreten einer mächtigen, wettbewerbsfähigen pazifischen Wirtschaft und die neuen Prozesse der Industrialisierung und Marktexpansion in verschiedenen Regionen der Welt erweiterten ungeachtet wiederholter Krisen und systemischer Instabilität die Reichweite und die Größenordnung der globalen Ökonomie und schufen so ein multikulturelles Fundament gegenseitiger wirtschaftlicher Abhängigkeit. Die Kapital-, Arbeits-, Informations- und Marktnetzwerke verbanden durch Technologie wertvolle Funktionen, Menschen und Lokalitäten auf der ganzen Welt miteinander, schalteten aber diejenigen Bevölkerungen und Territorien von ihren Netzwerken ab, die für die Dynamik des globalen Kapitalismus keinen Wert und kein Interesse mehr besaßen. Daraus folgten die soziale Exklusion und die ökonomische Bedeutungslosigkeit von gesellschaftlichen Segmenten, Stadtgebieten, Regionen und ganzen Ländern, die das ausmachen, was ich als „Vierte Welt" bezeichne. Die verzweifelten Versuche einiger dieser gesellschaftlichen Gruppen und Territorien, Anschluss an die globale Ökonomie zu finden und der Marginalität zu entrinnen, führten zu dem, was ich als die „perverse Koppelung" bezeichne. Hier hat das organisierte Verbrechen auf der ganzen Welt sich die Not der „Vierten Welt" zunutze gemacht, um die Entwicklung einer globalen kriminellen Ökonomie voranzutreiben. Sie hat das Ziel, verbotene Gelüste zu befriedigen und die endlose Nachfrage von wohlhabenden Gesellschaften und Individuen nach illegalen Waren zu befriedigen.

Die Neustrukturierung des Etatismus erwies sich als schwieriger, zumal für die beherrschende etatistische Gesellschaft der Welt, die Sowjetunion, das Zentrum eines breiten Netzwerkes von etatistischen Staaten und Parteien. Der sowjetische Etatismus erwies sich als unfähig, sich dem Informationalismus anzupassen. So kam es zur Blockade des wirtschaftlichen Wachstums und zur entscheidenden Schwächung seiner Militärmaschinerie, die für das etatistische Regime die letztentscheidende Macht darstellte. Das Bewusstsein von Stagnation und Niedergang veranlasste einige sowjetische Führer angefangen von Andropov bis hin zu Gorbatschow zu dem Versuch einer Neustrukturierung des Systems. Um die Trägheit und den Widerstand von Partei- und Staatsapparat zu überwinden, öffnete die reformistische Führungsgruppe die Informationskanäle und appellierte an die Unterstützung der Zivilgesellschaft. Der machtvolle Ausdruck nationaler/kultureller Identitäten und die Forderungen des Volkes nach Demokratie ließen sich nicht ohne Weiteres in ein vorgefertigtes Reformprogramm einpassen. Der Druck der Ereignisse, taktische Fehler, politische Inkompetenz und die innere Spaltung der etatistischen Apparate führten zum plötzlichen Zusammenbruch des Sowjetkommunismus, eines der außerordentlichsten Ereignisse der politischen Geschichte. Mit ihm zerfiel auch das Sowjetimperium, und die etatistischen Regime in seiner globalen Einflusssphäre wurden einschneidend geschwächt. So endete das revolutionäre Experiment, das das 20. Jahrhundert beherrscht hatte, an historischen Maßstäben gemessen in nicht mehr als einem Augenblick. Das war zugleich das Ende des Kalten Krieges zwischen Kapitalismus und Etatismus, der die Welt gespalten, die Geopolitik definiert und unser Leben das vergangene halbe Jahrhundert hindurch verfolgt hatte.

In seiner kommunistischen Inkarnation war dies für den Etatismus faktisch das Ende, obwohl die chinesische Ausgabe des Etatismus einen komplizierteren, subtileren Weg zu seinem historischen Abgang nahm, wie ich in Kapitel 4 dieses Bandes zu zeigen versuchte. Im Interesse der Kohärenz der hier vorgetragenen Überlegungen möchte ich daran erinnern, dass der chinesische Staat zur Jahrtausendwende zwar vollständig von der Kommunistischen Partei kontrolliert wird, dass aber sein Gravitationszentrum die Einbeziehung Chinas in den globalen Kapitalismus auf der Grundlage des nationalistischen Projektes ist, das der Staat repräsentiert. Dieser chinesische Nationalismus mit sozialistischen Charakteristika ist dabei, sich schnell vom Etatismus in Richtung auf den globalen Kapitalismus zu entfernen und versucht dabei, einen Weg zu finden, sich ohne offene Gesellschaft an den Informationalismus anzupassen.

Nach dem Ende des Etatismus als System blüht der Kapitalismus auf der ganzen Welt und dringt vertieft in Länder, Kulturen und Lebensbereiche ein. Trotz einer höchst vielgestaltigen gesellschaftlichen und kulturellen Landschaft ist der ganze Planet erstmals in der Geschichte um einen weitgehend gemeinsamen Satz von ökonomischen Regeln organisiert. Doch es ist eine andere Art von Kapitalismus als derjenige, der während der Industriellen Revolution geprägt wurde, oder derjenige, der während der Depression der 1930er Jahre und des Zweiten Weltkrieges in der Form von Keynesianismus und sozialer Sicherung aufgetreten ist. Es ist die Form eines Kapitalismus, der in seinen Zielsetzungen gehärtet, aber in seinen Mitteln unvergleichlich flexibler ist als alle seine Vorgänger. Es ist der informationelle Kapitalismus, der sich auf innovationsbedingte Produktivität und auf globalisierungsorientierte Wettbewerbsfähigkeit stützt, um Reichtum hervorzubringen und ihn selektiv anzueignen. Er ist mehr denn je in Kultur eingebettet und mit Technologie ausgerüstet. Aber diesmal sind beide, Kultur und Technologie, von der Fähigkeit des Wissens und der Information abhängig, in einem sich immer erneuernden Netzwerk globalen Austauschs auf Wissen und Information einzuwirken.

Doch sind Gesellschaften nicht einfach das Resultat technologischer und wirtschaftlicher Transformation, und sozialer Wandel lässt sich auch nicht auf institutionelle Krisen und Anpassungen eingrenzen. Etwa zur selben Zeit, als diese Entwicklungen Ende der 1960er Jahre einsetzten, brachen fast gleichzeitig in der gesamten industrialisierten Welt starke soziale Bewegungen aus, erst in den Vereinigten Staaten und Frankreich, dann in Italien, Deutschland, Spanien, Japan, Brasilien, Mexiko, der Tschechoslowakei, und sie trafen in zahlreichen anderen Ländern auf Widerhall und Reaktion. Als Teilnehmer dieser sozialen Bewegungen (ich war 1968 Assistenzprofessor für Soziologie auf dem Campus Nanterre der Universität von Paris) kann ich ihre libertäre Haltung bezeugen. Zwar griffen ihre militanten Avantgarden häufig marxistische ideologische Ausdrucksformen auf, aber sie hatten mit dem Marxismus und übrigens auch mit der Arbeiterklasse wenig zu schaffen. Es waren im Wesentlichen kulturelle Bewegungen, die das Leben ändern, aber nicht die Macht ergreifen wollten. Sie wussten intuitiv, dass Zugang zu den staatlichen Institutionen dazu führt, von ihnen kooptiert zu werden, während die Schaffung eines neuen, revolutionären Staates die Perversion der Bewegung bedeutete. Ihr Ehrgeiz bestand in der multidimensionalen Reaktion auf willkürliche Autorität, einer Revolte gegen Ungerechtigkeit und einem Streben nach experimentellem Leben. Ihre Akteure waren zwar häufig Studierende, aber es waren keinesfalls Studentenbewegungen, denn sie durchdrangen die gesamte Gesellschaft, vor allem junge Leute. Und ihre Wertvorstellungen fanden in allen Lebenssphären ihren Widerhall. Natürlich wurden sie politisch besiegt, weil sie wie die meisten utopischen Bewegungen der Geschichte niemals den politischen Sieg anstrebten. Aber ihr Hinschwinden entfaltete eine hohe historische Produktivität, und viele ihrer Ideen und auch einige ihrer Träume keimten in den Gesellschaften und blühten auf als kulturelle Innovationen, mit denen Politiker und Ideologen in den kommenden Generationen zu rechnen haben werden. Aus diesen Bewegungen sind die Ideen hervorgegangen, die zu den Quellen der Umweltbewegung, des Feminismus, der dauernden Verteidigung der Menschenrechte, der sexuellen Befreiung, der ethnischen Gleichheit und der Basisdemokratie werden sollten. Indem sie individuelle Autonomie gegen Kapital und Staat einklagten, verliehen die kulturellen Bewegungen der 1960er und frühen 1970er Jahre Ansätzen von Identitätspolitik neues Gewicht. Diese Ideen bahnten den Weg für den Aufbau kultureller Kommunen in den 1990er Jahren, als die Legitimitätskrise der Institutionen des Industriezeitalters die Bedeutung demokratischer Politik verwischt hatte.

Die sozialen Bewegungen waren keine Antwort auf die Wirtschaftskrise. Ihr Aufschwung fiel ja gerade in die späten 1960er Jahre, den Höhepunkt von dauerhaftem Wachstum und Vollbeschäftigung, als Kritik an der „Konsumgesellschaft". Wenn sie auch ein paar Arbeiterstreiks hervorriefen wie in Frankreich und der politischen Linken nützten wie in Italien, so waren sie doch nicht Teil der Politik von Rechts und Links, die sich im Industriezeitalter entlang der Klassenspaltungen des Kapitalismus organisiert hatte. Und sie lebten zwar im Großen und Ganzen in Koexistenz mit der informationstechnologischen Revolution, aber die Technologie wurde sowohl in den Werten wie in der Kritik der meisten Bewegungen weitgehend ausgespart, wenn wir von einigen Aufrufen gegen die Entmenschlichung durch den Maschinismus und den Widerstand gegen die Atomkraft (im Informationszeitalter eine alte Technologie) einmal absehen. Aber wenn diese sozialen Bewegungen auch in erster Linie kulturell und unabhängig von wirtschaftlichen und technologischen Transformationen waren, so hatten sie doch Auswirkungen auf die Wirtschaft, die Technologie und die sich daraus ergebenden Prozesse der Neustrukturierung. Ihre libertäre Grundstimmung beeinflusste die Bewegung zu individualisierten, dezentralisierten Formen der Technologienutzung in beträchtlichem Ausmaß. Ihre deutliche Abgrenzung von der traditionellen Arbeiterpolitik trug zur Schwächung der organisierten Arbeiterbewegung bei und erleichterte so die kapitalistische Neustrukturierung. Ihre kulturelle Offenheit regte technologische Experimentierfreude im Bereich der Symbolmanipulation an, die eine neue Welt symbolischer Repräsentation schuf, die sich dann zur Kultur der realen Virtualität entwickelte. Ihr Kosmopolitismus und Internationalismus legten die intellektuellen Grundlagen für eine interdependente Welt. Und ihr Widerwillen gegen den Staat untergrub die Legitimität der demokratischen Rituale, auch wenn einige der Führungspersonen der Bewegung später zur Erneuerung der politischen Institutionen schritten. Außerdem bereiteten die Bewegungen der 1960er Jahre, weil sie sich der ordentlichen Weitergabe ewiger Verhaltenskodizes und etablierter Werte wie Patriarchalismus, religiösem Traditionalismus und Nationalismus versagten, den Boden für eine grundlegende Spaltung der Gesellschaften auf der ganzen Welt: einerseits aktive, kulturell selbst-definierte Eliten, die ihre eigenen Wertvorstellungen auf der Grundlage eigener Erfahrung schaffen; andererseits zunehmend verunsicherte, schlecht abgesicherte soziale Gruppen, denen Information, Ressourcen und Macht vorenthalten werden und die ihre Widerstandsgräben genau um jene ewigen Werte herum ausheben, die von den rebellischen 1960ern verlacht worden waren.

Die technologische Revolution, die Neustrukturierung der Wirtschaft und die Kritik an der Kultur flossen in einer historischen Neudefinition der Beziehungen zwischen Produktion, Macht und Erfahrung zusammen, auf denen die Gesellschaften beruhen.

Eine neue Gesellschaft

Eine neue Gesellschaft entsteht, sobald und im Falle, dass eine strukturelle Transformation in den Produktionsverhältnissen, in den Machtbeziehungen und in den Verhältnissen der Erfahrung zu beobachten ist. Diese Transformationen führen zu einer ebenso eingreifenden Transformation bei den gesellschaftlichen Formen von Raum und Zeit und zum Auftreten einer neuen Kultur.

Die Informationen und Analysen, die in den drei Teilbänden dieses Buches ausgebreitet werden, verweisen deutlich auf eine solche vieldimensionale Transformation, die im letzten Abschnitt des zweiten Jahrtausends eingetreten ist. Ich fasse die wichtigsten Merkmale der Transformation für jede einzelne Dimension zusammen, wobei ich auf die empirischen Materialien in den jeweiligen Kapiteln verweise, die den hier vorgelegten Schlussfolgerungen empirische Glaubwürdigkeit verleihen.

Die *Produktionsverhältnisse* sind sowohl gesellschaftlich wie auch technologisch transformiert worden. Natürlich sind sie kapitalistisch, aber sie gehören zu einer historisch anderen Sorte von Kapitalismus, die ich als informationellen Kapitalismus bezeichne. Um der Klarheit willen werde ich nacheinander auf die neuen Charakteristika des Produktionsprozesses, der Arbeit und des Kapitals eingehen. Dann lässt sich die Transformation der Klassenverhältnisse sichtbar machen.

Produktivität und Wettbewerbsfähigkeit sind die beherrschenden Prozesse der informationellen/globalen Ökonomie. Produktivität geht in ihrem Kern auf Innovation zurück, Wettbewerbsfähigkeit auf Flexibilität. Unternehmen, Regionen, Länder, Wirtschaftseinheiten aller Art stellen daher ihre Produktionsverhältnisse auf maximale Innovation und Flexibilität ein. Die Informationstechnologie und die Fähigkeit, sie einzusetzen, sind unverzichtbar, soll die neue Produktionsfunktion leistungsfähig arbeiten. Zudem wird eine neue Art der Organisation, die gleichzeitig auf Anpassungsfähigkeit und Koordination ausgeht, zur Grundlage für das effektivste Betriebssystem, dessen Sinnbild das ist, was ich als Netzwerkunternehmen bezeichnet habe.

Unter diesem neuen Produktionssystem wird die Rolle der Arbeit als Produzent neu definiert und scharf nach den Charakteristika des jeweiligen Arbeiters oder der Arbeiterin differenziert. Ein wichtiger Unterschied bezieht sich auf das, was ich als generische Arbeit im Gegensatz zu selbst-programmierbarer Arbeit bezeichne. Die entscheidende Qualität, die den Unterschied zwischen diesen beiden Arten der Arbeit ausmacht, sind Bildung und die Fähigkeit des Zugangs zu höheren Bildungsstufen; also verkörpertes Wissen und Information. Der Begriff der Bildung ist von Fertigkeiten zu unterscheiden. Fertigkeiten können durch technologische und organisatorische Veränderungen schnell obsolet werden. Bildung (im Unterschied zur Verwahrung von Kindern und Studierenden) ist der Prozess, durch den Menschen, also Arbeitskräfte, die Fähigkeit erwerben, beständig die notwendigen Fertigkeiten für eine bestimmte Aufgabe neu zu bestimmen und sich Zugang zu den Quellen zu verschaffen, um diese Fertigkeiten zu erwerben. Wer immer gebildet ist und sich im richtigen organisatorischen Umfeld befindet, kann sich für die endlosem Wandel unterliegenden Anforderungen des Produktionsprozesses neu programmieren. Andererseits wird generischer Arbeit eine bestimmte Aufgabe ohne Fähigkeit zur Neuprogrammierung übertragen, und sie hat nicht die Verkörperung von Information und Wissen zur Voraussetzung, die über die Fähigkeit zum Empfang von Signalen und die Durchführung entsprechender Handlungen hinausgeht. Diese „menschlichen Terminals“ lassen sich natürlich durch Maschinen oder durch jeden anderen Körper ersetzen, der sich in der Stadt, im Land oder in der Welt findet, ganz nach unternehmerischen Entscheidungen. Zwar sind sie kollektiv für den Produktionsprozess unverzichtbar, aber sie können individuell ersetzt werden, weil der von Einzelnen zugefügte Wert nur einen kleinen Bruchteil dessen darstellt, was durch und für die Organisation erzeugt wird. Maschinen und generische Arbeit aus unterschiedlichen Quellen und Orten bevölkern gemeinsam die niederen Kreisläufe des Produktionssystems.

Flexibilität die organisatorisch durch das Netzwerkunternehmen realisiert wird, erfordert Vernetzer, flexible Arbeit sowie eine breite Palette von Arbeitsarrangements, zu denen auch Selbstständigkeit und wechselseitige Beziehungen durch Subunternehmertum gehören. Die variable Geometrie dieser Arbeitsarrangements führt zur koordinierten Dezentralisierung der Arbeitsverrichtungen und zur Individualisierung der Arbeit.

Die informationelle/globale Wirtschaft ist kapitalistisch, und das mehr als jede andere Wirtschaft in der Geschichte. Aber das Kapital ist in dieser neuen Wirtschaftsform genauso transformiert wie die Arbeit. Die Regel lautet noch immer: Produktion um des Profits und der privaten Aneignung des Profits willen auf der Grundlage von Eigentumsrechten. Das ist das Wesen des Kapitalismus. Aber wie kommt es zu dieser Aneignung des Profits? Wer sind die Kapitalisten? Um diese grundlegende Frage zu beantworten, gilt es drei unterschiedliche Ebenen zu berücksichtigen. Lediglich die dritte Ebene ist eine Besonderheit des informationellen Kapitalismus.

Die erste Ebene betrifft die *Besitzer von Eigentumsrechten*. Sie lassen sich im Wesentlichen in drei Gruppen einteilen: (a) Aktienbesitzer von Unternehmen, eine Gruppe, in der institutionelle, anonyme Aktienbesitzer immer stärker vorherrschend werden, deren Entscheidungen über Investition und Investitionsabzug häufig ausschließlich von kurzfristigen finanziellen Erwägungen geleitet sind; (b) Eigentümer von Familienbetrieben, vor allem in der asiatischen Pazifikregion noch immer eine wichtige Form des Kapitalismus; und (c) individuelle Unternehmen, Eigentümer der eigenen Produktionsmittel (wobei ihr Verstand ihr wichtigstes Vermögen ist), Risikoträger und Eigentümer der eigenen Profitschöpfung. Diese letzte Kategorie, die für die Ursprünge des industriellen Kapitalismus von grundlegender Bedeutung gewesen und danach weitgehend durch den Konzernindustrialismus verdrängt worden ist, hat sich im informationellen Kapitalismus eindrucksvoll zurückgemeldet und dabei die vorrangige Bedeutung von Innovation und Flexibilität eingesetzt, der wesentlichen Merkmale des neuen Produktionssystems.

Die zweite Ebene der kapitalistischen Formen betrifft die *Managerklasse*, also diejenigen, die im Namen der Aktienbesitzer die Kontrolle über das Kapitalvermögen ausüben. Diese Manager, deren vorrangige Bedeutung Berle und Means bereits in den 1930er Jahren aufgezeigt haben, bilden unter dem Informationalismus vor allem in den multinationalen Konzernen noch immer das Herz des Kapitalismus. Ich sehe keinen Grund, hier nicht auch Manager staatlicher Unternehmen einzubeziehen, die in jeder praktischen Hinsicht derselben Logik folgen und dieselbe Kultur teilen, abgesehen davon, dass die Verluste vom Steuerzahler übernommen werden.

Die dritte Ebene im Prozess der Profitaneignung durch das Kapital ist sowohl ein alter Hut wie ein Grundzug des informationellen Kapitalismus. Der Grund liegt in der Natur der *globalen Finanzmärkte*. In diesen Märkten fließen letztlich die Profite aus allen Quellen auf der Suche nach größerem Profit zusammen. Und die Gewinnmargen auf dem Aktienmarkt, auf dem Markt für Schuldverschreibungen, auf dem Devisenmarkt, bei Futures, Optionsscheinen, Derivaten und insgesamt auf den Finanzmärkten sind im Durchschnitt wesentlich höher als bei den meisten Direktinvestitionen, nimmt man wenige Fälle von Spekulation einmal aus. Das liegt nicht an der Natur des Finanzkapitals, der historisch ältesten Form des Kapitals. Es liegt vielmehr an den historischen Bedingungen, unter denen es im informationellen Kapitalismus operiert. Nämlich der Vernichtung von Raum und Zeit mit Mitteln der Technologie. Seine technologische und informationelle Fähigkeit, unablässig den gesamten Planeten nach Investitionsmöglichkeiten abzusuchen und innerhalb von Sekunden von einer Option zur nächsten zu wechseln, bringt das Kapital in beständige Bewegung, wobei es in dieser Bewegung mit Kapital von allen Seiten verschmilzt wie etwa bei gemeinsamen Investmentfonds. Die Fähigkeit der Modelle des Finanzmanagements zur Programmierung und Vorhersage machen es möglich, die Zukunft und selbst die Zwischenräume der Zukunft (also mögliche Alternativszenarien) zu kolonisieren. Dabei wird dieser „irreale Grund und Boden“ als Eigentumsrecht am Immateriellen verkauft. Wenn nach den Regeln gespielt wird, ist an diesem Kasino nichts Schlechtes. Schließlich werden, wenn durch vorsichtiges Management und durch den Einsatz der entsprechenden Technologie einschneidende Zusammenbrüche vermieden werden, die Verluste mancher Kapitalfraktionen durch die Gewinne anderer ausgeglichen, sodass der Markt sich langfristig ausbalanciert und ein dynamisches Gleichgewicht behält. Wegen des Unterschieds zwischen der Höhe des Profits, den man aus der Produktion von Gütern und Dienstleistungen, und demjenigen, den man aus Finanzinvestitionen ziehen kann, sind individuelle Kapitale aller Art in Wirklichkeit vom Schicksal ihrer Investitionen auf den globalen Finanzmärkten abhängig, weil das Kapital niemals müßig gehen kann. *Deshalb sind die globalen Finanzmärkte und ihre Managementnetzwerke tatsächlich der kollektive Kapitalist, die Mutter aller Akkumulation.* Damit ist nicht gesagt, das Finanzkapital dominiere über das Industriekapital. Diese alte Dichotomie passt einfach nicht auf die neue ökonomische Realität. Vielmehr haben während des letzten Vierteljahrhunderts Unternehmen auf der ganzen Welt im Großen und Ganzen den größten Teil ihrer Investitionen mit Erträgen aus ihrem Geschäft selbst finanziert. Die Banken kontrollieren die Industrieunternehmen nicht, und sie kontrollieren sich selbst auch nicht. Firmen aller Art, Finanzproduzenten, industrielle Produzenten, landwirtschaftliche Produzenten, Dienstleistungsproduzenten ebenso wie Regierungen und öffentliche Institutionen nutzen die globalen Finanznetzwerke, um ihre Gewinne zu deponieren und möglicherweise höhere Profite zu machen. In dieser spezifischen Form *sind die globalen Finanznetzwerke das Nervenzentrum des informationellen Kapitalismus.* Ihre Bewegungen entscheiden über den Wert von Aktien, Schuldverschreibungen und Devisen, bescheren Sparern, Investoren, Firmen und Ländern Verderben oder Goldrausch. Aber diese Bewegungen folgen keiner Marktlogik. Der Markt wird durch eine Kombination computergestützter strategischer Manöver, Massenpsychologie aus multikulturellen Quellen und unerwarteten Turbulenzen verzerrt, manipuliert und transformiert, die durch immer größere Komplexität in der Interaktion zwischen den weltweiten Kapitalströmen verursacht werden. Zwar versuchen Spitzenkräfte in der Wirtschaftswissenschaft, dieses Marktverhalten auf der Grundlage der Spieltheorie in Modellen zu erfassen, aber ihre heroischen Anstrengungen zur Auffindung von rationalen Erwartungsmustern werden sofort in die Computer von Finanzfreaks heruntergeladen, die hoffen, aus diesem Wissen einen neuen Wettbewerbsvorteil zu ergattern, wenn sie bereits bekannte Investitionsmuster innovativ verändern.

Die Folgen dieser Entwicklungen für die *gesellschaftlichen Klassenverhältnisse* sind ebenso tiefgreifend wie komplex. Aber bevor wir sie benennen, muss ich zwischen unterschiedlichen Bedeutungen von Klassenverhältnissen unterscheiden. Im Zentrum des einen Ansatzes stehen entsprechend der Theorie der sozialen Schichtung soziale Ungleichheit nach Einkommen und sozialem Status.

Aus dieser Sicht ist eine *Tendenz zu zunehmender sozialer Ungleichheit und Polarisierung* für das neue System charakteristisch. Es handelt sich um eine gleichzeitige Zunahme an der Spitze wie am Ende der sozialen Stufenleiter. Das ist das Ergebnis von drei Faktoren: (a) einer grundlegenden Differenzierung zwischen selbstprogrammierfähigen, hochproduktiven Arbeitskräften und generischen, ersetzbaren Arbeitskräften; (b) der Individualisierung der Arbeit, was ihre kollektive Organisation unterminiert und so die schwächsten Teile der Erwerbsbevölkerung ihrem Schicksal überlässt; und (c) des allmählichen Verschwindens des Wohlfahrtsstaates unter dem Eindruck der Individualisierung der Arbeit, der Globalisierung der Wirtschaft und des Legitimitätsverlustes des Staates, womit das Sicherheitsnetz für diejenigen wegfällt, die nicht in der Lage sind, individuell für ihr Wohlergehen zu sorgen. Diese Tendenz zu Ungleichheit und Polarisierung ist sicher nicht unausweichlich: Sie kann mit bewusster öffentlicher Politik konterkariert und verhindert werden. Aber Ungleichheit und Polarisierung sind der Dynamik des informationellen Kapitalismus eingeschrieben und werden sich durchsetzen, wenn nicht bewusst gehandelt wird, um diesen Tendenzen entgegenzuwirken.

Eine zweite Bedeutung der Klassenverhältnisse bezieht sich auf *soziale Exklusion*. Damit meine ich die Entkoppelung zwischen Menschen als Menschen und Menschen als Arbeitskräften/Konsumenten, die von der Dynamik des informationellen Kapitalismus auf globaler Ebene bewirkt wird. In Kapitel 2 dieses Bandes habe ich versucht, die Ursachen und Folgen dieser Tendenz anhand einer Reihe unterschiedlicher Situationen aufzuzeigen. Nach der neuen Produktionslogik ist eine beträchtliche Anzahl von Menschen, vermutlich ein zunehmender Anteil, sowohl als Produzenten wie als Konsumenten aus Sicht der Systemlogik irrelevant. Ich muss erneut betonen, dass dies nicht dasselbe ist wie zu behaupten, es gebe oder werde Massenarbeitslosigkeit geben. Komparative Daten zeigen, dass im Großen und Ganzen die meisten Menschen und/oder ihre Familien in allen städtischen Gesellschaften gegen Bezahlung arbeiten, und das gilt selbst für arme Stadtviertel und arme Länder. Es fragt sich aber: welche Art von Arbeit für welche Bezahlung und unter welchen Bedingungen? In Wirklichkeit zirkuliert die Masse der generischen Arbeitskräfte in einem gewissen Spektrum von Jobs, die zunehmend Gelegenheitsjobs und in hohem Maße diskontinuierlich sind. Daher finden sich Millionen von Menschen beständig einmal in bezahlter Arbeit, dann wieder nicht, wozu häufig auch informelle Tätigkeiten gehören und in steigender Zahl solche in der Werkstatt der kriminellen Ökonomie. Außerdem führen der Verlust einer stabilen Beziehung zu bezahlter Beschäftigung und die schwache Verhandlungsmacht vieler Arbeiterinnen und Arbeiter dazu, dass im Leben ihrer Familien häufiger größere Krisen vorkommen: vorübergehender Arbeitsplatzverlust, persönliche Krisen, Krankheit, Drogen-, Alkoholabhängigkeit, Verlust der Vermittelbarkeit in eine neue Anstellung, Verlust von Vermögen, Verlust der Kreditwürdigkeit. Viele dieser Krisen verbinden sich miteinander und führen zur Abwärtsspirale der sozialen Exklusion in Richtung auf das, was ich als die „schwarzen Löcher des informationellen Kapitalismus" bezeichnet habe und von wo es, statistisch gesehen, schwierig ist zu entkommen.

Die Grenzlinie zwischen sozialer Exklusion und alltäglichem Überleben verwischt für eine wachsende Zahl von Menschen in allen Gesellschaften zusehends. Der Verlust des Sicherheitsnetzes bedeutet vor allem für die neuen Generationen der Ära nach dem Wohlfahrtsstaat, wenn sie bei der beständigen Aktualisierung ihrer Fertigkeiten nicht mehr mithalten können und im Konkurrenzwettlauf zurückfallen, dass sie sich für die nächste Runde einreihen müssen, bei der jene schrumpfende Mitte, die während des Industriezeitalters einmal die Stärke der fortgeschrittenen kapitalistischen Gesellschaften ausgemacht hat, einem erneuten *downsizing* unterzogen wird. Prozesse sozialer Exklusion erfassen daher nicht allein die „wahrhaft Benachteiligten", sondern diejenigen Einzelpersonen und gesellschaftlichen Kategorien, die ihr Leben auf einen beständigen Kampf darum gründen, dem Absturz in eine stigmatisierte Unterwelt abgewerteter Arbeitskraft und sozial untauglich gewordener Menschen zu entgehen.

Eine dritte Möglichkeit, die neuen Klassenverhältnisse diesmal in der Marxschen Tradition zu verstehen, fragt danach, *wer die Produzenten sind und wer sich das Produkt ihrer Arbeit aneignet.* Wenn Innovation die Hauptquelle der Produktivität ist, wenn Wissen und Information entscheidende Materialien des neuen Produktionsprozesses sind, und wenn Bildung die Schlüsselqualität der Arbeit ist, dann sind die neuen Produzenten des informationellen Kapitalismus diejenigen Wissensgeneratoren und Informationsprozessoren, deren Beitrag für das Unternehmen, die Region und die Volkswirtschaft am wertvollsten ist. Aber Innovation findet nicht isoliert statt. Sie ist Teil eines Systems, in dem das Management von Organisationen, die Verarbeitung von Wissen und Information sowie die Produktion von Gütern und Dienstleistungen miteinander verflochten sind. Nach dieser Definition umfasst diese Kategorie der informationellen Produzenten eine sehr große Gruppe von Managern, Experten und Technikern, die einen „Kollektivarbeiter" bilden; also eine Produzenteneinheit, die aus der Kooperation zwischen unterschiedlichen, voneinander nicht abtrennbaren Arbeitskräften besteht. In den OECD-Ländern dürften sie etwa ein Drittel der beschäftigten Bevölkerung ausmachen. Die meisten anderen Arbeitskräfte dürften sich in der Kategorie der generischen Arbeit befinden, sind potenziell durch Maschinen oder andere Mitglieder der generischen Arbeiterschaft ersetzbar. Sie benötigen die Produzenten, um ihre Verhandlungsmacht zu schützen. Aber die informationellen Produzenten haben sie nicht nötig: Das ist die grundlegende Kluft im informationellen Kapitalismus, die zur allmählichen Auflösung der Reste der Klassensolidarität aus der Industriegesellschaft führt.

Wer aber eignet sich einen Teil der Arbeit der informationellen Produzenten an? In einer Hinsicht hat sich gegenüber dem klassischen Kapitalismus nichts geändert: Es sind diejenigen, die die Produzenten anheuern, und das ist auch der Grund, warum sie das in erster Linie tun. Doch andererseits ist der Mechanismus der Überschussaneignung weit komplizierter. Erstens sind die Beschäftigungsverhältnisse tendenziell individualisiert, was bedeutet, dass jeder einzelne Produzent anders bezahlt wird. Zweitens kontrolliert ein zunehmender Teil der Produzenten seinen Arbeitsprozess selbst und schafft sich spezifische horizontale Arbeitsbeziehungen, sodass in hohem Maße selbstständige Produzenten auftreten, die den Marktkräften unterliegen, aber selbst Marktstrategien verfolgen. Drittens geht ihr Verdienst häufig in den Wirbelwind der globalen Finanzmärkte, die ja gerade aus dem wohlhabenden Teil der globalen Bevölkerung gespeist werden. Sie sind also zugleich auch kollektive Eigentümer von kollektivem Kapital und werden so vom Verlauf der Kapitalmärkte abhängig. Unter diesen Bedingungen können wir kaum davon ausgehen, dass ein Klassenwiderspruch zwischen diesen Netzwerken hochgradig individualisierter Produzenten und dem kollektiven Kapitalisten der globalen Finanznetzwerke besteht. Natürlich kommt es oft zu schlechter Behandlung und Ausbeutung individueller Produzenten sowie der großen Massen generischer Arbeitskräfte durch diejenigen, die gerade den Produktionsprozess kontrollieren. Doch haben die Segmentation der Arbeitskräfte, die Individualisierung der Arbeitsprozesse und die Diffusion des Kapitals in den Kreisläufen der globalen Finanzen zusammen dazu geführt, dass die Klassenstruktur der industriellen Gesellschaft allmählich verblasst. Es gibt starke soziale Konflikte und wird sie weiter geben, und manche von ihnen werden von Korea bis Spanien von Arbeitern und der organisierten Arbeiterbewegung ausgetragen. Sie sind jedoch nicht Ausdruck von Klassenkampf, sondern der Forderungen von Interessengruppen und/oder Revolten gegen Ungerechtigkeit.

Die wirklich grundlegenden sozialen Bruchlinien im Informationszeitalter sind: erstens die interne Fragmentierung der Arbeitskräfte zwischen informationellen Produzenten und ersetzbarer generischer Arbeit. Zweitens die soziale Exklusion eines bedeutenden Segments der Gesellschaft, das aus ausrangierten Individuen besteht, deren Wert als Arbeitskräfte/Konsumenten aufgebraucht ist und deren Bedeutung als Menschen ignoriert wird. Und drittens die Trennung zwischen der Marktlogik der globalen Netzwerke der Kapitalströme und der menschlichen Erfahrung des Arbeitslebens.

Die *Machtbeziehungen* werden durch den gesellschaftlichen Prozess, den ich in diesem Buch konstatiert und analysiert habe, ebenfalls verändert. Die wichtigste Transformation betrifft die *Krise des Nationalstaates als souveräne Einheit und die damit zusammen hängende Krise der politischen Demokratie*, wie sie während der letzten beiden Jahrhunderte entstanden ist. Weil staatliche Befehle nicht vollständig durchgesetzt werden und weil einige der grundlegenden Versprechen, die im Wohlfahrtsstaat verkörpert sind, nicht eingehalten werden können, sind die Autorität ebenso wie die Legitimität des Staates in Frage gestellt. Weil die repräsentative Demokratie auf der Vorstellung einer souveränen Einheit beruht, führt die Verwischung der Grenzen der Souveränität zu Unsicherheiten bei dem Prozess, durch den der Wille des Volkes delegiert wird. Die Globalisierung des Kapitals, die Multilateralisierung der Machtinstitutionen und die Dezentralisierung von Autorität an regionale und lokale Staatsorgane führen zu einer neuen Geometrie der Macht und vielleicht auch zu einer neuen Staatsform, dem Netzwerkstaat. Die sozialen Akteure und Staatsbürger im Allgemeinen maximieren ihre Chancen darauf, dass ihre Interessen und Wertvorstellungen vertreten werden, indem sie Strategien innerhalb der Beziehungsnetzwerke zwischen verschiedenen Institutionen auf unterschiedlichen Kompetenzniveaus verfolgen. Die Bürgerschaft einer bestimmten europäischen Region wird größere Chancen haben, ihre Interessen zu wahren, wenn sie im Bündnis mit der Europäischen Union ihre Regionalbehörden gegen die nationale Regierung unterstützt. Oder entgegengesetzt. Oder aber nichts davon; also durch die Behauptung der lokalen/regionalen Autonomie gegenüber dem Nationalstaat ebenso wie gegenüber den supranationalen Institutionen. Die Unzufriedenen in Amerika können die Bundesregierung im Namen der amerikanischen Nation beschimpfen. Oder die neuen chinesischen Wirtschaftseliten können Interessenpolitik betreiben, indem sie sich mit ihrer Provinzverwaltung zusammentun, oder mit der noch immer mächtigen nationalen Regierung oder mit den Netzwerken der Auslandschinesen. Mit anderen Worten: die neue Machtstruktur wird von einer Netzwerk-Geometrie beherrscht, in der die Machtbeziehungen immer spezifisch für eine bestimmte Konfiguration von Akteuren und Institutionen sind.

Unter derartigen Bedingungen passt sich informationelle Politik, die vor allem durch Symbolmanipulation im Medienraum erfolgt, gut in die sich ständig wandelnde Welt der Machtbeziehungen ein. Strategische Spiele, maßgeschneiderte Vertretung und personalisierte Führerschaft ersetzen Klassenbasis, ideologische Mobilisierung und Parteikontrolle, die für die Politik im Industriezeitalter charakteristisch waren.

Weil die Politik zum Theater wird und die politischen Institutionen Verhandlungsagenturen anstatt Orte der Macht werden, reagieren die Staatsbürger auf der ganzen Welt defensiv und gehen eher zur Wahl, um den Staat vor Schaden zu bewahren, als ihn mit ihren Aufträgen zu betrauen. In gewissem Sinn *ist das politische System von Macht entleert*, freilich nicht von Einfluss.

Macht verschwindet jedoch nicht. In einer informationellen Gesellschaft wird sie grundlegend in die kulturellen Codes eingeschrieben, mittels derer Menschen und Institutionen das Leben abbilden und Entscheidungen, auch politische Entscheidungen fällen. In gewissem Sinn wird Macht, obwohl sie real ist, immateriell. Sie ist real, weil sie, wo und wann immer sie sich konsolidiert, Individuen und Organisationen befähigt, auf gewisse Zeit ihre Entscheidungen ohne Rücksicht auf einen Konsens durchzusetzen. Aber sie ist immateriell, weil sich diese Befähigung aus dem Können ableitet, Lebenserfahrungen in Kategorien einzupassen, die zu einem bestimmten Verhalten prädisponieren, was dann so dargestellt werden kann, als begünstige es eine bestimmte Führungsgruppe. Wenn sich etwa eine Bevölkerung durch eine nicht identifizierbare, multidimensionale Angst bedroht fühlt, so lassen sich solche Ängste unter die Codes von Einwanderung = Rasse = Armut = Wohlfahrt = Verbrechen = Arbeitsplatzverluste = Steuern = Bedrohung fassen, was für eine identifizierbare Zielscheibe sorgt, UNS im Gegensatz zu IHNEN definiert und diejenigen Führer begünstigt, die am glaubwürdigsten das vertreten, was als vernünftige Dosis Rassismus und Xenophobie gilt. Oder um ein ganz anderes Beispiel zu nehmen: Wenn die Menschen Lebensqualität mit der Bewahrung der Natur und mit spiritueller Abgeklärtheit gleichsetzten, könnten neue politische Akteure auftreten und eine neue Politik machen.

Kulturelle Schlachten sind Schlachten um die Macht im Informationszeitalter. Sie werden vor allem in und von den Medien ausgefochten, aber die Medien sind nicht die Machthaber. Macht als die Fähigkeit, Verhalten zu erzwingen, liegt in den Netzwerken des Informationsaustauschs und der Symbolmanipulation, die soziale Akteure, Institutionen und kulturelle Bewegungen durch Ikonen, Sprecher sowie intellektuelle Verstärker miteinander in Beziehung setzen. Langfristig ist es nicht wirklich wichtig, wer an der Macht ist, weil die Verteilung politischer Rollen sich stark ausbreitet und rotiert. Es gibt keine stabilen Machteliten mehr. Es gibt jedoch *von Macht abgeleitete Eliten*; das sind Eliten, die sich während ihrer in der Regel kurzen Zeit als Machthaber gebildet haben, wenn sie ihre privilegierte politische Position nutzen, um dauerhafteren Zugang zu materiellen Ressourcen und gesellschaftlichen Verbindungen zu gewinnen. Kultur als Quelle von Macht und Macht als Quelle von Kapital liegen der neuen gesellschaftlichen Hierarchie im Informationszeitalter zugrunde.

Die *Transformation der Verhältnisse der Erfahrung* dreht sich vor allem um die *Krise des Patriarchalismus*, die einer tiefgreifenden Neudefinition von Familie, Geschlechterbeziehungen, Sexualität und damit der Persönlichkeit zugrunde liegt. Sowohl aus strukturellen Gründen (die mit der informationellen Ökonomie verknüpft sind) als auch wegen der Auswirkungen sozialer Bewegungen (Feminismus, Frauenkämpfe und sexuelle Befreiung) wird die patriarchalische Autorität im größten Teil der Welt in Frage gestellt, wenn auch je nach kulturell/institutionellem Kontext in unterschiedlicher Form und Intensität. Die Zukunft der Familie ist ungewiss, aber die Zukunft des Patriarchalismus ist es nicht: Er kann nur unter dem Schutz autoritärer Staaten und des religiösen Fundamentalismus überleben. Wie die in Band II, Kapitel 4 dargestellten Studien zeigen, befindet sich die patriarchalische Familie in den offenen Gesellschaften in einer tiefen Krise, während die Embryos egalitärer Familien noch immer gegen die alte Welt der Interessen, Vorurteile und Ängste zu kämpfen haben. Netzwerke von Menschen ersetzen (vor allem für Frauen) zunehmend die Kernfamilie als primäre Form emotionaler und materieller Unterstützung. Erwachsene und ihre Kinder folgen ihr ganzes Leben lang einem Muster von sequenzieller Familie und nicht-familiären persönlichen Arrangements. Und während es einerseits eine zunehmende Tendenz dazu gibt, dass Väter sich mehr um ihre Kinder kümmern, sind Frauen – allein oder miteinander zusammenlebend – und ihre Kinder eine immer mehr vorherrschende Form der gesellschaftlichen Reproduktion, was auch die Sozialisationsmuster grundlegend verändert. Zugegeben, ich nehme hauptsächlich die Erfahrung der Vereinigten Staaten und des größten Teils von Westeuropa als Bezugspunkt (wobei Südeuropa in gewissem Maße im europäischen Kontext eine Ausnahme bildet). Wie ich aber in Band II betont habe, lässt sich zeigen, dass Frauenkämpfe, ob ausdrücklich feministisch oder nicht, sich über die ganze Welt ausbreiten und so den Patriarchalismus in der Familie, in der Wirtschaft und in den Institutionen der Gesellschaft unterminieren. Ich halte es für sehr wahrscheinlich, dass wenn sich die Kämpfe von Frauen ausbreiten und Frauen sich zunehmend ihrer Unterdrückung bewusst werden, sich ihre kollektive Herausforderung der patriarchalischen Ordnung verallgemeinern und Krisenprozesse in den traditionellen Familienstrukturen hervorrufen wird. Ich sehe Anzeichen für eine neue Zusammensetzung der Familie, wenn Millionen von Männern bereit zu sein scheinen, ihre Privilegien aufzugeben und gemeinsam mit Frauen daran zu arbeiten, Formen der Liebe, des Teilens und Kinderhabens zu finden. Ich glaube sogar, dass der Wiederaufbau von Familien in egalitären Formen das notwendige Fundament für den Neuaufbau der Gesellschaft von unten nach oben ist. Die Familien sind mehr denn je für die Menschen jener Ort, wo in einer durch die Individualisierung der Arbeit, die Entstrukturierung der Zivilgesellschaft und den Legitimitätsverlust des Staates geprägten Welt für psychische Sicherheit und materielles Wohlbefinden gesorgt wird. Der Übergang zu neuen Formen der Familie impliziert jedoch eine grundlegende Neudefinition der Geschlechterbeziehungen in der gesamten Gesellschaft und damit auch der Sexualität. Weil die Persönlichkeitssysteme durch Familie und Sexualität geformt werden, befinden sie sich ebenfalls in einem Übergangsstadium. Ich habe diesen Zustand mit flexiblen Persönlichkeiten charakterisiert, die in der Lage sind, sich schier endlos mit der Rekonstruktion ihres Ich zu befassen, anstatt das Ich durch Anpassung an das zu definieren, was einmal konventionelle gesellschaftliche Rollen gewesen, aber nicht mehr lebensfähig und mithin bedeutungslos geworden sind. *Die grundlegendste Transformation der Verhältnisse von Erfahrung im Informationszeitalter besteht in ihrem Übergang zu einem Muster sozialer Interaktion, das in erster Linie durch die tatsächliche Erfahrung der Beziehung konstruiert wird.* Heutzutage produzieren die Menschen Formen von Geselligkeit und befolgen keine Verhaltensmodelle mehr.

Die Veränderungen in den Verhältnissen von Produktion, Macht und Erfahrung konvergieren zur *Transformation der materiellen Grundlagen von gesellschaftlichem Leben, Raum und Zeit.* Der Raum der Ströme des Informationszeitalters beherrscht den Raum der Orte menschlicher Kulturen. Die zeitlose Zeit überlagert als die gesellschaftliche Tendenz zur Vernichtung der Zeit durch Technologie die Logik der Uhrenzeit des Industriezeitalters. Das Kapital zirkuliert, die Macht regiert und die elektronische Kommunikation wirbelt durch Ströme von Austauschakten zwischen ausgewählten, voneinander entfernten Orten, während die fragmentierte Erfahrung auf Orte beschränkt bleibt. Die Technologie komprimiert die Zeit zu wenigen, willkürlichen Augenblicken und zerstört so gesellschaftliche Abfolgen und enthistorisiert die Geschichte. Indem die Macht im Raum der Ströme abgetrennt wird, es dem Kapital ermöglicht wird, der Zeit zu entrinnen und die Geschichte in der Kultur des Ephemeren aufgelöst wird, entkörperlicht die Netzwerkgesellschaft die gesellschaftlichen Beziehungen und führt die Kultur der realen Virtualität ein. Ich will das erklären.

Im gesamten Verlauf der Geschichte wurden Kulturen unter durch Produktions-, Macht- und Erfahrungsverhältnisse bestimmten Bedingungen von Menschen hervorgebracht, denen Raum und Zeit gemeinsam war. Sie wurden durch ihre Projekte modifiziert, die gegeneinander darum kämpften, der Gesellschaft ihre Werte und Ziele aufzudrücken. Raumzeitliche Konfigurationen waren daher für den Sinn jeder Kultur und für ihre unterschiedliche Evolution von entscheidender Bedeutung. Unter dem informationellen Paradigma ist aus der Verdrängung der Orte und der Vernichtung der Zeit durch den Raum der Ströme und die zeitlose Zeit eine neue Kultur entstanden: *die Kultur der realen Virtualität.* Wie in Band I, Kapitel 5 gezeigt, verstehe ich unter realer Virtualität ein System, in dem die Wirklichkeit selbst (d.h. die materiell/symbolische Existenz der Menschen) vollständig in die Erschaffung virtueller Bilder eingetaucht ist, in die Welt des Glaubenmachens, in der Symbole nicht einfach Metaphern sind, sondern die tatsächliche Erfahrung umfassen. Das ist nicht Folge der elektronischen Medien, obwohl sie unverzichtbare Instrumente sind, um die neue Kultur zum Ausdruck zu bringen. Die materielle Basis, die erklärt, warum die reale Virtualität es vermag, die Vorstellungskraft der Menschen und ihre Repräsentationssysteme in die Hand zu bekommen, ist die Tatsache, dass sich ihr Leben im Raum der Ströme und in der zeitlosen Zeit abspielt. Einerseits sind herrschende Funktionen und Werte in der Gesellschaft in Simultaneität und ohne physische Nähe organisiert; also in Informationsströmen, die einer an einem bestimmten Ort verkörperten Erfahrung entgehen. Andererseits werden die herrschenden Werte und Interessen ohne jeden Bezug auf Vergangenheit oder Zukunft konstruiert, in der zeitlosen Landschaft von Computernetzwerken und elektronischen Medien, wo jeder Ausdruck entweder augenblickshaft oder ohne vorhersagbar Abfolge ist. Alle Ausdrucksformen aus allen Zeiten und von allen Orten werden in demselben Hypertext vermischt, beständig neu angeordnet und zu beliebiger Zeit an beliebigem Ort kommuniziert, je nach den Interessen der Sender und den Stimmungen der Empfänger. Diese Virtualität ist unsere Realität, weil wir im Bezugsrahmen dieser zeitlosen, ortslosen Symbolsysteme die Kategorien konstruieren und die Bilder aufrufen, die Verhalten bestimmen, Politik anregen, Träume nähren und Alpträume auslösen.

Das ist die neue Gesellschaftsstruktur des Informationszeitalters, die ich Netzwerkgesellschaft nenne, weil sie aus Netzwerken von Produktion, Macht und Erfahrung besteht, die eine Kultur der Virtualität in den globalen Strömen konstruieren, die Zeit und Raum überschreiten. Nicht alle Dimensionen und Institutionen der Gesellschaft folgen der Logik der Netzwerkgesellschaft. Genauso haben die Industriegesellschaften lange Zeit viele vorindustrielle menschliche Existenzformen enthalten. Aber alle Gesellschaften sind im Informationszeitalter sehr wohl, wenn auch mit unterschiedlicher Intensität von der allgegenwärtigen Logik der Netzwerkgesellschaft durchdrungen, deren dynamische Expansion allmählich die zuvor bestehenden gesellschaftlichen Formen absorbiert und sich unterwirft.

Die Netzwerkgesellschaft ist wie jede andere Gesellschaftsstruktur nicht ohne Widersprüche, soziale Konflikte und Herausforderungen durch andere Formen gesellschaftlicher Organisation. Aber diese Herausforderungen gehen von den Charakteristika der Netzwerkgesellschaft aus und unterscheiden sich daher deutlich von denen des Industriezeitalters. Demnach werden sie von anderen Subjekten verkörpert, obwohl diese Subjekte häufig mit historischem Material arbeiten, das aus den Werten und Organisationen stammt, die vom Industriekapitalismus und Etatismus ererbt wurden.

Das Verständnis unserer Welt erfordert die simultane Analyse der Netzwerkgesellschaft und der konfliktiven Herausforderungen, denen sie sich gegenüber sieht. Das historische Gesetz, dass da, wo Herrschaft ist, auch Widerstand ist, bleibt gültig. Aber es erfordert analytische Anstrengung, wollen wir feststellen, wer die Herausforderer der Herrschaftsprozesse sind, die durch die immateriellen und doch so mächtigen Ströme der Netzwerkgesellschaft vollzogen werden.

Die neuen Wege gesellschaftlicher Veränderung

Den in Band II festgehaltenen Beobachtungen zufolge, nehmen gegen Herrschaftsmuster gerichtete gesellschaftliche Herausforderungen in der Netzwerkgesellschaft im Allgemeinen die Form der Konstruktion autonomer Identitäten an. Diese Identitäten stehen außerhalb der Organisationsprinzipien der Netzwerkgesellschaft. Der Verehrung der Technologie, der Macht der Ströme und der Logik der Märkte stellen sie ihr Sein, ihren Glauben und ihr Vermächtnis entgegen. Charakteristischerweise gehen die sozialen Bewegungen und kulturellen Projekte, die im Informationszeitalter um Identitäten aufgebaut werden, nicht aus Institutionen der Zivilgesellschaft hervor. Sie führen von Anfang an eine alternative gesellschaftliche Logik ein, die sich von den Leistungsprinzipien abhebt, um die die herrschenden Institutionen der Gesellschaft gebaut sind. Im Industriezeitalter kämpfte die Arbeiterbewegung leidenschaftlich gegen das Kapital. Kapital und Arbeit waren aber beide Ziele und Werte der Industrialisierung – Produktivität und materieller Fortschritt –, und jeder versuchte, ihre Entwicklung zu kontrollieren, um einen größeren Teil vom Ertrag zu bekommen. Am Ende einigten sie sich auf einen Sozialpakt. Im Informationszeitalter ist die vorherrschende Logik der dominierenden globalen Netzwerke so allgegenwärtig und durchdringend, dass gegenüber ihrer Herrschaft der einzige Ausweg darin zu bestehen scheint, diese Netzwerke zu verlassen und Sinn auf der Grundlage eines gänzlich anderen Werte- und Glaubenssystems zu rekonstruieren. Das gilt für die Kommunen der Widerstandsidentität, die ich benannt habe. Der religiöse Fundamentalismus lehnt die Technologie nicht ab, er stellt sie aber in den Dienst am Gesetz Gottes, dem sich ohne Verhandlungschance alle Institutionen und Zwecke zu beugen haben. Nationalismus, Lokalismus, ethnischer Separatismus und kulturelle Kommunen brechen mit der Gesamtgesellschaft und bauen ihre Institutionen nicht von unten nach oben, sondern von innen nach außen neu, das „wer wir sind" gegen diejenigen, die nicht dazu gehören.

Selbst offensive Bewegungen, die auf die Transformation des Gesamtmusters der gesellschaftlichen Beziehungen unter den Menschen aus sind, wie der Feminismus, oder zwischen Menschen und Natur, wie die Umweltbewegung, beginnen mit der Ablehnung der Grundprinzipien, auf denen unsere Gesellschaften aufgebaut sind: Patriarchalismus, Produktivismus. Natürlich gibt es in der Praxis dieser Bewegungen alle möglichen Nuancen, wie ich in Band II versucht habe, deutlich zu machen, aber ganz fundamental bedeuten ihre Prinzipien einer Selbstdefinition an der Quelle ihrer Existenz in sehr fundamentaler Weise einen Bruch mit der institutionalisierten gesellschaftlichen Logik. Würden die Institutionen von Gesellschaft, Wirtschaft und Kultur wirklich den Feminismus und die Umweltorientierung annehmen, so wären sie in ihrem Wesen verändert. Mit einem alten Wort wäre das eine Revolution.

Die Stärke der auf Identität beruhenden sozialen Bewegungen ist ihre Autonomie gegenüber den Institutionen des Staates, der Logik des Kapitals und der Verführungskraft der Technologie. Es ist schwierig, sie zu kooptieren, obwohl sicherlich einige ihrer Teilnehmerinnen und Teilnehmer kooptiert werden möchten. Selbst in der Niederlage wirken ihr Widerstand und ihre Projekte auf die Gesellschaft ein und verändern sie, wie ich anhand einer Anzahl ausgewählter Beispiele habe zeigen können, die in Band II dargestellt worden sind. Die Gesellschaften des Informationszeitalters lassen sich nicht auf die Struktur und die Dynamik der Netzwerkgesellschaft reduzieren. Meiner Durchsicht unserer Welt zufolge scheint es, dass unsere Gesellschaften durch die Interaktion zwischen dem „Netz" und dem „Ich" konstituiert werden, zwischen der Netzwerkgesellschaft und der Macht der Identität.

Doch das fundamentale Problem, das durch Prozesse gesellschaftlicher Veränderung, die primär den Institutionen und Werten der bestehenden Gesellschaft äußerlich sind, aufgeworfen wird, besteht darin, dass sie die Gesellschaft fragmentieren könnten, anstatt sie neu zu konstituieren. Anstelle transformierter Institutionen hätten wir Kommunen aller Art. Anstelle sozialer Klassen würden wir die Entstehung von Stämmen beobachten. Und anstelle der konfliktiven Interaktion zwischen den Funktionen des Raumes der Ströme und dem Sinn des Raumes der Orte würden wir den Rückzug der herrschenden globalen Eliten in die immateriellen Paläste beobachten, dic aus Kommunikationsnetzwerken und Informationsströmen gemacht sind. Inzwischen würde die Erfahrung der Menschen sich weiterhin auf vielfältige, segregierte Orte beschränken, deren Existenz bedrückt und deren Bewusstsein bruchstückhaft wäre. Wenn es keinen Winterpalast zu erstürmen gibt, könnten Ausbrüche der Revolte in sich zusammenfallen und wären in alltägliche, sinnlose Gewalt verwandelt.

Die Rekonstruktion der Institutionen der Gesellschaft durch kulturelle soziale Bewegungen, die die Technologie unter die Kontrolle der Bedürfnisse und Wünsche der Menschen bringt, scheint einen langen Marsch zu erfordern: von den um Widerstandsidentität gebauten Kommunen zu den Höhen neuer Projektidentitäten, die aus den Werten erwachsen, die von diesen Kommunen gehegt wurden.

Beispiele für solche Prozesse, die in gegenwärtigen sozialen Bewegungen und gesellschaftlicher Politik zu bebachten sind, sind der Aufbau neuer, egalitärer Familien; die weitgehende Anerkennung des Konzeptes der nachhaltigen Entwicklung, durch das die Solidarität zwischen den Generationen in das neue Modell des Wirtschaftswachstums eingebaut wird; und die universelle Mobilisierung zur Verteidigung der Menschenrechte, wann immer dieser Kampf aufgenommen worden ist. Damit dieser Übergang von der Widerstandsidentität zur Projektidentität unternommen wird, wird es nötig sein, dass eine neue Form des Politikmachens entsteht. Das wird eine kulturelle Politik sein, die von der Voraussetzung ausgeht, dass sich die informationelle Politik überwiegend im Medienraum vollzieht und den Kampf mit Symbolen führt, jedoch den Anschluss an Werte und Probleme sucht, die aus der Lebenserfahrung der Menschen im Informationszeitalter entspringen.

Jenseits dieses Jahrtausends

Im gesamten Verlauf dieses Buches habe ich mich standhaft geweigert, mich auf Futurologie einzulassen, um so nah wie möglich an der Beobachtung dessen zu bleiben, was uns das Informationszeitalter bringt, wie es sich im letzten Abschnitt des 20. Jahrhunderts konstituiert hat. Zum Abschluss dieses Buches möchte ich mich aber im Vertrauen auf das Wohlwollen der Leserinnen und Leser nur einige Absätze lang über einige Tendenzen auslassen, die die Gesellschaft im frühen 21. Jahrhundert vorwegnehmen könnten. Es ist einfach ein Versuch, in diese Synthese von Feststellungen und Hypothesen etwas Dynamik hinein zu bringen.

Die informationstechnologische Revolution wird ihr Transformationspotenzial noch deutlicher zum Ausdruck bringen. Das 21. Jahrhundert wird von der Vollendung einer globalen Super-Datenautobahn und durch mobile Telekommunikations- und Computerkapazitäten gekennzeichnet sein, wodurch die Macht der

Information dezentralisiert und weiter ausgebreitet wird, als Einlösung des Versprechens von Multimedia und Steigerung des Vergnügens an interaktiver Kommunikation. Elektronische Kommunikationsnetzwerke werden zum Rückgrat unseres Lebens werden. Außerdem wird es das Jahrhundert der vollen Blüte der gentechnischen Revolution. Unsere Gattung wird erstmals zu den Geheimnissen des Lebens vordringen und in der Lage sein, einschneidende Manipulationen an lebender Materie vorzunehmen. Dies wird sicher eine dramatische Debatte über die Folgen dieser Fähigkeit für Gesellschaft und Umwelt auslösen, aber die uns damit offenstehenden Möglichkeiten sind wahrhaft außerordentlich. Bei kluger Verwendung kann die gentechnische Revolution heilen, Umweltverschmutzung bekämpfen, das Leben verbessern und Zeit und Anstrengung zum Überleben sparen, um uns die Chance zu geben, die weitgehend unbekannten Grenzregionen der Spiritualität zu erforschen. Wenn wir jedoch dieselben Fehler wie im 20. Jahrhundert begehen und Technologie und Industrialisierung einsetzen, um uns gegenseitig in grauenhaften Kriegen niederzumetzeln, könnten wir mit unserer neuen technologischen Macht sehr wohl dem Leben auf dem Planeten ein Ende setzen. Es hat sich als relativ einfach erwiesen, vor dem nuklearen Holocaust Halt zu machen, weil die Kontrolle über Atomkraft und Nuklearwaffen zentralisiert war. Aber die neuen Gentechnologien sind überall, ihre Auswirkungen auf Mutationen sind nicht vollständig kontrollierbar und ihre institutionelle Kontrolle ist viel stärker dezentralisiert. Um die bösen Folgen der biologischen Revolution zu verhindern, benötigen wir nicht nur verantwortungsvolle Regierungen, sondern eine verantwortungsvolle, gebildete Gesellschaft. Welchen Weg wir gehen werden, wird von den Institutionen der Gesellschaft, den Werten der Menschen sowie dem Bewusstsein und der Entschlossenheit neuer sozialer Akteure abhängen, das eigene Schicksal zu formen und zu kontrollieren. Ich will diese Aussichten kurz Revue passieren lassen, indem ich einige wichtige Entwicklungen in Wirtschaft, politischem System und Kultur herausgreife.

Der Reifungsprozess der informationellen Wirtschaft und die Verbreitung und der richtige Einsatz der Informationstechnologie als System werden wahrscheinlich das Produktivitätspotenzial dieser technologischen Revolution freisetzen. Das wird an Veränderungen im statistischen Rechenwesen erkennbar sein, wenn Kategorien und Verfahren des 20. Jahrhunderts, die bereits jetzt offenkundig unzulänglich sind, durch neue Begriffe ersetzt werden, die in der Lage sind, die neue Wirtschaftsform zu vermessen. Es ist keine Frage, dass das 21. Jahrhundert Zeuge der Entstehung eines nach historischen Maßstäben außerordentlich produktiven Systems sein wird. Die menschliche Arbeit wird mehr und besser bei deutlich geringerem Aufwand produzieren. Die Kopfarbeit wird in den produktivsten Wirtschaftssektoren die physische Anstrengung ersetzen. Die Teilhabe an diesem Reichtum wird für die Individuen freilich von ihrem Zugang zur Bildung abhängen und für Gesellschaften als Ganze von ihrer sozialen Organisation, ihrem politischen System und ihren politischen Strategien.

Die globale Wirtschaft wird im 21. Jahrhundert expandieren und sich dabei die Macht der Telekommunikation und der Informationsverarbeitung zunutze machen. Sie wird, während sie unablässig den gesamten Planeten nach neuen Möglichkeiten des Profitmachens absucht, alle Länder, alle Territorien, alle Kulturen, alle Kommunikationsflüsse und alle Finanznetzwerke durchdringen. Aber sie wird das selektiv tun und wertvolle Segmente zusammenschließen, während verbrauchte oder irrelevante Orte und Menschen ausrangiert werden. Die territoriale Uneinheitlichkeit der Produktion wird zu einer außerordentlichen Geografie unterschiedlicher Wertschöpfung führen, die scharfe Kontraste zwischen Ländern, Regionen und Ballungsgebieten mit sich bringt. Wertvolle Orte und Menschen werden, wie in diesem Band dargelegt, überall gefunden werden, selbst im subsaharanischen Afrika. Aber auch abgeschaltete Territorien und Menschen wird es überall geben, wenn auch in unterschiedlichen Proportionen. Die Erde wird gerade in deutlich unterschiedliche Räume segmentiert, die durch unterschiedliche Zeitregime definiert sind.

Von den ausgeschlossenen Segmenten der Menschheit sind zwei unterschiedliche Reaktionsweisen zu erwarten. Einerseits wird es einen steilen Anstieg in dem Bereich geben, den ich als „perverse Koppelung" bezeichne, was gleichbedeutend damit ist, das Spiel des globalen Kapitalismus mit anderen Regeln zu spielen. Die globale kriminelle Wirtschaft, deren Profil und Dynamik ich in Kapitel 3 dieses Bandes darzustellen versucht habe, wird ein grundlegendes Merkmal des 21. Jahrhunderts sein, und ihr wirtschaftlicher, politischer und kultureller Einfluss wird alle Lebensbereiche durchdringen. Es geht nicht darum, ob unsere Gesellschaften in der Lage sein werden, die kriminellen Netzwerke auszuschalten, sondern vielmehr darum, ob die kriminellen Netzwerke am Ende nicht einen bedeutenden Teil unserer Wirtschaft, unserer Institutionen und unseres Alltagslebens kontrollieren werden.

Es gibt noch eine andere Reaktion auf soziale Exklusion und wirtschaftliche Irrelevanz, und ich bin davon überzeugt, dass sie im 21. Jahrhundert eine wesentliche Rolle spielen wird: die Exklusion der Ausschließenden durch die Ausgeschlossenen. Weil die gesamte Welt nach der Logik der Netzwerkgesellschaft in ihren grundlegenden Lebensstrukturen miteinander verflochten ist und sich dies sogar noch steigern wird, wird die Option für den Ausstieg für Menschen und Länder nicht im friedlichen Rückzug bestehen können. Sie nimmt die Form der fundamentalistischen Behauptung eines alternativen Systems von Werten und existenziellen Prinzipien an, und das wird auch so weiter gehen. Demzufolge ist keine Koexistenz mit dem System des Bösen möglich, das so tief zerstörerisch in das Leben der Menschen eindringt. Während ich dies schreibe, werden in den Straßen Kabuls Frauen von den mutigen Kriegern der Taliban wegen unzüchtiger Kleidung geschlagen. Das entspricht nicht den humanistischen Lehren des Islam. Es gibt jedoch eine Explosion fundamentalistischer Bewegungen, die den Qu'ran, die Bibel oder irgendeinen anderen heiligen Text nehmen, um ihn als Banner ihrer Verzweiflung und als Waffe ihres Zornes zu interpretieren und einzusetzen, wie dies in Band II analysiert wurde. Fundamentalismen unterschiedlicher Art und unterschiedlichen Ursprungs werden die wagemutigste, kompromissloseste Herausforderung gegenüber der einseitigen Herrschaft des informationellen globalen Kapitalismus darstellen. Dass sie möglicherweise Zugang zu Massenvernichtungswaffen bekommen könnten, wirft einen gigantischen Schatten auf die optimistischen Voraussagen über das Informationszeitalter.

Nationalstaaten werden überleben, nicht aber ihre Souveränität. Sie werden sich in multilateralen Netzwerken mit variabler Geometrie von Zusagen, Verantwortlichkeiten, Bündnissen und Unterordnungsverhältnissen zusammentun. Das bemerkenswerteste multilaterale Konstrukt wird die Europäische Union sein, die die technologischen und wirtschaftlichen Ressourcen der meisten, aber nicht aller europäischen Länder zusammenführen wird: Russland wird wahrscheinlich aufgrund der historischen Ängste des Westens außen vor gelassen, und die Schweiz muss ein abgeschirmtes Gebiet sein, um der Bankier der Welt bleiben zu können. Aber die Europäische Union stellt vorläufig kein historisches Projekt zum Aufbau einer europäischen Gesellschaft dar. Sie ist im Wesentlichen ein defensives Konstrukt, um es der europäischen Zivilisation zu ersparen, zur wirtschaftlichen Kolonie von Asiaten oder Amerikanern zu werden. Die europäischen Nationalstaaten werden bleiben und im Rahmen der europäischen Institutionen endlos über ihre individuellen Interessen feilschen. Diese Institutionen werden sie brauchen, aber trotz aller föderalistischen Rhetorik werden sie weder die Europäer noch ihre Regierungen wert schätzen. Die inoffizielle europäische Hymne (Beethovens „An die Freude“) ist universal, aber ihr deutscher Akzent könnte deutlicher hervor treten.

Die globale Wirtschaft wird von einer Reihe multilateraler, untereinander vernetzter Institutionen regiert werden. Der Kern dieses Netzwerkes wird der Club der G7 sein, vielleicht mit ein paar zusätzlichen Mitgliedern und mit Internationalem Währungsfonds und Weltbank als Exekutivorganen, deren Aufgabe in der Regulation und Intervention im Namen der Grundregeln des globalen Kapitalismus besteht. Die Technokraten und Bürokraten dieser und ähnlicher internationaler Wirtschaftsinstitutionen werden bei der Durchführung ihres breit definierten Mandates eine gehörige Dosis neoliberaler Ideologie und professioneller Expertise hinzufügen. Informelle Treffen wie die Tagungen in Davos oder entsprechende Ereignisse werden dazu beitragen, den kulturellen/persönlichen Kitt für die globale Elite zu schaffen.

Die globale Geopolitik wird ebenfalls durch den Multilateralismus betrieben werden, wobei die Vereinten Nationen und regionale internationale Institutionen wie ASEAN, OAS oder OAU bei der Behandlung internationaler oder selbst nationaler Konflikte eine zunehmende Rolle spielen. Sie werden zur Durchsetzung ihrer Entscheidungen zunehmend Sicherheitsbündnisse wie NATO einsetzen. Wenn nötig, werden *ad hoc* internationale Polizeikräfte geschaffen, die in Problemzonen intervenieren.

Fragen der globalen Sicherheit werden, wenn die in diesem Buch enthaltenen Analysen zutreffen, wahrscheinlich von drei Hauptproblemen beherrscht werden. Das erste ist die ansteigende Spannung im pazifischen Raum, wenn China seine Weltmachtansprüche anmeldet, Japan eine neue Runde nationaler Paranoia beginnt und Korea, Indonesien und Indien auf beides reagieren. Das zweite ist das Wiederauftreten Russlands, nicht nur als nukleare Supermacht, sondern als stärkere Nation, die keine Demütigungen mehr hinnimmt. Die Bedingungen, unter denen das post-kommunistische Russland in das multilaterale System globaler Mit-Verwaltung einbezogen oder nicht einbezogen wird, wird die Geometrie der künftigen Sicherheitskonstellation bestimmen. Das dritte Sicherheitsproblem ist vermutlich das entscheidendste von allen und wird wahrscheinlich die Bedingungen, unter denen die Welt geschützt werden kann, auf lange Zeit bestimmen. Es geht um die neuen Formen der Kriegführung, die Individuen, Organisationen und Staaten einsetzen werden, die starke Überzeugungen, aber schwache militärische Mittel haben, jedoch in der Lage sind, sich Zugang zu neuen Zerstörungstechnologien zu verschaffen sowie die verwundbaren Stellen unserer Gesellschaften ausfindig zu machen. Kriminelle Banden können sich, wenn sie keinen anderen Ausweg sehen, auch zu hoch intensiver Konfrontation entschließen, wie dies Kolumbien in den 1990er Jahren erlebt hat. Der globale oder lokale Terrorismus gilt zur Jahrtausendwende bereits weltweit als ernste Bedrohung. Aber ich glaube, dies ist nur ein bescheidener Anfang. Die immer raffiniertere Technik führt zu zwei Tendenzen, die beide in regelrechtem Terror zusammenfließen: Einerseits kann eine kleine, entschlossene Gruppe, die finanziell gut ausgestattet und gut informiert ist, ganze Städte verwüsten oder die Nervenzentren unserer Lebensprozesse treffen; andererseits ist die Infrastruktur unseres Alltagslebens angefangen von der Energie bis hin zu Transport und Wasserversorgung inzwischen so komplex und so verflochten, dass ihre Verwundbarkeit exponenziell zugenommen hat. Neue Technologien unterstützen zwar die Sicherheitssysteme, tragen aber auch dazu bei, dass unser Leben stärker gefährdet ist. Der Preis für erhöhten Schutz wird darin bestehen, in einem System von elektronischen Schlössern, Alarmsystemen und Online-Polizeistreifen zu leben. Das wird auch bedeuten, in Furcht aufzuwachsen. Das unterscheidet sich wahrscheinlich nicht von der Erfahrung der meisten Kinder in der Geschichte. Es ist auch ein Maß dafür, wie relativ der menschliche Fortschritt ist.

Die Geopolitik wird auch zunehmend von dem grundlegenden Widerspruch beherrscht werden, der zwischen dem Multilateralismus der Entscheidungsfindung und dem Unilateralismus der militärischen Durchführung dieser Entscheidungen besteht. Der Grund liegt darin, dass nach dem Ende der Sowjetunion und wegen der technologischen Rückständigkeit des neuen Russland die Vereinigten Staaten die einzige militärische Supermacht sind und es auf absehbare Zeit auch bleiben werden. Um daher wirklich effektiv oder glaubwürdig zu sein, müssen die meisten Entscheidungen im Sicherheitsbereich von den Vereinigten Staaten entweder durchgeführt oder unterstützt werden. Die Europäische Union hat trotz all ihres arroganten Geredes ihre operationale Unfähigkeit deutlich demonstriert, auf dem Balkan alleine zu handeln. Japan hat sich selbst den Aufbau einer Armee verboten, und die pazifistischen Gefühle im Land gehen tiefer als die Unterstützung für ultranationalistische Provokationen. Außerhalb der OECD könnten nur China und Indien über genügend technologische und militärische Macht verfügen, um sich in absehbarer Zukunft Zugang zu globaler Macht zu verschaffen, aber sicher nicht auf gleicher Ebene mit den Vereinigten Staaten oder selbst Russland. Nimmt man daher die unwahrscheinliche Hypothese einer außerordentlichen Aufrüstung durch China aus, wofür das Land einfach nicht die technologische Kapazität besitzt, bleibt nur eine Supermacht auf der Welt, die Vereinigten Staaten. Unter diesen Bedingungen werden sich verschiedene Sicherheitsbündnisse auf die amerikanischen Streitkräfte stützen müssen. Aber die USA stehen in ihrem Inneren vor so tiefgreifenden sozialen Problemen, dass sie sicher nicht über die Mittel und auch nicht über die politische Unterstützung verfügen werden, um diese Macht einzusetzen, wenn die Sicherheit ihrer Bürger nicht unmittelbar bedroht ist. Das haben die amerikanischen Präsidenten während der 1990er Jahre mehrmals feststellen müssen. Weil der Kalte Krieg vergessen ist und kein glaubwürdiger, gleichwertiger „neuer Kalter Krieg“ drohend am Horizont steht, besteht die einzige Methode, wie die USA ihren militärischen Status aufrecht erhalten können, darin, ihre Streitkräfte an das globale Sicherheitssystem auszuleihen. Das ist die ultimative Drehung des Multilateralismus und die schlagendste Illustration für den Souveränitätsverlust des Nationalstaates.

Und die Menschen sind immer weiter von den Zentren der Macht entfernt, und sie sind von den zerbröckelnden Institutionen der Zivilgesellschaft enttäuscht. Das wird weiter gehen. Sie werden bei ihrer Arbeit und in ihrem Leben immer stärker individualisiert, ihren eigenen Sinn auf der Grundlage der eigenen Erfahrung konstruieren und, wenn sie Glück haben, ihre Familie wieder aufbauen, die für sie der Fels im Ozean unbekannter Ströme und nicht kontrollierter Netzwerke ist. Wenn sie kollektiven Bedrohungen ausgesetzt sind, werden sie kommunale Himmel bauen, von denen aus Propheten die Ankunft neuer Götter proklamieren könnten.

Das 21. Jahrhundert wird nicht finsteres Mittelalter sein. Und es wird den meisten Menschen auch nicht all das Gute bringen, das die außerordentlichste technologische Revolution der Geschichte verheißen hat. Es könnte vielmehr durchaus von informierter Verwirrung geprägt sein.

Was tun?

Jedes Mal, wenn ein Intellektueller versucht hat, diese Frage zu beantworten und die Antwort ernsthaft in die Tat umzusetzen, ist es zur Katastrophe gekommen. Das galt vor allem für einen gewissen Uljanov im Jahr 1902. Obwohl ich mich sicherlich nicht anheischig mache, diesen Vergleich auszuhalten, werde ich mich deshalb enthalten, irgendwelche Heilmittel für unsere Welt vorzuschlagen. Aber weil ich durchaus besorgt bin über das, was ich auf meiner Reise durch die aufdämmernde Landschaft des Informationszeitalters gesehen habe, möchte ich meine Enthaltung erklären. Wenn ich dabei in der ersten Person schreibe, denke ich an meine Generation und meine politische Kultur.

Ich komme aus einer Zeit und einer Tradition, der politischen Linken des Industriezeitalters, die besessen war von der Inschrift auf dem Grabstein von Marx in Highgate, seiner (und Engels') elften These über Feuerbach. Verändernde politische Aktion war das letzte Ziel einer wirklich sinnvollen intellektuellen Unternehmung. Ich glaube noch immer, dass in dieser Einstellung eine beträchtliche Großzügigkeit liegt, die sicherlich weniger selbstsüchtig ist als das ordentliche Verfolgen einer bürokratischen akademischen Karriere, die sich von der Mühsal der Menschen auf der ganzen Welt nicht weiter irritieren lässt. Und insgesamt glaube ich nicht, dass eine Klassifizierung zwischen Rechten und Linken unter Intellektuellen und Sozialwissenschaftlern signifikante Unterschiede zwischen beiden Gruppen zutage fördern würde, was die wissenschaftliche Qualität angeht. Schließlich sind auch konservative Intellektuelle genauso gut wie die Linke zur politischen Tat geschritten, und häufig ohne viel Toleranz gegen ihre Feinde. Es geht also nicht darum, dass politisches Engagement intellektuelle Kreativität etwa verhinderte oder verzerrte. Viele von uns haben mit den Jahren gelernt, mit der Spannung zwischen dem, was wir vorfinden, und dem, was wir für wünschenwert halten, zu leben. Ich halte gesellschaftliche Aktion und politische Projekte für die Verbesserung einer Gesellschaft, die eindeutig Wandel und Hoffnung nötig hat, für absolut erforderlich. Und ich hoffe durchaus, dass dieses Buch dadurch, dass es Fragen aufwirft und empirische und theoretische Elemente zu ihrer Behandlung liefert, zu informierter gesellschaftlicher Aktion mit dem Ziel gesellschaftlicher Veränderung beitragen möge. In diesem Sinne bin ich kein neutraler, abgehobener Beobachter des menschlichen Dramas und will es auch nicht sein.

Ich habe jedoch so viele fehlgeleitete Opfer gesehen, so viele von Ideologien hervorgerufene Sackgassen und solchen Schrecken, hervorgerufen von den künstlichen Paradiesen dogmatischer Politik, dass ich einen heilsamen Widerwillen gegen den Versuch vermitteln möchte, politische Praxis an einer Gesellschaftstheorie auszurichten oder natürlich auch an einer Ideologie. Theorie und Forschung sollten allgemein genauso wie in diesem Buch als Mittel zum Verständnis unserer Welt betrachtet und ausschließlich aufgrund ihrer Genauigkeit,

Strenge und Relevanz beurteilt werden. Wie und zu welchem Zweck diese Instrumente benutzt werden, sollte allein Sache der gesellschaftlichen Akteure selbst, in ihrem spezifischen sozialen Zusammenhang und im Namen ihrer Werte und Interessen sein. Keine Meta-Politik mehr, keine „Meisterdenker" und keine Intellektuellen, die vorgeben, solche zu sein. Die grundlegendste politische Befreiung besteht darin, dass sich die Menschen vom unkritischen Festhalten an theoretischen oder ideologischen Schemata befreien und ihre Praxis auf die Grundlage ihrer eigenen Erfahrung stellen, wobei sie jegliche Information oder Analyse nutzen, die ihnen aus vielfältigen Quellen zur Verfügung steht. Im 20. Jahrhundert haben Philosophen versucht, die Welt zu verändern. Im 21. Jahrhundert ist es Zeit, sie unterschiedlich zu interpretieren. Deshalb meine Vorsicht, die keine Gleichgültigkeit gegenüber einer Welt ist, die von ihren eigenen Versprechen beunruhigt ist.

Finale

Das Versprechen des Informationszeitalters besteht in der Entfesselung einer nie da gewesenen produktiven Fähigkeit durch die Macht des Geistes. Ich denke, also produziere ich. Dabei werden wir die Muße haben, mit Spiritualität zu experimentieren und die Gelegenheit, uns mit der Natur auszusöhnen, ohne das materielle Wohlergehen unserer Kinder zu opfern. Der Traum der Aufklärung, dass Vernunft und Wissenschaft die Probleme der Menschheit lösen, ist greifbar nahe. Es besteht jedoch eine außerordentliche Kluft zwischen unserer technologischen Überentwicklung und unserer sozialen Unterentwicklung. Unsere Wirtschaft, Gesellschaft und Kultur beruhen auf Interessen, Werten, Institutionen und Systemen der Repräsentation, die insgesamt kollektive Schöpferkraft eingrenzen, die Ernte der informationstechnologischen Revolution konfiszieren und unsere Energien in selbstzerstörerische Konfrontation ableiten. Dieser Zustand muss nicht sein. Es gibt kein ewig Böses in der menschlichen Natur. Es gibt nichts, was nicht durch bewusstes, zielgerichtetes Handeln verändert werden könnte, dem Information zur Verfügung steht und das sich auf Legitimität stützen kann. Wenn die Menschen informiert und aktiv sind und über die ganze Welt hinweg miteinander kommunizieren; wenn die Wirtschaft soziale Verantwortung übernimmt; wenn die Medien zu Boten werden, anstatt Botschaften zu sein; wenn sich die politisch Handelnden gegen den Zynismus wenden und den Glauben an die Demokratie wieder herstellen; wenn die Kultur aus der Erfahrung wieder hergestellt wird; wenn die Menschheit die Solidarität der Gattung auf dem gesamten Globus spürt; wenn wir mit der Solidarität zwischen den Generationen Ernst machen, indem wir mit der Natur in Harmonie leben; wenn wir zur Erforschung unseres inneren Ich aufbrechen, nachdem wir miteinander Frieden geschlossen haben. Wenn all dies durch unsere informierte, bewusste, gemeinsame Entscheidung möglich wird, während es noch Zeit ist, werden wir vielleicht endlich in der Lage sein, zu leben und leben zu lassen, zu lieben und lieben zu lassen.

Ich habe meine Worte erschöpft. Deshalb mache ich ein letztes Mal eine Anleihe bei Pablo Neruda:

Por mi parte y tu parte, cumplimos,
compartimos esperanzas e
inviernos;
y fuimos heridos no solo por los
enemigos mortales
sino por mortales amigos (y esto
pareció más amargo),
pero no me parece más dulce
mi pan o mi libro
entretanto;
agregamos viviendo la cifra que
falta al dolor,
y seguimos amando el amor y con
nuestra directa conducta
enterramos a los mentirosos y
vivimos con los verdaderos.

For my part and yours, we comply,
we shared our hopes and
winters;
and we have been wounded not only
by mortal enemies
but by mortal friends (that seemed
all the more bitter),
but bread does not seem to taste
sweeter, nor my book, in the
meantime;
living, we supply the statistics that
pain still lacks,
we go on loving love and in our
blunt way
we bury the liars and live among the
truth-tellers.

Literatur

Adam, Lishan (1996) „Africa on the line?" *Ceres: the FAO Review*, 158, März-April.

Adams, David (1997) „Russian Mafia in Miami: 'Redfellas' linked to plan to smuggle coke in a submarine", *San Francisco Examiner*, 9. März: 3.

Adekanye, J. Bayo (1995) „Structural adjustment, democratization and rising ethnic tensions in Africa", *Development and Change*, 26(2): 355-374.

Adepoju, Aderanti (Hg.) (1993) *The Impact of Structural Adjustment on the Population of Africa: the Implications for Education, Health and Employment*, Portsmouth, NH: United Nations Population Fund und Heinemann.

Afanasiev, V.G. (1972) *Naučno-techničeskaya revoljucija, upravlenie, obrazovanie*, Moskau: Nauka.

Agamirzian, Igor (1991) „Computing in the USSR", *Byte*, April: 120-129.

Aganbegjan, Abel (1988) *The Economic Challenge of Perestroika*, Bloomington, Ind.: Indiana University Press.

– (1988-90) *Perestroika Annual*, Vol. 1-3. Washington, DC: Brassey.

– (1989) *Inside Perestroika: The Future of the Soviet Economy*, New York: Harper and Row.

Agbese, Pita Ogaba (1996) „The military as an obstacle to the democratization enterprise: towards an agenda for permanent military disengagement from politics in Nigeria", *Journal of Asian and African Studies*, 31(1-2): 82-98.

Ahn, Seung-Joon (1994) *From State to Community. Rethinking South Korean Modernization*, Littleton, Colo.: Aigis.

Aina, Tade Akin (1993) „Development theory and Africa's lost decade: critical reflections on Africa's crisis and current trends in development thinking and practice", in: Margareta Von Troil (Hg.), *Changing Paradigms in Development - South, East and West*, Uppsala: Nordiska Afrikainstitutet, S. 11-26.

Alexander, A.J. (1990) *The Conversion of the Soviet Defense Industry*, Santa Monica, CA: Rand Corporation.

Allen, G.C. (1981) *The Japanese Economy*, New York: St Martin's Press.

Alonso Zaldivar, Carlos (1996) „Variaciones sobre un mundo en cambio", Madrid: Alianza.

Al-Sayyad, Nezar und Castells, Manuel (Hg.) (2000) *Multicultural Europe: Islam and European Identity*, New York: University Press of America.

Alvarez Gonzalez, Maria lsabel (1993) „La reconversion del complejo industrial-militar sovietico", unveröffentl. Abschlussarbeit, Madrid: Universidad Autonoma de Madrid, Departamento de Estructura Economica.

Amman, R. und Cooper, J. (1986) *Technical Progress and Soviet Economic Development*, Oxford: Blackwell.

Amsdem, Alice (1979) „Taiwan's economic history: a case of etatisme and a challenge to dependency theory", *Modern China*, 5(3): 341-80.

– (1985) „The state and Taiwan's economic development", in: Peter Evans u.a. (Hg.) *Bringing the State Back In*, Cambridge: Cambridge University Press.

– (1989) *Asia's Next Giant: South Korea and Late Industrialization,* New York: Oxford University Press.

– (1992) „A theory of government intervention in late industrialization“, in: Louis Putterman und Dietrich Rueschemeyer (Hg.), *State and Market in Development: Synergy or Rivalry?,* Boulder, Colo.: Lynne Rienner.

Andrew, Christopher und Gordievsky, Oleg (1990) *KGB: the Inside Story of its Foreign Operation from Lenin to Gorbachev,* London: Hodder and Stoughton.

Anonym (1984) „The Novosibirsk Report“, April 1983, englische Übersetzung in: *Survey,* 28(1): 88-108.

Ansell, Christopher K. und Parsons, Craig (1995) *Organizational Trajectories of Administrative States: Britain, France, and the US Compared,* Berkeley: University of California, Center for Western European Studies, Arbeitspapier.

Antonov-Ovseenko, Anton (1986) *Stalin: Porträt einer Tyrannei.* Ungekürzte Ausg. Frankfurt am Main/Berlin: Ullstein.

Aoyama, Yuko (1996) „From Fortress Japan to global networks: the emergence of network multinationals among Japanese electronics industry in the 1990s“, unveröff. Diss., Berkeley: University of California, Department of City and Regional Planning.

Appelbaum, Richard P. und Henderson, Jeffrey (Hg.) (1992) *States and Development in the Asian Pacific Rim,* London: Sage.

Arbex, Jorge (1993) *Narcotrafico: um jogo de poder nas Americas,* São Paulo: Editora Moderna.

Arlacchi, Pino (1995) „The Mafia, Cosa Nostra, and Italian institutions“, in: Salvatore Secchi (Hg.) *Deconstructing Italy: Italy in the Nineties,* Berkeley: University of California, International and Area Studies Series.

Arnedy, B. Alejandro (1990) *El narcotráfico en America Latina: sus conexiones, hombres y rutas,* Cordoba: Marcos Lerner Editora.

Arrieta, Carlos G. u.a. (Hg.) (1990) *Narcotráfico en Colombia: dimensiones políticas, economicas, juridicas e internacionales,* Bogotá: TM Editores.

Asahi Shimbun (1995) *Japan Almanac 1995,* Tokyo: Asahi Shimbun Publishing Company.

Aslund, Anders (1989) *Gorbachev's Struggle for Economic Reform,* Ithaca, NY: Cornell University Press.

Audigier, P. (1989) „Le poids des dépenses de défense sur l'économie soviétique“, *Défense Nationale,* Mai.

Azocar Alcala, Gustavo (1994) *Los barones de la droga: la historia del narcotráfico en Venezuela,* Caracas: Alfadil Ediciones.

Bagley, Bruce, Bonilla, Adrian und Paez, Alexei (Hg.) (1991) *La economía política del narcotráfico: el caso ecuatoriano,* Quito: FLACSO.

Barnett, Tony und Blaikie, Piers (1992) *AIDS in Africa: its Present and Future Impact,* London: Balhaven Press.

Bastias, Maria Veronica (1993) „El salario del miedo: narcotráfico en América Latina“, Buenos Aires: SERPAJ-AL.

Bates, R. (1988) „Governments and agricultural markets in Africa“, in: R. Bates (Hg.), *Toward a Political Economy of Development: a Rational Choice Perspective,* Berkeley: University of California Press.

Bates, Timothy und Dunham, Constance (1993) „Asian-American success in self-employment“, *Economic Development Quarterly,* 7(2): 199-214.

Bauer, John und Mason, Andrew (1992): „The distribution of income and wealth in Japan“, *Review of Income and Wealth,* 38(4): 403-28.

Bayart, Jean-Francois (1989): *L'État en Afrique: la politique du ventre,* Paris: Librairie Artheme Fayard. (Englische Übers. London: Longman, 1993).

Baydar, Nazli, Brooks-Gunn, Jeanne und Furstenberg, Frank (1993) „Early warning signs of functional illiteracy: predictors in childhood and adolescence“, *Child Development,* 63(3).

Beasley, W.G. (1990): *The Rise of Modern Japan,* London: Weidenfeld and Nicolson.

Beaty, Jonathan (1994) „Russia's yard sale", *Time,* 18. April: 52-55.

Bellamy, Carol (director) (1996) *The State of the World's Children 1996,* New York: Oxford University Press für UNICEF.

Benner, Christopher (1994) „South Africa's informal economy: reflections on institutional change and socio-economic transformation", unveröffentl. Forschungspapier für Geographie 253, Berkeley: University of California.

–, Brownstein, Bob und Dean, Amy (1999) *Walking the Lifelong Tightrope: Negotiating Work in the New Economy,* San Jose, CA: Working Partnerships USA/Washington, DC: Economic Policy Institute.

Bennett, Vanora (1997) „Interchangeable cops and robbers: Russian police moonlighting for organized crime", *San Francisco Chronicle,* 7. April: 12.

Bergson, Abram (1978) *Productivity and the Social System: the USSR and the West,* Cambridge, MA: Harvard University Press.

Berliner, J.S. (1986) *The Innovation Decision in Soviet Industry,* Cambridge, MA: MIT Press.

Bernardez, Julio (1995) *Europa: entre el timo y el mito,* Madrid: Temas de Hoy.

Berry, Sara (1993) „Coping with confusion: African farmers' responses to economic instability in the 1970s and 1980s", in: Callaghy und Ravenhill (Hg.), S. 248-78.

Berryman, Sue (1994) „The role of literacy in the wealth of individuals and nations", *NCAL Technical Report TR94-13,* Philadelphia: National Center for Adult Literacy.

Betancourt, Dario und Garcia, Martha L. (1994) *Contrabandistas, marimberos y mafiosos: historia social de la mafia colombiana (1965-1992),* Bogotá: TM Editores.

Beyer, Dorianne (1996) „Child Prostitution in Latin America", in: US Department of Labor, Bureau of International Labor Affairs, *Forced Labor: the Prostitution of Children, Symposium Proceedings,* Washington, DC: US Department of Labor.

Bianchi, Patrizio, Carnoy, Martin und Castells, Manuel (1988) „Economic modernization and technology transfer in the People's Republic of China", Stanford: Stanford University, Center for Educational Research at Stanford, Forschungsmonografie.

Bidelux, Robert und Taylor, Richard (Hg.) (1996) *European Integration and Disintegration: East and West,* London: Routledge.

Black, Maggie (1995) *In the Twilight Zone: Child Workers in the Hotel, Tourism, and Catering Industry,* Genf: International Labour Office.

Blomstrom, Magnus und Lundhal, Mats (Hg.) (1993) *Economic Crisis in Africa: Perspectives and Policy Responses,* London: Routledge.

Blyakhman, L. und Shkaratan, O. (1977) *Man at Work: the Scientific and Technological Revolution, the Soviet Working Class and Intelligentsia,* Moskau: Progress.

Boahene, K. (1996) „The IXth International Conference on AIDS and STD in Africa", *AIDS Care,* 8(5): 609-616.

Bohlen, Celestine (1993) „The Kremlin's latest intrigue shows how real life imitates James Bond", *The New York Times,* 23. November.

– (1994) „Organized crime has Russia by the throat", *The New York Times,* 13. Oktober.

Bonet, Pilar (1993) „El laberinto ruso", *El País Semanal,* 12. Dezember.

– (1994) „La mafia rusa desafia al gobierno de Yeltsin con el uso de cochesbomba", *El País,* 9. Juni.

Bonner, Raymond und O'Brien, Timothy L. (1999) „Activity at bank raises suspicions of Russia mob tie", *The New York Times,* 19. August: A1-A6.

Booth, Martin (1991) *The Triads: the Growing Global Threat from the Chinese Criminal Societies,* New York: St Martin's Press.

Borja, Jordi (1992) *Estrategias de desarrollo e internacionalización de las ciudades europeas: las redes de ciudades,* Report für die Europäische Gemeinschaft, Directorate General XVI, Barcelona: Consultores Europeos Asociados.

– (1996) „Ciudadanos europeos?“, *El País,* 31. Oktober: 12.
– und Castells, Manuel (1997) *Local and Global: the Management of Cities in the Information Age,* London: Earthscan.
Bourgois, P. (1995) „The political economy of resistance and self-destruction in the crack economy: an ethnographic perspective“, *Annals of the New York Academy of Sciences,* 749: 97-118.
– und Dunlap, E. (1993) „Exorcising sex-for-crack: an ethnographic perspective from Harlem“, in: P. Bourgois und E. Dunlap (Hg.), *Crack Pipe as Pimp: an Ethnographic Investigation of Sex-for-Crack Exchange,* New York: Lexington.
Bowles, Paul und White, Gordon (1993) *The Political Economy of China's Financial Reforms,* Boulder, Colo.: Westview Press.
Breslauer, George W. (1990) „Soviet economic reforms since Stalin: ideology, politics, and learning“. *Soviet Economy,* 6(3): 252-280.
Brown, Phillip und Crompton, Rosemary (Hg.) (1994) *Economic Restructuring and Social Exclusion,* London: UCL Press.
Bull, Hedley (1977) *The Anarchical Society: a Study of Order in World Politics,* London: Macmillan.
Business Week (1996) „Helping the Russian Mafia help itself“, 9. Dezember: 58.
– (1999a) „The prosperity gap“, 27. September: 92-100.
– (1999b) „A new Japan? Special report“, 25. Oktober.
Callaghy, Thomas (1993) „Political passions and economic interests: economic reform and political structure in Africa“, in: Thomas Callaghy und John Ravenhill (Hg.), S. 463-519.
– und Ravenhill, John (Hg.) (1993) *Hemmed In: Responses to Africa's Economic Decline,* New York: Columbia University Press.
Calvi, Maurizio (1992) *Figure di una battaglia: documenti e riflessioni sulla Mafia dopo l'assassinio di G. Falcone e P. Borsellino,* Bari: Edizioni Dedalo.
Camacho Guizado, Alvaro (1988) *Droga y sociedad en Colombia,* Bogotá: CEREC/CIDSE-Universidad del Valle.
Campbell, C.M. und Williams, B.G. (1996) „Academic research and HIV/AIDS in South Africa“, *South African Medical Journal,* 86(1): 55-63.
Carnoy, Martin (1994) *Faded Dreams,* New York: Cambridge University Press.
– (2000) *Work, Family, and Community in the Information Age,* Cambridge, Mass.: Harvard University Press.
–, Castells, Manuel und Benner, Chris (1997) „What is happening to the US labor market?“, Forschungsbericht der Russell Sage Foundation, New York.
Carrère d'Encausse, Hélène (1978) *L'empire éclaté,* Paris: Flammarion.
– (1987) *Le grand défi: Bolcheviks et nations, 1917-30,* Paris: Flammarion.
– (1991) *La fin de l'empire soviétique: le triomphe des nations,* Paris: Fayard.
Castells, Manuel (1977) *The Urban Question,* Cambridge, MA: MIT Press.
– (1989) *The Informational City: Information Technology, Economic Restructuring, and the Urban-regional Process,* Oxford: Blackwell.
– (1991) *La ciudad cientifica de Akademogorodok y su relación con el desarrollo económico de Siberia,* Madrid: UAM/IUSNT, Forschungsbericht.
– (1992) *La nueva revolución rusa,* Madrid: Sistema.
– (1996) „El futuro del Estado del Bienestar en la sociedad informacional“, *Sistema,* März: 35-53.
– und Hall, Peter (1994) *Technopoles of the World: the Making of 21st Century Industrial Complexes,* London: Routledge.
– und Kiselyova, Emma (1998) „Russia as a network society“, unveröffentl. Papier für die International Conference on Russia at the End of the Twentieth Century, organisiert vom Department of Slavic Studies, Stanford University, California, November.
–, Nataluško, Svetlana (1993) *La modernización tecnologica de las empresas de electronica y de telecomunicaciones en Rusia,* Madrid: UAM/ IUSNT, Forschungsbericht.

–, Goh, Lee und Kwok, Reginald Y.W. (1990) *The Shek Kip Mei Syndrome: Economic Development and Public Housing in Hong Kong and Singapore,* London: Pion.
–, Škaratan, Ovsei und Kolomietz, Viktor (1993) *El impacto del movimiento político sobre las estructuras del poder en la Rusia postcomunista,* Madrid: UAM/IUSNT, Forschungsbericht.
Castillo, Fabio (1991) *La coca nostra,* Bogotá: Editorial Documentos Periodisticos.
Catanzaro, Raimondo (1991) *Il delito come impresa: storia sociale della mafia,* Mailand: Rizzoli.
Cave, Martin (1980) *Computers and Economic Planning: the Soviet Experience,* Cambridge: Cambridge University Press.
Chan, M.K. u.a. (Hg.) (1986) *Dimensions of the Chinese and Hong Kong Labor Movement,* Hong Kong: Hong Kong Christian Industrial Committee.
Chanin, G.I. (1988) „Ėkonomičeskii rost: al'ternativnaja ocenka", *Kommunist* 17.
– (1991a) *Dinamika ėkonomičeskogo razvitija SSSR,* Novosibirsk: Nauka.
– (1991b) „ Ėkonomičeskii rost v SSSR v 80-e gody", *ĖKO,* 5.
Cheal, David (1996) *New Poverty: Families in Postmodern Society,* Westport CT: Greenwood Press.
Chen, Edward K.Y. (1979) *Hypergrowth in Asian Economies: A Comparative Analysis of Hong Kong, Japan, Korea, Singapore, and Taiwan,* London: Macmillan.
– (1980) „The economic setting", in: David Lethbridge (Hg.), *The Business Environment of Hong Kong,* Hong Kong: Oxford University Press.
Chen, Peter S.J. (1983) *Singapore: Development Policies and Trends,* Singapore: Oxford University Press.
Cheru, Fantu (1992) *The Not So Brave New World: Problems and Prospects of Regional Integration in Post-Apartheid Southern Africa,* Johannesburg: South African Institute of International Affairs.
Chesneaux, Jean (1982) *The Chinese Labor Movement: 1919-1927,* Stanford: Stanford University Press.
Cheung, Peter (1994) „The case of Guandong in central-provincial relations", in: Hao und Zhimin (Hg.), S. 207-235.
Christian Science Monitor (1996) „Safeguarding the children", Berichtsreihe, 22. August-16. September.
Chu, Yiu-Kong (1996) „International Triad movements: the threat of Chinese organized crime", London: Research Institute for the Study of Conflict and Terrorism, Conflict Studies Series, Juli/August.
Chua, Beng-Huat (1985) „Pragmatism and the People's Action Party in Singapore", *Southeast Asian Journal of Social Sciences,* 13(2).
– (1998) „Unmaking Asia: revenge of the real against the discursive", Aufsatz für die Conference on Problematising Asia, National Taiwan University, Taipei, 3.-16. Juli.
CIA, Directorate of Intelligence (1990a) *Measures of Soviet GNP in 1982 Prices",* Washington, DC: CIA.
– (1990b) *Measuring Soviet GNP: Problems and Solutions. A Conference Report,* Washington, DC: CIA.
Clayton, Mark (1996) „In United States, Canada, new laws fail to curb demand for child sex", *Christian Science Monitor,* 3. September: 11.
Clifford, Mark (1994) „Family ties: heir force", *Far Eastern Economic Review,* 17. November: 78-86.
Cohen, Stephen (1974) *Bukharin and the Bolshevik Revolution,* New York: Alfred Knopf.
Cohn, Ilene und Goodwin Gill, Guy (1994) *Child Soldiers: the Roles of Children in Armed Conflict,* Oxford: Clarendon Press.
Cole, D.C. und Lyman, J.A. (1971) *Korean Development: the Interplay of Politics and Economics,* Cambridge, MA: Harvard University Press.
Collier, Paul (1995) „The marginalization of Africa", *International Labour Review,* 134(4-5): 541-557.
Colombo, Gherardo (1990) *Il riciclaggio: gli istrumenti guidiziari di controllo dei flussi monetari illeciti con le modifiche introdotte dalla nuova legge antimafia,* Mailand: Giuffre Editore.
Commission on Security and Cooperation in Europe (1994) *Crime and corruption in Russia,* Briefing of the Commission, Implementation of the Helsinki Accord, Washington, DC: Juni.

Connolly, Kathleen, McDermid, Lea, Schiraldi, Vincent und Macallair, Dan (1996) *From Classrooms to Cell Blocks: How Prison Building Affects Higher Education and African American Enrollment,* San Francisco: Center on Juvenile and Criminal Justice.

Conquest, Robert (Hg.) (1967) *Soviet Nationalities Policy in Practice,* New York: Praeger.

– (1968) *The Great Terror,* New York: Oxford University Press.

– (1986) *The Harvest of Sorrow,* New York: Oxford University Press.

Cook, John T. und Brown, J. Larry (1994) „Two Americas: comparisons of US child poverty in rural, inner city and suburban areas. A linear trend analysis to the year 2010", Medford, MA: Tufts University School of Nutrition, Center on Hunger, Poverty and Nutrition Policy, Arbeitspapier No. CPP-092394.

Cooper, J. (1991) *The Soviet Defence Industry: Conversion and Reform,* London: Pinter.

da Costa Nuñez, Ralph (1996) *The New Poverty: Homeless Families in America,* New York: Insight Books.

Cowell, Alan (1994) „138 nations confer on rise in global crime", *The New York Times,* 22. November.

Curtis, Gerald L. (1993) *Japan's Political Transfigurations: Interpretation and Implications,* Washington, DC: Woodrow Wilson International Center for Scholars.

Davidson, Basil (1992) *The Black Man's Burden: Africa and the Crisis of the Nation-State,* New York: Times Books.

– (1994) *A Search for Africa: History, Culture, Politics,* New York: Times Books.

De Bernieres, Louis (1991) *Señor Vivo and the Coca Lord,* New York: Morrow.

De Feo, Michael und Savona, Ernesto (1994) „Money trails: international money laundering trends and prevention/control policies", Hintergrundbericht an die International Conference on Preventing and Controlling Money-Laundering and the Use of the Proceeds of Crime: a Global Approach, Courmayeur, Italien, 18.-20. Juni.

Deininger, Klaus und Squire, Lyn (1996) „A new data set measuring income inequality", *The World Bank Economic Review,* 10(3): 565-591.

Del Olmo, Rosa (1991) „La geopolitica del narcotráfico en América Latina", in: *Simposio Internacional:* 29-68.

Del Vecchio, Rick (1994) „When children turn to violence", *San Francisco Chronicle,* 11. Mai.

Dentsu Institute for Human Studies und DataFlow International (1994) *Media in Japan,* Tokyo: DataFlow International.

Desai, Padma (1987) *The Soviet Economy: Problems and Prospects,* Oxford: Blackwell.

– (1989) *Perestroika in Perspective: the Design and Dilemmas of Soviet Reforms,* Princeton, NJ: Princeton University Press.

Deyo, Frederic (1981) *Dependent Development and Industrial Order: An Asian Case Study,* New York: Praeger.

– (Hg.) (1987a) *The Political Economy of East Asian Industrialism,* Ithaca, NY: Cornell University Press.

– (1987b) „State and labor: modes of political exclusion in East Asian development", in: Deyo (Hg.).

Dolven, Ben (1998) „Taiwan's trump", *Far Eastern Economic Review,* 6. August: 12-15.

Dornbusch, Robert (1998) „Asian crisis themes" (http://www/iie.com/news98-1.htm).

Doucette, Diane (1995) „The restructuring of the telecommunications industry in the former Soviet Union", unveröffentl. Diss., Berkeley: University of California.

Drake, St Clair und Cayton, Horace (1945) *Black Metropolis: a Study of Negro Life in a Northern City,* New York: Harcourt Brace Jovanovich, überarbeitete Ausg. 1962.

Drogin, Bob (1995) „Sending children to war", *Los Angeles Times,* 26. März, A1-A14.

Dryakhlov, N.I. u.a. (1972) *Naučno-techničeskaja revoljucija i obščestvo,* Moskau: Nauka.

Dumaine, Brian (1993) „Illegal child labor comes back", *Fortune* 127(7), 5. April.

Dumont, René (1964) *L'Afrique Noire est mal partie,* Paris: Editions du Seuil.

Eggebeen, David und Lichter, Daniel (1991) „Race, family structure, and changing poverty among American children“, *American Sociological Review*, 56.

Ehringhaus, Carolyn Chase (1990) „Functional literacy assessment: issues of Interpretation“, *Adult Education Quarterly*, 40(4).

Eisenstodt, Gail (1998) „Japan's crash and rebirth“, *World Link*, September/Oktober: 12-16.

Ekholm, Peter und Nurmio, Aarne (1999) *Europe at the Crossroads: The Future of the EU?*, Helsinki: Sitra.

Ekholm-Friedman, Kajsa (1993) „Afro-Marxism and its disastrous effects on the economy: the Congolese case“, in: Blomstrom und Lundhal (Hg.), S. 219-245.

Ellman, M. und Kontorovich, V. (Hg.) (1992) *The Disintegration of the Soviet Economic System*, London: Routledge.

Endacott, G.B. und Birch, A. (1978) *Hong Kong Eclipse*, Hong Kong: Oxford University Press.

Erlanger, Steven (1994a) „Russia's new dictatorship of crime“, *The New York Times*, 15. Mai.

– (1994b) „A slaying puts Russian underworld on parade“, *The New York Times*, 14. April.

Ernst, Dieter und O'Connor, David C. (1992) *Competing in the Electronics Industry: the Experience of Newly Industrializing Economies*, Paris: OECD, Development Centre Studies.

Estefanía, Joaquin (1996) *La nueva economía: la globalización*, Madrid: Temas para el Debate.

– (1997) „La paradoja insoportable“, *El País Internacional*, 14. April: 8.

Evans, Peter (1995) *Embedded Autonomy: States and Industrial Transformation*, Princeton, NJ: Princeton University Press.

Fainstein, Norman (1993) „Race, class and segregation: discourses about African Americans“, *International Journal of Urban and Regional Research*, 17(3): 384-403.

– und Fainstein, Susan (1996) „Urban regimes and black citizens: the economic and social impacts of black political incorporation in US cities, *International Journal of Urban and Regional Research*, 20(1): März.

Fajnzylber, Fernando (1983) *La industrialización truncada de América Latina*, Mexico: Nueva Imagen.

Fatton Jr., Robert (1992) *Predatory Rule: State and Civil Society in Africa*, Boulder, Colo.: Lynne Rienner.

Fischer, Claude u.a. (1996) *Inequality by Design*, Princeton, NJ: Princeton University Press.

Flores, Robert (1996) „Child Prostitution in the United States“, in: US Department of Labor, Bureau of International Labor Affairs, *Forced Labor: the Prostitution of Children, Symposium Proceedings*, Washington DC: US Department of Labor.

Fontana, Josep (1994) *Europa ante el espejo*, Barcelona: Critica.

Forester, Tom (1993) *Silicon Samurai: How Japan Conquered the World's IT Industry*, Oxford: Blackwell.

Forrest, Tom (1993) *Politics and Economic Development in Nigeria*, Cambridge: Cambridge University Press.

Fortescue, Stephen (1986) *The Communist Party and Soviet Science*, Baltimore: The Johns Hopkins University Press.

Fottorino, Eric (1991) *La piste blanche: l'Afrique sous l'emprise de la drogue*, Paris: Balland.

French, Howard (1995) „Mobutu, Zaire's 'guide', leads nation into chaos“, *The New York Times*, 10. Juni: 1.

– (1997) „Yielding power, Mobutu flees capital: rebels prepare full takeover of Zaire“, *The New York Times*, 17. Mai: 1.

Frimpong-Ansah, Jonathan H. (1991) *The Vampire State in Africa: the Political Economy of Decline in Ghana*, London: James Currey.

Fukui, Harushiro (1992) „The Japanese state and economic development: a profile of a nationalist-paternalist capitalist state“, in: Richard Appelbaum und Jeffrey Henderson (Hg.), *States and Development in the Asian Pacific Rim*, Newbury Park, CA: Sage, S. 190-226.

Funken, Claus und Cooper, Penny (Hg.) (1995) *Old and New Poverty: the Challenge for Reform*, London: Rivers Oram Press.

Gamajunov, Igor (1994) „Oborotni“, *Literaturnaja gazeta,* 7. Dezember: 13.

Gans, Herbert (1993) „From 'underclass' to 'undercaste': some observations about the future of the postindustrial economy and its major victims“, *International Journal of Urban and Regional Research,* 17(3): 327-335.

– (1995) *The War against the Poor: the Underclass and Antipoverty Policy,* New York: Basic Books.

Garcia, Miguel (1991) *Los barones de la cocaina,* Mexico, DF: Planeta.

García Márquez, Gabriel (1996) *Nachricht von einer Entführung,* Köln: Kiepenheuer und Witsch.

Gelb, Joyce und Lief-Palley, Marian (Hg.) (1994) *Women of Japan and Korea: Continuity and Change,* Philadelphia: Temple University Press.

Gerner, Kristian und Hedlund, Stefan (1989) *Ideology and Rationality in the Soviet Model: a Legacy for Gorbachev,* London: Routledge.

Ghose, T.K. (1987) *The Banking System of Hong Kong,* Singapore: Butterworth.

Gilliard, Darrell K. und Beck, Allen J. (1996) „Prison and jail inmates, 1995", *Bulletin of the Bureau of Justice Statistics,* Washington, DC: US Department of Justice, August.

Ginsborg, Paul (Hg.) (1994) *Stato dell'Italia,* Mailand: Il Saggiatore/Bruno Mondadori.

Gold, Thomas (1986) *State and Society in the Taiwan Miracle,* Armonk, NY: M.E. Sharpe.

Goldman, Marshall I. (1983) *USSR in Crisis: the Failure of an Economic System,* New York: W.W. Norton.

– (1987) *Gorbachev's Challenge: Economic Reform in the Age of High Technology,* New York: W.W. Norton.

– (1996) „Why is the Mafia so dominant in Russia?“, *Challenge,* Januar/Februar: 39-47.

Golland, E.B. (1991) *Naučno-tekničeskij progress kak osnova uskorenija razvitia narodnogo chozjajstva,* Novosibirsk: Nauka.

Gomez, Ignacio und Giraldo, Juan Carlos (1992) *El retorno de Pablo Escobar,* Bogotá: Editorial Oveja Negra.

Gootenberg, Paul (Hg.) (1999) *Cocaine: Global Histories,* London: Routledge.

Gorbatschow, Michail S. (1989) "Vystuplenie v Organizacii Ob-edinennych Nacij, 7 dekabrja 1988 goda“, in M. S. Gorbačov, *Izbrannye reči i stat'i,* t. 7 Moskau: Izdatel'stvo političeskoj literatury: 184-202.

Gordon, Michael R. (1996) „Russia struggles in a long race to prevent an atomic theft“, *The New York Times,* 20. April: 1-4.

Gottschalk, Peter und Smeeding, Timothy M. (1997) „Empirical evidence on income inequality in industrialized countries“, Luxembourg Income Study, Arbeitspapier no. 154.

Gould, Stephen Jay (1985) „The median isn't the message“, *Discover,* Juni: 40-2.

Granberg, Alexander (1993a) „The national and regional commodity markets in the USSR: trends and contradictions in the transition period“, *Papers in Regional Science,* 72(1): 3-23.

– (1993b) „Politika i učenyy, kotoryj zanimajetsja ej po dolgu služby“, *ĖKO,* 4: 24-8.

–, Spehl, H. (1989) „Regionale Wirtschaftspolitik in der UdSSR und der BRD“, Bericht zum Fourth Soviet-West German Seminar on Regional Development, Kiev, 1.-10. Oktober.

Granick, David (1990) *Chinese State Enterprises: a Regional Property Rights Analysis,* Chicago: University of Chicago Press.

Green, Gordon u.a. (1992) „International comparisons of earnings inequality for men in the 1980s“, *Review of Income and Wealth,* 38(1): 1-15.

Greenhalgh, Susan (1988) „Families and networks in Taiwan's economic development“, in: Winckler und Greenhaigh (Hg.).

Grindle, Merilee S. (1996) *Challenging the State: Crisis and Innovation in Latin America and Africa.* Cambridge: Cambridge University Press.

Grootaert, Christiaan und Kanbur, Ravi (1995) „Child labor: a review“, Washington, DC: World Bank policy research working paper no. 1454.

Grossman, Gregory (1977) „The second economy of the USSR“, *Problems of Communism,* 26: 25-40.

– (1989) „Informal personal incomes and outlays of the Soviet urban population“, in: Portes u.a. (Hg.), S. 150-172.

Gugliotta, Guy und Leen, Jeff (1989) *Kings of Cocaine: inside the Medellin Cartel*, New York: Simon and Schuster.

Gustafson, Thane (1981) *Reform in Soviet Politics*, New York: Cambridge University Press.

Haas, Ernst B. (1958a) *The Uniting of Europe: Political, Social, and Economic forces, 1950-57*, Stanford: Stanford University Press.

– (1958b) „The challenge of regionalism“, *International Organization*, 12(4): 440-458.

– (1964) *Beyond the Nation-State: Functionalism and International Organization*, Stanford: Stanford University Press.

Hagedorn, John und Macon, Perry (1998) *People and folks: Gangs, Crime, and the Underclass in a Rustbelt City*, Chicago: Lake View Press.

Hall, Tony (1995) „Let's get Africa's act together ...“, Bericht des UNESCO/ITU/UNECA African Regional Symposium on Telematics for Development, Addis Abeba, Äthiopien, Mai.

Hallinan, Joe (1994) „Angry children ready to explode“, *San Francisco Examiner*, 22. Mai.

Handelman, Stephen (1993) „The Russian *Mafiya*“, *Foreign Affairs*, 73(2): 83-96.

– (1995) *Comrade Criminal: Russia's New Mafiya*, New Haven: Yale University Press.

Hao, Jia und Zhimin, Lin (Hg.) (1994) *Changing Central-Local Relations in China: Reform and State Capacity*, Boulder, Colo.: Westview Press.

Harrison, Mark (1993) „Soviet economic growth since 1928: the alternative statistics of G.I. Khanin“, *Europe-Asia Studies*, 45(1): 141-167.

Harvey, Robert (1994), *The Undefeated: the Rise, Fall and Rise of Greater Japan*, London: Macmillan.

Hasegawa, Koichi (1994) „A comparative study of social movements for a post-nuclear energy era in Japan and the United States“, Vortrag auf dem 23. Welt-Kongress der Soziologie, Research Committee on Collective Behavior and Social Movements, Bielefeld, Deutschland, 18.-23. Juli.

Healy, Margaret (1996) „Child pornography: an international perspective“, Arbeitsdokument für den World Congress against Commercial Sexual Exploitation of Children, Stockholm, Schweden, 27.-31. August.

Heeks, Richard (1996) *Building Software Industries in Africa*, download von: http://www.sas.upenn.edu/African_Studies/Acad_Research/softw_heeks.htaml.

Henderson, Jeffrey (1998a) „Danger and opportunity in the Asian Pacific“, in: G. Thompson (Hg.), *Economic Dynamism in the Asian Pacific*, London: Routledge, S. 356-84.

– (1998b) „Uneven crises: institutional foundations of East Asian economic turmoil“, Vortrag auf der Annual Conference of the Society for the Advancement of Socio-economics, Wien, 13.-16. Juli.

– (1999) „Uneven crisis: institutional foundations of East Asian economic turmoil“, *Economy and Society*, 28 (3): 327-68.

–, Hama, Noriko, Eccleston, Bernie und Thompson, Grahame (1998) „Deciphering the East Asian crisis: a roundtable discussion“. *Renewal*, 6(2).

Herbst, Jeffrey (1996) „Is Nigeria a viable state?“ *The Washington Quarterly* 19 (2): 151-72.

Hewitt, Chet, Shorter, Andrea und Godfrey, Michael (1994) *Race and Incarceration in San Francisco, Two Years Later*, San Francisco: Center on Juvenile and Criminal Justice.

High Level Expert Group on the Information Society (HLEGIS) (1997) „The European information society“, Bericht für die Europäische Kommission: Brüssel, European Commission, Directorate General V.

Hill, Christopher (Hg.) (1996) *The Actors in European Foreign Policy*, London: Routledge.

Hill, Ronald J. (1985) *The Soviet Union: Politics, Economics and Society. From Lenin to Gorbachev*, London: Pinter.

Hirst, Paul und Thompson, Grahame (1996) *Globalization in Question*, Oxford: Blackwell.

Ho, H.C.Y. (1979) *The Fiscal System of Hong Kong*, London: Croom Helm.

Holzman, Franklyn D. (1976) *International Trade under Communism,* New York: Basic Books.

Hondagneu-Sotelo, Pierrette (1994) „Regulating the unregulated?: domestic workers' social networks", *Social Problems,* 41:(1).

Hong Kong Government (1967) *Kowloon Disturbances, 1966: Report of the Commission of Inquiry,* Hong Kong: Hong Kong Government.

Hope, Kempe Ronald (1995) „The socio-economic context of AIDS in Africa", *Journal of Asian and African Studies,* 30: 1-2.

– (1996) „Growth, unemployment and poverty in Botswana", *Journal of Contemporary African Studies,* 14: 1.

Hsing, Youtien (1997) „Transnational networks of Chinese capitalists and development in local China", Papier vorgestellt beim Bamboo Networks and Economic Growth in the Asia Pacific Region Research Workshop on the Work of Chinese Entrepreneur Networks, Vancouver, University of British Columbia, Institute of Asian Research, 11.-12. April (1997 unveröffentlicht).

– (1999) *Making Capitalism in China: The Taiwan Connection,* New York: Oxford University Press.

Hutchful, Eboe (1995) „Why regimes adjust: the World Bank ponders its 'star pupil'", *Canadian Journal of African Studies,* 29: 2.

Hutching, Raymond (1976) *Soviet Science, Technology, Design,* London: Oxford University Press.

Hutton, Will (1996) *The State We're In,* durchges. Aufl., London: Vintage.

Ikporukpo, C.O. (1996) „Federalism, political power and the economic game; conflict over access to petroleum resources in Nigeria", *Environment and Planning C: Government and Policy,* 14: 159-77.

Ikuta, Tadahide (1995) *Kanryo: Japan's Hidden Government,* Tokyo: NHK.

Imai, Ken'ichi (1990) *Jouhon Network Shakai no Tenkai* [The development of the information network society], Tokyo: Tikuma Shobou.

Industrial Strategy Project (ISP) (1995) *Improving Manufacturing Performance in South Africa,* Cape Town/Ottawa: UCT Press und International Development Research Centre.

InfoCom Research (1995) *Information and Communications in Japan, 1995,* Tokyo: InfoCom Research.

Inoguchi, Takashi (1995) „Kanryo: the Japanese bureaucracy in history's eye", Papier vorgestellt auf der Conference on Crisis and Change in Japan Today, Seattle, 20.-21. Oktober (Vorlesung einer überarb. Version, unterstützt von der University of Tokyo, März 1996).

International Bank for Reconstruction and Development (IBRD) (1994) *Adjustment in Africa: Reforms, Results and the Road Ahead,* Oxford: Oxford University Press.

– (1996) *World Development Report 1996: From Plan to Market,* Oxford: Oxford University Press.

International Labour Office (ILO) (1994) *World Labour Report 1994,* Genf: ILO.

– (1995) *World Employment Report 1995,* Genf: ILO.

– (1996) *Child Labour: Targeting the Intolerable,* Genf: ILO.

Irusta Medrano, Gerardo (1992) *Narcotráfico: hablan los arrepentidos – personajes y hechos reales,* La Paz: CEDEC.

Irwin, John (1985) *The Jail: Managing the Underclass in American Society,* Berkeley: University of California Press.

– und Austin, James (1994) *It's about Time: America's Imprisonment Binge,* Belmont, CA: Wadsworth.

Ito, Youichi (1980) „The *Johoka Shakai* approach to the study of communication in Japan", *Keio Communication Review,* 1: 13-40.

– (1991) „Birth *of Johoka Shakai* and *Johoka* concepts in Japan and their diffusion outside Japan", *Keio Communication Review,* 13: 3-12.

– (1993) „How Japan modernised earlier and faster than other non-Western countries: an information sociology approach", *The Journal of Development Communication,* 4(2).

– (1994a) „Why information now?“, in: Georgette Wang (Hg.), *Treading Different Paths: Informationization in Asian Nations,* Norwood, NJ: Ablex.
– (1994b) „Japan“, in: Georgette Wang (Hg.), *Treading Different Paths: Informationization in Asian Nations,* Norwood, NJ: Ablex.
Iwao, Sumiko (1993) *The Japanese Woman,* New York: Free Press.
Izvestija, (1994a) „Krestnye ottsy i inoplanetjane“, 27. Januar.
– (1994b) „Rossijskaya mafia sobiraet dos'e na krupnych činovnikov i politikov“, 26. Januar: 1-2.
– (1994c) „Ugolovnaja Rossija“, 18., 19. Oktober: 1-2.
Jackson, Robert H. und Rosberg, Carl G. (1994) „The political economy of African personal rule“, in: David Apter und Carl Rosberg (Hg.), *Political Development and the New Realism in Sub-Saharan Africa,* Charlottesville: University of Virginia Press.
Jamal, Vali (Hg.) (1995) *Structural Adjustment and Rural Labour Markets in Africa,* New York: St Martin's Press for the ILO.
James, Jeffrey (1995) *The State, Technology and Industrialization in Africa,* New York: St Martin's Press.
Japan Information Processing Development Center (1994) *Informatization White Paper,* Tokyo: JIPDEC.
Jasny, N. (1961) *Soviet Industrialization, 1928-1952,* Chicago: University of Chicago Press.
Jazairy, Idriss u.a. (1992) *The State of World Rural Poverty: an Inquiry into its Causes and Consequences,* New York: New York University Press.
Jelzin, Boris (1990) *Memorias* (aus dem Russischen übers.), Madrid: Temas de Hoy.
– (1994) „Ob ukreplenii Rossijskogo gosudarstva“, *Rossiyskaya gazeta,* 25. Februar.
Jensen, Leif (1991) „Secondary earner strategies and family poverty: immigrant-native differentials, 1960-1980“, *International Migration Review,* 25: l.
Jensen, Mike (1995) Draft discussion paper for UNESCO/ITU/UNECA African Regional Symposium on Telematics for Development in Addis Abeba, Mai, download v.: http://www.idsc.gov.eg//aii/ddpf.htm#tele.
– (1996) „Economic and technical issues in building Africa's information technologies“, Präsentation auf der Conference on Africa and the New Information Technologies, Genf, 17.-19. Oktober.
Johnson, Chalmers (1982) *MITI and the Japanese Miracle,* Stanford: Stanford University Press.
– (1987) „Political institutions and economic performance: the government-business relationship in Japan, South Korea, and Taiwan“, in: Deyo (Hg.).
– (1995) *Japan: Who Governs? The Rise of the Developmental State,* NewYork: W.W. Norton.
Johnson, D. Gale und McConnell Brooks, Karen (1983) *Prospects for Soviet Agriculture in the 1980s,* Bloomington, Ind.: Indiana University Press.
Jomo, Kwame S. (1999) „International financial liberalisation and the crisis of East Asian development“, Kuala Lumpur, University of Malaya, Faculty of Economics and Administration, unveröffentlicht.
Jones, J. (1992) *The Dispossessed: America's Underclasses from the Civil War to the Present,* New York: Basic Books.
Jowitt, Kenneth (1971) *Revolutionary Breakthroughs and National Development: the Case of Romania, 1944-65,* Berkeley: University of California Press.
Kaiser, Paul (1996) „Structural adjustment and the fragile nation: the demise of social unity in Tanzania“, *Journal of Modern African Studies,* 34: 2.
Kaiser, Robert G. (1991) *Why Gorbachev Happened: his Triumphs and his Failures,* New York: Simon and Schuster.
Kaldor, Mary (1981) *The Baroque Arsenal,* New York: Hill and Wang.
Kalmanovitz, Salomon (1993) *Analisis macro-economico del narcotráfico en la economía colombiana,* Bogotá: Universidad Nacional de Colombia, Facultad de Ciencias Economicas.
Kamali, A. u.a. (1996) „The orphan problem: experience of a Sub-Saharan African rural population in the AIDS epidemic“, *AIDS Care,* 8(5): 509-15.

Kaplan, David E. und Dubro, Alec (1986) *Yakuza: the Explosive Account of Japan's Criminal Underworld,* Menlo Park, CA.: Addison-Wesley.
Kasarda, John D. (1990) „Urban industrial transition and the underclass", *Annals of the American Academy of Political and Social Science,* 501: 26-47.
– (1995) „Industrial restructuring and the changing location of jobs", in: Reynolds Farley (Hg.), *State of the Union: America in the 1990s,* New York: Russell Sage Foundation.
Kassel, Simon und Campbell, Cathleen (1980) *The Soviet Academy of Sciences and Technological Development,* Santa Monica, CA: Rand Corporation.
Kato, Tetsuro (1984) „A preliminary note on the state in contemporary Japan", *Hitotsubashi Journal of Social Studies,* 16(1): 19-30.
– (1987) „Der Neoetatismus im heutigen Japan", *Prokla,* 66: 91-105.
Kazancev, Sergej (1991) „Ocenka ėkonomičeskogo effekta NTP v sisteme centralizovannogo upravlenija naučno-tekhničeskim progressom", in: E. Golland und T. Rybakova (Hg.), *Technologičeskij progress i ėkonomičeskoe razvitije,* Novosibirsk: Nauka, S. 162-74.
Kazuhiro, Imamura (1990) „The Computer, interpersonal communication, and education in Japan", in: Adriana Boscaro, Franco Gatti und Massimo Raveri (Hg.), *Rethinking Japan,* Folkestone, Kent: S. 97-106.
Keating, Michael (1995) *Nations against the State: the New Politics of Nationalism in Quebec, Catalonia, and Scotland,* New York: St Martin's Press.
Kelly, R.J. (Hg.) (1986) *Organized Crime: a Global Perspective,* Totowa, NJ: Rowman and Littlefield.
Kempster, Norman (1993) „US consider seizing vast wealth of Zaire's Mobutu to force him out", *Los Angeles Times,* 3. März.
Keohane, Robert O. und Hoffman, Stanley (1991a) „Institutional change in Europe in the 1980s", in: Keohane and Hoffman (Hg.).
– und Hoffman, Stanley (Hg.) (1991b) *The New European Community: Decision Making and Institutional Change,* Boulder, Colo.: Westview Press.
Khan, Sikander und Yoshihara, Hideki (1994) *Strategy and Performance of Foreign Companies in Japan,* Westport, CT: Quorum Books.
Khazanov, Anatoly M. (1995) *After the USSR: Ethnicity, Nationalism and Politics in the Commonwealth of Independent States,* Madison: University of Wisconsin Press.
Kibria, Nazli (1994) „Household structure and family ideologies: the dynamics of Immigrant economic adaptation among Vietnamese refugees", *Social Problems,* 41: 1.
Kim, Jong-Cheol (1998) „Asian financial crisis in 1997: institutional incompatibility of the developmental state in global capitalism", unveröffentl. Seminar-Papier für Sociology 280V, Berkeley: University of California, Department of Sociology, Mai.
Kim, Kyong-Dong, (Hg.) (1987) *Dependency Issues in Korean Development,* Seoul: Seoul National University Press.
Kim, Seung-Kuk (1987) „Class formation and labor process in Korea", in: Kim (Hg.).
King, Ambrose Y.C. und Lee, Rance P. (Hg.) (1981) *Social Life and Development in Hong Kong,* Hong Kong: Chinese University Press.
King, Roy (1994) „Russian prisons after perestroika: end of the gulag?" *British Journal of Criminology,* 34, Sonderausgabe.
– und Mike Maguire (1994) „Contexts of imprisonment: an international perspective", *British Journal of Criminology,* 34, Sonderausgabe.
Kirsch, Irwin, Jungeblut, Ann, Jenkins, Lynn und Kolstad, Andrew (1993) *Adult Literacy in America: a First Look at the Results of the National Adult Literacy Survey,* Washington, DC: US Department of Education.
Kiselyova, Emma, Castells, Manuel und Granberg, Alexander (1996) *The Missing Link: Siberian Oil and Gas and the Pacific Economy,* Berkeley, CA: University of California, Institute of Urban and Regional Development, Forschungsmonografie.

Kishima, Takako (1991) *Political Life in Japan: Democracy in a Reversible World,* Princeton, NJ: Princeton University Press.
Kleinknecht, William (1996) *The New Ethnic Mobs: the Changing Face of Organized Crime in America,* New York: The Free Press.
Koetting, Mark und Schiraldi, Vincent (1994) *Singapore West: the Incarceration of 200,000 Californians,* San Francisco: Center on Juvenile and Criminal Justice.
Kontorovich, V. (1988) „Lessons of the 1965 Soviet economic reform", *Soviet Studies,* 40, 2.
Kornai, Janos (1980) „Economics of shortage", Amsterdam: North-Holland
– (1986) *Contradictions and Dilemmas: Studies on the Socialist Economy and Society,* Cambridge, MA: MIT Press.
– (1990) *Vision and Reality, Market and State,* New York: Routledge.
Korowkin, Wladimir (1994) „Die Wirtschaftsbeziehungen Russlands zu den Staaten der ehemaligen UdSSR", *Osteuropa,* 2 (Februar): 161-74.
Kozlov, Viktor (1988) *The Peoples of the Soviet Union,* Bloomington, Ind.: Indiana University Press.
Kozol, Jonathan (1985) *Illiterate America,* New York: Anchor Press.
Krause, Lawrence, Koh Ai Tee und Lee (Tsao) Yuan (1987) *The Singapore Economy Reconsidered,* Singapore: Institute of South-East Asian Studies.
Kuleshov, Valery und Castells, Manuel (directors) (1993) „Problemas socio-económicos del compiejo de gas y petroleo en Siberia Occidental en el contexto del la reforma económica", Madrid: UAM/IUSNT, Forschungsbericht.
Kuo, Shirley W.Y. (1983) *The Taiwan Economy in Transition,* Boulder, Colo.: Westview Press.
Kuznecova, N.F. (1996) „Konferencija po problemam organizovannoj prestupnosti", *Gosudarstvo i Pravo,* 5: 130-37.
Kwan, Alex Y.H. und Chan, David K.K. (Hg.) (1986) *Hong Kong Society,* Hong Kong: Writers and Publishers Cooperative.
Lachaud, Jean-Pierre (1994) *The Labour Market in Africa,* Genf: International Institute for Labour Studies.
Lam, Willy Wo-Lap (1995) *China after Deng Xiaoping: the Power Struggle in Beijing since Tiananmen,* Singapore: Wiley.
Lane, David (1990) *Soviet Society under Perestroika,* London: Unwin and Hyman.
Laserna, Roberto (Hg.) (1991) *Economía política de las drogas: lecturas Latinoamericanas,* Cochabamba: CERES/CLACSO.
– (1995) „Coca cultivation, drug traffic and regional development in Cochabamba, Bolivia", unveröffentl. Diss., Berkeley: University of California.
– (1996) *20 juicios y prejuicios sobre coca-cocaina,* La Paz: Clave Consultores.
Lau, Siu-kai (1982) *Society and Politics in Hong Kong,* Hong Kong: The Chinese University Press.
Lavalette, Michael (1994) *Child Employment in the Capitalist Labour Market,* Aldershot: Avebury.
Lee, Chong Ouk (1988) *Science and Technology Policy of Korea and Cooperation with the United States,* Seoul: Korea Advanced Institute of Science and Technology, Center for Science and Technology Policy.
Leitzel, Jim u.a. (1995) „Mafiosi and Matrioshki: organized crime and Russian reform", *The Brooking Review,* Winter: 26-9.
Lemann, Nicholas (1999) *The Big Test: the Secret History of American Meritocracy,* New York: Farrar, Strauss and Giroux.
Lemarchand, René (1970) *Rwanda and Burundi,* London: Pall Mall.
– (1993) „Burundi in comparative perspective: dimensions of ethnic strife", in: John McGarry und Brendan O'Leary (Hg.), *The Politics of Ethnic Conflict Regulation: Case Studies of Protracted Ethnic Conflicts,* London und New York: Routledge.
– (1994a) „Managing transition anarchies: Rwanda, Burundi, and South Africa in comparative perspective", *The Journal of Modern African Studies,* 32(4): 581-604.

– (1994b) *Burundi: Ethnocide as Discourse and Practice,* New York: Woodrow Wilson Center Press und Cambridge University Press.

Lenin, Vladimir I. (1980), „Deklaration der Rechte des werktätigen und ausgebeuteten Volkes", in V.I. Lenin, *Werke*, Berlin (DDR): Dietz, Bd. 26: 422-426.

Lerman, Robert (1996) „The impact of changing US family structure on child poverty and income inequality", *Economica,* 63: Sl19-39.

Lethbridge, H. (1970) „Hong Kong cadets, 1862-1941", *Journal of the Hong Kong Branch of the Royal Asiatic Society,* 10: 35-56.

– (1978) *Hong Kong: Stability and Change: a Collection of Essays,* Hong Kong: Oxford University Press.

Leung, Chi-keung u.a. (1980) *Hong Kong: Dilemmas of Growth,* Hong Kong: University of Hong Kong, Centre of Asian Studies.

Lewin, Moshe (1988) *The Gorbachev Phenomenon: a Historical Interpretation,* Berkeley: University of California Press.

Lewis, Peter (1996) „From prebendalism to predation: the political economy of decline in Nigeria", *Journal of Modern African Studies* 34(1): 79-103.

Leys, Colin (1994) „Confronting the African tragedy", *New Left Review,* 204: 33-47.

Li, Linda Ch. (1996) „Power as non-zero sum: central-provincial relations over Investment implementation, Guandong and Shanghai, 1978-93", Hong Kong: City University of Hong Kong, Department of Public and Social Administration, Arbeitspapier 1996/2.

Lim, Hyun-Chin (1982) *Dependent Development in Korea: 1963-79,* Seoul: Seoul National University Press.

– und Yang, Jonghoe (1987) „The state, local capitalists and multinationals: the changing nature of a triple alliance in Korea", in Kyong-Dong Kim (Hg.), *Dependency Issues in Korean Development,* Seoul: Seoul National University Press: S. 347-59.

Lin, Jing (1994) *The Opening of the Chinese Mind: Democratic Changes in China since 1978,* Westport, CT: Praeger.

Lin, Tsong-Biau, Mok, Victor und Ho, Yin-Ping (1980) *Manufactured Exports and Employment in Hong Kong,* Hong Kong: Chinese University Press.

Lindqvist, Sven (1996) *Exterminate All the Brutes,* New York: The New Press.

Loxley, John (1995) „A review of Adjustment in Africa: Reforms, Results and the Road Ahead", *Canadian Journal of African Studies,* 29: 2.

Lu, Jia (1993) *„Jingji guore wnti geshuo gehua* (Uneinigkeit zwischen Zentral- und Provinzregierung über die Probleme der wirtschaftlichen Überhitzung)", *China Times Weekly,* 61, 28. Februar-6. März: 44-45.

– (1994a) *„Zhonggong yabuzhu difang haiwai juzhaifeng* (Die Chinesischen Kommunisten können die ausländische Schuldenaufnahme der Lokalverwaltungen nicht kontrollieren)", *China Times Weekly,* 150, 13.-16. November: 6-9.

– (1994b) *„Laozi jiufen juyou zhongguo tese* (Arbeitskonflikte tragen chinesische Merkmale)", *China Times Weekly,* 116, 20.-26. März: 11-13.

Lynch, Michael J. und Paterson, E. Britt (Hg.) (1995) *Race and Criminal Justice: a further Examination,* New York: Harrow and Heston.

McDonald, Douglas (1994) „Public imprisonment by private means: the reemergence of private prisons and jails in the United States, the United Kingdom, and Australia", *British Journal of Criminology,* 34, Sonderausgabe.

Mace, James E. (1983) *Communism and the Dilemmas of National Liberation: National Communism in Soviet Ukraine, 1918-33,* Cambridge, MA: Harvard Ukrainian Research Institute.

McFadden, Robert D. (1999) „US colonel's wife named in Bogotá drug smuggling", *The New York Times,* 7. August: A1.

Machimura, Takashi (1994) *Sekai Toshi Tokyo no Kozo* [Die strukturelle Transformation einer Global City: Tokyo], Tokyo: Tokyo University Press.

Mackie, J.A.C. (1992) „Overseas Chinese entrepreneurship", *Asian Pacific Economic Literature,* 6(1): 41-64.

McKinley, James C. (1996) „Old revolutionary is a new power to be reckoned with in Central Africa", *The New York Times,* 27. November.

Maddison, Angus (1995) *Monitoring the World Economy,* 1S20-2 992, Paris: OECD Development Centre Studies.

Malleret, T. und Delaporte, Y. (1991) „La conversion des industries de défense de l'ex-URSS", *Le Courrier des Pays de l'Est,* November.

Mamdani, Mahmood (1996) „From conquest to consent as the basis of state formation: reflections on Rwanda", *New Left Review,* 216: 3-36.

Manning, Claudia (1993) „Subcontracting in the South African economy: a review of the evidence and an analysis of future prospects", Papier für den TASKGRO Workshop, 21.-23. Mai.

– und Mashigo, Angela Pinky (1994) „Manufacturing in South African microenterprises", *IDS Bulletin,* 25(1).

Marrese, Michael und Vanous, Jan (1983) *Soviet Subsidization of Trade with Eastern Europe: a Soviet Perspective,* Berkeley: University of California, Institute of International Studies.

Martin, John M. und Romano, Anne T. (1992) *Multinational Crime,* London: Sage.

Maruyama, Masao (1963) *Thought and Behaviour in Modern Japanese Politics* (Ivan Morris, Hg.), London: Oxford University Press.

Massey, Douglas S. und Denton, Nancy A. (1993) *American Apartheid: Segregation and the Making of the Underclass,* Cambridge, MA: Harvard University Press.

–, Grow, Andrew und Shibuya, Kumiko (1994) „Migration, segregation and the geographic concentration of poverty", *American Sociological Review,* 59: 425-445.

Massey, Douglas S. u.a. (1999) *Worlds in Motion: Understanding International Migration at the End of the Millennium,* Oxford: Clarendon Press/Oxford University Press.

Medina Gallego, Carlos (1990) *Autodefensas, paramilitares y narcotráfico en Colombia,* Bogotá: Editorial Documentos Periodisticos.

Mejia Prieto, Jorge (1988) *México y el narcotráfico,* México, DF: Editorial Universo.

Menšikov, Stanislav M. (1990) *Die ökonomische Struktur des Sozialismus: Versuch einer Prognose,* Moskau: APN-Verlag

MERG (Macro-Economic Working Group) (1993) *Making Democracy Work: a Framework for Macroeconomic Policy in South Africa,* Belleville, South Africa: Center for Development Studies.

Mergenhagen, Paula (1996) „The prison population bomb", *American Demographics,* 18(2): 36-40.

Minc, Alain (1993) *Le nouveau Moyen Age,* Paris: Gallimard.

Miners, N.J. (1986) *The Government and Politics of Hong Kong,* Hong Kong: Oxford University Press.

Mingione, Enzo (1993) „The new urban poverty and the underclass: introduction", *International Journal of Urban and Regional Research,* 17(3).

– (Hg.) (1996) *Urban Poverty and the Underclass,* Oxford: Blackwell.

– und Morlicchio, Enrica (1993) „New forms of urban poverty in Italy: risk path models in the north and south", *International Journal of Urban and Regional Research,* 17(3).

Mishel, Lawrence, Bernstein, Jared und Schmitt, John (1996) *The State of Working America, 1996-97,* Washington, DC: Economic Policy Institute.

–, – und – (1999) *The State of Working America 1998/99,* Ithaca und London: Cornell University Press/Economic Policy Institute.

Mita Barrientos, Fernando (1994) *El fenómeno del narcotráfico,* La Paz: AVF Producciones.

Mitchell, R. Judson (1990) *Getting to the Top in the USSR: Cyclical Patterns in the Leadership Succession Process,* Stanford, CA: Hoover Institution Press.

Mollenkopf, John und Castells, Manuel (Hg.) (1991) *Dual City: Restructuring New York,* New York: Russell Sage.

Morris, Martina, Bernhardt, Annette und Handcock, Mark (1994) „Economic inequality: new methods for new trends", *American Sociological Review,* 59: 205-219.

Motyl, Alexander M. (1987) *Will the Non-Russians Rebel? State, Ethnicity, and Stability in the USSR,* Ithaca, NY: Cornell University Press.

Muntarbhorn, Vitit (1996) „International perspectives and child prostitution in Asia", in: US Department of Labor, Bureau of International Labor Affairs, *Forced Labor: the Prostitution of Children, Symposium Proceedings,* Washington, DC: US Department of Labor.

Murray, Diane H. (mit Qin Baogi) (1994) *The Origins of the Truandihui: the Chinese Triads in Legend and History,* Stanford: Stanford University Press.

Mushkat, Miron (1982) *The Making of the Hong Kong Administrative Class,* Hong Kong: University of Hong Kong, Centre for Asia Studies.

Nakame International Economic Research, Nikon Keizai Shimbun Inc. (Nikkei) und Global Business Network (1998) *Scenarios for the Future of Japan,* Emeryville, CA: Global Business Network.

Nathan, Andrew J. (1990) *China's Crisis: Dilemmas of Reform and Prospects for Democracy,* New York: Columbia University Press.

National Center for Adult Literacy (NCAL) (1995) „Adult literacy: the next generation", *NCAL Technical Report TR9501,* Philadelphia: NCAL.

Naughton, Barry (1995) *Growing Out of the Plan: Chinese Economic Reforms, 1978-1993,* New York: Cambridge University Press.

Navarro, Mireya (1997) „Russian submarine surfaces as player in drug world", *The New York Times,* 5. März: 1-8.

Navarro, Vicente (1996) „La unidad monetária, Maastricht y los Estados del Bienestar: notas comparativas de la UE con EEUU", Vortrag auf der Conference on New Social and Economic Policies for Europe, Fundación Sistema, Madrid, 18.-19. Dezember.

– (1997) *Neoliberalismo y estado del bienestar,* Madrid: Alianza Editorial.

Nekrich, Aleksandr M. (1978) *The Punished Peoples: the Deportation and Tragic Fate of Soviet Minorities at the End of the Second World War,* New York: W.W. Norton.

Neruda, Pablo (1985) *Das lyrische Werk Band 2,* München: Luchterhand Literaturverlag.

Network Wizards (1996) Internet Survey, July, download v.: http://www.nw.com.

Newbury, Catherine (1988) *The Cohesion of Oppression: Clientship and Ethnicity in Rwanda, 1860-1960,* New York: Columbia University Press.

Newman, Anabel, Lewis, Warren und Beverstock, Caroline (1993) „Prison literacy: implications for program and assessment policy", *NCAL Technical Report TR93-1,* Philadelphia: NCAL.

Noble, Kenneth (1992) „As the nation's economy collapses, Zaireans squirm under Mobutu's heel", *The New York Times,* 30. August: 14.

Nonaka, Ikujiro und Takeuchi, Hirotaka (1994) *The Knowledge-creating Company: How Japanese Companies Created the Dynamics of Innovation,* New York: Oxford University Press.

Norman, E. Herbert (1940) *Japan's Emergence as a Modern State: Political and Economic Problems of the Meiji Period,* New York: Institute of Pacific Relations.

Nove, Alec (1969/1982) *An Economic History of the USSR,* Harmondsworth: Penguin.

– (1977) *The Soviet Economic System,* London: Allen and Unwin.

Nzongola-Ntalaja, Georges (1993) *Nation-building and State-building in Africa,* SAPES Trust Occasional Paper Series no. 3, Harare: Sapes Books.

Odedra, Mayuri u.a. (1993) „Sub-Saharan Africa: a technological desert", *Communications of the ACM,* 36(2) 25-9.

OECD (1995) *Literacy, Economy and Society: Results of the First International Adult Literacy Survey,* Paris: OECD.

Ohmae, Kenichi (1990) *The Borderless World: Power and Strategy in the Interlinked Economy,* New York: Harper.

Ong, Aihwa und Nonini, Donald (Hg.) (1997) *The Cultural Politics of Modern Chinese Transnationalism,* London: Routledge.
Orstrom Moller, J. (1995) *The Future European Model: Economic Internationalization and Cultural Decentralization,* Westport, CT: Praeger.
Ovčinsky, Vladimir (1993) *Mafia: Neob-javlennyi vizit,* Moskau: INFRA-M.
Over, Mead (1990) „The economic impact of fatal adult illness from AIDS and other causes in Sub-Saharan Africa: a research proposal", Research Department of the World Bank, Washington, unveröffentlicht.
Overhalt, William H. (1993) *The Rise of China,* New York: W.W. Norton.
Ozawa, Terutomo (1996) „Japan: the macro-IDP, meso-IDPs and the technology development path (TDP)", in: John H. Dunning und Rajneesh Narula (Hg.), *Foreign Direct Investment and Governments: Catalysts for Economic Restructuring,* London: Routledge: S. 142-173.
Palazuelos, Enrique (1990) *La economía soviética mas alla de la perestroika,* Madrid: Ediciones de Ciencias Sociales.
Panos Institute (1992) *The Hidden Costs of AIDS: the Challenge to Development,* London: Panos Institute.
Pardo Segovia, Fernando (Hg.) (1995) *Narcotráfico: situación actual y perspectivas para la acción,* Lima: Centro Peruano de Relaciones Internacionales.
Parsons, Craig (1996) „Europe's identity crisis: European Union dilemmas in the 1990s", Berkeley: University of California, Center for Western European Studies, Forschungspapier.
Pasquini, Gabriel und De Miguel, Eduardo (1995) *Blanca y radiante: mafias, poder y narcotráfico en la Argentina,* Buenos Aires: Planeta.
Pease, Ken (1994) „Cross-national imprisonment rates: limitations of method and possible conclusions", *British Journal of Criminology,* 34, Sonderausgabe.
Pedrazzini, Yves und Sanchez, Magaly (1996) *Malandros, bandes et enfants de la rue: la culture d'urgence dans la métropole latino-americaine,* Paris: Fondation Charles Leopold Mayer pour le Progrès de l'Homme.
Perez Gomez, V. (1988) *Historia de la drogadicción en Colombia,* Bogotá: TM Editores/Uniandes.
Peterson, G. und Harrell, Adele V. (Hg.) (1993) *Drugs, Crime, and Social Isolation,* Washington, DC: The Urban Institute Press.
Pfeffer, Max (1994) „Low-wage employment and ghetto poverty: a comparison of African-American and Cambodian day-haul farm workers in Philadelphia", *Social Problems,* 41(1).
Philipson, Thomas und Posner, Richard A. (1995) „The microeconomics of the AIDS epidemic in Africa", *Population and Development Review,* 21(4): 835-48.
Pinkus, Benjamin (1988) *The Jews of the Soviet Union: the History of a National Minority,* Cambridge: Cambridge University Press.
Pipes, Richard (1954) *The Formation of the Soviet Union: Communism and Nationalism, 1917-23,* Cambridge, MA: Harvard University Press.
– (1991) *The Russian Revolution,* New York: Alfred Knopf.
Pisani-Ferry, Jean (1995) „Variable geometry in Europe", Vortrag auf der Conference on Reshaping the Transatlantic Partnership: an Agenda for the Next Ten Years, Brügge: The College of Europe, 20.-22. März.
Plotnick, Robert D. (1990) „Determinants of teenage out-of-wedlock childbearing", *Journal of Marriage and the Family,* 52: 735-746.
Po, Lan-chih (i.E.) „Economic reform, housing privatization and changing life ofwomen in China", unveröffentl. Diss., Berkeley: University of California, Department of City and Regional Planning.
Podlesskich, Georgyi und Terešonok, Andrey (1994) *Vory V Zakone: Brosok k Vlasti,* Moskau: Chudožestvennaja Literatura.
Portes, Alejandro (Hg.) (1995) „The economic sociology of immigration: essays on networks, ethnicity and entrepreneurship", New York: Russell Sage.

– und Sensenbrenner, Julia (1993) „Embeddedness and immigration: notes on the social determinants of economic action", *American Journal of Sociology,* 98(6): 1320-1350.

–, Castells, Manuel und Benton, Lauren (Hg.) (1989) *The Informal Economy: Studies on Advanced and Less Developed Countries,* Baltimore: The Johns Hopkins University Press.

Potter, Gary W. (1994) *Criminal Organizations: Vice, Racketeering and Politics in an American City,* Prospect Heights, 111: Waveland Press.

Praaning, R. und Perry, C. (Hg.) (1989) *East-West Relations in the 1990s: Politics and Technology,* Dordrecht/Boston: M. Nijhoff.

Press, Robert M. (1993) „Some allege Mobutu is stirring up deadly tribal warfare in Zaire", *Christian Science Monitor,* 17. August: 1.

Pritchett, Lant (1995) *Divergence, Big Time,* Washington, DC: The World Bank, Policy Forschungsarbeitspapier, no. 1522.

Prolongeau, Hubert (1992) *La vie quotidienne en Colombie au temps du cartel de Medellin,* Paris: Hachette.

Psacharopoulos, George u.a. (1995) „Poverty and inequality in Latin America during the 1980s", *Review of Income and Wealth,* 41(3): 245-63.

Purcell, Randall P. (Hg.) (1989) *The Newly Industrializing Countries in a World Economy,* Boulder, Colo.: Lynne Rienner.

Ravenhill, John (1993) „A second decade of adjustment: greater complexity, greater uncertainty", in: Callaghy und Ravenhill (Hg.).

Reed, Deborah (1999) *California's Rising Income Inequality: Causes and Concerns,* San Francisco: Public Policy Institute of California.

Reischauer, Edwin O. (1988) *The Japanese Today: Change and Continuity,* Cambridge, MA: The Belknap Press of Harvard University Press.

Remnick, David (1993) *Lenin's Tomb: the Last Days of the Soviet Empire,* New York: Random House.

Renard, Ronald D. (1996) *The Burmese Connection: Illegal Drugs and the Making of the Golden Triangle,* Boulder, Colo.: Lynne Rienner.

Rezun, Miron (Hg.) (1992) *Nationalism and the Breakup of an Empire: Russia and its Periphery,* Westport, CT: Praeger.

Riddell, Barry (1995) „The World Bank speaks to Africa yet again", *Canadian Journal of African Studies,* 29: 2.

Riddell, Roger (1993) „The future of the manufacturing sector in Sub-Saharan Africa", in: Callaghy und Ravenhill (Hg.), S. 215-247.

Riley, Thyra (1993) „Characteristics of and constraints facing black businesses in South Africa: survey results", Arbeitspapier für die Weltbank Vortrag auf dem Seminar on Small and Medium Business Enterprises, Johannesburg, 1.-2. Juni.

Rizzini, Irene (Hg.) (1994) *Children in Brazil Today: a Challenge for the Third Millennium,* Rio de Janeiro: Editora Universitaria Santa Ursula.

Roberts, Albert E. (1994) *Critical Issues in Crime and Justice,* Thousand Oaks, CA: Sage.

Robinson, Thomas W. (Hg.) (1991) *Democracy and Development in East Asia,* Washington, DC: The American Enterprise Institute Press.

Rodgers, Gerry, Gore, Charles und Figueiredo, Jose B. (Hg.) (1995) *Social Exclusion: Rhetoric, Reality, Responses,* Genf: International Institute of Labour Studies.

Rodgers, Harreil (1996) *Poor Women, Poor Children,* Armonk, NY: M.E. Sharpe.

Rogerson, Christian (1993) „Industrial subcontracting in South Africa: a research review", Papier für das PWV Economic Development Forum, Juni.

Rohwer, Jim (1995) *Asia Rising,* New York: Simon and Schuster.

Room, G. (1992) *Observatory on National Policies to Combat Social Exclusion: Second Annual Report,* Brüssel: Kommission der Europäischen Gemeinschaft.

Roth, Jürgen und Frey, Marc (1995) *Europa en las garras de la mafia,* Barcelona: Anaya und Mario Muchnik (Erstveröff. in Deutsch, 1992).

Rowen, H.S. und Wolf Jr., Charles, (Hg.) (1990) *The Impoverished Superpower,* San Francisco: Institute for Contemporary Studies.

Ruggie, John G. (1993) „Territoriality and beyond: problematizing modernity in international relations", *International Organization,* 47(1): 139-74.

Sachs, Jeffrey (1998) „The IMF and the Asian flu", *The American Prospect,* März/April: 16-21.

Sachwald, Fredrique (1994) *European Integration and Competitiveness: Acquisitions and Alliances in Industry,* Aldershot: Edward Elgar.

Sakaiya, Taichi (1991) *The Knowledge-Value Revolution: or a History of the Future,* Tokyo: Kodansha International.

Salazar, Alonso und Jaramillo, Ana Maria (1992) *Medellin: las subculturas del narcotráfico,* Bogotá: CINEP.

Salmin, A.M. (1992) *SNG: Sostojanie i perspektivy razvitija,* Moskau: *Gorbachev Fund.*

Sanchez Jankowski, Martin (1991) *Islands in the Street,* Berkeley: University of California Press.

Sandbrook, Richard (1985) *The Politics of Africa's Economic Stagnation,* Cambridge: Cambridge University Press.

Sandholtz, Wayne u.a. (1992) *The Highest Stakes: Economic Foundations of National Security,* New York: BRIE/Oxford University Press.

Santino, Umberto und La Fiura, Giovanni (1990) *L'impresa mafiosa: dall'Italia agli Stau Uniti,* Mailand: Franco Angeli.

Sapir, J. (1987) *Le Système militaire soviétique,* Paris: La Découverte.

Sarkar, Prabirjit und Singer, H.W. (1991) „Manufactured exports of developing countries and their terms of trade since 1965", *World Development,* 19(4): 333-40.

Sarmiento, Eduardo (1990) „Economía del narcotráfico", *Desarrollo y Sociedad,* 26. September: 11-40.

Sarmiento, Luís Fernando (1991) *Cocaina and Co.: un mercado ilegal por dentro,* Bogotá: Universidad Nacional de Colombia, Instituto de Estudios Politicos y Relaciones Internacionales.

Savona, Ernesto (Hg.) (1993) *Mafia Issues,* Mailand: International Scientific and Professional Advisory Council of the United Nations Crime Prevention and Criminal Justice Program.

Savvatejeva, Irina (1994) „Kontrrazvedka sobiraetsja proverjat' činovnikov: dlja čego?", *Izvestija,* 28. April: 2.

Scherer, John L. und Jakobson, Michael (1993) „The collectivisation of agriculture and the Soviet prison camp System", *Europe-Asia Studies,* 45(3): 533-46.

Schiffer, Jonathan (1983) *Anatomy of a Laissez-faire Government: the Hong Kong Growth Model Reconsidered,* Hong Kong: University of Hong Kong, Centre for Urban Studies.

Schiraldi, Vincent (1994) *The Undue Influence of California's Prison Guards Union: California's Correctional-Industrial Complex,* San Francisco: Center on Juvenile and Criminal Justice, Bericht, Oktober.

Schlesinger, Jacob M. (1997) *Shadow Shoguns: the Rise and Fall of Japan's Postwar Political Machine,* New York: Simon and Schuster.

Scott, Ian (1987) „Policy making in a turbulent environment: the case of Hong Kong", Hong Kong: University of Hong Kong, Department of Political Science, Forschungsbericht.

– und Burns, John P. (Hg.) (1984) *The Hong Kong Civil Service,* Hong Kong: Oxford University Press.

Scott, Peter D. und Marshall, Jonathan (1991) *Cocaine Politics: Drugs, Armies and the CIA in Central America,* Berkeley: University of California Press.

Sedlak, Andrea und Broadhurst, Diane (1996) *Executive Summary of the Third National Incidence Study of Child Abuse and Neglect,* Washington, DC: US Department of Health and Human Services.

Seki, Kiyohide (1987) „Population and family policy: measuring the level of living in the country of familism", Tokyo: Nihon University, Population Research Institute, Research Paper Series no. 25.

Seymour, Christopher (1996) *Yakuza Diary: Doing Time in the Japanese Underworld,* New York: Atlantic Monthly Press.

Shane, Scott (1994) *Dismantling Utopia: How Information Ended the Soviet Union,* Chicago: Ivan R. Dee.
Shargorodsky, Sergei (1995) „In troubled Russia, contract killings are a way of life", *San Francisco Chronicle,* 17. November.
Shaw, Denis J.B. (1993) „Geographical and historical observations on the future of a federal Russia", *Post-Soviet Geography,* 34(8).
Shinotsuka, Eiko (1994) „Women workers in Japan: past, present and future", in: Gelb und Lief-Palley (Hg.): 95-119.
Shoji, Kokichi (1991) „Rising neo-nationalism in contemporary Japan – changing social consciousness of the Japanese people and its implications for world society", Tokyo: University of Tokyo, Department of Sociology, Forschungspapier.
– (1994) „Sociology", in: *An Introductory Bibliography for Japanese Studies,* Vol. 9, Teil l, Tokyo: The Japan Foundation: S. 150-216.
– (1995) „Small changes make big change: changing Japanese life-style and political change", Tokyo: University of Tokyo, Department of Sociology, Forschungspapier.
Sigur, Christopher J. (1994) Continuity and Change in Contemporary Korea, New York: Carnegie Council on Ethics and International Affairs.
Silver, Hilary (1993) „National conceptions of the new urban poverty: social structural change in Britain, France and the United States", *International Journal of Urban and Regional Research,* 17(3): September.
Simon, David (1995) „Debt, democracy and development: Sub-Saharan Africa in the 1990s", in: Simon u.a. (Hg.).
–, van Spengen, Wim, Dixon, Chris und Naarman, Anders (Hg.) (1995) *Structurally Adjusted Africa: Poverty, Debt and Basic Needs,* London: Pluto Press.
Simon, Gerhard (1991) *Nationalism and Policy toward the Nationalities in the Soviet Union: from Totalitarian Dictatorship toward Post-Stalinist Society,* Boulder, Colo.: Westview Press.
Simpósio Internacional (1991) *El impacto del capital financiero del narcotráfico en América Latina,* La Paz: Centro para el estudio de las relaciones internacionales y el desarrollo.
Singh, Tejpal (1982) *The Soviet Federal State: Theory, Formation and Development,* Delhi: Sterling.
Sit, Victor (1982) „Dynamism in small industries: the case of Hong Kong", *Asian Survey,* 22: 399-409.
Skezely, Miguel (1995) „Poverty in Mexico during adjustment", *Review of Income and Wealth,* 41(3): 331-348.
Smaryl, O.I. (1984) „New technology and the Soviet predicament", *Survey,* 28(1): 109-11.
Smeeding, Timothy (1997) „Financial poverty in developed countries: the evidence from LIS", Luxembourg Income Study Arbeitspapier, no. 155.
Smith, Gordon B. (1992) *Soviet Politics: Struggling with Change,* New York: St Martin's Press.
Smith, Patrick (1997) *Japan: a Reinterpretation,* New York: Pantheon.
Smolowe, Jill (1994) „Lock 'em up and throw away the key", *Time,* 7. Februar: 55-59.
South African Government (1996a) „Restructuring the South African labour market", Bericht der Presidential Commission to Investigate Labour Market Policy.
– (1996b) „Employment and occupational equity: policy proposals", Department of Labour Green Paper.
Souza Minayo, Maria Cecilia u.a. (1999) *Fala, Galera: Juventude, Violencia e Cidadania na cidade do Rio de Janeiro,* Rio de Janeiro: Garamond/UNESCO.
Specter, Michael (1996) „Cemetery bomb in Moscow kills 13 at ceremony", *The New York Times,* 11. November: A1-A4.
Spence, Jonathan D. (1990) *The Search for Modern China,* New York: Norton.
Staebler, Martin (1996) „Tourism and children in prostitution", Papier für den World Congress against Commercial Sexual Exploitation of Children, Stockholm, 27.-31. August.
Steinberg, Dimitri (1991) *Soviet Defense Burden: Estimating Hidden Defense Costs,* Washington, DC: Intelligence Decision Systems, Forschungsbericht.

Sterling, Claire (1994) *Thieves' World: the Threat of the New Global Network of Organized Crime,* New York: Simon and Schuster.

Stiglitz, Joseph (1998) „Sound finance and sustainable development in Asia" (http://www.worldbank. org/html/extdr/extme/jsso031298.html).

Strong, Simon (1995) *Whitewash: Pablo Escobar and the Cocaine Wars,* London: Macmillan.

Sung, Yun-wing (1994) „Hong Kong and economic integration of the China circle", Vortrag auf der China Circle Conference organisiert von dem Institute of Global Cooperation and Conflict, University of California, Hong Kong: 8.-11. Dezember.

Suny, Ronald Grigor (1993) *The Revenge of the Past: Nationalism, Revolution, and the Collapse of the Soviet Union,* Stanford: Stanford University Press.

Survey (1984) „The Novosibirsk Report", *Survey* 28(1): 88-108 (englische Übers.).

Susser, Ida (1991) „The Separation of mothers and children", in: John Mollenkopf und Manuel Castells (Hg.), *Dual City: Restructuring New York,* New York: Russell Sage: S. 207-24.

– (1993) „Creating family forms: the exclusion of men and teenage boys from families in the New York City shelter System, 1987-1991", *Critique of Anthropology,* 13(3): 267-85.

– (1995) „Fear and violence in dislocated communities", Vortrag auf dem 94th Annual Meeting of the American Anthropological Association, Washington, DC.

– (1996) „The construction of poverty and homelessness in US cities", *Annual Reviews of Anthropology,* 25: 411-435.

– und Kreniske, John (1987) „The welfare trap: a public policy for deprivation" in: Leith Mullings (Hg.), *Cities of the United States,* New York: Columbia University Press, S. 51-68.

Svedberg, Peter (1993) „Trade compression and economic decline in Sub-Saharan Africa", in: Magnus Blomstrom und Mats Lundahl (Hg.), *Economic Crisis in Africa: Perspectives on Policy Responses,* Routledge: London und New York, S. 21-40.

Szelenyi, Ivan (1982) „The intelligentsia in the class structure of state-socialist societies", in Michael Burawoy and Theda Skocpol (Hg.), *Marxist Inquiries,* Sonderausgabe des *American Journal of Sociology,* 88: 287-327.

Taguchi, Fukuji und Kato, Tetsuro (1985) „Marxist debates on the state in post-war Japan", *Hosei Ronsyu* (Journal of Law and Political Science), 105: 1-25.

Taibo, Carlos (1993a) „Las fuerzas armadas en la URSS", unveröffentl. Diss., Madrid: Universidad Autónoma de Madrid.

– (1993b) *La Unión Soviética (1917-1991),* Madrid: Editorial Sintesis.

Tarasulo, Isaav T. (Hg.) (1989) *Gorbachev and Glasnost: Viewpoints from the Soviet Press,* Wilmington, Delaware: Scholarly Resources Books.

Tevera, Dan (1995) „The medicine that might kill the patient: structural adjustment and urban poverty in Zimbabwe", in: David Simon, Wim van Spengen, Chris Dixon und Anders Naarman (Hg.), *Structurally Adjusted Africa: Poverty, Debt and Basic Needs,* London: Pluto Press.

Thalheim, Karl (1986) *Stagnation or Change in the Communist Economies?* (mit Anmerkung von Gregory Grossman), London: Center for Research in Communist Economies.

The Current Digest [of Post-Soviet press] (1994) „Crime, corruption pose political, economic threat", *Current Digest,* 45(4): 14-16.

The Economist (1993) „Let down again: a survey of Nigeria", Sonderbeilage, 21. August.

– (1995) „Coming of age: a survey of South Africa", Sonderbeilage, 20. Mai.

– (1996a) „Africa for the Africans: a survey of Sub-Saharan Africa", Sonderbeilage, 7. September.

– (1996b) „Belgium: crony state", 26. Oktober: 61-62.

– (1996c) „Death shadows Africa's Great Lakes", 19. Oktober: 45-47.

– (1997) „A survey of Japanese finance: a whopping explosion", Sonderbericht 27. Juni: 1-18.

– (1998) „Silicon Valley, PRC", 27. Juni: 64-66.

– (1999a) „Russian organised crime: crime without punishment", 28. August: 17-19.

– (1999b) „Europe's borders", 16. Oktober: 26-28.

– (1999c) „A survey of Europe: a work in progress", 23. Oktober.

Thomas, John und Kruse-Vaucienne, Ursula (Hg.) (1977) *Soviet Science and Technology,* Washington, DC National Science Foundation.

Thompson, Grahame (1998) *Economic Dynamism in the Asian Pacific,* London: Routledge.

Thoumi, Francisco (1994) *Economía política y narcotráfico,* Bogotá: TM Editores.

Timmer, Doug A., Eitzen, D. Stanley und Talley, Kathryn (1994) *Paths to Homelessness: Extreme Poverty and the Urban Housing Crisis,* Boulder, Colo.: Westview Press.

Tipton, Frank B. (1998) *The Rise of Asia: Economies, Society, and Politics in Contemporary Asia,* Honolulu: University of Hawaii Press.

Tokatlian, Juan G. und Bagley, Bruce (Hg.) (1990) *Economía política del narcotráfico,* Bogotá: CEREC/Uniandes.

Tonry, Michael (1994) „Racial disproportion in US prisons", *British Journal of Criminology,* 34, Sonderausgabe.

– (1995) *Malign Neglect: Race, Crime, and Punishment in America,* New York: Oxford University Press.

Totani, Osamu und Yatazawa, Noriko (Hg.) (1990) *[The Changing Family: in Japanese],* Tokyo: University of Tokyo Press.

Touraine, Alain (1995) „De la globalización al policentrismo", *El País,* 24. Juli.

– (1996a) „La deconstrucción europea", *El País,* 4. April.

– (1996b) „La globalización como ideología", *El País,* 16. September.

– (1996c) „Detrás de la moneda: la economía", *El País,* 22. Dezember.

– (1997) *Pourrons-nous vivre ensemble? Égaux et différents,* Paris: Fayard.

– u.a. (1996) *Le grand refus: reflexions sur la grève de décembre 1995,* Paris: Fayard.

Townsend, Peter (1993) *The International Analysis of Poverty,* London: Harvester/Wheatsheaf.

Tragardh, Lars (1996) „European integration and the question of national sovereignty: Germany and Sweden, 1945-1995", Vortrag am Center for Slavic Studies/Center for German and European Studies Symposium, University of California Berkeley, 22. November.

Tranfaglia, Nicola (1992) *Mafia, politica e affari: 1943-91,* Rom: Editori Laterza.

Trockij, Lev D. (1967): *Geschichte der russischen Revolution,* 17.-21. Tsd. [Frankfurt am Main]/Berlin: S. Fischer.

Trueheart, Charles (1996) „String of crimes shocks Belgium: national pride damaged by pedophilia, murder, coverups", *Washington Post,* 25. September.

Tsao, Yuan (1986) „Sources of growth accounting for the Singapore economy", in: Lim Chong-Yah und Peter J. Lloyd (Hg.), *Singapore: Resources and Growth,* Singapore: Oxford University Press.

Tsuneyoshi, Ryoko (1994) „Small groups in Japanese elementary school classrooms: comparisons with the United States", *Comparative Education,* 30(2): 115-129.

Tsuru, Shigeto (1993) *Japan's Capitalism: Creative Defeat and Beyond,* Cambridge: Cambridge University Press.

Tsurumi, Kazuko (1970) *Social Change and the Individual: Japan Before and After Defeat in World War II,* Princeton, NJ: Princeton University Press.

Turbine, Fidel (1992) *Violencia y narcotráfico en Amazonia,* Lima: Centro Amazonico de antropología y aplicación practica.

Ueno, Chizuko (1987) „The position of Japanese women reconsidered", *Current Anthropology,* 28(4): S75-S82.

UNICEF (1996) *The State of the World's Children 1996,* Oxford: Oxford University Press.

United Nations, Department for Economic and Social Information and Policy Analysis (1996) *World Economic and Social Survey 1996: Trends and Policies in the World Economy,* New York: United Nations.

United Nations Development Programme (UNDP) (1996) *Human Development Report 1996,* New York: Oxford University Press.

– (1997) *Human Development Report 1997,* New York: Oxford University Press.

– (1998) *Human Development Report 1998,* New York: Oxford University Press.
– (1999) *Human Development Report 1999,* New York: Oxford University Press.
United Nations Development Programme – Chile (1998) *El desarrollo humano en Chile,* Santiago de Chile: Naciones Unidas.
United Nations Economic and Social Council (UN-ESC) (1994) „Problems and dangers posed by organized transnational crime in the various regions of the world", Hintergrunddokument für die World Ministerial Conference on Organized Transnational Crime, Neapel, 21.-23. November, Dokument E/CONF.88.2.
US Department of Defense (1989) *Critical Technologies Plan,* Washington, DC: Department of Defense.
US Department of Justice (1996) „Probation and parole population reaches almost 3.8 million", Washington, DC: US Department of Justice press release, 30. Juni.
US Department of Labor (1994) *By the Sweat and Toil of Children: Vol. I. The Use of Child Labor in US Manufactured and Mined Imports,* Washington, DC: US Department of Labour.
– (1995) *By the Sweat and Toil of Children: Vol. II. The Use of Child Labor in Agricultural Imports and Forced and Bonded Child Labor,* Washington, DC: US Department of Labour.
US News & World Report (1988) „Red Star Rising", S. 48-53.
Van Kempen, Ronald und Marcuse, Peter (1996) *The New Spatial Order of Cities,* New York: Columbia University Press.
Van Regemorter, Jean-Louis (1990) *D'une perestroika à l'autre: l'évolution économique de la Russie de 1860 à nos jours,* Paris: SEDES, Les Cours de la Sorbonne.
Van Wolferen, Karel (1989) *The Enigma of Japanese Power. People and Politics in a Stateless Nation,* New York: Alfred Knopf.
Veen, Hans-Joachim (Hg.) (1984) *From Brezhnev to Gorbachev. Domestic Affairs and Soviet Foreign Policy,* Leamington Spa: Berg.
Velis, Jean-Pierre (1990) *Through a Glass Darkly: Functional Illiteracy in Industrialized Countries,* Paris: UNESCO.
Veloza, Gustavo (1988) *La guerra entre los carteles del narcotráfico,* Bogotá: G.S. Editores.
Venezky, Richard (1996) „Literacy assessment in the Service of literacy policy", *NCAL Technical Report TR95-02,* Philadelphia: National Center for Adult Literacy.
Verdery, Katherine (1991) "Theorizing Socialism: a prologue to the 'transition'", *American Ethnologist,* August, S. 419-39.
Volin, Lazar (1970) *A Century of Russian Agriculture: from Alexander II to Khrushchev,* Cambridge, MA: Harvard University Press.
Voščhanov, Pavel (1995) „Mafia godfathers become fathers of the nation", *Konsomolskaya Pravda* (englische Version in: *Business World of Russia Weekly,* 18/169, Mai: 13-14).
de Waal, Alex (1996) „Contemporary warfare in Africa: changing context, changing strategies", *IDS Bulletin,* 27(3): 6-16.
Wacquant, Loïc (1993) „Urban outcasts: Stigma and division in the black American ghetto and the French urban periphery", *International Journal of Urban and Regional Research,* 17(3): September.
– (1996) „The rise of advanced marginality: notes on its nature and implications", *Acta Sociologica,* 12: 121-39.
Waever, Ole (1995) „Identity, integration, and security: solving the sovereignty puzzle in EU studies", *Journal of International Affairs,* 48(2): 1-43.
Wagner, Daniel (1992) „World literacy: research and policy in the EFA decade", *Annals of the American Academy of Political and Social Sciences,* 520, März 1992.
Waiselfisz, Julio Jacobo (1999) *Juventude, Valencia e Cidadania: Os Joves de Brasilia,* São Paulo: Cortez Editora/UNESCO.
Wakabayashi, Hideki (1994) *Japan's Revolution in Wireless Communications,* Tokyo: Nomura Research Institute.

Walder, Andrew G. (1986) *Communist Neo-traditionalism: Work and Authority in Chinese Industry,* Berkeley: University of California Press.

– (1992) *Popular Protest in 1989: Democracy Movement,* Hong Kong: Chinese University Press.

– (1995) „Local governments and industrial firms: an organizational analysis of China's transitional economy", *American Journal of Sociology,* 101(2): 263-301.

– und Gong, Xiaoxia (Hg.) (1993) „China's great terror: new documentation on the Cultural Revolution", *Chinese Sociology and Anthropology,* 26(1), Sonderausgabe.

Walker, Martin (1986) *The Waking Giant: Gorbachev's Russia,* New York: Pantheon.

Wallace, Bill (1996) „Warning on Russian crime rings", *San Francisco Chronicle,* 18. März.

Wallace, Charles P. (1995) „The Pacific paradox: Islands of despair", *Los Angeles Times,* 16. März: A1-A30.

Wa Mutharika, Bingu (1995) *One Africa, One Destiny: towards Democracy, Good Governance and Development,* Harare: Sapes.

Watanabe, Osamu (1996) „Le néo-nationalisme japonais", *Perspectives Asiatiques,* l: 19-39.

Watanuki, Joji (1990) „The development of information technology and its impact on Japanese society", Tokyo: Sophia University, Institute of International Relations, Forschungspapier.

Weiss, Herbert (1995) „Zaire: collapsed society, surviving states, future polity", in: I. William Zartman (Hg.), *Collapsed States: the Disintegration and Restoration of Legitimate Authority,* Boulder, Colo.: Lynne Rienner.

Weitzman, Martin L. (1970) „Soviet postwar economic growth and capital-labor Substitution", *American Economic Review,* 60(4): 676-92.

Welch, Michael (1994) „Jail overcrowding: social sanitation and the warehousing of the urban underclass", in: Roberts (Hg.).

– (1995) „Race and social class in the examination of punishment", in: Lynch und Patterson (Hg.).

West, Cornel (1993) *Race Matters,* Boston: Beacon Press.

Wheatcroft, S.G., Davies, R.W. und Cooper, J.M. (Hg.) (1986) „Soviet industrialization reconsidered: some preliminary conclusions about economic development between 1926 and 1941", *Economic History Review,* 39, 2.

White, Gordon (Hg.) (1988) *Developmental States in East Asia,* New York: St. Martin's Press.

– (Hg.) (1991) *The Chinese State in the Era of Economic Reform,* Armonk, NY: M.E. Sharpe.

Wieviorka, Michel (1993) *La démocratie à l'épreuve: nationalisme, populisme, ethnicité,* Paris: La Découverte.

Wilson, William Julius (1987) *The Truly Disadvantaged: the Inner City, the Underclass, and Public Policy,* Chicago: University of Chicago Press.

– (1996) *When Work Disappears: the World of the New Urban Poor,* New York: Alfred Knopf.

Winckler, Edwin A. und Greenhaigh, Susan (Hg.) (1988) *Contending Approaches to the Political Economy of Taiwan,* Armonk, NY: M.E. Sharpe.

Woherem, Evans (1994) *Information Technology in Africa: Challenges and Opportunities,* Nairobi: African Centre for Technology Studies Press.

Wolcott, P. (1993) „Soviet advanced technology: the case of high-performance computing", unveröffentl. Diss., Tucson: University of Arizona.

– und Goodman, S.E. (1993) „Under the stress of reform: high-performance computing in the Soviet Union", *Communications of the ACM,* 36(10): 26.

Wolff, Edward N. (1994) „Trends in household wealth in the United States: 1962-83 and 1983-89", *Review of Income and Wealth,* 40(2).

Wong, Christine u.a. (1995) *Fiscal Management and Economic Reform in the People's Republic of China,* Hong Kong: Oxford University Press.

World Congress (1996) „Documents of the World Congress against the Commercial Sexual Exploitation of Children", Stockholm, 27.-31. August, download v.: http://www.childhub.ch/webpub/csechome/21ae.htm.

Wright, Martin (Hg.) (1989) *Soviet Union: the Challenge of Change,* Harlow, Essex: Longman.
Yabuki, Susumu (1995) *China's New Political Economy: the Giant Awakes,* Boulder, Colo.: Westview Press.
Yang, Mayfair Meilui (1994) *Gifts, Favors, and Banquets: the Art of Social Relationships in China,* Ithaca, NY: Cornell University Press.
Yansane, Aguibou Y. (Hg.) (1996) *Development Strategies in Africa: Current Economic, Socio-political, and Institutional Trends and Issues,* Westport, CT: Greenwood Press.
Yazawa, Shujiro (1997) *Japanese Social Movements,* New York: Aldeen.
Yazawa, Sumiko (1995) „Political participation of Japanese women and local self-government – its trend and review", Tokyo: Tokyo Women's Christian University, Forschungspapier.
– u.a. (1992) *„Toshi josei to seiji sanka no new wave, kanagawa network undo no chosakara"* [Neue Welle politischer Teilhabe von Frauen in der Stadt: Forschungsergebnisse der Kanagawa-Netzwerkbewegung], in *Yokohama Shiritsu daigaku keizai kenkyujo „keizai to boeki",* no. 161 (nach der Zusammenfassung mit Zitaten von Yazawa 1995).
Yoshihara, Kunio (1988) *The Rise of Ersatz Capitalism in South East Asia,* Singapore: Oxford University Press.
Yoshino, K. (1992) *Cultural Nationalism,* London: Routledge.
Youngson, A.J. (1982) *Hong Kong: Economic Growth and Policy,* Hong Kong: Oxford University Press.
Yu, Fulai und Li, Si-Ming (1985) „The welfare cost of Hong Kong's public housing program", *Urban Studies,* 11: 133-140.
Zartman, I. William (Hg.) (1995) *Collapsed States: the Disintegration and Restoration of Legitimate Authority,* Boulder, Colo.: Lynne Rienner.
Zimring, Franklin und Hawkins, Gordon (1994) „The growth of imprisonment in California", *British Journal of Criminology,* 34, Sonderausgabe.
Zysman, John und Weber, Stephen (1997) „Economy and security in the new European political architecture", Berkeley: University of California, Berkeley Roundtable on the International Economy, Forschungspapier.
–, Doherty, Eileen und Schwartz, Andrew (1996) „Tales from the 'global economy': cross-national production networks and the reorganization of the European economy", Berkeley: University of California, Berkeley Roundtable on the International Economy, Arbeitspapier.

Register

B

C

D

E

F

G

H

I

J

K

L

M

N

O

P

Q

R

S

T

V

W

X

Y

Z